Die sieben Dämonen. Rätselhaftes Ägypten, voller Exotik, Magie und seit Jahrtausenden im Wüstensand verborgener Geheimnisse. Nicht nur die uralte Kultur und Geschichte dieses Landes übt eine ungeheure Faszination aus, sondern fast noch mehr das Bemühen der Archäologen, der Wüste ihre Geheimnisse zu entreißen.

Mark Davison, ein junger Ägyptologe, kann es nicht fassen: Die zugesicherte Professorenstelle wird ihm in letzter Sekunde doch entzogen. Seine Zukunft ist ungewiß. In dieser Situation wird ihm das verlockende Angebot gemacht, eine Ausgrabung in Ägypten zu leiten: Mark Davison erhält das Tagebuch eines Archäologen namens Ramsgate, der genau hundert Jahre zuvor eine Ausgrabung in Tell el-Amarna durchgeführt hatte. Das Tagebuch berichtet von unheimlichen, unglaublich erscheinenden Begebenheiten und bricht an der Stelle ab, als Ramsgate gerade fündig geworden war. Mark ist durch den Inhalt des Tagebuchs wie elektrisiert. Aber was ihn dann in Ägypten erwartet, hätte er sich nicht im Traum vorgestellt.

Der Fluch der Schriftrollen. In das geordnete Dasein des jungen Paläographen Benjamin Messer platzt eine Briefsendung aus Israel. Sein alter Professor, Dr. Weatherby, ist dort bei Ausgrabungen auf einen sensationellen Fund gestoßen: Nahezu unversehrte Handschriften, seit fast 2000 Jahren in Tonkrügen verborgen. Bens Aufgabe ist es, den Text der Handschriften zu übersetzen.

Zu seiner Überraschung handelt es sich bei den Texten nicht um religiöse Aufzeichnungen, wie etwa bei den berühmten Qumran-Rollen, sondern um die Niederschrift einer Art Lebensbeichte. David Ben Jona, ein jüdischer Bewohner Palästinas, hat sie im ersten Jahrhundert, wenige Jahrzehnte nach Christi Tod, für seinen Sohn verfaßt. Binnen kurzem ist Benjamin Messer von deren Inhalt wie verhext... Die Texte beginnen mit einem »Fluch des Mose« gegen alle, die sich die Schriften unrechtmäßig aneignen.

Barbara Wood, 1947 in England geboren, wuchs in Kalifornien auf. Sie arbeitete nach ihrem Studium zehn Jahre lang als OP-Schwester in einer neurochirurgischen Klinik, bevor sie ihr Hobby zum Beruf machte und Schriftstellerin wurde. Inzwischen hat sie mehrere sehr erfolgreiche Romane geschrieben, die bei ihren deutschen Verlagen Wolfgang Krüger und Fischer Taschenbuch Verlag erscheinen. Barbara Wood bereist alle Länder, in denen ihre Romane spielen, um die geschichtlichen Details zu recherchieren. Sie lebt in Kalifornien.

Im Fischer Taschenbuch Verlag ist das Gesamtwerk von Barbara Wood erschienen: ›Seelenfeuer‹ (Bd. 8367), ›Herzflimmern‹ (Bd. 8368), ›Sturmjahre‹ (Bd. 8369), ›Lockruf der Vergangenheit‹ (Bd. 10196), ›Bitteres Geheimnis‹ (Bd. 10623), ›Rote Sonne, schwarzes Land‹ (Bd. 10897), ›Haus der Erinnerungen‹ (Bd. 10974), ›Traumzeit‹ (Bd. 11929), ›Der Fluch der Schriftrollen‹ (Bd. 12031), ›Spiel des Schicksals‹ (Bd. 12032), ›Die sieben Dämonen‹ (Bd. 12147), ›Nachtzug‹ (Bd. 12148), ›Das Paradies‹ (Bd. 12466). Ihr neuester Roman ›Die Prophetin‹ ist im Krüger Verlag erschienen.

Barbara Wood
Die sieben Dämonen
Der Fluch
der Schriftrollen

Zwei Romane

Aus dem Amerikanischen
von Xénia Gharbi

Fischer Taschenbuch Verlag

Limitierte Sonderausgabe
Veröffentlicht im Fischer Taschenbuch Verlag GmbH,
Frankfurt am Main, Mai 1996

© Fischer Taschenbuch Verlag GmbH, Frankfurt am Main 1995
Die amerikanische Originalausgabe von ›Die sieben Dämonen‹
erschien unter dem Titel:
›The Watch Gods‹ bei Dell Publishing Co., Inc., New York 1981
© 1981 by Barbara Wood
Die Erstveröffentlichung erschien 1981 in Großbritannien
bei New English Library

© Fischer Taschenbuch Verlag GmbH, Frankfurt am Main 1994
Die amerikanische Originalausgabe von ›Der Fluch der Schriftrollen‹
erschien unter dem Titel:
›The Magdalene Scrolls‹ bei Doubleday & Company, Inc., New York
© 1978 by Barbara Wood
Gesamtherstellung: Clausen & Bosse, Leck
Printed in Germany
ISBN 3-596-13328-9

Gedruckt auf chlor- und säurefreiem Papier

Inhalt

Die sieben Dämonen

Für Barbara Young

Ägypten – die Gegenwart

Er hielt in dem dunklen Gang inne, um sich den Schweiß vom Gesicht zu wischen, und dachte: So ist es also, wenn man stirbt...

Er hatte bereits eine lange Strecke auf allen vieren zurückgelegt, wobei er sich, auf seinen unverletzten Arm gestützt, teils kriechend, teils rutschend den etwa dreißig Meter langen Schacht hinuntergearbeitet hatte. Auch ohne Taschenlampe wußte er, daß er der Vorkammer schon sehr nahe war, denn ein widerlicher Gestank erfüllte die Luft.

Er lag auf dem Bauch; Schweiß triefte ihm von der Stirn, und in der rechten Schulter verspürte er dort, wo sein Arm aufgerissen worden war, einen rasenden, stechenden Schmerz. Der Knochen war glatt durchtrennt worden, der Arm hing schlaff herab und schlug immer wieder gegen die grob behauenen Wände des engen Schachts. Er war der letzte, der von der Expedition übriggeblieben war; die anderen sechs waren alle tot. Er wußte, daß ihm nicht mehr viel Zeit blieb. Wahrscheinlich stand ihm ein langer, qualvoller Todeskampf bevor, aber das war ihm im Augenblick gleichgültig. Alles, worauf es jetzt ankam, war, in die Grabkammer zu gelangen, bevor er den Dämonen in die Hände fiel.

Dann wäre es endlich vorüber.

Da er wußte, daß die Zeit schnell knapp werden würde, biß er die Zähne zusammen, stemmte sich auf seinen intakten Arm und robbte mühsam die letzten paar Meter voran. Plötzlich endete der Gang, er fiel ein Stück weit in bodenlose Dunkelheit hinunter und schlug mit voller Wucht auf den kalten Steinboden der Vorkammer auf. Einen Moment lang lag er wie gelähmt auf der Seite, und vor Schmerz hätte er am liebsten aufgeschrien.

Ich werde einfach so liegenbleiben und sterben, dachte er. Es wäre so verdammt leicht...

Aber er wußte, daß er das nicht konnte, noch nicht, nicht bevor er das vollbracht hätte, was zu vollbringen seine Pflicht war. Dann erst wäre es an der Zeit, sich die letzte Ruhe zu gönnen.

Ein Schmerz im Oberschenkel ließ ihn aufstöhnen und sich zur Seite rollen. Er spürte etwas Hartes unter sich und zog einen länglichen metallenen Gegenstand hervor. Eine Taschenlampe, die wohl jemand fallen gelassen hatte, der in panischem Schrecken geflohen war.

Er knipste sie an, und ein bernsteinfarbenes Licht erhellte den kleinen Raum. Er sah, daß er nicht allein war. »Aha«, flüsterte er, sich mühsam aufrichtend, »hier seid ihr also.«

Sieben schaurige Gestalten starrten in kalter Unbeweglichkeit auf den Eindringling herab; ihre Gesichter waren im Profil gezeichnet, das Auge einer jeden auf ihn gerichtet.

»Ihr Dreckskerle«, stieß er keuchend hervor. Seine Kehle war völlig ausgetrocknet. »Noch habt ihr nicht gewonnen. Nicht, solange ich noch einen Funken Leben in mir habe. Ich bin noch nicht... besiegt...«

Die sieben Gestalten gaben keine Antwort, denn es waren nur an die Wand gemalte Figuren:

Amun der Verborgene, seine nackte und muskulöse Gestalt war ganz aus Gold.

Am-mut der Gefräßige, ein Untier mit den Hinterbeinen eines Nilpferds, den Vorderbeinen eines Löwen und dem Kopf eines Krokodils.

Apep der Schlangenartige, eine menschliche Figur, bei der sich anstelle eines Kopfes das Haupt einer Kobra erhob.

Akhekh der Geflügelte, eine Antilope mit Flügeln und dem Kopf eines phantastischen Vogels.

Der Aufrechte, ein auf den Hinterbeinen stehendes Wildschwein mit menschlichen Armen.

Die Göttin, die die Toten in Fesseln legt, eine zierliche, wohlgeformte Frau mit dem Kopf eines Skorpions.

Und schließlich Seth, der Mörder von Osiris, der gefürchtetste aller altägyptischen Dämonen, ein grauenerregendes Urtier mit flammend rotem Haar und glühenden Augen...

Grenzenlose Wut, die jede andere Regung in ihm erstickte, erfüllte den Mann. Ein Laut des Unmuts hallte von den kahlen Wänden wider. Er ließ die Taschenlampe fallen, warf den Kopf zurück und schrie: »Ihr werdet mich nicht besiegen!«

Blitzartig tauchten Schreckensszenen in seiner Erinnerung auf, Szenen, die er aus seinem Gedächtnis hatte verbannen wollen: wie sechs Menschen, jeder auf eine andere, unbeschreiblich grausame Weise, zu Tode gekommen waren. Einer nach dem anderen waren die Expeditionsteilnehmer von einer unsichtbaren, übernatürlichen Kraft niedergestreckt worden, jeder von ihnen das Opfer eines der sieben, die das Grab bewachten. Einer nach dem anderen. Alle waren sie tot. Alle waren sie umgebracht worden. Er allein war übriggeblieben. Er war als letzter an der Reihe.

Der Mann begann zu schluchzen. »Ich werde gegen euch kämpfen... Ich werde es bis zu den Särgen schaffen, und dann ist alles überstanden...«

Der Raum fing an, sich vor seinen Augen zu drehen; er wußte, daß er im Sterben lag. Das Entsetzen hatte die Blutung an seiner Schulter zum Stillstand gebracht.

Er fiel auf den Rücken und schlug mit dem Kopf gegen den Steinboden. Die Dunkelheit um ihn her nahm ab und wieder zu. Einen Augenblick lang befand er sich in einem Dämmerzustand, dann sah er wieder alles scharf. Verzweifelt schrie er: »Ihr Mistkerle, mußtet ihr unbedingt auch sie töten?«

Dann erinnerte er sich an die Sarkophage: der eigentliche Grund, warum er überhaupt hierhergekommen war – drei Wochen zuvor. Die hermetisch verschlossenen Pharaonensärge, welche die Antworten auf alle Rätsel enthielten. Drei schreckliche, ja verhängnisvolle Wochen lagen hinter ihm. Davor – vier ereignisreiche Monate, seitdem alles angefangen hatte, und mit jeder Sekunde war er diesem unglaublichen Augenblick unausweichlich näher gerückt; dem Augenblick, in dem er herausfinden würde, wer hier begraben lag und warum das Geheimnis dieser Toten so sorgsam, mit so furchtbar viel Mühe gehütet worden war...

Eins

»Das Sexualverhalten der alten Ägypter war einzigartig und läßt sich mit Verhaltensmustern der heutigen Gesellschaft in keiner Weise vergleichen. Die Weisheitsbücher der alten Ägypter predigten Rechtschaffenheit und Ehrlichkeit in einer Art und Weise, die zuweilen an urchristliches Gedankengut erinnert; die Totenbücher listeten die Sünden auf, für die einem Menschen das Recht auf das Himmelreich verwehrt werden konnte, aber Fragen der Sexualmoral waren niemals ein Thema der Auseinandersetzung. Das heißt jedoch nicht, daß die alten Ägypter wahllose Geschlechtsbeziehungen toleriert hätten, denn wir wissen, daß Ehebruch allgemein verurteilt und bestraft wurde. Doch entsprang diese Haltung nicht sittlichen Grundsätzen wie in unserer vom Puritanismus geprägten Gesellschaft, sondern der Notwendigkeit, die öffentliche Ordnung aufrechtzuerhalten. Mit anderen Worten, Mark Davison, du redest mal wieder das übliche Blech.« Mark nahm den Daumen vom Aufnahmeknopf seines Diktiergerätes und schaute einen Augenblick lang aus dem Fenster. Vor ihm erstreckte sich bis zum dunstigen Horizont der tosende Pazifik. Unter dem Boden seines auf Holzpfählen errichteten Strandhauses donnerte die Brandung gegen die Felsen und ließ das ganze Haus erzittern. Mark führte das Mikrofon wieder an die Lippen und diktierte leise: »Streichen Sie diesen letzten Absatz. Er ist miserabel.«

Nach einem letzten finsteren Blick auf den Ozean nahm Mark Davison sein leeres Glas und ging zur Bar hinüber, wo er sich einen Schuß Bourbon mit Eis einschenkte. Im Wohnzimmer wurde es zunehmend dunkel und trostlos, aber Mark schaltete das Licht nicht ein.

An diesem Nachmittag hatte es in Marks Leben eine entscheidende Wende gegeben. Leider nicht zum Besseren. Schuld daran war der Anruf von Grimm, diesem Mistkerl. Passender Name, Grimm.

»Bedaure, Mark«, seine Stimme hatte geklungen wie die eines Roboters, »sie haben gegen dich gestimmt. Es tut mir aufrichtig leid. Aber ich versichere dir, daß...«

Mark Davison hatte gar nicht mehr weiter zugehört. Grimm redete irgend etwas von wegen »du kannst ja deine Dozentenstelle behalten, und wenn vielleicht nächstes Jahr ein Lehrstuhl frei wird... bla, bla, bla...« Alles, was für Mark im Moment zählte, war der letzte, vernichtende Urteilsspruch, der am Ende von zwölf Monaten stetig gestiegener Hoffnungen stand. Als er an diesem Morgen mit Blick auf einen strahlenden, tiefblauen Februarhimmel aufgestanden war, hatte sich der sechsunddreißigjährige Ägyptologe Dr. Mark Davison ganz sicher gefühlt, daß er auf den Lehrstuhl berufen würde. Und noch gestern abend – Herrgott, erst gestern abend noch! – hatte Grimm hier auf diesem Sofa gesessen und gemeint: »Das kann ich dir sagen, Mark, der Lehrstuhl ist dir sicher. Es gibt keinen einzigen im Verwaltungsrat, der gegen dich stimmt.«

Und dann: *Peng!*, dieser unpersönliche Anruf, und für Mark Davison war eine Welt zusammengebrochen.

Er stürzte den Rest seines Drinks hinunter und schenkte sich nach, während er unverwandt auf den grollenden, dunklen Ozean starrte.

Mark dachte an den noch nicht fertig diktierten wissenschaftlichen Artikel für die Fachzeitschrift. Dann dachte er an die Jahre, die vor ihm lagen, und an die Hunderte von Fachartikeln, die er in jenen Jahren schreiben würde. Er beschwor die Bücher herauf, die er verfassen, und die Vorträge, die er halten würde – in Frauenklubs, Abendschulen und auf Wochenendseminaren. Pläne, um die Zeit auszufüllen, um seinen Lebensunterhalt zu verdienen und um sich selbst das Gefühl zu geben, etwas aus seinem Beruf zu machen.

Denn eines war sicher: Er würde kein Professor sein. Diese Professur an der Universität von Los Angeles hätte eigentlich ihm zufallen müssen. Er hatte hart dafür gearbeitet. Seit sechs Jahren lehrte er an der Universität. Bei dem letzten Buch, das er veröffentlicht hatte, hatte er der Universität die ganze Ehre daraus zuteil werden lassen, hatte sich politisch betätigt, mehrfach für verschiedene Ämter kandidiert und sich bei den akademischen Cliquen lieb Kind gemacht. Er hatte wirklich eisern darauf hingearbeitet, diese Professur zu erlangen.

Und dann sagte Grimm: »Tut mir leid, Mark...«

Erneut schenkte sich Mark Whisky ins Glas, ließ das Eis weg und trank den Bourbon in einem Zug hinunter.

Heutzutage bestand das Problem der Ägyptologie darin, sinnierte Mark, daß sie keine Möglichkeiten der beruflichen Weiterentwicklung und kaum Aufstiegschancen bot.

Mark ließ sein Glas auf der Bar stehen und schlenderte zum Sofa hinüber. Er knipste eine kleine Lampe an, die auf einem Beistelltischchen stand, und überlegte, ob er ein Feuer im Kamin anzünden sollte. Es wurde langsam kalt und klamm im Haus. Mark ging zum Kamin hinüber und hielt inne, als sein Blick auf die drei Gesichter fiel, die vom Kaminsims auf ihn herabstarrten. Rechts und links am Rand standen Gipsbüsten von Nofretete und Echnaton, natürlich keine Originale, dafür aber wirklich gute Nachbildungen. Das dritte Gesicht blickte ihn aus dem Spiegel an, der über dem Kamin hing: Mit den müden Augen und dem struppigen Bart wirkte es ein wenig älter, als es in Wirklichkeit war.

Man hatte Mark schon oft gesagt, er sei ein gutaussehender Mann, doch er selbst glaubte nicht daran. Der dunkle Bart verbarg die Sorgenfalten, die von den Nasenflügeln zu den Mundwinkeln verliefen. Mark fand seine Augen ganz passabel, ein wenig matt vielleicht, aber die Stirn war durchfurcht wie die eines älteren Mannes. Sein schwarzes Haar war an den Schläfen vorzeitig ergraut, doch Mark war sich nicht sicher, ob es für das Grauwerden überhaupt eine bestimmte Zeit gab.

Auf alle Fälle drohte er allzu rasch in die Anonymität der Durchschnittsakademiker abzugleiten. Allein diese Tatsache war für ihn von Bedeutung.

Grimm hatte ihm natürlich widersprochen. »Du bist doch ein erfolgreicher Mann, Mark. Du bist das, was man heute einen ›Populärwissenschaftler‹ nennt. Weißt du, so ähnlich wie Carl Sagan. Jemand, der die Wissenschaft auch für den normalen Bürger verständlich macht. Das Publikum liebt deine Bücher über Ägypten.«

Doch »das Publikum« war auch wankelmütig, und falls es Mark nicht gelang, alle paar Jahre ein Buch herauszugeben, würde er schnell in Vergessenheit geraten. Und wenn keine Grabungen stattfanden und keine neuen Entdeckungen gemacht wurden, wie es augenblicklich der Fall war, dann fiel es einem als Ägyptologe schwer, ständig mit etwas Neuem, noch nie Dagewesenem aufzuwarten.

Mark beugte den Kopf vor und ließ ihn auf seine verschränkten Arme sinken. Er starrte in den Kamin, auf die Aschenschicht und die wenigen glühenden Treibholzstrünke und hatte das Gefühl, daß er am Ende seiner beruflichen Laufbahn angelangt war.

Das Klopfen an der Tür war so zurückhaltend, daß Mark es zuerst gar nicht hörte. Als er es endlich zur Kenntnis nahm, warf er einen Blick auf seine Armbanduhr; es war halb sechs am Nachmittag. Als es zum dritten Mal klopfte, ging er zur Haustür, um zu öffnen. Bei geöffneter Haustür konnte man recht deutlich den Autoverkehr auf dem oberhalb des Strandes entlangführenden Pacific Coast Highway vorbeirauschen hören. Auf der Schwelle stand ein Mann, den Mark noch nie zuvor gesehen hatte.

Er mochte Ende Fünfzig sein und wirkte recht vornehm mit seinem silbrig glänzenden, tadellos gekämmten Haar und seinem gepflegten Schnurrbart. Der hochgewachsene Fremde war mit einem dunklen Anzug mit Weste bekleidet und trug ein schwarzes Aktenköfferchen bei sich. Der Mann verbeugte sich kurz und fragte mit einer weichen, näselnden Stimme: »Dr. Davison? Dr. Mark Davison?«

Mark musterte ihn argwöhnisch. »Ja...«

»Ich habe hier etwas, das für Sie von Interesse sein wird.«

Mark blickte hinunter auf den Aktenkoffer. »Ich habe schon eine Grabstelle auf dem Friedhof, danke«, brummte er verärgert und wollte die Tür schon wieder schließen. Doch der Fremde ließ sich nicht abwimmeln.

»Verzeihen Sie, Dr. Davison, Professor Grimm sagte mir, daß ich Sie zu Hause antreffen würde.«

»Ich habe ihm nicht erlaubt, meine Adresse weiterzugeben.«

»Das hat er auch nicht, ganz sicher nicht. Dr. Davison, bitte, es braut sich ein Unwetter zusammen. Darf ich hereinkommen?«

»Nein.«

»Dr. Davison, ich heiße Halstead. Sanford Halstead.« Der Mann hielt inne, als erwarte er ein Anzeichen dafür, daß Mark mit dem Namen etwas anfangen konnte. Dann fuhr er fort: »Ich versichere Ihnen, daß ich hier etwas habe, das von großem Interesse für Sie ist...«

»Ich bin nicht in der Stimmung, Besuch zu empfangen, Mr. Sanford.«

»Halstead«, verbesserte der Fremde rasch. »Ja, ich kann Ihnen nachfühlen, daß Sie gerade jetzt niemanden sehen wollen, Dr. Davison.

Ich verstehe, wie Ihnen zumute sein muß, da Ihnen der Lehrstuhl entgangen ist.«

Mark runzelte die Stirn und musterte das Gesicht des Mannes, das von dem schwachen Licht der nackten Glühbirne über dem Eingang beleuchtet wurde, etwas eingehender. Halstead wirkte intelligent und keineswegs so, als ob er sich leicht einschüchtern ließe. Er hielt sich ungewöhnlich gerade und strahlte Unbefangenheit und freundliche Höflichkeit aus.

»Wie haben Sie davon erfahren?«

»Professor Grimm warnte mich, daß Sie wohl nicht gewillt wären, Besucher zu empfangen, und erklärte, warum. Aber ich bin überzeugt, Dr. Davison, wenn Sie erst einmal gesehen haben, was ich Ihnen zeigen will...«

»Also gut.« Da Mark plötzlich eine Vorstellung zu haben glaubte, warum der Mann hier war, trat er zurück, hielt die Tür auf und ließ ihn eintreten.

Der Fremde folgte ihm ins Wohnzimmer und nahm auf dem Sofa Platz. Mark setzte sich seinem Besucher gegenüber und bemerkte, daß der Regen angefangen hatte, gegen die großflächigen Fenster zu prasseln.

Sanford Halstead umklammerte seinen Aktenkoffer auf dem Schoß, während er sein Anliegen vortrug: »Ich bin zu Ihnen gekommen, Dr. Davison, weil ich den Rat eines Fachmanns benötige. Sie genießen hohes Ansehen, sogar über die Fachwelt hinaus, und Sie wurden mir von zwei Ihrer Kollegen an der Ostküste wärmstens empfohlen.«

Während der Fremde mit kultivierter, gleichmäßiger Stimme sprach, nahm Mark eine Pfeife und begann sie zu stopfen. Im helleren Licht in seinem Wohnzimmer fiel Mark noch deutlicher auf, daß sein Besucher tadellos gepflegt und sehr teuer und geschmackvoll gekleidet war.

»Ihre Referenzen sind beeindruckend, Dr. Davison. Im Jahre 1987 waren Sie Fulbright-Dozent. Sie haben vier Ausgrabungen im Niltal persönlich geleitet und an zwei weiteren als stellvertretender Leiter teilgenommen. Sie waren der führende technische Berater beim Dendur-Tempel-Projekt, und Sie haben in den letzten sechs Jahren an der Universität von Los Angeles Archäologie unterrichtet. Ich habe alle Ihre Bücher und Zeitschriftartikel gelesen.«

Mark drückte den Tabak in seiner Pfeife fest, hielt eine Flamme daran und zog an der Pfeife, bis der Tabak rot aufglühte. Als blaue Rauchschwaden zur Decke emporstiegen, fuhr sein Besucher fort: »Der Grund, weshalb ich hier bin, Dr. Davison, ist der, daß ich Ihren Rat in einer Angelegenheit benötige, die für mich von größter Wichtigkeit ist.«

Marks Augen schweiften zu dem Aktenkoffer auf Halsteads Knien. Er wußte, was jetzt kommen würde. Es war eine Geschichte, die er schon hundertmal gehört hatte. Archäologen wurden ständig von Leuten aufgesucht, die felsenfest davon überzeugt waren, in den Besitz eines Fundstücks von unschätzbarem Wert gelangt zu sein. Eine Bronzestatue, eine Tontafel, zuweilen sogar ein Papyrus. Aber meistens waren es Fälschungen, oder es handelte sich um Gegenstände, die entweder in völlig ruiniertem Zustand oder so weit verbreitet waren, daß es nicht lohnte, sich damit zu befassen, wie etwa Skarabäen. Neugierig musterte Mark den Aktenkoffer, den Mr. Sanford Halstead auffällig behutsam festhielt, und versuchte zu erraten, was er wohl enthalten mochte.

»Ich will direkt zur Sache kommen, Dr. Davison. Es ist mein Wunsch, nach Ägypten zu fahren.«

Mark paffte gedankenverloren an seiner Pfeife und beobachtete, wie der Regen immer stärker gegen die Fenster trommelte. »Auf dem Sunset-Boulevard gibt es mehrere Reisebüros, Mr. Halstead.«

»Ich denke, Sie wissen, was ich meine, Dr. Davison. Was ich in meinem Besitz habe, ist ein Gegenstand, der Sie, glaube ich, ebenso wie mich dazu veranlassen wird, sofort nach Ägypten aufzubrechen.«

»Darüber möchte ich aber schon lieber selbst entscheiden.«

»Aber gewiß doch.«

»Das heißt, wenn ich mich überhaupt mit Ihrem ›Gegenstand‹ befassen will. Dessen bin ich mir jedoch gar nicht sicher. Sehen Sie, Mr. Halstead, ich bin ein vielbeschäftigter Mann. Ich habe keine Zeit...«

»Ich verstehe das, Dr. Davison«, unterbrach ihn der Fremde gelassen. Auf seinem strengen Mund mit den schmalen Lippen zeichnete sich ein leichtes Lächeln ab. »Sie sind gegenwärtig damit beschäftigt, einen Artikel über das Sexualverhalten der alten Ägypter für eine populäre Frauenzeitschrift zu verfassen.«

Mark hob überrascht die Augenbrauen.

»Und Sie arbeiten auch an dem ersten Entwurf Ihres nächsten Buches, das sich mit der Frage auseinandersetzen wird, wer der Pharao zur Zeit des Auszugs des Volkes Israel aus Ägypten war. Ich denke, Sie werden wohl der unbeliebten Echnaton-Theorie treu bleiben wie seinerzeit Sigmund Freud.«

Mark nahm die Pfeife aus dem Mund und beugte sich nach vorn.

»Wie haben Sie...«

»Ich weiß tatsächlich vieles über Sie, Dr. Davison. Es mag Sie überraschen, wieviel ich weiß. Zum Beispiel Ihre Unzufriedenheit mit der Situation, in der sich die Ägyptologie heutzutage befindet. Sie glauben, Ihre Wissenschaft stecke in einer Krise. Es ist in unserer Zeit nicht genug Interesse vorhanden, um sie am Leben zu erhalten; Geld, das in Ausgrabungen investiert werden könnte, wird verwendet, um Robbenschlächtern das Handwerk zu legen und gegen die Errichtung von Atomkraftwerken zu protestieren.«

Mark starrte den Mann verblüfft an.

»Ich wiederhole nur Ihre eigenen Worte, Dr. Davison, und ich versichere Ihnen, daß ich vollkommen mit Ihnen übereinstimme. Ich bin ein Mann, Dr. Davison, der willens ist, eine Ausgrabung zu finanzieren, etwas, von dem Sie schon glaubten, daß es Ihnen nie wieder vergönnt sein würde. Seit dem Bau des Assuan-Staudamms hat es kaum noch bedeutende Ausgrabungen im Niltal gegeben. Wie wir beide wissen, Dr. Davison, hat das wissenschaftliche Interesse am alten Ägypten stark nachgelassen. Heutzutage findet man keine Geldgeber wie Lord Carnarvon oder Davies mehr, von denen es vor einigen Jahrzehnten noch eine Menge gab. Der Ägyptologe von heute muß sich mit dem Hörsaal oder mit der Analyse von Objekten zufriedengeben, die vor langer Zeit ausgegraben wurden, und versuchen, neue Theorien über sie zu entwickeln.«

Mark versuchte, seinen wachsenden Unmut zu unterdrücken.

»Sie scheinen eine Menge über mich zu wissen. Sie geben sogar meine Meinungen exakt wieder, obwohl ich mir nicht vorstellen kann, wie Sie von diesen Dingen erfahren haben, da ich sie nur engen Freunden gegenüber geäußert habe. Wie dem auch sei«, Mark erhob sich mit einem Ruck, »ich bin nicht an dem interessiert, was Sie mir zeigen wollen.«

Sanford Halstead blieb gelassen. »Bitte, Dr. Davison, lassen Sie mich ausreden. Es ist zu Ihrem wie zu meinem Nutzen. Ich biete Ihnen die Gelegenheit, wieder Feldforschung betreiben zu können, was Sie sich meines Wissens nur zu sehr wünschen.«

»Nun, Mr. Halstead, ich habe eine Eigenschaft, die Sie vielleicht nicht kennen, nämlich der Umstand, daß ich es nicht mag, wenn Leute mir sagen, was ich denken soll oder was ich von einer Sache zu halten habe. Ich schlage daher vor, Sie nehmen Ihr kostbares Fundstück und machen, daß Sie wegkommen.«

Der Fremde stand auf, und sein Schatten fiel auf Mark, der sitzen geblieben war. »Dr. Davison«, entgegnete er kühl, »Sie können es sich nicht leisten, mich abzuweisen. Ich allein kann Ihnen auf absehbare Zeit das bieten, was Sie sich am meisten wünschen: die Arbeit im Gelände.«

»Bitte, gehen Sie, Mr. Halstead.«

»Gut, wie Sie wollen.« Doch anstatt sich zum Gehen zu wenden, tat der dubiose Sanford Halstead etwas Merkwürdiges. Er hielt inne, um einen Blick auf den schieferfarbenen, schäumenden Ozean zu werfen, setzte dann seinen Aktenkoffer behutsam auf dem aus Treibholz gefertigten Couchtisch ab, öffnete ihn und nahm ein in Papier eingeschlagenes viereckiges Päckchen heraus. Er legte es auf den Tisch, richtete sich auf und sagte, wobei er Mark Davison direkt in die Augen sah: »Ich werde morgen abend um sechs Uhr zurückkommen.« Dann verließ er das Haus.

Die Reaktion des Mannes war so unerwartet und verblüffend gewesen, daß Mark einfach stehenblieb und dem Fremden beim Weggehen zusah. Durch die geöffnete Haustür erhaschte er gerade noch einen flüchtigen Blick auf einen Rolls-Royce, der von seinem Haus wegfuhr.

Nachdem er die Tür hinter dem geheimnisvollen Mr. Halstead wieder geschlossen hatte, ging Mark hinüber an die Bar und schenkte sich noch einen Bourbon ein.

Um das Haus tobte ein heftiges Unwetter, in dem sich Marks Gemütszustand widerzuspiegeln schien. Regen klatschte in unbändiger Wut gegen die großflächigen Fensterscheiben. Wer auch immer Halstead war, Mark haßte ihn. Er haßte ihn dafür, daß er so gut über die Enttäuschung Bescheid wußte, die an ihm nagte.

Was Mark jedoch an diesem stürmischen Abend wirklich quälte, war der Gedanke an Nancy, seine Verlobte. Diese verdammte Professur hatte eigentlich ihr mehr bedeutet als ihm selbst. Es war genau das, was sie sich gewünscht hatte, damit sie heiraten, Kinder bekommen und ein Haus kaufen konnten wie jedes andere junge Paar auch. Im Augenblick verdiente er als Dozent nicht genug, als daß er sie und eine Familie damit hätte ernähren können. Jedes Jahr kletterte die Miete für seine wackelige Baracke am Strand von Malibu, einem Vorort von Los Angeles, ein wenig höher. Nancy, die erste Frau, der er je die Worte »Ich liebe dich« gesagt hatte, die erste Frau, für die er je zu Opfern bereit gewesen war.

Als er sie vor sieben Jahren kennengelernt hatte, war er ein Feldarchäologe gewesen, der zu langen Ausgrabungskampagnen oft sehr weit weg reisen mußte. Nancy hatte Unzufriedenheit mit seiner häufigen Abwesenheit bekundet. Und so hatte Mark aus Liebe zu ihr versucht, sich in die akademische Nische einzupassen, hatte gelehrt, Artikel und Bücher verfaßt und Vorträge gehalten, so daß er und Nancy mehr Zeit miteinander verbringen konnten. Nach seiner Berufung auf den Lehrstuhl wollten sie heiraten. Er war sich seiner Ernennung so sicher gewesen, daß er sogar schon einen Termin für die Hochzeit festgesetzt hatte. Nur, jetzt hatte er die Professur nicht bekommen, und er wußte nicht, wie er es Nancy beibringen sollte. Er murmelte »Verdammt!« und füllte sein Glas nach.

Das düstere, mit echten und nachgebildeten Antiquitäten vollgestopfte Wohnzimmer, in dem sich staubige Bücher unordentlich aufeinandertürmten, wurde ihm zum Käfig. Halstead hatte recht: Mark brauchte die Arbeit im Gelände. Wonach er sich sehnte, war die Herausforderung und die körperliche Anstrengung der Grabung: die sonnendurchglühten Tage, in denen er im Schweiße seines Angesichts den Sand nach Spuren antiker Geheimnisse durchkämmte, umgeben von den Ruinen, den Hinterlassenschaften eines Volkes, das er so sehr bewunderte und zu verstehen suchte.

Schließlich blieb sein Blick an dem in Papier eingeschlagenen Päckchen haften, das Halstead liegengelassen hatte.

Der Klang der Spitzhacke, wenn sie auf Stein traf, das Gefühl, wenn ein Spaten in den Sand eindrang, die Rufe der arabischen Arbeiter, wann immer etwas gefunden wurde...

Er starrte wie gebannt auf das Päckchen.

Wer zum Teufel war Halstead eigentlich? Ein Spinner, der glaubte, ein Fundstück von unschätzbarem Wert zu besitzen, das jeden Archäologen dazu veranlassen würde, mit der Schaufel in der Hand nach Ägypten zu eilen.

Mark stellte sein leeres Glas auf der Bar ab und näherte sich, ein wenig neugierig geworden, dem Couchtisch. Der Bourbon hatte ihn milder gestimmt und seine schroffe Ablehnung von allem, was mit Halstead zu tun hatte, gedämpft. In der Absicht, Halsteads läppischen Gegenstand mit einem raschen Blick abzutun, ließ sich Mark in der Couchecke nieder und entfernte langsam das braune Papier.

Zu seinem großen Erstaunen kam darunter ein breitformatiges Buch zum Vorschein, das im Stil des neunzehnten Jahrhunderts in Leder gebunden war.

Zwei

Mark erwachte kurz nach Sonnenaufgang und wandte seinen Kopf blinzelnd von den hellen Sonnenstrahlen ab, die sich ihren Weg durch die sich aufreißenden Regenwolken hindurchbahnten und ihm direkt ins Gesicht schienen. Benommen sah er sich in seinem Wohnzimmer um und erinnerte sich jetzt wieder, daß er im Lehnstuhl eingeschlafen war, nachdem er das Tagebuch von Neville Ramsgate zu Ende gelesen hatte. Mark rieb sich den Nacken, richtete sich auf und erhob sich schwerfällig. »Nicht zu glauben!« murmelte er, während er auf das schwere, in Leder gebundene Buch herabschaute, das zu seinen Füßen lag. »Das ist ja einfach nicht zu glauben...«

Mark tappte durch das düstere Wohnzimmer ins Bad, streifte seine Kleider ab und stellte sich unter die heiße Dusche. Während er sich die Haare wusch, erinnerte er sich an den Ablauf der Ereignisse des Vortages: Grimms niederschmetternder Anruf; sein halbherziger Versuch, den Artikel für die Frauenzeitschrift zu diktieren; der unerwartete Besuch von Sanford Halstead und schließlich – das Tagebuch. Mark ließ den Wasserstrahl noch eine Weile auf seinen Körper prasseln, dann stellte er die Dusche ab. Als er durch heftiges Frottieren versuchte, seinen Kreislauf wieder in Gang zu bringen, dachte Mark weiter über die bemerkenswerte Geschichte nach, die er in der Nacht gelesen hatte.

Nachdem er sich angezogen hatte und sich trotz eines leisen Pochens im Kopf und eines nagenden Hungergefühls etwas besser fühlte, griff Mark Davison ohne zu zögern zu dem Telefon in seinem Schlafzimmer und wählte die Nummer von Ron Farmer. Er ließ es ungefähr zwanzigmal klingeln und legte dann auf. Mark schaute zu den Panoramafenstern hinaus und stellte fest, daß der Regen irgendwann während der Nacht aufgehört hatte.

Kurz entschlossen machte er auf dem Absatz kehrt, lief durchs Wohnzimmer und schnappte sich seine Windjacke, die an einem Haken in der Nähe der Haustür hing. Draußen stand, Wind und Wetter schonungslos ausgesetzt, sein verbeulter Volvo. Die Buchstaben auf dem Kennzeichen ergaben zusammengesetzt das Wort NIL. Während Mark den Motor warmlaufen ließ, mußte er ständig an die unglaubliche Geschichte denken, die er bis in die späte Nacht hinein gelesen hatte.

Das Tagebuch von Neville Ramsgate enthielt die Aufzeichnungen eines der Pioniere unter den Ägyptologen, der im neunzehnten Jahrhundert gelebt hatte. Es handelte sich um den handgeschriebenen Bericht eines Mannes, der die alte Stadt Achet-Aton in Ägypten erforscht hatte. Mark hatte von Neville Ramsgate gehört und über die Expeditionen des alten Professors im Niltal gelesen. Es war bekannt, daß Ramsgate im Jahr 1881 eine Ausgrabung irgendwo in der Region von Tell el-Amarna geleitet und dort nach dem sagenumwobenen Grab des Pharaos Echnaton gesucht hatte. Doch es war nichts darüber bekannt, was aus Neville Ramsgate und seiner Expedition geworden war. Alles, was man heute wußte, war, daß der Forscher vor hundert Jahren irgendwo um Tell el-Amarna herum eine Grabungsstätte eingerichtet hatte, dort eine Weile gearbeitet hatte und dann unter mysteriösen Umständen verschwunden war. Niemand hatte mehr etwas von ihm gehört.

Das war alles, was Mark und jeder andere Archäologe auf der Welt über Neville Ramsgate wußten. Bis gestern nachmittag. Bis ein Fremder namens Sanford Halstead vor Dr. Mark Davisons Tür erschienen war und ein Tagebuch mitgebracht hatte, das von dem seltsamen Neville Ramsgate persönlich geschrieben worden war.

Nachdem er dem Volvo genügend Zeit zum Warmlaufen gegeben hatte, wartete Mark eine Lücke in dem starken morgendlichen Berufsverkehr auf dem Pacific Coast Highway ab und scherte Richtung Süden ein.

Eine halbe Stunde später hatte er Marina del Rey erreicht. Während er langsam an der Reihe parkender Autos an Kanal B entlangfuhr, erspähte Mark Ron Farmers alten Kombi mit dem riesigen Aufkleber: ARCHÄOLOGEN STEHEN AUF ÄLTERE FRAUEN und parkte daneben ein. Er stellte den Motor ab und wartete einen Augenblick, um seine Gedanken zu sammeln.

Ron Farmer war nie schwer zu finden. Er hielt sich fast immer nur an einem von drei Orten auf: in der Dunkelkammer in seinem Haus, in der Universitätsbibliothek oder auf seinem Boot. Da Mark bei seinem Anruf in Rons Haus keine Antwort erhalten hatte und da die Bibliothek noch nicht geöffnet war, wußte er, wo sein bester Freund zu dieser frühen Stunde anzutreffen wäre.

Das Tor zu dem Gelände der Marina, dem kleinen Yachthafen, stand offen, und so konnte Mark, ohne über den Zaun klettern zu müssen, zu den Liegeplätzen hinuntergelangen. Rons Liegeplatz befand sich ganz am Ende, so daß Mark zwischen zwei Reihen sanft schaukelnder, knarrender Boote hindurchgehen mußte, die allesamt im grauen Morgenlicht glänzten. Als er ganz hinten anlangte, sah Mark seinen Freund im Schneidersitz auf dem Steuerbord-Schwimmer seines Bootes sitzen, eines sechsundzwanzig Fuß langen Kreuz-Trimarans namens *Tutanchamun*.

»Hallo!« rief Mark.

Ron blickte auf, winkte kurz und starrte dann wieder wütend in die Luke des Steuerbordrumpfes.

Mark sprang an Bord, hielt sich an einer Wante fest und fragte: »Hast du Probleme?«

Ron schaute nicht auf. »Regenwasser im Kielraum, verflucht noch mal!«

Mark zwang sich ein Lächeln ab und rieb sich ungeduldig die Hände.

Ron Farmer war fünfunddreißig Jahre alt, wirkte aber viel jünger. Er trug geflickte Bluejeans und ein fleckiges marineblaues Sweatshirt mit einer verwaschenen Aufschrift auf der Brust. Sein langes, blondes

Haar fiel nach vorne und verbarg den mißvergnügten Ausdruck auf seinem Gesicht. Mark warf einen Blick hinunter ins Cockpit und sah auf dem zerrissenen Vinylpolster die ihm so vertraute Ausstattung seines Freundes, Ron Farmers Erkennungszeichen: eine Korbflasche mit billigem kalifornischen Chianti, ein Roman von Stanislaw Lem und seine Spiegelreflexkamera. Mark kannte Rons Gewohnheiten: Er würde jetzt gleich durch die Fahrrinne hinaussegeln, beidrehen, die Segel reffen und sich auf der Dünung dahintreiben lassen, bis sein Wein zur Neige ging. Zuweilen verschwand er tagelang, wenn er sich urplötzlich entschloß, zu den Channel Islands oder zum Catalina-Island hinüberzusegeln. Dann sah Mark ihn oft eine ganze Woche lang nicht. Er war daher außerordentlich froh, daß er seinen Freund noch rechtzeitig abgefangen hatte.

»Ron?« Mark fröstelte ein wenig in der schneidenden Meeresbrise. Schließlich zuckte der junge Mann mit den Achseln, ließ den Lukendeckel fallen und stand auf. Obwohl Ron genauso groß war wie Mark, wirkte er durch seine Schlaksigkeit und seinen hageren, knochigen Körperbau größer als sein Freund. Mit seinem bartlosen Gesicht, seinen kornblumenblauen Augen und dem platinblonden Haar, das ihm bis an die Schultern reichte, sah Dr. Ronald Farmer aus wie ein Surfer Mitte Zwanzig.

»Was gibt's?« fragte er. »Ich habe dich um diese Zeit noch nie hier unten gesehen. Lieber Himmel, du siehst ja furchtbar aus!«

»Ich fühle mich furchtbar, Ron. Ich bin die ganze Nacht aufgewesen. Ich will, daß du mit mir nach Hause kommst. Ich muß dir unbedingt etwas zeigen.«

»Jetzt? Ich bin beschäftigt. Ich muß das Wasser aus dem Kielraum pumpen, bevor es den Rumpf angreift.«

Mark raufte sich die Haare und sah sich auf der *Tutanchamun* um. Trotz all der Mühe, die Ron ständig auf sein Boot verwendete, erschien es doch immer ein wenig vergammelt. Aber andererseits legte Ron niemals Wert auf das äußere Erscheinungsbild. Wenn sie nahe am Wind segelte, konnte die *Tutanchamun* immerhin eine Geschwindigkeit von dreizehn Knoten erreichen.

»Ron, hast du jemals von Neville Ramsgate gehört?« fragte Mark. Ron sprang hinunter ins Cockpit, bückte sich und begann dort herumzustöbern. »Ja«, rief er zurück, »einer der ersten Ägyptologen. Noch vor Petrie, glaube ich. Er hat sich viel mit der Vermessung von Pyramiden beschäftigt.«

»Er hat auch in Tell el-Amarna Ausgrabungen durchgeführt.«

»Stimmt. Darüber habe ich auch mal was gelesen.« Ron wühlte in den Stauräumen, welche in die Schwimmer eingelassen waren, und murmelte: »Scheiße!«

»Was gibt's?«

»Ich kann die Pumpe nicht finden.«

»Ron, kannst du das nicht auf später verschieben?«

Ron Farmer richtete sich wieder auf. »Worum geht es eigentlich?«

Mark wollte es am liebsten herausbrüllen und die unglaubliche Aufregung, die ihm im Magen kribbelte, mit seinem Freund teilen. Aber er hielt sich zurück. »Ich möchte, daß du dir bei mir zu Hause etwas ansiehst.«

Ron strich sich die blonden Strähnen aus dem Gesicht. »Wieder einmal so ein sensationelles Fundstück?«

»Komm mit mir nach Hause.«

»Kann das nicht warten?«

Mark schüttelte verneinend den Kopf.

»Na ja...« Ron blinzelte hinauf zum Himmel und seufzte.

»Sieht so aus, als ob es ohnehin bald wieder anfängt zu regnen.«

Sie fuhren mit Marks Volvo. Unterwegs berichtete Mark über den kurzen, merkwürdigen Besuch von Sanford Halstead, wobei er versuchte, sich an alles, was der Mann gesagt hatte, genau zu erinnern. Dabei ließ er zwar anklingen, worum es sich bei Halsteads Päckchen handelte, verriet es aber nicht ganz und endete mit den Worten: »Ich fürchte, die Ablehnung meiner Bewerbung um den Lehrstuhl hat mich in eine furchtbar unruhige Stimmung versetzt, in der ich begierig nach allem greife, was sich mir bietet. Dieser Halstead will, daß ich nach Ägypten fahre, um dort Ausgrabungen vorzunehmen... Das alles hört sich einfach zu gut an. So dachte ich, es wäre besser, wenn du dir das Ganze mal ansiehst und mir sagst, was du davon hältst.«

Als sie aus dem Volvo stiegen und den ersten Nieselregen im Gesicht spürten, meinte Ron: »Als erstes brauche ich mal einen Kaffee. Ich bin auch fast die ganze Nacht aufgewesen.«

Mark suchte nach seinem Hausschlüssel. »Hast du an deiner Abhandlung über Echnaton gearbeitet?«

»Nein, ich habe den Film mit den Delphinbildern entwickelt, die ich vor Catalina-Island gemacht habe. Von sechsunddreißig Aufnahmen ist eine einzige gelungen.«

Ron schlang die Arme um seinen Körper, als ihm die klamme Feuchtigkeit entgegenschlug, die im Haus herrschte. »Wie hältst du das bloß aus?«

»Ich mache ein Feuer an, wenn du willst«, rief Mark, der sich bereits auf dem Weg in die unaufgeräumte Küche befand. Fünf Minuten später, während draußen der Regen niederzuprasseln begann, saßen die beiden Ägyptologen vor einem lodernden Kaminfeuer und schlürften heißen Kaffee. Mark reichte Ron wortlos das abgegriffene Buch.

»Sieht ziemlich alt aus!«

»Hundert Jahre, um es genau zu sagen. Lies die erste Seite.«

Ron überflog langsam die feingeschwungene, verschnörkelte Handschrift. »Neville Ramsgate, wie bist du...«

»Das hat mir Sanford Halstead gestern abend gebracht. Ich habe den ganzen Text gelesen, aber du brauchst das nicht. Im ersten Teil berichtet er in übertrieben stimmungsvoller Prosa über Kairo und seine Reise nilaufwärts mit einem Dampfboot. Überschlag die Seiten bis zum Juni; das ist ungefähr in der Mitte des Buches, und fang um den zwanzigsten herum an zu lesen.«

Ron richtete einen durchdringenden Blick auf Mark und fragte: »Steht darin, was er in Tell el-Amarna gefunden hat?«

Mark wich seinem Blick aus und starrte ins Feuer. »Lies es einfach...« erwiderte er leise.

Drei

»Nun?«

Ron Farmer schaute auf. Seine Miene spiegelte Verwirrung wider. »Er hat es nicht zu Ende geschrieben. Die letzte Eintragung bricht plötzlich mitten im Satz ab.«

»Was hältst du von Ramsgates Geschichte?«

Ron schloß das Tagebuch und legte es behutsam auf den Couchtisch. Dann stand er auf, streckte sich und ging hinüber zur Schiebeglastür. Während er beobachtete, wie sich die Wassermassen des grauen Ozeans unter dem schweren Regen langsam hoben und senkten, meinte er ruhig: »Ich würde sagen, Neville Ramsgate hat Echnatons Grab gefunden.«

Mark stand hinter ihm gegen den Kaminsims gelehnt und versuchte sich mit aller Macht zu beherrschen. Rons Urteil schürte die stille Hoffnung, die er selbst seit der Lektüre des Tagebuches hegte. »Vor einhundert Jahren«, begann er leise, wobei er sich zwang, seine Stimme ruhig klingen zu lassen, »vor einhundert Jahren leitete Neville Ramsgate eine siebenköpfige Expedition nilaufwärts nach Tell el-Amarna, wo er ein Lager aufschlug und in der Ebene Ruinen ausgraben wollte. Dann fiel ihm durch einen glücklichen Umstand ein Beweisstück für die Existenz eines unerforschten Grabes in die Hände. Von da an verlagerte sich sein Bestreben auf die Suche nach diesem Grab – von dem er vermutete, daß es Pharao Echnatons Grab war –, und indem er einer Reihe von Hinweisen folgte, fand er es schließlich. Aber...«, Mark senkte die Stimme, »das Tagebuch endet unmittelbar vor der Öffnung der Tür zur Grabkammer.«

Ron starrte auf die Regenschlieren, die an der Fensterscheibe draußen herunterrannen. Sein Blick verdüsterte sich, und sein Gesicht wurde fahl. Er drehte sich um und lehnte sich mit verschränkten Armen gegen das kalte Glas. »Ich gehe jede Wette ein, daß sich das Grab noch immer dort befindet und ungeöffnet ist. An der Stelle, wo die Tagebucheintragungen enden, berichtet Ramsgate davon, daß sie die letzte Stufe freigelegt hätten und die Tür zur Grabkammer vollständig sehen konnten...«

»...die noch immer mit den alten Siegeln der Priester versehen war.«

»Irgend etwas muß Ramsgate zugestoßen sein, bevor er sie öffnen konnte, denn erstens hat er das Tagebuch nicht zu Ende geschrieben, und zweitens habe ich nie von dem Grab gehört, das er darin beschreibt. Ich halte es für wahrscheinlich, daß er starb, bevor es geöffnet wurde, und daß nach ihm aus irgendeinem Grund niemand mehr die Gelegenheit hatte, das Grab zu öffnen.«

»Er muß das Geheimnis mit in den Tod genommen haben, Ron«, sagte Mark und blickte finster auf das schwere Buch auf dem Couchtisch. »Alles, was wir eben gelesen haben, ereignete sich vor hundert Jahren. Die Ägyptologie steckte damals noch in den Kinderschuhen. Neville Ramsgate war durch Zufall auf das Grab gestoßen, dann war er gestorben, bevor er es öffnen konnte, und das Geheimnis um seine Fundstelle, ja überhaupt die Kenntnis von dessen Existenz, sind mit ihm dahingegangen.« Mark trat vom Kaminsims weg und ließ sich aufs Sofa fallen. »Dieses Grab existiert noch immer irgendwo im Gebiet von Tell el-Amarna, und es ist womöglich nach wie vor unberührt.«

Ron schaute Mark eine Weile nachdenklich an und meinte schließlich: »Glaubst du, man könnte es wiederfinden?«

»Allmächtiger, Ron«, flüsterte Mark. »Das Grab von Echnaton! Der berühmteste und berüchtigtste der ägyptischen Pharaonen. Sein Grab wäre eine aufsehenerregendere Entdeckung als das Grabmal von Tutanchamun. Und für den Mann, der es findet, bedeutet das . . .«

». . . grenzenlosen Ruhm und Reichtum. Er wäre ein Held, berühmter als Howard Carter. Falls . . .« Ron steckte seine Hände in die Hosentaschen, durchquerte mit vier gemächlichen Schritten das Wohnzimmer und sank neben Mark auf das Sofa. ». . . falls es wiedergefunden werden kann.«

Mark musterte seinen Freund mit banger Miene. »Ramsgate hat es aber doch gefunden, oder?«

»Gewiß, doch dem Tagebuch zufolge hatte er die Entdeckung größtenteils glücklichen Umständen zu verdanken, zum Beispiel dieser alten Frau, die ihm das erste Steinfragment gab.«

»Aber Ron«, erwiderte Mark schnell, »alles, was wir tun müssen, ist, Ramsgates Schritte nachzuvollziehen.«

»Ich weiß nicht recht, Mark, es gibt in der Beschreibung so viele Lücken. Ramsgate schrieb dieses Tagebuch nicht für irgend jemanden, der einhundert Jahre nach ihm kommen würde. Es handelt sich vielmehr um die Niederschrift ganz persönlicher Erinnerungen. *Er* wußte, worüber er sprach, deshalb bestand für ihn keine Notwendigkeit, den Bericht durch Einzelheiten zu ergänzen, wie zum Beispiel Angaben über die genaue Lage des Grabes.«

»Aber er gibt uns doch genug Anhaltspunkte dafür. Immerhin wissen wir, daß es in Tell el-Amarna ist.«

»Und das wäre schon in etwa alles, was wir wissen. Verdammt noch mal, Mark, du sprichst von sechzig Quadratkilometern Wüste, die aus Sand, Tälern und Schluchten bestehen! Die Hinweise, die er gibt, sind doch nur knappe Angaben. Und auf diese ist er selbst lediglich durch Zufall gestoßen. Hör dir nur das an.« Ron nahm das Tagebuch hoch und durchblätterte vorsichtig die brüchigen Seiten. »Hier.« Er breitete es auf seinem Schoß aus und las weiter:

1. Juli 1881: Kurz nach Sonnenuntergang kam eine alte Frau in unser Lager, die einen Esel mit sich führte. Sie erzählte Mohammed, daß sie die Ruinen nach *sebbach,* alten Nilschlammziegeln, welche die Einheimischen als Dünger für ihre Felder benutzen, durchstöbert habe, als sie plötzlich auf etwas gestoßen sei, für das sich die ›Fremden aus dem Norden‹ gewiß interessieren würden. Mohammed wollte sie eben schon wegjagen, als ich dazukam und mich daran erinnerte, daß viele der heute im neuen Britischen Museum beherbergten kostbaren Fundstücke auf ebensolche Weise in europäische Hände gelangt waren. So sagte ich ihr, daß ich mir gerne ansehen wolle, was sie gefunden hatte.

Man stelle sich meine Überraschung vor, als diese knorrigen alten Hände aus dem Sack auf dem Eselsrücken das vollständig erhaltene Oberteil einer Stele hervorzogen, wie man sie in dieser Gegend in die Felsen gemeißelt findet. Aber leider war es nicht der ganze Stein, und ich schloß aus dem Verlauf der Bruchstelle, daß die Stele in drei Teile zerbrochen war. Während ich Gleichgültigkeit vortäuschte, um die alte Frau nicht auf den Gedanken zu bringen, einen unverschämten Preis dafür zu fordern, erkundigte ich mich danach, wo sie den Stein gefunden habe.

Mohammed dolmetschte für mich, da mir der Dialekt dieser Region nicht geläufig ist. Das Fragment hatte unweit der Mündung des großen Wadis im Sand der Ebene verborgen gelegen.

Ich fragte die Alte, wo sich die anderen Bruchstücke befänden, denn ich hegte den Verdacht, daß sie die alte arabische List anwenden wollte, die darin besteht, ein altes Fundstück auseinanderzubrechen, um es in mehreren Teilen für einen höheren Preis zu verkaufen. Wie überrascht war ich indessen, als sie angab, es nicht zu wissen.

Unser Gespräch brach an dieser Stelle ab, denn die Ziegelsammlerin schien es mit der Angst zu bekommen und schickte sich an, ihren Esel wegzuführen. Ich wies Mohammed an, ihr für dieses Fragment ein ägyptisches Pfund zu bieten (was für sie sicher ein Vermögen darstellte) und zwei Pfund, wenn sie uns helfen würde, die anderen beiden ausfindig zu machen. Doch sie lehnte ab und sagte, sie wolle überhaupt kein Geld! Sir Robert und ich vermuteten einen Trick, denn es gibt wohl kein habgierigeres Volk als die Araber. Aber Mohammed übersetzte weiter, daß die Dörfler froh seien, den Stein loszuwerden, denn seitdem ein heftiger Regenguß ihn vor Monaten aus dem Wadi heruntergeschwemmt habe, seien sie vom Unglück verfolgt. Während sich Mohammed weiter mit ihr unterhielt und immer wieder versuchte, die alte Frau zum Bleiben zu bewegen und weitere Auskünfte von ihr zu erhalten, nahm ich das, was ich da in Händen hielt, sorgfältig in Augenschein. Und als mir bewußt wurde, daß dieses Fragment Teil einer Grabstele war – das heißt ein Stein, der den Eingang zu einem Grab kennzeichnet – und sogar auf die Grabstätte einer Person königlicher Abkunft hinzudeuten schien, vermochte ich meine Erregung kaum noch zu verbergen.

›Stammt dies etwa von dem sogenannten Königlichen Grab?‹ ließ ich durch Mohammed fragen. ›Stand dieser Stein ursprünglich vor dem Grab, das sich vier Meilen wadiaufwärts befindet?‹

Sie schüttelte heftig den Kopf und äußerte etwas von einer ›verbotenen Zone‹.

Ich versuchte weiter in sie zu dringen, aber die Alte ließ sich durch nichts halten. Ich erhöhte mein Angebot, doch sie schlug es abermals aus, wobei sie aufgeregt in ihrer verworrenen Sprache drauflosplapperte. Nachdem die alte Frau gegangen war, übersetzte mir Mohammed, was sie zum Schluß gesagt hatte: Der Stein habe einen verbotenen Ort markiert, den ihre Leute seit Jahrhunderten wohlweislich gemieden haben. Doch jetzt hätten Gewitter und Regen den Markierungsstein, der unter dem Hund gestanden habe, auseinandergebrochen und die Fragmente aufs Geratewohl verstreut. »Jetzt seien die Teufel freigekommen.«

Dies waren Mohammed zufolge genau ihre Worte.

Ron blickte zu Mark auf. »Hinweis Nummer eins. Die Stele, die den Eingang zum Grab kennzeichnete, hatte unter einem Hund gestanden, was immer das ist, aber ein Blitzschlag hat sie in drei Teile zerbrochen, und ein plötzlich einsetzender heftiger Regenguß hat eines der Teile in die Ebene hinuntergeschwemmt. Nun machte sich Ramsgate auf, um dieses Grab zu finden, wobei er dieses Stelenfragment benutzte und nach dem Hund Ausschau hielt.«

»Und er hat ihn gefunden.«

»Ja, aber wieder einmal nur durch Zufall, nicht dank des Steinfragments. Seitenlang beschreibt er seine Suche nach diesem Hund, und als er ihn dann findet, sagt er nicht einmal, wo genau er sich befand, sondern nur: ›Ich habe den Hund endlich gefunden.‹«

»Ich stelle mir vor, daß es sich dabei um eine Felsformation handelt, die einem Hund oder einem Hundekopf ähnelt.«

Ron zuckte mit den Schultern. »Nun zu Hinweis Nummer zwei.«

Als er die vergilbten Seiten wendete, brach ein Blitzstrahl durch die dahinziehenden Wolken, auf den eine Sekunde später ein ohrenbetäubender Donnerschlag folgte.

»Das Gewitter ist jetzt direkt über uns«, murmelte Mark und blickte zur Decke auf.

»Hier«, fuhr Ron leise fort.

3. Juli 1881: Es gibt irgend etwas Eigenartiges an dieser Stele. Ich habe ihre Gravuren gestern abend einer eingehenden Prüfung unterzogen und machte die erstaunliche Entdeckung, daß diese Stele keiner bisher bekannten gleicht. Sie ähnelt weder der gewöhnlichen Gedenkplatte, die einen König auf dem Schlachtfeld zeigt, noch der Art von Grabstein, auf denen der Verstorbene Osiris und Anubis huldigt. Tatsächlich wird im oberen Teil des Steins kein einziges menschliches Wesen dargestellt, dafür aber sieben ziemlich seltsame und faszinierende Gestalten, von denen ich annehme, daß es Götter sind. Nur ein Name ist erkennbar, und dieser steht in der Kartusche eines unbekannten Pharaos namens Tutanchamun. Ich habe noch nie von ihm gehört und Sir Robert ebensowenig.

Es sieht aus wie eine Art Gedenktafel, und dennoch scheinen die Hieroglyphen, welche in waagerechten Reihen verlaufen und von rechts nach links gelesen werden, eine Warnung auszusprechen.

Ron blätterte die Seite um, und wieder ließ ein Donnerschlag das Haus bis in die Grundfesten erzittern.

4. Juli 1881: Ich habe die Inschrift auf dem Stein übersetzt. Es handelt sich, wie ich vermutet habe, um eine Bestattungstafel und bezeichnet die Lage eines Grabes, das jemandem gehört, auf den als »Er-der-keinen-Namen-hat« Bezug genommen wird. Unglücklicherweise ist die Stele hier entzweigebrochen, und ich kann die Identität von Er-der-keinen-Namen-hat nicht entziffern.

»Damit ist bestimmt Echnaton gemeint«, kommentierte Mark, während er auf den stürmischen Ozean hinausblickte. »Nach dem Ende seiner Herrschaft erklärten es die Amun-Priester zum Verbrechen, seinen Namen auszusprechen.« Ron blätterte flink weiter. »Dann fand Ramsgates Aufseher Mohammed am zehnten Juli das zweite Stelenfragment, aber Ramsgate gibt nicht an, wo. Und jetzt, Mark, hör dir das an.« Ron dämpfte die Stimme und las atemlos.

12. Juli 1881: Ein unwiderstehlicher Drang hat uns alle gepackt, diesen Hund und das dritte Fragment zu finden. Beim Übersetzen des zweiten Teilstücks ermittelte ich gerade noch Anfänge eines Abschnitts, von dem ich sicher bin, daß er die Lage des Grabes angibt.

Ron hielt das Tagebuch noch immer geöffnet auf seinem Schoß und schaute auf. »Auf all diesen Seiten berichtet Ramsgate in einem fort über die Ausgrabung – das Ziehen der Gräben, das Ausheben der runden Schächte und Testlöcher –, er beschreibt sogar das Leben im Lager, das zu jener Zeit äußerst beschwerlich war. Aber nirgends erwähnt er, wo genau er gräbt.«

»Lies weiter vorn, Ron. Lies den Absatz über das Rätsel.«

»Ach ja, das Rätsel. Hinweis Nummer drei.« Er blätterte weiter und klatschte mit der Hand flach auf die Seite.

»Die Schlüsselpassage.«

16. Juli 1881: Kurz nach Sonnenaufgang, als die Arbeitsgruppen bereits im Wadi ihrer Arbeit nachgingen, wurde das dritte Fragment gefunden. Es ist kein loser Stein, sondern ein Sockel aus festem Fels, der aus dem Sand ragt. Die Stele war aus gewachsenem Fels herausgemeißelt worden. Der Sockel ist daher feststehend und unbeweglich. Obgleich sich das Fragment in schlechterem Zustand befindet als die übrigen dazugehörigen Stücke, ist die Inschrift doch noch lesbar, und ich habe den ganzen Tag hart gearbeitet, um das Ende des Hieroglyphentextes zu übersetzen. Während die arme Amanda unter ihren Decken unruhig schläft und von Alpträumen geplagt wird, sitze ich hier und zerbreche mit den Kopf über die rätselhaften Worte, die ich herausgebracht habe. Die Warnung setzt sich darin fort. Eine Mahnung an alle, die zufällig vorbeikommen, sich fernzuhalten. Bis zur letzten Hieroglyphenreihe, in der es heißt: »Wenn Amun-Ra stromabwärts fährt, so liegt der Verbrecher darunter; um mit dem Auge der Isis versehen zu werden.«

Sir Robert und ich haben uns den ganzen Abend bemüht, das Rätsel dieser Inschrift zu lösen. Es kann kein Zweifel bestehen, daß diese letzte Zeile auf die Lage des Grabes verweist, und doch finde ich darin keine Anspielung auf einen Hund. In welchem Zusammenhang steht dieser Absatz zu dem, was die alte Ziegelsammlerin uns erzählt hat?

»Verdammt«, brummte Mark und lief hinüber zur Bar, »er liefert uns genug, um uns zur Verzweiflung zu bringen!« Während Mark sich einen Schluck Bourbon einschenkte und dabei mit finsterem Blick auf den mit unverminderter Heftigkeit tobenden Regensturm starrte, las Ron weiter in dem Tagebuch. Nach ein paar Minuten des Schweigens, das nur gelegentlich durch einen Donnerschlag unterbrochen wurde, sagte Ron mit tonloser Stimme: »Das ist der Teil, der mich am meisten beschäftigt. Die Inschrift, die Ramsgate am Eingang zum Grab fand...«

Mark hörte nicht zu. Während er auf den schäumenden grauen Ozean hinabstarrte und spürte, wie sein Haus bei jeder Woge erzitterte, hielt ihn der quälende Gedanke an seine eigene Unentschlossenheit völlig gefangen.

Halstead hatte ihn gebeten, nach Ägypten aufzubrechen. Und nur eines hinderte ihn daran, sofort einzuwilligen: ein Versprechen.

Mark dachte wieder an Nancy, stellte sich ihr hübsches Gesicht vor, hörte ihr leises, befreiendes Lachen. Er war ihr vor sieben Jahren im Kunstmuseum von Los Angeles begegnet, als er dort einen Vortrag über Königin Nofretete gehalten hatte. Ihre Beziehung hatte sich anfangs auf gelegentliche Treffen beschränkt, war aber nach jeder seiner Ägyptenreisen enger geworden, bis ihnen nach seiner letzten Reise bewußt geworden war, daß sie sich liebten. Seitdem hatten sie sich nicht mehr für längere Zeit trennen wollen. Nancy reiste sehr ungern und sehnte sich nach Beständigkeit, und irgendwann im Verlauf der langen Liebesnächte, die sie in seinem Bett verbrachten, hatte Mark nachgegeben.

Er hatte ihr versprochen, daß die Zeit seiner Forschungsreisen vorüber sei, daß er nun zur Ruhe kommen und bei ihr bleiben wolle. Und bis gestern, bis zu Grimms Anruf, hatte Mark sich an sein Versprechen gehalten. Aber dann war Halstead erschienen und hatte ihm diese im Leben eines Ägyptologen einmalige Chance offeriert. Nur ein Narr, ganz gleich, wie sehr er auch in eine Frau wie Nancy verliebt sein mochte, würde sich diese Gelegenheit entgehen lassen. Rons Stimme schien aus weiter Entfernung zu ihm herüberzudringen. »Die sieben Dämonen und die sieben Flüche auf der Tür zur Grabkammer, Mark. Ich habe so etwas noch nie gehört, nicht in all den Jahren, die ich mich schon mit Ägypten befasse. Nun hör dir das an:

Hüte dich vor den Wächtern des Ketzers, die da wachen bis in alle Ewigkeit. Dergestalt ist die Rache der Schrecklichen:

Einer wird Euch in eine Feuersäule verwandeln und Euch vernichten.

Einer wird Euch Euer eigenes Exkrement essen lassen.

Einer wird Euch das Haar vom Kopf reißen und Euch skalpieren.

Einer wird kommen und Euch zerstückeln.

Einer wird als hundert Skorpione kommen.

Einer wird den Stechmücken gebieten, Euch zu verzehren.

Einer wird Euch eine schreckliche Blutung verursachen und Euren Körper austrocknen lassen, bis Ihr sterbet.«

Ron lehnte sich zurück und klappte das Tagebuch vorsichtig zu.

»Das kann doch wohl nicht stimmen. Ramsgate muß falsch übersetzt haben. Die Ägypter schrieben niemals dergleichen auf ihre Gräber...«

Ron schwieg wieder, während Mark weiter mit sich haderte. Er wußte, daß er kein Recht hatte, sein Versprechen Nancy gegenüber zu brechen; aber er mußte auch ehrlich zu sich selbst sein.

Mark faßte sein Glas so fest, daß seine Finger ganz weiß wurden. Er zitterte vor Unentschlossenheit.

Soweit er zurückdenken konnte, hatte ihm die Ägyptologie alles bedeutet.

Mark Davison entstammte einer Farmarbeiterfamilie und war in Bakersfield zur Welt gekommen. Sein Vater, ein grobschlächtiger, riesenhafter Mann, hatte seine Familie mit den vier Söhnen von dort bis ins San-Joaquin-Tal in Kalifornien geschleppt, wobei sie von einer Ernte zur nächsten gezogen waren. Mark hatte als Jugendlicher keine Auflehnung gekannt, sondern nur eine tiefsitzende Mischung aus Ehrfurcht und Haß für seinen Vater. Schon im Alter von fünf Jahren, als er sich auf den Feldern von Salinas mit seinem Vater und seinen drei Brüdern unter der heißen Sonne niederbeugte und in der Erde nach Artischocken grub, begriff Mark, daß er zu etwas Besserem bestimmt war. Er wußte nicht, wann seine Liebe zu den Altertümern begonnen hatte, aber er konnte sich an keinen Tag erinnern, an dem er keinen Schmutz unter den Fingernägeln gehabt hatte. Anfangs war es für den jungen Mark schwer gewesen, da sein Vater Bildung verachtete und die Familie nie lange genug an einem Ort blieb, als daß er ein ganzes Schuljahr dort hätte absolvieren können. Doch die Zeit verging, und George Davison wurde das Opfer seiner jahrzehntelangen Trinkerei. Und als die älteren Brüder einer nach dem anderen fortgingen und Mark mit seinem betrunkenen Vater und der ausgezehrten Mutter alleine ließen, packte ihn das verzweifelte Verlangen, etwas aus sich zu machen. Er jobbte an Tankstellen und besuchte die Abendschule. Er bewarb sich um ein Stipendium für die Universität von Chicago und erhielt es prompt. Ein Professor mit einem feinen Gespür und der Fähigkeit, andere zu begeistern, hatte in ihm eine fast zwanghafte Leidenschaft für das alte Ägypten entzündet. Mark mußte für die Verwirklichung seines Traums schwer arbeiten und viele Opfer bringen, hatte zwei Jobs und verwandte jede freie Minute darauf, zu studieren und seine Doktorarbeit zu schreiben, mit der er im Alter von fünfundzwanzig Jahren promoviert wurde. Vom lockeren Leben seiner Generationsgenossen hatte

Mark kaum etwas mitbekommen, hatte sich mit Leib und Seele der Ägyptologie verschrieben und sich ganz auf sich gestellt auf der akademischen Karriereleiter nach oben gekämpft. Die Selbstgenügsamkeit, die er in den entbehrungsreichen Jahren seiner Kindheit gelernt hatte, hatte ihn dabei in gewisser Weise geschützt. All die lehr- und opferreichen Jahre hindurch hatte er nur auf diesen Moment hingearbeitet... Plötzlich drehte Mark sich um und erklärte: »Ron, ich werde es tun.«

»Was ist mit Nancy?«

Mark drehte nervös das Glas in seinen Händen. Es konnte bedeuten, sie zu verlieren, das wußte er. »Ich weiß nicht. Ich kann nur hoffen, daß sie es verstehen wird. Ron, dieses Grab existiert, und es gehört mir.«

Ron lehnte sich gegen die Sofakissen und sah seinen Freund prüfend an. So entschlossen und voller Ehrgeiz hatte er Mark seit dem Dendur-Tempel-Projekt fünf Jahre zuvor nicht mehr erlebt. Und da Ron wußte, was sein Freund in diesem Augenblick empfand – die Aufregung über die Aussicht, einen sensationellen Fund zu machen –, sprang ein wenig von dieser Erregung auch auf ihn über.

Sie blickten einander durch den düsteren Raum hindurch an und hingen jeder seinen eigenen Gedanken nach.

Mark und Ron gehörten zu den geburtenstarken Jahrgängen der sechziger Jahre. Beide hatten als Heranwachsende in überfüllten Klassenzimmern sitzen müssen und hatten den Massenansturm auf die Universitäten miterlebt. Nach der Schule hatten diese jungen Leute die Hörsäle überschwemmt, und nachdem sie ihre Examen gemacht hatten, versuchten sie, sich eine Stelle auf dem ohnehin schon übersättigten Arbeitsmarkt zu erkämpfen. Es gab kaum Möglichkeiten, wo sie als frischgebackene Ägyptologen hätten hingehen können. Da keine Ausgrabungen im Gange waren und es keine Funde zu analysieren gab, blieb ihnen nur die Wahl zwischen dem Lehrberuf oder der Arbeit in Museen – und auf jede offene Stelle kamen zehn qualifizierte Ägyptologen. Viele mußten eine andere berufliche Laufbahn einschlagen, um Arbeit zu bekommen; so hatte einer ihrer gemeinsamen Freunde nach Beendigung des Studiums eine Autowerkstatt eröffnet und verdiente als Inhaber eines großen Betriebes inzwischen mehr als Ron oder Mark.

Dabei hatte Mark noch ziemliches Glück gehabt. Es war ihm gelungen, an den wenigen Ausgrabungen mitzuwirken, die nach dem Bau des Assuan-Staudamms noch durchgeführt wurden; er hatte ein paar populäre Sachbücher geschrieben und deswegen eine Dozentenstelle an der Universität Los Angeles erhalten. Ron dagegen hatte sein Fachgebiet verlassen müssen, um seinen Lebensunterhalt zu sichern. Damit er die Miete für seinen Kanalschuppen im kalifornischen Venice bezahlen konnte, betätigte sich Ron unter drei verschiedenen weiblichen Pseudonymen als Autor von Horrorgeschichten. Seine Honorareinnahmen reichten außer für den Lebensunterhalt gerade noch für seine Hobbys: das Fotografieren, einschließlich der Ausstattung für seine Dunkelkammer, und das Boot. Die Verbindung mit seinem Beruf erhielt er aufrecht, indem er wissenschaftliche Abhandlungen verfaßte, die von der archäologischen Fachwelt stets mit großem Beifall bedacht wurden. Drei seiner Arbeiten – »Homosexualität im alten Ägypten«, »Die Herrschaft des weiblichen Geschlechts im alten Ägypten – ein weitverbreiteter Irrtum« und »Bes: der phallische Gott« –, die er für das *Journal of Near Eastern Studies* geschrieben hatte, waren in ein neues Lehrbuch aufgenommen worden, das von Anthropologiestudenten im ganzen Land benutzt wurde.

Sein Spezialgebiet waren Mumien. Beginnend mit seiner Doktorarbeit über den »Einsatz der Röntgenfotografie zur Bestimmung verwandtschaftlicher Beziehungen zwischen den Pharaonen des Neuen Reichs«, hatte Ron es durch zahlreiche Veröffentlichungen geschafft, einen bescheidenen Ruf auf diesem Gebiet zu erlangen. Im Jahr zuvor hatte er auf Einladung der Wesleyan-Universität in Connecticut einer Gruppe von Medizinern beim Auswickeln und Analysieren einer Mumie aus der zwanzigsten Dynastie assistiert, die dem dortigen Museum für Naturgeschichte als Schenkung überlassen worden war.

Zu Anfang ihrer Bekanntschaft waren Mark und Ron erbitterte Gegner gewesen. Sie hatten sich acht Jahre zuvor bei einem Seminar in Boston kennengelernt, zu dem beide als Redner geladen worden waren. Mark hatte in seinem Vortrag die These von der gemeinsamen Herrschaft Echnatons und Amenophis' III. vertreten, während Ron diese zu widerlegen suchte. Nachdem sie sich zunächst bei einem Empfangsdinner über ihre unterschiedlichen Theorien gestritten hatten, hatten sie ihre Auseinandersetzung in den Hörsaal hineingetragen, hatten sie bei den Cocktails vor dem Abendessen fortgesetzt und in der Bar bis zur Sperrstunde weiterdebattiert. Am nächsten Morgen waren sie einander nicht mehr von der Seite gewichen und hatten sich für den Rest der Woche ausführlich mit ihren gegensätzlichen Standpunkten beschäftigt, ohne sich besonders intensiv um den weiteren Verlauf des Seminars zu kümmern. Ihre Meinungsverschiedenheiten hatten sie unzertrennlich miteinander verbunden. Jeder war auf seine Weise ein besserer Ägyptologe als der andere, was jeder der beiden schließlich widerwillig hatte anerkennen müssen. Mark besaß ein Gespür für den Boden; er wußte, wo er suchen mußte und wo nicht, und konnte ein Fundstück freilegen, ohne auch nur ein Sandkorn in Unordnung zu bringen. Ron dagegen verfügte über ein ausgeprägtes Abstraktionsvermögen. Er sah die Geschichte, die sich hinter einem Fundstück verbarg. Er konnte anhand einer Hieroglyphe, eines Fetzen Leinwand oder einer Haarlocke auf das Drama schließen, das sich einst um diesen Gegenstand abgespielt hatte. Ron haßte den Schmutz, während Mark bei der Analyse nur der Zweitbeste war. Zusammen bildeten sie jedoch ein unschlagbares Team.

»Ron«, begann Mark leise, »ich möchte, daß du mitkommst.«

Sein Freund lächelte und schüttelte langsam den Kopf.

»Warum?«

»Zum einen werden wir einen Fotografen brauchen. Zum anderen bist allein du der richtige Fachmann, wenn wir tatsächlich eine Mumie finden sollten.«

»Das stimmt schon, Mark, aber«, Ron stand auf und streckte sich, »ich muß den Abgabetermin für meine Echnaton-Arbeit einhalten...«

»Das ist eine Ausrede, und du weißt es selbst ganz genau. Hier bietet sich dir eine einmalige Gelegenheit, mit der Mumie desjenigen Mannes in Berührung zu kommen, über den du schreibst. Du kannst selbst feststellen, ob Echnaton geschlechtslos war oder nicht. Verdammt noch mal, das ist doch die Chance«, Mark hieb mit der Faust auf sein Knie, »ein Buch zu schreiben, das wie eine Bombe auf der Bestsellerliste der *New York Times* einschlägt. Und alles, was dir dazu einfällt, ist der Abgabetermin für irgendein Fachmagazin mit einer Auflage von zweihundert Exemplaren.«

»He, jetzt werde doch nicht gleich sauer. Ich habe einfach keine Lust, nach Ägypten zu fahren, das ist alles.«

»Wovor hast du Angst, Ron?«

»Ich habe vor nichts Angst. Aber nur weil du insgeheim den Wunsch hegst, groß rauszukommen, heißt das noch lange nicht, daß auch ich mich danach sehne.«

»Du lebst in einer Baracke in Venice und trägst Klamotten, die jeder andere wegwerfen würde. Du schreibst Groschenromane, um dir was dazuzuverdienen, und segelst in einem morschen Kahn, bei dem du beten mußt, daß er nicht jeden Augenblick absäuft, und dabei weißt du verdammt gut, daß du in deinem Fach ganz an der Spitze stehen könntest!«

»Du siehst die Dinge anders als ich. Ich bin zufrieden, so wie ich lebe.«

»Ach, wirklich? Schau dich doch an, Ron, wie du dich in einem fort bemühst, alte Tatsachen zu verdrehen, damit sie zu deiner neuesten exzentrischen Theorie passen. Du glaubst doch wohl nicht im Ernst, daß Echnaton geschlechtslos war...«

»Na hör mal, das ist wirklich meine feste Überzeugung...«

»Natürlich. Bis vor einem Jahr noch wäre dir so etwas nie in den Sinn gekommen, obwohl du hundertmal Fotos von dieser Statue gesehen hattest. Aber jetzt muß dein Boot zum Entalgen aufs Trockendock, und das ist teuer. Da fällt dir plötzlich ein, daß noch niemals etwas über die Statue eines Königs geschrieben worden ist, die ihn nackt und ohne Geschlechtsteile zeigt! Du setzt dein fachliches Wissen für geradezu unlautere Zwecke ein, Ron.«

Ron schwieg und starrte in den erkalteten, schwarzen Kamin.

Nach einer Weile fuhr Mark fort: »Ron, wenn wir dieses Grab finden und wenn es eine Mumie darin gibt, möchte ich dich dabeihaben, damit du sie als erster in Augenschein nimmst.«

Er ging zu Ron hinüber und packte ihn fest an der Schulter. »Und ich brauche einen Fotografen. Bei einer Ausgrabung kommt dafür nur ein Ägyptologe in Frage. Jetzt bekommst du die Gelegenheit, deine teure Ausrüstung endlich einmal sinnvoll einzusetzen.«

»Ich habe keine Erfahrung im Gelände, Mark. Es ist ein großer Unterschied, ob du eine Dunkelkammer in deiner Wohnung hast oder ob du sie in einem Zelt einrichten mußt.«

»Du könntest eines der Gräber dafür benutzen.«

»Pfui, du Grabschänder!«

»Komm mit, Ron. Du wirst genug Geld verdienen, um deinen *Tutanchamun* abschaben zu lassen und dir überdies ein Boot zu kaufen, mit dem du die Transpazifikregatta gewinnst.«

Ron dachte einen Augenblick nach und meinte dann: »Glaubst du, daß du es finden kannst?«

»Ich habe keine Ahnung. Tell el-Amarna ist ein recht weitläufiges Gebiet, und man hat es schon ziemlich gründlich erforscht. Das Tagebuch gibt uns nicht viele Anhaltspunkte, wo wir weitermachen sollen.«

»Wo würdest du suchen?«

»Ich denke, ich würde zuerst versuchen, herauszufinden, wo sich Ramsgates Lagerplatz befand, und dann ein wenig Detektivarbeit leisten, um zu sehen, ob ich diese Stelenfragmente ausfindig machen kann. Sie müssen noch immer dort sein, irgendwo unter dem Sand verborgen. Danach würde ich nach diesem Hund suchen, was auch immer damit gemeint ist, um auf diesem Wege das Rätsel zu lösen. Ramsgate schreibt, daß alle Anhaltspunkte gegeben sind. Es geht also nur darum, sie richtig zu deuten.«

»Dieses Rätsel ergibt doch keinen Sinn, Mark. Erstens fährt Amun-Ra nicht stromabwärts. Die Sonne wandert von Osten nach Westen und nicht von Süden nach Norden, das gilt auch für Ägypten. Und ich habe noch nie von einem Auge der Isis gehört, und auch nicht davon, daß irgendeine ihrer Erscheinungsformen einem Hund glich. Ich vermute, daß Ramsgate falsch übersetzt hat.«

»Selbst wenn das so gewesen wäre, Ron, immerhin hat er das Grab gefunden.«

»Ja, das hat er wohl...«

»Und er ist niemals bis ins Innere vorgedrungen. Es ist immer noch da – vielleicht unberührt.« Mark wandte sich ab und ging wieder zur Bar. Er warf einen Blick aus dem Fenster und stellte fest, daß der Sturm sich allmählich legte. »Was glaubst du wohl, was in seine Arbeiter gefahren ist, das sie veranlaßte, am Ende alles stehen- und liegenzulassen und die Flucht zu ergreifen? Und diese beiden merkwürdigen Todesfälle...«

Ron zuckte mit den Schultern. »Ich vermute, die Einheimischen wollten die Fremden loswerden, um den Schatz für sich alleine zu haben. Das kommt in ganz Ägypten auch heute noch vor; denk nur mal daran, was damals in Qurna los war. Ich könnte mir vorstellen, daß die Dorfältesten Ramsgates Fellachen entweder dafür bezahlten, daß sie sich davonmachten, oder daß sie sie einfach verjagten. Ich halte diese beiden Todesfälle für heimtückische Mordanschläge.«

»Aber wenn sich die Dorfbewohner wirklich so viel Mühe gemacht hätten, die Fremden loszuwerden, dann frage ich mich doch, warum sie das Grab niemals geöffnet haben. Wie dem auch sei«, Mark warf einen Eiswürfel in sein Glas, »zwischen den Bewohnern von El Till und Hag Qandil tobt schon seit Jahren eine blutige Fehde. Hoffentlich geraten wir da nicht ins Kreuzfeuer.« Ron entfernte sich vom Kamin, stellte sich breitbeinig ans Fenster und schaute auf den wogenden Ozean hinaus. »Was weißt du eigentlich über diesen Halstead?«

»Im Grunde gar nichts. Er war keine zehn Minuten hier.«

»Hat er Geld?«

»Ich glaube schon.«

»Woher weißt du, daß er seriös ist?«

»Das weiß ich nicht.«

»Woher hat er das Buch?«

Mark zuckte mit den Achseln.

»Es ist wahrscheinlich ein ziemlich aussichtsloses Unterfangen«, urteilte Ron.

»Kann schon sein.«

»Und außerdem«, Ron rieb sich die Arme, da ihm plötzlich bewußt wurde, wie kalt es in dem Raum war, »es ist schon hundert Jahre her. In Tell el-Amarna hat es eine Menge Vandalismus gegeben. Viele Diebstähle. Das Grab könnte geplündert worden sein, und wir wissen es nicht einmal.«

»Ron, ich möchte dich hierhaben, wenn Halstead heute abend wiederkommt.«

»Hast du Wein im Haus?«

»Nur eine Zweiliterflasche. Aber ich kann für dich schnell welchen holen.«

Ron lächelte seinem Freund zu. Dann wurde seine Miene wieder ernst. »Weiß Nancy, daß du den Lehrstuhl nicht bekommen hast?«

Mark starrte finster auf das Glas in seiner Hand und leerte es dann in einem Zug. »Ich werde wohl einen Weg finden müssen, wie ich es ihr beibringe.«

»Nimm sie doch mit nach Ägypten.«

»Nein, sie fährt nicht gerne so weit weg, und noch weniger mag sie die Wüste. Abgesehen davon wird es nicht gerade eine Vergnügungsreise werden...«

»Eins läßt mir noch immer keine Ruhe«, meinte Ron und vergrub nachdenklich die Hände in den Taschen seiner Jeans.

»Und was?«

»Was geschah mit Ramsgate? Warum hat man nie wieder etwas von ihm oder von irgendeinem Mitglied seiner Expedition gehört?«

»Ich weiß es nicht.«

»Und warum hat er sein Tagebuch mitten in einem Satz abgebrochen?«

Vier

»Das ist er!«

Ron sprang auf und schaute rasch auf seine Armbanduhr. »Auf die Minute genau. Es ist Punkt sechs.«

Ron und Mark hatten sich telefonisch Pizza bestellt und früh zu Abend gegessen. Danach hatten sie es sich in Marks Wohnung bequem gemacht.

Mark wünschte, er wäre nicht so aufgeregt. Er hatte feuchte Hände, und wie oft er sie auch an seiner Hose abwischte, sie blieben klamm.

Als er die Tür öffnete, sah er gerade noch, wie der Rolls-Royce sich langsam vom Haus entfernte. Hinter dem Steuer nahm er schemenhaft die Gestalt des Chauffeurs wahr. Vor ihm stand Sanford Halstead, ganz ähnlich gekleidet wie am Abend zuvor, nur daß er diesmal nichts in den Händen hielt. In einiger Entfernung hörte man den nicht abreißenden Verkehr über den glitzernden Asphalt des Pacific Highway rollen.

»Auf die Minute pünktlich«, begrüßte ihn Mark und hielt ihm die Tür auf.

Sanford Halstead nickte höflich und trat ein. Als Mark die Tür hinter seinem Gast schloß, fiel Halsteads Blick auf Ron Farmer, der sich gegen den Kamin lehnte, und er sagte mit ruhiger, näselnder Stimme: »Ah, Dr. Farmer, wie ich sehe, konnten Sie es einrichten, an unserer Unterredung teilzunehmen.«

Mark und Ron tauschten Blicke aus. Ron schüttelte sich, als ob ihm ein Schauer über den Rücken liefe. Sie hatten zuvor im Kamin wieder ein Feuer angemacht, aber die behagliche Atmosphäre des Wohnzimmers schien gleich beim Eintritt des hochgewachsenen, würdevollen Besuchers dahinzusein.

»Darf ich Ihnen etwas zu trinken anbieten, Mr. Halstead?«

»Nein, danke, Dr. Davison. Ich trinke weder Alkohol, noch rauche ich.«

»Nun, dann nehmen Sie doch bitte Platz, und lassen Sie uns zur Sache kommen.«

Als sie alle drei im Schein des Kaminfeuers saßen, ergriff Halstead das Wort: »Ich nehme an, Sie haben das Tagebuch gelesen?«

»Ja, wir haben es beide gelesen.«

»Und was halten Sie davon?«

»Ich will nichts versprechen, aber die Chancen stehen gut, daß das Grab tatsächlich existiert.«

»Und daß es noch nicht geöffnet worden ist?«

»Mr. Halstead, wenn ein Grab entdeckt wird, wird es entweder den Behörden gemeldet, oder es wird geheimgehalten, um die Grabbeigaben illegal verkaufen zu können. Im ersten Fall wird darüber in Fachzeitschriften berichtet werden, und die Fachwelt wird im allgemeinen sehr schnell Kenntnis davon erlangen. Im zweiten Fall kommt selbst eine streng geheimgehaltene Entdeckung durch den illegalen Verkauf von Antiquitäten, die bis dahin noch nie auf dem Markt waren, ans Tageslicht, besonders wenn es sich um Stücke handelt, die für Beisetzungen typisch sind. Grabbeigaben ziehen sofort die Aufmerksamkeit auf sich, weil sie auf ein neues, der Öffentlichkeit noch nicht bekanntes Grab hindeuten. In den letzten Jahren wurde aber auch auf dem Schwarzmarkt nicht viel Derartiges angeboten. Vielleicht ein paar kleinere Statuen, Schmuck und Skarabäen. Und auch davor ist nichts aufgetaucht, von dem man hätte annehmen können, daß es aus einem Grab der achtzehnten Dynastie stammt.«

»Aber das Grab könnte von Anfang an leer gewesen sein.«

»Das bezweifle ich. Ramsgate berichtet, daß die Siegel der Priester noch unversehrt waren. Das bedeutet, daß, wer auch immer dort begraben liegt, noch im Besitz seiner gesamten Habe ist, denn die alten Ägypter bestatteten ihre Toten stets mit allem, was ihnen zu Lebzeiten gehörte.«

»Wie stehen unsere Chancen, das Grab zu finden?«

»Das hängt von vielen Faktoren ab. Zuerst müssen wir nach Amarna fahren und die Gegend erkunden. Wir müssen versuchen, den genauen Platz von Ramsgates Lager ausfindig zu machen, was nicht leicht sein wird. Dann gilt es, festzustellen, ob sich diese Stelenfragmente noch irgendwo dort befinden. Bedenken Sie, daß wir nicht wissen, was aus Ramsgates Expedition geworden ist. Ich muß erst nähere Auskünfte aus Kairo einholen, bevor ich abschätzen kann, wie unsere Chancen stehen, irgend etwas zu finden.«

»Wie werden Sie bei der Suche nach dem Grab vorgehen?«

Mark beugte sich vor, stützte seine Ellbogen auf die Knie und faltete die Hände. »Das Tagebuch liefert uns drei Anhaltspunkte: die verstreut liegenden Fragmente der Steinstele, welche den Eingang des Grabes bezeichnete; den Hund und das Rätsel der Hieroglypheninschrift auf dem Stelensockel.«

»Ist es Ihnen gelungen, dieses Rätsel zu lösen, Dr. Davison?«

Mark griff nach dem Tagebuch, legte es auf die Couchtisch und schlug die Seite mit der Eintragung vom 16. Juli 1881 auf. Dann las er laut vor: »Wenn Amun-Ra stromabwärts fährt, so liegt der Verbrecher darunter; um mit dem Auge der Isis versehen zu werden.« Er schloß das Buch und lehnte sich zurück. »Ramsgate zufolge befindet sich das Grab tatsächlich dort, wo die rätselhafte Inschrift es angibt. *Und* unter dem Hund, was immer damit gemeint ist.«

»Aber in der Inschrift ist nicht von einem Hund die Rede.«

Mark streckte seine Hände aus. »Vermutlich haben wir hier alle Fakten, die wir brauchen. Doch sie reichen offensichtlich doch nicht aus, da Dr. Farmer und ich beim besten Willen keinen Sinn in dem rätselhaften Hieroglyphentext erkennen können. Sehen Sie, Mr. Halstead, Amun-Ra ist die Sonne, und stromabwärts bedeutet nach Norden.

Die Inschrift besagt, daß, wenn die Sonne nach Norden wandert...«

»Dann kann da etwas nicht stimmen.«

»Das sollte man annehmen, nur erwähnt Ramsgate nichts von einem Fehler in seinem Tagebuch. Diese krasse Unstimmigkeit hätte ihm ja auch auffallen müssen. Aber er war sich seiner korrekten Übersetzung wohl sicher. Und als er den Hund endlich durch Zufall findet, schreibt er, daß alles genau dem Hieroglyphentext entspricht.«

Sanford Halstead dachte einen Moment nach, dann fragte er: »Dr. Davison, glauben Sie, daß es sich um Echnatons Grab handelt?«

»Ramsgate fand keine Namen am Eingang zum Grab, aber die Stele verweist auf ›den Verbrecher‹. Dies war der Name, den die Amun-Priester Echnaton nach dessen Tod gaben. Daraus können Sie ersehen, wie stark die Ägypter an die magische Kraft des Namens glaubten. Wenn sie einen Menschen bei seinem Namen nannten, wurde ihm dadurch Stärke und Macht verliehen. Wenn sie ihn aber seines Namens beraubten, nahmen sie ihm seine Identität und damit seinen Einfluß. Deshalb mußten alle Mumien und alle Gräber mit Namensinschriften versehen werden, andernfalls wäre es nach der Vorstellung der alten Ägypter dem Geist des Toten nicht möglich, seine Identität zu erkennen, und ohne Identität konnte er kein Leben nach dem Tod führen. Weil Echnaton versucht hatte, die vielen alten Götter zu beseitigen, und sein Volk zwingen wollte, nur einem Gott, nämlich Aton, zu huldigen, rächten sich die Amun-Priester, indem sie seinen Namen nach seinem Tod für verboten erklärten und seinen Geist dadurch seiner Identität beraubten. Ja, Mr. Halstead, ich glaube, daß Ramsgate Echnatons Grab gefunden hat.«

»Warum wurde er nicht in dem sogenannten Königlichen Grab beigesetzt, das 1936 in einem der Täler ausgegraben wurde?«

»Weil niemand in irgendeinem der Gräber in Tell el-Amarna beerdigt wurde«, erklärte Mark und griff nach seiner Pfeife. Er füllte den Pfeifenkopf, drückte den Tabak fest und fuhr dann fort: »Nachdem Echnaton gestorben war, verließen die Bewohner Echnatons neugebaute Hauptstadt, die damals Achet-Aton genannt wurde und heute auf arabisch Tell el-Amarna heißt. Familien, die ihre Toten in den Gräbern bestattet hatten, brachten sie weg und gaben ihnen in der alten Hauptstadt Theben eine neue Ruhestätte. Achet-Aton wurde von den

Priestern zu einem verfluchten Ort erklärt, so daß niemand seine Toten dort zurücklassen wollte. Sogar Echnatons Mutter und seine älteste Tochter wurden aus ihren Gräbern in Amarna entfernt und in Theben neu beigesetzt. Sein Vater, seine beiden Brüder, seine Schwester und weitere Töchter fanden ebenfalls in Theben ihre letzte Ruhestätte. Sicherlich wissen Sie, daß sein Schwiegersohn und Nachfolger der berühmte jugendliche Pharao Tutanchamun war.«

»Warum wurde Echnaton dann nicht mit der übrigen Familie in Theben bestattet?«

»Ich könnte mir vorstellen, daß die Amun-Priester ihren heiligen Boden nicht durch seinen Leichnam entweihen lassen wollten. Sie müssen bedenken, daß Echnaton in ihren Augen ein Ketzer war. Als er um dreizehnhundertfünfzig vor unserer Zeitrechnung, damals noch als Amenophis der Vierte, den Thron bestieg, hatte Ägypten eine zweitausendjährige Blütezeit hinter sich, und während dieser ganzen Zeit hatten seine Bewohner Hunderte von Göttern verehrt. Als der junge Amenophis an die Macht kam und seinen Namen in Echnaton änderte, beschloß er, der Vielgötterei ein Ende zu bereiten, und zwang sein Volk, nur einer Gottheit zu huldigen, nämlich Aton. Die Priester der anderen Götter tauchten während Echnatons Herrschaft unter, weil er ihre Tempel schloß, und sannen im Verborgenen auf Rache. Nachdem er dann in seiner heiligen Stadt Achet-Aton, also nahe dem heutigen Tell el-Amarna, gestorben war, traten die alten Priester wieder an die Öffentlichkeit, erklärten seinen Gott für falsch und stellten es unter Strafe, seinen Namen auszusprechen. Fortan hieß er nur noch ›der Verbrecher von Achet-Aton‹. Deshalb hätten es die Priester nicht gern gesehen, wenn sein Leichnam in der heiligen Erde des Tals der Könige begraben worden wäre, denn sie fürchteten, von seinem Geist heimgesucht zu werden. Ich denke, sie wollten ihn dort lassen, wo er war, nämlich auf seinem eigenen fluchbeladenen Boden.«

Sanford Halstead schürzte seine Lippen. »Dr. Davison, wenn die Amun-Priester Echnaton so sehr haßten und fürchteten, warum haben sie seinen Leichnam dann nicht einfach vernichtet? Soviel ich über ägyptische Religion weiß, kann die Seele ohne den Körper, womit auch der mumifizierte Körper gemeint ist, nicht existieren. Warum machten sie sich überhaupt die Mühe, ihn zu bestatten?«

»Weil sie strenggläubige Männer waren, Mr. Halstead, und nach der altägyptischen Religion verkörperte der Pharao einen Gott, auch wenn er Echnaton hieß und überaus verhaßt war. Er war eine Gottheit, und die Priester wollten es nicht riskieren, den Zorn der anderen Götter auf sich zu ziehen, indem sie seinen Leichnam schändeten. Ich vermute, daß sie ihn zugleich fürchteten und haßten. So ließen sie ihn auf seinem eigenen Grund und Boden, um seinen Geist von sich selbst fernzuhalten, aber sie bestatteten ihn in der herkömmlichen Weise, um ihn versöhnlich zu stimmen.«

»Warum aber errichteten sie eine völlig neue Grabstätte? Warum benutzten sie nicht das bereits bestehende sogenannte Königliche Grab?«

Mark warf schnell einen Blick hinüber zu Ron und runzelte die Stirn. »Dies ist etwas, Mr. Halstead, was ich leider auch nicht nachvollziehen kann. Es ist wohl eines der vielen Geheimnisse, mit denen das verheerende Ende der achtzehnten Dynastie umgeben ist. Ich denke aber, daß wir auch darauf die Antwort erhalten werden, wenn wir das Grab finden.«

Sanford Halstead nickte bedächtig. Sein silberfarbenes Haar glänzte im Schein des Feuers. »Dr. Davison, meinen Sie, wir können eine Genehmigung für eine archäologische Ausgrabung von den ägyptischen Behörden bekommen?«

»Wenn dort im Augenblick keine anderen Grabungsarbeiten im Gange sind, ja.«

»Können Sie alles vorbereiten?«

»Wieviel Freiheit habe ich dabei?«

»Ich möchte, daß Sie alles Notwendige veranlassen, Dr. Davison. Stellen Sie ein, wen Sie wollen, besorgen Sie an Gerät, was Sie brauchen. Nun sagen Sie mir bitte, wann wir aufbrechen können.«

»Die beste Zeit für Ausgrabungen ist gewöhnlich von Oktober bis April. Ich werde mich erkundigen, wann der Ramadan in diesem Jahr stattfindet. Die Moslems richten sich nach dem Mondkalender, so daß ihre Monate nicht wie die unseren feststehen.«

»Ramadan?«

»Der heilige Fastenmonat. Vom Morgengrauen bis zum Sonnenuntergang ist den Arabern jegliche Nahrungs- oder Flüssigkeitsaufnahme untersagt. Sie schlucken nicht einmal ihren Speichel. Glauben Sie mir, in dieser Zeit geht die Arbeit so gut wie gar nicht voran. Am besten fangen wir im Oktober an. Dann bleiben uns noch sieben oder acht Monate, um uns vorzubereiten.«

»Dr. Davison, ich möchte so bald wie möglich anfangen.«

Mark schüttelte den Kopf. »Vor Oktober würden auch Sie nicht nach Ägypten fahren wollen, glauben Sie mir.«

»Dr. Davison, sagen Sie mir nur, wie schnell Sie alles einrichten können.«

»Nach vorsichtiger Schätzung würde ich etwa drei, vielleicht auch vier Monate dafür anberaumen.«

»Ausgezeichnet, dann ist dies also unser Abreisedatum.«

Mark legte seine Pfeife in den Aschenbecher und beugte sich mit ernster Miene vor. »Mr. Halstead, niemand führt in Ägypten im Juni oder Juli eine Ausgrabung durch! Die Hitze ist unerträglich!«

»So bald wie möglich, Dr. Davison. Ich bestehe darauf.«

Während Mark versuchte, seine Verärgerung über diese im Befehlston gegebene Antwort zu unterdrücken, und Sanford Halstead wütend musterte, ergriff Ron Farmer mit ruhiger Stimme das Wort: »Sagen Sie, Mr. Halstead, hat irgend jemand außer uns dreien das Tagebuch zu Gesicht bekommen?«

»Nur meine Frau.«

»Woher haben Sie es denn eigentlich?« erkundigte sich Mark.

»Ich erwarb es vor einigen Monaten bei einer Nachlaßversteigerung. Ich bin ein Sammler von Antiquitäten und Altertümern, Dr. Davison. Die Frau, aus deren Nachlaß das Tagebuch stammt, war eine wohlhabende Witwe aus Beverly Hills, die im Alter von sechsundneunzig Jahren ohne Erben starb. Das Tagebuch gehörte zu dem Nachlaß, der für mehrere Millionen Dollar verkauft wurde. Ich erstand ihre Kunstsammlung und ein Sammelsurium von Andenkengegenständen und Kuriositäten aus dem neunzehnten Jahrhundert, das ich aber erst nach und nach im einzelnen in Augenschein nehmen konnte. Eine Anfrage bei ihrem Nachlaßverwalter ergab, daß das Tagebuch sich schon seit Jahrzehnten im Besitz der alten Dame befunden hatte.«

»Wissen Sie, wie es in ihren Besitz gelangt ist?«

»Nein, ich weiß nicht mehr über das Tagebuch als das, was ich darin gelesen habe, und zum Lesen kam ich erst kürzlich. Ich bin schließlich ein vielbeschäftigter Mann.«

»Aber als Sie es dann lasen«, fuhr Mark fort, wobei er die strengen Gesichtszüge seines Gastes eingehend musterte, »waren Sie sich über seine Bedeutung doch im klaren.«

»Ganz im Gegenteil, Dr. Davison. Nachdem ich das Tagebuch zu Ende gelesen hatte, war ich noch immer ziemlich ahnungslos, was ich da eigentlich mitgekauft hatte. Ich interessierte mich eigentlich nur für den antiquarischen Wert des Buches und nicht dafür, was darin stand. Ich wandte mich an einen alten Freund in Boston, einen Assyrologen, und beschrieb ihm das Tagebuch. Er meinte, es könnte sehr interessant sein, und legte mir nahe, einen Spezialisten auf diesem Gebiet zu Rate zu ziehen. Deshalb setzte ich mich mit einem Ägyptologen in New York, einem gewissen Dr. Hawksbill, in Verbindung. Kennen Sie ihn?«

Mark verzog spöttisch die Mundwinkel und griff wieder nach seiner Pfeife. »Allerdings, er ist derjenige, der diese verrückten Theorien verbreitet, denen zufolge die Ägypter mit Astronauten aus einer anderen Galaxie Verbindung gehalten haben sollen.«

»Nichtsdestoweniger ist er ein Ägyptologe.«

»Man könnte bestenfalls sagen, er befindet sich am entgegengesetzten Ende des Spektrums unseres Fachgebiets.«

»Ohne ihm den genauen Inhalt des Tagebuches zu verraten, erläuterte ich Dr. Hawksbill, um welche Art Buch es sich handelte, und er zeigte größtes Interesse. So erfuhr ich, daß Neville Ramsgate sozusagen ein Pionier der Ägyptologie gewesen war, so daß ein von ihm geschriebenes Tagebuch wohl von ungeheurem Wert sein dürfte. Ganz zu schweigen von dem Grab, über das er schrieb.«

»Und daher beschlossen Sie, selbst nach dem Grab zu suchen.«

»Nehmen Sie den Auftrag an, Dr. Davison?«

Mark erhob sich von der Couch und stellte sich vor das Panoramafenster. Ein neuer Sturm peitschte über den Ozean; dicke, schwarze Wolken wälzten sich langsam und bedrohlich auf die Küste zu. Mark wußte, daß es nur eine Frage von Minuten war, bevor das Unwetter über Malibu hereinbrechen würde.

»Sie wußten doch schon, bevor Sie heute abend hierherkamen, daß ich den Auftrag annehmen würde.«

»Dann müssen wir sofort mit den Vorbereitungen beginnen.«

»Wenn Sie tatsächlich im Juni mit der Grabung anfangen wollen«, meinte Mark nach ein paar Zügen an seiner Pfeife, »dann muß ich mich schon morgen an die Arbeit machen. Ich muß mit einigen Leuten Kontakt aufnehmen. Ich muß in Erfahrung bringen, ob Abdul, mein Vorarbeiter von früher, frei ist. Ich muß mich mit der Behörde für Altertümer in Kairo in Verbindung setzen, Ausrüstung, Vorräte und Zelte kaufen...«

»Ich lasse Ihnen da völlig freie Hand, Dr. Davison.«

»Sie müssen sich aber darüber im klaren sein, daß alles, was wir dort vielleicht finden werden, in Ägypten bleiben muß.«

»Mir liegt nichts an dem Schatz, Dr. Davison. Es geht mir allein darum, die Wahrheit über den geheimnisvollen Echnaton zu erfahren.«

Mark blickte ihn erstaunt an.

Ein verhaltenes Lächeln hellte Halsteads ernste Miene ein wenig auf. »Überrascht Sie das, Dr. Davison?«

»Nun, um ehrlich zu sein, ich vermutete andere Beweggründe.«

»Dr. Davison, ich bin ein ziemlich vermögender Mann. Ich habe kein Bedürfnis, mich an antiken Schätzen zu bereichern, besonders nicht, wenn sie illegal erworben sind. Mein Interesse gilt neuen Entdeckungen und, wenn Sie so wollen, der wissenschaftlichen Aufklärung. Ich möchte lediglich herausfinden, was sich hinter dem legendären Pharao verbirgt, der mehr Kontroversen unter den Gelehrten auslöste als irgendein anderer König in der ägyptischen Geschichte.«

Mark betrachtete gedankenversunken ein nachgebildetes Kalksteinrelief, das an einer der Wände seines Wohnzimmers hing. Es war eine Profilansicht von Pharao Echnaton bei der Verehrung seines revolutionären Gottes Aton. Mark musterte eingehend den seltsamen Körper des Königs, die weiblich anmutenden Brüste und runden Oberschenkel, den Hängebauch, das lange Gesicht mit dem vorstehenden Unterkiefer, die unübersehbare Häßlichkeit dieses Menschen. Wer oder was war er, dieser rätselhafte Mann, mit dessen Leben und Wirken sich die Wissenschaftler schon so lange beschäftigten, solange es die Ägyptologie gab, ohne daß es ihnen gelungen wäre, zu eindeutigen Ergebnissen zu kommen.

Einige, darunter auch Sigmund Freud, hielten ihn für den Mann, der das Volk Israel mit dem Monotheismus bekannt gemacht hatte; man vermutete, daß das Auftreten des jüdischen Religionsstifters Moses und der Exodus der Israeliten aus Ägypten in jene Zeit Echnatons fielen. Andere glaubten, Echnaton sei einfach das Opfer einer rätselhaften Krankheit gewesen, ein geistesgestörter König. Ron Farmer betrachtete ihn als geschlechtslos, weder männlich noch weiblich.

Mark Davison dagegen hielt ihn nur für einen äußerlich abstoßenden Träumer, den keiner verstanden hatte.

»Ich habe ein wenig über Pharao Echnaton gelesen«, fuhr Sanford Halstead fort, »und ich habe erfahren, daß niemand weiß, was mit dem ketzerischen König geschehen ist. Er herrschte siebzehn Jahre lang, eine bewegte Regierungszeit, bis er unter höchst mysteriösen Umständen verschwand. Echnaton war seinem Vater, Amenophis dem Dritten, auf den Thron gefolgt, aber er zog den Hofstaat von Theben ab und errichtete seine eigene Stadt, Achet-Aton, auf einem Flecken Ödland viele Meilen nilabwärts, um dort seinem neuen Gott ungestört huldigen zu können. Doch nach seinem Tod wurde seine prachtvolle Stadt aufgegeben, die Menschen kehrten zu ihren alten Gewohnheiten zurück, und Echnatons Name wurde verflucht. Aber was wurde aus seiner berühmten Frau Nofretete? Wer war sie, woher kam sie? Und warum wurde sein Schwiegersohn Tutanchamun nach wenigen Jahren auf dem Thron ermordet? Es ist meine Hoffnung, Dr. Davison, daß das Grab, zu dem Neville Ramsgate uns führt, die Antwort auf all diese Fragen in sich birgt.«

Mark wandte sich von der Betrachtung des Kalksteinreliefs ab, ging hinüber zur Bar und schenkte sich einen Bourbon ein.

Halstead erhob sich mit einer beinahe katzenhaften, elastischen Bewegung von seinem Platz. »Sie werden mich bitte über den Stand der Dinge auf dem laufenden halten. Meine Sekretärin wird sich jeden Montag um Punkt neun Uhr morgens mit Ihnen in Verbindung setzen. Sie werden ihr dann berichten, wie Sie vorankommen und wieviel Geld Sie benötigen. Ein Scheck, der Ihre Unkosten deckt, wird Ihnen jeden Montag gegen drei Uhr nachmittags zugestellt werden.«

Als Halstead sich zum Gehen anschickte, hielt Mark ihn zurück.

»Einen Augenblick noch, wir haben noch gar nicht über Honorar oder Ähnliches gesprochen.«

»Meine Sekretärin wird Ihnen Verträge zuschicken, die Ihnen über

Höhe und Zeitpunkt der Honorarzahlungen Aufschluß geben. Es wird alles zu Ihrer Zufriedenheit sein, das versichere ich Ihnen.«

»Aber wie kann ich Sie erreichen, wenn es nötig sein sollte?«

»Es wird für Sie keine Notwendigkeit bestehen, sich mit mir in Verbindung zu setzen, Dr. Davison. Wir werden uns erst kurz vor unserem Abflug nach Ägypten am Flughafen wiedertreffen.«

Mark begleitete Sanford Halstead zur Tür, wobei ihm auffiel, daß dieser für einen fast Sechzigjährigen in bemerkenswert guter körperlicher Verfassung zu sein schien. »Ich werde Sie so bald wie möglich wissen lassen, wann wir abfliegen.«

An der Tür wandte sich Halstead noch einmal um und sagte, als hätte er auf den richtigen Moment gewartet: »Es gibt noch etwas, das Sie wissen müssen, Dr. Davison: Meine Frau wird mich begleiten.«

Mark öffnete die Tür und sah im strömenden Regen den eleganten schwarzen Rolls-Royce vor seinem Haus stehen. Der Chauffeur, der sich einen großen Regenschirm über den Kopf hielt, öffnete gerade die hintere Wagentür. Mark konnte es sich nicht verkneifen, auf die letzte Bemerkung von Halstead zu erwidern: »Nur so lange, bis sie begreift, daß es kein Sonntagsausflug ist.«

»Ich versichere Ihnen, Dr. Davison, meine Frau ist der Sache voll und ganz gewachsen. Gute Nacht, meine Herren.«

Nachdem der Rolls-Royce weggefahren war, schloß Mark schnell die Tür. Ron empfing ihn im Wohnzimmer mit den Worten: »Es sieht so aus, als müßte ich unbedingt mit dir nach Ägypten fahren, Mark. Ich traue diesem Mann aber nicht.«

»Ich auch nicht, mein Freund«, murmelte Mark, »ich auch nicht.«

Ägypten – vier Monate später

Fünf

Mark Davison war froh über die lange, von keinem Zwischenhalt unterbrochene Zugfahrt. Dies bot ihm Gelegenheit, seine Gedanken zu ordnen und mit sich selbst ins reine zu kommen. Es gab vieles, worüber er nachdenken mußte.

Er saß mit der Schulter ans Fenster gelehnt und sah die endlosen Zuckerrohrfelder an sich vorbeiziehen, ohne sie richtig wahrzunehmen. Es war früh am Morgen, und die Bewohner des Niltales waren schon emsig bei der Arbeit. Esel trotteten auf lehmigen Pfaden unter riesigen Lasten von Zuckerrohr; halbnackte Kinder und bis auf die Knochen abgemagerte Hunde rannten in nahe gelegenen Dörfern an den Schienen entlang, um den vorüberfahrenden Zug zu begrüßen; schwarzgekleidete Frauen mit Wassergefäßen auf den Köpfen blieben stehen und gafften dem Zug nach. Schon eine Stunde war es her, daß der Zug die dichtbevölkerten Vororte Kairos passiert hatte, und als der Zug diese erst einmal hinter sich gelassen hatte, bot sich den Passagieren das seit alters kaum veränderte Szenarium des Niltales.

Doch Mark Davison stand der Sinn nicht nach Landschaftsbetrachtungen. Zusammen mit seinen fünf schweigsamen Gefährten saß er in einem Wagen erster Klasse, zog nachdenklich an seiner kalten Pfeife und versuchte, sich sachlich mit jeder Frage, die ihn beschäftigte, auseinanderzusetzen.

Das Problem mit Nancy, die Hauptursache seiner drei schlaflosen Nächte im Nil-Hilton-Hotel in Kairo, bereitete ihm das meiste Kopfzerbrechen. Sosehr er die Gedanken daran auch von sich schieben wollte, um sich auf die tausend Einzelheiten der Expedition zu konzentrieren – er konnte nichts dagegen tun, daß sich ihm die Erinnerung an jenen letzten Abend, den sie zusammen verbracht hatten, immer wieder aufdrängte. Als er Nancy gestanden hatte, daß die Berufung für die Professur nicht an ihn gefallen war, hatte sie freundlich und verständnisvoll reagiert. Es würden sich noch bessere Gelegenheiten bieten, hatte sie gesagt, und wenn nicht, so hätte er doch immerhin von seinem Verleger den Auftrag für ein neues Buch erhalten, bei dessen Niederschrift sie ihn mit allen Kräften unterstützen werde. Als sie das Gespräch dann wieder aufs Heiraten lenken wollte, hatte er ihr von der bevorstehenden Ausgrabung erzählt.

Mark kannte ihren hitzigen Charakter und hatte erwartet, daß sie sich aufregen würde. Nancy war teils irischer und teils lateinamerikanischer Abstammung, und Mark hatte es schon öfter erlebt, was es bedeutete, wenn diese zur Heftigkeit neigenden Temperamente sich gegenseitig hochschaukelten. Also hatte er sich auch diesmal auf eine Auseinandersetzung gefaßt gemacht. Um so verblüffter war er jedoch, als sie ihn zuerst nur einige Zeit entgeistert anstarrte, dann in sich zusammensank und schließlich traurig und resigniert zu ihm aufblickte. »Ich habe gewußt, daß es eines Tages so kommen würde. Es war kindisch von mir, zu glauben, ich könnte dich hierbehalten, oder zu erwarten, daß du dein Versprechen hältst.«

Als er widersprechen wollte, fuhr sie in einem vernichtend sanften Ton fort: »Ich liebe dich mehr denn je. Sogar so sehr, daß ich dich gehen lassen kann. Ich meine, nicht nur nach Ägypten, sondern für immer. Ich verstehe, wie sehr du die Arbeit im Gelände brauchst, Mark, aber ich brauche ein Zuhause und Kinder. Nein, ich werde nicht mit dir gehen, und ich werde dich auch nicht heute nachmittag heiraten. Das würde überhaupt nichts ändern. Tu, was du tun mußt, Mark, und wenn ich noch hier bin, wenn du zurückkommst...«

Sie hatte ihren Satz nicht beendet. Während der Zug jetzt an Bewässerungsgräben vorbeiratterte, kreisten Marks Gedanken unentwegt um jene letzte Nacht in ihren Armen, als er sie verzweifelt liebte und sie leise an seinem Hals schluchzte. Sie war nicht zum Flughafen gekommen, um sich von ihm zu verabschieden. Als er sie daraufhin von der Wartehalle aus anrufen wollte, erhielt er die Auskunft, der Anschluß sei gekündigt worden.

Das Geräusch von raschelndem Papier holte Mark in die Gegenwart zurück. Er wandte den Blick vom Fenster ab und sah Ron an, der ihm gegenüber mit dem Rücken zur Fahrtrichtung saß und eifrig etwas in sein Notizbuch kritzelte. Ron hatte den dreitägigen Aufenthalt in

Kairo sinnvoll genutzt. Er war ins Ägyptische Museum gegangen und hatte dort die Bekanntschaft des Museumsdirektors gemacht, der ihm erlaubte, die für die Öffentlichkeit nicht zugängliche Mumienkammer zu besichtigen. Er verbrauchte zwei Filme, um Aufnahmen von den Pharaonen und ihren königlichen Gemahlinnen zu machen. Danach verwandte er einen weiteren Film darauf, eine in der Fachwelt höchst umstrittene Echnaton-Statue von allen Seiten abzulichten.

Ron Farmers Spezialgebiet war die Anatomie der Menschen im alten Ägypten. Verschiedene Statuen und Reliefs von Echnaton dienten ihm als Grundlage für seine neue Theorie, derzufolge der König keine Geschlechtsteile besessen haben sollte. Ron hatte im Museum außerdem Fotos von bestimmten Flachreliefinschriften gemacht, über die man sich in Wissenschaftskreisen uneins war. Deren Wortlaut bestärkte ihn in seiner These, wonach die berühmten sechs Töchter Echnatons in Wirklichkeit gar nicht Töchter, sondern seine Schwestern waren.

Ron war im Augenblick so sehr mit sich selbst und mit seinen Notizen beschäftigt, daß er gar nicht bemerkte, daß der Zug bereits durch Mittelägypten fuhr und sich ihrem Ziel näherte.

Mark schaute zu den anderen Fahrgästen ihres Abteils hinüber. Sanford Halstead saß mit zurückgelehntem Kopf und geschlossenen Augen beinahe reglos da und schien kaum zu atmen. Er sah so heiter und ruhig aus, daß er fast den Anschein eines Toten erweckte. Neben Halstead saß dessen auffallend schöne Frau Alexis, die gerade eine Modezeitschrift durchblätterte, wobei die Armreifen aus Jade an ihren schmalen Handgelenken bei jeder Bewegung klirrten.

Mark war wirklich überrascht gewesen, als er Alexis Halstead drei Tage zuvor auf dem internationalen Flughafen von Los Angeles zum ersten Mal gesehen hatte. Er hatte im Aufenthaltsraum der ersten Klasse gewartet und sich gewundert, wer wohl die atemberaubende junge Dame war, die mit Sanford Halstead den Saal betrat. Alexis Halstead war etwa dreißig Jahre jünger als ihr Mann, war groß und schlank, sonnengebräunt und offensichtlich sportlich trainiert. Ihr wildes, ungezähmtes rotes Haar stand in eigenartigem Gegensatz zu dem kühlen Blick aus ihren moosgrünen Augen. Halstead hatte sie kurz, fast flüchtig, vorgestellt und sich dann mit seiner Frau schnell wieder von den beiden Ägyptologen abgesondert. Alexis Halstead hatte Mark dabei kaum eines Lächelns gewürdigt, sondern ihm nur knapp zugenickt und Ron anscheinend überhaupt nicht zur Kenntnis genommen.

Mark hatte ihr nachgestarrt, als sie an ihm vorbeirauschte, um auf der anderen Seite des Wartesaals Platz zu nehmen. Gleich bei dieser ersten flüchtigen Begegnung war sie ihm dennoch merkwürdig vertraut vorgekommen. Und als er jetzt ihr feingeschnittenes Profil betrachtete, das wie eine aus braunem Marmor gemeißelte Büste anmutete, da beschlich ihn wieder das Gefühl, daß er sie von irgendwoher kannte.

Er wandte seinen Blick von ihr ab und schaute über den Gang zu Hasim al-Scheichly hinüber, dem jungen Beamten von der Behörde für Altertümer, der seiner Expedition zugeteilt worden war.

Sie hatten sich zwei Tage zuvor in Kairo kennengelernt, als Mark sich ins Ministerium begeben hatte, um festzustellen, ob sich in dessen Archiven irgend etwas über die Expedition von Neville Ramsgate finden ließ. Dort gab es aber nur sehr wenige Unterlagen über die unglückliche Ramsgate-Expedition, und die wenigen neuen Fakten, die Mark entdeckte, gaben lediglich neue Rätsel auf. Dennoch hatte er zwei erstaunliche Dinge in Erfahrung gebracht.

Die erste Überraschung betraf einen 1881 vom Pascha unterzeichneten Regierungsbefehl. Darin hieß es, daß alle Mitglieder der Ramsgate-Expedition an Pocken gestorben seien. Die Gegend sei deswegen unter Quarantäne zu stellen und das Lager niederzubrennen. Einerseits brachte dies ein wenig Licht in das geheimnisvolle Schicksal von Ramsgates Gruppe, doch andererseits störte sich Mark an einigen sich widersprechenden Datumsangaben: Der Befehl des Paschas war mit dem Datum vom fünften August 1881 versehen, während die letzte Eintragung in Ramsgates Tagebuch vom ersten August stammte. Wie konnte ein ganzes Expeditionsteam, das am ersten August noch keinerlei Krankheitssymptome zeigte (denn Ramsgate hatte dies mit keinem Wort erwähnt), sich in so kurzer Zeit mit Pocken infizieren und vier Tage später daran sterben, ohne daß es auch nur einen einzigen Überlebenden gab?

Die zweite Überraschung erlebte Mark bei der genauen Prüfung der sieben vergilbten Totenscheine, die in arabischer Sprache ausgestellt und von einem gewissen Dr. Fouad unterzeichnet worden waren. Neville Ramsgate, seine Frau Amanda, der Vorarbeiter Mohammed und drei weitere Männer waren den Eintragungen zufolge an Pocken gestorben. Auf Sir Roberts Totenschein lautete die Todesursache dagegen Cholera.

Verwirrend war auch die Tatsache, daß sich in diesen traurigen Akten keinerlei Hinweis darauf fand, was mit den Leichen geschehen war.

Nach dem gutaussehenden jungen Beamten wandte Mark sich nun dem letzten Mitglied der Expedition zu. Unwillkürlich erinnerte er sich an die Unterredung, die er mit seinem Vorarbeiter drei Tage zuvor bei der Ankunft in Kairo geführt hatte.

Abdul Rageb hatte die vier Amerikaner hinter der Zollschranke im Flughafengebäude erwartet. Wie gewöhnlich war Marks alter Freund, ein hochgewachsener, hagerer Ägypter von aristokratischer Haltung und schwer bestimmbarem Alter, in einer makellos weißen *Galabia* erschienen, welche die beinahe ekstatische Magerkeit seines Körpers und den dunklen Teint seiner Haut noch stärker betonte. Abdul Rageb hatte Mark mit der für sein Land typischen Mischung aus Warmherzigkeit und Zurückhaltung umarmt und ihn in gebrochenem Englisch willkommen geheißen. Er empfing die Besucher, als sei er der König des Landes, und bei jeder Vorstellung neigte er nur leicht den Kopf, wobei er seine Hände in den weiten Ärmeln seines Gewandes verborgen hielt. Er redete Mark mit »Effendi« an, einem türkischen Titel aus längst vergangenen Tagen, woraus Mark schloß, daß Abdul viel älter sein müßte, als es den Anschein hatte.

Im Mercedes, auf der Fahrt zum Nil-Hilton, hatten sie die letzten Einzelheiten besprochen.

»Sind alle Vorbereitungen für unsere Reise nilaufwärts getroffen, Abdul?«

»Es ist alles in Ordnung, Effendi, wir werden in drei Tagen aufbrechen, *inschallah*.«

»Ist alles unbeschadet angekommen?«

»Ja, Effendi. Die Kisten sind unversehrt eingetroffen. Ich habe sie auf dem Ramses-Bahnhof in Verwahrung gegeben. Morgen werde ich mit der gesamten Ausrüstung den Nil hinauf vorfahren und das Lager einrichten, so daß alles für Ihre Ankunft vorbereitet ist. Ich habe auch ein ganzes Abteil im Zug für Sie und Ihre Begleitung reservieren lassen, damit Sie ungestört reisen können.«

»Ausgezeichnet. Vielen Dank.« Mark spürte, wie seine Aufregung wuchs, als sie den in der Wüste gelegenen Flugplatz hinter sich ließen und durch die Vororte von Kairo fuhren, vorbei an überfüllten Slums und verwahrlosten Wohnblocks. Ein Kamelkarren hatte an einer Straßenkreuzung einen Verkehrsstau verursacht, was sogleich ein wildes Hupkonzert auslöste. Es tat ihm so gut, wieder in Ägypten zu sein. »Jetzt berichte mir über die Lage in Tell el-Amarna. Gibt es dort Probleme?«

Abduls Gesichtsausdruck verdüsterte sich. »Es gibt nichts, womit man nicht fertig werden könnte, Effendi. Ich habe mich mit dem 'Umda von jedem Dorf zusammengesetzt und die Löhne ausgehandelt. Zehn Piaster am Tag für jeden Mann, wobei sie sich gruppenweise bei der Arbeit abwechseln, damit die Feldarbeit nicht vernachlässigt wird.«

»Aber irgendwelche Probleme gibt es schon...?«

»Keine Probleme, Effendi. Unruhe hat es in den Dörfern schon gegeben, als Sie das letzte Mal hier waren. Viele junge Männer haben ihre Gehöfte verlassen, um in den Erdölcamps und Phosphatminen am Roten Meer Arbeit zu suchen. In unserer heutigen Zeit gibt sich kein Mann mehr damit zufrieden, wie ein Fellache den Boden zu bestellen.«

Mark musterte eingehend das scharfe Profil des Mannes. Etwas Beunruhigendes lag in Abduls Verhalten. »Abdul, stimmt irgend etwas nicht?«

»Nein, Effendi.«

»Nun gut, wie steht es mit den Unterkünften in Amarna?«

»Wir werden Zelte aufschlagen. Sie wollen gewiß nicht in den Häusern der Dörfer wohnen.«

»Wie sieht es mit der Wasserversorgung aus?«

»Ich habe alles in die Wege geleitet, Effendi. Es wird ein Wasserbehälter aufgestellt, an den eine Pumpe angeschlossen ist. Ein Mann wird dafür sorgen, daß er immer gefüllt ist. Wenn wir in Amarna ankommen, werden wir zuerst bei dem 'Umda von El Till vorsprechen, da er der mächtigste ist. Später werden wir auch die anderen besuchen.«

»Elektrizität, sanitäre Einrichtungen und Kochgeräte?«

»Es ist alles vorhanden, Effendi, wie früher auch.«

Mark schaute den Ägypter aus den Augenwinkeln an. »Bist du sicher, daß unsere Anwesenheit nicht auf Ablehnung stoßen wird?«

»Im Gegenteil, die Leute freuen sich auf euer Kommen, denn ihr bringt ihnen Abwechslung und Geld. Wir arbeiten doch schon seit Jahren in den Ruinen von Amarna.«

Mark hob die Augenbrauen. »Wir? Soll das heißen, daß du schon einmal in Amarna gearbeitet hast?«

Abdul wich Marks Blick weiterhin aus. »Vor vielen Jahren, Effendi. Ich war Aufseher, als die Briten dort waren. Ich war dabei, als der Nordpalast ausgegraben wurde.«

»Das hast du mir nie erzählt! Du mußt zu dieser Zeit noch ziemlich jung gewesen sein. Nun, du wirst mir eine größere Hilfe sein, als ich dachte.«

Der Verkehr wurde immer dichter und chaotischer. Eine wahre Blechlawine ergoß sich in die Innenstadt von Kairo. Das schrille Gehupe und das Kreischen der Bremsen war ohrenbetäubend. Staubbedeckte überfüllte Busse, an deren Türen Trauben von Menschen hingen, schwankten vorüber. »Ich möchte, daß du das Camp am Fuß des östlichen Gebirgszuges, am südlichen Rand des Königlichen Wadis aufschlägst. Dr. Farmer wird die Ausgrabung als Fotograf dokumentieren und benötigt daher ein Zelt zur Einrichtung seiner Dunkelkammer. Wenn ich mich recht erinnere, weißt du ja, wie man ein solches Zelt aufbaut, Abdul.«

»Ja, Effendi.«

»Hast du dich auch um das besondere Essen für Mr. Halstead gekümmert?«

»Alle Anweisungen, die in Ihren Briefen standen, sind ausgeführt worden, Effendi.«

»Ausgezeichnet!« Die Limousine bahnte sich vorsichtig einen Weg durch den dichten Verkehr des Tahrir-Platzes. Auf einer Seite des Platzes ragte der Komplex des Hilton-Hotels auf. Als die Limousine sich diesem näherte, rieb sich Mark aufgeregt die Hände. Er schätzte sich glücklich, Abdul Rageb wieder als Vorarbeiter zu haben. »Noch ein letzter Punkt. Wie steht es mit einem Arzt? Ich habe dir in meinen Briefen geschrieben, daß ich einen Arzt im Team haben wolle, weil wir uns mitten in einer gottverlassenen Gegend aufhalten werden und mein Auftraggeber ein sehr wichtiger Mann ist.«

»Dieser Wunsch hat mir einige Schwierigkeiten bereitet, Effendi, denn Ärzte, die sich bereit erklären, für längere Zeit in die Wüste zu gehen, sind schwer zu finden, selbst in Anbetracht der großzügigen Bezahlung, die Sie in Aussicht gestellt haben. Bald wird es Sommer, eine Zeit, in der kein vernünftiger Mensch in der sengenden Sonne arbeitet. Außerdem werden Ärzte in Ägypten immer rarer. Nach ihrer medizinischen Ausbildung gehen viele nach Europa oder Amerika, wo sie mehr verdienen.«

»Abdul, ich werde die Fahrt nach Tell el-Amarna nicht antreten, ohne einen...«

»Aber ich habe mich darum gekümmert, Effendi. Es gibt da eine Studentin, die ich gut kenne und die uns in den vorlesungsfreien Monaten begleiten würde. Sie studiert im letzten Jahr an der Universität und arbeitet bereits in einer Klinik in Kairo. Das einzige Problem könnte darin bestehen, daß sie eben kein Mann ist, sondern eine Frau. Sehen Sie darin einen Hinderungsgrund, Effendi?«

Mark hatte über diesen unerwarteten Umstand erst nachdenken müssen und sich gefragt, was Halstead wohl dazu sagen würde. Abdul hatte eilends hinzugefügt: »Die junge Dame ist mit archäologischen Forschungsreisen bestens vertraut und hat ein großes Interesse an Ägyptens historischer Vergangenheit. Ihre medizinischen Kenntnisse sind ausgezeichnet, und sie wird allseits sehr gelobt.«

»Also gut, ich vertraue deinem Urteil, Abdul. Wenn du meinst, daß sie für unsere Zwecke die Richtige ist, dann stell sie ein.« Der funkelnde Mercedes hatte vor dem Eingang zum Hilton angehalten, und ein Portier war herbeigeeilt, um die Türen zu öffnen. »Sie soll nur kommen«, hatte Mark nach einer Pause hinzugefügt. »Es ist vielleicht ganz gut, daß noch eine Frau dabei ist. So kann sie Mrs. Halstead Gesellschaft leisten.«

Als er jetzt im Zugabteil saß und die Medizinstudentin Jasmina Schukri ansah, da dachte Mark bei sich: Wie sehr ich mich doch in diesem Punkt getäuscht habe! Die Feindseligkeit in ihrem Blick war nicht zu übersehen gewesen, als sie einander an diesem Morgen auf dem Ramses-Bahnhof vorgestellt worden waren. Mit höflichen Worten hatte sie zwar gesagt: »Ich freue mich, Sie kennenzulernen, Dr. Davison«, aber ihr distanziert wirkendes Verhalten hatte eine ganz andere Sprache gesprochen. Offensichtlich haßte sie Ausländer.

Endlich verlangsamte der Zug seine Geschwindigkeit, und ein ausge-
bleichtes Schild mit der Aufschrift MELLAWI in Englisch und Arabisch
kam in Sicht. Während seine Reisegefährten sich langsam erhoben
und sich nach dem langen Sitzen die Glieder reckten, schnellte Mark
empor und sprang auf den Bahnsteig, noch bevor der Zug völlig zum
Stillstand gekommen war. Abdul trat aus dem Schatten eines baufäl-
ligen Fahrkartenhäuschens heraus, um ihn zu begrüßen. »*Ah-laan*,
Effendi. Alles ist vorbereitet. Das Lager ist eingerichtet, und die Generatoren arbeiten bereits. Es ist alles, wie Sie es angeordnet haben,
inschallah.«
Die drückende Sommerhitze schlug den Neuankömmlingen mit aller
Macht entgegen, als sie nacheinander aus dem Zug stiegen. Ein sehr
großer und breitschultriger Mann kam herbei und stellte sich neben
Abdul. Mit hochmütiger Miene blickte er über die Köpfe der Besucher
hinweg und verharrte in stocksteifer Haltung. Außer durch seine
Größe fiel er vor allem durch seine Hakennase auf. Seine kupferfar-
bene Haut spannte sich straff über seine hohlen Wangen. Er trug eine
blaue *Galabia*, das weite Obergewand der Araber, und einen Turban.
An seiner Schulter hing ein Gewehr. Sein Anblick erinnerte Mark an
die Mumie von Seti I. Abdul stellte ihn als den obersten *Ghaffir* vor,
der für die Sicherheit der Expedition verantwortlich sei.
Mark warf einen flüchtigen Blick auf den Mann und bemerkte, daß
sein eines Auge stark vom Trachom befallen war. »Du hast deine
Sache gut gemacht, Abdul. *Schukran*. Sind die Autos da?«
»Hier entlang, Effendi.«
Abdul führte die Gruppe vom Bahnsteig weg zu einem unbefestigten
Weg, der an einem Kanal entlangführte, in dem brackiges Wasser
stand. Fliegen traten dort in solchen Schwärmen auf, daß ein ohrenbetäubendes Summen die Luft erfüllte. An dem morastigen Ufer
saßen zwei Männer im Schneidersitz auf der Erde und spielten Trick-
track. Auf der »Straße« parkten drei verbeulte schwarze Chevrolets,
auf deren Dach gerade das Reisegepäck der Amerikaner festgezurrt
wurde. Mark verteilte die Gruppe auf die Fahrzeuge und stieg anschließend in den letzten Wagen ein, zusammen mit Ron, Hasim al-
Scheichly, dem jungen Beamten der Altertumsbehörde, und dem
Ghaffir, der sein Gewehr aus dem Fenster baumeln ließ, um mehr
Platz zu schaffen.

Die Autos ratterten über die holprige Piste, vorbei an Bewässerungskanälen und Baumwollfeldern und unter schattenspendenden Dattelpalmen hindurch, wobei alle Insassen kräftig durchgerüttelt wurden, als die vollbeladenen Fahrzeuge von einem Schlagloch ins nächste donnerten. Scharen von Kindern rannten schreiend zum Straßenrand und winkten. Nachdem die Wagen vorbeigefahren waren, blieben sie unter der stechenden Mittagssonne in einer Wolke aus Staub zurück. Als der Konvoi schließlich das Ufer des Nils erreichte, hatte keiner der Insassen auch nur ein Wort gesprochen. Die Fahrer öffneten die Türen, und alle stürzten, hustend und sich den Staub von den Kleidern klopfend, heraus.

Mark rieb sich den Staub aus den Augen und warf schnell einen Blick über seine Gruppe. Die wie immer kühl und gelassen wirkende Alexis Halstead schlenderte langsam vom Wagen weg. Sanford Halstead, der mit beigefarbenen Khakihosen und einem weißen Poloshirt bekleidet war, beäugte mißtrauisch die herannahenden Feluken. Abdul, der *Ghaffir* und seine beiden Assistenten halfen unterdessen den Fahrern beim Abladen des Gepäcks und stellten es auf der hölzernen Landungsbrücke ab. Hasim al-Scheichly ging zu Jasmina Schukri hinüber, die gerade ihr langes schwarzes Haar in ein Tuch einband, und knüpfte leise eine Unterhaltung mit ihr an.

Mit seiner Kamera, die ihm von der Schulter herabbaumelte, trat Ron zu Mark und murmelte: »Mann, ist das eine Bullenhitze!«

Mark wandte den Blick nicht von den beiden Booten, die sich im Zickzack über den Fluß auf ihn zu bewegten. »Das ist erst der Anfang, mein Freund.«

Der Nil breitete sich vor ihnen aus wie ein braunes Feld, dessen Oberfläche vom Kielwasser der Feluken und von einem leichten Nordwind gekräuselt wurde. Die Expeditionsteilnehmer flüchteten sich in den spärlichen Schatten.

»Mark, was hältst du von Hasim al-Scheichly? Vertraust du ihm?«

»Er ist in Ordnung. Ich glaube, daß ich ihn richtig einschätze: Jung und unerfahren und ganz versessen darauf, sich zu bewähren. Die ägyptische Regierung versucht, den Mangel an ausländischen Grabungen im Niltal dadurch auszugleichen, daß sie eigene Leute schult. Nur funktioniert das nicht, weil niemand im Gelände arbeiten will. Die meisten Einheimischen sind nur an Büroarbeit und an möglichst schneller Beförderung interessiert. Hasim wird uns aber keine Schwierigkeiten bereiten. Er kommt frisch von der Universität und steckt voller Idealismus. Er ist noch nicht so korrumpiert.«

»Wann willst du ihm von dem Tagebuch erzählen?«

»Heute abend.«

Ron verscheuchte eine Fliege aus seinem Gesicht. »Halstead scheint sich ziemlich gut zu halten.«

Der Neunundfünfzigjährige lehnte an einer Dattelpalme und preßte die Hände gegeneinander, eine Art Übung, um sich zu entspannen.

»Er ist gut in Form, das muß man ihm zugestehen«, erwiderte Mark und lachte leise auf.

»Seine Frau sieht ja wirklich blendend aus. Ich könnte wetten, sie hat ihn nur wegen seines Geldes geheiratet. Bin gespannt, wie lange sie es ohne Dienstmädchen aushält.«

Mark beobachtete, wie Alexis Halstead ans Flußufer hinunterging und dort stehenblieb. Das intensive Sonnenlicht ließ ihr dichtes, feuerrotes Haar aufleuchten. Sie trug die gleiche Kleidung wie ihr Mann und wirkte damit eher so, als ob sie an einem Polospiel teilnehmen wolle als an einer Wüstenexpedition. Seltsamerweise schienen weder die Hitze noch der allgegenwärtige Staub Alexis etwas auszumachen. Mark vermutete, daß ihre Selbstbeherrschung nur vorgetäuscht war, aber im Gegensatz zu ihr kam sich Mark plötzlich sehr verschwitzt und schmutzig vor.

»Ich glaube nicht, daß die andere uns mag.«

»Welche andere?«

Ron wies mit dem Kopf auf Jasmina Schukri, die sich mit Hasim angeregt unterhielt. »Sie hat uns nicht gerade freundlich empfangen.«

Jasmina Schukri war ebenfalls mit Khaki-Hosen und einer Bluse bekleidet und hatte ihr Haar in einem bunten Tuch hochgesteckt. Junge Ägypterinnen ihres Typs hatte Mark in den letzten Jahren immer häufiger gesehen. Durch Emanzipation und Bildung hatten sie sich von der überlieferten Lebensweise losgesagt und ein größeres Maß an Eigenständigkeit gewonnen. Jasmina Schukri sah kämpferisch aus, wie sie so mit verschränkten Armen und leicht seitwärts geneigtem Kopf dastand, während Hasim leise auf arabisch auf sie einredete. Ein Gewehr auf dem Rücken hätte ihr nicht schlecht gestanden.

»Ich verlasse mich auf Abduls Urteil. Er sagt, sie besteht alle Prüfungen an der Universität mit Auszeichnung, und man habe ihr für die Zeit nach dem Studium bereits drei gute Stellen angeboten. Abgesehen davon war sie die einzige, die wir bekommen konnten.«

Ron zuckte mit den Schultern, murmelte etwas von ein paar Fotos, die er noch machen wolle, und ging davon.

Mark konnte nicht umhin, die beiden einzigen Frauen in der Gruppe miteinander zu vergleichen. Sie waren vom Alter her etwa zehn Jahre auseinander: Er schätzte Alexis auf Anfang Dreißig, Jasmina auf zweiundzwanzig oder dreiundzwanzig.

Alexis Halstead war kalt und strahlend schön wie ein Saphir; Jasmina dagegen wirkte warm und dunkel wie blankes Ebenholz. Beide waren sie attraktiv, jede auf ihre Weise.

Die Verachtung in Alexis Halsteads grünen Augen rührte von Hochmut und Selbstgefälligkeit her; der Groll in Jasminas glühenden Augen zeugte von ihrem Haß auf Fremde. Im Umgang mit beiden Frauen, so vermutete Mark, war aus unterschiedlichen Gründen die größte Vorsicht geboten.

Er wandte sich ab und schlenderte hinunter ans Ufer, wo das Wasser den lehmigen Boden berührte. Er blickte auf die Palmen, die auf der anderen Seite wuchsen und hinter denen sich die sandige Hochebene mit den Ruinen von Achet-Aton ausbreitete.

Während er seine Stiefelspitzen in das Wasser tauchte, faßte Mark die riesige gelb-braune Einöde ins Auge, die sich vom Rand des fruchtbaren Ackerlandes hinter El Till bis an den Fuß eines Gebirgszuges in der Ferne erstreckte. Er dachte wieder an die frustrierend knappen Angaben, die Ramsgate über die Lage seines Camps gemacht hatte, und fragte sich, ob seine Entscheidung, die Zelte am Eingang zum Königlichen Wadi aufzuschlagen, wohl die richtige gewesen war. Ramsgate konnte sein Camp überall in diesem sechzig Quadratkilometer großen Gebiet gehabt haben. Und wo sollten sie überdies mit der Suche nach dem Sockel der Stele beginnen? Und was war mit diesem Hund gemeint, und wo konnte er sein? Denn Ramsgate zufolge befand sich dort Echnatons Grab.

Mark schloß die Augen, und während er den warmen Wind im Gesicht spürte, versuchte er, sich die blendendweißen Tempel und Paläste vorzustellen, die einst auf diesem öden Wüstenplateau gestanden hatten. Er stellte sich vor, wie Pharao Echnaton und Königin Nofre-

tete damals wohl in ihrem glitzernden, mit Gold und Silber beschlage-
nen Wagen durch die Straßen gefahren waren, und meinte die Hoch-
rufe von Tausenden von Menschen zu hören, die ihrem lebendigen
Gott zujubelten.

Achet-Aton, der »Horizont von Aton«, die romantischste und rätsel-
hafteste aller alten Städte, erinnerte heute nur noch durch Steinhau-
fen an die hehren Gebäude, die ehedem dort gestanden hatten.

Irgend etwas war dort vor dreitausend Jahren geschehen, etwas Ge-
waltsames und Unerklärliches, das die Priester von Amun dazu veranlaßt hatte, diesen Flecken Ödland zu einem verfluchten Ort zu
erklären und den Leichnam des Ketzerkönigs in einem unbekannten Grab zu verschließen...

»Effendi?«

Mark fuhr herum.

»Verzeihung, Sie haben mich wohl nicht gehört.«

Jetzt vernahm auch Mark das Geschrei im Hintergrund, und auf der
Landungsbrücke gewahrte er ein wildes Durcheinander von fuchteln-
den Armen und wütenden Gesichtern. »Was ist los, Abdul?« fragte
er.

»Effendi, es gibt Ärger.«

Sechs

Zwischen den beiden Felukenbesitzern war es zum Streit gekommen,
weil beide für sich das Recht beanspruchten, die Gruppe über den Nil
zu transportieren. Mark legte die Auseinandersetzung zu jedermanns
Zufriedenheit bei, indem er Passagiere und Fracht zwischen den zwei
Booten aufteilte und jedem Fährmann fünf Pfund bezahlte. Abdul
nahm seine beiden Assistenten, den *Ghaffir* und alles Gepäck an Bord
der einen Feluke, während Mark den Amerikanern, Jasmina und Hasim die andere zuwies.

Die Feluken brauchten eine halbe Stunde, um den breiten Fluß zu
überqueren. Alle saßen in gedankenvollem Schweigen, während die
veralteten Fährboote gemächlich übers Wasser glitten. Sie kauerten

in dem schmutzigen, mit Zigarettenkippen und ausgekauten Enden von Zuckerrohr übersäten Schiffsrumpf und lauschten auf das Plätschern des Nilwassers gegen die Bordwand.

Als sie am gegenüberliegenden Ufer anlegten, hatte sich dort bereits eine Menschenmenge versammelt.

Die Dorfbewohner, die wegen des besonderen Anlasses die Feldarbeit ruhen ließen, beobachteten schweigend, wie die Fremden nacheinander das lehmige Ufer betraten. Das einzige, was man hörte, waren Abduls knappe Befehle, als das Gepäck unter seiner Aufsicht auf Esel geladen wurde. Als Alexis Halstead, unterstützt von ihrem Mann, als letzte von Bord ging, zerriß plötzlich eine Gewehrsalve die flimmernde Mittagshitze. Der Knall brach sich an den umliegenden Felshängen und hallte in hundertfachem Echo wider, das wie Donner klang. Als der Lärm verebbt war, kam Abdul auf Mark zu und sagte: »Damit hat man Sie und Ihre Gruppe offiziell willkommen geheißen, Effendi.«

Die Menschenmenge teilte sich, um die Fremden durchzulassen. Auf den Gesichtern der Bauern spiegelte sich unverhohlene Neugierde. Und als Mark die Hand hob und sie mit einem deutlich vernehmbaren *»Ah-laan!«* begrüßte, da ertönte es von allen Seiten *»Ah-laan wa sahlaan!«* Dann schloß sich der Kreis der Dorfbewohner wieder, und alle folgten den Neuankömmlingen nach.

Abdul führte die Gruppe längs eines Pfades, der zwischen zwei frischgepflügten Feldern verlief. Es waren flache Bodenparzellen, die von einem Netz von Bewässerungsgräben durchzogen wurden, hie und da unterbrochen von ein paar Dattelpalmen. Der Winterweizen war bereits eingebracht, und der Boden wurde nun für die Bohnenanpflanzung im Sommer bearbeitet. Eine junge Fellachin hockte auf der Erde und formte Maisteig zu flachen, runden Fladen, die sie auf großen Holztellern in der Sonne trocknen ließ. Als die Gruppe vorüberkam, lächelte sie schüchtern und hielt sich ihren Schleier vor den Mund. In der Nähe knarrten die Räder der Dorf-*Sakije*, des Göpelwerks, das von einem abgemagerten Ochsen angetrieben wurde, der in endlosen Runden den Balken drehte. Wasser schöpfende Frauen hielten inne, um die vorbeiziehenden Fremden zu begaffen, wobei sie ihre Gesichter hastig mit ihren schwarzen Schleiern verhüllten.

Das Dorf glich einem wirren Haufen von Erdhügeln an der Grenze zwischen fruchtbarem Ackerland und trockener Wüste. Seine armseligen, dicht aneinandergebauten und mit Reisig gedeckten Nilschlammziegelhütten lagen ein wenig versteckt hinter umgebenden Palmen, Akazien und Platanen. Die Besucher schlugen jetzt einen staubigen Weg ein, der an der Dorf-*Birka* vorbeiführte, einem grünlichen Tümpel mit abgestandenem Wasser, der als Tränke für das Vieh und als Schwimmteich für die Kinder diente. Außerdem lieferte er das Wasser für die Herstellung von Schlammziegeln und zum Wäschewaschen. Ein fauliger Gestank stieg aus dem Tümpel auf. Die Fremden rümpften die Nase und wandten sich rasch ab.

Neben der *Birka* befand sich die gemeinschaftliche Tenne, ein mit festgestampftem Sand und Kuhdung bedeckter Platz. Ein schwerer hölzerner Häckselschlitten, der zum Zerkleinern des Strohs mit scheibenförmigen Klingen ausgestattet war, wurde von einem Büffel über die frischen Halme gezogen; ein Fellache auf dem Kutschbock lenkte das Tier. Andere Männer stützten sich auf ihre Heugabeln und musterten die vorüberziehende Gruppe mit gleichgültigen Blicken.

Überall wimmelte es von Fliegen, und die Luft war angefüllt von üblen Gerüchen. Mark warf kurz einen Blick über seine Schulter und sah, daß Alexis Halstead sich ein parfümiertes Taschentuch vor die Nase hielt.

Der Mann, dem es zuerst einen Besuch abzustatten galt, war die höchste Autorität im Dorf. Während jede Provinz in Ägypten von einem Kommissar, dem sogenannten *Ma'mur*, regiert wurde, dem eine bewaffnete Polizeitruppe unterstand, war es doch letztendlich der *'Umda*, ein unter den Fellachen gewählter Dorfältester, der die wahre Macht innehatte. Der *'Umda* war ein hochgeachteter Mann, um so mehr, als er gewöhnlich über das einzige Telefon im Dorf verfügte. Bei dem *'Umda* von El Till, dem größten Dorf in Tell el-Amarna, handelte es sich um einen Mann im Greisenalter, dessen Haus als einziges im Dorf weiß angestrichen war.

Die Besucher wurden eine staubige »Straße« entlanggeführt, die so schmal war, daß sie hintereinander laufen mußten.

Nunmehr unbefangen und munter schwatzend, folgte die Menge ihnen nach, warf bewundernde Blicke auf Alexis Halsteads flammend rotes Haar und machte Bemerkungen über die Qualität ihres

Hennas. Aus engen Hauseingängen strömten ihnen die unterschied-
lichsten Düfte entgegen, wobei der scharfe Geruch nach verbranntem
Büffelmist alles andere überlagerte. Mark und seine Begleiter versuchten ständig mit den Händen die Fliegen abzuwehren, und als sie
endlich den kleinen, sonnenüberfluteten Platz erreichten, an dessen
Ende das weißgetünchte Wohnhaus des 'Umda stand, waren sie alle
verschwitzt und wünschten nichts sehnlicher, als so schnell wie möglich ins Camp weiterzufahren.

Doch das Ritual mußte eingehalten werden, und sie durften sich nicht
einfach über die Anstandsregeln hinwegsetzen.

Lange Teppiche waren als Sitzgelegenheit für die Gäste auf dem Boden ausgebreitet worden. Barfüßige Kinder reichten den Fremden
schüchtern Palmwedel, die als Fächer und als Fliegenklatschen dienten.

Mark nahm geduldig seinen Platz auf dem Teppich ein und ließ sich
im Schneidersitz nieder, was die anderen ihm nachtaten. Dann lächelte er ringsum in die Menge, wobei er herauszufinden versuchte,
ob irgendein Anzeichen von Feindschaft zu verspüren war. Doch er
konnte nichts dergleichen feststellen.

Er war aus seinen früheren Expeditionen nur allzu vertraut mit dem
allgegenwärtigen Problem der Fehden zwischen den Dörfern längs
des Nils. Streit um Wasserrechte, Ackergrenzen oder die verletzte
Ehre einer Tochter konnten zu Rivalitäten führen, die in Mord und
Totschlag ausarteten. Vor fünf Jahren, als Mark im Delta eine Ausgrabung leitete, hatte sich eine Ziege aus einem nahe gelegenen Dorf
verlaufen und war auf den Dreschplatz eines Nachbardorfes geraten.
Der gekränkte Fellache war wütend zu dem Besitzer der Ziege gerannt
und hatte eine Flut von Beschimpfungen auf ihn losgelassen. Auf den
Lärm hin waren Freunde und Verwandte herbeigeeilt, von denen
viele noch ihre Erntegeräte in den Händen hielten. Ein Mann war
zufällig angerempelt worden und hatte den Stoß erwidert. Es war zu
einem Handgemenge gekommen, und der Ma'mur hatte seine Polizei
schicken müssen, um die Leute auseinanderzutreiben. Später, während der Nacht, als sich alles wieder beruhigt hatte, war jemand ins
erste Dorf geschlichen und hatte der Ziege den Hals aufgeschlitzt.
Tags darauf wurde der Büffel des ursprünglich geschädigten Bauern
vergiftet. Es folgten zwei Tage blutigen Kampfes, während deren

beide Dörfer ihre Männer zur Verteidigung der Familien- und Stammesehre zusammentrommelten. Zwei Männer waren getötet, drei weitere lebensgefährlich verletzt worden, und die Polizei des *Ma'mur* hatte so lange in den beiden Dörfern stationiert werden müssen, bis die Feindseligkeit in Vergessenheit geraten war, was ein Jahr gedauert hatte.

Mark schaute die Bauern an, die sich um die Besucher scharten, die dunkelhäutigen, kräftig gebauten Fellachen von El Till. Die Männer trugen lange, schmutzige *Galabias*, liefen barfuß und entblößten beim Grinsen ihr lückenhaftes Gebiß. Die Frauen trugen ausgebleichte Kattunkleider, die ihnen bis zu den Knöcheln reichten, bunte Plastikringe an den Handgelenken und lange, schwarze Schleier auf den Köpfen, die sie schnell vors Gesicht ziehen konnten, um es vor Fremden zu verbergen. Viele von ihnen waren schwanger oder hielten Kleinkinder auf dem Arm, während sich weitere Kinder an ihre Rockzipfel klammerten. Die meisten Frauen hatten ihrem Haar mit Henna einen rötlichen Ton verliehen und ihre Augen mit schwarzem *kohl* dick umrandet.

Mark achtete darauf, keine der Frauen zu lange anzusehen, denn ein Vater, ein Ehemann oder ein Bruder hätte dies als Beleidigung auffassen und seinen Zorn sowohl an Mark als auch an der Frau auslassen können.

Er betrachtete aufmerksam die Gesichter der Leute. Die Mehrheit der Ägypter, gerade die Fellachen auf dem Lande, so wußte Mark, gehörten einer uralten Rasse an, die sich seit Jahrtausenden, von der Wüste und den Bergen abgeschirmt, in ihrer Ursprünglichkeit weitgehend erhalten hatte. Ihre typischen Merkmale – breite Schädel und Gesichter, schmale Stirnen, vorstehende Backenknochen, starke Nasen und kräftige Unterkiefer – hatten sich seit fünfzig Jahrhunderten wenig verändert. Sie hatten sich nicht mit Griechen, Römern, Arabern oder Türken vermischt. Diese Menschen, denen es trotz des Eindringens von Islam und Christentum gelungen war, ihre alten Traditionen fortzuführen, arbeiteten und lebten nicht nur in der gleichen Weise, wie ihre Vorväter es schon in der Antike getan hatten, sie waren auch vom Äußeren her gleich geblieben. Als direkte Abkömmlinge der Niltalbauern aus alter Zeit gehörten die Fellachen von El Till demselben Volk an, das einst hier für sich und für den Hof des Pharaos das

Land bestellt hatte. Sie waren das Volk Echnatons, unverändert und unveränderlich.

Ein aufgeregtes Getuschel ging durch die Menge, als ein alter Mann mit dem längsten, weißesten Bart, den Mark je gesehen hatte, auf der Schwelle des Hauses erschien. Er war mit einer weißen Galabia und Sandalen bekleidet und stützte sich beim Gehen auf einen Holzstock. Auf dem Kopf trug der *'Umda* ein weißes gehäkeltes Käppchen, was bedeutete, daß er die Pilgerreise nach Mekka unternommen hatte. Die Menschenmenge verstummte und blickte ehrfürchtig zu dem alten Mann auf, als er, einem biblischen Patriarchen gleich, ins Sonnenlicht hinaustrat, einen Moment innehielt und sich dann steif in einem Korbstuhl niederließ, der neben dem Hauseingang stand. Der *'Umda* war hier eine Art König.

»*Ah-laan wa sahlaan*«, rief er mit einer alten, krächzenden Stimme.

Mark erwiderte den Gruß und fügte hinzu: »*Sabbah in-nuur.*«

Der alte Mann lächelte wohlwollend und hob seine knorrige Hand. Sogleich trat aus dem Innern des Hauses eine junge Frau mit verschleiertem Gesicht und Messingreifen an Hand- und Fußgelenken. Sie trug ein Messingtablett, auf dem Teegläser standen.

Als man ihm das Tablett demütig darbot, nahm Mark seinen Tee, der in einem schlichten Wasserglas serviert wurde, und wußte, bevor er ihn gekostet hatte, daß er gräßlich süß sein würde. Eine Zuckerschicht hatte sich auf dem Boden des Glases abgesetzt. Mark nahm einen kleinen Schluck, leckte sich die Lippen und lobte auf arabisch: »Der Tee schmeckt köstlich. Er ist der beste, den ich je getrunken habe.«

Der *'Umda* lächelte verschmitzt, wobei seine dunkelbraunen Zähne hinter seinem weißen Bart zum Vorschein kamen, und antwortete: »Allah möge mir vergeben, daß ich meinem hochverehrten Gast einen Tee vorsetzen muß, der nicht einmal eines Esels würdig wäre, aber es ist alles, was ich habe.«

Mark, der wußte, daß der Tee aus einem Spezialvorrat des *'Umda* stammte und daß seine Frau den ganzen Morgen damit verbracht hatte, ihn nach allen Regeln der Kunst zuzubereiten, erwiderte: »Ich bin nicht würdig, ihn zu trinken.«

Eine Frau kam aus dem Haus und stellte sich hinter den Greis. Sie war klein und ebenfalls recht alt, ihr rotes Haar war am Ansatz weiß, ihr

Gesicht wirkte wie verknittertes Pergament, doch ihre Hände waren orangefarben bemalt, und an ihren Handgelenken klirrten Goldarmreife. Sie war die geachtetste Frau in El Till, die von allen anderen Frauen beneidet wurde.

»Das ist meine Frau, Achmeds Mutter«, stellte der 'Umda sie vor.

Mark nickte der alten Fellachin höflich zu, ohne ihr übermäßige Aufmerksamkeit entgegenzubringen. Bei den Fellachen war es Sitte, eine Frau nicht mit ihrem eigenen Namen zu nennen, sondern mit dem Namen ihres ältesten Sohnes.

Der 'Umda ging nun dazu über, jeden der Männer in Marks Gruppe namentlich willkommen zu heißen, wobei er die beiden Frauen, Alexis und Jasmina, überhaupt nicht beachtete, und schloß mit den Worten: »Möge Allah euch bei der Arbeit wohlgesonnen sein und euch viel Erfolg bescheren.«

Dies war das Zeichen für den Beginn des geschäftlichen Teils. Abdul begann damit, dem 'Umda zu erklären, daß Mark zwei Arbeitsgruppen von je zehn Mann benötigte, die sich alle zwei Wochen, oder dann, wenn die Arbeit auf den Feldern es erforderlich machte, ablösen sollten. Der 'Umda, den Abdul mit Hadsch, dem arabischen Wort für Pilger, anredete, hörte ihm gnädig zu. Dann wandte er sich an Mark und meinte in seinem gedehnten mittelägyptischen Tonfall: »Eure Anwesenheit nützt uns allen, Dr. Davison. Unsere Leute brauchen Arbeit, ihr braucht unsere Hilfe, und wir alle verehren das, was qadim ist. Zu lange schon ist es her, daß in den Ruinen gearbeitet wurde.«

Mark nickte und versuchte, ohne das Gesicht zu verziehen, seinen unerträglich süßen Tee auszutrinken. »Qadim« bedeutete »alt«, und in ihrem Aberglauben und ihrer Ehrfurcht vor der Vergangenheit ihrer Vorfahren verehrten die Fellachen längs des Nils alles, was Jahrhunderte alt war. Sie glaubten, daß Gegenständen aus ihrer fernen Vergangenheit eine starke Zauberkraft innewohne.

Sanford Halstead neigte sich zu Mark hin und murmelte:

»Würden Sie uns all dies freundlicherweise übersetzen?«

»Es handelt sich nur um eine Formsache, Mr. Halstead. Abdul hat sich schon vor Wochen um alles gekümmert, es ist alles vorbereitet. Wir spielen hier lediglich ein kleines Theaterstück, weil die Sitten und Gebräuche hier es so erfordern.«

»Das ist doch Zeitverschwendung.«

»Da stimme ich Ihnen zu, aber wir müssen es wohl oder übel über uns ergehen lassen. Andernfalls würden wir den alten Mann kränken und uns dadurch eine Menge Ärger einhandeln. Er mag vielleicht nicht danach aussehen, aber der 'Umda ist der höchste Gebieter über das Land hier, und die Leute tun, was er sagt.«

Sanford Halstead richtete sich wieder auf und blickte finster in seinen Tee. Er hatte ihn nicht angerührt.

»Und ich würde Ihnen raten, das hier zu trinken.«

»Lieber nicht.«

»Das wird ihn beleidigen, und niemand nimmt Beleidigungen so ernst wie diese Leute. Die Gastfreundschaft eines Ägypters abzulehnen ist ebenso schlimm, als hätte man ihm ins Gesicht gespuckt. Bitte trinken Sie es.«

Als Sanford Halstead widerstrebend und mit steinerner Miene das Glas mit dem lauwarmen Tee zu den Lippen führte, sagte Mark zu dem Greis: »Mein Freund läßt fragen, ob er wohl noch ein Glas davon haben könnte.«

Der Alte grinste zufrieden und erteilte seiner Tochter einen kurzen Befehl, worauf diese eilends ins Haus lief.

Die Verhandlung wurde fortgesetzt. »Es wird kein Problem sein, euch mit willigen Arbeitern zu versorgen, Dr. Davison. Eigentlich möchte jeder hier gerne für die Amerikaner arbeiten. Ich mußte in den letzten paar Wochen ernsthafte Entscheidungen treffen. Es ist nicht leicht, unter den Männern auszuwählen, wer sich euch anschließen darf und wer auf den Feldern bleiben muß.«

Mark wußte, daß dies der kritischste Teil der Unterredung war, denn es bestand eine berüchtigte Rivalität zwischen El Till und dem südlich davon gelegenen Dorf Hag Qandil. Beide 'Umda mußten milde gestimmt werden. Mark vertraute darauf, daß Abdul aus jedem Dorf eine gleich große Anzahl Männer eingestellt hatte.

»Was die Bezahlung angeht, Dr. Davison, so sind zehn Piaster pro Mann und Tag immerhin ausreichend. Dafür können sie sich Zucker und einen neuen Pflug kaufen. Jeder Mann hat seine Gründe, für Sie arbeiten zu wollen. Samis Sohn möchte heiraten, aber er hat kein Geld für den Brautpreis. Mohammed hat Schulden beim Geldverleiher und muß dafür fünfzig Prozent Zinsen bezahlen. Rahmi hat Zwillingssöhne, die beschnitten werden müssen. Wir alle brauchen zusätzliche Einnahmen, Dr. Davison, denn wie Sie sehen, sind wir arm wie die Nadel, die andere kleidet, aber selbst unbekleidet bleibt.«

Mark wartete ungeduldig. Er wußte schon, was jetzt kommen würde. Deshalb überraschte es ihn nicht, als der *'Umda* fortfuhr: »Man möchte daher fast meinen, daß zehn Piaster doch nicht genug sind.«

»Was würde die Arbeit für Euch lohnend machen, *Hagg*?« Mark sprach den Titel *Hadsch* in mittelägyptischem Dialekt aus.

»Wir möchten, daß Sie den zehn Piastern noch ein Maß Tee für jeden Mann hinzufügen.«

Mark blickte zu Abdul hinüber, der sich leicht zur Seite neigte und auf englisch erklärte: »Das habe ich schon vorausgesehen, Effendi. Unter den Kisten, die ich vor zwei Tagen hierherbrachte, befinden sich auch einige mit dem reinsten Tee, den man in Ägypten finden kann. Zwei *Ghaffir* haben ihn seit seiner Ankunft Tag und Nacht bewacht.«

Mark nickte. Er hatte schon früher erlebt, wie verrückt die Fellachen auf Tee sind. Da sie den Genuß von Alkohol aufgrund ihres Glaubens ablehnen, haben die Nilbauern schon seit langem Zuflucht zu anderen Formen der Anregung genommen. Und weil Haschisch teuer ist und die Arbeit auf den Feldern beeinträchtigte, ist Tee unter den Millionen von Bauern zum Genußmittel Nummer eins geworden. Mark wußte, daß kein Fellache ohne sein Kännchen mit starkem, reichlich gesüßtem Tee aufs Feld gehen würde. Er machte ihn »high« und bereitete ihm körperliches Vergnügen. Er war sein einziger Luxus und somit ein unverzichtbarer Bestandteil seines Lebens. Die Ägypter tranken literweise dicken, schwarzen Tee, gesüßt mit reichlich Zucker.

»In Ordnung, *Hagg*, Ihr sollt Euren Tee haben.«

»Und Zucker, Dr. Davison.«

»Und Zucker.«

»Ich habe erfahren«, sprach der *'Umda* weiter, »daß Sie auch Männer aus Hag Qandil einstellen werden. Ich muß Sie darauf aufmerksam machen, daß es sich bei diesen um unzuverlässige Halunken handelt. Wir haben zur Zeit keinen Streit mit ihnen, aber trotzdem schiebe ich nachts einen Balken vor meine Haustür.«

»Was schlagt Ihr vor, *Hagg*?«

»Ich werde versuchen, zwischen Ihnen und den Männern von Hag

Qandil als Vermittler zu fungieren. Wenn ich mich selbst erniedrige...«, er spreizte seine knochigen Hände und hob seine hageren Schultern, »kann ich mich bei ihnen vielleicht für Sie einsetzen.«

»Was geht da eigentlich vor?« zischte Halstead ärgerlich.

»Es ist das alte Versicherungsspiel. Du bezahlst uns, dann brechen wir dir nicht die Beine.« Mark wandte sich wieder an den *'Umda*: »Was kann ich tun, um Euch dabei behilflich zu sein, *Hagg*?«

»Ich bin ein alter Mann, Dr. Davison, und ach, meine Tage sind gezählt. Wie viele Sonnenaufgänge ich noch erleben werde, weiß nur Allah. Es wäre mir ein Trost in meinem hohen Alter und meiner Armut, mich an einem kleinen, unbedeutenden Luxus zu erfreuen. An etwas, das für einen großen und wohlhabenden Mann, wie Sie es sind, völlig ohne Belang wäre.« Sein Grinsen verbreiterte sich. »Ich hätte gern Coca-Cola.«

Mark warf einen ungeduldigen Blick zu Abdul hinüber, der rasch auf englisch versicherte: »Es ist zusammen mit dem Tee eingetroffen, Effendi. Eine ganze Kiste davon.«

»Weiß der *'Umda* von Hag Qandil davon?«

»Nein, Effendi.«

»Dann wollen wir es auch so belassen. Was wir am wenigsten brauchen können, ist eine verdammte Fehde um unser Cola.« Er zwang sich zu einem Lächeln und meinte, zum *'Umda* gewandt: »Abgemacht!«

Der alte Patriarch wurde sichtlich gelöster und lehnte sich in seinem Stuhl zurück, während ein befriedigtes Lächeln sein Gesicht in tausend Falten legte.

Sanford Halstead, der eben eine Frau dabei beobachtet hatte, wie sie das Haar eines kleinen Jungen nach Läusen durchsuchte, flüsterte Mark zu: »Wie lange dauert das denn noch?«

»Nicht mehr lange. Lächeln Sie dem Alten zu und stürzen Sie den Tee hinunter. Wenn Sie danach laut rülpsen, wird er ein Leben lang Ihr Freund sein.«

»Das ist doch wohl nicht Ihr Ernst!«

»Man sollte sich immer seiner Umgebung anpassen, Mr. Halstead.«

»Ich kann diesen Gestank nicht mehr lange ertragen, Davison, und ich denke nicht, daß dieser Ort für meine Frau sehr passend ist.«

»Ihre Frau, Mr. Halstead, ist im Augenblick so unwichtig, daß der 'Umda eine höhere Meinung von Ihrem Esel hätte, wenn Sie einen besäßen. Noch ein paar Minuten, dann werden wir zum Camp aufbrechen. Ich will ihm nur ein oder zwei Fragen über Ramsgate stellen.«

Als er den letzten Rest seines widerlich süßen Tees hinunterspülte, erblickte Mark einen Mann, der am Rand der Menge stand und nicht dazuzugehören schien. Klein, feist und ölig, hob er sich in krasser Weise von den Dorfbewohnern ab, insbesondere durch sein weißes Hemd, das bis an seinen dicken Hals zugeknöpft war, und durch seine dunkle Hose. Er hatte ein pausbäckiges Gesicht und langes, gewelltes, von Fett glänzendes Haar. Das Hemd war um Kragen und Ärmelaufschläge herum schmutzig und vorne mit Essensflecken gespickt. Der Mann lehnte an einer mit Urin besudelten Mauer und bohrte mit dem Finger in seinem Ohr herum. Seine vermeintlich gleichgültige Haltung ließ Mark aufmerksam werden.

Mark wußte, wer er war. Er war der Dorf-Grieche, der einzige Krämer, der Schieber, der Tuchhändler, der Geschäftemacher, der Kredithai. In jedem Dorf, vom Delta bis zum Sudan, gab es einen davon: Vor langer Zeit waren die Griechen ins Niltal gekommen und hatten Profit in der Ausbeutung der Bauern gewittert, die sich für ihre materiellen Bedürfnisse nirgendwo hinwenden konnten. Das Geschäft wurde vom Vater an den Sohn weitergegeben. Sie gingen selten Mischehen mit der einheimischen Bevölkerung ein, und zogen es vor, sich eine Braut aus Griechenland kommen zu lassen. Sie lebten am Rande des Dorfes, nahmen am gesellschaftlichen Leben nicht teil und führten auf Kosten der einfältigen Fellachen ein angenehmes Leben.

Mark prägte sich das aufgequollene Gesicht des Mannes ein und wandte sich wieder dem 'Umda zu. »Ich brauche einige Auskünfte, *Hagg*.«

»Und ich habe die Antworten, *inschallah*.«

»Vor hundert Jahren kam ein Engländer hierher, um in den Ruinen zu graben. Das war noch vor Petrie, *Hagg*. Er starb an einer Krankheit, und die Gegend um sein Lager und seine Arbeitsstätte herum wurde unter Quarantäne gestellt. Kennt Ihr diesen verbotenen Ort?«

Zum ersten Mal, seit er aus dem Haus getreten war, verdunkelten sich die klugen kleinen Augen des *'Umda*. »Das war vor langer, langer Zeit, Dr. Davison, und heute gibt es keinen Sperrbezirk mehr. Auch aus meiner Erinnerung ist mir kein solcher Ort bekannt, und ich bin immerhin über achtzig Jahre alt.«

»Es war in der Zeit des letzten türkischen Paschas, bevor die Briten die Regierung übernahmen. Damals wurde ein Dokument veröffentlicht, das jedermann untersagte, ein bestimmtes Gebiet zu betreten. Ich glaube, es lag in den Hügeln.«

»Mein Großvater war damals *'Umda* in diesem Dorf, Dr. Davison. Als ich noch ein kleiner Junge war, erzählte er mir von den ersten Fremden, die hierherkamen, um Ausgrabungen durchzuführen. Sie nannten sich Wissenschaftler, doch sie waren nichts weiter als Schatzsucher. Sie legten die Ruinen unserer Ahnen frei und entwendeten die schönen Dinge, die sie dort fanden. Sie teilten nichts mit uns.«

Nichts, dachte Mark bei sich, außer die englischen Pfunde, die sie euch dafür bezahlten, daß ihr ihnen beim Graben halft. »Erinnert Ihr Euch an einen namens Ramsgate?«

Fast unmerklich zögerte der *'Umda*, bevor er die Frage verneinte.

»Erinnert Ihr Euch an irgend etwas, das mit der verbotenen Zone in Zusammenhang steht?«

»Ich weiß nicht, warum Ihr mich diese Dinge fragt. Von welchem Belang können sie sein, wenn sie sich schon vor hundert Jahren ereignet haben?«

»Sie sind von Belang, *Hagg*. Wißt Ihr, wo sich der Sperrbezirk befand? Oder läßt Euch in Eurem hohen Alter Euer Gedächtnis im Stich?«

Seine lebhaften kleinen Augen flackerten auf. »Das Alter hat mein Gedächtnis nicht getrübt, Dr. Davison! Ja, ich entsinne mich, daß mein Großvater mir von einem britischen Forscher erzählte, der mit seiner Frau und seinen Freunden in den Ruinen starb. Sie seien krank gewesen, so sagte er mir. Und dann verbot die Regierung unseren Leuten, das Gebiet zu betreten.«

»Wo war das, *Hagg*?«

»Ich weiß es nicht. Mein Großvater hat es mir gegenüber niemals erwähnt. Als ich alt genug war, um die antiken Stätten selbst zu besuchen, galt das Verbot nicht mehr, denn eine neue Regierung mit neuen Gesetzen und einer neuen Polizei hatte die Macht im Land übernommen. Die alten Regeln waren vergessen.«

»Wann war das?«

Der *'Umda* wandte den Blick ab. »Als ich jung war.«

Mark betrachtete nachdenklich das Muster des Teppichs, auf dem er saß, und fuhr sich mit der Hand über den verschwitzten Nacken. »Ist der Name Ramsgate bekannt?«

»Nein.«

»Dann gibt es also keine verbotenen Orte mehr in der Nähe?«

»Nein.«

»Und Ihr würdet Eure Enkel überall dort spielen lassen, wo sie wollen?«

»Ja.«

»Ihr seid uns eine große Hilfe gewesen, *Hagg,* und ich bin Euch sehr dankbar. Einer meiner Männer wird heute abend drei Flaschen Coca-Cola zu Eurem Haus bringen.«

Schlagartig änderte sich die Stimmung des Greises. Seine Miene hellte sich auf, und er strahlte wie die aufgehende Sonne. »Dr. Davison, Ihr beschämt mich mit Eurer Großzügigkeit!«

Die Frau des *'Umda,* die an dieser Stelle eine Gesprächspause wahrnahm – denn die Unterhaltung der Männer zu unterbrechen hätte für sie eine Tracht Prügel zur Folge gehabt –, beugte sich nun dicht zu ihm herunter und flüsterte ihm etwas ins Ohr. Sichtlich vergnügt, hob der *'Umda* seine weißen, buschigen Augenbrauen und verkündete: »Achmeds Mutter bittet Sie, an einer Feier teilzunehmen, die wir heute abend abhalten.«

»Was für eine Feier, *Hagg?*«

»Es ist die Beschneidung von Hamdis Tochter.«

Halstead tippte Mark an die Schulter. »Worum geht es da?«

Als Mark für ihn dolmetschte, meldete sich die hinter ihrem Mann sitzende Alexis Halstead verwundert zu Wort: »Was, seine Tochter?«

Mark mußte sich ein wenig umdrehen, um sie anzusehen. »Hier ist es Sitte, daß sowohl kleine Jungen als auch kleine Mädchen beschnitten werden.«

»Aber was können sie bei Mädchen schon beschneiden?«

»Sie entfernen ihnen die Klitoris.«

Sie hob entsetzt ihre schmalen Augenbrauen, und Mark wandte sich wieder seinem Gastgeber zu. »Ihr erweist uns eine große Ehre, *Hagg*, aber wir haben eine weite Reise hinter uns und möchten uns gerne in unserem Camp ausruhen. Sagt Achmeds Mutter, daß wir von ihrer Gastfreundschaft überwältigt sind und daß es uns schmerzt, die freundliche Einladung ablehnen zu müssen.«

Der *'Umda* nickte wohlwollend.

Als die erforderlichen Höflichkeitsfloskeln ausgetauscht waren, standen alle auf und reckten sich. Jasmina Schukri, die während des ganzen Besuchs regungslos wie eine Statue dagesessen hatte, tat nun etwas Merkwürdiges. Sie trat zu dem *'Umda* hin, fiel vor ihm auf die Knie und berührte mit den Fingern der rechten Hand Brust, Lippen und Stirn. Als sie sich wieder erhob, blickte Mark sie verwundert an, um so mehr, als der *'Umda* ihre Huldigung mit einem gönnerhaften Lächeln erwiderte und nicht im geringsten überrascht schien. Schließlich erhob sich auch der *'Umda*, und die Umstehenden begannen langsam, sich zu zerstreuen. Mark rieb sich den Rücken, während er den Blick über den kleinen Platz schweifen ließ. Er hielt nach dem Griechen Ausschau, doch der Mann war verschwunden.

Sieben

Gedankenverloren starrten die Expeditionsteilnehmer auf die Ruinen der antiken Stadt, die sich links und rechts von ihnen erstreckten, während die drei Landrover, die untergehende Sonne hinter sich lassend, über die holprige Ebene jagten und dabei Unmengen von Sand und Staub aufwirbelten.

Sie sahen eine Ebene von solcher Kahlheit und Trostlosigkeit, daß die Seele verzweifelt aufschrie. Sie betrachteten die Wälle von Schotter, das einzige, was von Echnatons einst so prächtiger Stadt übriggeblieben war, und versuchten im Geiste, aus den zerfallenen Mauern und Sanddünen das Bild von weißen Palästen und mit Bäumen gesäumten Alleen heraufzubeschwören. Aber es wollte ihnen nicht gelingen.

Je weiter sie den Nil und das fruchtbare Ackerland hinter sich ließen, um so mächtiger türmten sich die jähen Wände des Kalksteingebirges vor ihnen auf. Die Felsen waren urzeitliche Steilabfälle aus nacktem Schichtgestein, die wie eine Miniaturausgabe des Grand Cañon wirkten; eine prähistorische, bis auf die geologischen Schichten abgetragene Landschaft. Als die Zelte des Camps in Sicht kamen, wischte Mark sich den Schweiß von der Stirn und dachte: Hier scheint die Zeit stehengeblieben zu sein.

Endlich hielten die Fahrzeuge an, und alle warteten darauf, daß sich der Staub legte. Durch die Wolke konnten sie sehen, daß sie das ausgetrocknete Flußbett des Königlichen Wadis passiert und danach ein steiniges Vorgebirge umfahren hatten, das am Südrand des Wadis in die Ebene vorsprang. Am Fuße des Vorgebirges konnte man in der Nachmittagssonne eine Reihe hüfthoher Mauern erkennen, die einem Irrgarten glichen. Es waren die Überreste einer Stätte, die von den Ägyptologen als »die Arbeitersiedlung« bezeichnet wurde – eine kleine Kolonie, in der in pharaonischer Zeit die Grabarbeiter und ihre Familien etwas abseits der eigentlichen Stadt untergebracht worden waren. Es deutete alles darauf hin, daß einige der »Räume« wieder bewohnt wurden. Die von Abdul angeworbene Mannschaft hatte es vorgezogen, ihr eigenes zeitweiliges Lager in den Ruinen aufzuschlagen, um sich den täglichen Weg von den einige Kilometer entfernt liegenden Dörfern zu ersparen.

Auf der anderen Seite des Vorgebirges waren sieben geräumige, weiße Zelte im Kreis errichtet worden. Sie duckten sich am Fuß der aufragenden Felswand, die Schutz vor dem Wind bot und in der ersten Tageshälfte Schatten spendete. Generatoren summten in einem provisorischen Schuppen, und Stromkabel führten von dort in alle Zelte. Etwa dreißig Meter vom Camp entfernt befanden sich zwei Duschkabinen und zwei Latrinen.

Es war die heißeste Zeit des Tages. Träge kletterten die Expeditionsteilnehmer aus den Landrovern, klopften sich den Staub von den Kleidern und sahen sich mißtrauisch im Camp um. Ron, der tatkräftigste unter ihnen, brachte sofort seine Kamera zum Einsatz. Er lief hin und her und machte von allen Schnappschüsse, um die Stimmung beim Bezug des Camps auf Fotos festzuhalten.

Abdul begann, zwei Fellachen, die aus dem Arbeiterdorf herbeigeeilt waren, in harschem Ton Befehle zu erteilen. Vom Camp aus konnte man ihr zusammengerolltes Bettzeug und ihr Lagerfeuer zwischen den Ruinen sehen. Mark ging langsam umher, nahm das Camp näher in Augenschein und überprüfte alle Vorrichtungen.

Die übrigen wurden in ihre Zelte geführt. Vier davon waren als private Unterkünfte gedacht: die Halsteads in einem Zelt, Ron und Mark in einem anderen, Hasim und Abdul im dritten und Jasmina Schukri mit ihrer medizinischen Ausrüstung allein im letzten. Ein fünftes Zelt diente Ron als Dunkelkammer, das sechste war als Arbeitsraum eingerichtet worden und enthielt Ausgrabungs-, Labor- und Meßgeräte, während das siebte und größte Zelt als Gemeinschaftsraum vorgesehen war, in dem vor allem die Mahlzeiten eingenommen werden sollten.

Mark beobachtete, wie Sanford und Alexis Halstead zu ihrer Unterkunft geführt wurden, während sich drei Fellachen hinter ihnen mit dem Gepäck abmühten. Halstead hatte bezüglich seiner Unterbringung und der seiner Frau ganz präzise Forderungen gestellt, und Mark hoffte insgeheim, daß Abdul sie hatte erfüllen können.

Als sie im Inneren ihres Zeltes verschwanden, ging Mark langsam weiter. Ein Insekt streifte sein Gesicht. Er schlug danach und schaute auf, um besser zielen zu können, doch da hielt er plötzlich inne. Er hob die Hand, um seine Augen vor dem Sonnenlicht zu schützen, und blickte hinauf zur Spitze des Felsens, der das Camp mehrere hundert Meter überragte. Dort oben stand eine stumme Gestalt, die sich gegen den blauen Himmel abzeichnete und auf das rege Treiben hinabstarrte.

Mark schaute eine Weile hinauf und versuchte, die Person auf dem Felsen deutlicher zu erkennen. Dann ließ er die Hand sinken und hielt nach Abdul Ausschau.

Er wußte, daß auf der Hochebene über dem Wadi noch eine alte Straße existierte, eine Straße, die einst von den Soldaten Echnatons gebaut worden war und von den örtlichen *Ghaffir* noch gelegentlich auf ihren Wachgängen benutzt wurde. Doch dieser Mann hatte nicht wie ein *Ghaffir* ausgesehen. Zum einen hatte er kein Gewehr gehabt, zum anderen hatte er weder Maultier noch Kamel mit sich geführt. Mark konnte nicht einmal mit Bestimmtheit sagen, ob es überhaupt ein Mann war.

Abdul hatte gerade eine Auseinandersetzung mit einem seiner Helfer. Offensichtlich ging es darum, die Duschreservoirs mit ausreichend Wasser zu versorgen, damit sich sechs Personen waschen konnten. Der Helfer fuchtelte mit den Armen und erklärte etwas, das Mark nicht recht hören konnte.

Als er wieder zum Gipfel aufschaute, war die dunkle Gestalt verschwunden.

Jasmina sagte leise »*Schukran*« zu einem der Fellachen, der ihr Gepäck getragen hatte und wartete, bis er das Zelt verlassen hatte. Dann drehte sie sich um, entrollte das engmaschige Netz über dem Zelteingang und zog es mit dem Reißverschluß zu. Jasmina kannte die Probleme, die es mit Insekten hier geben würde. Sie warf einen prüfenden Blick auf die Zelteinrichtung. Abdul hatte gute Arbeit geleistet. Das Feldbett schien bequem zu sein; ein Moskitonetz hing, von einem Knäuel an der Decke ausgehend, in bauschigem Fall über das Bettgestell bis auf den Boden. Ein farbenfroher Teppich war davor ausgebreitet. Es gab einen Stuhl und einen kleinen Schreibtisch, außerdem den Labortisch und die Regale, die sie für die medizinische Ausrüstung benötigte. An einer Zeltwand stand eine Kiste mit Instrumenten und Medikamenten.

Von der anstrengenden Fahrt ziemlich ermattet, ging Jasmina im Zelt umher und versuchte, ihre Gedanken zu ordnen. Es gab so viel, worüber sie nachdenken mußte, und sie war so erfüllt von den widerstreitendsten Gefühlen, über die sie sich klarwerden mußte. Jasmina ließ sich auf dem Rand des Feldbetts nieder und knotete erschöpft das Tuch in ihrem Haar auf. Als ihre langen, dichten Haare auf Schultern und Rücken herabfielen, seufzte sie erleichtert auf.

Ihre Einsamkeit war das erste, wogegen sie ankämpfen wollte, auch wenn es sich um ein beinahe schon alltägliches Problem handelte, an das sich Jasmina Schukri schon seit langem gewöhnt hatte. Die Einsamkeit hatte sie durch Schul- und Collegejahre hindurch begleitet, war auch in Gesellschaft von Freunden immer da gewesen, und daran würde sich erst recht nichts ändern, wenn sie die Doktorwürde erlangte und praktizierende Ärztin wurde.

Sie war sich nicht sicher, warum sie sich dieser Expedition angeschlossen hatte, wenn man einmal davon absah, daß die Entlohnung gut war und daß der Vorarbeiter, Abdul Rageb, ihr versichert hatte, es sei leicht, für die Amerikaner zu arbeiten.

Jasmina saß vornübergebeugt auf dem Feldbett und ließ ihre Hände kraftlos im Schoß ruhen. Einen Augenblick lang dachte sie über die Fremden nach, wobei sie die Halsteads geflissentlich überging. In ihren Augen war dieses Ehepaar es nicht wert, daß sie überhaupt einen Gedanken an sie verschwendete. Mit den beiden Ägyptologen verhielt es sich da schon etwas anders. Der blonde schien ganz nett zu sein, wenn auch nicht besonders ernst zu nehmen; dem anderen, dem Leiter der Expedition, traute Jasmina Schukri jedoch nicht so recht. Sie hatte in ihrem Leben schon genug Leute von der Art wie Mark Davison kennengelernt, um zu wissen, was seine Beweggründe waren und was sie von ihm zu erwarten hatte. Er würde sein wie die anderen, die Ausbeuter, für die sie schon seit langem Verachtung empfand. So würde sie Distanz wahren und ihn für ihre Zwecke benützen.

Jasmina spürte, wie etwas an ihrer Wange vorbeistreifte, und verscheuchte es geistesabwesend mit der Hand.

Abdul Rageb hatte ihr nicht gesagt, wonach die Ägyptologen suchten, und Jasmina war nicht sicher, ob es sie überhaupt interessierte. Alles, worauf es ankam, war die gute Bezahlung, die man ihr versprochen hatte. Außerdem hatte der großzügige Geldgeber, Mr. Halstead, ihr völlige Freiheit beim Einkauf ihrer medizinischen Ausstattung gelassen. Welch ein Unterschied zu einem staatlichen Krankenhaus!

Wieder berührte etwas ihre Wange. Sie fegte es weg.

Dann fiel Jasmina wieder Hasim al-Scheichly ein, mit dem sie sich bereits länger unterhalten hatte. Obgleich er sich vielleicht ein wenig zu sehr um die Amerikaner bemühte – aber schließlich bestand darin seine Aufgabe –, war er ein junger Mann, den zu mögen Jasmina nicht schwerfiel. Er war gutaussehend und tatkräftig und schien im Umgang mit ihr selbstsicher genug zu sein, um sich nicht von ihr bedroht zu fühlen. So viel von Jasminas Einsamkeit rührte von den archaischen Traditionen des Islam her, in denen sich die Frau dem Mann unterzuordnen hatte. Selbst ihre Mitstudenten fühlten sich unbehaglich in ihrer Gegenwart und schreckten vor engeren Beziehungen zu ihr zurück. Bald wäre sie Ärztin, und die

Aussichten, in diesem muslimischen Land einen Mann zu finden, der ihr eine Karriere und einen eigenen gesellschaftlichen Rang erlaubte, waren praktisch gleich Null. Hasim al-Scheichly war seit langem der erste Mann, der . . .

Schon wieder streifte es vorüber, und diesmal riß es Jasmina aus ihren Gedanken. Sie fuhr sich mit der Hand an die Wange und schaute sich im Zelt um, das im Augenblick dank der schräg einfallenden Nachmittagssonne gut beleuchtet war. Sie suchte nach dem lästigen Insekt, und als sie es nicht fand, tastete sie ihr Gesicht nach einem verirrten Haar ab.

Jasmina hoffte, daß die Expedition den ganzen Sommer über dauern würde, obwohl Abdul Rageb dies nicht hatte versprechen können. Wenn sie sich tatsächlich über den gesamten Sommer hinzöge, würde sie genug Geld verdienen, um . . .

Diesmal fühlte es sich an wie ein winziger Klaps, wie ein Nachtfalter, der gegen eine Fensterscheibe flattert. Jasmina stand auf und ging hinüber zum Toilettentisch, der mit einem Krug, einer Waschschüssel, Seife und Handtüchern ausgestattet war und über dem ein Spiegel hing. Sie beugte sich vor, um zu sehen, wo das Insekt sie gestochen hatte, und entdeckte auf ihrer Wange einen kaum hervortretenden roten Punkt. Jasmina überprüfte sofort die beiden Fenster auf Löcher, doch bei beiden waren die Moskitonetze unversehrt. Dann öffnete sie die Kiste mit dem medizinischen Material und nahm ein Päckchen Fliegenpapier und eine Insektenspraydose heraus. Das war es wohl, worauf sich ihre ärztliche Tätigkeit in diesem Sommer beschränken würde: auf die Behandlung von Insektenstichen.

Hasim al-Scheichly packte mit peinlicher Sorgfalt seinen Waschbeutel aus und stellte die Toilettenartikel in Reih und Glied auf seinen Nachttisch. Er bewegte sich in einer disziplinierten, pedantischen Art und Weise, da er verhindert wollte, daß seine Aufgeregtheit ihn zur Nachlässigkeit verleitete. Hasim hielt sich einiges auf seine Ordentlichkeit zugute und hoffte, daß der Mann, mit dem er dieses Zimmer teilen sollte, ebensoviel Ordnungssinn besaß. Hasim vermutete dies. Abdul Rageb war seiner Erscheinung und seinem Auftreten nach ein gewissenhafter Mensch und stand wegen seiner Geschicklichkeit und Tüchtigkeit bei allen in großem Ansehen. Hasim war beeindruckt gewesen, als er bei seiner Berufung für den Posten erfahren hatte, daß er mit dem vielbewunderten und geachteten Abdul Rageb zusammenarbeiten sollte.

Überhaupt war die Teilnahme an der Expedition mehr, als der übereifrige Hasim sich hätte träumen lassen. Es war wie ein Hauptgewinn in einer Lotterie. Etliche seiner Kollegen strebten schon seit langem nach so einer Gelegenheit, sich zu bewähren. Doch die Tatsache, daß er einen ranghohen Onkel im Ministerium hatte, war ihm zugute gekommen. Die Expedition konnte für Hasim al-Scheichly, der erst vor zwei Jahren das College abgeschlossen hatte und seitdem mehr oder weniger untätig in seinem Büro saß, eine glückliche Wende bedeuten. Wenn die Amerikaner mit einer bahnbrechenden Entdeckung aufwarteten – obgleich Allah allein wußte, was in dieser öden Wüste noch übrig sein mochte –, konnte das Hasim die gewünschte Beförderung eintragen.

Er blickte auf und drehte sich um. »Ja bitte?« fragte er. Doch das Zelt war leer. Gelbe, staubbeladene Sonnenstrahlen drangen durch den offenen Eingang.

Er schüttelte den Kopf und fuhr mit dem Auspacken fort. Er hätte schwören können, daß für einen Moment jemand mit ihm im Zelt gewesen war.

Ron hatte genug Aufnahmen von dem gemacht, was er als das »anfängliche Durcheinander« bezeichnete, und war nun begierig darauf, sein »Fotolabor« zu inspizieren. Also steuerte er auf das Zelt zu, das ihm als Dunkelkammer dienen sollte.

Obwohl die spätnachmittägliche Brise vom Nil herüberwehte und die hellen Zeltplanen das Sonnenlicht reflektierten, herrschte im Innern eine Bullenhitze. Ron blieb im Eingang stehen, um seine Augen an die Dunkelheit zu gewöhnen, und sah sich dann um.

Es war fast nicht zu glauben. Abdul hatte alles haargenau so ausgeführt, wie er es angegeben hatte. Er hatte sogar darauf geachtet, das Zelt in einen »Feuchtraum« und einen »Trockenraum« zu unterteilen. Direkt vor ihm an der hinteren Zeltwand stand die hölzerne Laborbank. Darunter waren die Kisten, die er daheim in Los Angeles persönlich gepackt und versandt hatte, fein säuberlich aufeinandergesetzt worden. Über der Werkbank hingen drei Fassungen mit eingedrehten Glühbirnen. Ron ließ sich auf ein Knie nieder und überprüfte

die Kisten anhand von darauf geschriebenen Nummern auf ihre Voll-
ständigkeit. Zu seiner Zufriedenheit waren sie alle unbeschadet angekommen.

Er machte sich sofort daran, sie in der Reihenfolge ihrer Wichtigkeit
zu öffnen, und fand die schwere Kiste mit der Nummer 101, auf der in
fetten, roten Buchstaben geschrieben stand: ZERBRECHLICH! MIT
ÄUSSERSTER VORSICHT BEHANDELN! Er brach mit seinem Taschen-
messer die obersten Leisten auf und schöpfte mit beiden Händen das
Schaumstoff-Füllmaterial heraus. Dieser Kiste kam eine ganz besondere Bedeutung zu.

Ron entspannte sich und grinste zufrieden. Er griff hinein, zog eine
Vierliterflasche Chianti heraus und tätschelte sie liebevoll.

Alexis Halstead stemmte die Hände in die Seite und musterte kritisch
ihre Unterkunft. Die beiden mit Satinlaken und Daunensteppdecken
ausgestatteten Feldbetten waren so weit wie möglich auseinanderge-
rückt. Dazwischen standen zwei mit Elfenbein eingelegte Mahagoni-
Nachttische. Zwischen beiden Schlafstätten verlief ein leinener Vorhang an einer Stange, die Abdul an den Zeltstäben befestigt hatte. Der
Vorhang, der jetzt zurückgezogen und an der Wand zusammenge-
bunden war, würde später als Raumteiler dienen, um in dem Zelt zwei
kleinere »Zimmer« zu schaffen.

Während sie ihrem Mann, der in einem Koffer voller Joggingkleidung
und Adidasschuhen herumkramte, nicht die geringste Beachtung
schenkte, bemerkte Alexis die kleinen Annehmlichkeiten und Luxus-
gegenstände, die Abdul der Zelteinrichtung beigefügt hatte.

Glasierte Keramikkrüge und Waschschüsseln standen auf getrennten
Toilettentischen, die jeweils mit einem Stoß gestärkter Handtücher,
einer Seifenablage und mehreren flauschigen Badetüchern versehen
waren. Über jedem Bett hing eine verzierte Messinglampe, die durch
einen Schalter am Nachttisch ein- und ausgeschaltet werden konnte.
Die Wände waren mit Fotografien von Blumen und Sonnenuntergän-
gen geschmückt. Auf jedem Nachttisch befand sich ein kleiner elek-
trischer Ventilator. Der Fußboden war mit Teppichen bedeckt.

Als einer der Fellachen das letzte Gepäckstück neben ihrem Bett abge-
stellt hatte, wandte sich Alexis um und zog die Eingangsklappe des
Zeltes herunter. Das Innere lag nun im Halbdunkel, wobei nur das

trübe Nachmittagslicht durch die mit Gaze bespannten Fenster drang. Sie knipste das Licht über ihrem Bett an, löste wortlos den Vorhang von der Wand und zog ihn entlang der Betten ganz vor.

Als sie im Schein der Messinglampe über ihrem Koffer stand, hörte sie plötzlich die Stimme ihres Mannes auf der anderen Seite des Vorhangs: »Wie bitte, Alexis?«

»Was?«

»Was hast du gesagt, Alexis?«

»Ich habe gar nichts gesagt.«

Er erschien mit nacktem Oberkörper am Vorhangende. »Du hast etwas gesagt, und ich habe es nicht richtig verstanden.«

»Sanford, ich habe kein Sterbenswörtchen mehr von mir gegeben, seit wir in diesem abscheulichen Dorf saßen! Wenn du noch joggen willst, dann beeile dich. Die Sonne geht bald unter.«

Er verzog sich rasch hinter den Vorhang. »Ich hätte schwören können...«

Nachdem er einen Pappbecher bis zum Rand gefüllt hatte, legte Ron die Flasche behutsam in die Kiste zurück und schob sie wieder unter seinen Labortisch. Er wußte, daß er mit seinem Wein sparsam würde umgehen müssen, denn es gab keine Möglichkeit, sich Nachschub zu beschaffen.

Er öffnete die zweitwichtigste Kiste, diejenige, welche seinen batteriebetriebenen Kassettenrecorder und seine Doug-Robertson-Kassetten enthielt. Er wählte seine Lieblingskassette, legte sie in den Recorder ein, drückte einen Knopf, und gleich darauf erfüllten die sanften Klänge der klassischen Gitarre die stickige Luft.

Als er aufstehen wollte, spürte er etwas über sein Schienbein huschen. Er schlug danach und suchte dann rasch den Boden ab. Was auch immer es war, es war zu schnell für ihn gewesen.

»Wie bitte?« Alexis richtete sich ungeduldig auf. »Sanford, was hast du gesagt?«

Jenseits des Vorhangs blieb es still.

»Willst du mich zum Narren halten?« rief sie gereizt.

Als noch immer keine Antwort kam, zog Alexis den Vorhang zurück. Ihr Mann war nicht da.

Die Entwicklerbecken hierher, das Unterbrecherbad dorthin, das Vergrößerungsgerät da drüben in die Ecke, die Dunkelkammerlampen in einer Reihe hier an die Decke... Ron summte mit Doug Robertson und nahm hin und wieder einen Schluck Wein.

»Verdammt!« zischte er, als das Ding ihm wieder über die Füße lief. Dies war schon das dritte Mal.

Mark spürte die untergehende Sonne im Rücken, als er dastand und Sanford Halstead dabei beobachtete, wie er schwitzend und schnaufend, aber in beneidenswert guter Form, joggend das Lager umrundete.

Ron ließ sich auf alle viere herab und leuchtete mit der Taschenlampe in jeden Spalt und hinter jede Kiste. Was immer es auch gewesen sein mochte, es hatte sich ziemlich groß angefühlt. Groß genug, um es mühelos zu finden.

Doch er fand es durchaus nicht.

Mark sah sich vor dem Einbruch der Finsternis noch ein letztes Mal im Lager um. Aus dem Dunkelkammerzelt drangen schwach Melodien von Gitarrenmusik von Vivaldi zu ihm herüber. Mark wußte, daß sein Freund schon an der Arbeit war und nicht eher herauskommen würde, als bis er mit dem Entwickeln fertig wäre. Durch die gazeartigen Eingänge dreier der Wohnzelte konnte Mark die schattenhaften Umrisse derjenigen erkennen, die dabei waren, sich häuslich einzurichten. Jasmina Schukri, nur schwach sichtbar, war dabei, ihr Zelt in eine kleine Krankenstation zu verwandeln. Hasim al-Scheichly saß an seinem kleinen Schreibtisch und setzte bereits einen Bericht an seine Vorgesetzten auf. Und Alexis Halstead, ein sich auf der Zeltwand abzeichnender verschwommener Schatten, schien überhaupt nichts zu tun. Mark beschloß, das Gemeinschaftszelt in Augenschein zu nehmen.

Man konnte es riechen, spüren, schmecken, bevor die Augen dazu imstande waren, es richtig wahrzunehmen; denn im Innern war es dunkel und rauchig. Beim Eintreten schlugen Mark Essensgerüche entgegen, und er hörte das Brutzeln und Zischen von bratendem Fleisch. Nach wenigen Augenblicken hatten sich seine Augen der Dunkelheit angepaßt, und was er sah, überraschte ihn.

Sie war die älteste Frau, die Mark Davison je gesehen hatte. Die Fellachin schaute zunächst nicht von ihrer Arbeit auf, sondern hantierte weiterhin emsig mit ihren Töpfen und Pfannen. Sie war von Kopf bis Fuß in Schwarz gekleidet, und der gebeugte Rücken und die abgearbeiteten Hände der dunkelhäutigen Greisin waren nicht zu übersehen. Im nächsten Augenblick jedoch, als sie den Kopf hob und ihn mit einem unerwartet klaren Blick fixierte, da dachte er unwillkürlich an die *Sebbacha*, die alte Ziegelsammlerin in Ramsgates Tagebuch.

»Wie heißen Sie?« fragte er und wunderte sich, warum er sich unter ihrem Blick plötzlich unwohl fühlte.

Die alte Fellachin starrte ihn noch einen Moment lang an. Ein seltsam undurchdringlicher Ausdruck lag auf ihrem pergamentartigen, faltenreichen Gesicht, dessen Stirn und Augenbrauen hinter ihrem schwarzen Schleier verborgen waren. Dann wandte sie sich wortlos wieder ihren Kochtöpfen zu.

Er wiederholte die Frage, diesmal auf arabisch, doch sie gab keine Antwort.

Eine Gestalt erschien im Eingang und verdunkelte für einen Augenblick das Zeltinnere. Gleich darauf stand Abdul neben ihm. »Wer ist sie?« fragte Mark.

»Sie heißt Samira, Effendi.«

»Ist sie taub?«

»Nein, Effendi.«

Mark musterte aufmerksam die kleine hagere Gestalt, die gichtigen Hände, die unter weiten, schwarzen Ärmeln sichtbar wurden, und den goldenen Ring in ihrem rechten Nasenloch. Sie sah aus wie eine abgezehrte Einsiedlerin.

»Wo kommt sie her?« erkundigte sich Mark.

»Sie wohnt in Hag Qandil, aber sie leistet ihre Dienste in allen Dörfern.«

»Dienste?«

Abdul zögerte ein wenig. »Sie ist eine *Scheicha*, Effendi.«

Mark nickte verständnisvoll. Jedes Dorf im Niltal besaß eine *Scheicha* oder ihr männliches Gegenstück. Die Männer wurden als *Scheich* bezeichnet, was soviel hieß wie Magier oder Zauberer. Die *Scheicha* war diejenige unter den Frauen, die in die Geheimnisse der alten Magie eingeweiht worden war. Diese wurden meist von der Mutter an die Tochter weitergegeben. Sie allein kannte die alten Zaubersprüche, die Formeln, um den bösen Blick abzuwenden, um Frauen zur Empfängnis zu verhelfen, um Feinde mit einem bösen Zauber und die Ernte mit einem guten Zauber zu belegen. Die *Scheicha* wußte, wie man die Hilfe der *Dschinn* erlangte, wie man Liebestränke braute und wie man die Geburt eines männlichen Kindes sicherstellte. Die *Scheicha* praktizierte einen unbegreiflichen Hokuspokus, und je komplizierter und exotischer ihr Zauber wirkte, desto mehr Kraft wurde ihm zugesprochen.

»Warum hast du gerade sie eingestellt?«

»Es ist nicht leicht, in dieser Gegend eine Frau zu finden, die für Amerikaner kochen kann, Effendi. Sie versteht sich auf Ihre empfindlichen Mägen und Geschmackserwartungen. Ich habe sie persönlich ausgesucht, weil sie einen guten Ruf genießt. Und weil sie vor vielen Jahren schon für die britischen Ägyptologen arbeitete, als diese die Paläste freilegten.«

Mark blickte seinen zurückhaltenden Vorarbeiter von der Seite her an und stellte sich einen Moment lang die Frage, ob er wohl einen gewissen Aberglauben aus der Kindheit bewahrt hatte. Dann meinte er: »Mir ist es gleich, was ich esse, solange sie nur begreift, daß Mr. Halstead spezielles Essen haben muß.«

»Jawohl, Effendi.«

Mark trat aus dem Zelt, blickte in die untergehende Sonne und atmete in vollen Zügen die warme Wüstenluft ein. Vor ihm erstreckte sich als schmales grünes Band am Horizont der Fluß, der träge seinem uralten Lauf folgte. Mark konnte in der Ferne die Dattelpalmenhaine sehen, die sich dunkel gegen den sinkenden Sonnenball abhoben. Er schloß für einen Moment die Augen.

»Alle Mann aufstellen!« ertönte plötzlich eine Stimme durch das stille Camp.

Mark schlug die Augen auf und sah Ron durch den Sand auf ihn zustapfen. Hinter ihm kamen Hasim al-Scheichly, Jasmina Schukri und Sanford Halstead heran. Rons Kamera baumelte ihm beim Gehen um den Hals. »Zeit für ein letztes Foto!« Er hatte ein Stativ mitgebracht.

Mark lachte leise auf und entfernte sich vom Gemeinschaftszelt.

»Jetzt bitte zusammenrücken! Wo ist Mrs. Halstead? Ich möchte ein schönes Bild von uns allen an unserem ersten Abend hier machen. Und gerade jetzt sind die Lichtverhältnisse besonders günstig. Ja, dort drüben ist es ausgezeichnet!« Ron fuchtelte mit den Armen wie ein Filmregisseur. »Näher zusammen! Ja, genau so! Wo bleibt nur Mrs. Halstead?«

Sie schob ihre Zeltplane beiseite und trat wie eine Wüstenkönigin ins verlöschende Tageslicht hinaus. Mark konnte nicht umhin, sie einen Augenblick lang anzustarren. Alexis hielt kurz inne, bevor sie mit geschmeidigem Schritt auf die Gruppe zukam, wobei sich ihr kupferfarbenes Haar im Abendwind hob und senkte. Nach sieben Jahren mit der ein Meter sechzig großen Nancy hatte Mark ganz vergessen, wie lang Frauenbeine sein konnten. Mit Tennis-Shorts und Bluse bekleidet, wirkte Alexis Halstead wie ein einschüchterndes Sexidol. Sie bewegte sich mit vollkommener Grazie, und selbst das gelegentliche Zurückwerfen ihres Kopfes wirkte nicht ruckartig oder affektiert, sondern herrlich verführerisch.

Und wie bei ihrer ersten Begegnung am Flughafen von Los Angeles wunderte sich Mark abermals, wie unerklärlich vertraut ihm ihr Gesicht vorkam...

»Dieses Foto ist für das *National Geographic*-Magazin!« verkündete Ron, während er Hasim am Arm faßte und ihn näher an Jasmina heranrückte. »Wir wollen versuchen, so zu wirken, als ob wir genau wüßten, was wir hier vorhaben. Wo ist Abdul?«

»Vergiß es, Ron«, erwiderte Mark und gesellte sich zu der Gruppe, indem er sich neben Sanford Halstead stellte. »Ich habe noch nie erlebt, daß Abdul sich fotografieren ließ. Beeile dich jetzt, die Sonne ist schon fast untergegangen.«

Ron nahm die letzten Einstellungen am Stativ vor, schaute durch den Sucher, legte die Klappe vor den Zeitschalter und konnte noch rechtzeitig seinen Arm um Hasims Schulter legen, bevor die Kamera klickte.

»Noch eines!« rief er, als die Gruppe schon auseinanderlaufen wollte.

»Ach komm, Ron, wir sind müde und hungrig.«

»Es ist das letzte Bild auf dem Film, Mark. Ich kann ihn heute abend entwickeln.«

Mark lachte gequält und wollte Einspruch erheben. Doch er bekam keine Gelegenheit dazu, denn auf einmal wurde die abendliche Stille von einem gellenden, markerschütternden Schrei zerrissen.

Acht

»Meinen Sie, daß er daran gestorben ist? An einem Herzinfarkt?«
Jasmina Schukri saß allein an dem kleineren der beiden Tische im Gemeinschaftszelt und nippte an einer Tasse Kaffee. Sie nickte und dachte dabei an den Mann, den sie in den Ruinen der Arbeitersiedlung gefunden hatten. Er war in einer kauernden Haltung gestorben; vermutlich hatte er gerade mit der Zubereitung von Tee über seinem Lagerfeuer beginnen wollen. Er war alleine gewesen.
»Sind Herzinfarkte eine häufige Todesursache unter den Menschen hier?« fragte Mark.
»Nein«, murmelte sie. Sie konnte die Erinnerung an den Gesichtsausdruck des armen Mannes nicht loswerden. Er mußte ganz plötzlich und unter fürchterlichen Schmerzen gestorben sein. Sie hatten ihn mit weit aufgerissenen Augen und furchtbar verzerrtem Mund gefunden.
Mark wandte den Blick von Jasmina ab und starrte finster in seinen Kaffee. Das ließ sich ja alles großartig an! Und jetzt, da sie eigentlich eingehend die Karten studieren sollten, befand sich Abdul in El Till und tröstete die Witwe des Toten.
»Wie sieht der Plan für morgen aus, Dr. Davison?«
Mark schaute zu dem Mann auf, der ihm gegenüber am Tisch saß, und zwang sich, so freundlich wie möglich zu sein. »Abdul und ich werden die Hochebene erkunden, um zu bestimmen, wo wir mit der Suche beginnen werden. Sie erinnern sich vielleicht, daß Ramsgates Tagebuch von einer Grabstele berichtet, die den Eingang zum Grab markiert. Sie ist aus gewachsenem Felsen herausgemeißelt worden – das heißt, aus einem Felsen, der aus dem Sand aufragt.
Irgendwann schlug der Blitz in die Stele ein und zerbrach sie in drei Teile. Vor etwa hundert Jahren wurde der oberste Teil dann von einer

plötzlich einsetzenden Regenflut in die Schlucht hinabgerissen und in die Ebene hinausgeschwemmt. Eine alte Frau, eine *Sebbacha*, brachte ihn in Ramsgates Lager. Sie sagte ihm, er habe eine Grabstätte bezeichnet, die sich »unter dem Hund« befinde. Einige Tage später fand Ramsgate den Stelensockel, dann diesen Hund und schließlich das Grab. Wir werden unsere Suche daher auf den Stelensockel und auf etwas, das wie ein Hund aussieht, konzentrieren.«

Sanford Halstead hörte höflich zu. Er kümmerte sich nicht um die Hitze und die Stickigkeit im Speisezelt. Ein paar Fliegen waren eingedrungen und summten irritierend. Vom Herd stiegen Essensgerüche zur Decke auf und bildeten über den Köpfen der sechs Leute, die gerade mit dem Abendessen fertig waren, eine schwüle Dunstglocke.

Halstead hatte einen Salat aus rohem Gemüse mit Joghurt gegessen, während sich die anderen begeistert über Samiras Mahl hergemacht hatten: geröstetes Lamm und Reis in einer würzigen Bratensoße mit in Butter geschwenkten dicken Bohnen, eiskalter Minzetee und ein köstliches Hirsebrot, das am Nachmittag gebacken worden war, und zum Nachtisch süße *Muhallabeya*, die ägyptische Reispuddingspezialität.

»Wie werden Sie bei der Suche genau vorgehen, Dr. Davison?«

»Abdul und ich besitzen detaillierte Karten von dieser Region. Morgen werden er und ich die ganze Gegend in Augenschein nehmen und ein Gitternetzsystem ausarbeiten. Die Ebene und das Plateau werden in Quadrate eingeteilt, wobei jedem Mann ein Quadrat zugewiesen wird. Ich beabsichtige, unsere anfängliche Suche um die Wasserläufe herum zu konzentrieren, die von der über uns liegenden Hochebene herunterführen.«

»Und was ist mit dem Hund?«

Mark konnte seinen Ärger nicht genau bestimmen, aber er hatte für diesen sich aristokratisch gebenden Herrn, der in cremefarbenen Freizeithosen und Polohemd nach Ägypten gekommen war, wenig übrig.

»Ich denke, der Hund wird rein zufällig gefunden werden. Abdul und ich werden die Fellachen anweisen, auf alles zu achten, was einer Hundegestalt ähneln könnte.«

»Sind sie vertrauenswürdig? Wie können Sie sicher sein, daß einer dieser Araber nicht einfach ein Nickerchen macht, anstatt sein Quadrat zu erkunden?«

Mark schaute zu Samira hinüber, die sich schweigend über ihr Gemüse beugte. Während des Essens hatte er einmal zufällig aufgeblickt und bemerkt, daß ihr Schleier an ihrer Stirn hochgerutscht war und etwas enthüllte, das wie eine Tätowierung aussah. Die alte Fellachin hatte sich schnell umgedreht und ihren Schleier wieder zurechtgerückt.

»Das regeln wir über ein Belohnungssystem, Mr. Halstead. Jeder Mann, der etwas findet, was für uns von Wert ist, erhält eine stattliche Belohnung. Glauben Sie mir, es funktioniert.«

»Um wieviel Uhr werden wir beginnen?«

»Sehr früh. Bei Sonnenaufgang. Bevor es zu heiß wird.«

»Dr. Davison.«

Mark wandte sich um und erblickte Alexis Halstead. Er war etwas überrascht, sie sprechen zu hören. Mit ihren grünen Augen schien sie ihn dreist zu taxieren. »Ich würde gerne die Felsengräber sehen.«

Mark hob erstaunt die Augenbrauen und meinte: »Natürlich, wir können Sie bei unserer Besichtigung der Ebene mit einschließen.«

Mit einem erleichterten Seufzer entledigte sich Mark seiner juckenden Socken und wackelte in der kühlen Abendluft mit den Zehen. Das Feldbett fühlte sich unter seinen Hinterbacken bequem an, und er wußte, daß er tief und fest schlafen würde, bis ihn Abdul am nächsten Morgen weckte. Während er vorsichtig ein wenig Bourbon aus seinem Fläschchen in das Glas auf seinem Nachttisch goß, spürte Mark, wie ihn ein Gefühl der Zufriedenheit durchströmte. Ja, dies war wirklich das Land, in das er gehörte!

Er brachte im Geist einen Toast auf Nancy aus, deren Foto auf dem Tischchen stand, und dachte bei sich: Ich verspreche dir Hochzeitsglocken und Kinder, wenn das hier erst vorbei ist. Dann stürzte er den Whisky in einem Zug hinunter.

Die Zeltplane wurde zur Seite geschoben, und Ron Farmer trat ein. In der einen Hand hielt er einen Pappbecher mit Chianti, in der anderen frisch entwickelte Bilder.

»Es sind einige gute dabei«, verkündete er, indem er sich auf seinem eigenen Feldbett niederließ und Mark die Abzüge hinhielt. Er gähnte laut. »Mir scheint, ich könnte jetzt vierundzwanzig Stunden durchschlafen!«

»Du arbeitest zu hart. Das hätte doch bis morgen warten können.«

»Ich hatte aber Lust, es jetzt zu tun. Es ist viel Arbeit, eine Dunkelkammer einzurichten. Aber ich werde das Zelt morgen nach Löchern absuchen müssen. Heute ist irgendein Tier auf dem Fußboden herumgekrabbelt.«

Mark breitete die Bilder vor sich aus. »Um Gottes willen, sehe ich wirklich so aus?«

»Schau dir doch mal Halstead an. Ich wette, er bohrt sich mit einem Ohrenstäbchen in der Nase.«

Mark betrachtete eingehend das letzte Foto, die Gruppenaufnahme. Sechs erschöpfte, staubbedeckte Leute, die versuchten, vor der Kamera ihr Bestes zu geben. Rons Grinsen war das breiteste, als er sich auf Hasim stützte, während die neben ihm stehende Jasmina Schukri etwas unentschlossen den Mund verzog. Dann kam Alexis Halstead, die ein überaus gelangweiltes Gesicht machte. Und Sanford Halstead, der trotz des Lauftrainings, das er kurz zuvor absolviert hatte, ganz gelassen wirkte. Schließlich Mark.

Er runzelte die Stirn. »Was ist das?«

»Was ist was?«

Mark reichte Ron den Abzug. »Auf dem letzten Bild, dieser Schatten hinter mir.«

Ron hielt sich das Foto dicht vor die Augen. »Du hast mich ertappt. Wahrscheinlich liegt es an einer schadhaften Stelle im Film.«

»Nun ja«, sagte Mark, während er sein T-Shirt abstreifte, »ich werde mal einen kleinen Abstecher zu den Duschen machen, wenn nach den Halsteads überhaupt noch ein Tropfen Wasser übrig ist. Und dann werde ich in ein Koma versinken.«

Ron blinzelte mit den Augen. »Das will ich meinen!«

Doch Mark täuschte sich, denn als es soweit war, konnte er durchaus nicht schlafen. Er war von der Dusche zurückgekommen und hatte Ron in T-Shirt und Jeans mit offenem Mund schlafend vorgefunden. Mark hatte vorsichtig das Moskitonetz über das Feldbett seines Freundes gebreitet und es an den Ecken befestigt. Dann war er nackt in seinen eigenen Schlafkokon geschlüpft, hatte sich zurückgelegt und darauf gewartet, daß die Müdigkeit ihn übermannen würde.

Doch plötzlich überkam ihn eine große Besorgnis, und er wurde das beklemmende Gefühl nicht los, daß jeden Augenblick irgend etwas passieren könnte...

Er lag auf der Decke und starrte durch das hauchdünne Gewebe des Moskitonetzes nach oben an die Zeltdecke. Ron atmete ruhig in der Dunkelheit. Dann wurde das Zelt mit einem Mal von einer merkwürdigen Kälte erfüllt, die über Marks nackte Haut strich und ihn frösteln ließ. Die gelben Fliegenfänger, die über dem Eingang und vor den Fenstern hingen, bewegten sich leicht schaukelnd hin und her.

Mark lag bis spät in die Nacht hinein unbeweglich da, so lange, bis nicht das leiseste Geräusch mehr aus der Wüste zu ihm drang. Dann fiel er allmählich in einen Dämmerschlaf, nicht ahnend, daß ein Eindringling, der keine Fußspuren im Sand hinterließ, durch das Lager schlich.

Sanford Halstead warf sich unruhig hin und her und konnte auf dem Feldbett einfach keine bequeme Position finden. Er probierte erst diese Stellung aus, dann jene, stützte sich dann auf einen Ellbogen und bearbeitete das Satinkopfkissen mit der Faust. Auf der anderen Seite des Vorhangs, der ihn von Alexis trennte, lag seine Frau in tiefem Schlummer.

Halstead warf sich auf den Rücken, strampelte die seidene Tagesdecke von sich, streckte die Arme vor und schloß die Augen.

Es bestand kein Zweifel, daß er erschöpft war und dringend Ruhe brauchte, und doch wollte sich der ersehnte Schlaf nicht einstellen. Vielleicht sollte er versuchen, sich auf etwas Langweiliges zu konzentrieren, seinen Geist dazu zwingen, an etwas ganz Banales zu denken, um ihn auf diese Weise einzulullen – denn anders als seine Frau, die an Schlaftabletten gewöhnt war, lehnte Halstead es ab, ohne Not Tabletten zu nehmen.

Er dachte an seine Wertpapiere und Aktien, hörte im Geiste die näselnde Stimme seines Börsenmaklers, der monoton Zahlen und Ziffern, Kursgewinne und Dividenden herunterratterte...

Endlich nickte er ein.

Es begann als unterschwelliges Geräusch wie aus weiter Ferne: das Stapfen schwerer Tritte im kalten Sand.

Sanford schlief, während die Tritte von draußen immer näher herankamen und bald von leisem, rhythmischem Atmen begleitet wurden.

Die Schritte umrundeten das Zelt und hielten am Eingang inne. Dann schien sich die Zeltplane wie von selbst zu heben, und eine Silhouette zeichnete sich gegen den Sternenhimmel ab.

Sanford stöhnte leise im Schlaf. Er hatte einen Alptraum. Eine riesenhafte, hagere Gestalt drang geräuschlos ins Zelt ein und blieb am Fußende von seinem Bett stehen. Im Traum schlug Sanford die Augen auf und starrte einen Moment auf das Moskitonetz, das über ihm wie die Spitze eines Zirkuszeltes zusammenlief. Plötzlich spürte er, daß er nicht allein war, und hob erschreckt den Kopf.

Durch das gazeartige Netz hindurch konnte er den Eindringling kaum sehen, doch es reichte aus, um zu erkennen, daß es sich um einen Mann handelte, groß und kräftig mit nackter, glänzender Haut. Seine sehnigen Arme hingen an seinen Hüften herab. Es waren vor allem die Augen, die Sanford in seinem Alptraum sah.

Sie leuchteten wie blendendweiße Ovale. Es waren körperlose Augen, die in der Luft schwebten und mit geweiteten Pupillen auf ihn herabstarrten wie die Augen eines Monsters in einem Horrorfilm. Sie zwinkerten nicht und hielten Sanford in ihrem Bann, als ob er in einem Schraubstock festgehalten würde. Der Schweiß trat ihm aus den Poren, und sein Körper zitterte so heftig, daß das Feldbett wackelte.

Die Augen brannten auf ihn nieder, und als der nackte, glänzende Oberkörper sich hob und senkte und die Brustmuskeln das schwache Sternenlicht zurückwarfen, da bemerkte Sanford Halstead, daß der Eindringling ganz aus Gold beschaffen war. Sein glatter, kraftstrotzender Körper erstrahlte im einfallenden Mondschein: goldgelb, metallisch und von verschwenderischer Pracht. Das Traumbild bestand aus reinem Gold mit zwei Elfenbeinaugen, die in der Dunkelheit wie Signalfeuer leuchteten.

Halstead gab einen erstickten Kehllaut von sich und versuchte sich zu rühren, aber es gelang ihm nicht.

Da hob das Monster seinen gewaltigen rechten Arm und deutete mit einem glänzenden Goldfinger direkt auf ihn, und in einem heiseren Flüstern, das nur in Halsteads Traum zu hören war, stieß es hervor: »Na-khempur. Na-khempur...«

Halstead wollte etwas sagen, brachte aber kein Wort heraus. Gefangengehalten von den lichtsprühenden Augen, hörte er immer und immer wieder: »*Na-khempur, na-khempur, na-khempur*...«, bis er in völliger Erschöpfung zurückfiel und in eine traumlose Ohnmacht versank.

Mark wachte auf, weil jemand schnaufend und keuchend um das Camp trottete. Er blinzelte ein paarmal, stöhnte und schaute auf. Ron saß auf der Kante seines Feldbetts und frottierte mit einem Handtuch sein feuchtes Haar.

»Die Sonne ist schon aufgegangen!« begrüßte er ihn.

»Was? O verdammt! Wo ist Abdul?« Mark befreite sich aus dem Moskitonetz und stellte fest, daß er von hämmerndem Kopfweh geplagt wurde.

»Er war vor ein paar Minuten hier. Ich habe ihm gesagt, daß ich dich wecken würde.«

Mark hielt sich mit beiden Händen den Kopf. »Gott, mein Schädel...«

Vom Zelteingang her war ein höfliches Räuspern zu vernehmen. »Verzeihung, Effendi.«

»Bin schon wach, Abdul!« rief Mark und verzog das Gesicht vor Schmerz. »Ich komme gleich heraus.« Er erhob sich schwankend und tastete sich zu dem Wasserkrug und der Waschschüssel auf seinem Toilettentisch vor. »Ich kann gar nicht glauben, daß ich so tief geschlafen habe. Ich habe nicht einmal geträumt. So ein Mist, ich hatte vor, bei Sonnenaufgang bereits draußen im Gelände zu sein...« Er beugte sich mutig über die Schüssel und leerte den Krug kalten Wassers über seinen Kopf. Als er sich aufrichtete und die Haare schüttelte, hörte er die dumpfen Schritte wieder herannahen.

»Das ist Halstead«, erklärte Ron und zog sich ein Greenpeace-T-Shirt über den Kopf.

Mark verzog das Gesicht. »Er ist besser in Form als ich, und dabei könnte er mein Vater sein.«

»Ich nehme heute beide Kameras mit«, fuhr Ron fort und schlüpfte in seine Stiefel. »Ich packe auch das Zoomobjektiv ein. Sag mir nur, was ich aufnehmen soll.«

Mark nickte, während er sich das Gesicht mit einem Handtuch trokkenrieb. Er wollte eben in seine Jeans schlüpfen, als er von draußen plötzlich Lärm hörte und aufschaute. »Was ist das?«

»Klingt wie eine Auseinandersetzung.«

Sie rannten beide aus dem Zelt, hasteten über den noch kühlen Sand und erreichten das Gemeinschaftszelt noch rechtzeitig, um einen aufgeregten Schwall von Beschimpfungen auf arabisch zu vernehmen. Drinnen fanden Mark und Ron Jasmina Schukri, die mit wutverzerrtem Gesicht dastand und sich mit der alten Fellachin ein schrilles Wortgefecht lieferte.

Ohne vom Eintreten der beiden Männer auch nur die geringste Notiz zu nehmen, fuhr die alte Samira fort, ihre Gegnerin mit wüsten Beleidigungen zu traktieren. Dann packte sie einen leeren Topf, riß ihn jäh in die Höhe und schmetterte ihn mit aller Wucht auf den Tisch.

»Was geht hier eigentlich vor?« rief Mark.

Nur Jasmina reagierte auf seine Frage. Die Fellachin starrte ihre Gegnerin weiter mit vor Zorn funkelnden Augen an.

»Dr. Davison«, sagte die junge Frau, sichtlich bemüht, die Fassung zu bewahren, »sie weigert sich, das Trinkwasser abzukochen.«

»Na, großartig!« Mark rieb seine bloßen Arme, um die morgendliche Kälte abzuwehren, und wandte sich auf arabisch an die alte Fellachin. Zu seinem Ärger mußte er aber feststellen, daß sie ihn überhaupt nicht beachtete, sondern ihren giftigen Blick weiterhin auf Jasmina geheftet hielt. Er wiederholte seine Worte ein wenig lauter und langsamer, aber noch immer nahm die Alte keine Notiz von ihm.

»Was soll das heißen? Versteht sie mich nicht?«

»Sie versteht Sie, Effendi.« Mark und Ron fuhren herum. Abdul stand im Eingang. »Die alte Frau meint, das Nilwasser sei gesund. Wenn man es abkoche, vertreibe man die guten Geister daraus.«

Mark massierte sich sanft die Schläfen. »Abdul, das Wasser zum Trinken und Kochen muß unter allen Umständen vor Gebrauch abgekocht werden. Sorge dafür, daß sie sich daran hält.« Er wandte sich an Jasmina. »Miss Schukri, haben Sie zufällig etwas gegen Kopfweh?«

Er folgte ihr in eine helle Morgendämmerung, die ihn unwillkürlich zusammenzucken ließ. Da die Sonne noch nicht hinter den Felsen emporgekommen war, lag das Camp im Schatten, und der Sand unter seinen nackten Füßen war noch kalt. Doch vor ihm breitete sich ein goldener Schleier aus, der sich langsam hob und die uralten Hügel in ein gelbliches Licht hüllte.

Jasmina trat in ihr Zelt, und Mark folgte ihr, ohne zu bemerken, daß sein Verhalten sie mit Unbehagen erfüllte.

Sie nahm ein unbeschriftetes Röhrchen von einem Regal über ihrem Arbeitstisch und leerte daraus zwei weiße Tabletten auf ihre Handfläche. Mark blickte sich flüchtig in der »Krankenstation« um und war beeindruckt.

Ein gestärktes weißes Tuch bedeckte die Arbeitsfläche, auf der sich in hübscher Ordnung Zungenspatel, Scheren, Flaschen mit verschiedenfarbigen Flüssigkeiten, ein Stethoskop, Metallschalen mit sterilem Einwegmaterial und zu seinem Erstaunen ein kleines Mikroskop aneinanderreihten. Auf den darüberhängenden Regalbrettern standen Flaschen mit Arzneien und Antibiotika neben Verbandszeug, Nahtmaterial, Operationshandschuhen, Narkosemitteln, Nadeln und Spritzen. An einem Haken hing ein Blutdruckmesser.

Jasmina goß Wasser aus einem Krug in einen kleinen Becher und gab ihm die Tabletten.

Mark spülte sie mit einem Schluck Wasser auf einmal hinunter und reichte den Becher zurück. Er versuchte zu lächeln. »Wollen wir hoffen, daß sie die bösen Geister vertreiben werden!«

Doch Jasmina antwortete ihm nur mit einem äußerst kühlen, distanzierten Blick. Da wurde Mark plötzlich bewußt, daß er kein Hemd anhatte und sich allein im Zelt mit einer unverheirateten Muslimin befand. Während er noch schnell versuchte, Jasmina Schukri zur Entschuldigung warmherzig anzulächeln, schalt er sich im stillen einen Dummkopf und verließ schnurstracks das Zelt.

Es war unvermeidlich, die 'Umda der drei südlich gelegenen Dörfer zu besuchen, aber da keiner von ihnen so mächtig war wie der 'Umda von El Till, beschränkten sich die Besuche nur auf den kurzen Austausch von Höflichkeiten. Die Hauptarbeit an diesem Morgen bestand in der Erkundung der Ebene und des Plateaus innerhalb der alten Stadtgrenzen von Achet-Aton und in der Aufstellung eines Ausgrabungsplanes. Die gesamte Gruppe brach in zwei Landrovern mit Abduls Helfern am Steuer auf. Im ersten Wagen saßen Mark,

Ron, Abdul und Hasim, im zweiten Alexis Halstead und Jasmina Schukri mit ihrer Umhängetasche mit medizinischer Notfallausrüstung und der *Ghaffir* mit der Hakennase, mit seinem Gewehr. Sanford Halstead blieb im Camp zurück. Sein morgendliches Lauftraining hatte bei ihm zu Nasenbluten geführt.

Sie folgten zunächst dem parallel zum Nil verlaufenden geraden Rand der D-förmigen Ebene und legten zwei Stunden später am nördlichen Ende, wo die Felsen eine Biegung zum Fluß hin machten, eine Rast ein.

Während Ron im Schatten einer Dattelpalme hockte, um neue Filme einzulegen, sah Mark sich in der näheren Umgebung um. Vor ihm lag ein zerstörter Irrgarten aus niedrigen braunen Mauern. Dies war alles, was von Echnatons berühmtem Nordpalast noch übrig war. Mark suchte mit seinem Nikon-Fernglas die Ebene ab, und als er konzentriert die Schichtung der fünf Kilometer entfernt aufragenden Kalksteinfelsen betrachtete, spürte er, daß jemand zu ihm trat. Im nächsten Augenblick stieg ihm der Duft von Gardenien in die Nase.

»Darf ich einmal durchschauen?« fragte Alexis Halstead.

»Da gibt es nicht viel zu sehen.« Er reichte ihr den Feldstecher, ohne sie anzublicken.

»Werden wir alle besichtigen?« fragte sie, während sie das Fernglas vor ihre getönte Fliegerbrille hielt. Sie betrachtete aufmerksam eine Reihe gähnender schwarzer Löcher, die auf halber Höhe in die Vorderseite des Gebirgszuges gemeißelt waren.

»Alle? Wovon sprechen Sie?«

»Von den Gräbern.«

»Wenn es uns zeitlich möglich ist, ja. Wir müssen dort hinaufklettern, und es fängt schon an, heiß zu werden.«

Sie blickte eine ganze Weile durch das Fernglas, wobei ihr rotes Haar in der Wüstensonne wie ein Feuerkranz leuchtete. Mark wunderte sich, was sie wohl so lange anstarrte, und wurde allmählich ungeduldig. Er bemerkte nicht, daß Alexis Halsteads Atemrhythmus sich verändert hatte.

Sie setzte das Fernglas ab und richtete ihren kalten, undurchdringlichen Blick auf ihn. »Das Grab des Mahu«, stieß sie atemlos hervor, »werden wir dafür Zeit haben?«

Er runzelte die Stirn. »Wenn Sie wollen. Warum ausgerechnet das Grab des Mahu?«

Sie gab ihm das Fernglas zurück. »Wegen der Wanddarstellungen, Dr. Davison. Ich will die... Wandgemälde sehen...«

Außerstande, seine Augen von ihr zu wenden, kam es Mark plötzlich mit aller Deutlichkeit zum Bewußtsein, wie dicht sie bei ihm stand, und der süße Gardenienduft ihres Parfums machte ihn ganz benommen.

Er suchte nach einer Antwort, als er hinter sich ein metallisches Klicken vernahm. Mark fuhr herum und gewahrte Ron, der ihm zuwinkte.

»Ein großartiger Schnappschuß!« Nicht allzuweit von Ron entfernt, gegen eine mächtige, ausladende Palme gelehnt, standen Jasmina und Hasim, die sich leise unterhielten.

»Ist das der ehemalige Nordpalast?« erkundigte sich Alexis, wobei sie mit einer schlaffen Geste über die Erdwälle und Gräben deutete.

»So nennen es die Ägyptologen.«

Sie hielt ihren Blick starr geradeaus gerichtet; ihre Stimme klang merkwürdig. »Was wollen Sie damit sagen?«

Mark trat von ihr weg und bahnte sich einen Weg durch den Schutt und die zerbrochenen Lehmziegel, welche die Umrisse von dem bildeten, was einst das Fundament des Palastes gewesen war. »Niemand kann mit Gewißheit sagen, wofür diese Gebäude einst dienten. Man kann darüber nur mutmaßen.« Er ging an einer zerfallenen Mauer in die Hocke und fuhr mit der Hand über das brüchige Gestein. Weiße Ameisen waren schon vor langer Zeit in die Nilschlammziegel eingedrungen und hatten auch das letzte bißchen Stroh herausgefressen. Dann hatten sich die stacheligen Wurzeln des Halfa-Grases hindurchgebohrt. Man konnte sogar Wurzeln von Palmen sehen, die sich durch den Schuttboden des Palastes einen Weg nach oben sprengten.

»Tell el-Amarna ist einzigartig in der Archäologie, Mrs. Halstead. Es ist nämlich nicht wirklich ein ›Tell‹. Ein Tell ist ein antiker Hügel, der sich aus verschiedenen Schichten zusammensetzt. Jede Schicht zeugt von einer bestimmten Zeit der Besiedlung an dem betreffenden Ort. Wenn eine Stadt aus irgendeinem Grund, etwa durch Feuer, Seuchen oder Krieg, untergegangen war, dann baute man oft auf ihren Ruinen eine neue auf. Troja ist ein gutes Beispiel dafür. Die verschiedenen Ausgrabungsschichten geben Aufschluß über die aufeinanderfolgenden Besiedlungszeiträume, wobei die unterste Schicht die früheste Periode darstellt. Aber Achet-Aton wurde in weniger als zwei Jahrzehnten errichtet, bewohnt und wieder aufgegeben. Seine Bewohner verließen es und kehrten nie wieder zurück.« Mark stand auf und klopfte sich die Hände an seinen Jeans ab.

Ihre Stimme klang mittlerweile beinahe geistesabwesend und ein wenig traurig. »Dann sollte mehr von der Stadt übrig sein, als es nun tatsächlich der Fall ist...«

Mark schüttelte den Kopf und starrte auf den Schutt, der einst vielleicht ein prächtiger Marmorboden gewesen war. »Als die Menschen fortzogen, nahmen sie alles mit. Ihre Möbel, die Türen, sogar die Säulen. Und dann eroberte sich die Natur das Gelände zurück. Die ungeschützten Schlammziegelbauten waren dem Wind und den schwachen Regenfällen dreier Jahrtausende ausgesetzt. Und den Touristen, die über Jahrhunderte hinweg hierherkamen, haltmachten und sich ein Andenken für zu Hause mitnahmen. Nicht zu vergessen die Fellachen aus der näheren Umgebung, die die Nilschlammziegel fortschafften, um sie als Dünger zu benutzen. Es ist ein Wunder, daß hier überhaupt noch etwas übrig ist.«

Mark lief zwischen den Mauerresten umher; seine Stiefel knirschten auf dem Schotter. Alexis wich ihm nicht von der Seite. »Warum sind Sie sich nicht sicher, daß hier ein Palast stand? Ich dachte, jedes Gebäude sei genau identifiziert worden.«

Sie blieben an einer Treppe stehen, die ins Nichts hinaufführte. »Alles beruht auf Vermutungen, Mrs. Halstead. Eine Handvoll Fachleute einigt sich auf etwas, das keiner von ihnen genau weiß. Ein gutes Beispiel dafür ist das Bauwerk, das wir Echnatons Tiergarten nennen. Wir bezeichnen es nur so, weil seine winzigen fensterlosen Räume für Schlafzimmer eine zu kleine Grundfläche aufweisen und mit Tierfresken bemalt sind. Außerdem fand man darin seltsame Steinwannen, die als Krippen gedient haben könnten. Da wir uns nichts anderes darunter vorstellen können, nennen wir es einen Zoo.«

Alexis richtete ihre hinter der dunkelgrün getönten Brille verborgenen Augen auf Mark und musterte ihn lange. Obgleich er nicht genau wußte, warum, fühlte er sich unbehaglich. »Glauben Sie selbst denn daran, daß dies einst ein Palast war, Dr. Davison?« fragte sie mit sanfter Stimme.

Er wandte den Blick von ihr ab. »Ich bin nicht sicher. Zum einen gibt es weder Küchen noch Unterkünfte für die Bediensteten. Zum anderen sind hier zwar Badewannen vorhanden, aber sie besitzen keine Abflußrohre, wie es in anderen Privathäusern der Fall ist. Diesem sogenannten Palast mangelt es an vielen Annehmlichkeiten und Notwendigkeiten eines herrschaftlichen Wohnsitzes. Es scheint fast so, als ob dieses riesige Gebäude nicht errichtet worden sei, um bewohnt zu werden, sondern nur, um ein Haus zu symbolisieren.«

Mark drehte sich um und beobachtete, wie der Rest der Gruppe sich ungeduldig wartend um die Fahrzeuge scharte. »Was stand nun wirklich früher an diesem Ort, Mrs. Halstead? Ein Palast oder etwas anderes? Sicher etwas, von dem sich der moderne Mensch keinen Begriff machen kann, etwas, das einem Volk eigen war, das hier vor über dreitausend Jahren lebte und dessen Geheimnisse mit ihm gestorben sind.«

Alexis hörte aufmerksam zu, ohne die Augen von seinem Gesicht zu wenden.

»Wie der sogenannte Palast auf Knossos«, fuhr Mark fort, »von dem die Archäologen allmählich glauben, daß er überhaupt kein Palast ist, sondern ein gewaltiges Grabmal, das nicht von Lebenden, sondern von Toten bewohnt wurde. Was werden Archäologen wohl in dreitausend Jahren, im Jahr viertausendneunhundertneunzig von Karussells und Münztoiletten denken?«

»He, ihr beiden!« Mark drehte sich um. Ron winkte sie zu den Landrovern zurück.

»Die Statue im Ägyptischen Museum zeigt ihn nackt und ohne Geschlechtsteile. Sie sehen ihn hier in einem Gewand, das aussieht wie ein Frauenkleid. Er scheint Busen und breite Hüften zu haben. Und doch trägt er den Titel ›König‹.«

Rons Stimme erfüllte die kühle Stille des aus dem Felsen gehauenen Raumes. Sie standen allesamt dichtgedrängt im Grab des Huje und starrten, als sich ihre Augen an die Düsterkeit gewöhnt hatten, auf ein großes, gemeißeltes Relief, das fast die ganze Wandfläche einnahm. Vor ihnen, beleuchtet durch das vom Eingang hereinströmende Sonnenlicht, lehnte sich Pharao Echnaton in seinem Sessel zurück, während er zufrieden an einem Knochen kaute. Hinter ihm saß seine Frau Nofretete und nippte an einem Becher Wein. Das Relief war durch die Jahrhunderte hindurch von den Fackeln zahlloser Besucher leicht geschwärzt worden.

»Eine Erklärung für die umstrittene Statue im Museum«, fuhr Ron fort, »liegt darin, daß Echnaton sich symbolisch als ›Vater und Mutter der Menschheit‹ darstellen ließ, und er wurde niemals auch nur annähernd als männlicher Mann gezeigt. Das hat aber insofern nicht allzu viel zu bedeuten, da Thutmosis III. ebenfalls diesen Titel ›Vater und Mutter der Menschheit‹ trug; es gibt jedoch nur ausgesprochen männlich wirkende Darstellungen von ihm. Diese Theorie wird jedoch vollends widerlegt, wenn man sich Echnatons revolutionären Kunststil vor Augen führt. Zum ersten Mal in der Geschichte mußte das Leben so dargestellt werden, wie es wirklich war, und Echnaton bestand darauf, daß sogar die Häßlichkeit seines Gesichts, den Maßstäben seiner neuen Kunst folgend, wahrheitsgetreu wiedergegeben wurde. Die radikale Kunstform während Echnatons Herrschaft hat an sinnbildlichen Darstellungen nur wenig hervorgebracht. Und da auch sein Körper genau so wiedergegeben wurde, wie er in Wirklichkeit aussah, muß man stark annehmen, daß Echnaton tatsächlich keine Geschlechtsorgane besaß. «

Sechs Augenpaare blickten gebannt auf den überlebensgroß dargestellten, merkwürdig aussehenden Pharao. Ron war sich nicht sicher, ob ihm irgendwer zuhörte, aber das bekümmerte ihn wenig. »Einiges deutet darauf hin, daß die sechs angeblichen Töchter Echnatons überhaupt nicht seine Töchter waren, sondern seine Schwestern. Wo immer auch der Name einer der Prinzessinnen erscheint, wird er stets von dem Titel ›Königstochter‹ begleitet. Der König wird jedoch niemals namentlich erwähnt, wohingegen der Name der Mutter durchaus genannt wird. Zum Beispiel hier.« Ron hob den Arm und deutete auf eine senkrechte Hieroglyphenreihe. »Es wird hier folgendes über Prinzessin Baket-Aton ausgesagt: ›Baket-Aton, Königstochter aus seinen Lenden, geboren von der Hauptfrau Teje‹. Wir wissen, daß Baket-Atons Vater Amenophis war und daß sie Echnatons Schwester war. Und Teje war ja schließlich auch die Hauptfrau von Amenophis und auch Echnatons Mutter. Doch auf seine sogenannten Töchter wird ebenfalls als ›Prinzessin Soundso, Königstochter, geboren von der Hauptfrau Nofretete‹, Bezug genommen. In allen Fällen werden sie nur als die Töchter des Königs bezeichnet, als ob die Identität des Königs unklar wäre, während die der Mutter genauer bestimmt werden mußte.«

Hasim räusperte sich. »Dann sind Sie also der Meinung, Dr. Farmer, daß der ungenannte König in allen Fällen Amenophis ist?«

»Meiner Ansicht nach regierte Echnaton mehrere Jahre lang gemeinsam mit seinem Vater – Amenophis in Theben, Echnaton hier. Als Amenophis der einzige Pharao war, sprach man von seinen Töchtern als ›Töchter des Königs‹. Als jedoch die beiden Pharaonen gemeinsam regierten, wurden die von Nofretete geborenen Töchter weiterhin als ›Töchter des Königs‹ bezeichnet, während Nofretete namentlich erwähnt ist. Wenn also die Mutter genannt wurde, wenn sie eine andere war, dann könnte man doch daraus schließen, daß auch der Vater genannt würde, wenn er sich änderte. Szenen, die Echnaton mit den sechs Prinzessinnen zeigen, sind als wundervolle Beispiele väterlicher Zuneigung gepriesen worden. Ich denke, man könnte sie ebensogut als Darstellung geschwisterlicher Liebe deuten.«

Ungeachtet der schalen Luft fuhr Ron in seinem Vortrag weiter. »Ein anderes Geheimnis, das die Statue Echnatons umgibt, ist die Tatsache, daß seine ihm treu ergebene Frau Nofretete ihn kurz vor dem Ende seiner Herrschaft verließ und in einen anderen Palast zog. Niemand weiß, warum.«

Alexis' Stimme war nur noch als Flüstern zu vernehmen. »Hat sie ihn wirklich verlassen? Ich dachte, sie gelten als eines der berühmtesten Liebespaare der Geschichte?«

»Es besteht kein Zweifel, daß sie ihn verlassen hat, denn nach dem zwölften Jahr seiner Herrschaft erscheint Echnaton auf bildlichen Darstellungen nicht mehr zusammen mit Nofretete, sondern mit seinem Bruder Smenkhara, der Nofretetes Kleider trägt und mit ihren königlichen Titeln versehen wurde. Wir wissen aber, daß die Königin noch lebte, denn in einem der Paläste finden sich Beweise, daß sie dort mit dem kleinen Tutanchamun wohnte. Auf einer Stele sind die Brüder in inniger Umarmung dargestellt und scheinen sich zu küssen.«

»Ist das wahr?« Alexis' Augen weiteten sich. »Können wir die Stele sehen?«

Ron fuhr sich mit der Hand über die Stirn; er schwitzte heftig. »Die Stele befindet sich im Museum in Berlin.« Er warf einen Blick zu Mark hinüber, der sich mit verschränkten Armen lässig gegen eine Wand lehnte.

»Ich kann Ihrer Theorie nicht zustimmen, Dr. Farmer«, meldete sich Hasim al-Scheichly zu Wort. »Nur weil der König im Gegensatz zur Mutter nicht genannt wird...«

Ron wandte seine Aufmerksamkeit dem jungen Ägypter zu und ärgerte sich, daß der Mann zu leise sprach, um richtig verstanden zu werden.

»...es gab zu dieser Zeit nur einen König, und zwar Echnaton, aber er hatte viele Frauen. Jedermann wußte, wer der König war, aber...«

Ron runzelte die Stirn. »Würden Sie bitte etwas lauter sprechen. Ich kann Sie nicht...«

»...die Frau mußte zur Unterscheidung von den anderen mit ihrem Namen genannt werden.«

Schweißtropfen lösten sich von Rons Stirn und rannen ihm in die Augen. Für einen Augenblick sah er alles verschwommen. Die Hitze im Raum nahm stetig zu. Er hörte sich selbst sagen: »Aber es gab zwei Könige in dieser Zeit, Mr. Scheichly...« Ron wollte sich an die Stirn fassen, aber er hatte nicht die Kraft dazu. »In der achtzehnten Dynastie war es durchaus nicht unüblich, daß zwei Herrscher gemeinsam regierten. Da der Sohn zeugungsunfähig war, ist es wahrscheinlich, daß der alte Pharao... die Aufgabe übernommen hat, den Thron... mit Nachkommen zu versorgen...« Während er sich den Schweiß aus den Augen wischte, sah Ron, wie seine Gefährten ihn mit ausdruckslosen Gesichtern anstarrten. Im trüben Dämmerlicht fiel ihm auf, daß Mark plötzlich von der Wand weggetreten war.

Ron spürte, wie sein Mund immer trockener wurde, als er weitersprechen wollte. »Einer anderen Theorie zufolge war Echnaton homosexuell...« Ron fuhr sich mit seiner trockenen Zunge über die Lippen. Fünf blasse Augenpaare waren auf ihn gerichtet. Eine bärtige Gestalt trat aus der Gruppe heraus und bewegte sich langsam auf ihn zu.

»Die Stele...«, Rons Stimme war nur mehr ein Flüstern, »die Echnaton in einer vertraulichen Pose mit seinem Bruder zeigt, wurde von einigen Ägyptologen dahin gehend gedeutet, daß er doch nicht völlig geschlechtslos war... Gott, ist das vielleicht heiß hier drinnen!«

Hasim öffnete den Mund, aber kein Ton kam heraus.

Ron spürte, wie der Boden unter seinen Füßen ins Wanken geriet. »Ich brauche frische Luft...«

Dann hörte er ein lautes Krachen, sah einen Sternenhagel und sank wie ein Betrunkener zu Boden.

Neun

»Wie fühlst du dich?«

Ron blinzelte zu Mark auf und stellte fest, daß er auf seinem Feldbett saß. Am Oberarm trug er die Manschette eines Blutdruckmessers. »Was ist passiert?«

»Erinnerst du dich nicht?«

»Bin ich ohnmächtig geworden?«

Mark nickte. »Erinnerst du dich an irgend etwas?«

Ron schlug die Hände vors Gesicht und kniff die Augen zusammen, während er sein Gedächtnis anstrengte. »Wir waren in dem Grab. Ich erinnere mich undeutlich, daß Abdul und der *Ghaffir* mich den Berg hinuntertrugen.« Er nahm seine Hände vom Gesicht und schaute in die orangefarbene frühabendliche Glut, die das Zelt durchflutete. »Wie lange war ich ohne Bewußtsein?«

»Nur etwa zwei Minuten.«

»Aber das ist doch Stunden her! Habe ich die ganze Zeit geschlafen?«

»Du kannst es glauben oder nicht, aber du hast die letzten vier Stunden hier gesessen und geredet wie ein Wasserfall...«

»Hallo.«

Sie schauten auf, als Jasmina Schukri ihren Kopf zum Eingang hereinstreckte. »Wie geht es dem Patienten?«

Mark stand auf und trat zur Seite, um ihr Platz zu machen. Jasmina hatte ihre Schultertasche umgehängt. Sie setzte sich auf die Bettkante und legte wortlos ihre kühlen Finger um Rons Handgelenk.

»Werde ich noch eine Weile leben?« fragte er, als sie seinen Pulsschlag gezählt hatte.

Jasmina lächelte und erwiderte mit sanfter Stimme: »Das werden wir gleich feststellen.« Sie zog ihr Stethoskop aus der Tasche, pumpte die Manschette auf und maß ihm den Blutdruck. Sie wiederholte dies zweimal, bevor sie das Stethoskop beiseite legte und behutsam die Manschette entfernte. Was sie befürchtet hatte – langsame Herztätigkeit, erweiterter Pulsdruck und erhöhte Zusammenziehung des Herzmuskels –, lag nicht vor. Dann nahm sie eine kleine Taschenlampe heraus und untersuchte Rons Pupillen auf den Lichtreflex. Sie waren gleich groß und zeigten eine normale Reaktion.

Sie setzte sich nun in einigem Abstand von ihm hin und beobachtete mit ihren feuchten braunen Augen sein Gesicht.

»Wie fühlen Sie sich?«

»Ich denke, es ist alles in Ordnung, wenn man von dieser Beule an meinem Kopf absieht.«

»Können Sie mir sagen, wie Sie heißen?«

»Nur wenn Sie mir sagen, wie Sie heißen.«

»Ron«, schaltete sich Mark ein, »jetzt zeige dich doch der Dame gegenüber ein wenig kooperativ.«

»Also gut, Ron Farmer.«

»Wissen Sie, welchen Wochentag wir heute haben?«

»Freitag.«

»Und das Datum?«

»Der zehnte Juli 1991. Werden Sie mir jetzt sagen, was passiert ist?«

»Das möchte ich gerne von Ihnen wissen.«

»Mark behauptet, ich habe den ganzen Nachmittag hier gesessen und geredet.«

Jasmina nickte mit geduldigem Lächeln. »Nach einer Kopfverletzung und einer mehr als ein paar Sekunden andauernden Ohnmacht kommt das häufig vor. Sie waren wach, ohne sich dessen bewußt zu sein, und redeten in unverständlichen Sätzen. Sie litten unter einem vorübergehenden Gedächtnisschwund und konnten sich nicht darauf besinnen, in dem Grab gewesen zu sein. Aber jetzt erinnern Sie sich wieder, nicht wahr?«

»Ja. Und auch an den Monolog, den ich dort führte. Von der warmen Luft in dem Grab bin ich ohnmächtig geworden.«

»Können Sie bitte einmal beide Arme heben? So ist es gut. Und nun«, sie streckte ihre Hände aus, »drücken Sie meine Hände, so fest Sie können.«

Er tat, wie ihm geheißen, und drückte so fest, daß Jasmina ein wenig das Gesicht verzog. Dann strich sie vorsichtig Rons lange Haare an den Seiten zurück und schaute in seine Ohren.

»Wonach suchen Sie? Nach meinem Gehirn?«

»Ich überprüfe Ihre Ohren auf zerebrospinale Flüssigkeit.«

»Ach, du lieber Himmel!«

»Aber es ist alles in Ordnung. Jetzt, da Sie wieder bei vollem Bewußtsein sind, denke ich, daß keine Gefahr mehr besteht. Sie haben sich ganz schön den Kopf aufgeschlagen.«

»Das kann man wohl sagen!« Er tastete vorsichtig seinen Hinterkopf nach der Beule ab. »Ich habe den Bums gehört.«

Jasmina legte ihre Geräte in die Umhängetasche zurück und stand auf. Zum ersten Mal bemerkte Mark, wie klein sie war. Sie reichte ihm kaum bis zu den Schultern. »Dr. Farmer wird bald wiederhergestellt sein. Aber er braucht Ruhe. Und wenn irgendeine Veränderung eintritt, wie zum Beispiel Verwirrtheit, Übelkeit oder eine laufende Nase, dann rufen Sie mich bitte sofort.«

»Laufende Nase!«

Sie lächelte Ron zu. »Das könnte darauf hindeuten, daß zerebrospinale Flüssigkeit austritt. Es besteht immer noch die Möglichkeit, daß sich ein Ödem gebildet hat. Aber ich glaube, es handelt sich nur um eine leichte Gehirnerschütterung.«

»Danke, Miss Schukri«, sagte Mark, als er ihr die Zeltplane aufhielt. Als sie gegangen war, wandte er sich kopfschüttelnd wieder seinem Freund zu. »Du würdest auch alles tun, um auf dich aufmerksam zu machen, was?«

Ron grinste und versuchte, seinen Kopf gegen die Zeltplane zu lehnen, doch er zuckte zusammen und setzte sich schnell wieder auf. »Ich hatte mal einen Freund, der in einen Motorradunfall verwickelt war. Er war nur eine Minute lang bewußtlos, aber hinterher gab er fünf Stunden lang nur unzusammenhängendes Zeug von sich. Er redete und redete, und wir konnten ihn einfach nicht zum Schweigen bringen. Und dann, ganz urplötzlich, wurde sein Kopf wieder klar, und er erinnerte sich an alles. Ich hatte schon geglaubt, er spiele nur Theater, um die Voraussetzungen für eine Invalidenrente zu erfüllen.«

Mark ließ sich auf dem Rand des Feldbetts nieder und musterte seinen Freund aufmerksam. »War es wirklich die Hitze, Ron?«

»Ich weiß nicht, was es war, und ich weiß, was du denkst. Keine Sorge, Mann, ich werde schon nicht wieder umkippen.«

Er warf die Decke zurück und schwang seine Beine über die Bettkante und stand auf.

»Darf ich erfahren, wo du hinwillst?«

»Wir haben eine Menge Arbeit, Mark. Das Plateau wartet auf uns.«

»Abdul und ich machen uns in ein paar Minuten auf den Weg. Ich schätze, wir haben noch drei Stunden Zeit, während der wir bei Tageslicht arbeiten können. Aber du kommst nicht mit.«

»Du wirst Bilder brauchen!«

»Niemand begleitet uns diesmal. Es wird eine harte Fahrt, und ich will keine Zeit verlieren.« Mark stand auf. »Ron, dir ist Bettruhe verordnet worden. Ich erwarte, dich immer noch hier zu finden, wenn ich zurückkomme, sonst werde ich dir den Kopf zurechtsetzen.«

Bei dem Plateau, das hundertdreißig Meter über der Ebene aufragte, handelte es sich um eine rauhe, lebensfeindliche Landschaft, die unter dem heißen, grellen Licht der Nachmittagssonne noch bedrohlicher und abweisender wirkte. Abduls Helfer, der den Wagen fuhr, mußte sich jeden Meter auf der alten Straße, die zu den Alabasterbrüchen von Hatnub führte, bergan erkämpfen. In dem gefährlich zerfurchten und zerklüfteten Gelände durfte er keine Sekunde die Kontrolle über das Lenkrad verlieren. Während er sich ganz darauf konzentrierte, den Landrover nicht in eine der jähen, dreißig Meter abfallenden Schluchten stürzen zu lassen, die das Tafelland durchzogen, verglichen Mark und Abdul ihre topographischen Karten mit dem, was sie sahen, machten sich Notizen und unterhielten sich über die Stellen, die für die Suche und die Ausgrabungen in Frage kamen.

Als sich der Nachmittag hinzog und die Hitze immer stärker wurde, nahm die Hochebene das Aussehen einer Mondlandschaft an: Die tief eingeschnittenen Wadis verwandelten sich in furchterregende, schwarze Schlünde; schroff aufragende Hügel glänzten von Alabasterablagerungen oder kristallartigen Kalksteinmassen; Bergspitzen und ausgetrocknete Wasserrinnen glitzerten von Riefen aus durchscheinendem Spat. Keinerlei Spuren von pflanzlichem oder tierischem Leben zeigten sich in dieser gnadenlosen Einöde, die nur von kreuz und quer verlaufenden purpurfarbenen Schluchten und steil aufragenden Spitzen durchbrochen wurde, an denen sich die Sonnenstrahlen in wilden Lichtreflexen brachen.

Mit dem Landrover war es möglich, den alten Schotterstraßen zu folgen, auf denen ehemals Echnatons Polizei patrouilliert hatte. Hügel aus Kalksteinen und Feuersteinen markierten den Verlauf der Pisten. Von hier oben hatte man einen einzigartigen Blick auf die Ebene von Tell el-Amarna, die dahinter liegenden Bauernhöfe, den Nil und die landwirtschaftlich genutzten Gebiete auf der anderen Seite des Stromes. Jenseits davon begann wieder die Wüste, die sich wie der Grund eines Meeres, dessen Wasser verdunstet war, bis ans Ende der Welt zu erstrecken schien.

Die Sonne war schon im Begriff, hinter dem Horizont zu verschwinden und die Welt in abendliches Dämmerlicht zu tauchen, als die drei völlig erschöpft ins Camp zurückkehrten.

»Was haben Sie in Erfahrung bringen können, Dr. Davison?« fragte Sanford Halstead, der im Speisezelt über einer Schüssel mit Luzernen und Mandeln saß und ganz frisch nach Eau de Cologne duftete. Er hielt sich ein gestärktes weißes Taschentuch vor die Nase.

Mark saß auf der Bank ihm gegenüber und verbarg sein Gesicht in den Händen. Die alte Fellachin beeilte sich, ihn zu bedienen, da die anderen bereits aßen, aber Mark hatte keinen rechten Appetit. Er hatte ein Gefühl, als sei sein Magen voller Sand. »Nicht viel«, antwortete er, während er dicke Sahne in seinen Kaffee goß, »aber ich habe auch gar nicht erwartet, irgend etwas zu sehen. Wir haben nur die Einteilung in Quadrate vorgenommen, so daß die Teams morgen früh mit der Arbeit beginnen können. Ich möchte mir dann auch kurz das Königsgrab ansehen.«

»Was ist das Königsgrab?« erkundigte sich Alexis Halstead, die lustlos in ihrem Essen herumstocherte.

»Es ist das Grab, das Echnaton ursprünglich für sich selbst und seine Familie bauen ließ, aber es wurde nie fertiggestellt, und Ägyptologen bezweifeln, daß es jemals benutzt wurde. Ich werde morgen früh einen Blick hineinwerfen, obgleich ich nicht annehme, daß es uns Anhaltspunkte auf die Lage von Ramsgates Grab gibt.«

Alexis schaute nicht von ihrer gebratenen Ente auf. »Ramsgate schreibt, er habe eine Treppe freigelegt, die zum Grab des Verbrechers hinunterführte. Wäre diese Treppe nicht auch heute noch sichtbar?«

Mark schüttelte den Kopf und murmelte »*Schukran*«, als Samira einen Teller vor ihn hinstellte. »Hundert Jahre in der Wüste werden alles begraben und keine Spuren hinterlassen haben. Es ist ein ständiger Kampf in diesem Land, den Sand fernzuhalten.«

»Wo werden die Männer zuerst suchen?«

»Auf der Hochebene, an den Mündungen der Wadis und in einigen der Schluchten, die am ehesten in Frage kommen.«

Der Duft von Ente und gewürztem Reis machte Mark plötzlich heißhungrig. Während er aß, schaute er ein- oder zweimal zu Jasmina auf, die allein am anderen Tisch saß. »Hat jemand einen Teller mit Essen zu Ron gebracht?«

Als niemand antwortete, drehte sich Jasmina zu Mark um und sagte: »Er ließ sich durch nichts dazu bewegen, im Bett zu bleiben, Dr. Davison. Er hält sich in seiner Dunkelkammer auf. Er meinte, er wolle später essen, nachdem seine Fotos entwickelt sind.«

Sie sahen aus wie Leichname aus Konzentrationslagern. Ihre Gesichter waren schreckenerregend und erweckten den Eindruck, als wären sie verbrannt worden. Schwarze Löcher klafften dort, wo die Augen im Zuge der Verwesung in den Schädel zurückgetreten waren. Breite, lippenlose Münder entblößten furchteinflößende Zahnstummel, wobei ihr makabres Grinsen in grausiger Weise an den Tod erinnerte. Knochige Schultern ragten aus eingesunkenen Brustkörben hervor, während sich teerige Haut über die ausgemergelten Bauchhöhlen spannte. Arme und Beine glichen blattlosen Ästen verkohlten Holzes. Die Hände waren starr ausgestreckt und zeugten vom Entsetzen über den plötzlich eintretenden Tod. Ron lächelte zufrieden. Dies war der Film, den er in der Mumienkammer des Ägyptischen Museums aufgenommen hatte, und jedes Bild stellte für sich allein ein Glanzstück dar. Er wandte sich nun den Fotos zu, die er am Morgen in der Ebene gemacht hatte.

Ron löste die Klammern von dem Filmstreifen, der an dem quer durch das ganze Zelt verlaufenden Draht hing, und legte ihn auf den

Arbeitstisch. Dann löschte er alle Lichter, mit Ausnahme der gelben Dunkelkammerlampe, die einen Meter über der Laborbank angebracht war, zog ein Blatt Fotopapier aus der betreffenden Schachtel auf dem Regal und breitete es auf dem Entwicklungstisch aus. Anschließend legte er die Negative mit der stumpfen Seite nach unten auf das Papier und deckte sie mit einer dünnen Glasplatte ab. Er schaltete die Sieben-Watt-Birne ein, die fünfzig Zentimeter über der Glasplatte hing, und zählte langsam bis zehn. Danach löschte er das Licht, zog das Papier vorsichtig unter der Glasplatte hervor und tauchte es in die Entwickler-flüssigkeit. Während er das Entwicklerbecken vorsichtig hin und her bewegte, beugte er sich vor und versuchte, das Thermometer auf dem Regal abzulesen. Der Abend war die beste Tageszeit zum Entwickeln. Die Temperatur war niedriger, obgleich sie im Augenblick ein wenig zu hoch zu sein schien, und es bestand ein geringeres Risiko, daß durch irgendeine undichte Stelle Licht einfiel. Er hatte eine ganze Stunde damit zugebracht, die Zeltwände nach Löchern abzusuchen, dann hatte er die Fenster mit schwarzem, lichtundurchlässigem Papier und Krepp-band verklebt. Ein schwarzes Tuch, das er über dem Eingang aufgerollt ließ, wenn er gerade nicht entwickelte, war nun heruntergezogen und an allen Ecken sorgfältig befestigt. Vor das Zelt hatte er ein englisch-arabisches BITTE NICHT STÖREN-Schild gehängt, das er aus dem Nil-Hilton hatte mitgehen lassen.

Während er sich mit der freien Hand den Schweiß von der Stirn wischte, hob er das Blatt aus dem Entwicklerbad, ließ es einige Sekunden abtropfen und tauchte es ins Unterbrecherbad. Er schwenkte das Becken sieben Sekunden lang und legte das Blatt dann ins Fixiermittel. Zwei Minuten später schaltete er alle Lichter wieder ein.

Prüfend betrachtete er nun die fertig entwickelten Bilder, murmelte gleich darauf »Scheiße« und nahm einen großen Schluck aus seinem mit Wein gefüllten Pappbecher.

Irgend etwas stimmte nicht mit den Fotos. Er mußte wohl noch ein-mal von vorne beginnen.

Mark fühlte sich wieder viel besser. Abdul hatte recht behalten: Sa-mira war trotz ihres wenig vertrauenerweckenden Äußeren eine aus-gezeichnete Köchin. Jetzt kühlte die Luft merklich ab, der Mond ging auf, und eine heitere Ruhe legte sich über das Camp.

Vor zehn Jahren hatte Mark noch nicht geraucht, aber ein erfahrener »Schatzgräber« hatte ihm den Tip gegeben, daß eine Pfeife die Insekten fernhalte. So hatte Mark sich das Pfeiferauchen angewöhnt und festgestellt, daß es ihn wirklich einigermaßen vor den Fliegen und Stechmücken schützte, die im Nahen Osten eine Plage waren. Heute abend jedoch, als er sich langsam vom Speisezelt entfernte, wollte er aus reinem Vergnügen und zur Entspannung rauchen. Er trat aus dem Lichtkreis der rund um das Lager aufgehängten Laternen heraus und schlenderte über den steinigen Boden zu einer alten Nilschlammziegelmauer, die etwa einen halben Meter aus dem Sand aufragte. Er ließ sich darauf nieder, zog seinen Tabaksbeutel hervor und begann, seine Pfeife zu stopfen.

Rechts von ihm lagen in ein paar hundert Metern Entfernung hinter einem leicht abschüssigen Geländeteil die im Mondlicht kaum erkennbaren Ruinen der Arbeitersiedlung. Vor dreitausend Jahren waren die Arbeiter und ihre Familien in diesen Irrgarten von winzigen Behausungen gepfercht worden, hatten in überfüllten, stickigen Unterkünften ihr Dasein gefristet, während sie in den Gräbern des Adels zur Sklavenarbeit verdammt waren. Allem Anschein nach hatte die Struktur des Lagers, das mit hohen Mauern und Wachhäusern umgeben gewesen war, viel Ähnlichkeit mit dem eines Gefängnisses gehabt. Es gab auch Hinweise darauf, daß viele von den Arbeitern die alten Götter insgeheim weiter verehrt hatten und nicht Echnatons alleinigen Sonnengott Aton.

Jetzt wurden die Ruinen zum ersten Mal seit dreißig Jahrhunderten wieder bewohnt. Mark konnte den Schein der Lagerfeuer sehen, und der leichte Abendwind trug den Klang der Stimmen der Fellachen bis zu ihm herüber. Abdul war gerade bei ihnen und erklärte ihnen, wonach sie am nächsten Tag suchen sollten und wie sie dabei vorzugehen hätten.

Als Mark seine Pfeife anzündete, bemerkte er eine dunkle Gestalt, die sich zwischen den schwach erleuchteten Zelten leise davonmachte. Es war Samira, die nach Erledigung der Küchenarbeit zu dem abgeschiedenen Quartier eilte, das sie in einer Ecke der Arbeitersiedlung bezogen hatte. Mark beobachtete sie einen Augenblick lang neugierig, wie sie, einer schwarzen Motte gleich, ins Licht hinein und wieder heraus huschte.

Als die *Scheicha* in der Dunkelheit verschwand, schweiften seine Gedanken wieder zu Nancy. Er fragte sich, was sie im Augenblick, sechzehntausend Kilometer von ihm entfernt, wohl tat, warum sie ihr Telefon abgemeldet hatte, ob sie auf ihn warten würde. Er hoffte immer noch, daß sie sich mit ihm über seinen Erfolg freuen würde, wenn er überhaupt welchen haben sollte, daß sie ihn heiraten und ihn so annehmen würde, wie er war.

Das Geräusch von Schritten, die hinter ihm im Sand knirschten, riß Mark aus seinen Gedanken. Ron stapfte mit einem Pappbecher Wein in der einen und einem Probeabzug in der anderen Hand auf ihn zu. Der Platz auf der zerfallenen Mauer reichte gerade aus, so daß er sich neben Mark setzen konnte.

»Wie geht es deinem Kopf?«

»Ist schon in Ordnung. Ich werde in diesem Zelt etwas zur Verbesserung der Belüftung tun müssen.«

»Nimm einfach einen Ventilator aus dem Arbeitszelt. Was hast du hier?«

»Ich weiß nicht recht. Vielleicht kannst du dir einen Reim darauf machen.«

Mark schnippte an seinem Feuerzeug und warf im Schein der Flamme einen prüfenden Blick auf die Reihen der Fotos. Er schwieg eine Weile, bevor er fragte: »Was sind das für Schatten?«

»Genau das kann ich mir auch nicht erklären. Schau, hier, in Hag Qandil, wie du aus dem Landrover steigst. Und hier, wie du dich mit dem '*Umda* von El Hawata unterhältst. Und hier«, mit seinem schmalen Finger tippte Ron auf jedes Foto, »und hier, am Nordpalast. Und hier, wie du gerade Hujes Grab betrittst. Auf jedem einzelnen von ihnen ist es zu sehen. Und niemand anderes ist davon betroffen, immer nur du. Auf allen Bildern erscheint neben dir ein Schatten.«

Mark nahm die Aufnahme, die ihn im Nordpalast zeigte, näher in Augenschein. Er stand in dem Raum, der als Thronsaal bezeichnet wurde, und unterhielt sich, den Rücken zur Kamera gewandt, mit Alexis. Die Schatten, die die Morgensonne von ihnen warf, streckten sich dabei in den Vordergrund. Doch der andere Schatten, derjenige, der auf jedem Foto von Mark auftauchte, befand sich auf seiner Linken und schien, wie eine optische Täuschung, nicht am Boden zu liegen, sondern senkrecht zu verlaufen, als stünde er aufrecht neben ihm.

»Irgend etwas stimmt nicht mit diesem Film. Oder mit deiner Kamera.« Er gab Ron den Probeabzug zurück.

»Am Film kann es nicht liegen. Sieh doch her, auf jedem Bild hat der Schatten dieselbe Größe und Form und erscheint immer in derselben Entfernung zu dir, egal wo du stehst...«

Mark schaute auf und legte eine Hand auf Rons Arm. »Hör mal... ich glaube, wir bekommen gleich Gesellschaft.«

Ron setzte sich kerzengerade auf und drehte sich in die Richtung, die Mark blickte. In der Dunkelheit gewahrte er eine merkwürdige Gestalt, die langsam auf sie zuschwankte, und man vernahm das Geräusch von schwerfälligen Tritten.

»Was zum Teufel ist das?«

Mark sprang auf.

Als das ungeschlachte Wesen näher heranrückte, hörten die beiden Amerikaner keuchende Atemgeräusche und ein unheimliches Brummen. Dann wurden die Umrisse allmählich erkennbar, bis das Kamel schnaubend neben ihnen stand und eine Stimme von oben rief: »Guten Abend, Gentlemen!«

Das Kamel, das von einem Jungen in einer *Galabia* geführt wurde, ließ sich mit widerwilligem Gebrüll auf die Knie nieder, und sein Reiter rutschte auf eine etwas unelegante Weise von seinem Rücken herunter. »Guten Abend«, grüßte er abermals in gestelzt klingendem Englisch.

Mark nahm seinen Platz auf der zerbrochenen Mauer wieder ein und schickte sich an, seine erloschene Pfeife wieder anzuzünden.

Das Licht, das vom Camp herüberdrang, genügte ihm, um den Fremden zu identifizieren. Es war der Grieche aus El Till.

»Ich heiße Constantin Domenikos«, stellte der stämmige Mann sich vor und baute sich vor den beiden sitzenden Ägyptologen auf. »Einen schönen guten Abend wünsche ich.«

Mark senkte den Kopf. »Unsere Namen kennen Sie ja wohl schon.«

»Gewiß, jedermann in Amarna spricht von den amerikanischen Wissenschaftlern Davison und Farmer.« Sein Grinsen verriet Habgier. »Ich bin gekommen, um Ihnen meinen Respekt zu bekunden.«

Ron musterte den Mann mißtrauisch, wobei er sich vage daran erinnerte, ihn tags zuvor auch in der Menschenmenge in El Till gesehen zu haben. Was an Constantin Domenikos besonders auffiel, waren sein plumper Körper, seine öligen Haare und die hervortretenden Augäpfel mit den schweren Lidern.

»Gibt es einen Ort, wo wir uns ungestört unterhalten können, Gentlemen?«

»Warum?« entgegnete Mark.

»Um Ihnen ein Geschäft vorzuschlagen, Dr. Davison. Ich glaube, ich kann Ihnen nützlich sein. Ich würde übrigens eine Einladung zum Tee nicht ausschlagen.«

»Welche Art von Geschäft, Mr. Domenikos?«

Die reptilienhaften Augen des Griechen flackerten leicht, aber das Lächeln blieb unverändert. »Es wäre mir eine große Ehre, Ihrer Expedition behilflich sein zu können. Aber bitte«, er spreizte seine wurstigen Finger, »können wir uns nicht an einem... äh, geeigneteren Ort unterhalten?«

»Dieser Ort ist so gut geeignet wie jeder andere. Nehmen Sie Platz, Mr. Domenikos.«

Der Grieche sah sich um und ließ sich dann auf einem großen Stein den Amerikanern gegenüber nieder.

»Meine Expedition ist mit allem Notwendigen versorgt«, erklärte Mark.

»Die Vorräte könnten zur Neige gehen, Dr. Davison.«

»Mein Vorarbeiter wird darauf achten, daß dies nicht geschieht.«

»Er kann aber nicht alle, wie soll ich sagen, Mißlichkeiten voraussehen, die eintreten können.«

»Zum Beispiel?«

Der Grieche holte tief Luft. »Es gehen Gerüchte um, Dr. Davison, daß in diesem Land bald Krieg ausbricht. Wir leben in unruhigen Zeiten. Das zerbrechliche Friedensabkommen zwischen Ägypten und Israel könnte in Gefahr geraten. Extremistische Palästinenser... Ich bin ein Mensch, der im Hinblick auf die Zukunft lebt, Dr. Davison. Ich rechne mit dem Schlimmsten und bereite mich darauf vor.«

»Könnten Sie bitte zur Sache kommen?«

»Nun, Dr. Davison, ich denke, daß in nächster Zeit folgendes geschehen wird: Die palästinensischen Freiheitskämpfer werden einen Angriff auf die Ägypter durchführen und dem Ganzen den Anschein geben, als handele es sich um einen Anschlag der Israelis. Der ägyptische Präsident wird zum Gegenangriff auf Israel übergehen, und das empörte Israel wird mit seiner ganzen Streitmacht zurückschlagen. Ihr Land, Dr. Davison, wird Israel in dem Glauben, daß Ägypten den Krieg angezettelt hat, zu Hilfe eilen. Die diplomatischen Beziehungen werden abgebrochen, Präsident Carters Friedensabkommen wird untergraben, und dieses Land wird auf einen Schlag in den blutigsten Kampf verwickelt sein, den es seit den Tagen der Pharaonen erlebt hat.«

Mark klopfte seine Pfeife gegen die Schlammziegelmauer und meinte, während er seinen Tabaksbeutel hervorholte: »Das ist wohl ein bißchen weit hergeholt, Mr. Domenikos, aber selbst wenn Sie recht behielten, warum kommen Sie deswegen zu uns?«

»Wenn der Krieg ausbricht, werden Sie in Ägypten Freunde brauchen.«

»Wir haben Freunde.« Mark drehte an seinem Feuerzeug und hielt die Flamme an den Tabak. In dem kurz aufleuchtenden Lichtschein sah er den berechnenden Blick in den Augen des Griechen.

»Aber Sie werden auch welche in der näheren Umgebung brauchen«, fuhr der glattzüngig fort. »Sicherlich sind Ihnen die Feindseligkeiten zwischen El Till und Hag Qandil nicht unbekannt. In den letzten paar Jahren herrschte in diesem Tal ein unstabiler Friede, aber es ist nur eine Frage der Zeit, bevor es wieder zu Zusammenstößen kommt. Sie könnten dabei leicht zwischen die Fronten geraten, Gentlemen, denn sie werden Sie als Schachfigur benutzen, und jede Seite wird Sie zu ihrem Verbündeten machen wollen. Sie werden Arbeitskräfte verlieren, und dann werden die streitenden 'Umdas Ihnen Forderungen stellen.«

»Die Polizei des Ma'mur weiß, wie sie mit diesen Leuten zu verfahren hat.«

»Gewiß, aber sie schreitet üblicherweise erst dann ein, wenn schon beträchtlicher Schaden angerichtet worden ist.«

»Und Sie, Mr. Domenikos, bieten uns selbstverständlich Ihre Hilfe an, weil Sie eine neutrale Partei sind. Mit Ihnen auf unserer Seite kann uns gar nichts passieren. Richtig?«

»Sie beeindrucken mich, durch Ihre schnelle Auffassungsgabe, Dr. Davison.«

Mark stand auf und streckte sich. »Nun, wir brauchen Ihren Schutz nicht, Mr. Domenikos, und auch nicht Ihre Drohungen.«

»Aber bitte, Dr. Davison, nicht doch. Setzen Sie sich wieder. Sie haben mich ja noch gar nicht zu Ende gehört. Bei meiner Seele, ich bin nicht hergekommen, um Ihnen Angst einzujagen oder Ihnen zu drohen! Ich habe mich wohl völlig falsch dargestellt!« Domenikos schlug sich gegen seine faßartige Brust. »Bitte lassen Sie mich ausreden, Dr. Davison.«

Mark blieb stehen. »Sie haben genau drei Minuten Zeit.«

»Ich wollte mich eigentlich mit Ihnen über geschäftliche Angelegenheiten unterhalten, Dr. Davison. Darin kann ich Ihnen wirklich nützlich sein. Das andere«, er winkte mit seiner dicklichen Hand ab, »das war doch nur müßiges Gerede. Natürlich, wenn es Schwierigkeiten gibt und Sie Hilfe brauchen, dann kann ich Ihnen helfen. Aber eigentlich bin ich heute abend gekommen, um Sie wissen zu lassen, daß ich Ihnen jederzeit zur Verfügung stehe, um Ihnen... ähm, sagen wir, beim Vertrieb Ihrer Ware behilflich zu sein.«

Es herrschte einen Augenblick Stillschweigen. Dann ließ Mark sich langsam wieder auf seinem Platz nieder. »Ware?« fragte er verblüfft.

Constantin Domenikos beugte sich vor, wobei er fast von dem Stein rutschte, und senkte die Stimme. »Sie haben doch schon früher in Ägypten Ausgrabungen durchgeführt, Dr. Davison. Sie brauchen mir nichts vorzuspielen. Sie wissen ganz genau, wovon ich spreche.«

Mark spürte, wie Ron unruhig auf seinem Platz hin und her rutschte. »Ganz recht, Mr. Domenikos, ich habe schon früher in Ägypten gearbeitet, und ich bin auch schon früher mit Menschen Ihres Schlages zusammengetroffen. Ich sage Ihnen daher klipp und klar, daß Sie bei mir keinen Erfolg haben. Ich lasse mich nicht auf derartige Geschäfte ein. Und außerdem wissen Sie nicht einmal, wonach ich suche. Sie wissen nicht, daß es gar keine Ware geben wird.«

Der Grieche ließ sich nicht beirren. »Dr. Davison, mein Vater lebte in diesem Tal, bevor ich geboren wurde, und sein Vater vor ihm. Ich habe die Erzählungen der Alten gehört. Es sind Mythen und Legenden daraus entstanden. In meiner Jugend hielt ich sie vielleicht noch für Ausgeburten blühender Phantasie, doch heute denke ich anders darüber. Es gab hier einmal vor langer Zeit eine verbotene Zone. Vielleicht weiß ich doch, wonach Sie suchen, Dr. Davison, und vielleicht weiß ich auch, daß Sie gute Aussichten haben, etwas sehr Wertvolles ans Tageslicht zu bringen.«

Mark gab sich alle Mühe, seine Abscheu zu unterdrücken.

»Erstens einmal, Mr. Domenikos, geht Sie das, wonach wir suchen, nicht das geringste an. Zum zweiten, falls wir wirklich irgend etwas finden, wird es ganz bestimmt nicht auf dem Schwarzmarkt für Antiquitäten enden. Sie sind an den falschen Mann geraten.«

»Dr. Davison, ich bin nur ein armer Grieche, aber ich kann Ihnen eine Menge Geld einbringen. Es gibt Leute in Paris und Athen, die...«

Mark stand unvermittelt auf. »Sie sind eine schleimige Kröte, Domenikos. Gehen Sie zurück unter den Felsen, unter dem Sie hervorgekrochen sind.«

Den Mund des Griechen umspielte ein frostiges Lächeln.

»Verzeihung, Dr. Davison, aber es stimmt nicht, daß ich an den falschen Mann geraten bin. Ich weiß, daß Wissenschaftler jämmerlich unterbezahlt sind und daß Ihr Gehalt unmöglich Ihrem Ehrgeiz entsprechen kann. Wir haben alle unseren Preis, Dr. Davison, auch Sie, und ich weiß, daß Sie mir zustimmen werden, wenn Sie den Inhalt des Vertrages hören, den ich Ihnen gerne unterbreiten möchte.«

Mark sah zu Ron hinunter, der sitzen geblieben war. »Wie sagt man ›Verpiß dich‹ auf griechisch?«

Constantin Domenikos erhob sich gewandt, noch immer lächelnd und mit zermürbender Selbstgefälligkeit. Auf seinen Wink hin sprang der Junge in der *Galabia* auf und faßte den Zügel des Kamels.

»Ich denke, es ist nur recht und billig, Sie davor zu warnen, Dr. Davison, daß es im Tal auch Leute gibt, die Ihr Kommen alles andere als begrüßen.«

»Wer zum Beispiel?«

»Die Alten, diejenigen, die sich noch an den Schrecken erinnern, der vor vielen Jahren in dieser Gegend umging. Ich halte die Ohren offen, Dr. Davison. Die Alten sprechen leise und furchtsam, wenn sie unter sich sind. Vor hundert Jahren fanden hier sieben Ausländer unter grausigen Umständen den Tod. Auch sie versuchten, das zu finden, wonach Sie jetzt suchen. Und Ihre Gruppe besteht ebenfalls aus sieben Mitgliedern, nicht wahr?«

Mark spürte, wie er stocksteif wurde. »Ich weiß nicht, wovon Sie sprechen.«

»Ich denke schon, daß Sie es wissen. Was mich betrifft, so bin ich Geschäftsmann und schenke den Legenden keinen Glauben. Aber die Alten sind abergläubisch. Sie munkeln, daß Sie die Dämonen wieder freisetzen werden und daß alles wie zuvor in einer Katastrophe enden wird.«

»Verschwinden Sie, Domenikos.«

»Ich werde nicht wiederkommen, Dr. Davison«, erklärte der Grieche, als er das Reittier bestieg, »denn das nächste Mal werden Sie mich aufsuchen. Sie werden meine Hilfe noch einmal dringend benötigen, das kann ich Ihnen versichern.«

Ron und Mark sahen ihm nach, wie er auf dem Rücken seines Kamels gemächlich in die Nacht hinaus schwankte. Dann blickte Mark wieder zum Lager hinüber. »Komm, Ron, wir wollen uns noch ein paar Stunden aufs Ohr legen. Morgen beginnen wir mit der Suche.«

Hasim al-Scheichly tat sich schwer damit, seinen Bericht zu verfassen. Er wußte, daß seine Vorgesetzten in Kürze eine Nachricht über den Verlauf der Expedition erwarteten. Es war ihm aber auch klar, daß ein solcher Bericht die Ankunft wichtigerer Männer, als er selbst es war, herbeiführen konnte. Er hatte dergleichen schon früher erlebt. War es nicht auch seinem besten Freund Mustafa beim Sonnentempelprojekt im Nildelta so ergangen?

Hasim trommelte ratlos mit seinem Kugelschreiber auf den kleinen Schreibtisch und nahm daher ein leises, trippelndes Geräusch nahe bei seinen nackten Füßen nicht wahr.

Der arme Mustafa, der damals ins Delta geschickt worden war, um die Fortschritte einer britischen Grabungsexpedition zu überprüfen, hatte dort zu seiner großen Freude festgestellt, daß ein antiker Sonnentempel freigelegt worden war. Schon hatte er geglaubt, daß ihm eine glanzvolle Beförderung sicher sei. Doch seine Vorgesetzten hatten ihm einen dicken Strich durch die Rechnung gemacht, denn als sie nach Erhalt seines Berichtes vor Ort eintrafen, räumten sie ihm lediglich den Rang eines Feldsekretärs ein.

Etwas Kleines, Gelbes, Glänzendes bewegte sich langsam auf Hasims nackten Fuß zu.

Nun, das würde ihm nicht passieren. Er war froh, daß Dr. Davison dem Ministerium gegenüber nichts von dem Tagebuch erwähnt hatte, denn sonst hätte Dr. Fausi diese Expedition höchstpersönlich geleitet, und Hasim säße noch immer in seinem Büro in Kairo.

Er rutschte auf dem Stuhl hin und her und bewegte dabei die Füße. Erschreckt hielt der Skorpion inne. Als Hasim sich wieder zurechtgesetzt hatte, lief er zielstrebig weiter. Die dort oben hielten dies hier für ein unbedeutendes Projekt, ein wahrhaft törichtes Unterfangen, denn was konnte in der Wüste von Amarna schon übrig sein? Nun, Hasim al-Scheichly war jedenfalls kein Narr, auch wenn er gerade erst vom College kam. Sein Bericht würde...

Der Skorpion, der nun fast Hasims nackten Fuß berührte, richtete seinen Hinterleib auf...

...so unbestimmt wie möglich und voller Zweideutigkeiten sein. Erst wenn das Grab entdeckt wäre, und er sich seiner Stellung als einziger Regierungsvertreter sicher sein konnte, würde er...

Hasim verlagerte abermals seine Sitzposition. Dabei nahm er flüchtig die Bewegung an seinem Fuß wahr. »Ya Allah!« Mit einem Satz sprang er auf, so daß der Stuhl rückwärts umkippte. Der Skorpion blieb unbeweglich sitzen. Sein Schwanz war zum Angriff erhoben. Schaudernd wich der junge Ägypter langsam zurück und starrte dabei wie gebannt auf den abscheulichen segmentierten Leib.

Als er an die Zeltwand stieß, rüttelte er sich aus seiner Erstarrung und sah sich rasch nach etwas um, womit er dem Untier zu Leibe rücken konnte.

Er packte einen Stiefel und bewegte sich vorsichtig auf den Skorpion zu, der noch immer in derselben Stellung verharrte. Hasim spürte, wie sich ein Schweißfilm auf seine Stirn legte und eine Gänsehaut über seinen Körper zog. Die Nachtluft kam ihm plötzlich merkwürdig klamm vor.

Er senkte den Stiefel auf den Skorpion herab und schlug kurz darüber treffsicher zu.

Zitternd und mit klopfendem Herzen hielt Hasim den Stiefel einige Sekunden lang darauf gepreßt. Dann hob er ihn vorsichtig vom Zeltboden auf.

Der Skorpion war verschwunden.

Sie betrachtete einige Augenblicke lang prüfend die ruhende Gestalt ihres Mannes. Als sie sich sicher war, daß er fest schlief, erhob sie sich lautlos von ihrem Feldbett, schob das Moskitonetz beiseite und schlich auf leisen Sohlen durch das Zelt.

Ein Ganzfigurspiegel war neben ihrem Toilettentisch angebracht worden, und als Alexis Halstead sich davor stellte, trat sie in schimmerndes Mondlicht. Es fiel über sie wie ein silberner Mantel und ließ ihre sonnengebräunte Haut wie milchigen Kalkspat aussehen. Sie bot einen Anblick von strahlender Weiße und Reinheit. Alexis starrte hingerissen auf die Vollkommenheit ihres nackten Körpers. Sie bewunderte die üppige rote Lockenpracht, die ihr über die blassen Schultern auf die großen, festen Brüste herabfiel. Ihre Wespentaille ging in perfekt gerundete Hüften über. Ihre Beine waren lang und wohlgeformt und ebenso ungewöhnlich weiß wie ihr übriger Körper.

Alexis legte eine Hand auf ihren straffen Bauch und spürte einen immer stärker werdenden Pulsschlag unter dem Muskel. Ihre Haut war seltsam fiebrig und kühl zugleich. Es kam ihr so vor, als glühe sie.

Sie begegnete ihrem Blick im Spiegel und lächelte verträumt, denn obgleich ihre Augen geöffnet waren, befand sich Alexis Halstead in einem Zustand tiefen Schlafs.

Mitten in der Nacht schlug Mark plötzlich die Augen auf. Er spitzte die Ohren, lauschte in die Stille und fragte sich, wodurch er wohl aufgewacht sein könnte. Irgend etwas hatte ihn jäh aus einem tiefen, traumlosen Schlaf gerissen und ihn mit einem Mal hellwach werden lassen. Während er auf dem Rücken lag und in die Dunkelheit starrte, spürte er, wie sein Herz klopfte, doch nicht in seiner Brust, sondern in seinem Bauch – ein schwerer, rhythmischer Pulsschlag.

Erstaunt setzte er sich auf. Ein leichter Schweißfilm bedeckte seinen Körper und ließ ihn die Nachtluft als kalt empfinden. Ein schmerzhaftes Pochen setzte in seinem Kopf ein.

Dann hörte er es. Das sanfte, herzzerreißende Klagen einer weinenden Frau.

Leise erhob er sich von seinem Lager und spürte dabei eine starke nervliche und körperliche Anspannung. Er meinte, sein Körper müßte jeden Augenblick zerspringen. Barfuß stahl er sich zu dem mit einem Fliegennetz bespannten Eingang, und während er auf Rons gleichmäßige Atmung lauschte, zog er langsam den Reißverschluß auf und trat ins Freie.

Die schneidend kalte Luft schlug ihm entgegen wie eine Flut Eiswasser. Als er zu frösteln anfing, rieb er sich die Arme und horchte. Das sanfte, schmerzerfüllte Weinen war noch immer zu hören, jetzt sogar noch deutlicher.

Auf leisen Sohlen schlich er zu den anderen Zelten hinüber, lauschte zuerst an dem der Halsteads, dann an dem von Jasmina Schukri. Nichts. Alles war dunkel und still.

Mark massierte sich zerstreut die Schläfen. Das Kopfweh wurde immer schlimmer. Dann drehte er den Kopf hierhin und dorthin und streckte die Nase in den Wind, als nähme er Witterung auf. Wie unter Zwang folgte er der Richtung, aus der das Wimmern kam.

Ein wenig abseits vom Lager sah er sie anmutig auf dem Stein kauern, auf dem ein paar Stunden zuvor der Grieche gesessen hatte. Sie hielt ihr Gesicht in der Armbeuge verborgen, und ihr zarter Rücken hob und senkte sich mit jedem Schluchzer. Mark betrachtete sie hingerissen. Eine Art Aura umgab die Frau, ein schwaches Leuchten, das von ihrem geschmeidigen Körper auszugehen schien. Sie trug ein wallendes, weißes Kleid, das wie Milch an ihrem zarten Körper herabfloß.

Irgendwie kam sie ihm vertraut vor und dann doch wieder nicht. Sie war eine Fremde, von der er dachte, daß er sie eigentlich kennen sollte.

Wie gebannt starrte Mark sie an. Er betrachtete die schlanken Beine, die sie sittsam unter sich gezogen hatte, die überaus femininen Rundungen ihrer Arme und der Krümmung ihres Rückens.

Dann fiel Mark auf, daß er sowohl den Stein, auf dem sie saß, als auch die Kalksteinfelsen im Hintergrund problemlos wahrnehmen konnte.

Die Frau war durchsichtig.

Zehn

Mark rührte gedankenlos in seinem kalten Kaffee. Er wartete darauf, daß die Aspirintabletten endlich wirkten.

Außer ihm hielten sich noch Jasmina Schukri und Hasim al-Scheichly im Zelt auf. Sie saßen an dem anderen Tisch und beendeten gerade ihr Frühstück.

Mark war wieder mit Kopfschmerzen und dem unbestimmten Gefühl aufgewacht, geträumt zu haben. Aber der Traum war jetzt wie weggeblasen – er konnte sich nicht einmal mehr daran erinnern, worum es darin gegangen war – und alles, was er davon zurückbehalten hatte, war das lästige, heute wirklich üble Kopfweh.

Samira versuchte, ihm einen Teller mit Rührei aufzudrängen, aber er schob ihn von sich. Als sie sich von ihm abwandte, bemerkte er einen Lederbeutel, der von ihrem Gürtel herabbaumelte, und überlegte kurz, ob der unangenehme Geruch, der sie stets zu umgeben schien, wohl von diesem Lederbeutel herrührte. Er wußte, daß eine *Scheicha* stets allerlei Pülverchen mit sich führte, und es war ihm auch nicht unbekannt, daß sie halluzinogene Pflanzen kaute. Doch in diesem Geruch lag etwas Menschliches, was ihn vermuten ließ, daß er von der Frau selbst ausging. Mark nahm sich daher vor, Abdul daraufhin anzusprechen und ihn dafür sorgen zu lassen, daß sie sich wusch.

Das Fliegennetz am Eingang wurde angehoben, und Alexis Halstead trat ein.

»Wo ist Ihr Mann?« erkundigte sich Mark. »Wir werden gleich aufbrechen.«

»Sanford wird uns nicht begleiten. Er ist unpäßlich.«

»Was fehlt ihm denn? Ich habe ihn doch bei Sonnenaufgang joggen hören.«

»Er hat schon wieder Nasenbluten.«

Jasmina schaute von ihrem Tee auf. »Soll ich nach ihm sehen?«

Ohne die junge Frau anzublicken, erwiderte Alexis Halstead: »Nicht nötig. Es wird ihm bald wieder bessergehen.« Sie nahm Mark gegenüber Platz, verschränkte die Arme auf dem Tisch und sah ihn erwartungsvoll an. Samira kam herbeigeschlurft und stellte ein Glas Tee vor Alexis hin. Dabei fiel ihr stechender Blick zufällig auf Mrs. Halsteads Gesicht. Für einen kurzen Moment weiteten sich ihre winzigen Augen vor Schrecken. Ein stummer Aufschrei schien ihren trockenen Lippen zu entweichen. Dann wich die alte Fellachin zurück, stieß gegen den nächsten Tisch und stolperte blindlings zurück zum Herd.

»Wie sieht der Plan für heute aus, Dr. Davison?« fragte Alexis, die die Reaktion der *Scheicha* nicht bemerkt hatte. Mark zog ein zusammengerolltes Blatt Papier aus der an seinem Gürtel befestigten Hüfttasche, breitete es auf dem Tisch aus und beschwerte die Ecken mit Salz- und Pfefferstreuern. »Das ist eine topographische Karte von der Gegend, und diese Linien hier«, er fuhr sie mit dem Finger nach, »bilden das Gitternetz, das Abdul und ich ausgearbeitet haben. Die Teams werden heute die Topographie erforschen, das heißt, jeder Mann wird sich einen genauen Überblick über das Quadrat verschaffen, das ihm zugeteilt wurde. Morgen werden wir dann auffällige Stellen näher untersuchen, und damit werden wir fortfahren, bis wir einen Hinweis finden.«

»Bekommen wir auch Quadrate zugeteilt, Dr. Davison?«

»Ich habe für mich selbst eines ausgewählt, aber die übrigen Expeditionsteilnehmer werden an der eigentlichen Grabungsarbeit und ihrer Vorbereitung nicht beteiligt sein. Sie werden uns noch später hier im Camp wertvolle Hilfe leisten, wenn wir erst einmal fündig geworden sind.«

Jasmina und Hasim standen von ihrem Tisch auf, um ebenfalls einen Blick auf die Gitternetzkarte zu werfen.

»Und diese rot umrandeten Buchstaben hier«, fuhr Alexis fort, »was haben die zu bedeuten? Und warum haben Sie sie mit einer roten Linie miteinander verbunden?«

»Sie bezeichnen die Stellen, die Pharao Echnaton dazu benutzte, um die Grenzen seiner heiligen Stadt abzustecken. Einige von ihnen wurden in den Felsen gemeißelt und können heute noch besichtigt werden. Bei anderen handelte es sich um Steinplatten, die in den Boden eingelassen wurden und sich jetzt in Museen befinden. Als Echnaton mit seinem Hofstaat aus Theben wegzog und dieses Gebiet als Standort für seine neue Stadt wählte, ließ er seine Steinmetze rund um die Stadt Grenzmarkierungen aufstellen. Danach fuhr er zu jeder einzelnen in einem Streitwagen heraus und gelobte seinem neuen Gott an jeder Stelle, daß er seinen Fuß nie mehr außerhalb dieses Gebietes setzen wolle. Weder in diesem Leben noch im nächsten.«

»Warum sind sie mit Buchstaben bezeichnet?«

»Die ersten Ägyptologen taten dies, als sie die Stelen um die Jahrhundertwende herum entdeckten. Sie bezeichneten sie in der Reihenfolge ihrer Fundorte mit einem Buchstaben, wobei manche Buchstaben im Alphabet bewußt übersprungen wurden. So werden Sie bemerken, daß es keine Stele O oder T gibt. Dies geschah für den Fall, daß man in Zukunft noch weitere fände, denen man dann ihrer Lage nach entsprechende Buchstaben würde zuordnen können.«

»Sie haben das Gitternetz außerhalb der Grenzlinie nicht fortgeführt.«

»Wenn die Amun-Priester sich derart vor dem rächenden Geist Echnatons fürchteten, daß sie ihn deswegen in einem besonderen Grab bestatteten, so nehme ich an, daß sie ihn besänftigen wollten, indem sie ihn innerhalb seines geheiligten Gebietes beerdigten. So...« Mark rollte die Karte wieder zusammen und schob sie in seine Hüfttasche. »Von jetzt an müssen wir versuchen, uns ganz in die Denkweise der Amun-Priester zu versetzen. Wo würden Sie an ihrer Stelle das Grab ausgehoben haben?«

Sie folgten Mark aus dem verräucherten Zelt hinaus in die helle Morgensonne, wo sich Ron zu ihnen gesellte. Er trug ein Greenpeace-T-Shirt und hatte sich zum Schutz gegen die Sonne ein großes Tuch um den Kopf gewickelt. Mark ging voraus zu den beiden offenen Landrovern und teilte die Gruppe zwischen ihnen auf. Bewaffnete *Ghaffir* waren als Fahrer eingeteilt. Zusätzlich angeforderte *Ghaffir* postierten sich inzwischen mit Gewehren vor dem großen Arbeitszelt, wo gerade ein Nachschub an Tee und Cola gelagert wurde. Constantin Domenikos hatte Mark doch etwas beunruhigt.

Die Fahrt das Königliche Wadi hinauf war alles andere als erholsam. Die *Ghaffir* traten hemmungslos aufs Gaspedal und schienen Gräben und Geröllbrocken geradezu als Herausforderung zu empfinden. Mit ihrer getönten Fliegerbrille saß Alexis Halstead in gelassenem Schweigen neben Mark. Rote Haarsträhnen lösten sich wie Feuerstrahlen aus ihrem Kopftuch und peitschten ihr ins Gesicht. Auf dem Rücksitz bemühte sich Ron, Stativ und Kameras vor den Erschütterungen zu bewahren, was ihm jedoch nicht gelang, denn bei jedem Ruck wurde er von seinem Sitz hochgerissen. Hinter ihnen, im zweiten Wagen, klammerten sich Jasmina und Hasim blaß vor Schrecken ans Armaturenbrett.

Das Wadi, das an seiner Mündung zur Ebene noch weit und flach war, verengte sich allmählich zu einer tief ins Plateau eingeschnittenen Spalte, die nach sechs Kilometern zum Eingang des Königsgrabes führte. Als sie sich ihm näherten, hob Mark die Hand und bedeutete seinem eigenen Fahrer und dem Fahrer dahinter, anzuhalten. Er faßte nach der Stange über der Windschutzscheibe und zog sich daran hoch, um sich einen Überblick über das Gelände zu verschaffen. Als der Staub sich gelegt hatte, sprang er aus dem Wagen. Seine Stiefel verursachten auf dem Schutt des Wadis ein knirschendes Geräusch.

Die Sonne schien in dieser nackten Schlucht noch stärker herunterzubrennen. Jetzt, da kein Fahrtwind mehr für Kühlung sorgte, drückte die Hitze mit unglaublicher Macht von dem dünnen Streifen blauen Himmels nieder. Beim Aussteigen suchte Hasim-al-Scheichly argwöhnisch den Sand ab, bevor er einen Fuß nach unten setzte. Nach dem Erlebnis der vergangenen Nacht hatte er nicht gut geschlafen. Alpträume hatten ihn geplagt, von riesenhaften Skorpionen und einer feingliedrigen Frau, die auf ihn zugekommen war, um ihn zu küssen, und deren Kopf sich im letzten Augenblick in die Scheren eines Skorpions verwandelt hatte. Zu erschöpft, um der Besichtigung des Grabes beizuwohnen, beschloß Hasim, zurückzubleiben und bei den Landrovern zu warten.

Der Regierungs-*Ghaffir*, der den Grabeingang bewachte, hockte im Staub und hatte zum Schutz gegen die Sonne eine vergilbte Ausgabe der Tageszeitung *El Ahram* über seinen Turban gebreitet. Er hob die Hand zum Gruß, stand langsam auf und hantierte mit den Schlüsseln an seinem Gürtel.

Als das Eisentor aufsprang, fragte Alexis: »Nützt das etwas?«

»Nein. Die Wächter sind bestechlich.«

Gleich nach dem Betreten des Grabes wurde offensichtlich, was gemeint war: Wandschmierereien und Spuren von Vandalismus fielen einem überall ins Auge. Das Innere wirkte unheimlich und bedrückkend. Über einen schräg abfallenden Korridor und eine steile Treppe gelangte man in die Sargkammer, wo einst der Sarkophag gestanden hatte. Drinnen herrschte eine düstere, muffig-schwüle Atmosphäre. Mark führte seine Begleiter, die kaum ein Wort sprachen, durch diesen Raum in eine Halle, deren Wände mit stark beschädigten Reliefs verziert waren, die die königliche Familie bei der Verehrung des Sonnengottes Aton zeigten.

»Als dieses Grab 1936 entdeckt wurde«, erklärte Mark, während er seine Taschenlampe auf die Wandmalereien richtete, die schemenhaft vor ihnen auftauchten, »enthielt es nicht mehr als einen zerschlagenen Sarkophag und ein paar Kanopen. Das sind dickbauchige Krüge, in denen die Eingeweide des Verstorbenen beigesetzt wurden. Die Kanopen, die man in diesem Grab fand, waren nie benutzt worden, und der Sarkophag war leer. Man kann sicher davon ausgehen, daß niemand je hier begraben wurde.«

Ron entfernte sich von der Gruppe und begann, sein Stativ aufzubauen.

»Warum wurde es nie benutzt?« murmelte Alexis. Sie hob eine Hand zu dem nächstgelegenen Wandgemälde empor, ohne es jedoch zu berühren. Mark blickte auf Alexis' nach oben gerichtetes Profil und wunderte sich erneut über die merkwürdige Vertrautheit, die er beim Anblick ihres Gesichtes immer wieder feststellte. Das Spiel von Licht und Schatten in dem Grab unterstrichen ihre einzigartige Schönheit, die vorspringenden Backenknochen, den sinnlichen Mund und die gerade, klassische Nase. In dem schummrigen Licht des Grabes schien sich Alexis' Gesicht zu verändern. Ein bei Tageslicht nicht wahrnehmbarer Ausdruck schien nun darauf hervorzutreten. »Ich weiß nicht«, murmelte Mark vor sich hin.

»Wird das Ramsgate-Grab so aussehen wie dieses hier?« Alexis Halsteads Stimme hatte sich ein wenig verändert; sie klang nun tiefer, rauher.

»Ich weiß nicht...«

Alexis drehte sich etwas zur Seite und starrte mit halbgeschlossenen Augen auf die bizarren Gestalten an der Wand: Echnaton und Nofretete, die ihrem Gott huldigten. Ihre Stimme klang wie ein seltsam heiseres Flüstern. »Warum sind diese Wanddarstellungen absichtlich verunstaltet und verwischt worden?«

Mark versuchte, seine Lippen mit der Zunge zu befeuchten, mußte jedoch feststellen, daß sein Mund ungewöhnlich trocken war. »Die

Amun-Priester wollten Echnaton und Nofretete kein Leben nach dem Tod ermöglichen.«

»Was meinen Sie damit...?«

Der Duft ihres Gardenien-Parfums stieg ihm zu Kopf. Hinter ihnen ertönte ein Klicken von Rons Kamera, das sich in der kahlen Steinkammer unnatürlich laut ausnahm.

Ohne sich dessen bewußt zu sein, senkte Mark die Stimme. »Für die alten Ägypter besaßen auf Wände gemalte oder eingemeißelte Figuren lebendige Kraft. Tiere konnten sich bewegen, Vogelsymbole konnten von der Wand wegfliegen.«

»Und die Menschen?«

Mark spürte, wie sich sein Magen zusammenzog. Vielleicht überkam ihn eine Art Platzangst. Plötzlich hatte er den Wunsch, so schnell wie möglich aus dem Grab herauszukommen. »Für Menschen galt dasselbe. Einmal auf eine Wand gemalt, hatten auch menschliche Gestalten sozusagen magische Kräfte. Sie konnten jederzeit heruntersteigen und umhergehen...«

Alexis wandte sich von ihm ab; sie wirkte jedoch gelassen und ein wenig matt, als bewege sie sich in einem Traum, und trat in die Dunkelheit einer Türöffnung. Vor ihr tat sich ein scheinbar grenzenloser schwarzer Abgrund auf. »Was ist da drinnen?«

Mark blieb wie angewurzelt vor dem Wandgemälde stehen und versuchte Alexis' milchigweißen Körper richtig zu erkennen. Hielten seine Augen ihn zum Narren? Alexis schien zu glühen.

»Die Grabkammern der Töchter Echnatons.«

»Wurden sie je benutzt?«

Wieder erfüllte ein metallisches Klicken die Grabkammer – das anhaltende Summen bei einer langen Belichtungszeit.

»Nein.«

Alexis drehte sich um und sah ihn aus der pechschwarzen Umgebung der Türöffnung an. Ihr Gesicht lag im Dunkeln. »Wo wurden seine Töchter bestattet?«

Mark wollte einen Finger unter seinen Hemdkragen schieben, doch er hatte keine Gewalt über seinen Arm. »Niemand weiß es...«

»Niemand weiß es? Sind alle sechs verschwunden?«

Mark zwang sich dazu, seinen Blick von Alexis abzuwenden, und starrte statt dessen auf das Wandgemälde. Wie gebannt hielt er seinen

Blick auf das Gesicht von Nofretete geheftet, auf ihr Profil, ihr Profil...

Rons Stimme schien aus weiter Ferne zu kommen. »Ihre Gräber wurden zweifellos bereits vor Jahrtausenden geplündert« – klick – »und ihr Goldschmuck zur Herstellung von Münzen eingeschmolzen« – klick – »und ihre Mumien für Arzneipulver zermahlen.«

Das Profil, Nofretetes Profil, es war unverwechselbar ihr Profil...

Sein Hemdkragen schien ihm den Hals zuzuschnüren. Er konnte nicht mehr schlucken. Mark hatte das Gefühl, daß ihm irgend etwas im Bauch herumkrabbelte, und er konnte sich plötzlich kaum noch auf den Beinen halten.

»Tolle Bilder!« verkündete auf einmal Ron mit dröhnender Stimme, während er das Stativ geräuschvoll zusammenklappte. »Aufregende Motivzusammenstellungen, schlichte menschliche Wesen zu Füßen des riesenhaften lebendigen Gottes!«

Mark starrte mit offenem Mund hinauf zu der überlebensgroß dargestellten Königin, die für alle Zeiten in der Kalksteinwand des Grabes verewigt war, im Profil... Alexis Halsteads Profil...

Mark gab einen kurzen, dumpfen Laut von sich, taumelte rückwärts, machte auf dem Absatz kehrt und meinte mit fester Stimme: »Wir verschwenden nur unsere Zeit. Machen wir, daß wir hier herauskommen!«

Im Gemeinschaftszelt war es unangenehm warm, und die Luft darin war rauchgeschwängert, aber die Alternative hätte darin bestanden, draußen bei den Fliegen zu essen. Zwei tragbare Ventilatoren, die von einem der Benzingeneratoren angetrieben wurden, hielten die Luft in ständiger Bewegung, aber es gab nicht genug Licht, und die Essensgerüche beherrschten den ganzen Raum.

Samira hatte die Ärmel bis zu den Ellenbogen hochgerollt und knetete Maismehl zu einem Teig. Hin und wieder hielt sie inne, um der Masse ein wenig Wasser und Kümmel beizumengen. Mehrere runde Holzteller standen für den fertigen Teig bereit, der darauf zu Fladen geformt wurde und in dem Steinofen im hinteren Teil des Zeltes gebakken werden sollte. Schmackhafte, goldbraune Brotfladen aus zwei weichen, nicht krümelnden Krusten wären das Ergebnis. Sie wurden als *Pitta*-Brot bezeichnet, im mittelägyptischen Dialekt als *Bettaw*, nach dem alten pharaonischen Wort für Brot, *Ptaw*. Mark war sich nicht bewußt, daß er Samira, während er seinen Tee trank, die ganze Zeit über anstarrte. Einmal rutschte ihr schwarzer Schleier nach oben und ließ abermals die rote Tätowierung auf ihrer Stirn erkennen, aber die Fellachin hatte sie im Handumdrehen wieder verhüllt, ohne ihre Arbeit zu unterbrechen.

Ron war der einzige, der aß, wobei er seinen *Ful* kräftig mit Pfeffer würzte. Neben seinem Teller stand ein Becher Chianti.

»Wann wird Abdul Ihnen über die Ergebnisse des Tages Bericht erstatten?« erkundigte sich Sanford Halstead, der vor einer Tüte mit Rosinen und Mandeln saß.

»In etwa einer Stunde.« Mark zwang sich, seinen Blick von Samira zu wenden.

»Glauben Sie, daß sie etwas gefunden haben?«

Mark bemühte sich, freundlich zu bleiben. Halstead, der ihm in einem modischen, enganliegenden Sporthemd und weißen Freizeithosen gegenübersaß, wirkte so beneidenswert jugendlich und kraftvoll. Mark fragte sich, was wohl das Geheimnis dieses Mannes war. Verjüngte ihn Alexis mit ihrer sexuellen Vitalität? »Wenn irgend etwas Bedeutendes gefunden worden wäre, dann hätte Abdul mir sofort davon berichtet.«

»Sagen Sie mir, Dr. Davison«, mischte sich Alexis in die Unterhaltung, »warum wurde Echnatons Monotheismus eigentlich so erbittert bekämpft?«

In der alltäglichen Umgebung des Gemeinschaftszelts und bei besserem Licht kam ihm Alexis Halstead nicht mehr gespenstisch und unheimlich vor. Sie war nichts anderes als eine bemerkenswert schöne Frau. Und doch mußte Mark zugeben, daß sich die Ähnlichkeit auch jetzt nicht leugnen ließ. Sie war ganz eindeutig vorhanden. Hätte sie ihr Haar zurückgesteckt und sich altägyptische Schminke aufgelegt, so hätte man Alexis Halstead für die Reinkarnation von Königin Nofretete halten können.

»Weil er damit die bestehende Staats- und Gesellschaftsordnung über den Haufen warf. Die alten Ägypter glaubten, daß die Welt sich niemals wandeln dürfe. Was gestern war, mußte auch heute so sein und sollte auch morgen noch Gültigkeit haben.«

»Warum waren sie so sehr gegen Veränderungen?«

Mark blickte auf Sanford und bemerkte, daß aus einem seiner Nasenlöcher langsam ein Tröpfchen Blut hervorzuquellen begann. »Weil die Ägypter in einem Land lebten, das selbst keinerlei Veränderungen durchmachte. Die Naturkräfte im Niltal sind jahraus, jahrein gleichbleibend und voraussagbar; das Klima ist beständig. Es gibt weder sintflutartige Regenfälle noch sonstige plötzliche Witterungseinbrüche. In ihrer Religion und Philosophie ahmen die Ägypter die Natur nach. Für sie hatte sich die Welt seit ihrer Erschaffung nicht verändert.

Deshalb mußten auch die Menschen bleiben, wie sie waren. Aus diesem Grund gibt es im ägyptischen Pantheon auch keine wirklich zornigen oder feindseligen Gottheiten. «

Mark schaute wieder zu Halstead hinüber, der sich diskret eine Stoffserviette vor die Nase hielt. An der Stelle, wo das Blut durchging, bildete sich nach und nach ein purpurroter Fleck.

»Vergleichen Sie die ägyptischen Götter mit den Göttern der Sumerer, der Babylonier und der Assyrer in Mesopotamien«, fuhr Mark fort. »Die Menschen dort lebten in einem Land mit unberechenbaren Jahreszeiten, in dem sie jederzeit von Überschwemmungen und Erdbeben heimgesucht werden konnten. Auch deren Götter spiegelten die Natur wider. Sie waren düster und geheimnisvoll, zornig und rachsüchtig wie der Jahure der Hebräer. Dagegen machten sich die Ägypter stets nur eine Vorstellung von fröhlichen und wohlwollenden Göttern, weil sie an die milde Beständigkeit eines Landes gewöhnt waren, das keine ausgeprägten Jahreszeiten kennt. «

Abermals schweifte Marks Blick zu Halstead hinüber. Frisches Blut kam auf seiner Oberlippe zum Vorschein und versickerte in seinem silbergrauen Schnurrbart.

»Die einzige Ausnahme bildete der Gott Seth, der seinen Bruder Osiris ermordete. Er war der Gott der Finsternis, verkörpert durch einen rothaarigen Dämon. Zweifellos hatte er seinen Ursprung in irgendeinem furchterregenden Urtier. Es gab auch noch ein paar weniger bedeutende Gottheiten, die ebenfalls Teufeln ähnelten, aber sie kamen ihrem Wesen nach eher lästigen Poltergeistern gleich. «

»Woher nahm Echnaton die Idee zum Monotheismus?« fragte Halstead, der sich die blutbefleckte Serviette nun fest gegen die Nase preßte.

»Das kann niemand mit Bestimmtheit sagen. Es gibt eine Menge Theorien zu dem Thema, aber nichts wirklich Greifbares. Einige Leute halten ihn für die erste Inkarnation von Jesus und meinen, er sei gescheitert, weil die Welt damals noch nicht reif genug gewesen sei, um seine Botschaft zu empfangen. Dazu muß man wissen, daß Echnaton sich selbst als den Sohn Gottes bezeichnete.«

Halstead entfernte die Serviette von seiner Nase und verbarg sie taktvoll unter dem Tisch. »Ich habe die Hymne auf die Sonne gelesen. Es ist bemerkenswert, wie ähnlich sie dem hundertvierten Psalm in der Bibel ist. Die Entdeckung von Echnatons Grab und möglicherweise sogar seines Leichnams und seiner Grabbeigaben wäre zweifellos ein Segen, sowohl für die Geschichtsschreibung als auch für die Theologie ...« Halstead brach mitten im Satz ab und erstarrte. Ein Ausdruck der Verwunderung trat auf sein Gesicht. Im nächsten Augenblick brach ein Blutstrom aus seiner Nase hervor und ergoß sich über den Tisch.

»Allmächtiger!« schrie Ron, der vor Schreck aufsprang und dabei rückwärts über die Bank fiel.

Alexis stieß einen Schrei aus, und bevor Mark irgend etwas tun konnte, war Jasmina schon auf den Beinen. Sie schlang einen Arm um Halsteads Schulter, packte die Tischdecke an einem Ende und zerrte sie hoch an sein Gesicht.

Wie benommen stand Mark langsam auf. Vor Staunen blieb ihm der Mund offenstehen. Blut strömte aus Sanford Halsteads Nase auf den Boden.

»Eis!« rief Jasmina, die Halsteads Kopf jetzt gegen ihren Bauch gepreßt hielt. Das Blut durchtränkte den Stoff ebenso schnell, wie sie ihn, zu immer neuen Bäuschen zusammengerafft, gegen seine Nase hielt. »Bringt mir doch Eis!«

Endlich löste sich Mark aus seiner Erstarrung. In einer Ecke stand unter mehreren Kisten ein kleiner Kühlschrank. Er riß die Tür auf und fand neben Fleischkeulen, Butter, Gemüse und einer Sechserpackung Bier in dem winzigen Eisfach eine flache Schale mit Eiswürfeln. Seine Hände zitterten, als er die Würfel herausbrach und in seiner Serviette sammelte. Als er an den Tisch zurückkehrte, fand er sowohl Jasmina als auch Halstead blutüberströmt. Sie hielt ihn in den Armen wie ein Kind. Er war ohnmächtig geworden.

Hastig griff Jasmina nach dem Eisbeutel und schleuderte das blutige Tischtuch von sich. Während Halsteads Kopf in ihrer Armbeuge ruhte, kniff sie seine Nase mit den Fingern der einen Hand fest zusammen und preßte mit der anderen das Eispaket gegen sein Gesicht.

Für einen Augenblick schien die Zeit stillzustehen. Irgendwo im Hintergrund hörte man Ron leise aufstöhnen. Mit weit aufgerissenen Augen verfolgte Hasim die schreckliche Szene und zitterte dabei so heftig, daß er sich bei Mark anlehnen mußte. Alexis verharrte, stumm vor Verblüffung, auf ihrem Platz.

Mark starrte einen Augenblick auf Halsteads blutdurchtränkte Kleidung, dann auf Jasminas Hände und Arme, die so aussahen, als wären sie in einen Eimer voll roter Farbe getaucht worden. Schließlich blickte er auf und sah sich im Zelt um.

Samira war nicht mehr da.

Die Hitze wälzte sich wie in schweren Schwaden von der felsigen Hochebene herunter. Als Mark durch das Lager auf Jasminas Zelt zuging, spürte er, wie ihm sein frisches Hemd am Körper klebte. Er blieb am Zelteingang stehen und rief: »Hallo! Miss Schukri?«

Ihre Umrisse wurden jenseits der dünnen Plane sichtbar.

»Ich wollte Sie fragen, ob wir uns wohl einmal miteinander unterhalten könnten. Darf ich hereinkommen?«

Sie zog das Moskitonetz zur Seite. »Bitte treten Sie ein, Dr. Davison.«

Er folgte Jasmina ins Zeltinnere und wartete, bis seine Augen sich den veränderten Lichtverhältnissen angepaßt hatten, bevor er sich auf einem der beiden Klappstühle niederließ. Er sah sich im Zelt um und stellte fest, daß er sie bei einer Arbeit am Mikroskop unterbrochen hatte. »Wie geht es Halstead?«

Jasmina nahm auf dem anderen Stuhl Platz und verschränkte ihre Hände im Schoß. »Es wird ihm bald bessergehen«, antwortete sie mit sanfter Stimme. »Ich habe ihm ein Beruhigungsmittel gegeben, so daß er jetzt schläft.«

»Was ist die Ursache für seine ständigen Blutungen?«

»Ich glaube, daß die Aussicht auf die Entdeckung des Grabes ihn zu sehr in Aufregung versetzt hat und daß dies wiederum seinen Blutdruck hochgetrieben hat. Vielleicht reagiert seine Nase aber auch empfindlich auf den Sand. Vorsichtshalber werde ich ihn von jetzt an einen Atemschutz tragen lassen.«

»Er hat eine Menge Blut verloren.«

»Nicht mehr als einen halben Liter. Wenn es überall verspritzt ist, sieht es nach viel mehr aus, als es in Wirklichkeit ist. Der Blutverlust wird ihn nur ermüden.«

»Gott, ich dachte schon, er würde verbluten.«

»Darf ich Ihnen eine Tasse Tee anbieten?« fragte Jasmina nach kurzer Überlegung.

Mark schüttelte den Kopf. Er versuchte, seinen Blick nicht im Zelt umherschweifen zu lassen, konnte seine Neugierde aber nicht recht im Zaum halten. Unwillkürlich starrte er auf einen Streifen Fliegenpapier, der über ihrem Bett hing und mit Insekten gespickt war. Manche von ihnen zappelten noch. Er schaute weg und deutete mit dem Kopf auf das Mikroskop. »Darf ich fragen, wozu Sie das Mikroskop benötigen?«

»Ich brauche es für Arbeiten in meinem Spezialgebiet, Dr. Davison. Ich befasse mich mit Parasitologie. In dieser Gegend leiden viele Menschen an schrecklichen Krankheiten, die durch im Boden lebende Parasiten übertragen werden. Durch angemessene Aufklärung könnten sie leicht davor geschützt werden. Im Augenblick gilt mein besonderes Augenmerk der Bilharziose. Sie wird durch einen Saugwurm hervorgerufen, dessen Larven im Boden leben und durch die Haut in den menschlichen Körper eindringen. Die Fellachen verrichten ihre Notdurft, wo immer sie sich gerade aufhalten, und mit dem Urin der Infizierten gelangen die Parasiten in den Boden. Später laufen andere Leute barfuß über denselben Boden. Die Larven dringen in die Blutbahn ein und verzehren die roten Blutkörperchen. Ein an Bilharziose Erkrankter kann im Alter von fünfundzwanzig Jahren sterben und nicht wissen, wie leicht er seinen frühen Tod hätte verhindern können.«

Jasmina senkte den Blick. Ihr Wortschwall machte sie plötzlich verlegen. »Ich möchte ein Heilmittel gegen all diese Krankheiten finden und einen Weg, wie man die Leute aufklären kann. Aber sie sind ungebildet und für moderne medizinische Erkenntnisse nur schwer zugänglich.«

»Kommen Sie deswegen so schlecht mit der alten Frau aus?«

Jasmina schaute auf; ihr Blick flackerte unruhig. »Sie verachtet mich meiner westlichen Einstellung wegen.«

»Wissen Sie, was die Tätowierung auf ihrer Stirn zu bedeuten hat?«

»Samira ist Koptin. Die Tätowierung erinnert an das Jahr, in dem sie eine Pilgerfahrt nach Jerusalem machte.«

»Koptin...«

»Dr. Davison«, der Anflug eines Lächelns umspielte Jasminas Mund, »ich habe zufällig mitbekommen, was Sie zu Mr. Domenikos sagten. Ich fand Ihre Reaktion einfach großartig.«

»Hm, na ja...« Mark fuhr sich mit den Händen über die Knie und dachte verlegen darüber nach, wie er die Unterhaltung beenden könnte. »Sie brauchen dringend einen Ventilator hier im Zelt. Vielleicht wird das die Fliegen draußen halten.«

Ihre Miene verdüsterte sich ein wenig. »Sie bringen da einen Punkt zur Sprache, Dr. Davison, der mir ziemlich große Sorgen bereitet. Wenn ich nämlich die Eingangsplane öffne, um eine Fliege herauszulassen, kommen zehn andere herein. Anscheinend werde ich besonders von ihnen heimgesucht, denn außer mir hat sich noch niemand darüber beschwert.«

Marks Blick schweifte wieder zu dem spiralförmigen Band, das von der Zeltdecke herabhing. Es war nun dicht mit Fliegen besetzt. »Großer Gott! Wie lange hängt der Fliegenfänger schon hier?«

»Seit heute morgen.«

Mark runzelte die Stirn. »Die Biester sind wohl scharf auf Medikamente.«

»Und nachts, wenn die Fliegen schlafen, plagen mich die Stechmücken. Die Moskitonetze scheinen überhaupt nichts zu nützen.«

»Ich werde Abdul danach sehen lassen.«

Jasmina lächelte erneut, und das überraschte Mark. In dem sanften Licht und der Wärme ihres Zeltes fühlte er sich genötigt, ihren Blick freundlich zu erwidern. Sie hatte eine ganz besondere Art, ihn anzusehen: Es kam ihm vor wie eine Bewertung, als wäre er ein Mann, dem sie einerseits mißtraute, zu dem sie sich andererseits aber hingezogen fühlte; der sie faszinierte und doch gleichzeitig mit Verachtung erfüllte.

Ihre Augen waren unbeschreiblich schön. Es kam ihm aber so vor, als ob ein Schleier die untere Hälfte ihres Gesichtes verbarg; der Schleier, den zu tragen ihre Mutter und Großmutter gezwungen gewesen waren. Seit den Tagen Mohammeds hatten Generationen von Frauen darunter zu leiden gehabt, daß ihre Wangen, Nasen und Münder verhüllt sein mußten, und vielleicht hatten sie deshalb im Laufe der Zeit sinnliche Augen entwickelt, mit denen sie einen Mann beglücken oder vernichten konnten.

Mark vermutete, daß sie sich nicht bewußt war, wie sie ihn ansah und daß Jasmina nicht ahnte, welche Wirkung ihre Augen auf ihn hatten. Aber ganz sicher war er sich nicht.

»Ich denke, ich sollte mir jetzt Abduls Bericht anhören. Bitte teilen Sie mir mit, wenn Mr. Halsteads Zustand sich verändert.«

Jasmina erhob sich mit ihm. »Jawohl, Dr. Davison.«

Er schritt auf den zugehängten Ausgang des Zeltes zu und drehte sich im letzten Moment noch einmal um. »Hören Sie, wir werden wahrscheinlich den ganzen Sommer über hier sein und eng zusammenarbeiten. Warum wollen wir uns jetzt nicht gleich mit dem Vornamen anreden?«

Jasmina stand ein paar Schritte von ihm entfernt und ließ eine Hand auf dem Arbeitstisch ruhen. Eine ziemlich lange Weile verging, bevor sie leise erwiderte: »Ich werde es versuchen.«

Sie hatten nichts gefunden. Sechs Stunden Erkundungsarbeit im Gelände hatten absolut nichts ergeben. Aber im Grunde war Mark nicht überrascht. Erst die Arbeit der nächsten paar Wochen, die eingehende Erforschung jedes Gitterquadrats und vielleicht das Ausheben einiger Probelöcher an besonders vielversprechenden Stellen, würde zu Ergebnissen führen. Er saß an seinem kleinen Schreibtisch und las beim Schein des unbeständigen Generatorlichts Ramsgates Tagebuch, wobei er jeden Satz, jedes Wort, in der Hoffnung, etwas zu entdecken, was er übersehen hatte, einer eingehenden Prüfung unterzog. Am 1. Juli war die alte *Sebbacha* mit dem obersten Fragment einer Stele, in das sieben wunderliche Figuren gemeißelt waren, in Ramsgates Lager gekommen und hatte erklärt, das Grab befinde sich »unter dem Hund«. Am 16. Juli hatte Ramsgate den Sockel der Stele gefunden, auf dem die Lage des Grabes in Form eines Rätsels beschrieben war: »Wenn Amun-Ra stromabwärts fährt, so liegt der Verbrecher darunter; um mit dem Auge der Isis versehen zu werden.« Und dann, endlich, am 19. Juli, schrieb er: »Wo mein Auge schon hundertmal achtlos vorbeistreifte, hat es den Hund schließlich wahrgenommen. Jetzt weiß ich, wie kinderleicht die Antwort auf das Rätsel ist...«

Mark lehnte sich zurück und rieb sich den Hals. Es war zwecklos. Ramsgate drückte sich bei der Beschreibung des Grabungsortes einfach zu ungenau aus. Da hieß es lediglich: »...kreisförmige Gräben im Sand... Mohammed überwachte die Gruppen bei der Arbeit.«

Mark schlug das Buch zu, nahm Pfeife und Tabaksbeutel und ging nach draußen.

Er durchquerte das Camp und blickte zu den Ruinen der Arbeitersiedlung hinüber, die von den Lagerfeuern der Fellachen erleuchtet wurden. Von ferne hörte er Männerstimmen, die, begleitet von einfachen Holzblasinstrumenten, traurig klingende Lieder sangen.

Mark ließ sich auf der alten Schlammziegelmauer nieder und zündete seine Pfeife an. Er dachte an Nancy und überlegte, ob er ihr nicht einen Brief schreiben und ihn von El Minia aus abschicken sollte. Er wünschte, sie hätte ihn begleitet. Es wäre schön, sie jetzt hier zu haben, sich mit ihr zu unterhalten, mit ihr zu schlafen und noch einmal zu versuchen, ihr begreiflich zu machen, was ihm die Arbeit im Gelände bedeutete...

Plötzlich stieg ihm der Duft von Gardenien in die Nase.

»Darf ich mich zu Ihnen setzen?«

Aufgeschreckt fuhr er herum und schaute auf. Wie eine Walküre hob sich Alexis gegen den Sternenhimmel ab. Sie hielt etwas in den Händen.

»Bitte sehr.« Mark rückte ein wenig zur Seite, um ihr Platz zu machen. »Wie geht es Ihrem Mann?«

»Wir mußten das Hemd und die Hose verbrennen, weil sich das Blut nicht herauswaschen ließ. Trinken Sie ein Glas mit mir?«

Mark blickte hinunter auf die Flasche und die beiden Gläser, die sie mitgebracht hatte, und erkannte flüchtig das Etikett.

Glenlivet. Schottischer Malt-Whisky. »Ja, gerne.«

Alexis goß ein wenig in jedes Glas, reichte eines davon Mark und stellte die Flasche zwischen ihre Füße in den Sand.

Für eine Weile nippten beide schweigend an ihrem Glas. Immer wieder warf Alexis ihr Haar zurück. Mark fühlte sich unwohl in ihrer

Gegenwart. Die Kälte, die Alexis Halstead ausstrahlte, ließ sich wohl am ehesten mit einem Bad in eisigem Wasser vergleichen – belebend, aber nicht unbedingt angenehm.

»Dr. Davison, wann werden wir die anderen Gräber besuchen?«

»Ich fürchte, dazu werden wir keine Zeit haben. Mit Besichtigungsfahrten ist jetzt Schluß. Wir sind hier, um zu arbeiten, und mit jedem Tag, den wir vergeuden, rückt der Ramadan und die heißeste Zeit des Sommers näher heran.«

»Wie schade!«

Sie verstummten wieder. Obwohl sie so dicht nebeneinander saßen, daß sie sich fast berührten, sahen sie einander nicht an.

»Ich rieche Haschisch«, meinte Alexis.

»Es kommt von der Arbeitersiedlung. Sie rauchen es jeden Abend.«

Alexis lachte kurz und bitter auf. »Ich kann die Lebensweise dieser Leute nicht begreifen. Sie erscheint mir so menschenunwürdig und freudlos. Wenn man sich vorstellt, daß sie einem Mädchen die Klitoris wegschneiden! Die Frauen ahnen nicht einmal, was ihnen dadurch entgeht!«

Mark gab keine Antwort. Er grübelte über das arabische Wort dafür nach. Dann fiel es ihm ein: *barda*. Es bedeutete »kalt, eisig«.

»Dr. Davison?«

»Ja?«

»Sehen Sie mich an.«

Er gehorchte.

Alexis öffnete den Mund, um zu sprechen, hielt aber im letzten Augenblick inne. Ihre feuchten, roten Lippen klafften ein wenig auseinander. Ihre grünen Augen schienen sich zu verschleiern, und ihr Gesichtsausdruck erstarrte. Dieser Zustand dauerte nur ein paar Sekunden, dann verging er wieder, und sie sagte leise: »Erzählen Sie mir wieder über ägyptische Gräber, Dr. Davison.«

»Was wollen Sie wissen?« fragte er verwirrt.

Sie wandte den Blick von ihm ab und starrte ausdruckslos in die Ferne. »Die Ägypter setzten alles daran, um die Körper ihrer Toten zu erhalten. Sie scheuten keine Mühe und wandten die ausgeklügeltsten Listen an, um die Grabstätten vor Entdeckung zu schützen. Warum?«

»Weil die alten Ägypter glaubten, daß es nur dann ein Leben nach dem Tod geben konnte, wenn der Körper unversehrt war. Solange der Körper vollständig erhalten blieb, konnte die Seele das Jenseits genießen, das nach Vorstellung der Ägypter in den Gebirgswüsten des Westens lag. Die Kunst der Einbalsamierung ist niemals wiedererschaffen worden und sucht in der Geschichte ihresgleichen. Bis heute sind uns die Geheimnisse der alten Ägypter, den Leichnam vor Verwesung zu bewahren, nur unvollständig bekannt. Und was das Verstecken der Toten anbelangt, Mrs. Halstead, so geschah dies, um sie vor Grabräubern zu schützen. Damit die Seele ein Leben nach dem Tod führen konnte, mußte der Name des Verstorbenen irgendwo auf seinem Körper geschrieben stehen. Üblicherweise benutzte man dazu goldene Amulette und Armbänder, auf die Grabräuber natürlich besonders erpicht waren. Wenn diese Gegenstände gestohlen und damit vom Leichnam entfernt wurden, hörte die Seele auf zu existieren.«

Alexis holte tief Atem und hielt ihn lange an, bevor sie ihn herausließ und flüsterte: »Ist das der Grund, warum... ist das der Grund, warum...«

Er wartete.

Alexis verfiel in ein leeres Starren, wobei sie weder atmete noch blinzelte.

»Ist das der Grund... *wofür*, Mrs. Halstead?«

Sie regte sich kaum merklich, sah dann schließlich zu Mark auf und runzelte die Stirn. »Wie bitte?«

Mark betrachtete sie einen Augenblick. »Fühlen Sie sich nicht ganz wohl?«

»Doch, doch... Es ist nur...«

»Nur was?«

Sie schaute auf das Glas in ihrer Hand und schien überrascht, es dort zu sehen. »Ich bin müde, Dr. Davison. Ich hatte letzte Nacht Alpträume und bin mit dem Gefühl aufgewacht, überhaupt nicht geschlafen zu haben.« Sie erhob sich etwas schwankend und nahm die Flasche Glenlivet an sich.

»Entschuldigen Sie, ich werde mich jetzt zurückziehen...«

Mark sah Alexis nach, die über den Sand zu schweben schien. Ihre sonnengebräunten Arme und Beine wirkten im Mondlicht seltsam weiß. Als er den letzten Rest seines Whiskys hinunterstürzte, hörte er schwere Schritte hinter sich. Kurz darauf stand Ron Farmer vor ihm.

»Was ist los?«

»Ich habe die Schnauze voll!«

»Setz dich und erzähl mir, was passiert ist.«

Ron ließ sich auf die Mauer plumpsen und starrte mit hängenden Schultern vor sich in den Sand. »Was trinkst du da?«

»Whisky. Was gibt's?«

»Hier, schau dir das an.« Ron warf Mark einen Filmstreifen zu.

»Was ist das?«

»Negative der Aufnahmen, die ich im Königsgrab gemacht habe.«

Mark versuchte, im Mondlicht auf dem Film etwas zu erkennen. »Und?«

»Sie sind verschwommen, verdammt noch mal, allesamt verschwommen.«

»Vielleicht ist Licht in die Kamera eingedrungen.«

»Dann müßten aber auch die anderen Bilder auf dem Film verschwommen sein. Aber das ist nicht der Fall. Die Fotos, die ich machte, bevor wir hineingingen, und die, die ich später draußen aufnahm, sind alle einwandfrei. Nur die im Grab, die, auf denen du zu sehen bist, sind verschwommen.«

»Vielleicht gab es im Grab nicht genügend Licht...«

»Das ist ein Vierhunderter-Film, Mark, und noch dazu in einer automatischen Kamera! Bei einer OM-2 können solche Fehler einfach nicht auftreten!«

»Ich gebe mich geschlagen.« Mark gab ihm den Film zurück. »Leg dich ein wenig aufs Ohr, Ron. Jasmina sagte mir, du hättest dir schon wieder den Kopf aufgeschlagen, als du über die Bank fielst.«

»Ich konnte es nicht vermeiden. Dieser Lackaffe hat sein Blut über meine Bohnen gespritzt!« Ron stand auf. »Werden wir morgen dein Planquadrat erkunden?«

»Ich habe das vielversprechendste für mich selbst aufgehoben... Gute Nacht, Ron.«

Mark wartete, bis die Schritte seines Freundes nicht mehr zu hören waren, bevor er sich ebenfalls erhob. Allmählich spürte er die Auswirkungen des anstrengenden Tages und hoffte, in dieser Nacht besser zu schlafen.

Er wollte sich eben zum Gehen wenden, als er plötzlich wie angewurzelt stehenblieb.

Vor sich in der Dunkelheit sah er eine geisterhafte Frauengestalt, die ihn beobachtete.

Elf

Mark ließ sich auf ein Knie nieder, entfernte den Sand von dem Gegenstand und musterte ihn von allen Seiten. Dann sah er sich nach Ron um.

Sein Freund hielt sich in der Nähe auf, wo er mit einem Stock im Sand herumstocherte und den Boden des Cañons mit einem Vergrößerungsglas untersuchte. Sanford Halstead und Jasmina saßen mit ausgestreckten Beinen im Schatten des Steilhangs und lehnten sich gegen die Felswand. Sanford Halstead hatte darauf bestanden, Mark an diesem Morgen zu begleiten, und da sich der Mann durch nichts davon abbringen ließ, hatte Mark Jasmina gebeten, ebenfalls mitzukommen. Sanford Halstead ging es heute wieder gut, und seine Nase spielte ihm keine üblen Streiche mehr. Aber vorsichtshalber trug er die weiße Operationsmaske, die Jasmina ihm aufgenötigt hatte.

Das Gebiet, das Mark für sich ausgewählt hatte, lag zehn Kilometer wadiaufwärts, an der Stelle, wo ein Arm der Schlucht sich zu einem sandigen Cañon verbreiterte, der auf drei Seiten von steil abfallenden Felswänden umgeben war. Mark hatte sich dieses Gebiet ausgewählt, weil sich bei ihm eine zunächst vage Idee und einige daran anschließende Überlegungen zu einer bestimmten Vorahnung verdichtet hatten. Es lag doch nahe, sich vorzustellen, daß die Amun-Priester das neue Grab Echnatons nicht allzuweit von dem alten ausgehoben hatten, jedoch am äußersten Rand von dessen Herrschaftsgebiet.

Nach vier Stunden Suche wurde er fündig.

»Ron! Bring den Fotoapparat her!« rief er. Seine Stimme wurde von den Cañon-Wänden zurückgeworfen.

Im Nu war sein Freund neben ihm und beugte sich zu ihm hinunter.

»Was hast du da gefunden? Laß es mich einmal näher ansehen...«

»Ich will ein Foto davon *in situ*, so, wie wir es vorgefunden haben, bevor ich es vollständig ausgrabe.« Mark zog ein fünfzig Zentimeter langes Lineal aus seiner Feldtasche und legte es längs des Gegenstandes auf den Boden.

»Denkst du, es ist von Bedeutung?« fragte Ron, während er die Blende scharf einstellte.

»Es sieht alt aus.«

»Aber jeder x-beliebige könnte es hier hinterlassen haben. Ein Mitglied der Peet-Woolley-Expedition ist vielleicht bei einem Jagdausflug so weit heraufgekommen.«

»Das würde mich wundern...« Mark verharrte in kniender Stellung, bis Ron seine sechs Aufnahmen gemacht hatte. Dann hob er die Pistole vorsichtig aus dem Sand.

Er hatte jeden Quadratzentimeter des Cañonbodens systematisch abgesucht. Er hatte seine Stiefel in den Sand gegraben, Felsbrocken beiseite gewälzt, sich über ein riesiges Vergrößerungsglas gebeugt und sich immer wieder hingekniet, um den Sand mit den Händen zu untersuchen. Endlich war er mit den Fingerkuppen auf etwas Hartes gestoßen.

»Kennst du dich mit Pistolen aus?«

»Das fragst du mich? Ich habe zwar einmal den Pacific Coast Highway mit vierundzwanzig Autos blockiert, um die Laster von Dow Chemical am Durchfahren zu hindern, aber von Waffen habe ich nun wirklich keine Ahnung.«

Mark wog die Pistole in den Händen. »Ich frage mich, ob es etwas zu bedeuten hat.«

»Was haben Sie da?« rief Halstead.

Mark hängte seine Feldtasche um und ging mit großen Schritten zu dem Platz, wo Sanford Halstead saß. Er hielt ihm die Schußwaffe hin.

»Kennen Sie sich mit so etwas aus?«

Halstead machte große Augen. Er sprang auf, packte die Pistole und drehte sie prüfend nach allen Seiten. »Ich bin ein Waffenexperte, Dr. Davison. Ich sammle alte Pistolen.«

»Können Sie mir den Typ und das Alter von dieser hier sagen?«

»Es handelt sich um einen Beaumont-Adams-Doppelaktions-Revolver. Er wurde Mitte des neunzehnten Jahrhunderts in England entwickelt und war sehr beliebt, weil durch die einfache Abzugsbewegung gleichzeitig der Hahn gespannt und der Schuß abgefeuert wurde. Wenn ich mich recht entsinne, wurde er bereits mit Zentralfeuerpatronen geladen.« Halstead versuchte, die sechskammerige Revolvertrommel zu öffnen, was ihm jedoch nicht gelang.

»Wie alt ist er?«

»Das ist schwer zu sagen, Dr. Davison, denn er ist durch die Witterung stark beschädigt worden.« Er drehte und wendete die Waffe in den Händen und unterzog jedes Teil einer aufmerksamen Prüfung, bis er zum Kolben kam. Das Holz war ausgebleicht und angegriffen, doch mit einiger Mühe konnte man noch immer eine Gravur darauf erkennen. »Gestatten Sie?« Halstead nahm das Vergrößerungsglas und studierte schweigend die Buchstaben.

»Was steht darauf?«

»Leider kann ich nicht den vollständigen Namen ausmachen, aber wie es scheint, gehörte die Pistole Sir Robert.«

Mark nahm die Waffe und das Vergrößerungsglas und untersuchte sie mit derselben Sorgfalt. »Sie haben recht«, murmelte er. »Zumindest sieht es so aus.« Er fuhr herum. »In Ordnung, Ron, machen wir uns wieder an die Arbeit!«

Der Sack-Cañon war trapezförmig, wobei seine breiteste Stelle am hinteren Ende lag. Er verengte sich am Eingang auf ungefähr fünfzig Meter und schrumpfte dann zu einem schmalen Durchlaß, der sich zum Hauptwadi zurückschlängelte. Die Landrover mußten langsam hintereinander herfahren. Dann wurde die Arbeitsgruppe nach einem neu entworfenen Gitternetz auf das Wadi verteilt. Diesmal bekam jeder Mann ein Quadrat zugewiesen, das nur ein Fünftel so groß war wie das, das er vorher erkundet hatte. Trotzdem war es noch immer ein ausgedehntes Gebiet – der Cañon hatte die Größe von zwei Fußballfeldern –, und sie würden Tage brauchen, um alles gründlich abzusuchen.

Während Abdul und seine beiden Helfer die Fellachen beaufsichtigten und sicherstellten, daß sie gewissenhaft jeden Stein und jeden Felsen genau unter die Lupe nahmen und den Boden gründlich absuchten, als gälte es, ein verlorenes Goldstück aufzuspüren, verweilten Mark und Ron bei den Landrovern, wo sie ihr zeitweiliges Hauptquartier aufgeschlagen hatten. Mark hatte seine neue Karte auf der Motorhaube ausgebreitet und mit Steinen beschwert. In regelmäßigen Abständen suchte er den Cañon mit seinem Fernglas ab. Jasmina Schukri saß unterdessen in einem der Fahrzeuge und hielt sich in der Mittagshitze für die Behandlung von Skorpionstichen und Schlangenbissen bereit. Hasim al-Scheichly lief umher und machte sich Notizen. Alexis hatte es vorgezogen, im Lager zu bleiben; sie hatte über starke Kopfschmerzen geklagt.

Es war Sanford Halstead, der die Feuerstelle entdeckte. Er hatte darauf bestanden, an der Suche teilzunehmen, und hatte sich eine Parzelle im Schatten der Felswand ausgesucht. Eine halbe Stunde hatte er schon damit verbracht, mittels einer Brechstange Felsen beiseite zu stemmen, als er fündig wurde.

Auf sein erregtes Rufen hin eilten alle herbei. Abdul befahl den Fellachen, eine Ruhepause einzulegen, und lief mit großen, steifen Schritten über den Sand. Jasmina, die meinte, Halstead sei einer Schlange begegnet, kam mit ihrer Arzttasche angerannt. Mark ließ sich vor der Fundstelle auf die Knie fallen, und Ron begann sofort, Aufnahmen zu machen.

»Löffel und Gabeln«, stellte Mark aufgeregt fest, »alle geschwärzt und verbrannt, aber erkennbar. Dort drüben liegt eine Brille vom alten Drahtgestell-Typ. Was ist das? Es sieht aus wie ein Füllfederhalter. Ein Stoffetzen...« Mark sprach schnell und atemlos, berührte aber nichts.

Dann sah er zu den anderen auf und meinte: »Das hier ist mehr als eine Kochstelle. Es ist der Ort, wo die Soldaten des Paschas alles verbrannt haben.«

Ein Wind wehte von der Hochebene herunter und fegte pfeifend durch den Cañon. Eine furchteinflößende Stille legte sich über die Gruppe der drei Amerikaner und drei Ägypter, als sie auf die jämmerlichen Überreste von Ramsgates Expedition hinunterblickten. Dann entdeckte Ron etwas, das ihn trotz der Mittagshitze erschauern ließ.

»Schaut mal dort. Was ist das...?«

Alle fuhren herum und starrten in die Richtung, in die er deutete. »Es sieht aus wie ein Knochen«, sagte Hasim.

»Ob er wohl von einem Menschen stammt?« flüsterte jemand anders.

Aber niemand antwortete. Der Wind frischte auf und peitschte so stark durch die Gruppe, die um die verkohlte Feuerstelle herum stand, daß Haare und Kleidung flatterten. Nach einer ganzen Weile stand Mark endlich auf und erklärte: »Ich will, daß wir hier eine Grabung durchführen.«

Nun wurde es allmählich notwendig, das Laborzelt für die bevorstehenden Analysen herzurichten, und Mark war froh, daß ihm diese Aufgabe keine Zeit zum Nachdenken ließ. Nachdem er und Ron Löcher in den Sand gegraben und die betreffende Parzelle durch ein Seil abgesperrt hatten, waren die Fellachen beim Wegrollen der Felsbrocken auf weitere verkohlte Knochen gestoßen. Alle stammten von Menschen.

Es bestand kein Zweifel mehr darüber, was mit den Leichnamen der Ramsgate-Expedition geschehen war.

Mark konnte sich nicht erklären, warum ihm diese Entdeckung so naheging. Sein ganzes Leben war dem Studium der toten Dinge gewidmet, und das Ausgraben von Leichen gehörte zu seinem Beruf. Aber diesmal stellte sich alles ganz anders dar. Es ging hier um die Überreste von Leuten, die vor gar nicht so langer Zeit gelebt hatten und die sich in ihrer Denkweise nicht allzusehr von ihm selbst unterschieden haben mochten. Beim Umgang mit ihren Knochen spürte er eine vertraute Nähe, die er bei der Zerlegung dreitausend Jahre alter Mumien niemals empfunden hatte.

Hasim al-Scheichly hatte ihn in diese nachdenkliche Stimmung versetzt. Nachdem er einen Schädel freigelegt hatte, an dem noch immer weiße Haarbüschel klebten, hatte der junge Araber gefragt: »Wollen Sie den Toten ein christliches Begräbnis geben?« Mark hatte nicht gewußt, was er darauf erwidern sollte. Er war Atheist und glaubte nicht an ein Leben nach dem Tod. Mark wußte zunächst gar nicht, was er von Hasims Vorschlag halten sollte, und so ließ er die Frage unbeantwortet. Im Augenblick sorgte Abdul dafür, daß die Knochen vorsichtig in eine Kiste gelegt wurden und daß alles, was von der Ramsgate-Expedition übriggeblieben war, von dem Scheiterhaufen wegtransportiert wurde. Später, nachdem man die Kiste versiegelt und eingelagert hätte, würde Mark sich überlegen, was damit geschehen sollte.

Als Abduls Helfer mit den ersten ausgegrabenen Gegenständen ankamen, war Mark fertig mit der Vorbereitung des Laborzelts.

Dieses Zelt war größer als die übrigen, denn es diente zugleich als Lagerraum für alle Vorräte mit Ausnahme der Lebensmittel. Sperrige Ausrüstungsgegenstände – Spitzhacken, Schaufeln, Kellen, Eisenspitzen und Stangen – lagen in ungeöffneten Kisten unter den Arbeitstischen. Ein kleiner Ventilator surrte in einer Ecke, um die Luft in Bewegung zu halten, während Mark arbeitete. Auf der »schmutzigen« Arbeitsplatte hatte er die Reinigungsgeräte angeordnet: Pinsel, Lappen, Bürsten, Paraffinwürfel, Wasserschalen, Pinzetten und Messer verschiedener Größen. Hier legten die Fellachen behutsam die eingesammelten Gegenstände nieder: geschwärzte und verbogene Metallstücke, angesengte Stoff- und Papierfetzen, Tonscherben und Holzsplitter.

Nachdem Mark jedes Stück gereinigt und katalogisiert hatte, schob er es auf den »sauberen« Tisch hinüber, auf dem Zeichenblöcke, Bleistifte, Kugelschreiber, Winkelmesser, Lineale, Geodreiecke, ein Vergrößerungsglas, ein Mikroskop und ein Logbuch lagen. Er arbeitete schweigend und konzentriert.

Jasmina kehrte mit der nächsten Fuhre ins Camp zurück. Ron, Hasim und Halstead waren am Ausgrabungsort geblieben und gingen dort ihren jeweiligen Tätigkeiten nach: Ron fotografierte, Hasim protokollierte den Fortgang der Arbeit, und Halstead sah ihnen dabei zu. Jasmina erschien im Eingang des Arbeitszelts und räusperte sich höflich.

Mark, der auf einem hohen Hocker saß und gerade einen Elfenbeinkamm von Ruß befreite, schaute auf. »Hallo, kommen Sie doch herein. Was macht die Arbeit?«

»Mr. Rageb ist schon beim letzten Stück angekommen.«

»Prima. Dann können wir ja morgen damit beginnen, die Gräben auszuheben. Wie geht es Halstead? Sind wieder Probleme mit seiner Nase aufgetreten?« Sie zuckte mit den Schultern, was sonst gar nicht ihre Art war, und blieb weiterhin zögernd im Eingang stehen.

Mark griff unter die Werkbank und zog einen weiteren Hocker darunter hervor. »Ich fürchte, Sie nehmen mir mein bestes Licht.«

»Entschuldigung.« Jasmina trat ein und zog den Hocker zu sich heran. Sie kletterte darauf, stellte ihre Füße auf eine Sprosse und fragte dann: »Dr. Davison, darf ich mich mit Ihnen über etwas unterhalten, das mir Sorgen bereitet?«

Er legte den Kamm beiseite und wischte sich die Hände an seinen olivgrünen Arbeitshosen ab. »Natürlich. Worum geht es?«

Die junge Frau sah sich im Zelt um und wußte offenbar nicht, wie sie beginnen sollte. »Es ist wegen der Knochen, Dr. Davison. Irgend etwas stimmt nicht mit ihnen. Es muß da etwas ganz Schreckliches passiert sein.«

»Ach ja?«

Sie vermied es, ihn anzusehen, während sie mit gedämpfter Stimme weitersprach. »Als die Fellachen die Knochen aus dem Sand zogen und in die Kiste legten, habe ich sie untersucht. Die Knochen weisen Wunden auf, Dr. Davison, Brüche und Risse. Ein Schädel ist völlig verbeult, was von massiver physischer Einwirkung zeugt.«

»Wahrscheinlich ist das auf die Felsbrocken zurückzuführen. Entweder wurden sie von den Soldaten des Paschas über die Leichen gerollt, oder sie sind vom Plateau heruntergestürzt...«

»Nein, Dr. Davison. Daran habe ich auch zuerst gedacht, doch dann verglich ich die Verletzungen an den Knochen mit der Form der Steine, die darüber lagen, und konnte keine Übereinstimmung feststellen. Außerdem liefern die Felsbrocken keine Erklärung dafür, daß die Knochen überall verstreut sind. Schädel liegen meterweit von Rippen und Armen entfernt. Dr. Davison«, Jasmina blickte zu ihm auf, »die Körper wurden zerstückelt, bevor sie verbrannt wurden.«

Mark spürte, wie sich seine Nackenhaare sträubten. »Das ist offensichtlich das Werk von Aasfressern, wahrscheinlich Hunden.«

»Dr. Davison, wenn ein Hund einen Kadaver zerreißt, dann schleppt er das Beutestück weit weg, um ungestört fressen zu können. Wenn diese Leichname von Aasfressern angerührt worden wären, so hätten wir die Knochen über den ganzen Cañon-Boden verstreut gefunden. Es ist aber vielmehr so, als ob...«

»Als ob was?«

»Als ob die Leichen zerhackt und danach Stück für Stück ins Feuer geworfen worden wären.«

»Das ist doch absurd! Warum sollten die Männer des Paschas so etwas tun?«

»Vielleicht haben sie sie schon so vorgefunden.«

Mark starrte Jasmina verwundert an und wollte eben etwas erwidern, als seine Überlegung durch ein Geräusch unterbrochen wurde.

Jasmina wandte den Kopf. »Was ist das?«

Mark lauschte. Es war ein tiefes, vibrierendes Summen, das wie ein Rohrblattinstrument, etwa ein Fagott, in den niedrigen Tonlagen klang. Es spielte vier Noten in einer sich ständig wiederholenden, rhythmischen Tonfolge, wobei es von weit her und doch ganz aus der Nähe zu kommen schien. »Ein Fellache, der auf einer Hirtenflöte spielt«, meinte Mark stirnrunzelnd.

Sie schüttelte den Kopf. »Da singt doch jemand, Dr. Davison. Hören Sie, das sind Wörter.«

Neugierig geworden, glitt Mark von seinem Hocker herunter und trat nach draußen; Jasmina folgte ihm. In der sengenden Nachmittagssonne liefen sie um das Camp herum, bis sie die Rückseite des Gemeinschaftszeltes erreichten. Dort fanden sie die alte Samira, die neben dem Steinofen im Schneidersitz auf dem Boden kauerte und mit geschlossenen Augen und wiegendem Oberkörper sang.

»Was hat das zu bedeuten?«

»Sie scheint in Trance zu sein.«

Die alte Frau setzte ihren magischen Sprechgesang unbeirrt fort. Mark beugte sich zu ihr herunter und sah, daß ihr glänzender, brauner Speichel aus dem Mundwinkel tropfte. Als ein Schatten über ihn fiel, schielte Mark nach oben und erkannte Abdul, der sich ein bißchen herunterbeugte. »Wir sind fertig, Effendi. Die Männer haben die letzten Fundstücke ins Arbeitszelt gebracht.«

Mark richtete sich auf und stemmte die Hände in die Hüften. »Ich möchte, daß Samira durch jemand anderes ersetzt wird.«

»Hat sie etwas Unrechtes getan, Effendi?«

»Sie ist völlig berauscht, Abdul. Offensichtlich kaut sie irgendwelche Blätter. Es ist mir egal, was sie während ihrer freien Zeit tut, aber wenn sie für mich arbeitet, soll sie gefälligst einen klaren Kopf haben. Stell jemand anderes für sie ein!«

Als Mark sich zum Gehen wandte, erhob die alte Fellachin plötzlich ein markerschütterndes Geheul, und als er zu ihr hinunterblickte, bemerkte er, daß sie ihn mit glühenden, schwarzen Augen anstarrte. Samira hatte aufgehört, ihren Körper hin und her zu wiegen, und sprach nun laut und nachdrücklich.

»Was sagt sie? Ich verstehe sie nicht.«

»Sie warnt Sie vor drohender Gefahr, Effendi.«

Mark blickte finster auf Samiras faltiges Gesicht herab. Er beobachtete, wie sich die dünnen Lippen rasch über zahnlose Kiefer bewegten und dabei Worte hervorstießen, die ihm fremd waren und doch einen seltsam vertrauten Klang besaßen.

»Sie spricht nicht arabisch.«

»Nein, Effendi, sie spricht die alte Sprache.«

»Koptisch?« Mark drehte sich zu Abdul um. »Bist du sicher? Ich habe diesen Dialekt nie zuvor gehört.«

Samiras Stimme schnarrte weiter. Jetzt wiederholte sie Sätze, und Mark schnappte ein paar Worte auf, die er kannte. Im Rahmen seiner Doktorarbeit über die gesprochene Sprache des alten Ägypten hatte Mark sich auch mit der koptischen Sprache auseinandergesetzt. Niemand wußte, wie die Sprache der Pharaonen geklungen hatte, weil die Ägypter in ihrer Schrift Vokale ausließen. Die Hieroglyphen waren eine Konsonantenschrift. Die Kopten, ein christliches Volk, dessen Kirche der Legende nach vor zweitausend Jahren vom heiligen Markus gegründet worden war, waren Nachfahren der alten Ägypter und behaupteten von sich, die alte pharaonische Sprache weitergeführt zu haben. So hatte Mark Davison in seinem Bemühen, die Sprache in ihrem ursprünglichen Klang wiederherzustellen, die Entwicklung koptischer Wortstämme bis in uralte Zeiten zurückverfolgt und hatte viele von ihnen in hieroglyphischen Texten wiedergefunden. Die Schwierigkeit bestand darin, daß das Koptische jahrtausendelang durch fremde Einflüsse überlagert worden war, so daß Marks Theorie über den Klang der alten Sprache nicht restlos bewiesen werden konnte.

Mark schaute auf die Greisin herab. Durch aufmerksames Hinhören war er imstande, Schlüsselwörter zu erhaschen, und während er auf ihre Worte lauschte, spürte er, wie ihn ein prickelndes Gefühl durchfuhr. »Woher kommt sie?«

»Sie wohnt in Hag Qandil, Effendi.«

»Nein, ich meine, woher kommt sie ursprünglich? Wo ist sie geboren? Wo hat sie ihre Kindheit verbracht?«

»Ich weiß es nicht, Effendi.«

Fasziniert kniete Mark sich abermals vor die Fellachin hin; ihre winzigen, tiefschwarzen Augen folgten jeder seiner Bewegungen. »Alte Frau«, wandte er sich auf koptisch an sie, »ich möchte Euch etwas fragen.«

Doch Samira zeigte keinerlei Reaktion und fuhr in ihrem Sprechgesang unbeirrt fort.

»Sie versteht Sie nicht, Effendi.«

»Du meinst wohl, sie hört mich nicht. Das muß ein verdammt starkes Zeug sein, was sie da kaut. Ich könnte wetten, sie pflanzt es in einem geheimen Kräutergärtchen an. Alte, ich spreche mit Euch.«

»Machen Sie sich keine Mühe mit ihr, Effendi. Ich werde eine andere Frau einstellen.«

Mark hob die Hand. »Übersetze mir, was sie sagt. Ich verstehe immer nur die Zahl sieben, die sie ständig zu wiederholen scheint.«

»Sie warnt Sie vor Gefahr. Sie spricht von zwei Kräften, die hier einen Kampf miteinander austragen, und meint, Sie befänden sich genau in der Mitte...«

»Sprich weiter.«

»Es ergibt keinen Sinn, Effendi.«

»Übersetze trotzdem weiter, Abdul.«

»Sie sagt, es gibt eine böse Kraft hier, aber es gibt auch eine gute, und Sie müßten lernen, die beiden voneinander zu unterscheiden, und der guten erlauben, Ihnen zu helfen. Es ist Unsinn, Effendi.«

Mark blickte hingerissen auf die alte Frau hinab. »Das ist ja unglaublich! Ich kann etwa die Hälfte von dem, was sie sagt, verstehen! Und dabei spricht sie in einem Dialekt, der weit älter ist als irgendeiner, den ich bis jetzt gehört habe. Hör nur...« Er starrte sie mit ernster Miene an und wagte kaum zu atmen. »›Einer wird in Flammen aufgehen‹. Ist das richtig, Abdul, hat sie das eben gesagt?«

»Jawohl, Effendi.«

»›Einer wird in eine Feuersäule verwandelt werden, und einer wird...‹« Er blickte argwöhnisch zu Abdul auf.

»...langsam verbluten, Effendi.«

»...›seinem Körper wird das Wasser entzogen, bis er stirbt‹. Das ist ja sagenhaft, Abdul! Sie spricht wirklich einen Dialekt, in dem sich die alte Sprache fast vollständig erhalten hat! Das muß ich unbedingt aufschreiben!«

Abdul Rageb starrte mit unbewegtem Gesicht und halb geschlossenen

Lidern vor sich hin, während Jasmina stirnrunzelnd abwechselnd Mark und die alte Frau anblickte.

»Wovon redet sie?«

Er winkte ab. »Das ist ohne Belang. Sie befindet sich in einem Rauschzustand und halluziniert. Wichtig ist, daß sie einen Dialekt spricht, der mit der alten Sprache eng verwandt zu sein scheint, und daß ich fast alles verstehen kann!«

Die Alte redete weiter, und Mark hörte aufgeregt zu.

»Dämonen«, murmelte er, »dieses Wort wiederholt sie ständig. Wenn die Dämonen freigesetzt werden...« Plötzlich verfinsterte sich seine Miene. Mit einem Mal wurde ihm bewußt, was er da hörte. Das war doch Ramsgates Tagebuch! Die alte Fellachin zitierte aus Ramsgates Tagebuch!

Mark schüttelte ungeduldig den Kopf. »Abdul, ich möchte wissen, woher sie kommt. Ihre Familie, ihr Dorf. Es könnte sein, daß sie in einer entlegenen Region Oberägyptens aufwuchs, deren Bewohner in solcher Abgeschiedenheit leben, daß sie die alte Sprache bewahrten. Sie könnte mir eine große Hilfe sein.«

»Sie wollen sie also doch nicht ersetzen?«

»Im Augenblick nicht. Ich habe noch Verwendung für sie.«

Mark rieb sich die Schläfen und nahm sich dabei fest vor, mit Abdul über die Belüftung des Zeltes zu reden. Obwohl alle Fensterplanen aufgerollt waren und drei Ventilatoren liefen, nahmen Rauch und Essensgerüche derart überhand, daß man kaum mehr atmen konnte. Mark schob seinen Teller von sich. Während seine Gefährten sich begeistert an würzigem Lamm-Kebab und Reis gütlich taten, litt er selbst unter Appetitlosigkeit. Seitdem ihm am Abend zuvor in der Dunkelheit eine Frau erschienen war, was sich später als optische Täuschung herausgestellt hatte, wurde er den Kopfschmerz nicht mehr los. Und auch Alexis Halsteads intensives Gardenien-Parfum trug kaum zur Linderung bei. Mark beobachtete Samira, wie sie die Teller abräumte und Schalen mit *Muhallabeya* auf den Tisch stellte. Sie schien sich nicht daran zu erinnern, was am Nachmittag vorgefallen war, und sie schien auch nicht mehr unter Drogen zu stehen. Sie war wieder ihrer alten Gewohnheit verfallen, mit niemandem zu sprechen.

»Dr. Davison«, ließ sich Sanford Halstead über seinen Teller mit Nüssen und grünem Gemüse hinweg vernehmen, »können wir uns über den heutigen Fund unterhalten?«

Mark verspürte ein heftiges Verlangen nach einem starken Drink und fragte sich insgeheim, ob ihm Alexis wohl wieder ein wenig von ihrem Glenlivet abgeben würde. Doch als er sie ansah, wie sie schweigend ihr Essen verzehrte, da fiel ihm auf, wie blaß sie war, und er überlegte, was sie veranlaßt haben mochte, den ganzen Tag über in ihrem Zelt zu bleiben. Seltsamerweise schien sie zusehends weißer zu werden, während alle anderen durch den Aufenthalt in der Sonne ständig an Bräune zunahmen . . .

»Also gut, reden wir. Was haben Sie auf dem Herzen?«

»Ich habe den ganzen Cañon heute gründlich mit dem Fernglas abgesucht und nichts entdeckt, was auch nur im entferntesten einem Hund ähnelt. Ich bin Meter um Meter am Horizont entlanggegangen, doch da gibt es keine Felsformation, die wie ein Hund aussieht. Vielleicht hat Neville Ramsgate die *Sebbacha* falsch verstanden. Gibt es in Arabisch ein anderes Wort, das so klingen könnte wie das Wort für Hund?«

Mark dachte einen Augenblick nach. Dieser Gedanke war ihm noch gar nicht gekommen. »Das arabische Wort für Hund ist *Kalb*. Die einzigen Wörter, die so ähnlich klingen, sind *Qalb*, was Herz bedeutet, und *Kaab*, was Ferse heißt. Nun schreibt Ramsgate aber, daß er den Hund fand. Er sagt nicht, daß es sich schließlich als etwas anderes herausstellte, zum Beispiel als ein herzförmiger Felsen, oder daß er sich in der Tatsache, daß es sich um einen Hund handelte, getäuscht hatte.«

»Nichtsdestoweniger habe ich meine Bedenken. Ich halte es für übertrieben, einfach anzunehmen, daß sich das Grab im Cañon befindet.«

»Das habe ich nie behauptet, Mr. Halstead, aber die Stelle eignet sich ebensogut wie jede andere, um mit der Suche zu beginnen. Wir haben Ramsgates Hinterlassenschaften und höchstwahrscheinlich auch Ramsgate selbst gefunden. Im Tagebuch berichtet er, daß er sein Camp verlegte, um in der Nähe des Grabes zu sein. Nun, sein Camp haben wir ja gefunden, und ich nehme daher an, daß wir auch nicht weit vom Grab entfernt sind.«

»Eines läßt mir noch immer keine Ruhe«, meinte Ron, während er den Rest seines Reispuddings vom Löffel ableckte.

»Und was wäre das?«

»Das Tagebuch«, antwortete er. »Wenn die Männer des Paschas wirklich alles, einschließlich der Leichname, verbrannten, wie gelangte dann das Tagebuch unversehrt außerhalb Ägyptens?«

Mark trat hinaus in den kupferfarbenen Sonnenuntergang und atmete tief ein. Dann reckte er die Arme und stellte sich auf Zehenspitzen, als wollte er nach dem lavendelfarbenen Himmel greifen. Ein paar Meter entfernt, am Rand des Lagers, knieten Abdul und die *Ghaffir* auf Gebetsteppichen und verbeugten sich gen Osten. Vor seinem Zelt, ebenfalls auf einer dünnen Matte kniend, verrichtete auch Hasim al-Scheichly das vierte Gebet des Tages. Vom Dunkelkammerzelt her ertönten leise und beruhigend die Klänge aus Rons Kassettenrecorder. Zwischen den Ruinen der Arbeitersiedlung sah man den Schein von Lagerfeuern.

Mark lächelte zufrieden und machte sich auf den Weg zum Arbeitszelt. Die Dinge liefen gut, besser, als er erwartet hatte. Er war voller Zuversicht.

Mark nahm seinen Platz auf dem Hocker wieder ein und sortierte die letzten Gegenstände, die an der Feuerstelle geborgen worden waren. Sie bestanden hauptsächlich aus persönlicher Habe: ein Handspiegel, ein Manschettenknopf, der Absatz eines Stiefels... Alles verkohlt und rußig und kaum erkennbar. In seiner peinlichen Genauigkeit hatte Abdul dafür gesorgt, daß alles, aber auch alles, was seine Arbeiter an dieser Stelle gefunden hatten, in die Kiste gepackt worden war. So stieß Mark beim Durchsehen immer wieder auf unbedeutende Stein- oder Holzkohlestücke, die nach kurzer Prüfung in den Abfalleimer wanderten. Es war eine langwierige, ermüdende Arbeit, und während er sich emsig über die Fundsachen beugte, merkte er gar nicht, daß die Nacht bereits über das Tal hereingebrochen war.

Von der Arbeitersiedlung her drang unterschwellig die Stimme eines Geschichtenerzählers durch die Zeltwände.

Während er sich selbst auf der *Rababa* begleitete, einer einseitigen Geige mit durchdringendem Ton, fesselte der *Scha'ir* seine Zuhörer mit einer Ballade über die Taten des heldenhaften Abu Said al-Hilali und seiner tapferen Gefährten. Die Stimme des *Scha'ir* klang voller Wehmut durch die purpurne Nacht und besang in bildreichen Sätzen den Liebreiz von Abu Saids Frau Alia. Der Wind trug die rührseligen Klänge über die Schlammziegelmauern hinweg in das stille Camp.

Mark war so in seine Arbeit vertieft, daß er das Lied des Geschichtenerzählers gar nicht richtig wahrnahm. Er hörte nicht einmal die gelegentlichen Beifallsrufe der Fellachen, wenn der Sänger über Heldentaten berichtete, die ihnen besonders gefielen. Mit einer Bürste entfernte Mark sorgfältig den Ruß von einem großen, flachen Stein, den Abdul mit in die Kiste gepackt hatte. Es handelte sich um ein Kalksteinfragment, das etwa dreißig Zentimeter lang, zwanzig Zentimeter breit und sechs Zentimeter dick war. Mark unterzog es der routinemäßigen Säuberung, wie er dies mit allen Fundsachen tat, bevor er sie mit dem Vergrößerungsglas flüchtig begutachtete und dann meist wegwarf.

Der *Scha'ir* hielt seine Zuhörerschaft mit Legenden über den Mut von 'Antar in Bann, und als die sitzenden Fellachen vor Begeisterung »*Allah! Allah!*« riefen, nahm Mark die Lupe zur Hand und begann den Stein näher zu untersuchen. Er fühlte sich glatt an.

Der *Scha'ir*, der sein Heldenepos beendet hatte, erging sich nun in hochtrabenden Lobgesängen auf Mohammed und Jesus, wobei er die Tugenden beider Propheten in ein übermenschliches Szenarium kleidete. Die Fellachen, die im Kreis um ihn herum saßen, begannen im Takt des Liedes zu klatschen.

Mark drehte den Stein herum. Er beugte sich dicht über das Vergrößerungsglas. Dann stand er auf und hielt den Stein näher ans Licht.

Als der *Scha'ir* den Höhepunkt seiner Lobpreisungen erreichte, stießen die Fellachen Freudenschreie aus und warfen ihre Mützen in die Luft.

Mark Davison starrte mit offenem Mund auf das Steinfragment in seiner Hand.

Zwölf

»Puh!« machte Ron. »Die Hitze wird allmählich unerträglich. Wie lange wollen wir noch weitermachen?«

Mark sah von seiner Arbeit auf, wischte sich den Schweiß von der Stirn und warf einen raschen Blick über den Cañon. In der halben Stunde, die er sich nun schon über die Fotografien beugte, war auch das geringste Fleckchen Schatten verschwunden. Die Sonne stand im Zenit; in dem Cañon mit seinen ausgebleichten, blendendweißen Wänden und hellem Boden war es heiß wie in einem Backofen. Abduls Teams hatten sich in langen Reihen aufgestellt, und die Fellachen arbeiteten langsam aber ausdauernd. In ihren langen Gewändern und mit Turbanen und Käppchen auf dem Kopf schwangen sie unermüdlich Äxte und Schaufeln. Zuerst war der Verlauf der Gräben abgesteckt worden, jetzt wurden sie ausgehoben. In einer anderen Reihe standen Knaben und Männer, die die Kübel mit Schutt von Hand zu Hand weiterreichten und sie am Ende der Kette entleerten. Der hochgewachsene, schlanke Abdul Rageb schritt würdevoll zwischen ihnen einher.

Mark rückte seine Sonnenbrille zurecht. »Wir hören bald auf. Noch eine Stunde oder so.« Er studierte weiterhin die Fotos, die auf der Motorhaube des Landrovers ausgebreitet lagen. Es handelte sich um Aufnahmen von den Kalksteinfragmenten, die er am Abend zuvor entdeckt hatte. Nachdem Mark beim Sichten der Fundstücke auf ein weiteres Fragment gestoßen war, hatten er und Ron die halbe Nacht damit verbracht, die Steine zu reinigen und zu untersuchen. Erst im Morgengrauen hatten sie die Arbeit enttäuscht niedergelegt. Zwar hatte es sich herausgestellt, daß die beiden Steine tatsächlich Teile von Ramsgates erstem Fragment waren, doch sie befanden sich bei weitem nicht in dem Zustand, in dem Ramsgate sie gefunden hatte. Früh am Morgen hatte Mark die Feuerstelle nochmals mit seinem eigenen Gittersieb durchkämmt und war zu der bitteren Erkenntnis gelangt, daß diese geschwärzten Bruchstücke und eine Handvoll Ruß alles waren, was von Ramsgates wunderschönen Stelenfragmenten übriggeblieben war. Trotzdem waren sie sich darüber im klaren, daß sie damit ein bemerkenswertes Fundstück in Händen hielten.

In einer Hinsicht hatte Ramsgate recht mit seiner Behauptung, daß »mit der Stelle irgend etwas nicht stimmte«. Sie war in der Tat mit keiner bisher bekannten vergleichbar. Durch eine sorgfältige und langwierige Untersuchung war es Mark und Ron gelungen, die Umrisse von sieben in den Stein gemeißelten Figuren zu erkennen. Bis dahin hatten sie jedoch nur vier davon genau bestimmen können: Amun, der Schutzgott von Theben, der auch unter dem Namen »der Verborgene« bekannt war; Am-mut, ein Untier, das sich aus Teilen unterschiedlicher Tiere zusammensetzte und »der Gefräßige« genannt wurde; Akhekh, eine Antilope mit einem Vogelkopf; und schließlich, ganz deutlich erkennbar, Seth, der Teufel unter den Göttern.

Amun, der Verborgene, befand sich in der Mitte des Fragments, die anderen sechs huldigten ihm. Keine der dargestellten Gestalten hatte Ähnlichkeit mit einem Menschen. Die Kartusche von Tutanchamun war gut leserlich und lieferte die Erklärung dafür, warum die Figuren nicht in dem revolutionären Amarna-Stil gemeißelt waren. Nach Echnatons Sturz war Tutanchamun ihm auf den Thron gefolgt, und die Kunst war zu ihren alten Ausdrucksformen zurückgekehrt, als ob es den Ketzerkönig nie gegeben hätte. Diese Stele war offensichtlich von den Amun-Priestern in Auftrag gegeben worden, nachdem die alte Ordnung wiederhergestellt worden war.

Mark rückte seine Sonnenbrille auf die Stirn, damit er sich die Schweißtropfen aus den Augen wischen konnte. »Wir brauchen diesen Stelensockel, Ron. Ohne ihn haben wir keinen Anhaltspunkt, wo wir nach dem Grab suchen sollen.«

Hasim al-Scheichly kletterte aus dem Landrover, wo er sich Notizen für seinen Bericht gemacht hatte, und gesellte sich zu den beiden Ägyptologen. »Ich habe beschlossen, mit dem Bericht an meine Vorgesetzten in Kairo noch ein wenig zu warten, bis wir etwas Greifbareres zu melden haben.«

Mark nickte verständnisvoll. Seine Aufmerksamkeit wurde von Hasim abgelenkt, als er Jasmina durch den Sand auf sie zukommen sah. Hinter ihr lehnten mehrere Fellachen mit geschlossenen Augen und hängenden Köpfen an der Felswand. Als sie näher kam, bemerkte Mark, daß ihre kaffeebraune Haut mit einer dünnen Schweißschicht überzogen war. Er stellte auch fest, daß ihr Anblick – ihr zierlicher

Körperbau und ihre exotischen Gesichtszüge – ihm gefiel. Er lächelte sie freundlich an.

»Es gibt keinen Schatten mehr, Dr. Davison. Diese Männer müssen ins Lager zurückgebracht werden. Sie haben sich einen Sonnenstich zugezogen.«

Mark nickte. Dann wandte er sich um und rief nach Abdul. Als dieser auf das Rufen aufmerksam wurde, schwenkte Mark die Hände über dem Kopf. Zu Jasmina sagte er: »Wir hören für heute auf.«

Sanford Halstead betrachtete die Einhaltung einer mittäglichen Ruhepause als reine Zeitverschwendung, selbst wenn im Cañon Temperaturen von weit über vierzig Grad herrschten. Waren diese Leute etwa nicht daran gewöhnt?

Er blickte auf den Vorhang, der sein Zelt in zwei Hälften teilte, und hörte, wie sich seine Frau im Schlaf ruhelos hin und her warf. Dann wandte er sich ab und starrte wieder mit über dem Bauch gefalteten Händen an die Zeltdecke. Abermals grübelte er über das Problem nach, das ihn schon den ganzen Tag über beschäftigte. An diesem Morgen hatte Halstead in seinem Urin Blut entdeckt. Vielleicht hatte es gar nichts zu bedeuten, vielleicht machte er sich grundlos Sorgen. Doch wenn die Beschwerden anhielten, würde er mit Dr. Davison unter vier Augen über die Sache reden.

Der *Ghaffir* verlagerte sein Gewicht vom rechten auf den linken Fuß, nahm sein Gewehr von der einen Schulter und hängte es über die andere. Seine Aufgabe, die darin bestand, das Laborzelt mit den Tee- und Colavorräten zu bewachen, war eine stumpfsinnige, aber durchaus einträgliche Plackerei. Er verdiente mit dieser Arbeit sieben Pfund in der Woche und wußte auch schon, wofür er das Geld verwenden würde.

Die Sonne hatte ihren höchsten Stand erreicht, so daß die Zeltwand nicht den geringsten Schatten warf. Die Expeditionsteilnehmer hatten sich allesamt zur Ruhe begeben, was er auch gerne getan hätte, und es gab außer den endlosen Sandhügeln nichts, was seinem Auge Abwechslung geboten hätte. Als die quälende Hitze und die tödliche Langeweile an ihm zu zehren begannen, dachte er wieder an das Geld.

Als der *Ghaffir* hinter sich ein Geräusch vernahm, blickte er über die Schulter. Die weiße Zeltwand blendete ihn. Er hielt den Atem an und horchte. Irgend etwas bewegte sich leise und huschend im Innern des Zeltes.

Er warf einen raschen Blick über das Lager. Niemand hielt sich draußen auf, und nichts rührte sich. Der einzige Laut unter dem riesigen Meer wolkenlosen Himmels war das schwache Summen der Generatoren.

Nur im Zelt kratzte und scharrte es weiter.

Der *Ghaffir* starrte mit leicht zusammengekniffenen Augen auf den Eingang. Er konnte sich nicht vorstellen, daß irgend etwas an ihm vorbei ins Zelt gelangt war. Es mußte irgendwo ein Loch geben.

Er hielt sein Gewehr im Anschlag und ging langsam um das Zelt herum, wobei er mit seinem gesunden Auge die Plane nach Löchern absuchte und immer wieder stehenblieb, um auf die kratzenden Geräusche im Innern zu lauschen. Was es auch sein mochte, es war entweder sehr groß, oder es gab eine beträchtliche Anzahl davon.

Als der *Ghaffir* wieder am Ausgangspunkt anlangte, verzog er den Mund zu einem hämischen Grinsen. Er hatte schon lange den Wunsch gehabt, sein Gewehr einmal richtig auszuprobieren, und sei es nur an ein paar Wüstenratten.

Vorsichtig, damit sie ihm nicht entwischten, schob er die Eingangsplane zur Seite und trat in das in trübes Licht getauchte Innere. Durch die Öffnung fiel ein wenig Tageslicht hinein und erhellte die Kisten, die Hocker mit den hohen Sitzflächen und die Werkbänke. Er ließ seinen Blick über den Boden schweifen, konnte aber nichts erkennen. Plötzlich gab es einen Ruck, und ihm wurde die Plane aus der Hand gerissen. Sie fiel über den Eingang, und schlagartig wurde es im Zeltinnern dunkel. Der *Ghaffir* konnte gerade noch entsetzt aufschreien, da wurde ihm schon das Gewehr entwunden, und eine schwarze Gestalt, dunkler noch als das Innere des Zeltes, ein so furchterregendes, riesenhaftes Wesen, daß ihm ganz schwach in den Beinen wurde, bäumte sich vor ihm auf.

Mit vor Schrecken verzerrtem Gesicht fiel der Ägypter auf die Knie. Der Eindringling stand drohend über ihm und starrte mit ovalen Augen auf ihn herab. Er hob seine gewaltigen Arme. Der *Ghaffir* murmelte »Allah ... «, dann verstummte er.

Mark hielt Nancys Foto in Armeslänge von sich und betrachtete es lange. Vor seinem geistigen Auge wurde es ganz lebendig, und er ließ die glückliche Zeit mit ihr in seiner Erinnerung vorbeiziehen: ihre erste Begegnung, die Wochenenden in Santa Barbara, die nächtlichen Bäder in der Brandung des Ozeans an der südkalifornischen Küste. Er wünschte, sie wäre jetzt hier und würde statt Ron auf dem Feldbett neben ihm liegen. Sie könnten sich lieben, wenn die anderen schliefen. Marks Arm wurde müde, und er ließ ihn sinken.

Nein, es wäre überhaupt nicht so, wie er es sich in seinen Träumereien ausmalte. Nancy würde hier nicht mit ihm schlafen. Sie empfände das Feldbett als unbequem, könnte das Leben im Camp nur schwer ertragen, würde ständig an allem herumnörgeln.

Da kam ihm Jasmina in den Sinn, er sah ihre dunklen, feuchten Augen, ihre braune Haut. Wie zierlich und verletzlich sie doch wirkte. In letzter Zeit mußte Mark immer häufiger an Jasmina Schukri denken.

Ein hoher, gellender Schrei riß Mark aus seiner Mittagsruhe. Es hatte wie eine Eule oder wie ein Falke geklungen. Doch als der Schrei sich wiederholte, erkannte Mark, daß es sich um einen menschlichen Schrei handelte. Im Nu waren Ron und er auf den Beinen.

Als sie ins Sonnenlicht hinaustraten, das sie vorübergehend blendete, nahmen Mark und Ron andere Personen wahr, die an ihnen vorbeirannten. Sie hörten Halsteads aufgeregte Stimme und dann wieder den durchdringenden, vogelartigen Schrei.

Mark und Ron liefen hinter den anderen her und fanden die alte Samira, die ihre Arme und ihr weites Gewand wie schwarze Flügel ausgebreitet hatte und mit zum Himmel gerichtetem Blick ein markerschütterndes Geheul ausstieß. Zu ihren Füßen lag ein menschlicher Körper.

»Um Gottes willen!« schrie Ron. »Was ist das?«

Mark blieb jäh stehen. Er war vor Entsetzen wie gelähmt. Im Sand, direkt vor dem Laborzelt, das er bewachen sollte, lag der gekrümmte, nackte Körper des *Ghaffir*. Sein Gesicht, mit den starren, weit aufgerissenen Augen und dem angstvoll verzerrten Mund, war mit einer braunen Paste bedeckt, die ihm aus dem Mund quoll und sich auf den Sand ergoß. Dieselbe Substanz war auch über seine Hände und sein Gesäß verschmiert.

Einen Augenblick lang meinte Mark, der Boden gäbe unter seinen Füßen nach. Dann faßte er sich wieder und gewahrte die anderen, die, zumeist nur halb bekleidet, in schockiertem Schweigen dastanden.

Halstead wandte sich ruckartig ab, faßte sich an den Magen und begann sich zu übergeben.

Hasim al-Scheichly, der wie Ron und Mark kein Hemd trug, fiel gegen die Zeltwand und sank langsam zu Boden.

Mark sah sich nach Abdul um. Der düstere Ägypter war gerade hinzugekommen. Er stand etwas abseits und starrte mit verschleiertem Blick auf den übel zugerichteten Körper des *Ghaffir*.

»Mark!« flüsterte Ron. »In Ramsgates Tagebuch...«

»Ach, halt den Mund!« Mark wandte sich seinem Vorarbeiter zu. »Abdul!«

Abdul Rageb trat zu ihm hin. »Ja, Effendi?«

»Was ist hier passiert?«

»Ich weiß es nicht.«

Mark begann, vor Wut zu zittern. »Du hast keine Ahnung, wer das hier getan hat?«

Die Miene des Ägypters blieb undurchdringlich. »Nein, Effendi.«

»Schaff die Leiche weg, Abdul, mach seine Familie ausfindig, und sieh nach, ob im Zelt irgend etwas gestohlen wurde.«

»Ich will wissen, wer das getan hat, verdammt noch mal!« brüllte Mark und schlug mit der Faust auf den Tisch.

Abdul, der ihn durch seine Gelassenheit fast zur Weißglut brachte, schwieg beharrlich.

»Es war nicht wegen der Colas, im Zelt ist alles unberührt! Der Mann wurde folglich aus persönlichen Motiven umgebracht! Jemand muß einen Groll gegen ihn gehegt haben! Nun, ich will, daß damit Schluß ist, und zwar sofort! Ist das klar?« Mark starrte seinen Vorarbeiter an und verspürte zum ersten Mal in der langen Zeit ihrer Bekanntschaft das Verlangen, den Mann zu erwürgen. Die anderen im Zelt saßen schweigend und mit ausdruckslosen Gesichtern da. Nur die alte Samira lief hin und her und verrichtete mit mechanischen Handbewegungen ihre Arbeit. Die Entdeckung der Leiche hatte sie so aus der Fassung gebracht, daß alle Mühe gehabt hatten, sie zu beruhigen. Erst der Anblick einer Spritze aus Jasminas Arzttasche hatte sie zum Verstummen gebracht. Der einzige, der sich nicht unter ihnen befand, war Sanford Halstead, der wieder von heftigem Nasenbluten befallen worden war.

Abduls Stimme klang ruhig und gemessen. »Er war kein beliebter Mann, Effendi. Es gab viele Leute, die ihm mißgünstig gesonnen waren. Ich glaube, er hat die Ehefrau eines Mannes beleidigt.«

»Hör zu, Abdul, ich will nicht, daß mein Lager für diese Leute zum Schlachtfeld wird! Sie sollen ihre Fehden anderswo austragen, aber nicht hier! Verstehst du das?«

»Ja, Effendi.«

Mark sackte auf der Bank zusammen und bedeckte sein Gesicht mit den Händen. Der Duft von dampfenden Linsen auf dem Herd reizte ihn zum Würgen. »Hat es seine Familie schon erfahren?« fragte er gequält.

»Der Mann hatte nur einen betagten Onkel in Hag Qandil. Ich werde dafür sorgen, daß er benachrichtigt wird und daß sein Neffe ein ordentliches Begräbnis bekommt. Ich werde dem alten Mann außerdem eine Hinterbliebenenentschädigung zahlen.«

»Ja, tu das. Und, Abdul...«, Mark schaute zu seinem alten Freund auf, »...danke.«

Nachdem Abdul gegangen war, saßen alle für eine Weile stumm und regungslos da und vermieden es, einander in die Augen zu sehen. Statt dessen starrten sie trübsinnig auf ihre Hände oder ihren Tee. Drei Stunden waren seit dem grausigen Vorfall vergangen, doch der Schrecken saß ihnen allen noch in den Knochen.

Schließlich brach Ron das Schweigen. »Was ich nicht verstehe, ist... es ging alles völlig geräuschlos ab. Ich meine, einige von uns waren doch wach, aber man hörte keinen einzigen Laut.«

»Das will nichts heißen«, entgegnete Mark mit dumpfer Stimme. »Sie könnten ihn irgendwo anders ermordet und den Leichnam hierher zurückgebracht haben.«

»Aber warum?«

O Gott, dachte Mark, wenn ich das nur wüßte!

»Warum würde jemand so etwas tun? Ich meine, es sah wirklich so aus, als ob er...«

Mark stieß einen tiefen Seufzer aus und sah seinem Freund direkt ins Gesicht. »Laß uns nicht länger bei dem schrecklichen Thema verweilen, Ron. Wir wollen den Vorfall so schnell wie möglich vergessen.«

»Mark, einen Menschen zu töten ist eine Sache. Aber ihn Scheiße essen zu lassen...«

»Ron, bitte...«

»Es kommt mir fast so vor...«, ließ sich Hasim al-Scheichly mit sanfter Stimme vernehmen, »als wollte uns jemand Angst einjagen.«

Mark, der spürte, daß er wieder zu zittern begann, ballte krampfhaft die Fäuste. Er mußte sich selbst in die Gewalt bekommen und gleichzeitig auch die anderen beruhigen. »Wir wollen kein Wort mehr über den Zwischenfall verlieren. Der Mann war ein Opfer einer Fehde innerhalb seines Volkes. Hoffen wir, daß es bei diesem einen Toten bleibt, denn ich lege keinen Wert darauf, daß die Polizei des *Ma'mur* unsere Arbeit durch Ermittlungen unterbricht. Was die... Art seines Todes betrifft, so war sie nicht dazu bestimmt, uns Angst einzujagen. Sie ist als Warnung an seine Freunde oder an irgendeine andere Person zu sehen, die darauf sinnt, seinen Tod zu rächen. Jetzt schlage ich vor«, Mark erhob sich mühsam, »daß wir uns alle bis zum Abendessen ausruhen.«

Mark hatte den Abend damit verbracht, im Labor abermals die kläglichen Überreste der Ramsgate-Expedition zu untersuchen. Irgendwann hatte sich Jasmina zu ihm gesellt. Sie sei unruhig und könne nicht schlafen, hatte sie fast entschuldigend erklärt. Sie hatten sich auf die hohen Hocker gesetzt und bei einer Tasse Zimttee ruhig miteinander geplaudert. Sie hatte ihn Mark genannt und war ihm gelöster vorgekommen als je zuvor.

Jetzt war er müde und stapfte schwerfällig zurück zu dem Zelt, das er mit Ron teilte. Zu seiner Überraschung brannte dort noch immer Licht.

Drinnen fand er seinen Freund, der im Schneidersitz auf seinem Feldbett saß und Ramsgates Tagebuch aufgeschlagen in seinem Schoß hielt. Neben seinem linken Knie lag eine Fotografie des obersten Stelenfragments. Er blickte nicht auf, als Mark eintrat.

»Was machst du da?« fragte Mark, während er sein Hemd aufknöpfte.

Neben Rons rechtem Knie lag ein Schreibblock, auf den er hastig Notizen kritzelte. »Ich versuche diese Götter zu identifizieren.«

Mark drehte sich um, zog sein Hemd aus seinem Hosenbund und

streifte es über den Kopf. Dann knipste er die Glühbirne über seinem eigenen Bett an, ließ sich darauf plumpsen, griff nach der Bourbon-Flasche und dem Glas auf seinem Nachttisch und schenkte sich ein wenig ein. »Und was hast du herausgefunden?«

Ron ließ den Kugelschreiber sinken und schaute auf. »Ich habe mich daran erinnert, daß Ramsgate die sieben Gestalten identifizierte, als er den Eingang zum Grab fand, und daß er sie in dem Tagebuch aufführt. Wir beide waren in der Lage, vier der Götter zu bestimmen: Amun der Verborgene, der in der Mitte steht; Am-mut der Gefräßige, erkennbar an seinem zusammengesetzten Körper – den Hinterbeinen eines Nilpferds, den Vorderbeinen eines Löwen und einem Krokodilskopf; Akhekh der Geflügelte, der sich ebenfalls durch seinen einzigartigen Körperbau, nämlich den einer Antilope mit Flügeln und Vogelkopf, von anderen unterscheidet; und schließlich dieses häßliche Ungeheuer namens Seth, der Mörder des Osiris. Das Feuer hat die anderen unkenntlich gemacht. Es sind nur noch Umrisse zu erkennen. So schaute ich im Tagebuch nach, und da ich feststellte, daß Ramsgates Identifizierung der vier mit der unseren übereinstimmt, gehe ich davon aus, daß er auch die anderen richtig erkannt hat.«

Mark schenkte sich Whisky nach. »Wer sind die anderen?«

Ron las laut aus dem Tagebuch vor: »Apep der Schlangenartige, ein Mensch, der eine Sichel trägt und zwischen dessen Schultern sich anstelle des Kopfes eine Kobra emporwindet; der Aufrechte, ein auf den Hinterbeinen stehendes Wildschwein mit menschlichen Armen; und zuletzt die Göttin, die die Toten in Fesseln legt...«, Ron blickte auf, »...eine Frau mit dem Kopf eines Skorpions.«

Mark zog die Mundwinkel herunter und hob die Augenbrauen. »Eine ziemlich beeindruckende Aufstellung.«

»Dergleichen man in fünftausend Jahren ägyptischer Geschichte kein zweites Mal findet.«

Mark stellte sein Glas ab und zog mit großem Kraftaufwand seine Stiefel aus. »Es sieht so aus, als ob die Amun-Priester alles daransetzten, daß niemand dieses Grab betrat.«

Ron blickte seinen Freund einen Moment an, dann begann er aus dem Tagebuch vorzulesen: »Einer wird Euch in eine Feuersäule verwandeln und Euch verbrennen. Einer wird Euch eine schreckliche

Blutung verursachen und Euren Körper austrocknen lassen, bis Ihr sterbet. Einer wird...«

»Ach hör schon damit auf, Ron, das ist doch kein Frankenstein-Film.«

Ron ließ sich nicht beirren. »Einer wird Euch das Haar vom Kopfe reißen und Euch skalpieren. Einer wird kommen und Euch zerstükkeln. Einer wird als hundert Skorpione kommen. Einer wird den Stechmücken der Lüfte gebieten, Euch zu verzehren. Und einer...«

Er blickte zu Mark auf. »...einer wird Euch Euer eigenes Exkrement essen lassen...«

Ein Windstoß kam aus der Wüste herangefegt, heulte durch das Camp und peitschte die Zeltwände. Mark und Ron sahen sich lange an und lauschten, wie der feine Sand draußen auf die dünne Leinwand niederprasselte. Schließlich winkte Mark ab und begann seine Socken auszuziehen.

»Ich habe ein ganz ungutes Gefühl, Mark.«

Mark vermied es, in Rons große, blaue Augen zu sehen, und griff wieder zur Flasche. Sein Kopf fing an zu pochen.

»Die Ramsgate-Expedition, Mark... wir haben alle daran Beteiligten zerstückelt und mit eingeschlagenen Schädeln gefunden...«

»Hör jetzt auf mit dem Unsinn!«

»Was haben die Soldaten des Paschas entdeckt, als sie diesen Cañon betraten, Mark? Bestimmt keine Pockenopfer, soviel ist sicher. Der Mann, der diese Totenscheine ausfüllte, war so verängstigt, daß er nicht mehr klar denken konnte. In seiner Panik schrieb er ›Cholera‹ als Todesursache für Sir Robert.«

Mark, der eben das Glas zum Mund führen wollte, hielt inne. Als das Pochen in seinen Schläfen sich verstärkte, bekam er für einen Moment glasige Augen. Er erinnerte sich an etwas.

Die seltsame Frau, die er vor vier Tagen auf dem Felsen hatte weinen sehen. Die durchsichtige Frau.

»Ich fühle mich hier überhaupt nicht wohl, Mark. Der ganze Ort verursacht mir eine Gänsehaut. Und wenn ich in der Dunkelkammer bin und die Lichter ausschalte, habe ich das Gefühl, nicht allein zu sein...«

Mark sprang verärgert auf. Er griff nach seinem Hemd, streifte es wieder über und meinte: »Diese Sache mit dem *Ghaffir* hat dich völlig aus dem Gleichgewicht gebracht, mein Freund. Und außerdem trinkst du zuviel Rotwein. In deiner Einbildung siehst du Dinge, die überhaupt nicht existieren. Es gibt hier nichts Beunruhigendes.«

Doch da kam ihm eine andere Erinnerung. Die alte Samira, wie sie hinter dem Gemeinschaftszelt gekauert hatte und in einem Wortschwall auf koptisch immerfort die Zahl sieben wiederholte. »Einer wird in eine Feuersäule verwandelt werden, und einer wird langsam verbluten«, hatte sie gesungen.

»Mark?«

Er hielt mit dem Zuknöpfen des Hemdes inne. Wie konnte Samira etwas von den sieben Flüchen wissen? Sie hatte doch niemals das Tagebuch gelesen...

»Mark, ist dir gut?«

»Ich habe ekelhafte Kopfschmerzen. Ich gehe noch ein wenig frische Luft schnappen.«

»Es ist kalt heute nacht, Mark, nimm besser eine...«

Aber sein Freund war schon gegangen.

Als Mark sich auf den Rand des Lichtkegels zubewegte, hinter dem sich die grenzenlose Wüstennacht ausbreitete, traf er zu seiner Überraschung auf Alexis Halstead. Aber noch mehr erstaunte ihn, daß sie nur mit einem dünnen, durchscheinenden Morgenrock bekleidet war.

»Mrs. Halstead!«

Sie drehte sich langsam um. Ihre roten Lippen öffneten sich, aber kein Laut entwich ihnen.

Vorsichtig näherte er sich ihr. »Mrs. Halstead? Ist mit Ihnen alles in Ordnung?«

Obgleich sie ihm direkt ins Gesicht schaute, schien sie ihn gar nicht wahrzunehmen. Ihr Blick ging ins Leere.

»Ich... ich bin auf der Suche nach etwas.«

»Es ist kalt hier draußen, Mrs. Halstead. Kommen Sie, ich begleite Sie zurück zu Ihrem Zelt.« Unter den transparenten Falten ihres Negligés traten ihre großen, festen Brüste mit aufgerichteten Warzen hervor. Mark streckte seine Hand aus und berührte sie sanft am Arm, doch zu seiner Bestürzung stellte er fest, daß ihre Haut heiß und fiebrig war.

»Kommen Sie mit mir, Mrs. Halstead.«

»Nein... Sie verstehen nicht. Ich muß mit Ihnen reden.«

Sie leistete jedoch nur schwachen Widerstand.

»Wir können drinnen reden. Bitte, Mrs. Halstead.«

Der eisige Wüstenwind wirbelte um seine nackten Füße, und feiner Sand stach mit tausend Nadeln an seinen Knöcheln. Mark begann unwillkürlich zu zittern. »Es muß Ihnen furchtbar kalt sein.«

»Es ist doch Sommer...«

Mark faßte sie behutsam am Arm und führte sie aus der Dunkelheit zurück ins Camp. Obwohl sie ihm langsam, aber willig folgte, hörte sie nicht auf, mit schwacher Stimme dagegen zu protestieren. »Ihr müßt wissen... Wie kann ich Euch sagen... Wir müssen reden...«

Als sie an Jasminas Zelt vorüberkamen, wurde die Eingangsplane zur Seite geschoben, und die junge Frau trat im Bademantel heraus. »Was ist los, Mark?«

»Sie schlafwandelt.«

Jasmina stellte sich vor Alexis hin und beobachtete deren ausdruckslose, wie hypnotisiert wirkende Augen. »Sie hat schon seit einiger Zeit Alpträume. Ich habe ihr ein paar Schlaftabletten gegeben.«

Mark schaute Jasmina stirnrunzelnd an. Sie trug ein frisches Pflaster am Hals. »Was ist das?«

»Ein Insektenstich. Nicht der Rede wert.«

»Ist es mit den Stechmücken schlimmer geworden?«

»Wir müssen Mrs. Halstead in ihr Zelt bringen. Hier draußen ist es zu kalt für sie.«

Sie nahmen Alexis in ihre Mitte und brachten sie ohne Schwierigkeiten in ihr Bett. Brav wie ein Kind legte sie sich hin und schloß langsam die Augen.

Nachdem sie Alexis' Moskitonetz an den Ecken des Bettes festgestopft hatten und sich zum Gehen wandten, streifte Marks Blick zufällig Sanford, der so fest schlief, daß er kaum atmete.

Auf seinem Satinkopfkissen breitete sich ein roter Fleck aus.

Dreizehn

Das Tal war erfüllt von dem düsteren *Walul* der Frauen von Hag Qandil. Das schrille, schauerliche Wehklagen, das den Leichnam des *Ghaffir* zu seinem Grab begleitete, war bis ins Gebirge hinein zu hören, wo es sich an den Kalksteinwänden der Schluchten brach und hundertfach widerhallte. Mark befürchtete, daß es seine Arbeiter unruhig machen würde. Doch Abdul hatte ihm versichert, daß niemand außer seinen beiden Helfern, auf deren Verschwiegenheit man sich verlassen konnte, wußte, unter welchen Umständen der *Ghaffir* zu Tode gekommen war. Die Fellachen arbeiteten ebenso hart wie am vorhergehenden Tag, und die Gräben wurden zusehends tiefer.

Hin und wieder nahm Mark einen Landrover und fuhr damit durch den Cañon, um zu sehen, wie die Arbeit voranging. Ron, Jasmina und er waren heute als einzige aus dem Camp ins Gelände hinausgefahren. Die Halsteads waren im Lager geblieben. Sanford hatte eine kleine Verletzung, die nicht aufhören wollte zu bluten, und Alexis hatte eine Schlaftablette genommen, um den Tag zu überstehen. Hasim war in seinem Zelt mit dem Schreiben von Briefen beschäftigt.

Um die Mittagszeit wurde die Arbeit eingestellt, und als sie ins Camp zurückkamen, sah Mark dort einen schmutzigen kleinen Jungen kauern, der auf sie wartete. Der etwa Zwölfjährige hatte ein braunes, rundes Gesicht mit einem vom Trachom befallenen Auge. Sein Gebiß war lückenhaft. Als er gesehen hatte, daß Fahrzeuge herannahten, hatte er sich aufgerappelt.

»Der *'Umda* schickt mich«, erklärte der Junge in schnellem Arabisch. »Ich komme aus El Till, und man hat mir gesagt, ich solle mit dem Bärtigen sprechen. Sind Sie der Sohn von David, Sir?«

»Ich bin Dr. Davison, ja, was gibt es, Junge?«

»Iskanders Mutter braucht die *Scheicha*. Sie steht kurz vor der Entbindung.«

»Warum braucht sie dazu die *Scheicha*? Gibt es etwa keine Hebammen?«

»Allah! Iskanders Mutter ist in großen Schwierigkeiten! Seit drei Tagen schreit sie, aber das Baby will einfach nicht herauskommen. Die Hebammen wissen sich nicht zu helfen. Sie braucht die *Scheicha*.«

»Hat niemand den Doktor aus El Minia gerufen?«

Der Junge spuckte in den Sand und wischte sich mit dem Ärmel über den Mund. »Iskanders Vater will nicht, daß der staatliche Arzt den Intimbereich seiner Frau sieht. Wir müssen uns beeilen, Dr. Davison!«

Mark wandt sich zu Jasmina und fragte auf englisch: »Kann Samira hier wirklich helfen?«

»Alles, was die alte Hexe tun wird, ist, sich über die Frau zu beugen und zu singen. Mutter und Kind werden beide dabei umkommen. Ich habe es schon oft erlebt.«

Mark kratzte sich nachdenklich am Bart. »Wie steht es mit Ihnen? Sie sind eine Frau. Die Leute werden gewiß nichts dagegen einzuwenden haben, wenn eine Frau der Gebärenden hilft. Können Sie es tun?«

»Ich kann es versuchen, Dr. Davison, aber die Leute werden nicht erfreut darüber sein. Sie haben kein Vertrauen in Ärzte.«

Er lächelte. »Vielleicht wenn Sie singen, während Sie das Baby holen...«

Jasmina erwiderte sein Lächeln. »Ich brauche noch einige Sachen aus meinem Zelt.«

Als sie forteilte, sah der Junge ihr verwirrt nach. »Jasmina wird Iskanders Mutter helfen«, erklärte Mark.

»Allah! Ich bin geschickt worden, um die *Scheicha* zu holen! Ich werde Prügel beziehen!«

Mark wollte dem Burschen eben einen beruhigenden Klaps auf die Schulter geben, als ihm seitwärts eine dunkle Gestalt ins Auge fiel. Als er sich umdrehte, gewahrte er die alte Samira, die ihn vom Eingang des Gemeinschaftszeltes finster anstarrte. Ihr Blick war so durchdringend, daß er wegsehen mußte.

Als Jasmina kurz darauf mit ihrer Arzttasche zurückkam, kreischte die alte Fellachin wie ein Papagei und deutete mit einem knorrigen Finger auf ihre Rivalin. »Du ziehst dich an wie ein Mann und stellst deine Schamlosigkeit offen zur Schau!« rief sie in schrillem Arabisch. »Du verleugnest deine Abstammung, aber wenn du dich ausziehst, bist du noch immer Fellachin!«

Jasmina erstarrte für einen Moment und blieb wie versteinert stehen. Dann spürte sie, wie Mark sie sanft am Ellbogen berührte, und hörte ihn sagen: »Gehen wir.«

Der Junge stürmte ihnen voraus, sprang in den Landrover und stellte sich auf den Rücksitz, von wo aus er das Camp wie ein siegreicher General überblickte. Nachdem Mark ein paar Worte mit Ron gewechselt hatte, setzte er sich hinter das Steuer, und sie fuhren los.

Die Leute starrten dem Paar nach, das dem Jungen durch die engen Gassen folgte, aber niemand sprach ein Wort. Jasmina erntete mißtrauische und verächtliche Blicke, als sie in Khaki-Bluse und Hosen an Marks Seite einherging. Gelegentlich drangen aus finsteren Hauseingängen dumpfe Beschimpfungen an ihr Ohr.

Als sie sich einem Viehschuppen näherten, hörte Mark die rauhe Stimme von Umm Kulthum, der berühmtesten Sängerin Ägyptens, aus einem Radio dröhnen und ahnte, daß sie sich nicht weit von dem weißgetünchten Haus des *'Umda* befanden.

Gleich darauf wurden sie von dem *'Umda* persönlich empfangen. Er stand auf seinen Stock gestützt vor dem türlosen Eingang des Schlammziegelhauses und sah den beiden Besuchern mit herabhängenden Mundwinkeln entgegen. Der Junge verdrückte sich schnell.

»Guten Tag, *Hagg*«, grüßte Mark, wobei er lächelnd die Hand hob.

»Friede sei mit Euch und mit Eurem Hausstand.«

»Ich habe nach der *Scheicha* verlangt.«

Mark war sogleich auf der Hut. »Die *Scheicha* arbeitet für mich und kann nicht kommen. Ich habe an ihrer Stelle jemand anderes mitgebracht...«

»Sie sind alleine gekommen, Dr. Davison.«

Mark pfiff leise zwischen den Zähnen hindurch und merkte, wie Jasmina einen Schritt zurückwich. Aus dem Innern des Hauses hörten sie eine Frau leise stöhnen.

»Ihr braucht Hilfe, *Hagg*.«

»Wir brauchen die *Scheicha*.«

»Ich habe eine Ärztin mitgebracht.«

Der *'Umda* spuckte in derselben Weise, wie der Junge es zuvor getan hatte, und erwiderte: »Die *Scheicha* gehört nicht euch.«

Mark wußte nicht, was ihm größeren Verdruß bereitete, der starrsinnige Alte oder die unerträgliche Hitze. Doch als er eben seinem Ärger Luft machen wollte, kam eine vierte Person um die Ecke und gesellte sich zu ihnen.

Es war ein kleiner, rundlicher Mann in schwarzen Hosen und einem weißen Hemd, dessen Ärmel hochgerollt waren. Er lehnte sich gegen die schmutzige Wand und musterte die Fremden mit einem Gesicht voller Überdruß. »Sie wollen ihre Zauberei«, sagte er auf englisch.

»Wer sind Sie?«

»Ich bin Dr. Rahman vom staatlichen Krankenhaus in El Minia.« Mark bemerkte, daß der junge Mann eine ähnliche schwarze Tasche bei sich trug wie Jasmina und sehr erschöpft wirkte. »Sind Sie von den Dorfbewohnern gerufen worden?«

Dr. Rahman schüttelte den Kopf. »Ich machte gerade einen meiner Routinebesuche. Ich versehe meinen Dienst in dreißig Dörfern und komme einmal im Monat nach El Till. Ich fand die Frau unten am Fluß. Sie stand kurz vor der Entbindung und versuchte, Schlamm zu essen. Die Leute hier glauben nämlich, daß ihnen dadurch ein Sohn geboren wird. Ich wollte sie ins Dorf zurückbringen, aber als ich versuchte, sie zu berühren, bedrohten mich die Männer mit Mistgabeln. Ich habe mit der Hebamme gesprochen. Das Baby befindet sich in einer Steißlage. Aber die Mutter würde lieber sterben, als mich an sie heranzulassen. Was kann ich da schon machen?«

»Miss Schukri ist Medizinstudentin. Ich dachte, sie könnte vielleicht helfen.«

Dr. Rahman sah sie flüchtig an und wirkte gleichgültig.

»Diese Bauernhammel verdienen es nicht anders«, meinte er dann.

»Allah!« flüsterte Jasmina.

Dr. Rahman trat von der Hauswand weg und rieb sich müßig den Arm. »Ich spiele hier nicht den Retter. Ich habe meinen Idealismus schon lange verloren. Die Träume, die ich hatte, als ich damals studierte, sind nach einem Jahr im staatlichen Krankenhausbetrieb alle verflogen. Ich bekomme fünfzig Pfund im Monat und muß mich dafür um zweitausend Bauern kümmern, die mir allesamt mißtrauen und mir grollen. Sie sind ungebildet, und ich muß jedesmal mit ihnen kämpfen, wenn ich ihnen helfen will.«

»Sie haben das Recht, Ihnen zu mißtrauen«, meldete sich Jasmina plötzlich zu Wort, was Mark überraschte. »Sie werden sich einen kranken Fellachen doch nicht einmal ansehen, bevor er Ihnen nicht fünf Pfund bezahlt hat. Und wenn seine Familie das Geld nicht aufbringen kann, dann lassen Sie ihn einfach sterben.«

Dr. Rahman zuckte mit den Schultern. »Das habe ich zwar nie getan, aber ich kann es meinen Kollegen, die so handeln, nicht verübeln. Die Regierung lastet uns zu große Bürden auf, ohne uns angemessen zu bezahlen. Warum sollten wir diese Tiere kostenlos behandeln, wo wir doch hart für unsere Ausbildung gearbeitet haben und es verdienen, wie jeder andere bezahlt zu werden? Der Fellache wird sein Getreide nicht verschenken, warum sollte ich ihn dann umsonst behandeln?«

»Wo ist die Frau?« erkundigte sich Mark.

»Ihr Mann wird Sie nicht hereinlassen. Ich kenne diesen Habib und kann Ihnen sagen, was für eine Sorte Mann er ist. Letztes Jahr kam er in meine Klinik, um sich behandeln zu lassen, und ich schickte ihn mit einer Arznei nach Hause. Als ich ihn das nächste Mal sah, litt er noch immer unter denselben Beschwerden. So fragte ich ihn: ›Hast du die Medizin, die ich dir gab, eingenommen?‹ Da erwiderte er: ›Ich konnte nicht, Doktor. Der Löffel ist zu groß. Ich komme damit einfach nicht in die Flasche hinein!‹«

Mark wandte sich an den *'Umda*. »Laßt Miss Schukri nach der Frau sehen. Vielleicht kann sie helfen.«

»Habib ist mein Neffe«, antwortete der Alte. »Sein Kind wird zu meiner Familie gehören. Ich muß vorsichtig sein.«

»Was wollt Ihr, *Hagg*? Tee? Coca-Cola?«

»Was ist das nur für eine verdrehte Welt!« schnaubte Dr. Rahman. »Jetzt sind wir schon so weit, daß der Doktor den Patienten bezahlen muß!«

Doch der *'Umda* wurde seltsam still; er blickte ganz konzentriert und schien zu überlegen. Schließlich meinte er: »Wir beten zu Allah für Iskanders Mutter.«

In diesem Augenblick erschien eine Gestalt im Eingang, ein grauhaariger Fellache, der abwechselnd die Hände rang und sich Tränen von den Wangen wischte. Er redete so schnell auf den *'Umda* ein, daß Mark nichts verstehen konnte. Und wieder war er überrascht, als Jasmina das Wort ergriff: »Ich hatte letzte Nacht einen Traum, *Hagg*, in dem mir ein Engel erschien. Er verkündete mir, daß ich heute einen Sohn bekäme und daß alle Leute im Tal frohlocken würden. Ich habe den Traum als Unsinn abgetan, aber jetzt sehe ich, daß es eine Prophezeiung war. Laßt mich Habibs Frau helfen, *Hagg*.«

Mark wartete drei Stunden lang vor dem Haus. Viele der Männer von El Till leisteten ihm dabei Gesellschaft. Der Duft von Tee und Haschisch stieg auf, die Luft schwirrte von der beiläufigen Unterhaltung der Fellachen und den ständig wiederkehrenden Schreien der Gebärenden. Mehrmals rannte eine verschleierte Fellachin mit einer Schüssel voll blutiger Flüssigkeit aus dem Haus, um kurz darauf mit frischem Wasser vom Nil zurückzukommen. Während er mit angewinkelten Knien im Schatten der Mauer hockte, hoffte Mark inständig, daß das Martyrium bald ein Ende nähme.

Kurz vor Sonnenuntergang trat Jasmina mit einem schleimigen, schreienden Baby in den Armen aus dem Haus, und die Männer sprangen auf. Sie legte das Kind, das zum Schutz gegen den bösen Blick eine blaue Gebetsschnur um den Hals trug, vor Habib nieder. Dann schlug sie das Tuch zur Seite, um zu zeigen, daß es sich um einen Jungen handelte. Während die Männer schrien und lachten und sich gegenseitig auf die Schulter klopften, kam eine Fellachin mit einem Säckchen in der Hand aus dem Haus, das ein paar Getreidekörner und die Nabelschnur des Kindes enthielt und das sie auf Habibs Feld vergraben würde. Drinnen im Haus hatte sie bereits die Nachgeburt bestattet.

Mark war erschüttert, als er Jasmina sah. Ihre kupferbraune Gesichtsfarbe war einer fahlen Blässe gewichen, und ihre dunklen Augen hatten ihren Glanz verloren und wirkten trübe und ausdruckslos. Ihre Bluse war vorne ganz mit Blut beschmiert.

»Geht es Ihnen gut?« fragte er.

»Ja«, seufzte sie, »aber wir müssen jetzt gehen.«

Sie fuhren durch die Ebene zurück, während die Sonne unterging und die Landschaft immer mehr in Dunkel gehüllt wurde. Die hüfthohen Ruinen von Achet-Aton schienen sich auszudehnen und über den Sand zu gleiten, als der Landrover vorüberratterte. Jasmina saß gegen die Wagentür gelehnt und preßte ihre Stirn ans Fenster. Sie hielt die Augen geschlossen.

»Sie waren einfach großartig«, bemerkte Mark, nachdem sie lange geschwiegen hatten. »Hatten Sie diesen Traum wirklich?«

»Nein.«

Während er den Geländewagen über Hügel und um hervorspringende Ruinen herum lenkte, riskierte Mark einen Blick auf die junge

Frau neben ihm. Sie wirkte in sich gekehrt und beinahe trübsinnig.
»Jasmina, was ist denn los? Sie haben das Baby doch gerettet!«
»Ja, Mark, aber die Frau hat es nicht überstanden.«

Die Dämmerung war seine Lieblingstageszeit. Das Abendessen war
vorüber, die Hauptarbeit getan, und die schlimme Hitze des Nachmittags ging allmählich in milde, tropisch warme Luft über. Mark konnte
hören, wie die Fellachen in der Arbeitersiedlung in die Hände klatschten und sangen. Er vernahm auch Doug Robertsons klassische
Gitarre, die aus Rons Dunkelkammer zu ihm herüberdrang. Am Geklapper von Geschirr und Pfannen erkannte er, daß Samira dabei war,
die letzten Handgriffe in der Küche zu verrichten.
Als Mark sein Feuerzeug an den Tabak in seiner Pfeife hielt, nahm er
sich vor, die alte Fellachin heute abend auf ihrem Weg aus dem Lager
anzusprechen. Vielleicht ließe sie mit sich handeln; ein *Kadah* Haschisch gegen ihre koptischen Verbformen.
Er saß wieder ein paar Schritte vom Camp entfernt auf der zerbrochenen alten Mauer und paffte zufrieden seine Pfeife. Da merkte er, daß
er gleich Gesellschaft bekommen würde. Zuerst roch es nach Gardenien, und gleich darauf ließ sich ihre Stimme vernehmen: »Darf ich
mich zu Ihnen setzen?« Mark schaute zu ihr auf und musterte sie
argwöhnisch. »Bitte sehr. Wie geht es Ihrem Mann?«
»Sanford geht es wieder gut. Im Augenblick macht er Gymnastik.«
Mark überlegte angestrengt, was er noch sagen könnte. »Haben Sie
bis jetzt noch Gefallen an dem Leben in der Wüste?«
Sie hob ihre Augenbrauen. »Ich habe diese Reise nicht zum Vergnügen unternommen, Dr. Davison. Ich bin hergekommen, um das Grab
zu finden.«
»Trotzdem ist es doch bestimmt langweilig für Sie.«
Sie saß so dicht neben ihm, daß sie ihn fast berührte, aber Mark
konnte keine Wärme an ihrem Körper spüren. »Dr. Davison, woher
wollen Sie wissen, was mich langweilen würde?«
Ihr Blick war streng, und ihre Stimme klang eisig. Mark zitterte beinahe. »Nun, die meisten Leute, die an Expeditionen teilnehmen und
nicht direkt an der Arbeit beteiligt sind, verlieren für gewöhnlich nach
einer Weile das Interesse. Unser Aufenthalt hier kann sich noch lange
hinziehen, Mrs. Halstead.«

»Ich bin geduldig.«

Mark erinnerte sich, wie sie in der Nacht zuvor ausgesehen hatte, als sie wie hypnotisiert in einem leichten Morgenmantel durchs Camp gewandelt war. Er suchte krampfhaft nach Worten, um die immer länger währende Stille auszufüllen. »Ich muß schon sagen, Mrs. Halstead, das ist wirklich ein... starkes Parfum, das Sie da tragen.«

»Wie bitte?«

»Ihr Parfum. Gardenien, nicht wahr?«

»Dr. Davison, ich trage kein Parfum. Ich benutze niemals welches, weil ich nichts davon halte. Parfum ist künstlich und unnatürlich. Ich besitze nicht einmal eine Flasche.« Er blickte sie entgeistert an, drehte aber gleich wieder den Kopf weg. Warum sollte sie etwas so Offenkundiges wie diesen intensiven Duft, von dem sie geradezu durchtränkt war, abstreiten?... Nun, im Grunde ging es ihn ja auch nichts an. »Ach übrigens. Dr. Davison, ich hatte heute morgen eine hochinteressante Unterhaltung mit Mr. Domenikos.«

Mark wandte ruckartig den Kopf. »Was!«

»Der abscheuliche Mensch kam heute morgen ins Camp, während Sie an der Grabungsstelle waren. Er hat meinem Mann ein Geschäft vorgeschlagen.«

»Verdammt noch mal! Wie ist er an den *Ghaffir* vorbeigekommen? Machen Sie sich keine Mühe. Die Antwort darauf weiß ich schon. Und wie verhielt sich Ihr Mann?«

»Unterschätzen Sie uns nicht, Dr. Davison! Domenikos könnte uns mit nichts auf der Welt dazu bewegen, uns auf einen Handel mit ihm einzulassen. Mein Mann hat nicht die leiseste Absicht, unsere Funde in die Hände eines Gauners gelangen zu lassen.«

»Und Sie, Mrs. Halstead?«

Sie sah ihn mit ihren grünen Augen eindringlich an, und es kam Mark so vor, als ob ihr Blick etwas weicher wäre als sonst. Er wünschte plötzlich, daß sie nicht so dicht neben ihm säße. Doch da schaute sie unvermittelt weg, zuckte leicht zusammen und fuhr sich mit den Fingerspitzen an die Schläfe. »Stimmt etwas nicht?«

Sie antwortete nicht sofort, sondern neigte den Kopf, als ob sie sich konzentrierte. Schließlich ließ sie ihre Hand sinken und wandte sich wieder Mark zu. Sie lächelte warmherzig. »Es ist der Sand. Ich bin nicht daran gewöhnt...«

Als Mark ihr ins Gesicht sah, fragte er sich, ob er sich nur einbildete, daß ihre Stimme jetzt sanfter klang.

»Sie vermuten, daß sich das Grab in dem Cañon befindet, nicht wahr?«

»Ja, das ist richtig...« Es entsprang nicht seiner Einbildung, daß Alexis sich nun an ihn lehnte. »Ramsgate schrieb, er habe sein Camp verlegt, um näher am Grab zu sein, und ich bin ziemlich sicher, daß die schwarze Feuerstelle der Ort ist, wo Ramsgates Zelte standen.«

»Wozu dienen die Gräben?«

»Ich hoffe, daß wir dadurch entweder auf den Stelensockel mit dem Rätsel stoßen, das die Lage des Grabes enthält, oder daß wir die Treppe finden, die zum Grab führt. Nach Ramsgates Angaben hatte sie dreizehn Stufen. Mrs. Halstead...« Mark schnellte hoch. »Sie müssen mich entschuldigen, aber ich habe noch zu arbeiten.«

Als sie zu ihm aufschaute, bemerkte er einen Anflug von Verwirrung auf ihrem Gesicht. Dann sagte sie: »Es ist spät, Dr. Davison. Mein Mann und ich wollen morgen früh mit Ihnen zur Ausgrabungsstelle fahren.« Sie erhob sich und schwankte ein wenig, als sie vor ihm stand. »Ich... ich habe nicht gut geschlafen...«

Mark beobachtete sie, wie sie über den Sand lief und in ihrem Zelt verschwand. Dann begann er langsam zu seinem eigenen Zelt zurückzugehen.

Als Mark den Rand des Lichtkreises erreichte, spürte er plötzlich, daß er nicht allein war. Er blieb stehen und lauschte. Im Camp war kein Laut zu hören. Rons Dunkelkammer war still und verlassen, und während seiner Unterhaltung mit Alexis hatte die alte Samira das Gemeinschaftszelt wohl verlassen. Die Dämmerung war finsterer Nacht gewichen, und alles schlief.

Mark drehte sich um und sah wenige Meter entfernt eine Frau stehen, die ihn beobachtete. Er erkannte sie; er hatte sie früher schon zweimal gesehen. Doch diesmal verschwand die Frau nicht, als er sich ihr vorsichtig näherte.

Als er auf drei Meter an sie herangekommen war, hob sie langsam die Hand und gab ein einziges Wort von sich.

Mark hielt den Kopf schräg. »Wie bitte?«

Sie wiederholte es.

»Ich verstehe Sie nicht. Wer sind Sie?«

Ein Zögern ging ihrer Antwort voraus, und als es endlich soweit war, gebrauchte sie Worte, deren Sinn Mark nicht erfassen konnte. Während sie sprach, bemerkte er, daß sie dasselbe wallende, weiße Gewand trug wie früher. Wieder kauerte sie sich weinend auf den Felsen und sah aus der Dunkelheit zu ihm herüber, so daß er sich fragte, ob er jetzt wieder träumte. Während die Frau immer wieder denselben Satz wiederholte, fiel ihm auch auf, daß sich zwar ihre Lippen bewegten, daß der Klang ihrer Stimme aber nur in seinem Kopf existierte. Es war ein sanftes Flüstern in seinem Gehirn, und die Worte entstammten einer völlig fremden Sprache.

»Wer sind Sie?« fragte er noch einmal und spürte das Hämmern von aufziehendem Kopfweh in seinen Schläfen.

Geduldig und langsam begann sie wieder zu sprechen, und derselbe weiche Flüsterton klang abermals in ihm auf. Da bemerkte Mark, daß ihre Füße den Boden nicht berührten und daß sie sich leicht auf und ab bewegte, als ob sie auf einem Meer triebe.

»Dr. Davison!«

Er fuhr herum.

»Ach, hier sind Sie, Davison!« Sanford Halstead kam über den kalten Sand auf ihn zu. »Ein Glück, daß Sie noch wach sind. Ich muß mit Ihnen reden. Mir ist etwas ganz Peinliches passiert!«

Mark blickte den Mann verständnislos an. Er spürte ein Prickeln im Nacken und wußte, ohne sich umzudrehen, daß die Frau verschwunden war.

Vierzehn

Mark rutschte ungeduldig auf seinem Sitz hin und her und strengte sich an, bei der Sache zu bleiben. Hasim redete ununterbrochen über eine Ausgrabung im Nildelta, bei der ganz unerwartet ein Sonnentempel freigelegt worden war, und Mark hatte Mühe, interessiert zu erscheinen.

Es war zehn Uhr. Die Arbeitsgruppen kamen gut voran. Fünf lange, gerade Gräben durchzogen nun den Talboden; der abgetragene

Schutt wuchs langsam zu stattlichen Hügeln. Am oberen Ende jedes Grabens stand eine Holzkiste, die alles aufnehmen sollte, was an Interessantem in den Gittersieben hängenblieb – bis jetzt waren die Kisten noch leer.

Ron hatte die Ärmel hochgekrempelt und fotografierte systematisch die Gräben. Die Halsteads saßen auf Holzstühlen im Schatten der Felswand und tranken kalten Tee aus einer Thermosflasche. Jasmina verarztete einen Mann wegen eines Skorpionstichs. Mark wurde sich plötzlich bewußt, daß die Sonne schon ziemlich intensiv auf das Dach des Landrovers herunterbrannte.

»Wie lange beabsichtigen Sie, in diesem Cañon zu arbeiten, Dr. Davison?«

Mark blickte Hasim mit leichtem Stirnrunzeln an. »Was meinen Sie bitte?« »Haben Sie schon eine zeitliche Grenze festgesetzt?«

»Hmm... noch nicht.« Mark versuchte sich zu erinnern, was er über Sinnestäuschungen als Folge starker Sonneneinstrahlung gelesen hatte. Da war doch gestern abend wieder diese durchsichtige Frau gewesen...

»Wenn Sie mich bitte entschuldigen wollen, Dr. Davison. Ich werde einmal nachsehen, wie weit die Arbeit gediehen ist.« Mark spürte, wie das Fahrzeug ein wenig wackelte, als der junge ägyptische Beamte heraussprang. Einen Augenblick später sah er, daß Jasmina zu den Landrovern geeilt kam. Als sie neben ihm einstieg und sich den Staub von ihren Hosenbeinen klopfte, stellte Mark fest, daß er seine Konzentrationsfähigkeit wiedererlangt hatte.

»Wie geht es ihm?«

»Der Mann wird bald wiederhergestellt sein. Ich konnte ihm den Arm rechtzeitig mit einer Aderpresse abbinden und ihm eine Schlangenserum-Injektion verabreichen. Trotzdem wird er ein paar Tage lang nicht arbeiten können.«

»Bis jetzt haben wir Glück gehabt. Es gab nicht viele Verletzungen.«

Jasmina sah Mark etwas seltsam an, öffnete den Mund, um etwas zu erwidern, überlegte es sich dann doch anders und schwieg. Die beiden saßen eine Weile stumm nebeneinander und schauten den Fellachen durch die Windschutzscheibe bei der Arbeit zu. Schließlich fragte Mark: »Was ist mit Ihrer Hand los?«

Jasmina strich über ein frisches Pflaster an ihrem Handgelenk. »Ich habe schon wieder einen Insektenstich. Dieser will einfach nicht verheilen.«

»Die Stechmücken haben wohl eine besondere Vorliebe für Sie.«

»Es sieht ganz danach aus.«

»Ich weiß, daß ich es schon einmal gesagt habe, aber ich war gestern wirklich von Ihnen beeindruckt, wie Sie mit den Leuten in dem Dorf bei der Entbindung umgegangen sind. Die haben es Ihnen nicht gerade leichtgemacht.«

»Dr. Davison, die haben mich gehaßt.«

»Warum haben Sie sich dann so dafür eingesetzt, ihnen zu helfen?«

Ihr Achselzucken wirkte nicht überzeugend.

»Gestern haben Sie mich mit Mark angeredet.«

Sie gab keine Antwort.

Er betrachtete sie einen Augenblick und spürte, wie sehr er es genoß, in ihrer Nähe zu sein. Dann meinte er: »Dieser Dr. Rahman wirkte nicht sehr engagiert.«

»In gewisser Hinsicht kann ich es ihm nicht verübeln. Er hat eine undankbare und aussichtslose Aufgabe. Es kommt häufig vor, daß ein Fellache, der schon geheilt war, sich unwissentlich wieder infiziert. Obgleich man ihn davor warnt, daß der Schlamm Krankheiten in sich birgt, wird er auch weiterhin barfuß hindurchlaufen und jung sterben. Die staatlichen Ärzte müssen gegen eine Mauer der Unwissenheit anrennen. Für jeden Schritt, den sie nach vorne tun, werden sie zwei Schritte zurückgeworfen.«

Mark betrachtete Jasminas Gesicht, als sie sprach. Wie hübsch sie doch war und wie wohl er sich in ihrer Gegenwart fühlte. »Ich bin froh, daß Sie sich unserer Expedition angeschlossen haben. Sie werden einmal eine hervorragende Ärztin abgeben.«

»Danke.«

Mark überlegte einen Augenblick, dann meinte er: »Darf ich Sie etwas Persönliches fragen?«

Sie zögerte. »Ja.«

»Was meinte die alte Frau gestern damit, als sie sagte, Sie seien eine Fellachin?«

Jasmina zupfte an den Enden ihres hellen Pflasters, das sich deutlich von ihrer dunklen Haut abhob. Die Antwort kam leise, fast wie ein Flüstern: »Weil ich eben eine Fellachin bin. Ich wurde in einem sehr kleinen Dorf in Oberägypten geboren und bin dort aufgewachsen. Der Name wird Ihnen bestimmt nichts sagen, denn es ist noch kleiner als El Till. Ich war das einzige Kind meines Vaters, der sich immer einen Sohn gewünscht hatte. So lehrte er mich Lesen und Schreiben und den Umgang mit Zahlen. Der 'Umda meines Dorfes merkte bald, daß ich nicht so dumm war wie andere Kinder, und sorgte dafür, daß ich auf eine Missionsschule in der Nähe von Assuan geschickt wurde. Als mein Vater und der 'Umda von den Schwestern hörten, daß ich ihre beste Schülerin sei, machte mein Vater den Mudir unserer Provinz auf mich aufmerksam. Ich war damals vierzehn und sehr vertraut mit dem Umgang mit Büchern, aber weniger gewandt im Umgang mit . . . Menschen.«

Jasmina hielt den Kopf gesenkt, während sie sprach; sie schien Marks Gegenwart völlig vergessen zu haben. »Der Mudir erzählte mir von Kairo und seinen wunderbaren Schulen. Er stellte mir in Aussicht, eine solche Schule zu besuchen und eine der wenigen Gelehrten meines Dorfes zu werden. Vielleicht eine Scheicha. Doch zuvor müßte ich mir die Ausbildung verdienen. Natürlich verlockte mich dieses Angebot sehr. Er traf eine Vereinbarung mit meinem Vater, und ich blieb ein Jahr lang im Hause des Mudir.« Sie zupfte wieder mit ihren schlanken, braunen Fingern an dem Pflaster. »Nach dieser Zeit waren meine Verpflichtungen erfüllt, und der Mudir löste sein Versprechen ein. Er schickte mich nach Kairo und kam für meine Ausbildung auf.«

Jasmina hob den Kopf und sah Mark herausfordernd an. »Mein Vater ist jetzt tot, und ich habe keine Angehörigen mehr. Sogar der fette, alte Mudir ist gestorben, und so ist niemand mehr übrig, der sich an diese Zeit erinnert. Aber ich werde sie ewig im Gedächtnis behalten. Ich habe für das, was ich jetzt bin, gekämpft, so wie die staatlichen Ärzte um jeden Piaster kämpfen müssen. Aber mein Kampf ist ein anderer. Ich möchte die Fellachen von ihren Fesseln befreien.«

Als sie verstummte, trat eine peinliche Stille ein, aus der Mark sich nicht zu lösen vermochte. Jasminas Blick aus ihren dunkel glühenden Augen hielt ihn in seinem Bann. Da überkam ihn eine plötzliche Regung, ein elementarer Drang, den er seit seinen ersten Tagen mit Nancy vor sieben Jahren nicht mehr verspürt hatte.

Das Geräusch von Spitzhacken, die auf Fels trafen, riß ihn aus seiner Erstarrung. »Hören Sie«, begann er und räusperte sich, »bevor wieder irgend jemand herkommt, möchte ich noch eine Sache mit Ihnen bereden. Es geht um Mr. Halstead. Er hat ein Problem.«

Sie hörte schweigend zu, als Mark ihr von dem Gespräch berichtete, das er in der Nacht zuvor mit Halstead geführt hatte. Er endete mit den Worten: »Er weigert sich, nach El Minia zu fahren, um einen Arzt aufzusuchen. Und er lehnt es auch ab, daß Sie ihn untersuchen.«

»Was dachte er, daß Sie für ihn tun könnten?«

»Mit Ihnen darüber reden. Er hoffte, Sie könnten ihm etwas dagegen verabreichen.«

»Er muß erst untersucht werden. Ich kann ihm keine Medikamente verordnen, ohne die Ursache seiner Beschwerden zu kennen. Mr. Halstead sagt, er habe Blut im Urin. Das ist nur ein Symptom. Möglicherweise handelt es sich um eine Blaseninfektion, aber Sie sagen, daß er nicht über Schmerzen oder Brennen beim Wasserlassen klagt. Dann ist es vielleicht eine Niereninfektion oder ein Nierenstein. Es könnte durch die Anstrengung bei seinem täglichen Lauftraining hervorgerufen worden sein. Womöglich braucht er Antibiotika. Vielleicht ist auch ein operativer Eingriff nötig. Ein Mann in seinem Alter kann sich unzählige Harnwegserkrankungen zuziehen. Wenn er nicht zuläßt, daß ich ihn untersuche, dann muß er einen Spezialisten in Kairo aufsuchen.«

»Das habe ich ihm auch gesagt, aber er weigert sich, die Ausgrabungsstätte zu verlassen.«

»Was bleibt ihm anderes übrig?«

»Er meinte, wenn Sie ihm kein Mittel geben können, werde er einfach abwarten, ob es von allein weggeht. Wenn dies nicht der Fall sein sollte oder wenn es sich verschlimmern sollte, will er einen Arzt aus Kairo einfliegen lassen...«

»Juhu!«

Mark und Jasmina schauten auf und sahen, wie Ron ein rotes Tuch über dem Kopf schwang. Am unteren Ende des Grabens, der am weitesten von den Landrovern entfernt war, herrschte ein aufgeregtes Durcheinander, und Mark konnte Abdul auf Händen und Knien über den Grabenrand spähen sehen.

Die Halsteads waren schon auf den Beinen und liefen mit Hasim um die Wette. Die Fellachen sahen von der Arbeit auf und schauten dem Treiben zu.

Als Mark und Jasmina herbeigerannt kamen, hatte Ron bereits den oberen Teil eines verschütteten Kalksteinfragments freigelegt. Es war sechzig Zentimeter breit und acht Zentimeter dick und ragte etwa drei Zentimeter über den Boden des Grabens hinaus. Oben befand sich eine Bruchstelle, die sich rauh anfühlte. Wie weit der Stein nach unten reichte, konnte man so nicht feststellen. Er bewegte sich nicht, als Mark daran rüttelte.

»Es ist der Stelensockel!« jubelte Ron und griff nach seiner Kamera.

Mark stand auf und wischte sich die Hände ab. »Ron, du und ich werden es ausgraben. Abdul, laß die Fellachen dort weiterarbeiten, wo sie gerade sind.«

»Jawohl, Effendi.«

»Wir brauchen Bürsten und Messer, eine Kelle, Spieße zum Aufstecken von Fähnchen, zwei Gittersiebe, eine Wasserwaage...« Er wandte sich zu Jasmina um und legte eine Hand auf ihren Arm. »Ich möchte, daß Sie das Feldbuch übernehmen und die Eintragungen für mich machen, ja? Oh, und Abdul«, Mark sprach so rasch, daß er den plötzlichen Ausdruck des Mißfallens in den Augen des Vorarbeiters gar nicht bemerkte, »ich werde eine Schiefertafel und starken Bindfaden benötigen. Spanne einen Sonnenschirm auf. Wir werden den ganzen Nachmittag durcharbeiten. Und stelle jetzt gleich einen bewaffneten *Ghaffir* an diesen Felsen!«

»Verdammt noch mal, schon wieder dieselbe Scheiße!«

Mark sah nicht von seiner Arbeit auf. Obwohl sein Rücken vor Anstrengung schmerzte und das über ihm aufgespannte Segeltuch die Hitze nur wenig milderte und obwohl sein Freund vor Wut mit dem Stiefel Sand aufwirbelte, ließ Mark sich durch nichts von seiner Arbeit ablenken. In zwei Stunden hatte er fünfzehn Zentimeter von dem Stein freigelegt.

»Ich weiß einfach nicht, woran es liegt!« fuhr Ron fort und starrte auf den Probeabzug in seiner Hand. »Schon wieder vernebelt!«

»Besorg dir eine andere Kamera.«

»Sieh her!« Ron sprang neben Mark in den Graben hinunter. »Diese Aufnahmen sind entstanden, kurz bevor der Stein gefunden wurde.

Allesamt einwandfrei. Und hier, zwölf Bilder weiter, eine Weitwinkelaufnahme vom Cañon, ebenfalls tadellos. Doch diese zwölf in der Mitte des Films sind verschleiert, Mark. Nur die Fotos von dem Stein. Ich kann mir das nicht erklären!«

»Dein Film muß beim Weitertransportieren beschädigt worden sein.«

»Unmöglich. Dann gäbe es nicht diese klare Abgrenzung. Ein Negativ scharf und makellos und das nächste völlig vernebelt.«

Schließlich setzte Mark sich auf die Fersen zurück und fuhr sich mit dem Ärmel über die Stirn. Seine Augenbrauen und sein Bart glitzerten von Schweiß. »Ron, du bist der Fotograf. Ich bin nur ein Artischockenpflücker, okay? Schau her, du hast noch gar nicht gesehen, wie weit ich inzwischen gekommen bin.«

Ron ließ sich auf die Knie nieder. Die Vorderseite des breiten, flachen Steins, der jetzt etwa achtzehn Zentimeter aus dem Sand aufragte, war mit waagerechten, sauber eingemeißelten Hieroglyphenreihen bedeckt.

»Donnerwetter«, flüsterte er, »das ist wirklich ein Volltreffer.«

»Zweifellos. Lies das hier.« Mark tippte mit der Spitze eines Pinsels auf die rechte Spalte. »›Der Verbrecher von Achet-Aton.‹ Meine Güte...«

»Ich weiß nicht, wie weit hinunter dieses Ding hier geht, aber wir müßten eigentlich bald das Rätsel lesen können, das auf die Lage des Grabes verweist. Dann können wir selbst entscheiden, ob Ramsgate einen Fehler gemacht hat oder nicht.« Ron fuhr sich mit der Zunge über die Lippen. »Ich kann es nicht glauben...« Er ließ sich nach hinten auf sein Gesäß fallen. Jetzt nahm er auch die anderen wahr, die im Schatten von Abduls flatternder Zeltleinwand saßen. Jasmina, die mit übergeschlagenen Beinen im Sand hockte, war dabei, ein minuziöses Protokoll über den Verlauf der Arbeit zu verfassen. Sanford und Alexis Halstead, die wie Fürsten auf ihren hölzernen Klappstühlen thronten, erweckten den Eindruck, als wohnten sie einem Tennismatch bei, so ausdruckslos waren ihre Gesichter. Hasim machte sich seine eigenen Notizen, und Abdul Rageb stand gelassen neben dem bewaffneten *Ghaffir*. Das einzige Geräusch im Cañon rührte von dem heißen Wind her, der von dem Hochplateau heruntergefegte. Die Fellachen waren in die Arbeitersiedlung zurückgebracht worden.

»Ron, wir brauchen Fotos, und zwar gute, scharfe und klare. Wenn diese Stele wirklich aus gewachsenem Fels herausgemeißelt wurde, werden wir nicht in der Lage sein, sie wegzutransportieren. Wir können die Inschriften daher nur anhand von Fotos studieren.«

Ron nickte. »Gut, ich habe neues Filmmaterial mitgebracht, das in bleigefütterten Beuteln verpackt ist. Ich werde auch ein paar Experimente mit der Kamera durchführen. Aber klare, deutliche Aufnahmen, das wird nicht einfach werden. Die Schriftzeichen sind nicht tiefer als zwei Millimeter in den Stein eingeschnitten. Der Kontrast wird unerheblich sein. Ich muß sehen, ob ich Sonnenlicht bekommen kann, das aus einem ganz bestimmten Winkel einfällt...«

Marks Rücken schmerzte so sehr, daß er meinte, sich nie wieder aufrichten zu können, aber es war ein guter Schmerz. Er hatte ihn schon früher gespürt, wenn er stundenlang über einem vergrabenen Fundstück kauerte und so sehr in seine Arbeit vertieft war, daß er seinen Körper darüber vergaß. Als er jetzt mit hochgelegten Füßen vor seinem leer gegessenen Teller im Gemeinschaftszelt saß, genoß er sogar das Stechen und Ziehen in seinem Rücken, weil es ihn ständig an seinen Grabungserfolg erinnerte.

Er vermutete, daß etwa die Hälfte der Stele freigelegt worden war.

»Tut mir leid, daß die Aufnahmen nichts geworden sind«, sagte Ron. Mark winkte ab und griff zu seinem Weinbecher. »Ach, mach dir nichts draus. Wir werden uns die Hieroglyphen für morgen vornehmen. Ich hoffe nur, daß die untere Hälfte ebensogut erhalten ist wie das, was wir bis jetzt zutage gefördert haben. Wenn es so ist, dürften wir eigentlich keine Schwierigkeiten haben, den Inhalt zu entschlüsseln.«

»Ich kann mir nur nicht erklären, warum eine so einzigartige und wertvolle Stele von anderen Ägyptologen noch nicht weggeschafft wurde.«

»Ganz einfach, mein Freund, sie haben sie niemals entdeckt. Durch den Befehl des Paschas war dieses Gebiet mehrere Jahrzehnte lang sozusagen unter Quarantäne gestellt. In dieser Zeit hat es niemand gewagt, den Cañon zu betreten, und so wurde die Stele unter Treibsand begraben, und die Erinnerung an Ramsgate verblaßte.«

»Und das Tagebuch?«

»Wie ich schon neulich abends sagte, hat es vielleicht ein Fellache an sich genommen, noch bevor die Soldaten des Paschas anrückten. Wer weiß? Im Grunde ist es auch nicht wichtig.«

Ron starrte düster in sein Weinglas. Er und Mark waren allein im Zelt. Nur Samira schlurfte leise in der Kochecke hin und her. »Ich habe ein ungutes Gefühl wegen meiner Fotos, Mark.«

»Was willst du damit sagen?«

»In Ramsgates Tagebuch heißt es, Sir Robert habe Schwierigkeiten mit seinem ›Kamerakasten‹ gehabt. Als die Platte entwickelt war, kamen die Bilder schwarz heraus. Dann benutzte er einen Magnesiumblitz und machte eine Aufnahme von Ramsgate und seiner Frau. Das fertige Bild, so berichtet Ramsgate, sei mit einem merkwürdigen Defekt behaftet gewesen. Ein unerklärlicher Schatten, der wie eine Rauchsäule aussah, habe sich neben Amanda gezeigt. Kommt dir das nicht bekannt vor?«

Mark gab keine Antwort. Er erinnerte sich an eine andere Stelle im Tagebuch, wo es hieß: »Meine Amanda hat angefangen, schlafzuwandeln. Sie wird von seltsamen Alpträumen geplagt und plappert in einer unverständlichen Sprache. Wenn sie bei klarem Verstand ist und anscheinend die Berührung zur Wirklichkeit wiedergefunden hat, behauptet sie, das Gespenst einer durch das Camp wandelnden Frau in strahlend weißen Gewändern gesehen zu haben...«

»Laß uns ein wenig Schlaf tanken«, sagte Mark unvermittelt. »Morgen wird der entscheidende Tag sein.«

Die Nachtluft hatte sich während der Unterhaltung der beiden empfindlich abgekühlt. Die Sterne bedeckten den Himmel wie zerstäubte Eiskristalle. Mark und Ron zitterten vor Kälte, als sie das Lager durchquerten.

»Es ist ein Wunder, daß das Land bei diesen raschen Temperaturschwankungen nicht zerspringt. Wohin gehst du, Ron?«

»Ich bleibe noch ein Weilchen in der Dunkelkammer. Ich muß herausfinden, was mit meinem Film passiert ist.«

»Laß dir den Wein nur schmecken, mein Freund«, murmelte Mark, während er Ron nachschaute.

Als er eben sein Zelt betreten wollte, spürte Mark, wie ihm ein eiskalter Schauer den Rücken hinunterlief. Seine Schulterblätter zogen sich reflexartig zusammen, als ob jemand ihm einen Eiswürfel in den Hemdkragen gesteckt hätte. Er blieb stocksteif stehen, während er mit einer Hand noch die Zeltplane hielt. An seinen Schläfen begann es heftig zu pochen.

Dann hörte er es.

Das dumpfe Geräusch schwerer Schritte.

Es kam von außerhalb des Lichtkreises der Lagerlaternen, irgendwo aus der tiefschwarzen Finsternis hinter seinem Zelt, ein dumpfes, rhythmisches Tock–tock. Ein unheimliches Geräusch wie der schleppende Gang eines riesigen, schlaftrunkenen Tieres.

Seine Nackenhaare sträubten sich. Er wollte nachschauen, was es war, aber er wagte es nicht. Mit den Fingern hielt er die Plane krampfhaft umfaßt; er klammerte sich daran fest, um nicht zu Boden zu stürzen.

Tock–tock. Tock–tock.

Ein Fellache im Haschischrausch. Aber nein, das klang viel schwerer; es hatte mindestens das Gewicht eines Pferdes. Vielleicht war es das Kamel des Griechen. Am Ende kam der Kerl zurück, um noch einmal mit ihm zu verhandeln.

Mark begann zu zittern. Er spürte, wie ihm in den Achselhöhlen der Schweiß ausbrach. Das war kein Kamel; es handelte sich nicht um einen Vierbeiner. Was auch immer sich da auf ihn zuschleppte, es stand aufrecht auf zwei Füßen... Ein strammer, eisiger Wind erhob sich und fauchte durch das Zelt. Die draußen aufgehängten Laternen schaukelten, und ihr Lichtschein verursachte bizarre Schattenspiele. Mark fühlte eine grausige Angst in sich hochsteigen. In seinem Kopf hämmerte es zum Zerspringen.

Tock–tock. Immer lauter, immer näher. Tock–tock.

Heilloser Schrecken und panische Angst überkamen ihn, ein plötzliches, unerklärliches Bedürfnis, auf die Knie zu fallen und sich die Seele aus dem Leib zu heulen. Was immer aus der Tiefe der Finsternis auf ihn zukam, es war... Und dann, ganz urplötzlich, nahm er ein seltsames Leuchten wahr. Vor sich sah er seinen eigenen Schattenriß, der sich scharf gegen die Zeltwand abzeichnete. Das weiße Glühen, das das Lager in ein unnatürliches Licht tauchte, kam von hinten und nicht aus der Richtung des herannahenden Unheils. Mit einem Mal legte sich der Wind, und die Dunkelheit senkte sich lautlos und ruhig auf das Camp herab. Das Tock–tock verebbte.

Noch immer wie gelähmt, drehte sich Mark ungeschickt und mühsam um und wandte dem Zelt und dem in der Finsternis lauernden Schrekken den Rücken zu. In der Mitte des Lagers gewahrte er, wie eine Vision, wieder diese Frau.

Sie erschien genauso, wie sie ihm die letzten drei Male erschienen war: in phosphoreszierendem, milchigweißem Schimmer. Sie blickte ihn aus traurigen, großen und sanften Augen an und bewegte langsam ihre beerenroten Lippen. Und als Mark sie durch die eisige Nacht verblüfft anstarrte, hörte oder vielmehr fühlte er wieder ihre leise Stimme in seinem Kopf.

»Entek setemet er anxui-k.«

Mark bemerkte, daß sein Hemd von Schweiß durchnäßt wurde. Die kalte Nachtluft ließ ihn erstarren.

»Sexem-a em utu arit er-a tep ta.«

Sein Atem verlangsamte sich. Ein Zittern durchlief seinen Körper. Dann stand er wie versteinert und hatte plötzlich keine Gewalt mehr über sich, konnte nichts mehr aus eigenem Antrieb tun.

Die Lippen der Frau bewegten sich, und im Geiste hörte er ein merkwürdiges Gemurmel: *»Un-na! Nima tra tu entek? Nuk ua em ten. Nima enti hena-k?«*

Mark öffnete den Mund, aber seine Zunge wollte ihm nicht mehr gehorchen.

»Nima tra tu entek?«

Er atmete keuchend und mühsam. Ich kann es fast verstehen! Ich kann es fast verstehen! dachte Mark überwältigt.

»Nima tra tu entek?«

Die Worte kommen mir bekannt vor. Ich kann sie fast . . .

»Nima tra tu entek?«

Er bebte am ganzen Leib, und sein Hemd war patschnaß. Wie gebannt starrte er auf die Lippen der Frau. Und wieder hörte er: *»Nima tra tu entek?«*

Ja! Jetzt habe ich es beinahe verstanden! Beinahe . . .

Da wurde ihre Stimme plötzlich von einer anderen Stimme übertönt, die mit solcher Wucht an seine Ohren geschmettert kam, daß er fast das Gleichgewicht verlor. Die Frau in Weiß verschwand, und mit einem Mal blitzten von allen Seiten Lichter auf. Mark legte eine Hand über seine Augen. Ein Aufschrei versetzte das Camp in Aufruhr.

Mark rannte mit den anderen zu Jasminas Zelt. Ihre Schreckensschreie gellten durch die Nacht. Mark und Ron rissen die Eingangsplane auf und öffneten hastig den Reißverschluß des Moskitonetzes. Drinnen herrschte völlige Dunkelheit, aber sie hörten, wie Jasmina um sich schlug und um Hilfe rief.

Als er hineinstürzte, spürte Mark, wie ihm etwas ins Gesicht flog. Es war, als hätte jemand eine Handvoll groben Sand nach ihm geworfen. Ein durchdringendes Summen erfüllte die Luft, und seine bloßen Arme wurden wie mit tausend Nadelstichen traktiert.

Ron tastete im Dunkeln nach dem Licht, und als er es anschaltete, schrie er entsetzt auf. Jasminas Zelt wimmelte von dichten, brummenden Insektenschwärmen. Sie schwirrten durch die Luft und krochen über jede freie Fläche, und in der Mitte kauerte, nur mit einem dünnen Nachthemd bekleidet, Jasmina, die wild mit den Armen fuchtelte und verzweifelt schrie.

Die Insekten bedeckten jedes Fleckchen ihrer Haut, krabbelten in ihrem Haar und legten sich wie eine schwarze Maske über ihr Gesicht: Stechmücken, Wespen, Fliegen und Heuschrecken, die durcheinanderbrummten und gnadenlos auf ihr Opfer einstachen.

Mark faßte sie um die Taille herum und schleifte sie aus dem Zelt. Als er auf die dichte Insektenwolke im Zeltinnern zurückblickte, sah er, wie auch Ron, schreiend und um sich schlagend, sich nach draußen durchkämpfte. Die anderen hatten sich vor dem Zelt versammelt und gafften verblüfft und sprachlos, als Mark die weinende junge Frau in den Armen hielt.

Er wischte ihr mit raschen Bewegungen über Gesicht und Haar, worauf die Insekten von ihr abließen und ins Dunkel wegflogen. Mark lauschte voller Ekel auf das Gebrumm des Ungeziefers. Dann wandte er sich an Abdul und befahl: »Sorge dafür, daß das Zelt von den Biestern befreit wird!«

»Jawohl, Effendi.« Die Miene des hochgewachsenen Ägypters verriet keine Regung, aber sein Blick war plötzlich voller Feindseligkeit.

»Ron, du und ich werden heute nacht im Laborzelt schlafen. Jasmina kann mein Bett haben.«

Ihr Schluchzen ließ allmählich nach, aber sie klammerte sich weiterhin an Mark. Im Nachthemd wirkte Jasmina sehr zart und schutzbedürftig, wie ein kleines Mädchen. Sie vergrub ihr Gesicht in seiner Brust, und als er sie weiter an sich gedrückt hielt, konnte er die zahllosen Schwellungen und Stiche auf ihrem Rücken und ihren Armen spüren.

Als er schließlich erneut einen Blick ins Zelt warf, waren die Insekten verschwunden.

Die Hitze lag flimmernd über dem Sand und ließ die Felsen auf der anderen Seite in verzerrten Proportionen erscheinen. Wie Quecksilber, das sich beim Nähertreten in Nichts aufzulösen schien, bedeckte die flirrende Luft den Cañonboden. Noch immer warteten alle gespannt auf das entscheidende Ergebnis, doch ihre Aufmerksamkeit ließ allmählich nach. Sie wollten zwar die Ausgrabungsstätte nicht verlassen, aber sie waren des Wartens müde.

Nach fünf Stunden Arbeit legte Mark endlich die letzte Hieroglyphenreihe frei.

Seine eigene Konzentrationsfähigkeit hatte ebenso nachgelassen wie die seiner Gefährten. Der Schrecken des nächtlichen Insektenüberfalls auf Jasmina steckte ihm noch in den Gliedern, und gleichzeitig ging ihm die Frau in Weiß nicht aus dem Sinn. Er hatte sich den größten Teil der Nacht auf dem Boden des Arbeitszeltes hin und her gewälzt, war immer wieder aus Alpträumen emporgeschreckt und hatte Ron neben sich ruhig atmen hören. Selbst jetzt, als er den Stein vom letzten Staub befreite, um seine rätselhafte Inschrift zu enthüllen, spürte Mark, wie ihn eine furchtbare Vorahnung beschlich.

Jasmina hatte in der Frühe darauf bestanden, mit zur Ausgrabungsstätte zu fahren. Sie saß jetzt über ihm und schrieb mit verbundenen Fingern das Ausgrabungsprotokoll. Ihr Gesicht, das bei Tageslicht ganz verschwollen gewesen war, fing an, besser auszusehen. Alles, was von dem nächtlichen Unglück übriggeblieben war, waren ein paar Kratzer und Stiche. Ron hockte mit angezogenen Knien neben ihr und machte ein düsteres, besorgtes Gesicht. Er beobachtete eine Eidechse, die im Sand nach Skorpionen grub, doch in Gedanken beschäftigten ihn seine erfolglosen Versuche, auch nur ein einziges Foto von der Stele zu machen.

Alexis Halstead saß abseits von den anderen im Sand. Ein seltsamer Ausdruck lag auf ihrem Gesicht. Sie hielt den Kopf schief, als lausche sie auf ein Flüstern im Wind.

Ihr Mann, der in einiger Entfernung von ihr saß, schien an diesem

Morgen völlig verändert zu sein. Er hatte wieder den Alptraum gehabt: Ein riesenhafter Mann aus Gold hatte am Fußende seines Bettes gestanden und mit funkelnden Augen auf ihn herabgestarrt, während von allen Seiten gleichzeitig eine Stimme ertönte, die immer dieselben Worte wiederholte: »Na-khempur, na-khempur...«

Hasim al-Scheichly war der einzige, der Marks Arbeit mit wirklichem Interesse verfolgte. Mit jeder Hieroglyphe, die von Schmutz befreit wurde, verdrängte er ein wenig mehr die Erinnerung an seinen eigenen, immer wiederkehrenden Alptraum, in dem er von einer skorpionköpfigen Frau verführt wurde, und konzentrierte sich auf den sensationellen Fund, der ihm eine beachtliche Beförderung verschaffen würde.

Mark ließ die Kelle fallen, wischte sich Gesicht und Nacken mit einem Tuch ab und setzte sich ächzend zurück. »Das wäre geschafft! Die letzten Zeilen, die uns Aufschluß über die Lage des Grabes geben, sind freigelegt...«

Fünfzehn

»Wenn Amun-Ra stromabwärts fährt, so liegt der Verbrecher darunter; um mit dem Auge der Isis versehen zu werden.«

»Sind Sie ganz sicher?«

Ron warf mit finsterem Blick den Bleistift weg. »Ron und ich haben es bis ins kleinste Detail untersucht. Die Aussage stimmt.«

»Sie müssen sich irren.«

»Mr. Halstead, die Sprache der alten Ägypter war Gegenstand meiner Doktorarbeit. Ich kann Hieroglyphen ebenso mühelos lesen wie Englisch. Ich kenne meine Arbeit.«

»Aber es ergibt keinen Sinn!«

»Wem sagen Sie das?«

Hasim räusperte sich und meinte ruhig: »Wir alle werden langsam ungeduldig, meine Herren. Aber es gereicht der Expedition nicht zum Nutzen, wenn wir uns streiten. Vielleicht sollten wir die Inschrift zunächst einmal außer acht lassen, bis...«

»Dazu haben wir keine Zeit«, fiel ihm Halstead ins Wort. »Die Tage werden immer heißer und unerträglicher. Nächsten Monat ist Ramadan. Wir müssen dieses Grab jetzt finden.« Mark überflog das große Blatt Papier, das vor ihm ausgebreitet lag und auf dem er eine fast fehlerfreie Kopie der Stele angefertigt hatte. Da es Ron nicht gelungen war, die Stele zu fotografieren, hatte Mark schließlich ein Butterbrotpapier über den Stein gelegt und es mit Holzkohle eingerieben. Dieses Verfahren hatte er schon früher bei der Untersuchung von Wandreliefs angewandt, wenn der Kontrast für die Fotografie nicht ausreichte, um die feinen Einzelheiten hervortreten zu lassen. Er hatte die Pause dann zu Studienzwecken auf ein frisches Blatt kopiert und war mit dem Ergebnis zum Abendessen erschienen. Niemand war erfreut darüber. »Sind Sie sicher, daß die Inschrift keinen weiteren Hinweis enthält, Dr. Davison?« fragte Halstead.

Mark breitete die Hände aus. »Ich habe Ihnen doch alles vorgelesen. Eine Warnung, sich fernzuhalten, die Namen dieser sieben Wächtergötter, ein paar Zauberformeln und am Ende dieses Rätsel.«

»Sie sagen, daß Amun-Ra für die Sonne steht und daß stromabwärts Norden heißt.«

»Ja, Mr. Halstead.«

»Nun, an dieser Stelle muß ein Irrtum vorliegen. Entweder ist es nicht Amun-Ra, oder es ist nicht stromabwärts.«

Mark seufzte und schüttelte den Kopf. »Es stimmt beides, Mr. Halstead. Glauben Sie mir, ich bin ebenso ratlos wie Sie.« Ron nahm seinen Becher, trank ihn in einem Zug leer und schenkte sich aus der Weinflasche, die er an den Tisch gebracht hatte, nach. »Worauf ich mir keinen Reim machen kann, ist das Auge der Isis. Wie soll der Verbrecher damit versehen werden und warum?«

Mark wandte seine Aufmerksamkeit der unteren Hieroglyphenreihe zu und starrte auf die fraglichen Schriftzeichen. Da war ganz deutlich das große, dreieckige Symbol, das als *sept* ausgesprochen wurde und für das Verb »versehen werden mit« stand, gefolgt von der sitzenden Figur der Isis und dem Wort *üdjat* für »Auge«.

»Und was ist mit dem Hund?« fragte Halstead. »Ein Hund wird darin überhaupt nicht erwähnt.«

»Nein, nicht einmal unter Aufbietung aller Phantasie läßt sich etwas Derartiges herauslesen.«

»Dr. Davison.« Halstead faltete seine Hände und legte sie auf den Tisch. Er wirkte nervös und zittrig. »Neville Ramsgate schreibt, er habe aufgeschaut und dort, ›wo sein Auge schon hundertmal achtlos vorbeigestreift war‹, den Hund entdeckt. Dann meint er, er wisse jetzt, wie kinderleicht die Antwort auf das Rätsel sei. Warum kommen Sie nicht darauf?«

»Dieselbe Frage könnte ich Ihnen stellen, Mr. Halstead.«

»Verdammt noch mal, Davison, wer ist denn hier der Ägyptologe?«

Mark verbarg seine Hände unter dem Tisch und ballte seine Fäuste, so fest er konnte. Scheinbar ruhig und gelassen, lenkte er das Gespräch auf ein anderes Thema. »Abdul hat zwei Frauen aus Hag Qandil zum Wäschewaschen bestellt. Sie werden morgen früh hier sein. Sie alle werden gebeten, Ihre schmutzige Wäsche zusammenzusuchen und sie morgen früh, bevor wir zum Cañon aufbrechen, für die Frauen bereitzuhalten. Wenn Sie irgendwelche speziellen Kleidungsstücke haben, Mrs. Halstead, vielleicht besonders empfindliche Sachen... Mrs. Halstead?«

Alexis, die ihm direkt ins Gesicht geschaut hatte, blinzelte und fragte: »Wie bitte?«

Nachdem er seine Frage wiederholt hatte, runzelte sie ein wenig die Stirn und erwiderte zerstreut: »Oh, ja, ja... ich habe schon... ein paar Sachen...«

Mark erhob sich und rollte das Blatt mit den Hieroglyphen zusammen. Als die anderen ebenfalls langsam aufstanden, meinte er: »Bis wir das Rätsel entschlüsseln können, heben wir weiter Gräben aus. Niemand von Ihnen muß mit zur Grabungsstelle kommen, wenn er nicht will...«

»Wir werden dabeisein, Dr. Davison.« Sanford Halstead faßte seine Frau am Ellbogen und geleitete sie zum Zeltausgang, wo er kurz stehenblieb und ihr etwas ins Ohr flüsterte. Doch Alexis schien es gar nicht wahrzunehmen, denn ihre Miene blieb weiter ausdruckslos. Sie nickte mechanisch und trat hinaus in den Sonnenschein.

Als Halstead kehrtmachte und mit einem leicht hinkenden Gang zurückkam, war Mark überrascht. Und noch mehr überraschte es ihn, als Halstead sich mit gespielter Lässigkeit an ihn wandte: »Davison, ich bin gespannt, ob Sie mir weiterhelfen können. Ich... ähm...

neulich schnappte ich zufällig ein Wort auf und frage mich nun die ganze Zeit, was es wohl bedeutet.«

»Wie lautet das Wort?«

»*Na-khempur.*«

Mark schürzte die Lippen, dachte kurz nach und drehte sich schließlich zu Ron um, der gerade aufstand. »Weißt du, was *na-khempur* heißt?«

Ron schüttelte den Kopf.

»Ist es . . .« begann Halstead zögernd. »Ist es modern oder alt?«

Mark hob die Augenbrauen. »Nun, wenn Sie es erst kürzlich von jemandem gehört haben, muß es wohl modern sein. Doch jetzt, wo Sie die Sprache darauf bringen, fällt mir auf, daß es tatsächlich wie Altägyptisch klingt.«

»Aber Sie wissen nicht, was es bedeutet?«

»Ich habe keinen Schimmer, tut mir leid.«

»Na, macht nichts. Es war ohnehin nicht so wichtig.«

Halstead drehte sich auf dem Absatz und marschierte hinaus. Gleich darauf kam Hasim zu Mark und meinte leise: »Ich denke, es wird wohl am klügsten sein, das Ministerium noch nicht zu verständigen. Ich werde warten, bis das Grab selbst gefunden ist, Sie verstehen.«

Mark nickte matt.

Statt wegzugehen, blieb der junge Mann etwas unschlüssig neben ihm stehen und schien über etwas nachzugrübeln. Dann fragte er mit gedämpfter Stimme: »Dr. Davison, hatten Sie oder die anderen Probleme mit Skorpionen?«

»Nein, überhaupt nicht. Haben Sie denn welche?«

»Hm, ja ein wenig. Bisher waren es zwei oder drei. Was können Sie mir dagegen empfehlen?«

»Nun, zuallererst untersuchen Sie Ihr Zelt auf Löcher. Achten Sie dann stets darauf, daß die Eingangsplane immer fest zu ist. Es könnte auch ganz nützlich sein, die Pfosten Ihres Bettes in Gefäße mit Kerosin zu stellen. Reden Sie mit Abdul darüber.«

»Ja, ja. Danke.« Hasim wirkte zwar immer noch etwas zerstreut, aber er schien sich damit zufriedenzugeben und eilte aus dem Zelt. Ron folgte ihm mit der Weinflasche in der Hand nach und murmelte etwas davon, daß er seine Kameras mit einem Vorschlaghammer vernichten wolle. Nun blieben nur noch Mark, Jasmina und die alte Fellachin im Gemeinschaftszelt zurück.

Es war ungewöhnlich, daß Samira zu so später Stunde noch da war. Das Abendessen war schon lange beendet, die Kochflammen waren erloschen und das Geschirr weggeräumt. Trotzdem blieb sie und hantierte in ihrer dunklen Ecke mit etwas, das man aus der Entfernung nicht erkennen konnte.

Mark sah Jasmina an. Ihre Hände und Arme waren noch immer mit Mullbinden umwickelt; Nacken und Gesicht waren mit winzigen roten Schwellungen übersät. Ihm fiel ein, wie schön es gewesen war, sie in seinen Armen zu halten. »Wie fühlen Sie sich?« erkundigte er sich behutsam.

»Es geht mir schon wieder ganz gut.«

Seit der letzten Nacht hatten sie nicht mehr über den Vorfall mit den Insekten gesprochen. Jetzt sagte Jasmina leise: »Ich weiß nicht, wie das passieren konnte. Ich bin plötzlich aufgewacht, und die Luft war voll von...« Ihre Stimme erstarb.

Mark legte eine Hand auf ihre Schulter. »Es wird nicht wieder vorkommen. Abdul hat Ihr Zelt genauestens überprüft. Es ist ausgeschlossen, daß wieder solche Insektenschwärme hineingelangen.« Er zögerte. Irgendwie schien er an seinen eigenen Worten zu zweifeln. »Jedenfalls haben die Männer Ihr Zelt versetzt, so daß es jetzt dicht neben meinem steht. Wahrscheinlich war es ursprünglich über einer Stelle aufgeschlagen, die die Insekten aus irgendeinem Grund anlockte. Ich habe Abdul angewiesen, die Öffnungen mit Insektenvernichtungsmittel zu besprühen. Jetzt werden Sie Ihre Ruhe haben.«

Sie blickte ihn mit ihren dunklen, ausdrucksvollen Augen an. »Danke«, flüsterte sie und verließ das Zelt.

Als Mark in seiner Hemdtasche nach dem Gummiband suchte, mit dem er die Papierrolle zusammenhalten wollte, beobachtete er die alte, schwarzgewandete Frau, die in der Ecke mit mechanischen Bewegungen ihren Verrichtungen nachging. Während er mit dem zusammengerollten Blatt gegen seine Handfläche schlug, dachte er wieder über die Erscheinung nach, die ihm den ganzen Tag über nicht aus dem Sinn gegangen war, ihn auf Schritt und Tritt verfolgt und von seiner wissenschaftlichen Arbeit abgelenkt hatte. Die Frau in Weiß...

197

»Alte Frau«, sprach er Samira auf arabisch an.

Sie schien nicht zu hören. Ihre Hände bewegten sich flink hin und her.

»*Scheicha*, ich will mit dir reden.«

Sie drehte sich nicht um.

»Du sprichst koptisch, *Scheicha*. Möglicherweise einen Dialekt, der mir nicht geläufig ist. Ich möchte ihn gerne lernen.«

Die alte Frau antwortete nicht.

»Wenn du eine Bezahlung dafür willst, so kannst du sie haben. Soviel Tee wie du willst.«

Noch immer erfolgte keine Reaktion. Samira hatte ihm den Rücken zugewandt und drehte sich nicht um. Mark wurde langsam ärgerlich. Er überlegte einen Augenblick und meinte: »*Nima tra tu entek?*«

Jetzt fuhr Samira herum. Ihre Augen waren vor Schrecken geweitet.

»Du hörst mich also doch«, stellte er auf arabisch fest. Sie preßte ihre dünnen Lippen zusammen und fragte schließlich argwöhnisch: »Wo haben Sie diese Worte gehört, Herr?«

»Ist es Koptisch?«

»Nein, es stammt aus der alten Sprache.«

»Ist Koptisch nicht die alte Sprache?«

»Nein, das ist älter als Koptisch, Herr. Es ist die Sprache der *Qadim*.«

Mark hob die Brauen. *Qadim*, die Alten. Die Fellachin fixierte ihn mit ihren kleinen Augen. »Was bedeuten die Worte?«

Samira verbarg ihre Hände in den weiten Ärmeln ihres Gewandes, trat näher zu ihm heran und beäugte ihn mißtrauisch. »Die Worte bedeuten: Wer seid Ihr?«

»Wer seid Ihr... Natürlich, jetzt erinnere ich mich...« Ihre Augen blitzten auf. »Wo haben Sie diese Worte gehört, Herr?«

»Ich... in einem Traum.«

Ihr Blick begann unruhig zu werden. »Sie haben es schon gesehen! Es hat angefangen! Es hat angefangen!«

»Wovon redest du?«

Sie ließ ihre faltige, braune Hand vorschnellen und umfaßte sein Handgelenk mit beängstigender Kraft. »Sie müssen das Grab finden, Herr, und Sie müssen es schnell finden, bevor wir alle vernichtet werden!«

Mark schüttelte ihre Hand ab und lachte nervös. »Was schwatzt du da?«

»Die Dämonen, Herr, sie werden Sie und Ihre Freunde vernichten, jeden von ihnen in der ihm zugedachten Weise. Doch wenn Sie das Grab gefunden haben und wenn Sie getan haben, was Sie tun müssen, so werden die Dämonen verschwinden...«

Ihre Stimme wurde zu einem heiseren Flüstern, und sie neigte sich zu Mark hin. Der üble Geruch ihres Körpers ließ ihn zurückweichen. »Die sieben müssen euch alle zerstören, Herr, denn so wurde es bestimmt. Jeder von euch wird ein schreckliches Ende nehmen. Falls es Ihnen nicht gelingt, das Grab zu finden und das zu tun, was Sie tun müssen, denn darin liegt eure einzige Rettung! Aber Sie müssen sich beeilen!« Ihre Stimme klang flehentlich, sie zwinkerte heftig. »Am Ende wird die Entscheidung bei Ihnen liegen, Herr. Es wird einen Kampf geben, einen Kampf auf Leben und Tod. Gut und Böse werden um Sie kämpfen, und Sie müssen das Gute erkennen und das Böse besiegen.«

»Du redest Unsinn...«

»Na-khempur!«

»Wie bitte?«

»Der Hochnäsige«, sagte sie in verächtlichem Ton, »er fragte Sie doch nach der Bedeutung des Wortes.«

»Kennst du die Bedeutung?«

»Es ist wirklich ein altes Wort, Herr. Es stammt aus der Sprache der Götter, die einst das Niltal bevölkerten. Es ist älter als das geschriebene Wort, sogar älter noch als die Zeit.«

»Was bedeutet na-khempur?«

»Es bedeutet ›bluten‹, Herr...«

Mark starrte sie wie vom Donner gerührt an. Sein Herz klopfte zum Zerspringen. »Er... er hat gewiß falsch verstanden. Mr. Halstead hat nur etwas gehört, das so ähnlich klang...«

Samira verzog spöttisch den Mund. Ihr Blick wurde wieder fester, und sie schaute ihn verächtlich an. »Finden Sie das Grab, Herr, bevor es zu spät ist!«

Als der Landrover langsamer wurde und der Staub sich zu legen begann, sah Mark, wie Abdul Rageb durch den Sand auf ihn zugerannt kam. In all den Jahren, die er den asketisch und stets beherrscht wirkenden Ägypter nun schon kannte, hatte Mark ihn niemals so schnell laufen sehen.

»Effendi«, stieß Abdul hervor – über seinem braunen Gesicht lag ein seltsamer Schatten –, »es ist etwas passiert. Sie müssen die anderen fernhalten.«

Mark sprang aus dem Wagen und spähte über die Schulter des Vorarbeiters zu dem Platz hin, wo die Stele stand. Ein paar wenige Fellachen waren um den Graben herum versammelt. »Wo sind die anderen Arbeiter?«

»Ich habe sie weggeschickt, Effendi. Ich habe ihnen erzählt, es sei ein amerikanischer Feiertag.«

»Warum?«

»Sie werden es gleich sehen. Kommen Sie mit, aber lassen Sie die anderen hier.«

Mark wandte sich zu Ron um, der gerade aus dem zweiten Landrover kletterte, und sagte, als er nahe genug herangekommen war: »Sorge dafür, daß alle im Wagen bleiben. Abdul meint, daß es Ärger gibt. Laß dir irgendeinen Vorwand einfallen.«

Mark stapfte hinter Abdul durch den Sand und blickte mißgelaunt auf die verlassenen Gräben. Er wollte dem Ägypter eben seinen Unmut bekunden, als sie das untere Ende des Grabens erreichten. Er brauchte einen Augenblick, um zu begreifen, was geschehen war. Dann wankte er und mußte sich auf seinen Vorarbeiter stützen.

Der *Ghaffir*, der die Stele während der Nacht bewachen sollte, lag, in zwei Hälften zerteilt, im Graben. Er war in der Mitte durchgehackt worden.

»O mein Gott, Abdul...«

»Ich habe ihn als erster gefunden, Effendi. Deshalb konnte ich die Arbeiter ins Lager zurückschicken. Nur diese Männer hier wissen Bescheid. Auf ihre Verschwiegenheit kann man sich verlassen.«

Mark nahm die aschfahlen, angsterfüllten Gesichter von Abduls Helfern kaum wahr. Er konnte seine Augen nicht von dem Toten wenden. »Warum, Abdul?« hörte er sich selbst fragen. »Warum ist das geschehen?«

»Ich weiß es nicht, Effendi. Nichts ist angerührt worden. Die Stele befindet sich in demselben Zustand, wie wir sie gestern verließen.«

Mark war endlich imstande aufzublicken. Er hatte Abdul noch nie so erschüttert gesehen. »Abdul, hier ist eine grausame Fehde im Gange.«

»Das könnte man glauben, Effendi.«

Als Mark Schritte herannahen hörte, drehte er sich um, aber es war schon zu spät. Halstead preßte seine Hände bereits krampfhaft auf den Bauch, und Alexis starrte mit weit aufgerissenen Augen in den Graben. »Ich konnte sie nicht aufhalten, Mark«, erklärte Ron entschuldigend. »Sie wollten unbedingt sehen, was los ist...« Er erblickte nun seinerseits die Leiche und erstarrte.

Plötzlich bemerkte Mark dunkle Schatten auf dem Sand, und als er aufschaute, sah er Geier, die über ihren Köpfen kreisten.

»Abdul, du und deine Männer heben den Leichnam heraus! Verdammt! Der Graben ist blutgetränkt!«

»Ich kann mich darum kümmern, Effendi.«

»Himmel noch mal!« brach es aus Mark hervor. Eine verzweifelte Wut stieg in ihm hoch. »Ich will, daß das endlich aufhört! Wer hat das getan, Abdul?«

»Meine Männer sagen, von unseren Arbeitern ist es keiner gewesen. Niemand hat gestern nacht die Arbeitersiedlung verlassen.«

»Sie hätten sich ja auch heimlich davonschleichen können.«

»Meine Männer sind sich sicher, Effendi. Sie kennen sich untereinander. Sie sagen, es gibt keine Fehde unter ihnen.«

»Aber es muß doch eine geben! Von dem ersten *Ghaffir* hast du mir gesagt, er habe die Frau eines anderen beleidigt.«

»Das schon, Effendi, aber ich habe keinen der Arbeiter damit in Verbindung gebracht. Die Ermordeten sind *Ghaffir*, und als solche verkehren sie nicht mit einfachen Arbeitern.«

»Kann es jemand aus den Dörfern gewesen sein?«

»Möglicherweise, Effendi.«

Mark versuchte, nicht mehr in den Graben zu sehen, aber er konnte nicht anders. Noch schreckenerregender als die verstreut liegenden Eingeweide und die Blutlachen war der Ausdruck auf dem Gesicht des Toten. Die Augen waren weit aufgerissen, der Mund schien auch jetzt noch zu schreien. Der gebrochene Blick spiegelte nacktes Grauen wider. »In Ordnung, heute wird nicht gearbeitet. Beseitige die Spuren dieses Massakers so schnell du kannst. Ich fahre nach El Till.«

Mark ließ die Halsteads in Jasminas Obhut und nahm Ron und Hasim als Begleitung mit. In einer Wut, wie er sie selten verspürt hatte, steuerte Mark den Landrover rücksichtslos über Felsbrocken und Bodenwellen. Bevor sie vom Camp losfuhren, hatte er die *Scheicha* im Schatten einer Zeltwand kauern sehen und bemerkt, wie sie ihn aus pechschwarzen Augen fast anklagend anstarrte. Und als er jetzt über die Ruinenfelder der alten Stadt jagte, hallte ein Satz aus Ramsgates Tagebuch wie das Läuten einer Totenglocke in seinem Gedächtnis wider: »Mohammeds treuer Helfer, Gott sei seiner Seele gnädig, wurde in zwei Hälften zerhackt gefunden . . . «

Als sie den Rand des Dorfes erreichten, wo sie nicht weiterfahren konnten, stiegen die drei Männer aus und marschierten hintereinander durch die engen Gassen. Die meisten Häuser standen leer, und die kleinen Kinder, die man sonst im Schmutz spielen sah, waren verschwunden. Weiter vorn hörten sie Singen.

»Was ist da los?« fragte Ron.

Wenig später stießen sie auf eine Menschenmenge, die hinter einem mit Möbeln beladenen Eselskarren herlief. Die Leute klatschten in die Hände und schrien Lobpreisungen.

»Es ist eine Hochzeit«, erklärte Hasim.

Die drei folgten der Menge hinter dem Eselskarren und hielten gleich darauf vor einem Schlammziegelhaus an. Junge Männer mit Schädelkäppchen und *Galabias* standen dichtgedrängt im Eingang. Sie schnalzten mit der Zunge und sangen derbe Liebeslieder. Mark kämpfte sich durch die Menge nach vorn und konnte im düsteren Innern des Hauses Vorbereitungen für ein bäuerliches Festmahl erkennen. Ein junger Fellache, der sich mit gespielter Schüchternheit ein Taschentuch vors Gesicht hielt, stand im Kreise seiner Freunde, die ihm anerkennend auf den Rücken klopften. Seine Hände waren mit Henna gefärbt, und er trug eine neue *Galabia*.

Mark bahnte sich einen Weg durch die Gruppe und hielt nach dem *'Umda* Ausschau. Unverrichteter Dinge kehrte er einen Moment später zu seinen Begleitern zurück und meinte: »Laßt uns das Haus der Braut finden!«

Sie wanden sich durch die schmutzigen, engen Dorfstraßen, immer dem schrillen Geschrei der Frauen folgend. Als sie das Haus schließlich fanden, trafen sie dort, wie erwartet, alle Frauen und Kinder des

Dorfes an, die damit beschäftigt waren, das junge Mädchen für die Hochzeitsnacht herzurichten. Sie hatte bereits das einzige Bad ihres Lebens genommen, und ihre Freundinnen waren nun dabei, ihre Hände und Füße mit Henna rot zu färben und ihr hin und wieder in die Oberschenkel zu kneifen, was Glück bringen sollte. Als von ferne Gewehrschüsse ertönten, wurden rote und weiße Schleier über den Kopf des Mädchens gebreitet, und ihre Freundinnen besprengten sie mit Salz.

Mark, Ron und Hasim entfernten sich von der Menge und sahen den von dem Eselskarren angeführten Zug des Bräutigams, der sich die enge Straße hinabwand. Unter den Männern befand sich auch der 'Umda.

»Da ist er«, murmelte Ron.

»Warte. Noch nicht.«

Sie traten in den Schatten zurück, um nicht gesehen zu werden. Der Bräutigam und seine Freunde betraten das winzige Haus und machten den Weg frei für den 'Umda. Während die übrigen Dorfbewohner sich draußen drängten, überwachten die engen Freunde und Verwandten den Jungfräulichkeitstest. Er wurde schnell und auf primitive Weise durchgeführt. Die Braut schrie vor Schmerz auf, und ihr Blut ergoß sich auf ein weißes Tuch. Alle klatschten Beifall und ließen die Braut hochleben. Die Ehre war gerettet. Jetzt würden die Festlichkeiten beginnen.

»Das wird nicht einfach werden«, bemerkte Ron, als sie aus dem Schatten der Wand heraustraten.

»Ist mir völlig egal. Ich werde jetzt mit dem Alten reden, ob er will oder nicht.«

Als Mark sich eben einen Weg durch das Gedränge bahnen wollte, wichen die Bauern zu seiner Überraschung zurück, und der 'Umda erschien im Eingang des Hauses. Als die Menge sich hinter ihm schloß, trat er auf die drei Männer zu und begrüßte sie mit überaus freundlichem Lächeln. »Ihr bereitet uns heute eine große Ehre. Kommen Sie herein und feiern Sie mit uns.«

»Wir müssen uns unterhalten, Hagg.«

Das Lächeln schwand aus dessen Gesicht. »Wir haben nichts miteinander zu bereden, Dr. Davison. Der Mann kam aus El Hawata. Sprechen Sie also mit dem 'Umda von El Hawata.«

Marks Augenbrauen schnellten in die Höhe. »Ihr wißt davon?«

»Es gibt nichts in dieser Gegend, was ich nicht weiß.«

»Dann wißt Ihr wohl auch, wer den Mann getötet hat.«

Die Miene des Alten verdüsterte sich. »Das ist eine Sache, die ich nicht weiß.«

»Hört zu, *Hagg*...«

»Dr. Davison, es gibt keine Fehde. Unsere Dörfer leben seit Jahren im Frieden, und wir beabsichtigen, dies auch weiterhin zu tun. Ich bin kein solcher Narr, wie Sie vielleicht glauben. Ich würde es niemals zulassen, daß Ihre archäologische Arbeit durch eine *Tha'r* behindert wird. Sie beschäftigen viele meiner Männer und geben uns Tee von guter Qualität. Und ich bin nicht so dumm, daß ich nicht wüßte, was eine *Tha'r* bei einem so einträglichen Geschäft anrichten könnte. Wer immer den Mann getötet hat, Dr. Davison, er kam nicht aus El Till. Ich erlaube keine Blutrache.«

»*Hagg*, Ihr seid der mächtigste Mann in diesem Tal. Ihr könnt den anderen *'Umdas* gebieten...«

Der Alte hob warnend die Hand. »Jetzt kränken Sie mich, Dr. Davison. Ihr *Ghaffir* ist verunglückt, nichts weiter.«

»Jetzt hört Ihr mir mal zu!« schrie Mark plötzlich, so daß alle zusammenzuckten. »Und Ihr hört mir gut zu! Zwei Tote in meinem Camp sind genug! Ich hab die Nase voll! Das Gemetzel hört jetzt sofort auf! Wenn nicht, werde ich die Polizei des *Ma'mur* alarmieren, und dann werde ich Arbeiter aus El Minia einstellen, und Eure Leute werden leer ausgehen!«

Marks Wutausbruch verblüffte den *'Umda*, der ihn mit offenem Mund angaffte.

»Tragt Eure kleinen Streitigkeiten auf Eurem eigenen Boden aus, *Hagg*! Wenn es in Zukunft noch einen Zwischenfall gibt, und sei es nur ein blaues Auge, dann wird die Polizei kommen, und *meine* Arbeit wird weitergehen! Das verspreche ich Euch, und ich meine es bitter ernst, *Hagg*!«

Als Mark auf dem Absatz kehrtmachte und davonmarschierte, mußten Ron und Hasim rennen, um mit ihm Schritt zu halten. Sie eilten von dem *'Umda* weg, der, auf seinen Stock gestützt, stehenblieb und ihnen verwirrt nachstarrte. »Das ist nicht der Weg zum Landrover!« rief Ron.

»Wir müssen noch woandershin!«

Sie erreichten den westlichen Rand des Dorfes, wo die Felder anfingen. Ein paar Männer hielten die *sakije* in Gang, und eine alte Frau stand knietief in dem schlammigen Tümpel und entlauste sich. Ringsumher herrschte tiefe Stille.

Das Haus, auf das sie zusteuerten, lag etwas abseits des Dorfes und war größer und schöner als die Hütten der Fellachen. Kinder spielten mit Ziegen und Hühnern vor der offenen Haustür, und als die drei Besucher näher kamen, stieg ihnen der herzhafte Duft von gebratenem Lamm in die Nase. Mark blieb in einiger Entfernung vom Eingang stehen und rief auf englisch: »Domenikos! Kommen Sie heraus, ich will mit Ihnen reden!«

Die Kinder hörten auf herumzutollen und starrten die Fremden verwundert an. Fliegen ließen sich auf ihren Gesichtern nieder und überschatteten ihre Augen. Gleich darauf erschien eine Gestalt auf der Türschwelle. Der Grieche lächelte und knöpfte sein Hemd zu.

»Welch eine Ehre für mich und mein Haus! Bitte kommen Sie herein, und trinken Sie Tee mit mir.«

»Ich bin nicht hergekommen, um ein Schwätzchen mit Ihnen zu halten. Domenikos, ich bin gekommen, um Sie zu warnen.«

Constantin Domenikos war so erstaunt, daß seine kleinen Augen vorzutreten schienen. »Wie bitte?«

»Zwei meiner Leute sind in den letzten vier Tagen getötet worden. Es ist mir völlig egal, ob eine Stammesfehde dahintersteckt oder ob es das Werk eines einzelnen war. Ich will, daß es sofort aufhört. Deswegen bin ich hier.«

»Dr. Davison, ich verstehe nicht...«

»Vielleicht werden Sie mich gleich besser verstehen.« Mark trat zu ihm hin und tippte ihm mit dem Finger auf die Brust. »Noch ein weiterer Vorfall, und die Regierungspolizei wird hier anrücken. Es ist mir egal, ob meine Ausgrabung dadurch beeinträchtigt wird, es ist mir egal, ob alles zum Stillstand kommt! Das Morden hört auf, Domenikos!«

Der Grieche blinzelte verwirrt. »Ich weiß beim besten Willen nicht, wovon Sie sprechen. Was habe ich damit...«

»Nur für den Fall, daß Sie dachten, ich würde mir Ihren Schutz erkaufen.«

»Aber ich habe die Männer doch nicht getötet...«

»Es interessiert mich nicht, ob Sie es waren oder nicht. Sorgen Sie nur dafür, daß es nicht wieder vorkommt! Klar?«

»Aber Dr. Davison...«

»Merken Sie sich eins, Domenikos«, Marks Stimme klang drohend, »noch ein Zwischenfall, und ich zeige Sie bei den Behörden an. Ich werde ihnen von dem kleinen Handel erzählen, den Sie mir vorgeschlagen haben, und ich glaube nicht, daß Ihre Freunde in Athen sehr erfreut darüber wären.«

Mark drehte sich ruckartig um und ließ den verblüfften Mann einfach stehen. Dieser starrte ihm ungläubig nach, als er und seine Begleiter sich mit großen Schritten entfernten. Als sie wieder im Landrover saßen, fragte Ron: »Und was jetzt?«

»Jetzt werden wir die Vorstellung in Hag Qandil und El Hawata wiederholen.«

Die frische Wäsche war an langen Leinen aufgehängt worden und flatterte in der abendlichen Brise, während Essensgerüche aus Samiras Kochtöpfen das ganze Camp erfüllten. Die Amerikaner, Jasmina und Hasim saßen draußen im Schatten des Laborzelts auf Klappstühlen und tranken kalten Tee. »Sie haben das Richtige getan«, meinte Sanford Halstead, nachdem er Marks Bericht gehört hatte. Er wirkte blaß in dem orangefarbenen Licht des Sonnenuntergangs. Nach dem Schock am Morgen hatte Halstead sich den ganzen Tag übergeben. In dem Erbrochenen war Blut gewesen, aber er hatte zu niemandem etwas darüber gesagt.

»Das wird sich noch zeigen. Ich weiß nicht, auf wessen Rechnung die Morde gehen oder warum sie begangen wurden, aber ich denke, es wird jetzt Schluß damit sein.«

»Was ist, wenn Sie doch die Polizei des *Ma'mur* rufen müssen?« fragte Hasim.

»Diese Frage könnten Sie mir wohl besser beantworten. Hat sie die Befugnis, unsere Arbeit zu stoppen?«

Der junge Ägypter schüttelte betrübt den Kopf. »Ich weiß nicht. Es kommt wohl immer darauf an...« Seine Begeisterung für die Expedition hatte spürbar nachgelassen. Er hatte schon wieder einen Skorpion in seinem Bett gefunden. Sie schienen immer nur nachts zu kommen und immer nur dann, wenn Abdul nicht im Zelt war. Außerdem hatte ihn dieser eigenartige Alptraum wieder heimgesucht: Die verführerische, langbeinige Frau hatte nackt vor ihm gestanden, ihm ermunternd zugewinkt und ihn in ihre Arme genommen. Doch gleich darauf hatte sich ihr hübscher Kopf in die häßlichen Scheren eines Skorpions verwandelt. Nein, Hasim fühlte sich hier nicht mehr wohl. Er überlegte schon, ob er nicht auf diese Abordnung verzichten und nach Kairo zurückkehren sollte, um einen Beherzteren seinen Platz einnehmen zu lassen.

»Und wie geht es nun mit der Arbeit weiter?« erkundigte sich Halstead.

»Wir fahren fort, die Gräben ausheben zu lassen, und in der Zwischenzeit soll sich jeder von uns die Felsformationen genau ansehen und nach etwas Ausschau halten, das einem Hund ähneln könnte.«

Mark konnte nicht schlafen. Selbst nach drei Bechern von Rons Chianti und einem Glas Bourbon war er hellwach. Er wußte, daß Ärger und Frustration ihn nicht mehr zur Ruhe kommen ließen. Außerdem spürte er aufziehende Kopfschmerzen. Marks Blick folgte der gespenstischen Bahn des Mondes, der langsam über dem Zelt aufging. Dessen blasser Schein schimmerte durch den dünnen Stoff des Zeltdachs.

Er konnte nicht glauben, daß er noch vor zwei Wochen in Los Angeles gewesen war, wo er Nancys Nummer gewählt und als Antwort die Ansage: »Kein Anschluß unter dieser Nummer« gehört hatte. Er konnte es auch kaum glauben, daß es erst vier Monate her sein sollte, daß Halstead an jenem verhängnisvollen, regnerischen Abend in Malibu an seine Tür geklopft hatte.

Da hörte Mark außen an der Zeltwand ein Geräusch. Er stützte sich auf den Ellbogen und spähte durch das Moskitonetz nach draußen. Eine schwach leuchtende weiße Säule erhob sich dort, kaum wahrnehmbar, gegen den Zeltstoff. Es war wie ein senkrecht einfallender Mondstrahl, eine Säule übernatürlichen Lichts, die Mark als optische Täuschung empfand. Bestimmt rührte es von einigen Fellachen her, die um ein Feuer herum saßen, oder von einem *Ghaffir*, der mit einer Taschenlampe um das Camp patrouillierte. Trotzdem fesselte es seine Aufmerksamkeit. Es hielt ihn gefangen und zwang ihn, sein Bett zu verlassen und durch das Zelt zum Ausgang zu schleichen. Er hob die Plane und schaute hinaus.

Da war sie wieder. Sie stand etwas abseits und schaute über das Camp. Durch ihren hauchdünnen Körper hindurch konnte er die Lichter des drei Kilometer entfernten El Hawata sehen.

Mark trat aus seinem Zelt und ließ die Plane hinter sich herunterfallen. Er starrte sie lange an, während er versuchte, den unwillkürlichen Reaktionen seines Körpers keine Beachtung zu schenken. Und doch waren sie unleugbar vorhanden: das plötzliche Klopfen in seinem Kopf, die feuchten Handflächen, der trockene Mund und der Schweiß auf seiner Stirn, der wie Eis prickelte. Die optische Täuschung erregte Marks Neugierde. Sein wissenschaftlicher Forscherdrang trieb ihn zu ihr hin.

Und schon setzte das leichte Pochen in seinem Gehirn wieder ein, wie eine Motte, die gegen ein Fenster fliegt. »*Per-a em ruti. Bu pu ua metet enrma-a. Erta na hekau apen.*«

Das Hämmern in seinem Kopf nahm zu; das Kopfweh wurde stärker. Mark fühlte sich magisch zu ihr hingezogen. Er lief über den Sand wie in Trance – doch er war es nicht. Sein Geist war voller Energie, und seine Wahrnehmungsfähigkeit schien ins Unendliche gesteigert zu sein. »*Speru ti erek tu em bak. Petra? Petra? An au ker-nek er-s. Petra?*«

Mark blieb wenige Meter vor ihr stehen. Während er auf die fremdartigen Laute in seinem Kopf lauschte, erfreute er sich an ihrer erstaunlichen Schönheit. »*Speru ti erek tu em bak.*«

Er wollte schlucken, war jedoch außerstande dazu. Jeder Atemzug schmerzte ihn. Mark preßte die Lippen zusammen und versuchte, seinen Körper wieder unter Kontrolle zu bringen. Sie war ein Traum, eine Sinnestäuschung, nichts weiter... »*Petra?*« flüsterte sie. »*Petra?*«

Und dann dachte Mark: Ich weiß! Ich verstehe!

Diese plötzliche Erkenntnis traf ihn so heftig, daß er einen Schritt zurückwich. Was auch immer sie war – Traum oder Sinnestäuschung –, sie faszinierte ihn und flößte ihm zugleich Angst ein; er wollte stehenbleiben und hatte doch den Wunsch davonzurennen.

Die Frau schien zu spüren, daß er sie plötzlich verstand, denn sie verstummte und blickte ihn mit traurigen Augen an. Mark öffnete den

Mund und versuchte zu sprechen, brachte aber nur ein heiseres Krächzen hervor.

Sie wartete, ohne den Blick von ihm zu wenden.

Er fuhr sich mit der Zunge über die Lippen und schluckte. Dann bewegte er langsam den Mund, wobei er sich so sehr konzentrierte, daß sein ganzer Körper bebte. »*Nima*...« flüsterte er. »*Nima tra tu entek?*«

Und im Geist hörte er: »*Ich warte*...«

Mark taumelte rückwärts, wie vom Schlag getroffen. Es war, als ob sich ihm mit einem Mal das ganze Universum erschlösse. Sein Puls ging nun so heftig, daß sein Hals ihm davon schmerzte. Er wiederholte: »*Nima tra tu entek?*« Wer seid Ihr?

Und das Traumbild erwiderte: »Ich habe geschlafen... ich wartete...«

Doch was er hörte, war keine Sprache, die Mark kannte. Plötzlich traten die fremdartigen Laute zurück, und er konnte Begriffe wahrnehmen. Er hörte ihre Stimme, ihre Worte und verstand – als ob sie eine Sprache spräche, die er schon immer beherrscht hatte.

Die Frau schien nun Schwierigkeiten zu haben. »Ich bin... ich bin die, die aus dem Schlaf erwacht ist... ich bin...« Das Warten wurde Mark zur Qual. Er stand steif und zitternd da, während der Schweiß ihm in Strömen über Rücken und Brust rann. Er beobachtete, wie die Traum-Frau mit ihrem Gedächtnis rang, als versuche sie sich zu erinnern. Und schließlich hörte er es.

Es war jetzt mehr als ein Flüstern, eine deutlich vernehmbare Stimme, die sagte: »Ich bin... ich bin... ich bin Nofretete...«

Sechzehn

Mark beobachtete, wie die Sahne in seiner Kaffeetasse gerann, und hörte undeutlich Rons Stimme, der Samira um einen Nachschlag *Muhallabeya* bat. Er hing seinen eigenen Gedanken nach und achtete nicht darauf, was im Zelt gesprochen wurde.

Sie ging ihm nicht aus dem Kopf. Nofretete, hatte sie gesagt. Nofretete, Königin Nofretete. Ein Traum, eine Sinnestäuschung, eine Ausgeburt eines überanstrengten Hirns. Nichts weiter. Trotzdem konnte er nicht aufhören, daran zu denken.

»He!«

Jemand rüttelte an seinem Arm. Geistesabwesend schaute Mark zu Ron auf.

»Hör auf, dir Gedanken zu machen, Mark. Wir werden den Hund schon finden. Mach dir keine Sorgen, du mußt mal abschalten.« Ron sprach weiter, aber Mark hörte nicht mehr zu. In Gedanken war er schon wieder woanders.

Acht zermürbende Stunden hatten sie damit verbracht, jede Felsspitze und jede Gesteinsformation des Plateaus genau in Augenschein zu nehmen. Am Ende dieses langen Tages waren sie nur mit Sonnenbränden und schlechter Laune ins Camp zurückgekehrt. Aber Mark dachte nicht über diesen Tag nach, und niemand konnte ahnen, was ihn jetzt beschäftigte, denn er hatte mit keinem darüber gesprochen. Nur der *Ghaffir* hatte ihn auf seinem Rundgang durchs Camp in der Nacht zuvor halbnackt, vor Schweiß triefend und mit sich selbst redend, in der Wüste stehen sehen. Der *Ghaffir* hatte geglaubt, der Amerikaner sei betrunken. Er hatte den Strahl seiner Taschenlampe auf Mark gerichtet und die unglaubliche Frau in Weiß dadurch vertrieben. Sie hatte gerade noch Gelegenheit gehabt, diesen Namen zu sagen.

Als die anderen sich geräuschvoll erhoben und das Zelt verließen, wurde Mark jäh aus seinen Gedanken gerissen. Alexis Halstead, das wußte er, würde gleich in ihr Zelt zurückkehren und die größte Hitze des Tages in einem durch Tabletten erzeugten Schlaf überstehen. Hasim würde sich zurückziehen, um Briefe an seine zahlreichen Verwandten zu schreiben. Ron würde sich in der Dunkelkammer aufhalten, und Sanford Halstead würde wahrscheinlich seine üblichen Freiübungen durchführen.

Nur Jasmina blieb zurück.

»Sie sind heute nicht sehr gesprächig«, sagte sie zu ihm. Mark schob sein unberührtes Essen weg und stand auf. »Es gibt eine Menge Dinge, über die ich nachdenken muß.«

»Sie sollten etwas essen. Sie haben schon stark abgenommen.«

»Ach ja?« Mark faßte sich an den Bauch und stellte fest, daß die Fettpölsterchen und der Rettungsring über seinem Hosenbund verschwunden waren. Sein Körper war straff und schlank geworden.

Er verließ mit Jasmina das Zelt, und seine Gedanken schweiften wieder ab. Schweigend liefen sie nebeneinander her. Als sie Jasminas Zelt erreichten, blieb die junge Frau stehen und blickte zu Mark auf.

»Mark, ich mache mir Sorgen.«

»Worüber?«

Sie sah sich um und senkte die Stimme. »Es geht um Mr. Halstead. Er leidet unter starken Blutungen, will sich aber nicht von mir behandeln lassen. Warum nur?«

»Sanford Halstead ist ein ausgesprochener Machotyp. Es fällt ihm schwer, eine Schwäche offen zuzugeben, insbesondere einer Frau gegenüber.«

»Machotyp?«

»So nennt man einen Mann, der sich übertrieben hart und männlich gibt. Ich denke, er muß sich seine Männlichkeit ständig selbst beweisen. Er gibt sich den Anschein von eiserner Gesundheit und kann niemandem eingestehen, daß er doch nicht ganz so perfekt ist.«

»Das ist doch töricht. Er braucht einen Arzt.«

»Können Sie ihm helfen?«

Sie schüttelte den Kopf.

»Ist es schlimm?«

»Das kann ich nicht sagen, ohne ihn untersucht zu haben. Hat er mit Ihnen noch einmal über seine Beschwerden gesprochen?«

»Nein. Ich hatte es auch schon völlig vergessen.«

»Nun ja...« Sie schaute hinunter auf ihre Füße und wühlte mit einer nackten Zehe im Sand.

»Wie steht es mit Ihrem Zelt? Haben Sie noch irgendwelche Insekten bemerkt?«

»Nur ein paar...«

»Hm.« Mark blickte auf ihren gesenkten Kopf und betrachtete die dicken, schwarzen Locken, die ihr über Rücken und Schultern fielen. Sie war so klein, so ruhig, so sanft und dabei doch so aufregend sinnlich. Er fragte sich, was sie wohl von ihm hielt. Aber eigentlich konnte er es sich schon denken. Die Kluft zwischen muslimischer und abendländischer Kultur war einfach zu groß. Er bezweifelte, daß sie für ihn dasselbe empfand wie er für sie: das Verlangen, sie in seine Arme zu schließen, sich an ihren Küssen zu berauschen und mit ihr ins Bett zu gehen...

Jasmina hob den Kopf, und Mark schämte sich augenblicklich seiner Gedanken. Sie sah mit leicht geöffneten Lippen zu ihm auf, als wartete sie darauf, daß er etwas sagte. »Nun, dann also gute Nacht«, meinte er schließlich.

Nachdem sie im Innern ihres Zeltes verschwunden war und den Reißverschluß des Moskitonetzes zugezogen hatte, schlenderte Mark von den Zelten weg und beschloß, vor dem Zubettgehen noch in aller Ruhe eine Pfeife zu rauchen.

In der Nähe der alten Mauer stieß er auf Alexis Halstead, die unbeweglich wie eine Statue dastand und zu horchen schien.

»Mrs. Halstead?« Als er sich ihr näherte, roch er wieder den vertrauten Duft von Gardenien, aber diesmal kam noch etwas anderes hinzu. Da war ein eigenartiger, kaum wahrnehmbarer Geruch... Er trat vor sie und sah, daß Alexis mit blanken und glasigen Augen starr geradeaus blickte. Unter dem süßlichen Duft von Gardenien lag ein anderer, schaler, leicht abstoßender Geruch, den Mark nicht bestimmen konnte. »Mrs. Halstead?«

Ihr Blick flackerte, und dann richtete sie ihre Augen auf ihn. Es war so, als wäre sie gerade aus einem Traum gerissen worden. »Hören Sie das Rauschen des Windes in den Bäumen?« Mark schaute sich in der windstillen Wüstennacht um. »Es gibt hier keine Bäume, Mrs. Halstead.« Dann fiel es ihm plötzlich ein. Es war der Geruch von abgestandenem Alkohol. »Aber ich höre es ganz deutlich...«

»Das ist unmöglich, Mrs. Halstead. Sie bilden es sich nur ein.«

»Gewiß.« Alexis stieß einen langen, bebenden Seufzer aus.

»Ist Ihnen nicht kalt?«

Sie rieb sich ein wenig die Arme und schüttelte gleich darauf heftig den Kopf. »Nein, ich fühle mich pudelwohl. Diese Wüstenluft ruft die seltsamsten Träume in mir wach...«

»Warum gehen Sie nicht zu Bett?«

»Ich bin nicht müde. Setzen Sie sich doch, und plaudern Sie ein Weilchen mit mir.«

Nachdem sie sich auf der Schlammziegelmauer niedergelassen hatten, griff Mark in seine Hemdtasche und zog die Pfeife und den Tabaksbeutel heraus.

»Trostlos, nicht wahr?« bemerkte Alexis.

Mark nickte, stopfte seine Pfeife und zündete sie an. »Wie können Archäologen das nur aushalten?«

Mark zog an seiner Pfeife und starrte vor sich hin. Er spürte, wie Alexis näher an ihn heranrückte. »Dr. Davison...«

»Ja?«

Sie legte eine Hand auf seinen Arm. »Fragen Sie sich nicht manchmal...?«

»Was?«

»Wie es vor dreitausend Jahren hier ausgesehen haben mag?«

Er lachte gezwungen. »Natürlich. Es ist schließlich mein Beruf, mich das zu fragen, Mrs. Halstead. Ich bin Ägyptologe.«

»Nennen Sie mich ruhig Alexis.«

Mark fühlte sich unbehaglich. Sie schien ihn mit dem verschleierten Blick ihrer grünen Augen streicheln, ausziehen und vergewaltigen zu wollen. Es war Alexis Halstead, und doch war sie es nicht, als ob etwas Fremdes sich ihrer bemächtigt hätte. Und wieder wunderte er sich, wie bekannt ihm ihr Gesicht vorkam, das von betörender Schönheit war. Wie ein antikes, in Kalkstein gemeißeltes Profil...

Er fröstelte. »Es ist kalt hier draußen, Mrs. Halstead. Warum gehen Sie nicht zurück zu Ihrem...«

»Ich meine nicht den Ägyptologen, sondern den Menschen in Ihnen. Welche Gedanken machen Sie sich als Mensch über diese Stadt und die Leute, die hier vor so langer Zeit lebten?«

»Mrs. Halstead...«

»Alexis. Bitte behandeln Sie mich nicht wie eine Fremde. Lassen Sie uns Freunde sein.« Ihre Stimme klang sehr sanft, und sie lehnte sich an ihn.

Mark überlegte einen Moment, klopfte dann seine Pfeife an der Mauer aus und meinte: »Mrs. Halstead, es ist doch wohl selbstverständlich – und jedenfalls gehört es zu meinen Grundsätzen –, mich niemals mit der Frau eines Arbeitgebers oder Vorgesetzten einzulassen.« Er wollte aufstehen.

Sie lachte leise, faßte nach ihm und hielt ihn zurück. »Haben Sie auch irgendwelche Grundsätze, die Ihnen verbieten, sich mit Ihrem Arbeitgeber einzulassen?«

»Wie darf ich das verstehen?«

»Dr. Davison, nicht mein Mann hat Sie für diese Expedition engagiert, sondern ich.«

»Wie bitte?«

»Ich habe Ihre Bücher gelesen, und war von Ihnen beeindruckt. Als Sanford mit dem Tagebuch nach Hause kam, da wußte ich sofort, daß Sie für die Sache der Richtige wären. Ich habe einige Nachforschungen über Sie angestellt und kam zu dem Ergebnis, daß Sie unser Angebot nicht ausschlagen würden, oder besser gesagt, nicht ausschlagen könnten.«

Während sie sprach, nahm Alexis Halsteads Stimme einen schroffen Ton an. Ihre Augen funkelten wieder so kalt wie sonst. Sie lehnte sich nach hinten und rückte dabei ein wenig von Mark ab. »Mein Mann besitzt selbst keinen Pfennig, Dr. Davison. Er ist ein Niemand. Als ich ihn vor neun Jahren kennenlernte, war ich eine reiche Erbin, während er in einem Kaufhaus Krawatten verkaufte. Ich traf ein Abkommen mit ihm, und es hat bis jetzt sehr gut geklappt.«

»Abkommen?«

»Ich brauchte einen Ehemann, Dr. Davison, aber ich wollte keinen Bewacher. So engagierte ich Sanford für die Rolle. Er macht einen guten Eindruck und spielt ausgezeichnet Theater, wenn es darauf ankommt.« Sie schlang ihre Hände um ein Knie und schaukelte leicht hin und her. »Ich hatte noch nie das Verlangen nach einem Mann, Dr. Davison. Die Vorstellung von Sex mit einem Mann ist mir zuwider, und ich betrachte es als reine Zeitverschwendung. Ich finde es ekelhaft, wenn ein Mann mich anfaßt. Doch absurderweise brauchte ich gleichwohl einen Mann. Als unverheiratete, vermögende Frau war ich ein ideales Ziel für Mitgiftjäger. Und ebenso für Schürzenjäger, die mich sozusagen aus sportlichem Ehrgeiz erobern wollten. Ich konnte nirgendwohin gehen und nichts tun, ohne ständig der Anmache, Zudringlichkeiten und heuchlerischem Geschwätz ausgesetzt zu sein. Einige Männer waren so beharrlich, daß ich am Ende einen Ehemann engagierte – einen Schauspieler, der in die Rolle des von mir benötigten Gatten schlüpfte, im Grunde aber nichts mit mir im Sinn hatte. Sanford, der Krawattenverkäufer, erfüllte diese Voraussetzungen.«

Alexis richtete einen verschlagenen Blick auf Mark. »Wissen Sie, Sanford ist nämlich impotent...«

»Mrs. Halstead...«

»Er hat nicht das geringste Interesse an meinem Körper. Und für Geld würde er alles tun. Ich habe ihn zum Vorstandsvorsitzenden einer Firma gemacht, ihm Autos, schicke Anzüge und Taschengeld gegeben. Dafür leiht er mir seinen Familiennamen und begleitet mich, wann immer ich es von ihm verlange.«

Du meine Güte, dachte Mark und sah sich in der trostlosen Wüste um, als suche er nach einem Ausweg aus seiner Lage.

»Ich bekomme immer, was ich will, Dr. Davison. Es fiel mir nicht schwer, die Entscheidung der Berufungskommission in meinem Sinne zu lenken. Ich habe mächtige Freunde an der Universität von Los Angeles...«

Er starrte sie verständnislos an. »Wie bitte? Was sagen Sie da?«

»Nun kommen Sie schon, Dr. Davison, machen Sie mir nicht weis, daß Sie die beiden Ereignisse nie miteinander in Verbindung gebracht haben. Sie verlieren den Lehrstuhl, und im nächsten Augenblick steht Sanford mit einem verlockenden Angebot vor Ihrer Tür. Da können Sie doch unmöglich an einen Zufall geglaubt haben!«

»Sie? Sie haben das getan?«

Belustigt kräuselte sie die Lippen. »Sie hatten tatsächlich keine Ahnung? Sie enttäuschen mich, Dr. Davison! Natürlich hätten Sie den Lehrstuhl bekommen. Das wußten Sie doch. Haben Sie sich wirklich nicht gefragt, warum plötzlich alle gegen Sie stimmten, nachdem die Sache doch so sicher erschienen war?«

Marks gesamter Körper verkrampfte sich. Er biß die Zähne zusammen, bis die Sehnen an seinem Hals hervortraten.

»Es war übrigens ein sehr knappes Abstimmungsergebnis, Dr. Davison. Ich glaube, wenn Sie diese Stelle bekommen hätten, hätten Sie sich nicht so leicht davon überzeugen lassen, mit uns nach Ägypten zu kommen. Sie wären nicht das Risiko eingegangen, den Lehrstuhl wieder zu verlieren. Doch zu diesem Zeitpunkt hatten Sie überhaupt nichts zu verlieren. Dafür hatte ich schon gesorgt.«

»Es gibt doch noch andere Ägyptologen«, entgegnete Mark mühsam. »Warum ausgerechnet ich, um Himmels willen?«

»Weil ich den Entschluß gefaßt hatte, Sie zu engagieren, nur aus diesem Grund. Sie besitzen eine Zielstrebigkeit, die mir gefällt. Ihre unerschütterliche Hingabe an Ihre Wissenschaft, selbst auf die Gefahr hin, die Frau zu verlieren, die Sie lieben...«

»Was?«

»Ich weiß alles über Nancy. Es ist Ihnen schwergefallen, zwischen ihr und Ihrem Beruf zu wählen, nicht wahr? Einen solchen Mann habe ich gesucht. Jemanden, der vor nichts haltmacht, der sich durch nichts aufhalten läßt, um das zu bekommen, was er will, nicht einmal durch eine Frau. Darin sind Sie und ich uns ganz ähnlich.«

Mark stand auf und suchte den Horizont ab, ob er vielleicht trotz der Dunkelheit den Nil erkennen konnte. Er brauchte etwas, worauf er seinen Blick richten konnte. Es war ihm unmöglich, diese Frau anzusehen, deren Worte ihn wie Messerstiche trafen. »Wir sind uns nicht im geringsten ähnlich, Mrs. Halstead«, erwiderte er steif. »Sie befinden sich über mich im Irrtum.«

»Wirklich?« Sie erhob sich schwungvoll. »Sie hatten die Wahl, Dr. Davison, und Sie kannten das Risiko. Sie haben sich für Ägypten entschieden. Glauben Sie wirklich, daß Nancy warten wird, bis Sie zurückkommen?«

Ihre Stimme klang schneidend scharf. Mark sah in der Ferne den Fluß, schwarz in schwarz, und erstarrte innerlich.

»Das ist auch etwas, das mir an Ihnen gefällt«, hörte er sie sagen, »Sie geben sich nicht geschlagen. Sie setzen sich zur Wehr, und unter diesen Voraussetzungen werden Sie dieses Grab für mich finden, Dr. Davison, jetzt erst recht.«

Mark ließ sich an der alten Mauer zu Boden sinken und vergrub sein Gesicht in den Händen. Das Vernichtende an diesen Worten war, daß sie der Wahrheit entsprachen.

Siegesbewußt lächelnd blieb Alexis Halstead vor ihm stehen und genoß den Anblick seiner Niederlage. Doch im nächsten Augenblick schwankte sie, als wäre sie einer Ohnmacht nahe, und fuhr sich mit den Fingerspitzen an die Schläfen. Die grüne Iris ihrer Augen wurde glasig, ihr Blick trüb, ihr Gesichtsausdruck erstarrte, und für einen Moment glich Alexis wieder einer Marmorstatue.

Dann zwinkerte sie, holte tief Luft und lächelte erneut auf Mark herab. Jetzt hatten ihre Augen wieder eine warme Ausstrahlung, ihre Gesichtszüge wirkten sanft und ihr Körper geschmeidig. »Ja, Sie werden das Grab für mich finden, Mark«, sagte sie mit weicher Stimme, »ich weiß es. Und... Sie sind... auch gar nicht mehr so weit entfernt. Sie sind... schon fast... da.« Überrascht blickte Mark auf.

Alexis wirkte jetzt ebenso sinnlich und verführerisch wie am Anfang des Gesprächs. Sie atmete schwer. Mark sah sie verwirrt an. Diese Stimme war nicht mehr die ihre. Das Grün ihrer Augen hatte eine merkwürdige dunkle Tönung angenommen. Sie schaute ihn an, schien ihn jedoch nicht wahrzunehmen.

»Was meinen Sie damit?« fragte er argwöhnisch.

»Ich meine, das Grab ist dort im Cañon, und Sie werden es bald finden. Aber Sie... folgen augenblicklich dem falschen Weg... Sie müssen umkehren...«

Sie schwankte wieder. Da er fürchtete, sie würde stürzen, sprang Mark auf und packte sie an den Armen. »Gehen Sie zu Bett, Mrs. Halstead.«

»Nein, nein«, widersprach sie atemlos mit halb geschlossenen Augenlidern. »Ich muß reden... Ich muß mit Euch reden. Ihr müßt zuhören. Ich bin nicht diese, sondern jene, und muß Euch Dinge sagen, die Euch verraten werden, wo er liegt...« Er schüttelte sie vorsichtig. »Mrs. Halstead, bitte gehen Sie in Ihr Zelt zurück. Es ist spät. Wir sind alle müde.«

Sie verzog das Gesicht. »Ich muß mit Euch reden! Warum wollt Ihr bloß nicht zuhören?«

Mark sah sich verzweifelt nach Hilfe um. Vielleicht würde Jasmina...

Plötzlich riß Alexis sich los, trat zurück und starrte ihn wütend an. »Was fällt Ihnen ein, mich anzufassen?«

»Mrs. Halstead...«

»Unterschätzen Sie mich nicht, Dr. Davison! Ich bin nicht käuflich, um keinen Preis!« Sie machte auf dem Absatz kehrt und eilte zurück ins Camp; ihr leuchtendrotes Haar waberte dabei wie ein Feuerschein um ihren Kopf. Mark starrte ihr verblüfft nach, und gleich darauf spürte er einen kalten Hauch im Nacken.

Als er sich umdrehte, sah er sich der Frau in Weiß gegenüber.

Sofort war er wieder bei klarem Verstand, und die Verwirrung über Alexis' Verhalten war wie weggeblasen. Die engelhafte Erscheinung der Frau nahm ihn völlig gefangen und ließ ihn alles um sich her vergessen.

Dann hörte er: »*Nima tra tu entek?*«

Und er flüsterte: »Ich bin Davison.«

217

Später erinnerte sich Mark auch noch an andere Dinge: daß der Wind sich plötzlich gelegt hatte, daß der sternenklare Himmel sich mit Wolken überzogen hatte und daß die Frau unter ihrem durchsichtigen Gewand nackt gewesen war. Doch im Augenblick empfand er nur eine unstillbare Neugierde, wie jeder Wissenschaftler, der mit einem verblüffenden, neuen Phänomen konfrontiert wird.

Sie sprachen zunächst nur stockend und versuchten, sich auf die gedanklichen Muster der anderen einzustellen. Die altägyptischen Wörter der Frau übersetzten sich für Mark wie von selbst, und sein geflüstertes Englisch schien sich zu verändern, während er sprach, so daß die beiden sich in einer universellen Sprache verständigten.

»Was seid Ihr?« fragte er.

»Ich bin Nofretete.«

»Nein, ich will nicht wissen, wer Ihr seid, sondern *was* Ihr seid.«

»Ich bin Nofretete.«

»Träume ich? Bilde ich mir nur ein, daß ich Euch sehe?«

Sie schwebte dicht über dem Boden, und in ihrem überirdisch schönen Gesicht spiegelte sich tiefe Trauer wider. »Ich habe geschlafen, doch jetzt bin ich wach.«

»Gibt es Euch wirklich, seid Ihr lebendig?«

»Ja...«

Mark setzte sich wieder auf die Mauer und stützte seine Arme auf die Knie. Sie stand näher bei ihm als je zuvor, so daß er jede Einzelheit ihrer erstaunlich fein geschnittenen, vollkommenen Gesichtszüge erkennen konnte. »Warum seid Ihr hier?« fragte er.

»Ich habe geschlafen! Seht, ich habe geschlafen, jahrtausendelang...«

Sie hob ihre schlanken Arme und streckte ihre Hände zum Himmel. »Ich habe großen Kummer und warte sehnsüchtig! Ich bin einsam! So allein...«

»Was seid Ihr? Seid Ihr ein Traum? Ein Geist? Wie kommt es, daß wir uns verständigen können?«

Nofretete ließ die Arme sinken und blickte Mark hilflos an.

»Ihr sprecht in seltsamen, fremden Worten, und doch verstehe ich sie«, murmelte er.

»Ihr... Ihr habt sie studiert, Davison. Ihr habt meine Sprache studiert, und sie schlummert noch immer tief in Eurem Innern. Ich habe sie wieder zum Leben erweckt.«

Er schaute verwundert zu der Gestalt auf. »Sie studiert...« flüsterte er. Da tauchten plötzlich wieder die Schriftzeichen und Bilder von damals vor ihm auf. Er sah die Hieroglyphenreihen, mit denen er sich vor vielen Jahren beschäftigt hatte, und hörte seine eigene Stimme auf einen Kassettenrecorder sprechen, um die Überzeugungskraft seiner Theorie zu testen. Die Worte, die sie jetzt äußerte – *petra* (was), *tennu* (wo), *tes-a* (ich) –, waren ihm alle während dieses dreijährigen Studiums mehrfach begegnet.

»Ihr sagt, Ihr seid Nofretete. Habt Ihr einen Gemahl?«

»Ja.«

Mark rutschte bis zur Mauerkante vor. »Wo ist er?«

»Er schläft...«

»Wo?«

»Im Cañon...«

Mark hatte ein Gefühl, als ob sich ihm der Hals zuschnürte. »Wie ist sein Name?«

»Er ist der, welcher Aton wohl gefällt. Er heißt ›Khnaton‹.«

Mark fuhr sich mit dem Ärmel über den Mund. Er versuchte krampfhaft, sich zu beherrschen und nicht durch eine vorschnelle Handlung alles zunichte zu machen. Die Gestalt schien so zerbrechlich, so zart, und die Verbindung zwischen ihnen schien nicht stabiler als das Fädchen einer Spinne zu sein. »Können andere Euch sehen?«

»Nein.«

»Können sie Euch hören?«

»Nein.«

»Warum nicht?«

»Ich weiß nicht, Davison. Wenn ich Euch ein Rätsel bin, so seid Ihr mir nicht minder eines.«

»Wann lebt Ihr?«

»In der Jetzt-Zeit.«

»Ist das Eure Zukunft oder meine Vergangenheit?«

»Ich weiß es nicht.«

Mark wußte nicht, ob er dabei war, den Verstand zu verlieren oder ob er träumte. Ich rede mit einer Halluzination! »Wißt Ihr irgend etwas über mich?«

»Nein.«

»Ich suche nach einem Grab. Wißt Ihr, wo es sich befindet?«

»Pst!« Nofretete hob ihren milchigweißen Arm und hielt ihre Hand an die Wange. »Da kommt jemand.«

Mark sah sich um. Im Camp war es dunkel und still. »Wir sind allein.«

»Nein, mein Lieber, da ist jemand. Ich muß gehen. Aber ich werde wiederkommen, Davison. Hört auf die Alte...«

Während er sie noch anschaute, verschwand sie, und ihr Glanz verblaßte langsam wie ein erlöschender Stern. Da vernahm Mark ein Rascheln hinter sich. Er sprang auf und sah, wie Samira durch die Dunkelheit auf ihn zukam. Als sie sich ihm bis auf ein paar Schritte genähert hatte, blieb sie stehen und funkelte ihn an.

»Was geht da vor sich?« fragte er auf arabisch. »Erklär es mir.«

»Es beginnt, Herr. Und jetzt müssen Sie schnell handeln.«

»Habe ich geträumt? Ist sie nur ein Produkt meiner Einbildungskraft, oder werde ich langsam wahnsinnig?«

»Die Zeit ist gekommen, Herr. Der Kampf steht kurz bevor. Wir müssen uns beeilen!« Ihre schwarzen Gewänder flatterten im Nachtwind. »Sie müssen mir jetzt folgen, Herr.«

»Wohin?«

»Ich muß Ihnen etwas zeigen.«

Bevor er ihr noch weitere Fragen stellen konnte, wandte sich die Alte von ihm ab und schlurfte über den Sand davon.

Verwirrt folgte Mark ihr nach.

Samira führte ihn das Königliche Wadi hinauf und eilte die ganze Zeit voraus, ohne sich ein einziges Mal nach ihm umzudrehen. Der Vollmond und die Sterne leuchteten ihnen, aber es war trotzdem furchtbar dunkel, und Mark mußte sich sputen, um sie nicht aus den Augen zu verlieren. Dreimal – einmal sogar auf koptisch – rief er ihr zu, sie möge einen Moment stehenbleiben, doch Samira schien ihn gar nicht zu hören. Wie eine alte Krähe flatterte sie das langsam ansteigende Wadi hinauf und rutschte zweimal auf dem Geröll aus.

Die Luft wurde immer kälter. Sie bogen in eine schmale Schlucht ein, die kurz vor dem Königsgrab vom Wadi abzweigte. Die nackten Felswände ragten bedrohlich neben ihnen auf. Mark folgte dem Beispiel der alten Frau und stützte sich rechts und links an den Felswänden ab, um das Gleichgewicht nicht zu verlieren.

Diese tiefe Kluft führte vom Hauptwadi steil bergauf, und es wurde stellenweise so gefährlich, daß Mark und Samira sich auf allen vieren vorwärtsbewegen mußten. Sein naßgeschwitztes Hemd klebte ihm wie ein eisiges Leichentuch am Körper. Er atmete in kurzen, dampfenden Stößen. Die alte Frau strebte unermüdlich vorwärts. Leichtfüßig erklomm sie die Felsen, ohne ein einziges Mal zurückzublicken.

Es war ein langer, tückischer Aufstieg, und als sie den hochgelegenen Teil des Wüstenplateaus endlich erreicht hatten, sank Mark auf die Knie und schnappte keuchend nach Luft. Ein rauher, schneidender Wind blies über ihn hinweg, und seine Lungen schmerzten in der eisigen Luft. Als Mark sich übers Gesicht fuhr, stellte er fest, daß seine Handflächen zerkratzt waren und bluteten.

Samira, die ebenfalls nach Luft rang und dabei so stark schwankte, daß Mark dachte, sie würde zusammenbrechen, setzte ihren Weg jedoch unbeirrt fort. Er versuchte ihr nachzurufen, hatte aber weder die Kraft noch den Atem dazu. Dann stolperte er und fiel der Länge nach in den Sand. Als er kurze Zeit später wieder zu sich kam und aufblickte, sah er Samira wenige Meter entfernt mit angezogenen Knien im Staub kauern. Sie wiegte den Oberkörper hin und her und sang leise, wie sie es getan hatte, als er und Jasmina sie hinter dem Gemeinschaftszelt gefunden hatten. Und als Mark mühsam aufstand und zu ihr hinüber taumelte, bemerkte er im silbernen Schein des Mondes, daß die Fellachin schon wieder Blätter kaute.

»Was soll das eigentlich alles?« fragte er. Seine Stimme zerriß die Stille der Wüste und hallte zu den Sternen empor.

Rings um ihn erstreckte sich eine kahle Mondlandschaft. Die Oberfläche der Hochebene hatte bei Nacht ein ganz anderes Aussehen als am Tag. Jetzt wirkten die unheimlichen, steil aufragenden Felsspitzen wie fremdartige Ruinen. Man hätte sie für zerbrochene Säulen und zerfallene Schlösser einer außerirdischen Zivilisation halten können. Die Schluchten und Klüfte durchzogen das Tafelland wie riesenhafte Schlangen. Es war eine unheimlich bedrohliche Welt.

Er hockte sich vor die Alte hin. »Warum hast du mich hierhergebracht?«

Obwohl ihre Augen weit geöffnet waren, schien Samira ihn nicht zu sehen. Sie schaukelte weiter hin und her und fuhr unbeirrt mit ihrem Singsang fort.

»Verdammt noch mal!« schrie Mark. »Du verrückte alte Hexe!«
Mark richtete sich auf und sah sich in der Dunkelheit nach einem Pfad
um, der nach unten führte. Er wußte, daß er den Weg, den sie heraufgekommen waren, niemals wiederfinden würde. Zu viele dieser engen Schluchten mündeten in tiefe Abgründe oder in Cañons ohne
Ausgang, in denen er hoffnungslos gefangen wäre. Am nächsten Tag
würde Abdul ihn möglicherweise nicht schnell genug finden, und
dann würden sich wilde Tiere auf ihn stürzen.
»Hör zu!« rief er. »Führt mich zurück zum Camp!«
Samira setzte ihr monotones Summen fort, während sie die Augen
auf einen Punkt im Osten gerichtet hielt.
Wütend beugte Mark sich hinunter und packte sie an ihren knochigen
Schultern. »Ich weiß nicht, wo wir sind! Bring mich zurück!«
Als er anfing, sie zu schütteln, ließ die Alte ihre Hände vorschnellen
und umklammerte seine Unterarme mit überraschend festem Griff.
»Warten Sie, warten Sie, Herr. Fast, fast.«
»Warten, warten! Worauf soll ich warten? Allmächtiger!« Mark
schüttelte ihre Hände ab und wich zurück. Er drehte sich einmal im
Kreis herum, um sich zu orientieren, und versuchte, sich zu beruhi-
gen. Wir können eigentlich gar nicht weit gegangen sein, überlegte
er. Und doch kommt es mir vor, als seien wir stundenlang geklettert.
Warum bin ich ihr nur gefolgt? Abdul... Abdul wird morgen früh
mit der Suche nach mir beginnen. Wie lange wird er brauchen?
Tage...
»Herr!«
Als er zu ihr hinunterblickte, streckte Samira ihren rechten Arm aus
und deutete mit ihrem krummen, braunen Finger nach oben. Sie wies
auf einen Punkt am Horizont.
»Jetzt, Herr!« rief sie.
Mark drehte sich um. Er sah den Beginn der Morgendämmerung, die
ersten dünnen Streifen eines pastellfarbenen Sonnenaufgangs. Und
knapp über dem Horizont, auf der Linie, wo sich Wüste und Himmel
zu berühren schienen, entdeckte er einen winzigen Lichtpunkt.
Während die morgendliche Brise auffrischte und sein Haar zauste,
beobachtete Mark mit angehaltenem Atem, wie der helle Fixstern
über den Rand der Welt schwebte. Wie gebannt folgte er dessen Bahn,
während der Himmel immer heller wurde. Plötzlich gewahrte er die

goldene Krone der Sonne als ein schwach schimmerndes Band am Horizont und hielt den Blick darauf gerichtet, bis das Licht zu grell wurde und er sich abwenden mußte.

Er blieb noch lange auf dem Plateau stehen, während die Dunkelheit allmählich einer lohfarbenen Morgendämmerung wich, und lauschte dem Gesang der Fellachin. »Nicht zu glauben«, flüsterte Mark, als die Sonne ganz aufgegangen und der Stern nicht mehr länger zu sehen war. Er hatte den Hund gefunden.

Siebzehn

»Sirius...« wiederholte Ron, während er geistesabwesend mit seinem leeren Pappbecher auf den Tisch klopfte.

»Wie Ramsgate schrieb: kinderleicht.« Mark fühlte sich ein wenig besser. Nachdem er völlig entkräftet ins Camp zurückgekehrt war, hatte er eine belebende Dusche genommen und ein herzhaftes Mittagessen verzehrt. In frisch gewaschenen Bluejeans und dunkelgrünem Hemd saß er nun mit hochgelegten Füßen im Gemeinschaftszelt und ruhte sich aus. Er hatte zweiunddreißig Stunden lang nicht geschlafen.

»Während ich dort stand und den Sonnenaufgang beobachtete, wurde mir plötzlich alles klar. Als ich bemerkte, was das für ein Licht am Himmel war, fiel mir auch ein, daß wir heute den neunzehnten Juli haben. Bei dem Stern handelt es sich um Sirius, dessen alljährlicher heliakischer Aufgang den alten Ägyptern den Beginn der Nilflut ankündigte.«

»Was meinen Sie mit heliakischem Aufgang?« wollte Jasmina wissen.

»So nennt man den Aufgang mit der Sonne. Man kann den Stern nur kurz in der Morgendämmerung sehen, danach ist die Sonne zu hell.«

»Aber warum ausgerechnet heute?« fragte Alexis. Ihre Stimme klang desinteressiert. »Das will ich Ihnen gern veranschaulichen. Hasim, darf ich mir für einen Augenblick Ihren Notizblock ausleihen?« Neugierig beugten sich alle vor, während Mark eine grobe Skizze zeichnete. »Diese Linie ist der Horizont. Dieser Kreis ist die Sonne. Nun, wie wir alle wissen, geht die Sonne im Osten auf und im Westen unter. Was wir dabei aber nicht bedacht haben, ist, daß die Sonne sich auch längs des Horizonts in Süd-Nord-Richtung bewegt. Während sie täglich von Osten nach Westen wandert, beschreibt sie übers Jahr gesehen eine Bahn, die von Süden nach Norden verläuft. Die Hälfte des Jahres aber geht die Sonne irgendwo hier unten auf. Aber da die Erdachse schräg steht, beobachten wir, daß die Sonne sich leicht nordwärts bewegt.«

»Stromabwärts«, bemerkte Ron.

»Genau. Hier haben wir nun Sirius.« Er malte mit dem Bleistift einen Punkt neben den Kreis, der die Sonne darstellte. »Einen Teil des Jahres tritt Sirius nicht in Erscheinung, weil er hinter der Sonne versteckt ist. Doch da die Sonne sich nordwärts ›bewegt‹, erscheint Sirius zu einem bestimmten Zeitpunkt südlich von ihr und wird am Horizont sichtbar. Wie heute morgen.«

»Immer am neunzehnten Juli«, staunte Jasmina.

»Ja, immer. Die Ägypter wußten das. Sie waren großartige Sternforscher. Sie beobachteten, daß dieser Stern alle dreihundertfünfundsechzig Tage an derselben Stelle zum ersten Mal erscheint. Daran richteten sie ihr Jahr aus. Den alten Ägyptern war Sirius heilig.«

»Und wie läßt sich dann die Sache mit dem Hund erklären?«

»Ganz einfach. Daß ich nicht gleich darauf kam, ist zum Teil meine Schuld, weil ich das Rätsel falsch übersetzt habe. Zum Teil liegt es aber auch daran, daß uns mehr als drei Jahrtausende von den Männern trennen, die die Stele gemeißelt haben.« Mark zeichnete die Hieroglyphen, die in der letzten Zeile der Stele erschienen. »›Amun-Ra, stromabwärts fährt, liegt der Verbrecher, darunter, das Auge der Isis, versehen werden mit.‹ Im Grunde denkbar einfach, nur bin ich demselben Irrtum verfallen wie Ramsgate seinerzeit. Ich kann es mir nur so erklären, daß sich seine Übersetzung in meinem Kopf bereits so festgesetzt hatte, daß ich für andere Möglichkeiten nicht mehr offen war. Dieses Symbol hier« – er tippte auf das große Dreieck – »hat wie die meisten Hieroglyphen zwei Bedeutungen. Es ist das Verb ›versehen werden mit‹, steht aber auch für den Stern Sirius. Weil ich eine vorgefaßte Meinung darüber hatte, was diese Zeile aussagt, bevor ich sie selbst gelesen hatte, versäumte ich es, die zweite Bedeutung dieses Symbols heranzuziehen.«

»Was macht Sie so sicher, daß die zweite Bedeutung die richtige ist?«

»Ich weiß es, denn als mir erst klar war, daß damit der Stern gemeint ist, erinnerte ich mich auch daran, daß der Stern Sirius zuweilen als ›Auge der Isis‹ bezeichnet wurde. So lautet die neue Übersetzung: ›Wenn die Sonne am Horizont nordwärts wandert, liegt der Verbrecher unter Sirius, dem Auge der Isis.‹«

Halstead schniefte und hielt sich ein Taschentuch vor die Nase. »Das ist immer noch keine Erklärung für den Hund.«

Mark gab Hasim Notizbuch und Kugelschreiber zurück. »Mr. Halstead, Sirius ist der hellste Stern am Firmament. Er ist der einzige Fixstern im Sternbild *Canis Maior*. Wir kennen ihn auch unter dem Namen Hundsstern.«

Halstead ließ das Taschentuch langsam sinken. »Hundsstern...«

»Die Menschen des Altertums hatten nicht unsere heutige Bezeichnung dafür. Die *Sebbacha* sagte zu Ramsgate, er solle unter dem Hund nachsehen. Sein Fehler und der meinige bestand darin, daß wir den Wandel des Sprachgebrauchs über einen Zeitraum von dreitausend Jahren hinweg außer acht ließen. Was die alten Ägypter als das Auge der Isis bezeichneten, ist für uns der Hund.«

»Aber wie können Sie sich da so sicher sein?« fragte Hasim.

»Kurz nach Sonnenaufgang führte mich Samira an den Rand des Plateaus. Ich blickte hinunter und sah, weit unter mir, unseren kleinen, von drei Seiten eingeschlossenen Cañon. Die Sonne warf gerade ihre ersten Strahlen über die Gräben. Dann sah ich, wie mein Schatten siebzig Meter unterhalb genau über den Sockel der Stele fiel.«

Der junge Ägypter riß erstaunt die Augen auf.

»Wir werden nun folgendes tun, Mr. Scheichly: Morgen steigen wir noch vor Tagesanbruch mit den Meßinstrumenten hinauf aufs Plateau, und wenn Sirius aufgeht, benutzen wir den Durchgang, um seine Bahn in Richtung auf die Stele zu berechnen. Von dort aus bestimmen wir ein Dreieck, und anhand der Koordinaten, die wir vom Stein und vom Stern erhalten, müßten wir das Grab irgendwo in der Felswand des Cañons lokalisieren können.«

Einen Augenblick lang waren alle in andächtiges Schweigen versun-

ken. Schließlich murmelte Jasmina: »Wir nähern uns dem
Ende...«

Mark lächelte ihr zu und erinnerte sich daran, wie sie ihm seine zer-
schrammten Hände gewaschen und mit Salbe verarztet hatte.

»Nur schade, daß wir damit bis morgen früh warten müssen...«
meinte Alexis, während sie auf ihre Finger hinabstarrte.

»Ich fürchte, wenn wir schon heute nachmittag damit beginnen würden und die Lage des Sterns nur annähernd bestimmen, könnten wir
um viele Meter danebenliegen. In diesem Fall würden wir das Grab
völlig verfehlen und womöglich bis nach China graben, ohne es zu
finden.«

»Ist der Stern nachts nicht sichtbar?« fragte Hasim.

»Doch schon, jetzt, nachdem er zum ersten Mal aufgegangen ist.
Aber wir können unmöglich im Dunkeln arbeiten.« Mark stand auf
und streckte sich. »Bis morgen früh ist es nicht mehr allzu lange hin,
und ich denke, wir können alle noch ein wenig Ruhe gebrauchen. Mr.
Halstead? Halstead, geht es Ihnen gut?«

»Sanford?« rief Alexis und stand ebenfalls auf.

Halstead hob den Kopf und enthüllte ein mit Blut getränktes Taschentuch.

Mark saß ohne Hemd und Schuhe auf seinem Feldbett. In der glühenden Nachmittagshitze konnte er nicht schlafen. Er hatte eine Gitternetzkarte von der Hochebene vor sich ausgebreitet und suchte darauf
den Cañon.

Ron, der im Schneidersitz auf seinem eigenen Bett saß und Wein
trank, beobachtete Mark eine ganze Weile. Dann meinte er: »Es tut
mir leid, Mark, aber es gefällt mir nicht.«

Ohne aufzuschauen, erwiderte Mark: »Was gefällt dir nicht?« Er
hatte den Cañon gefunden und kreiste ihn mit dem Bleistift ein.

»Die ganze Sache hier. Ich habe so ein Gefühl, Mark, ein ganz merkwürdiges Gefühl.«

Mark blickte auf und runzelte die Stirn. »Wobei?«

»Du weißt, wobei. Bei diesem ganzen Projekt.«

Mark wandte sich ab. Den bohrenden Blick seines Freundes konnte er
im Moment nicht aushalten. »Ich weiß nicht, wovon du redest.«

»Natürlich weißt du es. Wir alle wissen, daß es hier nicht mit rechten

Dingen zugeht, nur hatte noch keiner den Mumm, darüber zu sprechen.«

»Wovon redest du eigentlich?«

»Zunächst mal wären da die Alpträume, die wir alle haben. Und dann dieses sonderbare Verhalten von Mrs. Halstead. Sie läuft die meiste Zeit herum wie eine Schlafwandlerin. Nur wenn sie dich anschaut, Mark, dann liegt ein irrer, gieriger Blick in ihren Augen, als wäre sie ausgehungert oder auf Entzug. Und dann ist da noch Halstead mit seinen Blutungen. Und Hasim, der in seinem Zelt einen Skorpion nach dem anderen tötet. Und...«

»Ach, hör schon auf damit, Ron!«

»Es sind die sieben Wächtergötter, Mark, sie dulden uns hier nicht.«

Mark blickte seinen Freund finster an. »Ich kann nicht glauben, was ich da höre. Du, ein Wissenschaftler...«

»Und was ist mit dir? Was beunruhigt dich? Schau dir doch nur die dunklen Ringe unter deinen Augen an. Du bist hier um zehn Jahre gealtert.«

Mark starrte auf die Karte und überlegte wieder, ob er Ron von der Erscheinung (oder was immer es war) Nofretetes erzählen sollte. Doch jetzt war wohl nicht der rechte Zeitpunkt, wenn Ron die antiken Flüche in einem romantischen Licht sah und rational erklärbare Vorkommnisse in den Bereich des Parapsychologischen erhob. Wenn man in der Wüste war, mußte man schließlich damit rechnen, auf Skorpione und Insektenschwärme zu stoßen. Sanford Halstead litt offensichtlich unter einer Blutanomalie. Und seine Frau war bekanntlich tablettensüchtig...

»Ich will hier weg, Mark.«

Mark riß den Kopf hoch. »Was?«

Ron blieb ruhig und gelassen. »Wir liefern uns sehenden Auges schrecklichen Vorkommnissen aus. Je näher wir der Entdeckung des Grabes kommen, desto schlimmer werden die Alpträume. Und dieses... dieses Gefühl, das ich habe. Gewiß bin ich Wissenschaftler, Mark, ein Ägyptologe. Und als Ägyptologe kann ich besser als jeder andere die Macht der alten Ägypter erkennen.«

Mark sah seinen Freund verwirrt an. »Das kann doch nicht dein Ernst sein!«

»Es ist mein voller Ernst. Und ich denke, die anderen empfinden genauso. Mark«, er streckte seine langen Beine aus und rutschte zur Bettkante vor, »diese beiden *Ghaffir* sind auf die gleiche Weise zu Tode gekommen wie Ramsgates *Ghaffir*. Und seine Frau Amanda fing an schlafzuwandeln. Sein Dolmetscher litt plötzlich an Blutungen. Mark, das alles passiert jetzt wieder!«

Mark schob die Landkarte beiseite und griff nach seiner Flasche.

Was ihn am meisten verrückt machte, war die Tatsache, daß er Ron in allem zustimmen mußte. Er merkte ja auch, daß etwas Unheimliches im Gange war. Aber das Grab war da, und der Ketzerkönig lag darin, und der Mann, der das Grab entdeckte, würde größeren Ruhm erlangen als Howard Carter.

»Sieh dich doch nur selbst an«, fuhr Ron fort. »Du trinkst jetzt mehr als je zuvor.«

Aber noch stärker als der Hunger nach Anerkennung war die Verlockung durch die geisterhafte Frau, die sich selbst Nofretete nannte. Er konnte nicht von ihr ablassen, bevor er nicht hinter ihr Geheimnis gekommen war...

»Was ist das?«

Mark schaute auf. »Da schreit jemand. Es ist Jasmina!«

Die beiden waren sofort auf den Beinen und rannten aus dem Zelt. Draußen begegneten sie Abdul, der ebenfalls in die Richtung eilte, aus der das Geschrei kam. Fast zeitgleich erreichten sie das Zelt der Halsteads. Mark schob die Plane beiseite und stürmte als erster hinein.

Er blieb wie angewurzelt im Eingang stehen.

Auf dem Bett saß die alte Samira, die Sanford Halsteads Kopf auf ihrem Schoß hielt. Sie führte ihm eben einen Becher zum Mund. Dann bemerkte Mark Jasmina und Alexis, die sich in den Haaren lagen, wobei die jüngere Frau so laut schrie, daß ihr Gesicht puterrot angelaufen war.

»He!« brüllte Mark.

Die drei Frauen blickten überrascht zu ihm auf. Samira ließ den Becher sinken.

»Was zum Teufel geht hier vor?«

»Die alte Hexe will ihn vergiften!« rief Jasmina und riß sich von Alexis los.

»Das ist kein Gift«, entgegnete Alexis keuchend. »Es ist Medizin. Sie wird die Blutungen stoppen.«

Prüfend musterte Mark das Paar auf dem Bett: die schwarzgekleidete alte Samira und Sanford Halstead, der wie betäubt in ihren Armen lag. »Was will sie ihm geben?«

»Es ist etwas aus dem Beutel, den sie am Gürtel trägt«, erklärte Jasmina. »Ich bin zufällig hereingekommen, um nach ihm zu sehen, und ertappte sie dabei, wie sie ihm das Zeug in den Tee mischte. Ich habe versucht, sie davon abzuhalten, aber...«

»Es geht ihm nicht gut!« ließ sich eine krächzende Stimme vom Bett her vernehmen. »Das wird ihm helfen. Es ist gute Medizin, Herr.«

»Was ist es?«

Sie sah ihn aus ihren runden, glänzenden Augen argwöhnisch an. »Ein wirksamer Zaubertrank, Herr.«

»Mach bitte den Beutel auf, *Scheicha*.«

Ihre Augen weiteten sich. »Nein! Das dürfen Sie nicht!«

»Ich will doch nur sehen, was du ihm gibst«, erwiderte Mark geduldig. Er machte ein paar vorsichtige Schritte auf sie zu, und Samira wich augenblicklich zurück. Sie stellte den Becher ab und drückte den benommenen Mann an sich wie ein Beutetier. »Nein, Herr! Er enthält gute Zauberkräfte, aber niemand darf ihn berühren! Er ist nur für den Kranken bestimmt! Er blutet!«

Niemand bemerkte, daß Ron hereinkam. Er stürzte vom Eingang auf die Alte los und packte sie, ehe irgend jemand begriff, was geschah. Sie kreischte wie ein Affe und setzte sich mit ihren Krallen zur Wehr, doch als Ron von ihr abließ, hatte er den Lederbeutel in der Hand.

»Ich will nur sehen, was darin ist, *Scheicha*«, sagte Mark besänftigend.

Ron leerte den Inhalt in seine Hand: ein dürrer Zweig von einem Baum und schwarzes Pulver.

»Was ist das?« fragte Mark und klaubte den dünnen Zweig aus dem Pulver.

»Es ist eine heilige Reliquie, Herr. Sie stammt von dem Baum, unter dem die Heilige Jungfrau Rast machte, als sie mit dem Jesuskind nach Ägypten floh.«

»Und dieses schwarze Pulver?«

Samira preßte die Lippen zusammen und schob ihr Kinn vor.

»Ich weiß, was das ist...« murmelte Ron, während er ein wenig Pulver zwischen Daumen und Zeigefinger rieb. »Es ist zerstoßene Mumie.«

»Was!«

»Es besitzt große Zauberkraft, Herr! Dieser Mann hier blutet nicht, weil er krank ist, sondern weil er von Teufeln heimgesucht wird!«

»Das kannst du ihm nicht geben, *Scheicha*.«

Da schnellte Samiras Hand wie eine Schlange aus ihrem Ärmel hervor und bewegte sich so rasch, daß Mark dem Geschehen kaum folgen konnte. Sie hatte den Becher schon an Halsteads Lippen gesetzt, als Mark sich nach vorne warf und ihr den Becher aus der Hand schlug.

»*Ya Allah!*« schrie sie.

»*Scheicha*«, Mark gab sich Mühe, seinen Ärger im Zaum zu halten; er wußte, daß die Frau keine schlechten Absichten hegte, »er kann das nicht trinken.«

Sie funkelte ihn wutentbrannt an. »Sie machen einen schweren Fehler, Herr. Ich kann Ihnen helfen, die Dämonen zu bekämpfen...«

Mark blickte finster und ratlos auf sie hinunter. Er hatte sie nicht vor den Kopf stoßen wollen; schließlich hatte sie ihn zu dem Hund geführt. »Bitte, *Scheicha*, überlaß die Sache uns.«

Als Abdul vortrat, gebot ihm die Fellachin mit erhobener Hand Einhalt. Dann zwängte sie sich vorsichtig unter Halsteads Körper hervor, legte seinen Kopf sanft auf das Kissen nieder und erhob sich mit königlicher Würde. »Ich kann Ihnen fortan nicht mehr helfen, Herr. Ich habe alles getan, was in meiner Macht steht. Jetzt seid Ihr auf Euch allein gestellt.«

Mark öffnete den Mund, um etwas zu erwidern, aber schon stellte sich Abdul leise hinter Samira, um sie zum Ausgang zu geleiten. Verächtlich schnaubend nahm sie Ron den Beutel und den Zweig aus der Hand.

Mark beobachtete, wie sich Jasmina über Halstead beugte und seinen Puls fühlte. Dann blickte er zu Alexis hinüber, die auf ihrem Feldbett saß und verwirrt auf ihre Hände starrte. Jasmina versuchte, dem halb ohnmächtigen Halstead das Hemd abzustreifen. »Ich sollte ihn nach Kairo zurückschicken.«

»Nein!« Alexis warf den Kopf zurück; ihre Augen funkelten. »Das wäre überhaupt nicht in seinem Sinne. Sanford bleibt hier bei der Ausgrabung.«

»Er braucht stationäre Behandlung in einem Krankenhaus...«

Alexis blitzte Mark drohend an. »Sanford bleibt hier, Dr. Davison. Das ist sein Wunsch.«

Als Jasmina ihre Arzttasche nahm und sich zum Gehen wandte, wollte Mark noch etwas sagen, doch an Alexis' Blick erkannte er, daß seine Worte nichts fruchten würden. So machte er auf dem Absatz kehrt und folgte Jasmina hinaus in die drückende Mittagshitze.

»Es tut mir leid, Mark«, meinte sie auf dem Weg zu ihrem Zelt. »Ich habe mich in dieser Situation wohl ziemlich dumm verhalten.«

»Sie haben das Richtige getan. Ich glaube zwar nicht, daß der Mumienstaub allein ihm geschadet hätte, aber wer weiß, was sie sonst noch darunter gemischt hat.«

Sie blieben vor Jasminas Zelt stehen. »Ich habe etwas Tee, den ich selbst zubereitet habe«, begann sie verlegen. »Hätten Sie Lust, eine Tasse mit mir zu trinken?«

»Lassen Sie mich noch rasch ein Hemd anziehen.«

Abdul mußte das Abendessen kochen, weil Samira nirgends zu finden war. Er bereitete einen schmackhaften Eintopf aus Reis, Lammfleisch und Bohnen, dem aber die besondere Würze fehlte, die die alte Fellachin ihren Speisen zu geben verstand.

Schweigend nahmen sie das Abendessen ein. Halstead, blaß, aber wohlauf, hatte nach dem Aufwachen darauf bestanden, dem gemeinsamen Abendessen beizuwohnen. Die neben ihm sitzende Alexis wirkte geistesabwesend und distanziert. Sie schien vor sich hin zu träumen und rührte ihr Essen nicht an. Ron, der Mark gegenübersaß, kaute die Lammstücke ohne rechten Appetit und spülte sie mit reichlich Chianti hinunter. Am anderen Tisch saßen Hasim, der während der Mahlzeit ständig etwas in sein Notizbuch kritzelte, und Jasmina, die lustlos in ihrem Teller herumstocherte. Während er aß, dachte Mark über die junge Frau nach. Er hatte es genossen, mit ihr Tee zu trinken und zu plaudern. Sie war ihm gegenüber ein wenig zugänglicher gewesen, hatte ihm von ihren Schwierigkeiten im Berufs- und im Privatleben erzählt, von ihrem verzweifelten Wunsch, als Frau in einer Männergesellschaft als ebenbürtig anerkannt zu werden, was in einer islamisch geprägten Kultur jedoch beinahe aussichtslos sei. Sie hatte leidenschaftlich von ihren Emanzipationsversuchen gesprochen, und doch sonderte sie sich jetzt, während des Abendessens, von den anderen ab, wie ihre muslimischen Schwestern in Kairo es tun würden. Wie es die Sitte verlangte, aß sie getrennt von den Fremden und beteiligte sich nicht an ihrer Unterhaltung. Mark erinnerte sich daran, wie sie zurückgezuckt war, als er zufällig ihren Arm gestreift hatte.

Dann fiel ihm Abdul ein, der ihn gesucht hatte und etwas pikiert war, als er ihn schließlich in Jasminas Zelt antraf. Diesmal war es Mark nicht entgangen, und er wußte, was er davon zu halten hatte: Abdul war traditionell eingestellt und mißbilligte diese Art von vertrautem Gespräch zwischen Moslems und Christen, zwischen Mann und Frau, auch wenn die Beteiligten, oder wenigstens einer, ein alter, geachteter Freund war.

Noch andere Dinge beschäftigten Mark. Er dachte an die Erscheinung der vergangenen Nacht, kurz bevor Samira ihn auf das Plateau geführt hatte. Wie war es möglich, daß er sich mit diesem ... unerklärlichen ... Geist in der alten Sprache unterhalten konnte? Und wie sollte man sich Alexis Halsteads anomales Verhalten erklären? Es schien fast, als sei sie eine gespaltene Persönlichkeit. Doch was ihm am meisten Sorge bereitete, war der Weggang der alten Samira. Seitdem er mit ihr auf das Plateau gestiegen war, hatte er einen neugewonnenen Respekt für die alte Frau empfunden und war um so entschlossener gewesen, ihre Hilfe beim Studium der alten Sprache in Anspruch zu nehmen. Aber jetzt war sie verschwunden, und niemand wußte, wohin.

Ein schwaches Rumpeln in der Ferne riß Mark aus seinen Gedanken. Er blickte zu seinen Gefährten auf, sah, wie Abdul am Herd hantierte, und glaubte, das Geräusch käme von dort. Mark aß weiter.

Da ertönte zum zweiten Mal dieses Rumpeln, und diesmal hob auch Jasmina den Kopf. Die beiden starrten sich an.

Ein drittes, lauteres Geräusch, das sich wie ein Krachen anhörte, ließ nun auch die anderen im Kauen innehalten. Alle sahen sich um.

»Was war das?« fragte Alexis.

Mark zuckte die Achseln. »Ich weiß nicht ...«

Ein plötzlicher Knall, wie ein dumpfer Schlag, zerriß die Stille der Nacht, und im nächsten Augenblick waren alle auf den Beinen.

»Es klingt wie Donnergrollen«, meinte Ron.

»Das ist doch unmög...«

Ein weiteres Krachen erschütterte das gesamte Zelt. Alle rannten nach draußen.

Der Himmel war klar und mit Sternen übersät, der Mond gerade aufgegangen. Als es abermals polterte, blickten alle in Richtung der Felswand. »Es hört sich nach einem Unwetter auf der Hochebene an«, sagte Hasim.

»Regen?« fragte jemand anders.

Mark hielt die Augen auf den Gebirgskamm gerichtet. Der Donner klang wie Kanonenschläge. Ron neben ihm murmelte: »Das gefällt mir überhaupt nicht...«

Wie gebannt starrten die sieben hinauf zu den schroffen Felsspitzen, während das Donnergrollen immer näher rückte. Es hörte sich an wie schwere Eisenbahnwaggons, die über die Hochebene rumpelten. Plötzlich schlug sich Hasim mit der Hand an die Stirn und rief: »Es regnet!«

Er ließ die Hand sinken: Sein Gesicht war naß. Dann spürten auch die anderen das leichte Kribbeln der ersten Regentropfen.

»Welch eine Wohltat!« rief Halstead, der zum ersten Mal seit Tagen wieder lächelte. »Das wird die Luft abkühlen!«

Der Regen wurde schnell stärker und prasselte wie Trommelfeuer auf die Zelte nieder. Als er sich auf einmal in einen wahren Sturzbach verwandelte, schrien alle auf und rannten lachend ins Innere. Nur Mark und Abdul blieben draußen im Platzregen stehen und sahen unverwandt nach oben.

»Das kommt von dem Staudamm, Effendi. Er hat unser Wetter aus dem Gleichgewicht gebracht.«

Mark starrte weiter zum Nachthimmel hinauf. Er wußte, wovon Abdul sprach. Der Nasser-Stausee besaß eine so große Wasseroberfläche, daß seine gewaltigen Verdunstungsmassen ein neues Klima im Niltal geschaffen hatten: Pflanzen wuchsen nun an Stellen in der Wüste, wo sie früher nicht hätten überleben können; die jährliche Niederschlagsmenge war stark angestiegen; eine heimtückische Feuchtigkeit setzte sich langsam in den alten Monumenten fest und begann sie zu zersetzen, wie die Grabgemälde im Tal der Königinnen, die über drei Jahrtausende hinweg durch Ägyptens natürliche Trokkenheit erhalten geblieben waren.

Aber konnte man in diesem Fall wirklich den Nasser-See dafür verantwortlich machen? Heftiger Regen und Gewitter an einem wolkenlosen, sternklaren Himmel?

Schließlich eilte auch Mark ins Zelt zurück. Er war patschnaß. »Hast du noch nie etwas davon gehört, daß man sich bei Regen unterstellt?« fragte Ron spöttisch.

Drinnen war der Lärm ohrenbetäubend, als spiele der sintflutartige Regen eine donnernde Sinfonie auf dem Zeltdach. Die Planen flatterten beängstigend stark, und als das Unwetter immer heftiger toste, die Donnerschläge direkt über ihnen zu hören waren und ein furchtbarer Wind durchs Lager brauste, da erstarb das Lachen im Zelt.

Die sieben standen in angstvollem Schweigen und lauschten den entfesselten Naturgewalten. Der Erdboden bebte bei jedem Donnerschlag, während der Regen immer heftiger niederging. Die sieben sahen einander furchtsam an. Mark warf einen Blick auf Abdul, und die Miene des Ägypters erschreckte ihn. In seinen Augen spiegelte sich nacktes Entsetzen wider.

Da fiel Mark ein, daß sie sich ja an der Mündung des Königlichen Wadis befanden, und er dachte: Auch das noch!

»He«, fragte Ron zwischen zwei Donnerschlägen, »was geschieht jetzt mit den Generatoren? Bei dieser Nässe...« Genau in diesem Moment gingen die Lichter aus, und die Ventilatoren surrten langsamer, bis sie ganz zum Stillstand kamen. Den Bruchteil einer Sekunde lang starrten alle wie versteinert in die Dunkelheit. Dann schrie jemand auf, ein anderer kreischte, und ein panisches Gedränge und Geschiebe setzte ein.

»Bewahren Sie Ruhe!« schrie Mark. »Wir haben Taschenlampen und Laternen! Bleiben Sie ruhig, und verlieren Sie nicht gleich den Kopf! Setzen Sie sich hin, wenn Sie können!«

Mit einem Schlag herrschte absolute Dunkelheit. Mark hatte noch nie eine so vollkommene Finsternis erlebt, eine so rabenschwarze, undurchdringliche Nacht. Nur in Gräbern war er schon mit einer ähnlichen Schwärze konfrontiert worden. Er unterdrückte seine eigenen Anwandlungen von panischen Gefühlen, als er über die an der Zeltwand stehenden Kisten fiel, die er gleich darauf hektisch durchwühlte. Er fand vier Taschenlampen und zwei batteriebetriebene Laternen, die er unter seinen Gefährten verteilte. Sieben gespenstische

Gestalten, deren Gesichtszüge in dem unnatürlichen Licht verzerrt wirkten, horchten mit Grauen auf das tobende Unwetter.

Jasmina mußte schreien, um gehört zu werden. »Die Fellachen in der Arbeitersiedlung! Sie haben keinen Schutz!«

»Wir können nichts tun!« Mark hielt sich die Ohren zu. Er kam sich vor wie unter einer umgedrehten Plastikschüssel, über die das Wasser rauscht.

»Und die Dorfleute!« rief sie. »Ihre Häuser werden sich auflösen!«

»Dort hat es auch schon früher geregnet, Jasmina!«

»O Gott«, entfuhr es Ron, »meine Ausrüstung! Was, wenn das Zelt undicht ist? Mein ganzes Fotopapier, mein Filmmaterial!«

Ein krachender Donnerschlag ließ eine der Laternen umkippen. Als Mark nach vorne langte, um sie wieder aufzurichten, schloß sich eine schlanke, braune Hand um sein Handgelenk. Der Griff war so fest, daß es ihn schmerzte. Er schaute in Abduls Gesicht. Der Ägypter wirkte wie eine Gestalt aus einem Horrorfilm. Das Licht trieb unheimliche Schattenspiele mit seinen Zügen, seine Wangen erschienen noch hohler, seine Augen verschwanden beinahe, und seine Nase und Backenknochen traten hervor. Abduls Kopf sah aus wie ein Totenschädel.

»Effendi«, sagte er so ruhig er konnte, »haben Sie das Wadi vergessen?«

»Nein, verdammt noch mal, habe ich nicht.«

»Wir müssen hier weg.«

»Wie denn? Sollen wir etwa durch den Regen und die Schlammfluten rennen? Es gibt kilometerweit keinen Zufluchtsort! Wir würden keine fünfhundert Meter weit kommen, ohne uns zu verirren und voneinander getrennt zu werden. Nicht einmal die Geländewagen kommen bei diesem Unwetter durch!«

»Wenn wir hierbleiben, Effendi...«

Mark starrte seinen Vorarbeiter wütend an und riß sein Handgelenk los. Tiefe Druckstellen hatten sich in seinem Fleisch gebildet. »Wir können sowieso nichts tun. Also brauchen wir die anderen gar nicht erst damit verrückt zu machen.«

Mark blickte zum Zeltdach auf. Im Geiste sah er das Wadi – den Wasserlauf, der nur wenige Meter vom Camp entfernt in die Ebene mündete. Eine Schlucht, die sich durch Jahrhunderte launenhafter Wüstenstürme und blitzartiger Überschwemmungen in die Hochebene eingegraben hatte. Deshalb war keines der Dörfer in der Nähe des Wadis gebaut worden: Eine wahre Sintflut würde sich plötzlich in das ausgetrocknete Flußbett ergießen, wie bei einem Dammbruch ins Tal hinabstürzen und alles, was im Weg lag, mitreißen. Nichts würde dem Ansturm des Wassers standhalten.

Hör schnell wieder auf, beschwor Mark das Unwetter in Gedanken. Panik ergriff ihn. Hör bald auf! Zieh weg vom Plateau. Laß es nur hier unten regnen, damit das Wadi nicht zur Bedrohung für uns wird...

Eine andere Hand tastete nach seiner. Jasmina, die neben ihm saß, rückte dicht an ihn heran. Mit kleinen, kalten Fingern suchte sie bei ihm Schutz. Er hielt ihre Hand fest umklammert, während sie alle starr vor Schrecken dasaßen.

So rasch wie es begonnen hatte, hörte das Gewitter tatsächlich wieder auf. Das Aussetzen von Regen und Donner hüllte das Zelt in eine plötzliche Stille, die fast so laut war wie zuvor das Walten der Elemente. Einen Augenblick lang rührte sich niemand. Dann flüsterte Hasim: »Ist es vorbei?«

»Alles hiergeblieben«, befahl Mark. »Abdul, laß uns nachsehen.«

Vorsichtig zogen sie den Reißverschluß auf und spähten nach draußen. Dann setzte Mark einen Fuß hinaus. Abdul folgte ihm. Stumm und reglos standen sie in der lautlosen Wüstennacht.

»Wie groß ist der Schaden?« erkundigte sich Ron von drinnen.

Bevor Mark antworten konnte, flackerten die Lichter auf, und die Generatoren begannen wieder zu summen. »He!« rief Ron. »Das ist doch nicht möglich!«

Mark trat zur Seite, als er seinen Freund durch die Öffnung kommen hörte. Ron holte tief Luft und atmete langsam wieder aus. »Großer Gott!«

Jetzt wagten sich nacheinander auch die anderen heraus, bis die ganze Gruppe vor dem Zelt versammelt war und sprachlos vor Erstaunen auf den Schauplatz des Geschehens starrte.

Der Boden unter ihren Füßen war trocken und staubig, und die unwirtliche Wüste, die sich vom Camp bis zum Nil und den Lichtern von El Hawata erstreckte, schien keinen Tropfen Wasser aufgenommen zu haben.

Mark fuhr den Landrover selbst. Er hatte das Steuer keinem anderen überlassen wollen, denn die Vorsicht eines anderen hätte ihn bloß noch ungeduldiger gemacht. Er raste über den Schotter und prallte an Felsbrocken ab, als habe er es darauf angelegt, sich selbst und die Maschine ins Verderben zu lenken. Eine Besessenheit hatte ihn gepackt, von der er sich nur durch eine rücksichtslose, ja wahnsinnige Fahrweise befreien konnte. Weit hinter ihm bahnten sich die anderen Landrover einen Weg die enge Schlucht hinauf. Die Staubwolke, die Mark hinter sich aufwirbelte, behinderte ihre Sicht. Einmal konnte sich Abdul gerade noch am Armaturenbrett festhalten und rief: »*Ya Allah!*« Der *Ghaffir* klammerte sich mit aschfahlem Gesicht an seinen Sitz und kniff die Augen zusammen. Doch Mark behielt den Fuß auf dem Gaspedal, jagte krachend über Felsen und Schiefergestein und sprengte sich einen Weg nach oben. So versuchte er die quälenden Gedanken zu vertreiben, die ihn auf Schritt und Tritt begleiteten.

Auch ohne Samiras Hilfe war Mark kurz vor Tagesanbruch imstande gewesen, die Stelle ausfindig zu machen, an der er zum ersten Mal den Stern gesehen hatte. Er hatte Sirius aufgehen sehen und ausreichend Zeit gehabt, seine Koordinaten mit dem Stelensockel zu berechnen, bevor die Sonne seine Helligkeit trübte. Mit Hilfe der Meßgeräte und der Landkarte war es ihm schließlich gelungen, die Lage des Grabes zu bestimmen. Trotzdem mußte er immerfort an das schockierende Erlebnis des nächtlichen Unwetters denken.

Es war nur der Wind, so hatte er den anderen gesagt, ein heftiger Wind, der sich angehört habe wie Donner und Regen. Doch an ihren ausdruckslosen Gesichtern erkannte er, wie hohl seine Worte klangen. Alle hatten den Regen gespürt, hatten das Tosen gehört und die Zeltwände flattern sehen. Das war kein gewöhnlicher Wind gewesen.

Die Stimmung unter den Teilnehmern der Expedition verschlechterte sich zusehends. Niemand war mit großer Begeisterung dabeigewesen, als sie in der eisigen Morgendämmerung den Aufgang des Sirius beobachtet hatten. Mark hatte bereits seit einundfünfzig Stunden nicht geschlafen. Nur die Wut trieb ihn noch vorwärts.

Die Schlucht verengte sich, bis Mark eine Stelle erreichte, wo er wirklich gezwungen war, die Geschwindigkeit zu drosseln. Der Staub legte sich ein wenig, und vor ihnen tat sich der Cañon auf. »Effendi«, sagte Abdul und wies auf die Erde.

Mark hielt das Fahrzeug an. »Was ist das?«

»Ich werde nachsehen.«

Mark hielt das Lenkrad umklammert, bis seine Knöchel weiß wurden, und beobachtete, wie Abdul aus dem Wagen sprang und etwas vom Boden aufhob. Er warf einen flüchtigen Blick darauf und reichte es Mark...

»O mein Gott...« Es war Samiras Lederbeutel, an dem frisches Blut klebte. »Abdul, ich gehe zu Fuß vor. Du hältst die anderen hier zurück. Sorge dafür, daß sie diesen Landrover nicht von der Stelle bewegen.«

Mark war eigentlich froh über das unvorhergesehene Ereignis, half es ihm doch, das Unwetter aus seinem Bewußtsein zu verdrängen. Er hastete über das kahle Gestein, als renne er um sein Leben.

Als er am Eingang des Cañons anlangte, blieb er stehen und suchte das Gelände mit dem Fernglas ab. Er wußte nicht, wonach er eigentlich suchte... vielleicht nach einem zerknitterten, schwarzen Haufen. Aber auf dem sandigen, sonnenbeschienenen Cañonboden war weit und breit nichts zu sehen. Er schaute zum Himmel auf und stellte fest, daß dort oben auch keine Geier kreisten.

Als er zum Landrover zurückkam, sah er die anderen in aller Ruhe auf ihn warten. Er bemerkte, daß Abdul den Beutel der Fellachin versteckt hatte.

»Was haben Sie gemacht?« erkundigte sich Sanford Halstead.

»Ich habe mich nur vergewissert, daß meine Koordinaten stimmen«, antwortete Mark, dem Blick des Mannes ausweichend. »Hier ist ein guter Ausgangspunkt. In Ordnung, alle Mann wieder einsteigen, wir fahren weiter!«

Sie arbeiteten nun schon seit drei Stunden. Die Sonne stand schon fast im Zenit, und der Cañon verwandelte sich zusehends in einen Backofen. Abduls Fellachen waren in einer Biegung am Fluß der östlichen Steilwand eingesetzt worden; der Klang ihrer Äxte und Schaufeln hallte durch das ganze Tal.

Mark fühlte, wie seine Kräfte nachließen. Die anderen, denen der mangelnde Schlaf und die Hitze schwer zu schaffen machten, saßen teilnahmslos in den Geländewagen. Acht Testlöcher, immer vier nebeneinander, wurden von den Fellachen ausgehoben. Mark arbeitete in demjenigen, von dem er sich am meisten versprach. Es lag genau im Mittelpunkt seiner Koordinaten. Die anderen wurden gegraben, um einer möglichen geringfügigen Verschiebung von Himmel und Erde in dreitausend Jahren Rechnung zu tragen.

Mark kniete über einem Gittersieb. Schweiß tropfte ihm in die Augen, und sein Rücken schmerzte heftig. Er legte sich mit aller Macht ins Zeug. Mark brauchte einen Fund, und er wußte, daß auch die anderen dringend Ergebnisse brauchten, die sie aus ihrer Verwirrung herausrissen und wieder auf den Boden der Tatsachen brachten. Wenn sie das Grab jetzt fänden, würde das alle Sorgen wegen des »Unwetters« zerstreuen.

»Effendi.« Ein langer Schatten beugte sich über ihn. »Sie verausgaben sich zu sehr. Wir haben genug Zeit, Effendi, bitte, legen Sie jetzt eine Pause ein.«

»Abdul, kümmere dich um deine eigenen Angelegenheiten!«

Der Ägypter schwieg gekränkt, dann meinte er nur: »Jawohl..., Effendi.«

Mark schleuderte die Kelle von sich, streifte die Handschuhe ab und begann mit bloßen Händen zu graben. Ein Skorpion huschte aufgeschreckt davon, doch Mark nahm ihn gar nicht zur Kenntnis. Von ferne hörte er undeutlich einen Fellachen aufschreien, der auf eine Schlange gestoßen war, aber Mark grub unbeirrt weiter.

Die Sonne stand senkrecht über ihren Köpfen, und unter ihren Strahlen war es mörderisch heiß. Die Temperatur lag über vierzig Grad, und die Luft zirkulierte überhaupt nicht. Einige Fellachen brachen zusammen. Jasmina und Ron eilten ihnen zu Hilfe. Doch Mark sah und hörte nichts und arbeitete wie besessen weiter. In seinem Kopf begann es zu hämmern. Winzige Hitzepickel bildeten sich an seinem ganzen Körper und juckten ihn schrecklich. Aber er hörte nicht auf zu graben.

»Effendi...«

»Sieh zu, daß sie weiterarbeiten!«

»Mark...« ertönte Jasminas Stimme.

»Gehen Sie zu Ihren Patienten zurück!«

Er hielt lange genug inne, um sich sein T-Shirt vom Körper zu reißen, und grub weiter. Seine Bewegungen wurden immer wilder und hektischer. Er vergaß das Gittersieb, tauchte in den Sand ein und buddelte wie ein Hund nach einem Knochen. Es war keine Wut mehr, auch keine Frustration oder der Traum vom großen Ruhm. Er trieb sich selbst in manischer Verzweiflung vorwärts und dachte an gar nichts mehr. Vor seinen Augen blitzten leuchtende Farben auf. Ein dumpfes Dröhnen erfüllte seine Ohren. Mark hörte nicht, daß Ron vom Landrover her laut schrie, sah nicht, daß Jasmina auf ihn zurannte, und spürte auch nicht, wie Abdul ihn mit seinen kräftigen Händen an den nackten Schultern packte. Blutig und mit Blasen bedeckt, schienen sich Marks Hände automatisch zu bewegen.

»Nein«, brüllte er, als mehrere Arme ihn zurückzogen. Ein Feuerwerk detonierte am Himmel; Indigoblau und Zinnoberrot und die leuchtendsten Farben des Spektrums schossen von der explodierenden Sonne auf ihn herab. Dann hörte Mark einen metallischen Klang, wie das Läuten einer Glocke, und merkte, wie er langsam rückwärts über den Sand gezogen wurde.

»Was ist passiert?«

»Gute Frage«, erwiderte Ron.

Mark blinzelte zu seinem Freund auf. »Bin ich ... bin ich ohnmächtig geworden?«

»Sie haben sich überanstrengt«, antwortete eine andere Stimme.

Mark hob ächzend den Kopf und sah Jasmina am Fußende seines Bettes sitzen. Er bemerkte auch, daß seine Hände mit weißen Mullbinden umwickelt waren.

»Was ist das?«

»Das kommt von der Stufe. Du kannst froh sein, daß du überhaupt noch Finger hast.«

»Stufe? Was für eine Stufe?«

»Soll das heißen, daß du dich an gar nichts erinnerst? Gott, wir können von Glück sagen, daß wir es noch rechtzeitig schafften, dich herauszuziehen. So, wie du gegraben hast. Sand ist ja noch in Ordnung, aber hartem Fels kannst du nicht mit bloßen Händen zu Leibe rücken.«

»Ron! Wovon redest du eigentlich?«

»Von der Stufe, Mark. Du hast die erste Stufe der Treppe freigelegt, die hinunter zum Grab führt.«

Achtzehn

Eigentlich hätten sich nun alle freuen müssen und allen Grund zum Feiern gehabt. Statt dessen herrschte aber nur Niedergeschlagenheit und Schwermut in der Gruppe. Niemand konnte den Anblick von Samiras gräßlich geschändetem Körper vergessen, den man in der Nacht gefunden hatte.

Mark blickte unter dem Sonnendach hervor, das Abdul in der Nähe der Ausgrabungsstätte errichtet hatte, und sah, daß die siebte Stufe gerade freigelegt wurde. Mit dem Bleistift in der verbundenen Hand skizzierte er den Grundriß der Treppe aus allen möglichen Blickwinkeln. Er ging dabei so exakt vor, daß Rons Unvermögen, Fotos davon anzufertigen, wieder wettgemacht wurde. In den zwei Tagen seit der Freilegung der ersten Stufe hatten die Arbeiter nach Marks Einschätzung gut die Hälfte der Treppe ausgegraben. Er sah ihnen zu, wie sie in ihren strahlend weißen *Galabias* unter der sengenden Sonne arbeiteten. Mit ihren braunen Händen siebten und gruben sie und schwangen die archäologischen Werkzeuge. Zwei von Abduls fähigsten Männern halfen Ron bei jeder Stufe, denn Mark konnte wegen seiner verbundenen Hände an den Grabungsarbeiten nicht teilnehmen. Die übrigen standen in einer Reihe, siebten den ausgehobenen Sand aus und reichten ihn in Eimern von Hand zu Hand weiter, wie Ameisen. So legten sie allmählich die alte Treppe frei, die in den Berg hineinführte.

Unter den Fellachen machte sich eine ungewöhnliche Nervosität bemerkbar. Sie unterhielten sich nicht, wie sie es sonst zu tun pflegten, und aus heiterem Himmel brachen immer wieder grundlose Streitigkeiten zwischen ihnen aus. Der Grund war die tote *Scheicha*.

»Einige von ihnen möchten in ihr Dorf zurückkehren, Effendi«, hatte Abdul zu Mark gesagt, »der Ort hier ist ihnen nicht geheuer.«

»Laß sie gehen. Wir haben jetzt ohnehin mehr Männer, als wir benötigen.«

Mark konnte es den Fellachen nicht verübeln – der Anblick von Samiras Leiche hatte bei allen großes Entsetzen hervorgerufen.

Der entblößte Leichnam der alten Fellachin war in der Nacht zuvor unweit des Camps gefunden worden. Aus ihrem Mund floß die gleiche braune Substanz, die auch dem ersten *Ghaffir* aus dem Mund gequollen war. Ihr Gesicht war geschwollen und blau angelaufen, ihre Hand- und Fußgelenke waren gequetscht, was von ihrem Kampf gegen eine schreckliche Übermacht zeugte. Ihr ausgemergelter Körper lag verkrümmt im Sand, als habe sie sich im Todeskampf gedreht und gewunden.

Die dunkelblaue Färbung ihres Gesichts deutete darauf hin, daß sie noch gelebt hatte, als ihr die braune Masse in den Mund gestopft worden war.

»Viele Leute waren aufgebracht gegen sie«, flüsterte Abdul Mark ins Ohr. Sein Gesicht war kreidebleich. »Als sie der Aufforderung des *'Umda*, Iskanders Mutter zu helfen, nicht nachkam, meinten die Dorfbewohner, sie habe ihnen den Rücken gekehrt. Iskanders Mutter starb; deshalb forderten sie Gerechtigkeit.«

Mark hatte ein Hämmern im Schädel gespürt und mit tonloser Stimme gesagt: »Ja, natürlich, so wird es gewesen sein. Wirst du sie... beerdigen, Abdul, und die üblichen Gebete für sie sprechen?«

»Ja, Effendi. Werden Sie mit dem *'Umda* darüber reden?« Mark hatte nur den Kopf geschüttelt. »Dies ist ihr Land, Abdul. Es war ihre Art von Gerechtigkeit...«

Er war nicht imstande gewesen, wegzusehen, trotz des widerlichen Gestanks, der von Samiras verfaulendem Leichnam ausging. Wie gebannt hatte er auf ihr verzerrtes Gesicht gestarrt, in dessen hervorquellenden, glasigen Augen sich das nackte Grauen bewahrt hatte. Was hatte die *Scheicha* so in Angst versetzen können? Sie, die stets den Eindruck erweckt hatte, sich vor nichts zu fürchten?

»Effendi.«

Mark blinzelte zu Abdul hinüber. »Ja?«

»Wir haben die Oberkante der Tür erreicht.«

Alle knieten sich um Mark herum in den Sand, als dieser vor der Steinwand in die Hocke ging. Sie kauerten am Fuße des östlichen Cañon-Felsens und starrten hinunter auf die Stelle, die von den Fellachen freigelegt worden war. Die natürlichen Kalksteinschichten der Felswand hörten jäh auf, und unmittelbar darunter erschien ein glatter, gemeißelter, weißer Steinblock, der waagerecht im Kalkstein lag

und unter dem Sand verschwand. In der Mitte waren zwei Falken-
augen eingemeißelt, welche üblicherweise den Abschluß von Grab-
stelen bildeten.

»Was bedeutet das?« flüsterte Halstead.

Mark streckte die Hand aus und fuhr mit den Fingerspitzen vorsichtig
über die Meißelung. »Das sind die Augen von Horus. Der Verstorbene sollte durch sie hindurchblicken können, um das Tageslicht zu
sehen.«

»Aber sie sind . . .«

»Verstümmelt, ja. Und zwar absichtlich. Das war kein Versehen.
Hier können Sie deutlich die Spuren des Meißels erkennen.«

»Aber warum?«

»Auf den ersten Blick würde ich sagen, es geschah, um sie blind zu
machen.«

Alle standen auf und wischten sich den Staub von den Händen. »Wie
lange wird es dauern, um die ganze Tür freizulegen?« wollte Halstead
wissen.

Mark betrachtete die steinerne Treppe, die unter die Erde führte. »Die
Schwelle befindet sich etwa drei Meter unter uns. Ich schätze, noch
etwa ein, zwei Tage.«

Das Wehklagen der Trauernden von Hag Qandil erfüllte das Tal und
drang bis ins Gemeinschaftszelt vor, wo die sieben schweigend beim
Abendessen saßen. Sie lauschten auf das Jammern und mußten wieder an den erschütternden Anblick der *Scheicha* denken.

Sanford Halstead schob seinen kaum berührten Salatteller von sich
und fragte steif: »Ist es Ihnen jetzt schon möglich, zu sagen, ob das
Grab unversehrt ist?«

Mark wandte ruckartig den Kopf. Der Tod der alten Frau war auch
ihm nahegegangen. Der Schmerz darüber saß tief. Er hatte sie noch so
viel fragen wollen.

»Diese verstümmelten Augen auf der Tür zum Grab«, fuhr Halstead
fort, »könnten sie das Werk von Grabräubern sein?«

Mark versuchte, mit seinen Gedanken bei dem Grab zu bleiben.
Schließlich war das das Ziel all ihrer Bemühungen. Die betroffenen
Gesichter seiner Gefährten erinnerten ihn daran, daß er hier die
Hauptverantwortung trug. Sie brauchten seine Stärke und Standfe-

stigkeit. Wenn er jetzt Schwäche zeigte, könnte das ganze Unternehmen fehlschlagen. »Grabräuber hätten keinen Grund und auch keine Zeit gehabt, so etwas zu tun. Nein, das ist das Werk der Priester.«

»Warum hätten sie sich die Mühe machen sollen, die Augen zuerst in den Türsturz zu meißeln, um sie danach zu entstellen?«

»Weil man zunächst einmal Augen haben muß, um blind zu werden.«

»Wie meinen Sie das?«

»Wer immer in diesem Grab bestattet ist, die Priester wollten ihm den Blick nach draußen verwehren. Um ganz sicherzugehen, daß der Betreffende wirklich nichts sehen konnte, gaben sie ihm Augen und schlugen sie ihm gleich darauf wieder aus.«

Alle hörten auf zu essen und starrten Mark an.

Er musterte seine Hände. Die Verbände hatten sich gelöst, aber seine Fingerspitzen waren noch immer wund. Da sah er ein Insekt unter seinem Teller hervorkriechen. Er schlug kräftig zu.

»Kann man gegen dieses Ungeziefer nicht etwas tun, Davison?« fragte Halstead und verscheuchte eine Fliege.

»Das sind eben die unangenehmen Begleiterscheinungen des Lebens in der Wüste.«

Hasim al-Scheichly, der die ganze Zeit auf seinem Notizblock herumgekritzelt hatte, räusperte sich und sagte: »Dr. Davison, ich werde Sie morgen nicht zur Ausgrabungsstätte begleiten. Ich werde eine Feluke nach El Minia nehmen, weil ich meine Vorgesetzten anrufen muß.«

Mark drehte sich abrupt zu ihm um.

»Es ist an der Zeit, Bericht zu erstatten. Bis die Regierung weitere Beamte zu uns heruntergeschickt hat, wird der Grabeingang freigelegt sein. Meine Vorgesetzten müssen bei der Öffnung des Grabes zugegen sein.«

Marks Miene verdüsterte sich. »Ich hatte gehofft, man würde uns noch ein paar Tage Freiheit zubilligen, bevor...« Niemand bemerkte, daß Hasims leinene Serviette, die zusammengeknüllt neben seinem Teller lag, leicht zitterte. Und niemand hörte das feine Schaben von acht mit spitzen Häkchen besetzten Beinen auf der Tischdecke.

»Sehen Sie, Dr. Davison, wir sind nun schon seit zwei Wochen hier. Das Ministerium erwartet einen Tätigkeitsbericht...«

Die Ecke der Serviette hob sich ein wenig, und ein kleiner, gelber Kopf kam darunter zum Vorschein. Ein Paar rote, lidlose Augen erkundeten die Lage. Zwei knochenharte Scheren öffneten und schlossen sich versuchsweise.

»Und wir haben zweifellos eine außerordentliche Entdeckung gemacht. Ich stimme natürlich mit Ihnen überein, Dr. Davison, daß es aus Ihrer Sicht besser wäre, noch ein paar Tage länger freie Hand zu haben, aber ich darf die Neuigkeiten nicht mehr zurückhalten . . .«

Ein schlanker, gelb-glänzender, segmentierter Hinterleib wölbte sich unter der Serviette zu einem Bogen.

». . . ich würde einen Verweis bekommen.«

Mark zuckte resigniert mit den Schultern. »Hoffentlich können wir wenigstens die Presse noch eine Weile fernhalten.«

»Das werde ich meinen Vorgesetzten in meinem Bericht nahelegen.« Hasim steckte den Notizblock in seine Jackentasche und ließ seine Hand auf die Serviette sinken. »Allah!« Er riß den Arm so heftig zurück, daß er hinterrücks über die Bank fiel und zu Boden stürzte.

Als der Skorpion auftauchte und mit noch immer erhobenem Schwanz über den Tisch huschte, schrien alle auf und sprangen hoch.

Mark packte seinen Teller und ließ ihn mit aller Wucht auf das Tier niedersausen, bevor es über die Tischkante entfliehen konnte. Während alle anderen noch starr vor Schrecken dastanden, rannte Jasmina sofort zu Hasim und öffnete ihre Arzttasche.

»Ich muß ihn sehen!« rief sie, während sie seinen Arm rasch mit einer Aderpresse abband. »Ich muß diesen Skorpion sehen!«

Mark schauderte, als er vorsichtig den Teller anhob. Die Tischdecke war sauber.

»He!« rief Ron. »Er ist entwischt!«

»Unmöglich«, entgegnete Mark. Er trat zurück und suchte hastig den Fußboden ab. »Ich weiß genau, daß ich ihn getroffen habe.«

»O Scheiße, Mann, er ist weg!«

Sanford Halstead fuhr herum und stürmte aus dem Zelt hinaus ins Freie.

»Na los, zeig dich schon!« Ron hatte eine Taschenlampe in der Hand und ließ den Lichtstrahl unter dem Tisch umherkreisen.

Hasim lag stöhnend am Boden und murmelte auf arabisch vor sich hin, während Jasmina seine Hand untersuchte. »Ich brauche Eis.«

Mark warf einen flüchtigen Blick auf Alexis, die wie in Trance auf die saubere Tischdecke starrte. Dann lief er zum Kühlschrank. Nachdem er die Eiswürfel in eine Serviette eingeschlagen hatte, kniete er sich neben Jasmina und legte das Eispaket auf Hasims Hand. »Ich muß wissen, um welche Art von Skorpion es sich handelte, Mark«, drängte sie. »Ich habe ihn nicht gesehen.«

»Ich kenne mich mit Skorpionen nicht aus.«

»War er dick oder schlank?«

»Ich glaube schlank.«

»Behaart?«

»Ich bin mir nicht sicher.« Mark schaute zu Ron hinüber, der sich auf ein Knie niedergelassen hatte und den Strahl der Taschenlampe noch immer über den Boden gleiten ließ.

»War er gelb?«

»Ja.«

Jasmina griff in ihre Tasche und holte eine Nadel und eine Fünf-Kubikzentimeter-Spritze heraus. Als sie den Zylinder aus einem Glasfläschchen füllte, meinte sie leise: »Die lebensgefährliche Art.«

Mark sah, daß Hasim der Schweiß ausgebrochen war. Er lag mit geschlossenen Augen da und murmelte vor sich hin.

»Wird er wieder gesund?«

»Das Serum wirkt schnell, aber er wird sich noch ein paar Stunden lang schlecht fühlen.« Jasmina rollte Hasims Ärmel hoch und spritzte in seine Armbeuge. »Jetzt müssen wir ihn in sein Zelt bringen.«

Mark rieb sich den Nacken, als er und Jasmina in die kühle Abendluft hinaustraten. Es hatte Probleme mit Hasim gegeben. Nachdem sie ihn ins Bett gebracht hatten, wurde der junge Mann plötzlich von Fieberphantasien heimgesucht und warf sich unruhig hin und her. Sein Puls hatte sich fast verdoppelt, und seine Temperatur kletterte rasch auf vierzig Grad. Mark mußte Hasim mit aller Gewalt auf dem Bett festhalten, während Jasmina ihm ein fiebersenkendes Mittel injizierte. Dann saßen sie bei ihm, bis die Krämpfe nachließen und das Fieber nachgelassen hatte.

»Die zu erwartenden Symptome äußern sich bei ihm ungewöhnlich heftig«, bemerkte Jasmina, als sie das Lager durchquerten. »Es wird ihm noch etwa zwölf Stunden schlechtgehen. Danach wird er sich besser fühlen. Aber er wird seine Hand eine Weile nicht gebrauchen können.«

»Abdul wird ein Auge auf ihn haben.«

Als sie sich Jasminas Zelt näherten, trafen sie Ron, der ihnen kopf-schüttelnd entgegenkam. »Es ist mir ein Rätsel, wo sich das Mist-vieh verkrochen hat. Ich habe mit vier Mann das ganze Zelt abge-sucht.«

»Es muß irgendwo ein Loch geben.«

»Wir konnten aber keins entdecken.« Ron schlang fröstelnd seine langen Arme um sich. »Ich konnte spinnenartiges Getier noch nie leiden! Jetzt brauche ich einen Drink!« Er stapfte an ihnen vorbei in sein Dunkelkammerzelt.

Mark schaute Jasmina prüfend an. »Fühlen Sie sich wohl?«

Sie blickte überrascht zu ihm auf. »Ja, warum sollte ich mich nicht wohl fühlen?«

Er faßte sie an den Schultern. »Sie sehen müde aus.«

»Ich konnte nicht schlafen. Die *Scheicha*...«

»Ich weiß.«

Tränen traten ihr in die Augen, und als der erste Tropfen an ihrer Wange herunterlief, wischte Mark ihn behutsam weg. »Hasim hat mir erst gestern gestanden, daß er weg wolle«, begann sie mit ängst-licher Stimme. »Er sagte, er wolle nach Kairo zurückkehren und den Posten hier einem anderen überlassen.«

»Warum?«

»Er kann hier nicht schlafen. Er wird von schlimmen Träumen ver-folgt, und er wird von Skorpionen regelrecht heimgesucht.«

»Und Sie? Wie denken Sie darüber?«

»Ich werde dort bleiben, wo ich gebraucht werde, aber...«, ihre Miene verfinsterte sich, »ich fürchte mich hier. Wenn Hasim die Krise überstanden hat und wieder reisen kann, werde ich vielleicht mit ihm nach Kairo zurückkehren.«

Unwillkürlich grub Mark seine Finger in ihre Schultern. »Haben Sie so große Angst?«

Sie senkte den Kopf. »Auch ich habe Alpträume gehabt...«

»Aber ich brauche Sie hier!«

Jasmina sah ihn erstaunt an.

»Bitte gehen Sie nicht weg«, bat Mark unbeholfen.

»Seien Sie unbesorgt, Mark. Ich werde mit der Abreise warten, bis ein Ersatz für mich eingetroffen ist. Vielleicht kann Dr. Rahman...«

»Darum geht es nicht. Ich brauche nicht irgendeinen Arzt, ich brauche Sie...«

Sie wich zurück und entwand sich seinem Griff. »Nein«, erwiderte sie sanft. »Wenn Sie mich brauchen, werde ich bleiben, aber als Ärztin, aus keinem anderen Grund.« Dann drehte sie sich um und verschwand in ihrem Zelt. Kurze Zeit später trat Mark in das warme Licht seines eigenen Zeltes, setzte sich auf die Bettkante und zog seine Stiefel aus. Von ferne hörte er schwach Vivaldi-Klänge aus Rons Kassettenrecorder.

Als Mark gerade seine Socken abstreifen wollte, vernahm er von draußen ein Geräusch. Er hielt inne und lauschte. Es war kaum zu hören und klang merkwürdig nah und fern zugleich: ein Zischen wie von einem riesigen Pendel, das die Nachtluft durchschnitt. Mark setzte seinen Fuß auf die Erde und saß wie erstarrt auf dem Rand des Feldbetts. Ein Windhauch drang durch die Zeltwand, ein kühler Luftzug wie beim raschen Öffnen und Schließen einer Kühlschranktür. Mark schauderte unwillkürlich.

Dann zuckte er zusammen. Ein dumpfer Schmerz breitete sich in seinem Kopf aus. Er starrte mit weit aufgerissenen Augen auf die Zeltwand und hielt seine Hände untätig auf den Knien. Angestrengt lauschte er auf das zischende Geräusch, das aus der furchterregenden Finsternis jenseits der Lagergrenze immer näher rückte.

Panik und Grauen durchfuhren ihn, und der stechende Schmerz in seinem Kopf verstärkte sich zusehends. Mark schluckte schwer und fing an, heftig zu zittern.

Es kam wieder...

Die Eingangsplane wurde beiseite geschoben.

Er fuhr herum und stieß einen erstickten Schrei aus.

»Dr. Davison?«

Ängstlich blickte er auf und sah Alexis Halstead vor sich stehen. Ihr flammend rotes Haar war zerzaust, ihre Kleidung unordentlich.

»Darf ich hereinkommen?«

Er musterte sie aufmerksam. »Ja...«

Alexis sah sich im Zelt um und zog den Stuhl von Marks kleinem

Schreibtisch hervor. Als sie sich darauf niederließ, meinte sie: »Was für eine seltsame Kälte da draußen!«

Mark schaute ihr forschend ins Gesicht. Sie hatte wieder diese abweisende, verwirrte Art an sich. »Mrs. Halstead... haben Sie draußen gerade etwas gesehen oder gehört?«

Sie richtete ihren merkwürdig verschleierten Blick auf ihn. »Nein...« Mark dachte einen Augenblick nach und lauschte auf die nächtliche Stille jenseits der Zeltwand. Dann zog er seine Socken aus. Mit ihren verführerisch grünen Augen folgte Alexis jeder seiner Bewegungen. »Ich habe zufällig mitbekommen, wie Sie zu Ihrem Freund sagten, Sie hätten Bourbon.«

»Ja, das stimmt.«

»Kann ich ein wenig davon haben?«

Er griff unter das Bett und holte eine noch verschlossene Literflasche *Wild Turkey* hervor. »Ich habe die Flasche eigentlich mitgebracht, um die Entdeckung des Grabes zu feiern.« Er füllte zwei Gläser auf seinem Nachttisch und reichte eines davon Alexis.

Sie nippte versuchsweise daran und verzog leicht das Gesicht.

»Stimmt etwas nicht mit dem Bourbon?«

»Nein...«

Alexis faßte sich an die Schläfe und rieb mit den Fingern darüber. Mark musterte besorgt ihr Gesicht. Jasmina hatte ihm erzählt, daß Alexis nach mehr Schlaftabletten verlangt hatte. »Können Sie nicht gut schlafen, Mrs. Halstead?«

Ihr Blick schweifte im Zelt umher. »Ich habe die ganze Zeit Träume...«

Mark wartete darauf, daß sie weitersprechen würde, und als nichts mehr kam, fragte er: »Träume? Was für Träume?«

»Seltsame Träume...« Alexis nahm einen kräftigen Schluck aus ihrem Glas und sprach weiter, wobei ihre Augen zunehmend glasig wurden. »Ich habe früher nie geträumt. Und wenn es wirklich einmal vorkam, so war es in Schwarzweiß. Doch seit wir hier in Tell el-Amarna sind, habe ich Nacht für Nacht die lebhaftesten, buntesten Träume. Ich wache davon auf und kann danach nicht mehr einschlafen.«

Mark nahm einen Schluck Bourbon. Sein Kopfweh wurde immer stärker. »Wovon handeln die Träume?«

Alexis holte tief Luft und atmete langsam wieder aus. Ihre Augen wirkten noch entrückter, und ihre Stimme schien von noch weiter her zu kommen. »Ich sehe Dinge. Und ich fühle Dinge. Unerklärliche Gemütsbewegungen. Manchmal erwache ich und stelle fest, daß ich im Schlaf geweint habe.«

Mark beugte sich vor und stützte die Ellbogen auf die Knie. Das Licht im Zelt schien schwächer zu werden; der ganze Raum wirkte beengter. »Was für Dinge sehen Sie?«

»Türme… hohe, weiße Türme. Und Mauern. Und Gärten. Und ich sehe Menschen. Ich gehe mit ihnen umher. Ich bin ein Teil von ihnen. Ich träume, ich sei eine andere Frau und gehörte zu diesen dunkelhäutigen Menschen. Da ist auch ein Mann, ein häßlicher Mann…« Alexis blickte finster in ihr Glas. Ihre Stimme wurde brüchig. »Und in meinen Träumen verspüre ich dieses dringende Bedürfnis… nach etwas zu suchen.«

Mark starrte wie gebannt auf ihr Profil, ihr Haar schien zu leuchten wie glühende Lava.

»Im Schlaf… spüre ich, wie ich mich verändere. Ich werde diese andere Frau, und sie… gibt mir sonderbare Gedanken ein, läßt mich Dinge fühlen, die ich nie zuvor…«

Mit einem Ruck warf Alexis den Kopf zurück und zog ärgerlich die Brauen zusammen. »Dummes Zeug! Träume!«

Sie lehnte sich zurück und stürzte den Rest ihres Bourbons in einem Zug hinunter. Mark trank einen kleinen Schluck und beobachtete sie über den Rand des Glases hinweg. Als sie wieder zu ihm aufschaute, erschreckte ihn der irre Blick in ihren Augen.

»Kann ich noch ein Glas haben?«

»Ja, natürlich…«

Als er ihr nachgeschenkt hatte, wurde Alexis augenblicklich entspannter. Sie schüttelte ihr Haar von den Schultern. »Sie sind noch immer böse auf mich, nicht wahr?«

»Weswegen?«

»Wegen der List, mit der ich Sie engagierte.« Sie brach in ein verrücktes, überspanntes Gelächter aus. »Männer sind doch komische Geschöpfe! Am glücklichsten sind sie, wenn sie sich einer Frau überlegen fühlen. Ich gehe jede Wette ein, daß Sie nicht annähernd so verärgert wären, wenn Sanford Sie um den Lehrstuhl gebracht hätte.« Alexis bog ihren langen, weißen Hals nach hinten. »Männer haben mich seit jeher gelangweilt. Sie sind wie Kinder, so unzuverlässig und unsicher. Ständig verlangen sie Selbstbestätigung, um sich stark zu fühlen. Das ist auf die Dauer ermüdend!« Sie griff wieder nach ihrem Glas. »Frauen sind da ganz anders. Auf sie kann man sich verlassen. Sie sind nicht albern oder eitel. Und sie verstehen mehr von der Kunst des Liebens, als Männer es je tun werden!«

Mark nahm die Flasche und füllte sein Glas nach. Dabei sahen sie einander zufällig in die Augen, und Mark fiel auf, daß ihr Blick viel warmherziger und auch erotischer war als sonst. Ein besonderes Licht funkelte in ihren Augen.

»Ich bin noch nie einem Mann begegnet, der richtig lieben konnte«, meinte sie mit kokettierender Miene. »Die denken doch alle nur ans Stoßen und an ihre eigene Befriedigung. Die Berührung einer Frau ist sanft und voller Magie. Wenn man es sich recht überlegt, kann eigentlich nur eine Frau eine andere Frau wirklich befriedigen. Es überrascht Sie nicht, daß ich weibliche Liebhaber habe, oder?«

Er gab keine Antwort.

»Kein Rollenspiel, kein Imponiergehabe, keine Beweihräucherung des Egos. Nur gleichberechtigte Liebe und geteilter Genuß.« Alexis schüttete den Rest ihres Bourbons hinunter und hielt Mark ihr Glas hin.

»Mrs. Halstead, meinen Sie wirklich, Sie sollten . . .«

»Es hilft mir beim Einschlafen, Mark, bitte . . .«

Er schenkte ihr Glas voll und stellte die Flasche neben sich auf den Boden. »Mrs. Halstead, warum gehen Sie nicht zu Bett?«

Sie lächelte ihn an. »Ist das ein Angebot?«

Mark riß erstaunt die Augen auf.

Alexis lachte heiser und begann, sich vor ihm zu räkeln. »Na, komm schon, Mark, erzähl mir nicht, daß du nicht darüber nachgedacht hast. Ich habe genau bemerkt, wie du mich ansiehst. Würde es dir etwa nicht Spaß machen?«

»Mrs. Halstead . . .«

Sie setzte ihr Glas ab und ließ sich neben ihm auf dem Feldbett nieder. Alexis legte ihre Hand auf seinen Oberschenkel und fuhr fort: »Mein Mann schläft, und Mr. Farmer ist in seiner Dunkelkammer. Mark, du bist der erste Mann, der mich je erregt hat.«

Er versuchte, gegen den überwältigenden Gardenienduft anzukämpfen, gegen die Feuchtigkeit in ihren Augen und die Berührung ihrer festen Brüste an seinem Arm.

»Laß uns experimentieren«, flüsterte sie. »Ich tue alles, was du willst.«

Ihr Atem schlug warm und feucht an sein Gesicht. Ihre Hand kroch langsam an der Innenseite seines Oberschenkels hinauf. »Hören Sie, Alexis . . .«

Mit der freien Hand begann sie, ihre Bluse aufzuknöpfen.

»Kommen Sie, ich bringe Sie in Ihr Zelt zurück.«

»Dort können wir es nicht machen.« Ihre Lippen berührten sein Ohr. »Mark, sag mir, willst du es?«

Ihre Bluse war bereits offen, und ihre nackten Brüste traten hervor. Mark fuhr mit den Fingern durch ihr üppiges Haar. »Ja«, murmelte er und preßte seine Lippen auf ihren Mund.

Alexis reagierte mit entfesselter Leidenschaft. Sie legte die Arme um seinen Hals, während sie gierig ihren Mund öffnete. Sie saugte an seiner Zunge und ließ ihm kaum Zeit zum Luftholen. Mark stöhnte auf, als seine Hand nach ihren Brüsten tastete. Er berührte sie, streichelte sie und kniff in ihre festen Warzen, bis auch Alexis aufstöhnte. Als sie sich auf dem Bett wanden, stieß Mark mit seinem nackten Fuß gegen die Bourbonflasche. Sie fiel um, und der teure Whisky ergoß sich auf den Fußboden.

»Verdammt!« zischte er. Er machte sich frei und langte hinunter. Dabei fiel sein Blick zufällig auf den Metallkasten, der Ramsgates aufgeschlagenes Tagebuch enthielt, und für einen Augenblick lang starrte er wie hypnotisiert darauf.

18. Juli 1881: Meine arme Amanda ist verhext, besessen! Sie macht unglaubliche Annäherungsversuche bei Sir Robert! Meine Amanda, die stets der Inbegriff von Anstand und Keuschheit war, bietet sich Sir Robert an! Welcher Wahnsinn hat sich ihrer bemächtigt?

In einer Mischung aus Schrecken und Abscheu riß er den Kopf hoch und starrte Alexis fassungslos an.

»Was ist los?« hauchte Alexis mit halbgeschlossenen Augen und streckte ihre Arme nach ihm aus.

»Mrs. Halstead«, sagte er, während er sich schwankend erhob. »Das geht nicht. Sie müssen in Ihr Zelt zurückgehen.«

»O Mark, Mark!« Sie wand ihm ihre Arme entgegen. »Was willst du? Sag es nur, und ich werde es tun.«

»Ich hätte es gar nicht so weit kommen lassen dürfen. Ich werde Sie zurückbegleiten.«

»Willst du, daß ich ihn in den Mund nehme? Ist es das?«

Mark packte sie an den Handgelenken und riß sie hoch. »Mrs. Halstead!« Sie lächelte verträumt, als er sie an den Schultern faßte und schüttelte. »Alexis! Kommen Sie, lassen Sie das sein! Sehen Sie, ich weiß nicht, was für Tabletten Sie eingenommen haben, bevor Sie hierherkamen, aber es ist meine Schuld, wenn ich die Situation außer Kontrolle geraten lasse.«

»Ihr versteht mich nicht!« rief Alexis mit fester Stimme. »Sie widersetzt sich mir, sie will mir nicht gestatten, mit Euch zu sprechen! Das Ende naht, Davison, ich muß Euch die Geheimnisse des ewigen Lebens verraten!«

Mark knöpfte ihr hastig die Bluse zu und versuchte, sie zum Ausgang zu lotsen, doch sie sträubte sich. »Ihr seid ein Narr, Davison! Hört mich an! Ich kenne die Geheimnisse! Ihr müßt Euch sputen, denn die Zeit läuft ab! Aber sie ist... aber ich...« Alexis blickte verständnislos drein und schüttelte den Kopf wie in einem Rauschzustand. »Sie tut nicht, was ich will. Ich muß mit Euch sprechen, aber sie denkt nur daran, ihre Lust zu befriedigen. Sie will mich nicht durchlassen, Davison.«

Mark packte Alexis fest um die Hüfte und schob sie aus dem Zelt. Alles war dunkel und verlassen. Er führte sie durch das Lager und sagte, als sie an ihrem Zelt anlangten: »Gehen Sie schlafen, Mrs. Halstead.«

Ihre Augenlider flatterten; sie runzelte die Stirn.

»Mrs. Halstead?«

»Ja... ich bin schläfrig...«

»Ist alles in Ordnung?«

»Ja... ich brauche Sie jetzt nicht...« Alexis wandte sich von ihm ab und ging schwankend durch die Zeltöffnung. Mark wartete, bis er das Feldbett unter ihrem Gewicht knarren hörte. Dann kehrte um ihn herum wieder Stille ein.

Ein Wind erhob sich plötzlich und fegte durch das Camp, wobei er feinen Sand in Wirbeln vor sich her trieb. Mark zitterte und kniff die Augen zusammen, damit ihm die Sandkörner nicht hineinflogen. Als der Wind sich legte, kam ihm die Nachtluft kälter und schneidender vor.

Sein Kopf schmerzte zum Zerspringen.

Mark entfernte sich vom Zelt der Halsteads und sah hinaus auf die dunkle Weite der Wüste. Da hörte er jemanden singen. Zuerst vernahm er es nur schwach, als käme es aus großer Ferne, doch allmählich wurde die Stimme – eine Frauenstimme – lauter, und er konnte die Worte verstehen.

»Ta em sertu en maa satet-k. Uben-f em xut abtet ent pet.«

Mark fühlte sich von dem süßen, wehmütigen Lied unwiderstehlich angezogen und bewegte sich in die Richtung, aus der es kam. Die betörende Melodie schien nach ihm zu greifen, ihn zu umfangen und ihn sanft vorwärts zu drängen.

Schließlich fand er sie. Sie saß auf dem zerfallenen, alten Mauerstück und ließ die Hände in ihrem Schoß ruhen. Ihr Kopf war vornübergebeugt. Nofretete schien ihn nicht zu bemerken. »Körper vergehen seit der Zeit der Götter, und junge Menschen nehmen ihren Platz ein. Ra zeigt sich in der Morgendämmerung. Atum begibt sich in den Westlichen Bergen zur Ruhe.«

Ihr geschmeidiger Körper wiegte sich im Takt der Melodie. Sie sang mit hoher, bezaubernder Stimme. »Männer zeugen, und Frauen empfangen. Jeder Nasenflügel atmet die Luft. Wenn die Morgendämmerung kommt, liegen alle Kinder schon im Grab.«

Sie hob ihre Hand und schaute Mark lange an. »Sei gegrüßt, Davison.«

Er blickte sie stirnrunzelnd an und spürte den Pulsschlag in seinen Schläfen.

»Mache ich Euch unsicher?«

»Ihr laßt mich an meinem Verstand zweifeln.«

»Glaubt Ihr noch immer nicht an mich?«

»Ihr seid bloß ein Produkt meiner Einbildungskraft.«

Ihr Gesicht wirkte diesmal konturierter und fester. Mark konnte nicht mehr durch ihren Körper hindurch die fernen Lichter des Dorfes sehen. Doch sie schimmerte noch immer, als wäre sie außen aus Phosphor. Und heute abend trug der Wind einen Parfumduft von ihr zu ihm herüber. Es roch intensiv nach Gardenien.

»Deshalb versuche ich durch *sie* zu sprechen. In dieser Gestalt glaubt Ihr nicht an mich! Was soll ich tun, Davison?«

Mark studierte die Erscheinung mit nüchternem Blick. Diesmal konnte er das Muster auf ihrem lotosförmigen Halsband ausmachen. Er konnte den Geier und die Kobra auf ihrem Stirnband und die Lapislazuli-Skarabäen auf ihrem Armreif erkennen. Unter ihrem Gazegewand schimmerten rosafarbene Brustwarzen und eine glatte, makellose Haut.

»Habe ich das Grab gefunden, nach dem ich suche?« fragte er spontan.

»Ihr habt ein Grab gefunden, Davison.«

»Habe ich Echnatons Grab gefunden?«

»Ja.«

Seine Augen waren fest auf ihr Gesicht gerichtet, das wie eine unbewegliche Maske aus Kalkspat anmutete. Sie blitzte ihn aus unergründlichen, mandelförmigen Augen herausfordernd an. Mark wischte sich die Hände an seiner Hose ab. »Und...«, Schweiß rann ihm zwischen den Schulterblättern über den Rücken, »wenn ich das Grab öffne, werde ich ihn dort finden?«

»Ja.«

Seine Knie wurden weich. Er sank zu Boden und blickte zu der strahlend schönen Frau auf. »Ich glaube, mein Gehirn spielt mir einen Streich. Ich höre das, was ich hören will.«

Die Aura um die Frau leuchtete kurz auf. »Wie könnt Ihr es wagen, an meinen Worten zu zweifeln? Beantworte ich nicht alle Eure Fragen? Davison, ich bin gekränkt.«

»Es tut mir leid, aber wie soll ich wissen, daß mein Verstand mir keinen Streich spielt? Woher soll ich wissen, daß ich nicht phantasiere?«

»Ihr seid stur wie ein Maulesel, mein Lieber, aber ich will geduldig sein. Ich werde Euch etwas erzählen, was Ihr nicht wissen könnt. Ich kann Euch sagen, wie die Hexe gestorben ist. Wird Euch das zufriedenstellen? Es war das Werk des Aufrechten.«

»Was...?«

»Sie forderte die Götter heraus und verlor den Kampf. Die Hexe starb eines langen, schrecklichen Todes. Dergestalt ist die Macht des Aufrechten.«

»Diese Substanz in ihrem Mund...«

»Einer wird Euch Euer eigenes Exkrement essen lassen.«

Er schüttelte heftig den Kopf. »Nein!«

»Könnt Ihr nicht sehen, mein Lieber, daß Euch Gefahr droht?«

»Von wem?«

»Von den sieben, die das Grab bewachen. Ihr müßt sie kennen, Davison, und Ihr müßt sie bekämpfen. Es sind sieben, und jeder von ihnen wird gemäß seiner Bestimmung strafen. Ihr müßt Euch vor den sieben in acht nehmen, Davison, denn jeder wird auf seine Weise töten. Und Euch, Davison, der Ihr der Anführer Eurer Gefährten seid, Euch wird die schrecklichste Strafe treffen...«, ihre Stimme hallte durch die Wüstennacht, »...langsame Zerstückelung.«

Mark rieb sich mit beiden Händen übers Gesicht. »Ich habe Halluzinationen!«

»Hegt Ihr noch immer Zweifel an mir? Ich verfüge über großes Wissen, mein Lieber. Ich kenne alle Geheimnisse der Alten.« Nofretete erhob sich anmutig; ihr Gewand schimmerte, als sie sich bewegte. »Kommt mit mir, mein Lieber, und ich werde Euch wundersame Dinge zeigen!«

Mark erwachte, weil ihm ein Lichtstrahl in die Augen stach, und er stellte fest, daß er völlig angekleidet im Bett lag und die Morgensonne bereits durch das Moskitonetz des offenen Fensters ins Zelt strömte. Verwirrt rappelte er sich auf und ächzte, als er das Pochen in seinem Kopf spürte. Er setzte seinen nackten Fuß auf den Boden und schrie auf. Als er nach unten blickte, entdeckte er, daß seine Sohlen zerschnitten und mit eingetrocknetem Blut bedeckt waren.

Mark blieb auf der Bettkante sitzen und barg seinen Kopf in den Händen.

Er erinnerte sich zunächst nur bruchstückhaft, dann kam ihm immer mehr ins Gedächtnis zurück, bis er wieder alle Einzelheiten der vergangenen Nacht vor sich sah. Er war ihr zu den Ruinen gefolgt. Er wanderte durch die eisige Nachtluft, aber die Kälte konnte ihm nichts anhaben; er lief barfuß über scharfkantigen Schotter, doch er spürte es nicht. Ihre Ausstrahlung hielt ihn in Bann. Sie ging ihm voraus und wies ihm mit ihrem ausgestreckten, schlanken Arm die Richtung. Nofretete hatte ihn phantastische Alleen entlanggeführt, wo mit Federbüschen geschmückte Pferde gold- und silberglänzende Wagen zogen, Palmen in gepflegten Reihen standen, Häuserfronten mit bemalten Säulen in leuchtenden Farben verziert waren und Papyrus in Lotostümpeln wuchs. Nackte Kinder rannten umher, und schöne Frauen und Männer in wallenden Gewändern lustwandelten zufrieden unter den Strahlen von Aton.

Sie hatte ihn an eindrucksvollen Palästen vorbeigeführt, wo an der Spitze gewaltiger Pylonen bunte Fahnen wehten; vorbei an Tempeln, zu denen heilige Männer in weißen Roben und mit rasierten Häuptern strömten. Sie betraten prachtvolle Höfe, die mit exotischen Pflanzen und Gazellen bevölkert waren. Mark sah Kreter in den Straßen, feingliedrige Menschen, die Waren von ihrer jenseits des großen Meeres liegenden Insel feilboten. Und es gab rauhe, bärtige Babylonier, die mit lebhaften Gebärden feilschten. Aus Tavernen ertönten die Klänge von Musikinstrumenten und das Grölen Betrunkener. Wohin sie sich auch wandten, egal welchen Weg sie einschlugen, überall fanden sie gepflasterte Straßen, frisch getünchte Bauten, Bäume, Lärm und Leben.

Sie wanderten durch trostlose Ruinen, deren Mauern nicht höher als einen halben Meter waren, aber Mark sah nur die Herrlichkeit des großen Sonnentempels. Er folgte der Erscheinung Nofretetes über Sand und Gestein, doch unter seinen Füßen spürte er entweder Glas oder glatten Marmor. Der Himmel war schwarz und mit Sternen übersät, aber Mark sah ihn tiefblau und fühlte eine warme Sonne auf dem Rücken.

Sie waren kilometerweit gelaufen, hatten die Ebene durchquert und dann wieder kehrtgemacht. Sie waren die ganze Nacht unterwegs gewesen, und Nofretete hatte ihm die ganze Zeit über erzählt und ihm die Pracht von Achet-Aton vor Augen geführt.

Jetzt hielt er seinen Kopf in den Händen und fühlte sich völlig erschlagen.

Plötzlich strömte mehr Licht ins Zelt ein, und er hörte Ron sagen: »Wie gut, daß du auch schon wach bist!«

Mark hob mühsam den Kopf. »Was ist los...?«

»Du siehst ja fürchterlich aus! Hast dir gestern abend wohl ganz schön einen hinter die Binde gekippt was? Nun, ich störe dich nur ungern, aber du wirst draußen ganz dringend gebraucht.«

»Warum?«

»Es ist etwas im Gange, was dir nicht besonders gefallen wird.«

Neunzehn

Mark blickte verwirrt auf die herannahende Delegation, doch seine Überraschung verwandelte sich schnell in Ärger.

»Die Sache gefällt mir überhaupt nicht«, murmelte Ron neben ihm.

Mark gab keine Antwort. Er stand mit verschränkten Armen vor seinem Zelt und sah den Besuchern mit äußerstem Mißvergnügen entgegen. Gerade jetzt konnte er solche Störungen gar nicht gebrauchen. Er wollte allein sein und in aller Ruhe über den Traum der letzten Nacht nachdenken. Er wollte bei der Erinnerung an Nofretete verweilen, seinen »Spaziergang« mit ihr noch einmal genießen und sich die unglaublichen Dinge, die er »gesehen« hatte, ins Gedächtnis zurückrufen. Aber auf einen Besuch der Dorfbewohner war er nun ganz und gar nicht eingestellt.

Der 'Umda wurde von drei jungen Männern in gestreiften *Galabias* begleitet. Dahinter folgten zwei verschleierte Frauen, die in Stoff eingeschlagene Bündel trugen, und Constantin Domenikos, der Grieche. Der gebrechliche alte 'Umda ritt auf einem Esel; die anderen gingen zu Fuß. Niemand sprach ein Wort, als sie langsam näher kamen. Das leise Tappen der Hufe und Schritte war das einzige Geräusch, das die morgendliche Ruhe störte. Zu Mark und Ron hatten sich inzwischen Jasmina, Abdul und die Halsteads gesellt. Als der Esel stehenblieb, half einer der jungen Männer dem 'Umda beim Absteigen und geleitete ihn vor das Zelt. »*Ahlaan*«, grüßte der 'Umda und hob die Hand, aber Mark sah Mißgunst in dem alten Gesicht.

»Willkommen, *Hagg*, was führt Euch her?«

»Eine unangenehme Pflicht, Dr. Davison. Ich komme als Sprecher für alle vier Dörfer. Wir müssen uns unterhalten.«

»Worum geht es denn? Ich stehe zu Eurer Verfügung.«

Der Alte kaute an seinen dünnen Lippen. »Können wir uns nicht irgendwo hinsetzen und bei einem Tee darüber sprechen?«

»Wir haben viel zu tun, *Hagg*. Bringt Euer Anliegen vor.«

Dessen winzige Augen flackerten zornig auf. »Ihr enttäuscht mich, Dr. Davison, ich hatte Euch für zivilisierter gehalten.«

»Zivilisiert!« stieß Mark verächtlich hervor. »Und wie nennt Ihr Euch selbst, *Hagg*? Wie nennt Ihr das, was Ihr und Eure Leute der *Scheicha* angetan habt?«

Der Greis bebte. »Sie ist nicht durch unsere Hand gestorben! Wir verehrten die *Scheicha*, wir brauchten sie! Und jetzt geben die Leute von Hag Qandil uns die Schuld an ihrem Tod, obwohl Ihr sie in Wirklichkeit auf dem Gewissen habt!«

»Sagt, was Ihr zu sagen habt, *Hagg*.«

»Jahrelang haben wir *qadim* in Ehren gehalten!« rief der *'Umda* mit zitternder Stimme. »Und seit Jahren unterstützen und achten wir die Arbeit der ausländischen Wissenschaftler in unserem Tal. Doch jetzt ist alles auf Abwege geraten, und wir wünschen, daß Ihr diesen Ort verlaßt.«

Mark ließ die Arme sinken. »Das ist doch nicht Euer Ernst!«

»Ihr habt uralte Tabus gebrochen, Dr. Davison. Ihr habt bösen Zauber ins Tal gebracht. Jetzt wünschen wir, daß Ihr geht.«

»Wovon zum Teufel redet Ihr?«

Der *'Umda* machte mit seinem Stock ein Zeichen, worauf die beiden schwarzgekleideten Frauen schüchtern vortraten. Die erste breitete die Arme aus und enthüllte den Inhalt des Bündels. Ein totes Tier fiel vor Mark und seinen Gefährten auf den Boden.

Mark warf einen raschen Blick auf das Tier und meinte dann: »Ihr habt schon früher Kälber mit zwei Köpfen gehabt, *Hagg*. Dafür könnt Ihr uns nicht verantwortlich machen.«

Da kniete die zweite Frau nieder und wickelte behutsam ihr Bündel aus. Mark wich einen Schritt zurück, und Alexis stieß einen erstickten Schrei aus.

»Das sollte mein Enkel werden«, erklärte der *'Umda* betrübt. »Aber er wurde vier Monate zu früh geboren. Durch den bösen Zauber hat meine Tochter eine Fehlgeburt erlitten.«

Mark sammelte sich und entgegnete: »Der Fötus ist mißgebildet. Die

Natur hat ihn abgetrieben, nicht ich, Eure Tochter ist fast fünfzig Jahre alt. Sie ist zu alt, um noch weitere Kinder zu bekommen.«

»Unser Wasser ist schlecht geworden! Unsere Bohnenfelder sind von einem Schädling befallen! Unsere Frauen schreien nachts auf, weil sie schlimme Träume haben! Ihr müßt von hier weggehen!«

»Wir werden nicht gehen, *Hagg*.«

»Ich verlange, mit dem Mann von der Regierung zu sprechen.«

Mark wandte sich an Jasmina. »Wo ist Hasim?«

»Es geht ihm noch immer nicht gut, Mark.«

»Ich bedaure, *Hagg*, Mr. al-Scheichly ist im Augenblick unpäßlich. Aber das macht nichts. Wir haben eine offizielle Genehmigung, hier zu arbeiten.«

»Ich werde zum *Mudir* gehen.«

»Ihr könnt meinetwegen auch zum Präsidenten gehen. Wir bleiben.«

Die Wangen des Alten liefen dunkelrot an, und seine Augen funkelten vor Zorn. Einen Augenblick lang befürchtete Mark, den 'Umda könnte der Schlag treffen, doch gleich darauf ging der Anfall vorüber, und der Alte fuhr in demütigerem Ton fort: »Ich bitte Euch inständig, Dr. Davison. Bitte verlaßt uns.«

Mark sah dem dicklichen Constantin Domenikos ins Gesicht, der eine erstaunliche Gleichgültigkeit zur Schau trug. Zu dem 'Umda gewandt, sagte Mark: »Ihr laßt Euch von überholtem Aberglauben einschüchtern, *Hagg*. Es gibt hier keine bösen Kräfte. Wir sind nur Wissenschaftler, die ihrer Arbeit nachgehen. Wir können gewiß alle in Frieden zusammenleben.«

»Nicht in Frieden, Dr. Davison.« Der Alte schien zu resignieren. »Ich weiß, daß Ihr an Eurem Plan festhalten und dadurch Unglück über Unglück heraufbeschwören werdet«, fuhr er niedergeschlagen fort. »So muß ich alles tun, was in meiner Macht steht, um das Schlimmste zu verhindern. Meine Männer werden ins Dorf zurückgerufen.«

»Wollt Ihr eine höhere Bezahlung? Mehr Tee? Coca-Cola?«

Der Alte wiegte den Kopf von einer Seite zur anderen. »Wie sehr Ihr mich doch mißversteht!«

»Dann seid Ihr wohl hinter den Grabbeigaben her! Mit Drohungen werdet Ihr nichts erreichen, *Hagg*. Ich werde persönlich dafür Sorge tragen, daß alles, was aus dem Grab zutage gefördert wird – und tut bloß nicht so, als ob Ihr von dem Grab nichts wüßtet –, ins Ägyptische Museum nach Kairo gelangt.«

»Oh, was ist das bloß für eine unselige Stunde! Dr. Davison, meine Leute wollen nur Frieden, und da Ihr ihn uns nicht gewähren wollt, werde ich die Arbeiter ins Dorf zurückholen. Sie werden auf mich hören.«

»Ich kann Arbeiter aus Luxor kommen lassen.«

»Wir werden sehen, Dr. Davison, wir werden sehen.«

Mark sah zu, wie der Alte zu seinem Esel zurückhumpelte und mühsam aufstieg. Bevor er sich wieder auf den Weg machte, hob der *'Umda* seinen Finger und rief: »Ich habe Euch gewarnt!«

Die Amerikaner, Jasmina und Abdul blieben vor dem Zelt stehen und sahen der mitleiderregenden kleinen Prozession schweigend nach. Nach einer Weile sagte Mark zu Abdul: »Schaff diese Kadaver von hier weg.«

»Effendi, was werden wir in bezug auf die Arbeiter unternehmen?«

»Ich weiß nicht. Er hat gewiß nicht die Macht, sie alle zurückzurufen.«

»Nein, Effendi, ich denke, ich kann die Männer aus Hag Qandil für einen höheren Lohn zum Bleiben überreden. Aber erinnern Sie sich, Effendi, daß wir bei der Versorgung mit Wasser und frischen Lebensmitteln auf den *'Umda* angewiesen sind.«

»Sobald es Hasim bessergeht, wird er Kairo Bericht erstatten. Wenn weitere Regierungsbeamte kommen, können sie ein neues Team mitbringen. In der Zwischenzeit brauchen wir ohnehin nur eine Handvoll Männer, um den Grabeingang völlig freizulegen. Nachschub an Lebensmitteln können wir uns vom gegenüberliegenden Nilufer aus Mellawi besorgen. Jetzt laß das bitte fortschaffen, Abdul.«

Der hagere Ägypter nickte und hob mit düsterer Miene selbst die beiden Bündel auf. Als er wegging, fragte Ron leise: »Glaubst du, wir werden Ärger bekommen?«

»Keine Ahnung. Immerhin haben wir die Behörden auf unserer Seite, besonders jetzt, wo wir das Grab entdeckt haben. Der Alte kann uns nicht aus dem Tal vertreiben. Vielleicht wird es ungemütlich für uns werden, aber er wird gewiß nicht so dumm sein, sich den

Zorn der Regierungsbeamten zuzuziehen. Vergiß nicht, was seine Leute mit der *Scheicha* gemacht haben. Das ist Mord, Ron.«

Als die anderen zum Gemeinschaftszelt strebten, aus dem es nach Kaffee und brutzelndem Fett roch, trat Jasmina auf Mark zu. »Sie hinken ja. Tun Ihnen die Füße weh?«

»Ich habe vergessen, meine Schuhe anzuziehen.«

»Lassen Sie mich einen Blick darauf werfen.«

Sie gingen in ihr Zelt, wo Mark sich auf einem Klappstuhl niederließ und Jasmina sich vor ihn hinkniete. »Das muß ziemlich schmerzhaft sein.«

»Hm, ja.«

Jasmina streckte die Hand aus und in das Medikamentenregal, das hinter Mark stand. »Rollen Sie bitte Ihren Ärmel hoch«, forderte sie ihn auf.

»Warum?«

»Ich gebe Ihnen eine Tetanusspritze.« Als sie sich mit einer Schale Seifenwasser wieder seinen Füßen zuwandte, fragte sie: »Wie ist denn das passiert?«

»Ich... ich habe einen Spaziergang gemacht und meine Schuhe vergessen. Wie geht es Hasim?«

Sie wusch ihm sanft Blut und Sand aus den Wunden und antwortete: »Ich verstehe es nicht. Abdul weckte mich heute morgen, um mir mitzuteilen, daß Mr. al-Scheichly wieder unter Krämpfen leidet. Sein Gesicht war geschwollen und hochrot, was beim Stich des gelben Skorpions ungewöhnlich ist. Ich habe ihm Morphium gegeben, und jetzt schläft er, aber ich bin etwas ratlos.«

»Und wie steht es mit Halstead?«

»Es ist noch alles beim alten. Er kam heute morgen zu mir und fragte mich, was er tun könne, um die Blutungen zu stoppen. Als ich ihn fragte, wo er denn blute, wollte er es nicht sagen. Ich kann nichts für ihn tun.«

Mark schüttelte den Kopf. Er schaute sich im Zelt um und bemerkte den Strauß vertrockneter Blumen, der das Foto eines älteren Mannes schmückte, den Koran auf ihrem Nachttisch und das kleine Stück Lavendelseife in einer dünnen Porzellanschale. Dann richtete er den Blick auf ihre schlanken, braunen Hände, mit denen sie seine Wunden verarztete. »Sind Sie unglücklich hier?« fragte er leise.

Sie trocknete ihm mit einem weichen Handtuch die Füße ab und rieb sie mit einer orangefarbenen Salbe ein. Jasmina sah nicht auf, als sie antwortete: »Unglücklich ist nicht das richtige Wort, Mark. Ich fürchte mich hier. Der 'Umda hat recht. Es sind böse Kräfte am Werk, und wir legen uns mit ihnen an.«

Mark beobachtete sie weiter bei ihrer Arbeit. Er erinnerte sich an seine Nacht mit Nofretete und überlegte, ob er Jasmina von seinen Visionen erzählen sollte. Sie würde ihn verstehen.

»Ich denke, wir sollten alle von hier fortgehen, Mark«, fuhr sie fort, während sie seine Füße mit Binden umwickelte. »Ich will Sie nicht im Stich lassen, und ich will keinesfalls Hasim ohne ärztlichen Beistand zurücklassen. Wir sollten daher alle zusammen gehen, so wie wir kamen, als geschlossene Gruppe.«

Mark saugte an seiner Unterlippe. Bittere Enttäuschung machte sich in ihm breit. Nein, vielleicht würde sie es doch nicht verstehen. Keiner von ihnen würde es verstehen…

Im Gemeinschaftszelt erwartete Sanford Halstead ihn in gereizter Stimmung. »Es ist außer Kontrolle geraten, Davison!« rief er in höchster Erregung, wobei er mit großen Schritten durchs Zelt lief und sich mit der Faust in die Hand schlug. Ron und Abdul waren ebenfalls anwesend. Jasmina stand hinter Mark.

»Wovon reden Sie eigentlich?«

»Ich will abreisen, Davison. Ich will zusammenpacken und fort.«

»Das kann doch nicht Ihr Ernst sein!«

»Was erlauben Sie sich, mir sagen zu wollen, womit es mir Ernst ist und womit nicht, Davison!« Halstead hielt sich ein dickes, wattiertes Tuch vor die Nase. »Ich habe keine Lust, so zu enden wie Neville Ramsgate!«

Mark schaute in die Gesichter von Ron und Abdul, beide ernst und undurchdringlich. »Sie werden doch wohl nicht an diese Dämonen glauben, Mr. Halstead…«

»Es ist mir egal, ob es sich um Dämonen oder Fellachen handelt, Davison. Ich habe nicht die Absicht, mich abschlachten zu lassen. Dieser alte 'Umda meint es ernst. Zuerst wird er alle Arbeiter und Wächter abziehen, und wenn wir dann schutzlos sind, wird er jemanden schikken, der uns im Schlaf umbringt!«

Wie vor den Kopf geschlagen, blickte Mark von Halstead zu Abdul – der ausdruckslos vor sich hin starrte – und von Abdul zu Ron, der leise sagte: »Ich stimme ihm zu, Mark.«

Mark sank auf die Bank nieder. »Aber warum?«

»Ich kenne mich mit Dämonen und Flüchen nicht aus; alles, was ich weiß, ist, daß wir hier nicht erwünscht sind und daß es bereits drei grausige Morde gegeben hat. Dasselbe ist Ramsgate vor hundert Jahren passiert. Gerade als er die Tür zum Grab öffnen wollte, starb er, und ich glaube nicht, daß Pocken die Ursache waren. Mark, diese Leute wollen, daß wir von hier verschwinden, und sie werden vor nichts zurückschrecken, um uns loszuwerden.«

Mark raufte sich die Haare. »Das ist doch Wahnsinn! Da stehen wir kurz vor einer sagenhaften Entdeckung, und du läßt dich von ein paar abergläubischen Einheimischen ins Bockshorn jagen!«

»Mark...« Ron legte seinem Freund eine Hand auf den Arm. »Sieh der Wirklichkeit ins Auge. Wir sind in Gefahr hier...«

»Nein!« Mark schlug mit der Faust auf den Tisch.

»Dann laß uns einfach in sicherer Entfernung warten, bis Beamte aus Kairo eingetroffen sind. Mehr verlangen wir gar nicht. Wir fahren nach El Minia, schicken ein Telegramm, und bleiben dort, bis die Leute vom Ministerium kommen.«

»Nein!« Mark riß seinen Arm los. »Wir arbeiten weiter!«

»Was du tust, ist absolut irrational! Mein Gott, Mark, du wirst jeden Tag unvernünftiger! Was ist aus dem kühlen, sachlichen Wissenschaftler geworden? Schau dich doch an, Mensch!«

Mark wich dem anklagenden Blick seines Freundes aus. Sie verstanden ihn nicht! Wie konnte er ihnen begreiflich machen, daß er hierbleiben mußte, daß er nicht wegkonnte, ganz egal, was auch passieren würde? Das Grab war zu wichtig, und dann gab es auch noch sie... Wie konnte er abreisen, bevor er herausgefunden hatte, was sie war und woher sie kam, diese Frau, die sich Nofretete nannte...

»Mark!«

Er blickte Ron verständnislos an.

»Sei vernünftig, Mann. Das ist alles, was ich verlange. Laß uns auf der Stelle nach El Minia fahren, gleich heute nachmittag...«

»Ich habe nein gesagt. Hör zu, Ron«, sprudelte Mark hervor, »wie lange, glaubst du, würde das Grab in unserer Abwesenheit unbehelligt bleiben? Sobald wir den Fuß ans andere Ufer setzen, werden diese Dorfbewohner in Schwärmen dort einfallen und es aufbrechen. Sie werden es plündern, die empfindlichen Mumien, die Kunstgegenstände zerstören und das Gold an Domenikos verkaufen. Und derweil sitzen wir in El Minia und warten darauf, daß die Behörden einschreiten!«

Ron starrte Mark lange an und gab schließlich stirnrunzelnd zu: »Ich weiß nicht ... Das hatte ich gar nicht bedacht.«

»Nein!« ereiferte sich Halstead, dessen Taschentuch bereits blutgetränkt war. »Ich sage, wir gehen. Dies ist meine Expedition, und ich bestimme, was hier gemacht wird ...«

»Sanford!«

Alle fuhren herum.

Groß und majestätisch stand Alexis Halstead im Eingang, wie eine triumphierende Königin. »Wir werden nicht wegfahren.«

»Aber Alexis ...«

»Sanford, noch ein Wort, und ich schicke dich dorthin zurück, wo du hergekommen bist.«

Er sah sie entsetzt an und schien unter ihrem herrischen Blick ganz klein zu werden.

»So ist das also«, sie betrat entschlossen das Zelt und stellte sich, die Arme in die Hüften gestemmt, breitbeinig vor die anderen hin, »langsam werden alle hysterisch! Wir werden nicht zulassen, daß ein paar rückständige Bauern uns das vorenthalten, was uns gehört. Das werde ich nicht dulden. Dies ist meine Expedition, und ich sage, wir bleiben.«

Alle starrten zu ihr empor und waren beeindruckt von ihrem todesverachtenden Blick und ihrer herausfordernden Pose.

»Wenn Sie Hilfe von der Regierung anfordern wollen, Dr. Davison, so tun Sie das. Was auch immer Sie brauchen, ich lasse Ihnen freie Hand dafür. Aber wir bleiben, und damit ist das Thema für mich beendet.«

Mark kniete auf dem Boden und reinigte den oberen Teil der Grabtür mit Schwämmchen und weichen Pinseln. Ein halber Meter war vom Sturz aus nach unten hin freigelegt worden, und die Inschriften im Stein waren deutlich lesbar. Mit seiner Pfeife zwischen den Zähnen und einem schweißgetränkten Tuch um den Kopf arbeitete Mark unermüdlich und gewissenhaft unter der heißen Sonne, um die Hieroglyphen vom Schmutz zu befreien.

Die wenigen Fellachen, die sich von Abdul hatten bestechen lassen, arbeiteten weiter an der Freilegung der Treppe. Neun Stufen waren bereits zutage gefördert worden. Immer tiefer stießen sie ins Erdreich vor, und immer näher kamen sie dem Eingang. Halstead saß mit Alexis unter einem flatternden Sonnensegel und beschäftigte sich damit, Fliegen zu erlegen, während Ron mit Stativ und Kameras experimentierte. Jasmina hatte es vorgezogen, bei Hasim im Camp zu bleiben.

Als er das letzte Schriftzeichen der untersten Reihe freigelegt hatte, lehnte Mark sich zurück und rieb sich die Schulter. Jetzt konnte er sich darauf konzentrieren, zu lesen, was er ans Tageslicht gebracht hatte.

Er überflog es zunächst und übersetzte es grob im Kopf. Dann nahm er seinen Schreibblock zur Hand und begann, den Hieroglyphentext genauer zu übertragen. Er mußte nicht viel überlegen; die Worte schienen ihm in die Feder zu fließen.

»Hier ruht der Ketzerkönig, der Verbrecher, Er-der-keinen-Namen-hat, und verflucht sei der Reisende, der den Namen dieses Mannes ausspricht und ihm Leben gibt, denn er wird den Inbegriff von Seth sehen; er wird die Verkörperung der Mächte des Bösen, der Finsternis und der Gewalten des Wassers sehen, die Licht und Ordnung widerstehen.

Hüte dich vor den Wächtern des Ketzers, die da wachen bis in alle Ewigkeit!«

Die sieben Figuren, die sich auf dem oberen Teil der Stele befanden, waren hier ebenfalls eingemeißelt. Unter ihnen ging die Inschrift weiter:

»Wehe dem Reisenden, der nilaufwärts wandert, auf daß er die Bewohner dieses Hauses nicht störe noch es betrete, noch irgend etwas daraus entferne. Und wehe dem Reisenden, der nilabwärts zieht, auf daß er den Namen des Ketzers nicht ausspreche, denn dergestalt ist die Rache der Schrecklichen.«

Mark ließ den Bleistift fallen und wich von der Tür zurück. Schweißtropfen perlten unter seiner Kopfbedeckung hervor und rannen ihm in die Augen. Als die Hieroglyphen vor ihm verschwammen, kam es Mark vor, als ob die Hitze des Tages sich in eine beißende Kälte verwandelte, und einen Augenblick lang fröstelte er. »Ron, komm mal her...«

Ron hockte sich neben ihn und betrachtete die Inschrift. »So«, murmelte er außer Hörweite der anderen, »Ramsgate hat also doch nicht falsch übersetzt. Hier sind sie, genau so, wie er sie in sein Tagebuch schrieb. Die sieben Flüche...«

Jasmina klappte das Buch zu und sah Mark mit dunklen Augen an. Sie sagte nichts.

Um ihrem Blick auszuweichen, spielte Mark mit seiner Pfeife, reinigte sie, stopfte sie, zündete sie aber nicht an. Während der Nachtwind klagend durchs Lager heulte, suchte er angestrengt nach Worten.

»Und Sie hatten geglaubt, daß Neville Ramsgate sich irren könnte?« fragte sie endlich.

Sie saßen in ihrem Zelt und tranken Pfefferminztee. »Die Ägyptologie steckte Ende des vorigen Jahrhunderts noch in den Anfängen. Es gab damals noch nicht einmal den Namen dafür. Begreifen Sie, Jasmina«, er wagte endlich, zu ihr aufzusehen, »das ist keine gewöhnliche Grabtür. Als ich zum ersten Mal darüber im Tagebuch las, war ich sicher, daß Ramsgate nicht richtig übersetzt hatte.«

Er schaute auf seine Pfeife. »Ägyptische Gräber wurden immer von Gottheiten des Lichts und der Auferstehung bewacht, niemals jedoch von Dämonen. Befanden sich Flüche auf dem Grab, so waren sie stets mild und dienten nur dem Zweck, Grabräuber fernzuhalten. Die Inschriften appellierten an den Vorüberziehenden, den Namen des Verstorbenen auszusprechen, um seine Seele wiederaufleben zu lassen. Aber...«, er wies mit der Hand auf das Tagebuch, »das hier...«

Jasmina betrachtete aufmerksam die seltsamen Inschriften und meinte leise: »Es kommt mir fast so vor, als ob... die Amun-Priester weniger die Absicht gehabt hätten, Grabräuber draußen zu halten, als das, was sich in dem Grab befindet, gefangenzuhalten.«

Mark blickte zu ihr auf.

Sie fuhr fort: »Die Amun-Priester müssen in schrecklicher Angst vor Echnatons Geist gelebt haben, denn sie haben seinen Namen nicht auf den Grabeingang geschrieben. Wenn sein Name aber nirgendwo steht, kennt die Seele ihre Identität nicht und existiert daher nur in einem Dämmerzustand. Ohne den Namen ist der Geist machtlos. Mark...«, ihre Augen waren ganz groß geworden und drückten Ängstlichkeit aus, »warum fürchteten sich die Priester von Amun so sehr vor seiner Seele?«

»Ich habe keine Ahnung.« Er rieb sich zerstreut die Stirn. »Abgesehen davon, daß er seinen Zeitgenossen als Ketzer galt, weil er versuchte, die Vielgötterei abzuschaffen, kennen wir Echnaton eigentlich nur als friedvollen Träumer, als Dichter. Sofern es einen schlimmen Zug in seinem Wesen gegeben hat, ist er uns heute nicht bekannt.« Mark verzog das Gesicht.

»Stimmt etwas nicht?«

»Ich brauche wohl eine Brille; ich bekomme ständig diese Kopfschmerzen...«

Sie wollte aufstehen, aber er griff nach ihrer Hand und hielt sie zurück. »Machen Sie sich keine Umstände. Aspirin nützt auch nichts. Nichts hilft dagegen. Es kommt und geht ganz plötzlich.« Er zwang sich zu einem Lächeln. »Es wird gleich vorüber sein.«

Jasmina schaute hinunter auf ihre Hand, die in seiner lag. Sie versuchte, ihre Hand wegzuziehen, aber er ließ sie nicht los.

»Jasmina...«

»Nein, Mark. Es geht nicht. Bitte, machen Sie es mir nicht so schwer.«

»Dann fühlen Sie es also auch?«

»Mark, bitte...«

Plötzlich zuckte er zurück, griff sich an den Kopf und verzog vor Schmerz das Gesicht.

Jasmina sprang auf. »Was haben Sie?«

»Diese Schmerzen! O Gott, jetzt geht es schon wieder los...«

Ron hatte so viel Wein getrunken, daß ihm gar nicht auffiel, wie sonderbar kalt die Nachtluft war, als er das Lager durchquerte. Er vernahm auch nicht das eigenartige Zischen, das aus der Finsternis hinter den Zelten kam und sich anhörte wie unter Druck hervorströmender Dampf. Gleich darauf ertönte ein rhythmisches Schnalzen, wie das Züngeln einer Riesenschlange. Doch davon merkte Ron nichts.

Im Zelt angekommen, hängte er das BITTE NICHT STÖREN-Schild vor den Eingang, zog den Reißverschluß zu und ließ das schwarze, lichtundurchlässige Tuch herunter, dessen Enden er am Boden befestigte. Nachdem er den Startknopf an seinem Kassettenrecorder gedrückt hatte, schob er sich durch den Vorhang von Filmstreifen, die an dem quer durch das Zelt verlaufenden Draht hingen, langte unter die Werkbank und zog eine neue Flasche Wein hervor. Pfeifend begleitete er das »Concierto de Aranjuez«, während er einen Pappbecher füllte, und trank rasch einen Schluck.

Erst als er die Flasche wieder unter der Bank verstauen wollte, spürte er die plötzliche Kälte in der Luft. Ron beugte sich vor und warf einen Blick auf das Thermometer über der Werkbank. Es zeigte zwanzig Grad Celsius an. Er zuckte mit den Schultern und machte sich an die Arbeit.

Für das Anrühren der Entwicklerflüssigkeit benutzte Ron nun keimfreies Wasser, denn es hätte ja sein können, daß irgendwelche Verunreinigungen aus dem Nil die Unschärfe der Bilder verursacht hatten. Während er sorgfältig das Wasser abmaß und langsam ein Päckchen Kodak Microdol-X hineinrührte, nahm er hinter sich ein scharrendes Geräusch wahr. Er hielt im Mischen inne und lauschte, aber außer den Klängen der klassischen Gitarre war nichts zu hören.

Nachdem er den Entwickler ins Becken gegossen hatte, griff Mark nach seiner Kamera, die auf dem Regalbrett über der Arbeitsfläche lag. Da spürte er, wie etwas seinen Handrücken streifte.

Rasch zog er die Hand zurück, stellte sich auf die Zehenspitzen und überprüfte das Regal. Dann schaute er auf seine Hand. Nichts.

Ron entfernte die lederne Schutzhülle von der Kamera und legte sie auf den Tisch. Dann knipste er die Glühbirne über seinem Kopf aus – jetzt war es stockdunkel im Zelt.

Rasch öffnete er die Rückseite der Kamera und hob die Filmkassette heraus. Dabei fiel ihm auf, daß seine Finger unbeweglicher waren als sonst, als seien sie durch ungewöhnliche Kälte steif gefroren. Ron tastete nach dem Flaschenöffner, fand ihn auf dem Tisch und hebelte damit das Filmmagazin auf. Er hielt den Film an den Rändern, entrollte ihn langsam und löste die Lichthof-Schutzschicht.

Da schlug etwas gegen sein Bein.

Ron zitterten die Hände, als er versuchte, seine Arbeit schnell und geschickt zu Ende zu bringen. Der Film schien sich ihm zu widersetzen.

Er riß die Augen in der Dunkelheit weit auf, konnte aber nichts sehen. In der vollkommenen Finsternis, die ihn umgab, konnte er nur tasten.

Ron merkte, wie kaum merklich auf seinen Rücken getippt wurde. Er zuckte zusammen.

Nun trieb er sich selbst zur Eile, hantierte hastig mit dem Film und ließ ihn beinahe fallen. Er suchte auf der Arbeitsplatte nach der Unterlage, zog sie heran und rollte rasch den Film darauf aus.

In diesem Moment spürte er einen kalten Hauch im Nacken.

Mit zittrigen, nervösen Fingern tastete Ron nach dem Entwicklerbad, verschüttete es fast, warf die Filmrolle hinein und griff nach dem Deckel. Er wollte ihn eben über das Becken legen, als ihn ein kalter, schuppiger Klumpen an der Wange traf.

Ron schrie auf.

Von schierem Grauen gepackt, stolperte er zum Ausgang, riß das lichtundurchlässige Tuch auf und zerrte am Reißverschluß. »Hilfe! Helft mir doch!«

Etwas trommelte auf seine Arme; eisiger Schleim kroch über seine Hände und lähmte sie. Er spürte einen leichten Schlag im Gesicht, und gleich darauf bohrte sich ein kalter Stachel in seine Wange.

»Hilfe! Holt mich hier heraus!«

Ron wurde an den Haaren gepackt und mit solcher Kraft vom Ausgang zurückgerissen, daß er das Gleichgewicht verlor und zu Boden stürzte. Im Kampf gegen den unsichtbaren Angreifer schlug er wild um sich. Er wälzte sich auf dem Boden, schrie, stieß gegen Kisten und zerschlug Flaschen mit Chemikalien. In der Dunkelheit zischte ihn etwas an und ringelte sich um seine Fußgelenke. Obwohl er Blut im Mund schmeckte und sich eine warme Feuchtigkeit über seinen Brustkorb ausbreitete, setzte er sich verzweifelt zur Wehr. Ein klammer Schlangenleib rankte sich um seinen Hals und zog sich mit jedem Aufschrei enger zusammen. Ron versuchte, sich zu befreien, aber seine Hände waren gefesselt.

Als er schließlich wehrlos am Boden lag, hatte er das Gefühl, daß seine Haare zu einem Knoten zusammengedreht und ihm langsam die Kopfhaut abgezogen wurde.

Ron riß den Mund auf und stieß in Todesangst einen langen, markerschütternden Schrei aus.

Wo die Eingangsplane gewesen war, sah er plötzlich Sterne auf und ab tanzen. Er merkte, wie jemand über ihn stieg, und wurde im nächsten Augenblick von einem Lichtstrahl geblendet. Er riß einen Arm hoch, um seine Augen vor der Helligkeit zu schützen, und hörte Mark rufen: »Mein Gott, was ist denn passiert?«

»Mach mich los!« kreischte Ron. »Es hat mich an den Haaren gepackt!«

»He!« Mark fiel auf die Knie und legte die Hände auf Rons Schultern. »Was ist los?«

Ron ließ den Arm sinken und blickte seinen Freund verständnislos an. »Wo ist es? Hast du es gesehen?«

»Was soll ich gesehen haben? Wovon redest du?«

Noch immer am ganzen Leib zitternd, stützte Ron sich auf die Ellbogen und spähte im Zelt umher. Hier herrschte heilloses Durcheinander: verstreutes Fotopapier, verschüttete Flüssigkeiten, zerbrochenes Glas. Dann sah er an sich selbst herab. Sein Hemd war über der Brust aufgerissen, und ein dünner, roter Streifen zeigte sich auf seiner Haut. Hand- und Fußgelenke waren über und über in spiralförmige Filmstreifen verwickelt.

»Was zum Teufel...«

»Das mußte ja eines Tages passieren!« Mark faßte in Rons Haare und zog vorsichtig ein Stück Draht heraus. »Deine Wäscheleine, mein Freund.«

Ron starrte stumm auf den Draht. Wäscheklammern und Heftspangen hingen an seinen Ärmeln und Hosenbeinen, Filmstreifen lagen überall verstreut; die Leine hatte sich um seinen Hals gewickelt und in seinen langen Haaren verfangen. »Nein...« flüsterte er.

Mit ihrer Arzttasche in der Hand erschien Jasmina in der Zeltöffnung. »Was ist passiert?« Hinter ihr kamen, schlaftrunken und verwirrt, Sanford und Alexis. Abdul drängte sich zwischen ihnen hindurch und blickte Mark fragend an.

»Er hat sich im Dunkeln in seiner Wäscheleine verheddert.«

»Nein...«

»Kannst du aufstehen?«

»Ich möchte ihn mir lieber erst mal ansehen«, warf Jasmina ein.

»Nein... mir fehlt nichts...«

Mit Marks Unterstützung kam Ron wieder auf die Beine. Benommen löste er den Draht von seinem Hals und seinen Armen und starrte verblüfft auf die Filmstreifen.

»Na, komm schon«, meinte Mark freundschaftlich.

Aber Ron wandte sich ärgerlich ab. »He! Es war etwas bei mir hier drinnen! Wenn ich es dir sage! Das Ding war glitschig und schuppig, und es hat mich angegriffen. Es hat mich angegriffen, verdammt noch mal! Es hat versucht, mir die Haare abzureißen!«

Mark packte Ron fest beim Arm. »Du irrst dich. Hier drinnen war absolut nichts. Ich habe den Zeltverschluß selbst geöffnet, und glaube mir, *nichts* kam heraus. Du hast im Dunkeln gearbeitet und dich zufällig in diesem Draht verheddert...« Ron riß seinen Arm los. »Ich schwöre dir, hier drinnen war etwas! Ich habe es atmen hören!«

Jasmina holte eine Spritze aus ihrer Tasche und begann sie aufzuziehen, doch als Ron es bemerkte, wich er zurück.

»Nein, kommt nicht in Frage! Keine Beruhigungsspritze für mich! Verdammt noch mal, warum glaubt ihr mir eigentlich nicht?«

Mark streckte die Hände aus. »Ron, da war nichts...«

Ron machte auf dem Absatz kehrt und stürmte davon.

Mark verausgabte sich bis an den Rand der Erschöpfung. Abduls Warnungen und Jasminas Bitten zum Trotz, arbeitete er bei einer Hitze weiter, die so mörderisch war, daß sogar die Fellachen aufgeben mußten. Abdul stand bei ihm und hielt einen Sonnenschirm über ihn, während er mit seinen Schwämmchen und Pinseln vor der Grabtür kauerte. Mehr als die Hälfte davon war schon ausgegraben, und die Stufen waren fast alle freigelegt. Drei weitere horizontale Hieroglyphenreihen ließen sich allmählich erkennen, und schließlich kamen auch die Siegel der königlichen Totenstadt in Theben zum Vorschein: Jedes von ihnen zeigte einen Hund mit neun Gefangenen. Die Siegel waren nicht erbrochen.

Dann sah Mark etwas, das ihn zum Vergrößerungsglas greifen ließ: In den Fels waren mehrere senkrechte Linien eingeritzt, die bis zu der noch unter dem Sand verborgenen Schwelle zu reichen schienen.

»Was sollen diese Linien bedeuten?«

»Keine Ahnung. Sie beginnen in etwa zwei Metern Höhe und verschwinden unter dem Sand. Sie sehen aus wie Kratzspuren.« Mark starrte auf Rons Hände, während sein Freund mit einer Lupe hantierte. Seine Handrücken waren blau und schwarz.

»Denkst du, daß wir es morgen geschafft haben?«

»Sieht ganz danach aus.« Mark setzte einen Becher *Wild Turkey* an die Lippen, hielt dann jedoch inne und sah Ron, der im Schneidersitz auf seinem Bett saß und die kaputte Lupe unverwandt zwischen den Fingern drehte, prüfend an.

»Ron?«

»Hm?«

»Ist alles in Ordnung?«

Schmerz und Entrüstung spiegelten sich in Rons blauen Augen.

»Was soll ich dir darauf antworten?«

»Schau, es tut mir leid. Ich habe halt nichts gesehen.«

»Eben.«

»Ach komm, du hast den ganzen Tag über Wein getrunken...«

Ron sprang von seinem Bett auf.

»Wo willst du hin?«

»Ich werde mich vorbereiten. Das nächste Mal, wenn das Ding auf mich losgeht, werde ich ein Foto von ihm machen!«

Während Mark das Knirschen der Schritte seines Freundes verklingen hörte, hatte er auf einmal das Gefühl, daß sich eine kalte Faust um seinen Magen schloß. Er trank einen kräftigen Schluck Bourbon, der ihm in der Kehle brannte, ihn aber nicht wärmte.

Mark fühlte sich plötzlich sehr einsam. Er schaute hinüber zu Nancys Fotografie auf dem Nachttisch und fragte sich einen Augenblick lang, wer sie eigentlich war. Dann griff er spontan zu seiner Jacke, nahm Pfeife und Tabak und verließ beinahe fluchtartig das Zelt.

Etwa dreißig Meter vom Lager entfernt, auf einer Bodenerhebung, die Echnatons Polizei einst als Aussichtspunkt gedient hatte, stand, nur mit einem Morgenrock bekleidet, Alexis Halstead. Mark zog den Reißverschluß seiner Jacke bis zum Hals hoch und näherte sich ihr vorsichtig. Als er auf ein paar Schritte herangekommen war, konnte er erkennen, daß ihre Augen geöffnet waren und ein schwaches Lächeln ihren Mund umspielte, obwohl sie offenkundig schlief.

»Hallo, Davison.«

Es war ihre Stimme, und doch klang sie irgendwie anders. Der Nachtwind wehte ihr das lange Haar von der Schulter und preßte das durchsichtige Gewand gegen ihren nackten Körper. Mark blickte sie verwundert an und merkte nicht, daß der kalte Wind durch seine Jacke blies und der Schmerz in seinem Kopf wieder einsetzte.

»Mrs. Halstead?«

»Ja... und nein.«

Ihr Anblick verschwamm vor seinen Augen. Eine Sekunde lang nahm er alles doppelt wahr, als ob er schielte – ein stechender Schmerz schoß ihm durch den Hinterkopf... Und Alexis Halstead sah anders aus.

Es war derselbe Körper, derselbe Morgenrock, und es waren dieselben langen, weißen Gliedmaßen, doch auf dem durchscheinenden Kopf, der wie ein doppelt belichtetes Foto wirkte, trug sie eine schwarze, geflochtene Perücke. Und an ihrem Hals prangte eine schwere, lotosförmige Halskette. Die Sinnestäuschung faszinierte ihn. Wie gebannt beobachtete er, wie sich ihr Anblick verwandelte und die vertraute Gestalt von Alexis Halstead durch ein zartes, unscharfes Ebenbild überblendet wurde.

»Nur so vermag ich mit Euch zu sprechen, Davison, denn wenn ich alleine komme, glaubt Ihr nicht an mich.«

»Nofretete...«

»Euch dünkt, ich sei nicht mehr als ein Traum. Als ich Euch die Wunder meiner Stadt zeigte, wart Ihr verwirrt und ungläubig. Ich muß Euch darum überzeugen, daß es mich wirklich gibt.«

Alexis lächelte ihn einladend an und streckte ihren milchigweißen Arm nach ihm aus. »Ihr werdet auf sie hören, denn sie beherrscht Euch, Davison. Ich weiß nicht, wie; ich weiß nicht, welche Macht diese Rothaarige über Euch ausübt, doch ich kann es in ihren Nachtgedanken lesen. Diese Frau besitzt Macht über Euch. Sie wird mein Werkzeug sein.«

Vorsichtig trat er einen Schritt näher und kniff die Augen zusammen. Deutlich erkannte er die vollendeten Gesichtszüge von Alexis Halstead, die indes mit einem zweiten Antlitz verschmolzen waren: dunkle, mandelförmige Augen, schön geschwungene Lippen, zwinkernde Lider, durch die noch immer eine grüne Iris schimmerte.

»Es wird spät, mein Lieber, wir haben nur noch wenig Zeit. So langwierig waren meine Versuche, Euch mitzuteilen, was getan werden muß. Geht an meiner Seite, Davison.«

Wie verzaubert lief Mark neben ihr her, staunte über das doppelte Gesicht, über die Veränderung in Alexis' Stimme und rief sich ihre früheren Schlafwandelphasen ins Gedächtnis zurück. »Ihr meint, diese Frau sei wahnsinnig und in zwei Persönlichkeiten gespalten. Vielleicht werdet Ihr niemals an mich glauben, Davison, aber zumindest werdet Ihr mich jetzt anhören. Wenn ich durch diesen Mund spreche, werdet Ihr meinem Wunsch nachkommen, so sicher wie Ihr dem ihren Folge leisten müßt.«

Mark vergrub die Hände in den Hosentaschen, während er sie unverwandt ansah.

»Ihr seid beunruhigt, Davison. Es ist wegen der Inschriften auf der Tür zum Grab. Sie verwirren Euch.«

Er blickte sie überrascht an. »Ja, das stimmt. Wie habt Ihr...«

»Ihr meint, die Inschrift gleicht keiner anderen in Ägypten. Ich werde Euch den Grund nennen, Davison. Es ist, weil der Mann, der darinnen liegt, nicht seinesgleichen hat.«

»Er hat keinen Namen, keine Horusaugen, durch die er das Tageslicht sehen kann.«

»Ihr habt recht, Davison. Mein geliebter 'Khnaton ist ein Gefangener in diesem Haus. Er wurde nicht zu seiner eigenen Sicherheit dorthin gebracht, sondern um ihn vor der Welt abzuschirmen. Die Priester des Verborgenen glauben, er könne ihnen gefährlich werden.«

»Warum?«

»Sie halten ihn für einen Verbrecher. Sie denken, er habe großes Unrecht begangen und würde es von seinem Grab aus weiter tun.«

»Haben sie ihn deshalb seines Namens beraubt?«

Die Haarflechten ihrer dicken, schwarzen Perücke hoben sich ein wenig im Wind. »Sie erklärten es zur Ketzerei, seinen Namen auszusprechen, denn sie wollen nicht, daß er erwacht. Er liegt in einem tiefen, traumlosen Schlaf. Er weiß nicht, wer er ist. Er hat kein Bewußtsein. Sie haben ihn für alle Ewigkeit in ein Gefängnis gesperrt.«

»Warum wurde er nicht in dem ursprünglich für ihn vorgesehenen Grab im Wadi bestattet?«

»Die Priester des Verborgenen hatten Angst, daß diejenigen, die 'Khnaton liebten und treu zu ihm standen, in die Grabkammer eindringen und ihn zum Leben erwecken würden. So ließen die Priester ein neues Haus meißeln, das seinen Leichnam aufnehmen sollte, ein geheimes, das niemand finden würde.«

»Und die sieben Dämonen?«

»Sie wurden dorthin gestellt, um jeden daran zu hindern, 'Khnatons Namen auszusprechen.«

»Ist es denn so einfach, ihn zu wecken? Muß man nur seinen Namen sagen?«

»Nein, dazu bedarf es mehr, mein Lieber, weil 'Khnaton ohne einen Namen auf seinem Körper beerdigt wurde. Sein Leichnam ruht ohne Identität. Niemand hat seinen Namen auf ein Amulett geschrieben und es auf sein Herz gelegt.«

»Wurde er ermordet?«

»Nicht einmal die Priester des Verborgenen würden es wagen, Hand an die heilige Person des Pharaos zu legen. Als 'Khnaton erkannte, daß sein Traum gescheitert war und politische Wirren das Land zerrissen, wurde er von tiefer Schwermut ergriffen und starb. Jetzt regiert sein Bruder Tutanchaton an seiner Statt, und dabei ist er noch ein Kind.«

»Wenn sie Echnaton ein für allemal aus dem Weg schaffen wollten, warum haben sie seinen Körper dann nicht zerstört?«

»Sie befürchteten eine Katastrophe, mein Lieber. Den Leichnam des Pharaos zu schänden ist das abscheulichste Verbrechen, dessen sich jemand schuldig machen kann. Wenn es auch schlechte Männer waren, so wußten sie doch um die Folgen eines solchen Frevels. Aber gleichzeitig scheuten sie davor zurück, ihm das ewige Leben zu ermöglichen, weil sein Geist dann im Land umgehen würde. Die Priester befanden sich in einer verzwickten Lage.«

»Nun, sie haben ja eine Lösung gefunden.«

»Bis jemand das Grab öffnet und meinem Gemahl seine Identität zurückgibt. Dann wird sein Zorn über die Priester kommen.«

»Die Priester sind alle längst tot. Echnaton schläft seit dreitausend Jahren.«

»Ist das wahr? Es kommt mir vor wie ein Augenblick...«

Sie brach jäh ab und faßte sich mit ihrer schmalen Hand an die Wange. Mark wühlte in seiner Tasche nach seinem Feuerzeug, und als er es aufleuchten ließ, sah er im Schein der Flamme Alexis' Gesicht.

»Sie weinen ja...« sagte er sanft und ließ die Flamme ausgehen.

Mit einer anmutigen Handbewegung wischte sie sich die Tränen ab.

»Ich bin diese Jahrtausende hindurch so einsam gewesen, während ich auf meinen Geliebten wartete. Ich kann ohne ihn nicht leben! Er ist meine Seele und mein Odem! Die Einsamkeit, Davison, Ihr macht Euch keinen Begriff von der Einsamkeit, die mich auf meiner Wanderung durch dieses öde Tal begleitete...«

»Aber ich dachte...« begann er zögernd. »Man nimmt an, Ihr hättet Euch von Echnaton getrennt und Euch in einen anderen Palast zurückgezogen. War es nicht so?«

Alexis sah Mark mit großen Augen an. »Es war so, aber aus Gründen, die niemand kennt. In den späteren Jahren wurde 'Khnaton von einer Krankheit befallen, gegen die die Ärzte kein Heilmittel fanden. Seine Persönlichkeit veränderte sich, und er war schließlich nicht mehr er selbst. Sie sagten, er habe die heilige Krankheit. Ich glaube, er war nur müde und vom Leben enttäuscht. 'Khnaton war nicht er selbst, wenn er sich mit mir stritt. In diesen Momenten überfiel ein stechender Schmerz seinen Kopf. Er raufte sich die Haare und schrie Verwünschungen gegen Aton. Er sagte, sein Gott habe ihn im Stich gelassen, Aton habe ihm den Rücken gekehrt. Aber das stimmte nicht. Aton war immer gütig zu seinen Kindern und wachte über sie. Doch in einer Zeit der Heimsuchungen und Prüfungen hatte 'Khnaton nicht die Kraft, bis zum Ende durchzuhalten. Er sprach davon, nach Theben zurückzukehren und den Amun-Kult wiedereinzuführen. Wir stritten uns. Und als ich sah, daß meine Anwesenheit ihm nur noch mehr Verdruß bereitete und seinen Schmerz vergrößerte, daß meine heftige Liebe zu ihm und seinem Gott ihn zum Wahnsinn trieb, da entfernte ich mich von ihm, wohl wissend, daß der Tag käme, in dem er wieder nach mir verlangen würde. Es waren einsame Jahre, in denen ich getrennt von ihm in einem anderen Palast wohnte.«

»Haben Sie sich je... wieder vereint?«

»Mein Geliebter starb, bevor ich ihn wiedersehen konnte. Ich eilte an sein Sterbebett, doch das Leben war schon aus seinem armen, gequälten Körper gewichen. Habt Ihr ihn gekannt, Davison? Habt Ihr seine Güte und sein mitfühlendes Wesen gekannt? Er war ein geplagter Mann, denn er liebte die Welt so sehr, daß er sie am liebsten umarmt hätte. 'Khnatons Herz war zu weich für die Laster der Menschheit. Er war ein... Unschuldiger, er war naiv; er nannte alle Menschen Brüder und war ihren Verbrechen gegenüber blind. Schließlich war es zu spät. Sie benutzten ihn und stürzten ihn dann ins Verderben. Ernüchterung und Verbitterung waren die Waffen, die ihn töteten.«

»Könnt Ihr ihn nicht zurückbringen? Könnt Ihr nicht seinen Namen aussprechen?«

»Nein, das ist nicht möglich. Dazu bedarf es eines Lebenden. Davison, Ihr werdet es für mich tun.«

»Was tun?«

»Seinen Namen auf ein Amulett schreiben – oder auch nur auf ein Stück Papyrus – und es auf seinen Körper legen. Danach müßt Ihr das Grab wieder versiegeln, so daß er niemals zu Schaden kommen kann. Dann wird 'Khnaton wieder leben, und seine Seele kann ins Westliche Land fliegen und in die ewige Glückseligkeit eingehen.«

»Aber... das kann ich nicht tun!«

»Warum nicht?«

»Weil...« Mark suchte verzweifelt nach Worten. »Ihr wißt nicht, warum ich hier bin, warum ich in dieses Tal gekommen bin...«

»Ihr seid ein Reisender.«

»Ich bin ein Wissenschaftler, ein Gelehrter. Ich bin gekommen, um Eure Lebensweise zu studieren.«

»Dann seid Ihr gewiß aus Babylon, Davison. Ich habe es schon vermutet, als ich Euren Bart sah.«

»Nein, ich...«

Die eisige Luft drang durch seine Jacke. Er zitterte heftig und dachte: Ich bin hergekommen, um das Grab zu öffnen und die Mumie Ihres Mannes wegzubringen! Er wird in ein Museum Hunderte Kilometer von hier entfernt gebracht und dort in einen Glaskasten gelegt, damit Millionen Menschen kommen und ihn bestaunen können...

»Eure Gedanken überschlagen sich, mein Lieber, ich vermag sie nicht zu lesen. Ihr seid in einem Konflikt. Trage ich Schuld daran?«

»Entschuldigung... es ist nur die Kälte.«

»Es ist Sommer.«

»Nun, ich friere trotzdem.«

»Davison...« Alexis streckte ihre schmale Hand nach ihm aus und legte sie sanft auf seinen Arm. Durch den Jackenärmel hindurch spürte Mark ihre Wärme. »Tut, was ich von Euch verlange. Ich bitte Euch... Gebt meinem Geliebten das Leben zurück.«

Zwei Stufen und die letzte Hieroglyphenreihe waren noch freizulegen. Mark und Ron arbeiteten zusammen in der Grube. Sie hoben den Sand vorsichtig mit Schaufeln hoch, siebten ihn, füllten ihn in Eimer und reichten ihn an einen der Arbeiter außerhalb des Grabens weiter. Die Treppe war steil und verlief in einem spitzen Winkel, so daß die beiden Männer im Schatten der durch die Ausgrabung entstandenen Wände arbeiten konnten. Vor ihnen ragte groß und bedrohlich die Tür zum Grab auf.

Sanford Halstead saß oberhalb des Grabens und fächelte sich Luft zu, während Hasim, der sich an diesem Morgen ein wenig besser fühlte und darauf bestanden hatte, mitzukommen, mit Jasmina in einem der Landrover saß. Alexis hockte etwas abseits im Sand und starrte vor sich hin. Mark sah ein- oder zweimal von seiner Arbeit auf, konnte in ihren ausdruckslosen Augen jedoch kein Anzeichen dafür erkennen, daß sie sich an die vergangene Nacht erinnerte. Sie schien die Begegnung vergessen zu haben. Mark hatte danach kein Auge mehr zugetan. Ihr verblüffendes Wissen, die unglaubliche Geschichte, die sie ihm erzählt hatte, die seltsame optische Täuschung, zwei Frauen in einer Gestalt zu sehen... wer oder was auch immer Nofretete war, sie hatte recht: Daß sie durch Alexis Halstead sprach, hatte ihn zuhören lassen. Und deswegen wußte er jetzt auch schon, was ihn hinter der Grabtür erwartete.

»Mark.« Ron zog ihn am Arm. »Hier liegt etwas unter dem Sand.« Mark zog seine Handschuhe aus und tastete behutsam die Stelle ab, an der Ron gerade gearbeitet hatte. Er fuhr mit den Fingern durch den Sand, bis er an einer Stelle auf etwas Hartes traf. »Stimmt, hier ist etwas. Gib mir mal die Bürste.«

Mark strich vorsichtig mit der Bürste über die Stelle, als entferne er den Staub von zerbrechlichem Porzellan. Zunächst ragte etwas Weißes, wie ein Stück Kalk, aus dem Sand auf. Mark bürstete weiter, während Ron sich immer wieder bückte und den Sand wegschaffte. Je mehr Sand sie beseitigten, desto größer wurde der Gegenstand. Offenbar reichte er bis zur letzten Stufe hinunter, die noch immer verschüttet war, und befand sich nur Zentimeter vor der Türschwelle.

Plötzlich gab Ron ein zischendes Geräusch von sich und zog ruckartig seine Hände zurück.

»Um Gottes willen!« entfuhr es Mark, der die Bürste fallen ließ und entgeistert auf das starrte, was sie da ausgegraben hatten.

Aus dem Sand reckte sich ihnen das Skelett einer menschlichen Hand entgegen.

Zwanzig

Ron drückte zum letzten Mal auf den Auslöser und meinte: »Das wird genügen.« Seit einer Stunde hatte er ununterbrochen fotografiert und jede Phase der Ausgrabung des Skeletts im Bild festgehalten. Mark hatte eben den letzten Schmutz entfernt, und jetzt lag es offen sichtbar auf der untersten Stufe neben der steinernen Türschwelle. Alle anderen – Abdul, die Halsteads, Jasmina, Hasim und die Fellachen – standen um den Rand der Grube herum und blickten schweigend hinunter. Sie hatten während der letzten Stunde kein Wort gesprochen.

Marks Blick glitt über den erschreckenden Fund, von den Fußknochen, die in Lederstiefeln steckten, über die mit Lumpen verhüllten Beine und das Becken, über den Brustkorb und die Arme, die immer noch durch Knorpelbänder zusammengehalten wurden, bis hinauf zum Schädel, der mit braunen Haarbüscheln bedeckt war. Das Skelett lag auf einem Arm mit angezogenen Knien auf der Seite. Der andere Arm war halb ausgestreckt; die Finger, die durch die Verhärtung von Sehnen und Knorpeln starr geworden waren, deuteten auf die senkrecht verlaufenden Kratzspuren an der Steintür. Diese ganze makabere Situation vor dem Eingang zum Grab bewahrte ein Moment von Überraschung, von Erstarrung im Angesicht des Todes.

Endlich brach jemand das Schweigen. »Das muß ein Mitglied der Ramsgate-Expedition sein.«

»Die Stiefel«, meinte Mark, ohne aufzusehen, »solche Stiefel haben bestimmt keinem Fellachen gehört. Und die Kleiderfetzen. Das ist kein Stoff, den die Einheimischen hier tragen.«

»Vielleicht Neville Ramsgate selbst«, vermutete Halstead. Ihre Stimmen wurden vom Wind weggetragen. Alle Augen waren wie gebannt auf den Totenkopf gerichtet, der teilweise noch mit teeriger, lederartiger Haut überzogen war. Der Mund war weit aufgerissen wie bei einem Schrei.

»Die Kratzer an der Tür«, bemerkte Ron. »Es sieht so aus, als habe er versucht... ins Grab zu gelangen.«

Mark antwortete nicht. Ein anderer Gedanke schoß ihm plötzlich durch den Kopf, während er unverwandt auf diese Grimasse des Toten starrte; eine grausige Vermutung, die ihm zunächst gar nicht in den Sinn gekommen war.

»Effendi«, rief Abdul, der am Rand des Grabens stand, »sehen Sie dort, Effendi, an der Rückseite des Schädels.« Mark trat etwas zur Seite und hielt den Kopf schräg, um sich die bezeichnete Stelle anzusehen. Dann beugte er sich vor und fuhr mit der Fingerspitze an der Schädeldecke entlang, bis er auf ein kleines, rundes Loch in der Schädelbasis traf. Mark stand auf und richtete den Blick in Augenhöhe auf die Tür. Er überflog die Hieroglyphen und betrachtete die Kratzspuren etwas genauer. Dann zog er ein Messer aus seiner Hemdtasche, beugte sich über das Skelett, stützte sich mit einer Hand an der Tür ab und bohrte die Messerspitze in ein winziges Loch im Stein.

»Was ist das?« fragte Halstead.

Mark brachte einen kleinen Gegenstand aus dem Loch zum Vorschein, untersuchte ihn in der flachen Hand und reichte ihn zu Halstead hinauf.

»*Eine Revolverkugel!*«

»Und ich möchte wetten«, sagte Mark, während er sich wieder neben das Skelett kniete, »ich möchte wetten, daß sie sowohl zu dem Loch im Schädel als auch zu der *Pistole* paßt, die wir gefunden haben.«

»Das begreife ich nicht«, erwiderte Ron. »Wer sollte den Toten erschossen haben?«

Mark betrachtete das Skelett noch einen Moment und versuchte, sich das Geschehen vor Augen zu führen. Dann stand er auf und klopfte sich die Hände ab. Er drehte sich um, so daß er der steilen Treppe gegenüberstand, und meinte: »Wir können den Tathergang rekonstruieren. Wer immer der Tote war, er rannte diese Treppe hinunter – vielleicht weil er verfolgt wurde –, fiel gegen die Tür, kratzte daran und wurde durch einen Schuß in den Hinterkopf getötet. Dann sank er nieder und blieb an Ort und Stelle liegen.«

»Aber warum?« wunderte sich Halstead. »Wer sollte ihn verfolgt haben? Und warum versuchte er, ins Grab zu gelangen?«

»Ich habe nur gesagt, daß wir das Geschehen rekonstruieren können. Erklären können wir es nicht.«

»Warum würde jemand auf eine so aussichtslose Weise versuchen, ins Grab vorzudringen? Ich meine«, Halsteads Stimme klang fest, »er hat seine Fingernägel in den Stein gekrallt!«

»Da kann ich auch nur raten.«

»Und warum wurde er nicht zusammen mit den anderen verbrannt?« fragte Ron.

»Ich vermute, die Soldaten des Paschas fanden ihn so und begruben ihn, wo er war, weil sie Angst hatten, ihn anzufassen.«

»Aber sie haben die anderen doch auch angefaßt.«

»Ja...« Mark rieb sich den Bart und dachte angestrengt nach.

»Ich kann mir nicht erklären, warum man diesen Toten hier begrub, den Fund der Grabstelle aber niemals meldete«, gab Halstead zu bedenken.

Mark schaute wieder auf das intakte Skelett, die Knochen, die Flechsen und Sehnen, die Pergamenthaut, die verkrümmte Haltung des Körpers, alles noch genauso, wie der Tote vor hundert Jahren zu Boden gefallen war – kein Aasfresser hatten die Leiche angerührt, weder Hunde noch Geier. Nicht einmal Ameisen...

Halstead fuhr fort: »Die Soldaten des Paschas kommen in diesen Cañon, finden ein Camp voller Leichen, verbrennen sie samt ihrer Habe und kommen dann hierher und schaufeln nur die Treppe zu? Ohne diesen Leichnam ebenfalls ins Feuer zu werfen? Ohne den Behörden von dem neuentdeckten Grab Mitteilung zu machen? Das entbehrt jeder Logik! Irgend etwas stimmt hier nicht!«

»Vielleicht«, wandte Ron leise ein, »vielleicht sind sie nie so weit gekommen. Vielleicht hatten sie Angst, bis zu diesem Ende des Cañons vorzudringen.«

»Wovon reden Sie?«

Ron sah mit glasigem Blick zu Halstead auf. »Vielleicht hat ihnen jemand einen Riesenschrecken eingejagt.«

Unvermittelt gab Mark seine Anweisungen: »Laßt uns das Ding hier herausholen. Abdul, du und deine Männer, ihr entfernt es von dieser Stelle, so vorsichtig ihr könnt. Wir werden uns später vielleicht noch damit befassen müssen.« Er schaute auf seine Armbanduhr. »Es ist fast Mittag. Dann machen wir für heute Schluß. Morgen früh werden wir das Grab öffnen.«

Nach dem Mittagessen saßen sie im Gemeinschaftszelt beisammen. »Wie denken Sie darüber, Hasim?« fragte Mark, der an einem Glas kalten Tee nippte.

Der junge Ägypter blickte von seinem Glas auf und schien Schwierigkeiten zu haben, Mark deutlich zu sehen. »Was meinen Sie?«

»Über dieses Skelett. Werden Sie den Fund melden?«

»Die Behörden werden nicht daran interessiert sein...«

Mark beobachtete, wie ein dünner Schweißfilm auf Hasims fahles Gesicht trat, und bemerkte, daß das Weiße in seinen Augen sich gelb verfärbt hatte. »Geht es Ihnen gut?«

»Ja... es geht mir besser.«

Mark schaute zu Jasmina hinüber, die kaum merklich den Kopf schüttelte, und meinte dann: »Die Entdeckung dieses Skeletts ändert die Sachlage.«

»Inwiefern?« wollte Halstead wissen.

»Diese Totenscheine in der Kartei des Ministeriums. Entweder ist bei einem von ihnen ein Irrtum unterlaufen, oder es handelt sich bei dem Skelett um jemanden, den wir nicht kennen.«

»Alle diese Totenscheine trugen falsche Angaben, das weißt du ganz genau«, entgegnete Ron, während er trübsinnig in seine volle Teetasse starrte.

»Was willst du damit sagen?«

»Ich will damit sagen, daß es hier bekanntlich keine Pocken gab, Mark. Die Ramsgate-Gruppe wurde umgebracht, einer nach dem anderen. Denk an die Leichen, die wir an der Feuerstelle fanden. Sie waren zerstückelt worden, bevor man sie verbrannte.«

»Damit unterstellst du automatisch, daß die Regierungsbeamten des

Paschas die Totenscheine gefälscht haben. Warum hätten sie das tun sollen? Und wenn es hier keine Seuche gab, welchen Grund hätte es dann gegeben, alles zu verbrennen? Warum wurde dieses Gebiet unter Quarantäne gestellt?«

»Vielleicht wurde damit versucht, etwas zu verbergen.«

»Davison«, meldete sich Halstead zu Wort, »ich frage mich immer noch, wer Ramsgate oder Sir Robert am Fuße der Treppe begraben hat, ohne über das Grab Meldung zu machen.«

»Es ist offensichtlich, Mr. Halstead, daß die Grube auf natürliche Weise versandet ist. Wäre der Körper gleich nach seinem Ableben mit Sand bedeckt worden, hätten wir einen noch besser erhaltenen Leichnam vorgefunden. Um es genau zu sagen, eine Mumie. Nach seinem gewaltsamen Tod war die Leiche wohl längere Zeit den Naturkräften ausgesetzt, was die Verwesung beschleunigte, bis Wind und Sand das Grab schließlich zuwehten.«

»Das bedeutet, die Soldaten des Paschas sind nie bis in diesen Teil des Cañons gekommen. Warum?«

»Vielleicht sind sie von etwas abgeschreckt worden.«

Alle sahen Ron an. »Von was zum Beispiel?« fragte Halstead.

»Zum Beispiel das, was Ramsgate zum Fuß dieser Treppe gehetzt haben mag.«

Ein beklemmendes Schweigen senkte sich in dem heißen Zelt auf die Gruppe herab. Alle hingen ihren eigenen Gedanken nach. Schließlich bereitete Halstead der drückenden Stille ein Ende. »Davison, lesen Sie uns die Inschrift auf der Tür vor.«

»Warum?«

»Lesen Sie sie einfach.«

Mark nahm den Schreibblock und blätterte in seinen Aufzeichnungen, bis er zu der Übersetzung kam. »Hüte dich vor den Wächtern des Ketzers, denn sie wachen bis in alle Ewigkeit. Es sind Amun der Verborgene, Am-mut der Gefräßige, Apep der Schlangenartige, Akhekh der Geflügelte, der Aufrechte, die Göttin, die die Toten in Fesseln legt, und Seth, der Mörder von Osiris. Dergestalt ist die Rache der Schrecklichen:

Einer wird Euch in eine Feuersäule verwandeln und Euch vernichten.

Einer wird Euch Euer eigenes Exkrement essen lassen.

Einer wird Euch das Haar vom Kopf reißen und Euch skalpieren.

Einer wird kommen und Euch zerstückeln.

Einer wird als hundert Skorpione kommen.

Einer wird den Stechmücken gebieten, Euch zu verzehren.

Einer wird Euch eine schreckliche Blutung verursachen und Euren Körper austrocknen lassen, bis Ihr sterbet.«

Marks letzte Worte hallten noch lange nach, nachdem er geendet und die Aufzeichnungen weggelegt hatte.

Schließlich meinte Ron: »Sieben Wächtergötter, sieben Zaubersprüche mit entsetzlichen Strafandrohungen.«

»Mir gefällt das nicht, Davison, mir gefällt das überhaupt nicht. Ich will wissen, woran wir sind. Was verbergen Sie vor uns?«

Mark runzelte die Stirn. »Verbergen? Nichts.« Er warf einen verstohlenen Blick auf Alexis.

»Sie können mir nicht weismachen, daß dieser Inschrift nicht etwas Merkwürdiges anhaftet! In den vier Monaten, in denen Sie diese Reise vorbereitet haben, habe ich ziemlich viel über das alte Ägypten gelesen. Dies ist keine gewöhnliche Inschrift, Davison. Diese Flüche, diese Bannsprüche sollen mehr bewirken, als nur Grabräuber in die Flucht zu schlagen. Sie sollen dafür sorgen, daß das Grab niemals geöffnet wird! Warum?« Halstead sprach immer lauter, bis er fast schrie. »Was ist da drin, wovor die Priester sich so sehr fürchteten?«

»Nur ein toter Mann, Halstead, nichts weiter«, antwortete Mark mit matter Stimme. »Die Priester glaubten, Echnaton verkörpere das Böse. Deshalb sperrten sie ihn weg. So einfach ist das.«

»Das meinte die *Sebbacha*, als sie Ramsgate davor warnte, daß er die Dämonen freisetze...« murmelte Jasmina.

»Wir haben es hier mit einem Tausende von Jahren alten, tief verwurzelten Aberglauben zu tun, der von einer Generation zur nächsten weitergegeben wurde.« Mark schüttelte betrübt den Kopf. »Das einzige Böse, was es in diesem Tal gibt, ruht in uns selbst.« Er wandte sich an Abdul. »Bereite deine Männer darauf vor, daß wir morgen das Grab öffnen. Die Tür muß mit äußerster Vorsicht behandelt werden.«

Der wortkarge Ägypter trat hinter dem Herd vor und sah Mark mit

düsterer Miene eindringlich an. »Inzwischen sind auch die noch ver-
bliebenen Männer verschwunden, Effendi.«

»Oh, verdammt noch mal . . .«

»Das Skelett hat ihnen Angst eingejagt. Sie sagten, sie hätten letzte
Nacht Alpträume gehabt. Darin seien sie von Ungeheuern verfolgt
worden, die ihnen befohlen hätten, in ihre Dörfer zurückzugehen.«

»Sind überhaupt noch welche übrig?«

»Nur die drei Regierungs-*Ghaffir* und vier Männer aus El Hawata.
Ich habe ihnen eine sehr hohe Bezahlung angeboten, Effendi.«

»Sorge dafür, daß sie ihr Lager in den Cañon verlegen, und laß die
Ghaffir vor dem Grabeingang Wache halten. Wenn Mr. al-
Scheichly morgen früh mit Kairo telefoniert, wird er ein anderes
Team anfordern, das uns beim Ausräumen des Grabes hilft.« Mark
wandte sich an den jungen ägyptischen Beamten. »Oder würden Sie
den Anruf lieber schon heute nachmittag tätigen?«

»Nein, nein«, entgegnete Hasim kaum hörbar. »Ich bin immer noch
ein wenig schwach. Morgen genügt es. Jetzt muß ich mich ausruhen . . .«

Alle schickten sich an, aufzustehen, da hörten sie Ron plötzlich vom
Eingang her rufen: »Ach du lieber Gott, ich glaube, ich sehe nicht
recht!«

Mark fuhr hoch. »Was ist?«

»Da rückt ein ganzer Schwarm an!«

Mark rannte zum Eingang. »Ein Schwarm?«

»Touristen!«

Mark schnappte sich sein Fernglas und stürzte aus dem Zelt. Etwa
hundert Meter vom Camp entfernt trotteten in einer Reihe mehrere
Esel, von denen jeder einen Reiter trug. Sie bewegten sich auf die
Arbeitersiedlung zu.

»Es sind ungefähr dreißig«, stellte Ron fest, der sich zu ihm gesellte.

Jetzt traten auch die anderen blinzelnd ins helle Sonnenlicht hinaus
und hielten sich schützend die Hände vor die Augen.

»Sie sind mit einem der Fährboote gekommen, der *Isis* oder der *Osiris*«, sagte Mark, während er die Gruppe durch das Fernglas beobachtete.

»Was haben die hier zu suchen? Touristen machen hier doch nie halt.«

»Ich glaube, ich sehe, warum...« Er reichte Ron das Fernglas.

Rasch überflog Ron die Parade der Esel, auf denen rittlings Touristen in leuchtendbunter Kleidung und mit Sonnenhüten auf dem Kopf saßen. Dann ließ er überrascht das Fernglas sinken. »Ist das nicht Sir John Selfridge aus Oxford?«

»Genau. Er leitet mal wieder eine Studienreise. Das könnte mehr bedeuten als nur einen kurzen Aufenthalt. Tage, vielleicht.«

Mark und Ron standen verdrossen schweigend da und beobachteten, wie die Kette der Reiter ihren Weg über die antiken Erdwälle in den Irrgarten der Schlammziegelmauern nahm. Als die Leute abzusitzen begannen, trottete eines der Tiere weiter. Es steuerte direkt auf das Camp zu. Auf seinem Rücken saß ein Mann in weißen Jeans, weißem Hemd und weißem Panamahut.

Als er näher kam, winkte er und rief: »Hallo!«

»Was hat das zu bedeuten?« fragte Halstead.

»Überlasssen Sie das mir. Sagen Sie nichts.«

Der Besucher zügelte sein kleines Lasttier und ließ sich herabgleiten. Der kleine, O-beinige Mann lüftete seinen Hut, fuhr sich mit einem Taschentuch über seine Glatze und ging dann langsam auf die schweigende Gruppe zu. »Hallo! Ich bin's, John Selfridge! Guten Tag!«

Mark drückte die verschwitzte Hand des Engländers. »Hallo, ich bin Mark Davison.«

»Ich weiß, ich weiß! Als wir auf der Fähre erfahren haben, daß hier Grabungsarbeiten im Gange sind und als ich hörte, wer sie leitet, blieb mir die Spucke weg! Ich habe Ihre Bücher gelesen, Dr. Davison. Sehr beeindruckend.«

»Danke. Darf ich vorstellen, Dr. Selfridge, mein Assistent Ron Farmer.«

»Sehr erfreut, sehr erfreut!« Sie schüttelten sich die Hände. »Ich habe Ihre Aufsätze über Mumien gelesen. Hochinteressant! Wie merkwürdig, man hat uns in Kairo gar nichts davon gesagt, daß hier Ausgrabungen stattfinden. Entschuldigen Sie, wenn wir Sie gestört haben.«

»Ganz und gar nicht, Dr. Selfridge.«

Der kleine, rotgesichtige Mann fächelte sich mit seinem Taschentuch

Luft zu und schielte sehnsüchtig zum Speisezelt hinüber. »Sind Sie schon lange hier?«

»Zweieinhalb Wochen.«

»Aha...« Der beleibte Gelehrte aus Oxford musterte die ausdruckslosen Gesichter von Marks Gefährten und warf abermals einen unverhohlenen Blick zum Gemeinschaftszelt hinüber. »Äh... an was für einer Sache arbeiten Sie, wenn ich fragen darf?«

»Wir sind dabei, einen der Grabtempel wiederaufzubauen.«

»Ach ja! Das haben doch meines Wissens bereits Peet und Woolley versucht, und es hat nicht geklappt.«

»Das war vor über vierzig Jahren, Dr. Selfridge. Wir haben heute modernere Techniken.«

»Klingt beeindruckend! Das würde ich liebend gern einmal sehen.«

»Da muß ich Sie leider enttäuschen. Wir sind erst im Planungsstadium, Sie verstehen.«

»Ja, ja, natürlich.« Er wies mit der Hand nach der Arbeitersiedlung. »Werden meine Leute Ihnen im Weg sein?«

»Nicht, wenn es nur für kurze Zeit ist.«

»Eine Stunde höchstens, das versichere ich Ihnen. Mein einheimischer Führer zeigt ihnen gerade die am besten erhaltenen Überreste. Danach werden wir das Wadi hinaufreiten, um das Königsgrab zu besuchen.«

Mark spürte, wie Halstead hinter ihm erstarrte. »Ich fürchte, das wird nicht möglich sein.«

»Warum nicht, Dr. Davison?«

»Es hat einen Felssturz gegeben. Der Eingang zum Wadi ist völlig verschüttet.«

»So ein Pech!«

»Werden Sie die Felsengräber besuchen?« forschte Ron.

John Selfridge leckte sich die Lippen und warf einen letzten ungeduldigen Blick zum Speisezelt hinüber. »Das hatten wir eigentlich vor, aber leider macht die Hitze den meisten Teilnehmern schwer zu schaffen. Wir müssen weiter. Zwei Wochen sind viel zu kurz für das, was es alles zu sehen gibt, Sie verstehen.«

»Werden Sie hier nicht Ihr Nachtlager aufschlagen?«

»Leider nein. Wir müssen morgen früh in Assiut sein. Äh... haben Sie vielleicht etwas kaltes...?«

»Dr. Selfridge, ich bin sicher, Sie werden entschuldigen, wenn wir Sie nicht hereinbitten, aber wir stehen mit unserem Projekt unter Zeitdruck und müssen jede Minute Tageslicht ausnutzen. Wir wollten uns gerade wieder an die Arbeit machen.«

Das liebenswürdige Lächeln verschwand. »Ich verstehe. Nun ja...« Selfridge lüpfte seinen Hut, fuhr sich abermals mit dem Taschentuch über den glänzenden Schädel und meinte dann: »Es war nett, Sie kennenzulernen, Dr. Davison. Sie alle...«

Ron rief hinter ihm her: »Gute Reise weiterhin!«

Sie blieben schweigend stehen, während sie dem kleinen Mann dabei zusahen, wie er sein Reittier bestieg und langsam davontrottete. »Laß sie nicht aus den Augen«, wies Mark Abdul an. »Und gib mir Bescheid, sobald das Fährboot wieder abgelegt hat.«

Mark saß an seinem kleinen Schreibtisch und war dabei, einen Plan für die Erforschung und die eventuelle systematische Räumung des Grabes aufzustellen. Plötzlich zog Ron die Zeltplane beiseite und blieb lange wortlos am Eingang stehen. Mark drehte sich um und schaute zu ihm auf. »Was ist los?«

»Es passiert in der gleichen Weise wieder.«

»Was?«

Rons Lippen waren blaß, sein Gesicht ernst. »Wir gehen denselben Weg wie die Ramsgate-Expedition. Ein Fluch für jeden von uns.«

Mark legte seinen Kugelschreiber weg. »Ron...«

»Ich möchte dir etwas zeigen.«

»Was ist es?«

Aber Ron gab keine Antwort. Er machte auf dem Absatz kehrt und ging wieder in die Nacht hinaus. Neugierig folgte Mark ihm nach. Sie begaben sich ins Laborzelt, wo Ron etwas unbeholfen Licht machte, bevor sie vollends eintraten. Vor ihnen auf dem Arbeitstisch lag das Skelett.

»Ich will wissen, wie du mir das erklären kannst«, begann Ron förmlich. »Ich will deine wissenschaftliche Erläuterung dazu hören.«

Ron trat an den Tisch und blickte auf das Skelett. Als Mark sich neben ihn stellte, fuhr er leise fort: »Während du am Ausgrabungsplan gearbeitet hast, habe ich es untersucht.«

Die Glühbirne über ihren Köpfen schwang an ihrem Draht hin und her und warf unheimliche Schatten an die Zeltwände. Als das Wechselspiel von Licht und Schatten über den Kopf des Toten hinweghuschte, schien sich sein Gesichtsausdruck zu verändern.

»Sieh dir zuerst die Hände an«, sagte Ron. »Der Zeigefinger ist länger als der Ringfinger.«

»Ach ja?«

»Schau deine eigene Hand an.«

Mark streckte seine rechte Hand aus; der Zeigefinger war kürzer als der Ringfinger. »Ja, und was soll das...«

»Jetzt achte mal auf den Wulst der Augenbrauen und die Warzenfortsätze der Schläfenbeine.«

Mark mußte sich dicht darüber beugen. Als ihm der Verwesungsgeruch in die Nase stieg, schien das Skelett ihn hämisch anzugrinsen.

»Und schließlich«, sprach Ron weiter, »das Becken. Das allein verrät schon alles.«

»Worauf willst du hinaus?«

»Dieser Körper, Mark, ist nicht der eines Mannes, sondern der einer Frau.«

Mark hob erstaunt die Augenbrauen. »Eine Frau... bist du sicher?«

»Es besteht kein Zweifel. Und ich habe mit einer Lupe die Schambeinfuge untersucht. Danach handelt es sich um eine etwa Vierzigjährige.«

Mark konnte den Blick nicht von dem höhnisch grinsenden Schädel wenden. »Also gut, dann handelt es sich eben um das Skelett von Amanda Ramsgate. Und weiter?«

»Nun, das gibt mir doch zu denken. Es ist nicht ungewöhnlich, daß Eheleute in Streit geraten, und die Vorstellung, daß sie sich gegenseitig umbringen, ist nicht ganz auszuschließen. Aber Amanda? Warum sollte jemand sie erschießen?«

Mark erinnerte sich an die langen, senkrechten Kratzspuren auf der Grabtür, die von den Fingernägeln des Opfers stammten. »Es muß eine Erklärung dafür geben, Ron.«

»Gewiß! Amanda Ramsgate rannte die Stufen hinunter und versuchte, ins Grab einzudringen. Da wurde sie entweder von ihrem Ehemann oder von Sir Robert erschossen. Was könnte einfacher sein?«

»Und was soll der Grund dafür gewesen sein?«

»Ich weiß nicht...« Ron wandte sich ab und lief zum Eingang hinüber. »Womöglich versuchte derjenige, der geschossen hat, etwas anderes zu töten...«

Die beiden Freunde sahen sich lange an. Dann schüttelte Ron den Kopf und stapfte aus dem Zelt heraus.

Mark blickte wieder hinunter auf das Skelett, betrachtete die zerfetzten Kleiderreste, die noch immer an der lederartigen Kopfhaut klebenden Haarbüschel, die krallenartig erstarrten Hände. Schließlich drehte auch er sich um und verließ das Zelt.

Doch Mark kehrte nicht in sein Quartier zurück, sondern ging über den Schotter vom Lager weg. Als er in der Dunkelheit allein war, murmelte er: »Wo sind Sie? Ich muß mit Ihnen reden.«

Ein kalter Wind erhob sich und blähte sein Hemd. Dumpfer Schmerz pochte in seinem Kopf, und dann stand sie vor ihm, schimmernd und durchscheinend. »Hallo, Davison. Jetzt glaubt Ihr an mich.«

»Wir haben die Leiche einer Frau gefunden. Wer ist sie?«

»Gehört sie nicht zu Euch, Davison? Ach nein...« Nofretete zog ihre glatte Stirn in Falten. »Das war ja vor Eurer Zeit. Es gab noch andere... jetzt entsinne ich mich. Ich versuchte, mit ihr zu sprechen, doch vergeblich. In Träumen erzählte ich ihr von 'Khnaton. Als sie in Gefahr war, rannte sie zu ihm.«

»Welcher Art war die Gefahr, vor der sie floh? War es ein Mann mit einem Revolver?«

»Was ist ein Revolver, mein Lieber?«

»Eine Waffe.«

»Sie floh vor dem Aufrechten, der sie jagte. Ein anderer, ihr Ehemann, schleuderte eine Waffe gegen den Dämonen, und es klang wie Donner, aber er tötete damit nur seine Frau. Der Aufrechte kann nicht durch Waffen getötet werden.«

»Donner...« Wie ein Zeitlupenfilm lief das ganze Geschehen vor Marks Augen ab: Der Dämon, der hinter Amanda herjagte, die ihrerseits schreiend auf das Grab zurannte; Ramsgate, der auf das Ungeheuer feuerte; die Kugel, die durch den Dämon hindurchging und Amanda tötete.

Welcher Wahnsinn hatte sie befallen, daß sie alle so schrecklich halluzinierten?

»Ich lese Eure Gedanken, mein Lieber, und Ihr befindet Euch im Irr-tum. Die Wächtergötter sind keine Visionen. Es gibt sie wirklich.«
Mark fing an zu zittern. »Das glaube ich nicht!«
»Hunde und Aasgeier haben den Leichnam der Frau nicht angerührt, Davison. Ist Euch das kein Beweis für die Macht der sieben?«
»Es muß eine logische Erklärung dafür geben...«
»Ihr seid ein Narr, Davison!« Nofretetes Aura flackerte auf und blen-dete ihn. »Ihr bereitet mir unerträglichen Verdruß. Öffnet die sieben Löcher Eures Hauptes, o Mann der Gelehrsamkeit! Wenn Ihr nur das glaubt, was Ihr mit Euren Augen seht und mit Euren Ohren hört, so seid versichert: Ihr werdet die Dämonen sehen.«

Mark spürte in seinem Magen einen so heftigen Schmerz, als habe er ein glühendes Stück Kohle verschluckt. Es brannte so heftig, daß er das Gesicht verzog. Es war die Anspannung des Augenblicks...
»Hast du dich entschieden?« fragte Ron.
Mark streckte zitternd eine Hand aus. »Hier. Wir werden hier ein kleines Loch bohren und mit einem Licht hineinleuchten, um uns Einblick zu verschaffen.«
»Was machen wir, wenn die Tür so dick ist, daß wir sie nicht als Ganzes entfernen können?«
»Dann werden wir sie mit einer Bandsäge zerlegen.« Mark griff nach Hammer und Meißel und warf einen letzten Blick auf seine Gefähr-ten, bevor er mit der Arbeit begann. Sie waren alle um ihn herum in der Grube versammelt, sogar der aschfahle Hasim, der sich auf Jas-mina stützte. Mark sagte: »Alles klar, dann mal los.« Er setzte die Spitze des Meißels zwischen zwei Hieroglyphenreihen an, holte tief Luft, hielt den Atem an, hob den Hammer und ließ ihn niedersausen, was einen hohen metallischen Klang verursachte.

Einundzwanzig

Als der letzte Steinbrocken unter dem Meißel nachgab, brauste ein gewaltiger Luftzug durch das Loch nach draußen und pfiff mit solcher Heftigkeit vorbei, daß die Umstehenden erschrocken zurückwichen, da sie fürchteten, die Tür könnte bersten.

»Um Himmels willen!« schrie Ron und brachte sich vor dem übelriechenden Wirbel in Sicherheit.

Sie starrten bestürzt und verwirrt auf das Loch, während sie dem jammernden Sog des Luftzuges lauschten und einen warmen, fauligen Hauch auf ihren Gesichtern spürten. Dann ebbte der Wind allmählich ab, und alles war wieder ruhig.

Mark griff nach seiner Taschenlampe und leuchtete durch die zwölf Zentimeter breite Öffnung, die er in die Felsentür gehauen hatte. Er beugte sich behutsam vor und spähte hinein.

»Was sehen Sie?« fragte Halstead, der sich dicht hinter ihn drängte.

»Ich sehe . . .«, Mark wich ungläubig zurück, »absolut nichts!«

»Was?« Ron nahm ihm die Taschenlampe aus der Hand und stellte sich vor das Loch. Er ließ den Lichtstrahl nacheinander aus allen Winkeln einfallen, veränderte seine eigene Position, um besser sehen zu können, und mußte schließlich ebenfalls aufgeben. »Du hast recht. Ich kann nicht das geringste sehen.«

»In Ordnung, alle Mann raus aus dem Graben! Wir werden das Ding jetzt aufschneiden.«

Das Kreischen der Bandsäge erfüllte den Cañon mit wütend klingendem Surren. Mit Sonnenbrillen und Mundschutz versehen, rückten Mark und Ron dem Fels zu Leibe, während die anderen gespannt um den Graben herumstanden und beobachteten, wie die Tür in schwere Einzelblöcke zerfiel.

Mark und Ron gingen vorsichtig zu Werke und legten hin und wieder eine Pause ein, um in die größer werdende Öffnung hineinzuleuchten und sich zu vergewissern, daß sie drinnen nichts beschädigten. Doch als das Tageslicht ins Innere strömte, sahen sie lediglich einen langen, schmalen Schacht vor sich, einen dunklen, geheimnisvoll wirkenden

Gang, der unendlich tief in den Abgrund zu führen schien. Sie entfernten den Rest der Tür und schufen damit eine Öffnung, in der man bequem stehen konnte. Dann starrten sie alle sprachlos in den düsteren Abgrund, der sich vor ihnen auftat.

»Gehen wir hinein?« fragte Halstead.

»Es ist besser, wenn ich erst einmal allein hineingehe. Man kann nicht so ohne weiteres in ein Grab eindringen. Einige sind mit Fallen und Schutzvorrichtungen ausgestattet worden«, erklärte Mark.

»Ich komme mit dir«, sagte Ron.

»Gut. Nimm dir eine Taschenlampe. Abdul, du bleibst dicht vor dem Eingang stehen. Vielleicht werden wir schon bald um Hilfe rufen.«

Jasmina streckte die Hand aus und berührte Marks Arm.

»Bitte, geben Sie auf sich acht.«

Mark drückte ihre Hand. »Keine Sorge. Fertig, Ron?«

Sein Freund nickte ernst.

»Na, dann mal los!«

Mark ging voran und ließ den hellen Strahl der Taschenlampe vor sich kreisen. Die Wände standen eng zusammen und waren grob behauen. Die Decke war niedrig. Er und Ron würden leicht vornübergebeugt und hintereinander gehen müssen. Mark zog den Kopf ein und überquerte die Schwelle. Als er vorsichtig weiterging, hörte er, wie Ron hinter ihm eintrat. Mark ließ den Lichtstrahl langsam an den Wänden entlanggleiten, während er behutsam einen Fuß vor den anderen setzte. Der Boden war nicht so uneben wie die Wände, aber er war mit kleinen Steinchen bedeckt, so daß jeder Schritt ein knirschendes Geräusch verursachte. Hin und wieder blieb Mark stehen, um den Strahl der Lampe direkt nach vorne zu richten, doch das Licht wurde von der Dunkelheit geschluckt. Er und Ron bewegten sich im Schneckentempo in einem endlos scheinenden Tunnel entlang.

Einmal schaute Mark über die Schulter zurück und gewahrte hinter Ron den Eingang, ein kleines Rechteck, an dessen Rändern sich neugierige Gesichter gegen das Tageslicht abzeichneten.

»Puh!« murmelte Ron, als sie etwa dreißig Meter gegangen waren. »Hier riecht es entsetzlich! Mir wird ganz übel davon!«

»Das ist dreitausend Jahre alte Luft. Die letzten, die sie eingeatmet haben, waren die Amun-Priester.«

Ron leuchtete die roh behauenen Wände ab. »Das ist sonderbar,

Mark. Keine Zeichnungen, keine Inschriften, nichts. Was glaubst du, wie weit führt dieser Gang in den Berg hinein?«

Mark antwortete nicht. Er hatte ein flaues Gefühl im Magen. Vor ihm dehnte sich die Dunkelheit.

»He«, witzelte Ron nervös, »kannst du es noch nicht sehen? Wir gehen weiter und weiter, bis wir am anderen Ende zu einer Tür kommen, und wenn wir sie öffnen, blickt uns ein Haufen Chinesen erstaunt an...«

Plötzlich blieb Mark stehen und streckte eine Hand aus, um sich zu stützen.

»Was ist los?«

»Ich glaube, wir haben das Ende erreicht.«

Mark richtete die Taschenlampe nach unten und entdeckte, daß seine Stiefelspitzen über einen Rand hinausragten. Vor ihnen gähnte ein unbestimmbarer Abgrund. »Leuchte über meinen Kopf hinweg«, sagte Mark leise, während er vor Ron in die Hocke ging. »Wir wollen sehen, was da unten ist.«

Zwei Lichtkegel glitten über einen sauberen Steinfußboden, an weißen, glatten Wänden hinauf und an einer grob behauenen Decke entlang. Der dreißig Meter lange Gang war hier zu Ende und mündete in einen kleinen, kahlen Raum, der etwa drei Meter unterhalb des Schachtbodens lag.

»Wie es scheint, werden wir leer ausgehen«, wisperte Ron, der mit zitternder Hand versuchte, den Raum auszuleuchten.

»Vielleicht aber auch nicht. Schau mal dort drüben.«

Auf der gegenüberliegenden Seite der Kammer befand sich, in eine glatt verputzte Wand eingelassen, eine weitere Steintür. Sie schien in aller Eile verschlossen worden zu sein.

»Wir brauchen eine Leiter, Lampen und die Geräte.«

Mark wandte sich seinem Freund zu. »Ich gehe jede Wette ein, daß hinter dieser Tür der Mann liegt, nach dem wir gesucht haben.«

Das Essen blieb unberührt. Niemand verspürte Hunger, und Abduls rasch zubereitetes *Ful* sah nicht gerade verlockend aus.

»So«, begann Mark. »Die endgültige Entscheidung liegt nun bei Ihnen.«

Der Vertreter der staatlichen Behörde für Altertümer, der kreidebleich dasaß und in seine Teetasse starrte, antwortete nicht sofort.

Mark wechselte einen Blick mit Jasmina, die stumm den Kopf schüttelte. Dann fuhr er fort: »Wir sind startklar, Hasim. Die Ausrüstung liegt bereit. Alles, was wir noch brauchen, ist Ihre Genehmigung, diese Tür zu öffnen.«

Hasim al-Scheichly war im letzten Augenblick daran gehindert worden, nach El Till zu fahren, um dort das geplante Telefonat zu führen. Kurz nach der Rückkehr der Gruppe aus dem Cañon war er auf seinem Bett zusammengebrochen, und Jasmina hatte ihm eine Spritze geben müssen, um seine Schmerzen zu lindern. Als er jetzt, eine Stunde später, geschwächt und zitternd im Speisezelt saß und alle Augen auf sich gerichtet sah, wünschte der kränkliche junge Mann nur noch, sich hinlegen und sterben zu können.

»Es ist...« begann er mit schwacher Stimme, »keine leichte Entscheidung. Meine Vorgesetzten sollten jetzt eigentlich hier sein. Sie hätten bereits bei der Öffnung der ersten Tür zugegen sein sollen.«

Mark begriff den Zwiespalt, in dem sich der arme Mann befand: In seiner gegenwärtigen Verfassung würde Hasim abgelöst werden und nicht mehr für diese Ausgrabung zuständig sein. Da er an jedem Tag damit gerechnet hatte, daß es ihm besserginge, hatte er die Meldung an seine Vorgesetzten immer wieder aufgeschoben. Jetzt blieb die Entscheidung an ihm hängen. Mark sagte: »Lassen Sie uns auf der Stelle nach El Till fahren, und rufen Sie von dort aus an.«

Hasim schüttelte bedächtig den Kopf. »Diese Dorftelefone sind unzuverlässig. Es wird Stunden dauern, bis der Anruf durchkommt. Ich kann nicht... Dr. Davison, ich bin müde, bitte lassen Sie mich schlafen.«

»Hasim, wir brauchen die Genehmigung, um mit der Öffnung des Grabes weitermachen zu können. Sie zögern, uns Ihre Einwilligung zu geben, und sind nicht in der Verfassung, zu einem Telefon zu fahren. Lassen Sie mich nach El Till fahren und den Anruf tätigen.«

»Es kann sein, daß Sie es in El Till stundenlang probieren müssen, bevor Sie durchkommen. Bis dahin wird sich niemand mehr im Amt aufhalten. Lassen Sie uns bis morgen früh warten, bitte... Morgen werde ich mich bestimmt besser fühlen.«

Während Mark diesen Vorschlag noch erwog, mischte sich Alexis plötzlich in die Unterhaltung ein. Sie sprach seltsam abgehackt: »Es ist noch hell genug, um die innere Tür zu öffnen. Es hat doch keinen

Sinn, hier herumzusitzen und zu warten, bis wir grünes Licht für etwas bekommen, was wir früher oder später ohnehin tun werden. Ich dachte, Mr. al-Scheichly hätte hier die Entscheidungsbefugnis. Warum ist er sonst mitgekommen, wenn nicht als Vertreter der Behörden? In meinen Augen hat er die Befugnis, die notwendigen Entscheidungen zu treffen.«

Mark wandte sich al-Scheichly zu und sagte ruhig: »Hasim, wäre es Ihnen lieber, wenn wir Sie nach El Minia ins Krankenhaus bringen?«

»Bloß nicht!« Einen Moment lang blickte er Mark entsetzt an. »Wir sind zu nah dran. Die Entdeckung des Grabes wird mir als Verdienst angerechnet werden. Ich kann jetzt nicht aufgeben.«

»Aber es geht Ihnen nicht gut...«

»Es geht mir gut genug, um eine amtliche Entscheidung zu fällen.« Hasim atmete mühsam und keuchend. Sein Gesicht glänzte schweißgebadet. »Mrs. Halstead hat recht. Ich bin hierher geschickt worden, um die Regierung dieses Landes zu vertreten. Als Bevollmächtigter übernehme ich die volle Verantwortung... Dr. Davison, Sie können die innere Grabkammer öffnen...«

Alles war vorbereitet. Eine Strickleiter war befestigt, die Kammer hell erleuchtet; Hämmer, Meißel und Sägen lagen an der Tür bereit.

Die sieben kletterten einer nach dem anderen den Schacht hinunter, bis sie alle in dem vier mal vier Meter großen Vorraum standen und zu dem erstaunlichsten Wandgemälde aufblickten, das sie je gesehen hatten.

»Das ist unglaublich!« stieß Halstead hervor. »Das ist einfach...« Seine Stimme erstarb.

An der Wand vor ihm ragten übergroß und bedrohlich sieben furchteinflößende Gestalten zur Decke auf. Es waren Ungeheuer, phantastische Gebilde, halb Mensch, halb Tier. Jede Figur wirkte wie erstarrt, so daß man den Eindruck hatte, sie seien einst lebendig gewesen und wären mitten in der Bewegung überrascht worden: Eine der Gestalten hatte die Hand erhoben, als grüße sie; eine andere hatte beide Arme ausgestreckt, als wolle sie jemanden packen; eine dritte schwang eine Sichel über dem Kopf, bereit, sie niedersausen zu lassen. In Farben, die noch genauso leuchteten wie an dem Tag, als sie aufgetragen worden waren, standen die sieben Wächtergötter wie Zinnsoldaten in einer Reihe. Sie waren in strengem Profil dargestellt, und jeder von ihnen blickte mit einem drohenden Auge herab. Die sieben Dämonen, die das Grab bewachten.

In der Mitte reckte sich ein nackter, muskulöser Mann, dessen eckiger Körper in glänzendem Gold gemalt war und dessen mächtige Arme an der Seite herabhingen. Das war Amun der Verborgene. Zu seiner Rechten stand die Göttin, die die Toten in Fesseln legt, eine feingliedrige, wohlgeformte Frau mit dem Kopf eines Skorpions, die zum Zeichen der Huldigung die Hand erhoben hatte. Daneben der Aufrechte, ein auf den Hinterbeinen stehendes Wildschwein mit menschlichen Armen. Das Ende dieser Reihe bildete ein Untier mit flammend roter Mähne und ebensolchen Augen, das Amun das Gesicht zuwandte und mit seinen vier Beinen zum Sprung anzusetzen schien. Es handelte sich um Seth, den Mörder des Osiris. Auf der anderen Seite von Amun, ebenfalls im Profil und dem Verborgenen zugewandt, stand Am-mut der Gefräßige, ein Scheusal mit den Hinterbeinen eines Nilpferds, den Vorderbeinen eines Löwen und dem Kopf eines Krokodils. Sein höhnisches Grinsen entblößte eine Reihe spitzer, scharfer Zähne. Hinter Am-mut folgte Akhekh der Geflügelte, eine Antilope mit Schwingen und einem Vogelkopf. Und als letzter kam Apep der Schlangenartige, ein sichelschwingender Mann, zwischen dessen Schultern sich anstelle eines Kopfes eine glänzende Kobra ringelte.

Die vier Amerikaner und drei Ägypter starrten sprachlos vor Staunen auf das Wandgemälde, wobei jeder von ihnen den Blick wie gebannt auf das hypnotische Auge eines der Götter richtete. Niemand rührte sich von der Stelle; niemand wagte auch nur mit der Wimper zu zukken. Alle sieben hielten den Atem an.

Halstead starrte mit Schrecken auf Amun, den goldenen Gott in der Mitte, den Dämon, der ihn in seinen Alpträumen heimgesucht hatte.

Hasim, der sich auf Jasmina stützte, konnte die Augen nicht von der skorpionköpfigen Göttin wenden.

Ron stand wie gelähmt vor Am-mut dem Gefräßigen, der ihn mit seinem Krokodilauge wie hypnotisch in Bann schlug. Alexis, die von dem roten, flammenden Haar Seths gefesselt war, flüsterte: »Sie sind so ... lebensecht ...«

Marks Stimme klang gepreßt, das Sprechen fiel ihm schwer. »Durch die hermetische Versiegelung des Grabes sind die Farben frisch geblieben. Bald werden sie verblassen...«

Niemand rührte sich.

Die sieben Wächtergötter standen majestätisch und grauenerregend vor ihnen, drei Meter groß und bis ins kleinste Detail genau dargestellt – von den Falten der Lendenschurze bis zu den Brustwarzen auf den nackten Oberkörpern. Eines fiel jedoch besonders auf: Nirgends standen auch nur ein Wort oder eine Hieroglyphe geschrieben.

Halsteads Stimme bebte. »Was zum Teufel ist das für ein Bild?«

»Ich weiß nicht«, flüsterte Mark. »Eine solche Wandzeichnung ist mir in meiner ganzen Laufbahn noch nicht untergekommen. Sie steht in völligem Widerspruch zur altägyptischen Religion.«

»Ich verstehe das nicht. Die anderen Wände sind kahl; nur auf die eine hier sind diese greulichen Gestalten gemalt worden! So sehr können sich die Amun-Priester doch gar nicht vor Echnaton gefürchtet haben, oder?«

»Ich weiß nicht.«

»Und wir wissen nicht einmal genau, ob dies hier überhaupt sein Grab ist. Was um alles in der Welt mag sich nur hinter dieser Tür befinden, daß sie uns mit diesen... diesen Monstern vertreiben wollten?«

Mark zwang sich dazu, dem Wandgemälde den Rücken zuzukehren. »Das hier ist Echnatons Grab, Mr. Halstead.«

»Wie können Sie so sicher sein? Vielleicht ist es nicht einmal ein Grab! Vielleicht ist es ein Depot für irgend etwas Schreckliches, dessen Entdeckung die alten Ägypter verhindern wollten!«

»Halstead...«

»Sie sind bis zum Äußersten gegangen, um uns von hier fernzuhalten. Wir sollten besser machen, daß wir hier herauskommen!«

»Sanford!«

Alle sahen Alexis an. Ihre Stimme klang schrill und hysterisch. Sie packte ihren Mann am Arm und rief wütend: »Hör sofort auf damit! Hast du mich verstanden? Niemand verläßt das Grab! Wir werden diese Tür öffnen und nachsehen, was sich dahinter verbirgt!«

Halstead sah sie in heillosem Schrecken an. »Es gefällt mir nicht!« schrie er und fuhr sich mit dem Handrücken über seine blutige Oberlippe. »Ich will nicht sterben...«

»Sie haben ihre Augen auf uns gerichtet«, ließ sich eine ängstliche Stimme vernehmen. Es war Jasmina. »Die Antilope mit dem Vogelkopf. Sie schaut mich direkt an.«

Einen kurzen Augenblick lang starrte Mark sie an, und ihm gefror das Blut in den Adern. Dann klatschte er plötzlich laut in die Hände. »Jetzt aber mal los, wir haben noch jede Menge zu tun!« rief er mit gespielter Munterkeit. »Die Sonne geht bald unter; wir müssen uns beeilen. Ich will die Tür noch vor Anbruch der Dunkelheit aufbekommen!«

Es war ein schlichter Kalksteinblock, der keine andere Markierung trug als die Siegel der Totenstadt Theben. Mark und Ron unterzogen die Tür einer eingehenden Prüfung, beklopften sie an verschiedenen Stellen mit dem Hammer und einigten sich darauf, genau in der Mitte mit der Arbeit zu beginnen.

Mark setzte den Meißel an, hob den Hammer und nahm allen Mut zusammen. Er wußte nicht, was ihn erwartete – vielleicht wieder ein fauliger Luftzug, vielleicht ein Aufheulen des im Schlaf gestörten Toten. Als er den Meißel in den Stein trieb, spannte er jeden Muskel an und machte sich darauf gefaßt, sofort davonzurennen. Die anderen verharrten wie erstarrt am selben Fleck. Sie konzentrierten sich auf die Spitze des Meißels und versuchten, die sieben riesenhaften Gestalten, die von der Wand auf sie herabstarrten, nicht zu beachten.

Die Hammerschläge brachen sich dumpf und mißtönend an den Wänden. Ein ohrenbetäubender Lärm erfüllte die Kammer, drang durch den Gang nach draußen und hallte im Cañon wider. Bei jedem Schlag ging ein Schauer von Splittern und Staub auf die Umstehenden nieder. Alle warteten gespannt.

Mark schlug ein letztes Mal zu, und der Meißel stieß durch die Tür.

Ein Schauer durchfuhr die Gruppe, während sie voll schlimmer Erwartung auf das Loch starrte. Als nichts geschah, atmeten sie erleichtert auf und lösten sich ein wenig aus ihrer Verkrampfung. Mark trat von der Tür zurück und wischte sich mit zitternder Hand übers Gesicht. Sein Bart war schweißgetränkt. Er hob das Werkzeug auf, wappnete sich mit neuem Mut und begann wieder zu hämmern.

Als das Loch groß genug war um hindurchsehen zu können, leuchtete er mit der Taschenlampe in den Raum auf der anderen Seite, konnte aber nichts erkennen.

Als dann mit der Bandsäge der größte Teil der Tür durchschnitten worden war, wurde die Luft in der Kammer so stickig, daß man nur schwer atmen konnte. Doch keiner wollte nach draußen gehen. Langsam, Zentimeter um Zentimeter, tat sich die Grabkammer vor ihnen auf.

Mark setzte die Säge ab, beugte sich mit der Taschenlampe vor und streckte den Kopf durch die aufgesägte Türöffnung.

»Was sehen Sie?« fragte jemand mit einer unnatürlich klingenden Stimme.

»Nun«, Marks Mund war ungewöhnlich trocken, »es ist wirklich eine Grabkammer...«

»Gibt es da drin einen Sarkophag?« wollte Halstead wissen.

Mark holte tief Luft. »Ja...«

Alle wichen zurück und wechselten nervöse Blicke. Mark und Ron drangen mit ihren Taschenlampen in die Grabkammer ein. Nachdem sie rasch die kahlen Wände, den glatten Boden und die rauhe Decke abgeleuchtet hatten, sahen sich die beiden Ägyptologen im schwachen Lichtschein an.

»Das ist alles«, murmelte Mark. »Keine weiteren Räume. Nur das hier. Wir sind am Ende angelangt.«

»Und hier ist nichts.«

»Nein«, bestätigte Mark, »nur diese beiden hier.« Und er richtete den Strahl seiner Taschenlampe auf die beiden massiven Granitsarkophage, die in der Mitte des Raumes standen.

Sie hatten im Grab keine Inschriften entdeckt, die den Namen des Verstorbenen offenbaren, und auch auf den Steinsärgen war nichts vermerkt, was Aufschluß darüber gegeben hätte, wer – oder was – dort drin lag. Mark und Ron waren nicht imstande gewesen, die schweren Sargdeckel alleine zu heben. So waren die sieben in düsterer Stimmung ins Camp zurückgekehrt, und keinem gelang es, den eisigen Schrecken abzuschütteln, der ihnen beim Anblick der Wächtergötter in die Glieder gefahren war. Jetzt, vier Stunden später, lag das Camp dunkel und ruhig da. Hasim dämmerte unruhig vor sich hin, in einem durch Beruhigungsmittel erzeugten Halbschlaf. Halstead stöhnte auf seinem Bett und hielt sich einen Eisbeutel an die Nase. Alexis lag in tiefem, traumlosem Schlummer. Sie atmete kaum, und ihr Gesicht strahlte eine totenähnliche Ruhe aus. Abdul kniete auf dem Gebetsteppich neben seinem Feldbett und richtete einen feierlich-monotonen Sprechgesang gen Mekka. Jasmina lag zusammengekrümmt auf der Seite und blinzelte ins Dunkel. Nur die beiden Ägyptologen waren noch auf den Beinen: Ron in seiner Dunkelkammer, Mark auf einem Spaziergang durch die Sandhügel jenseits des beleuchteten Camps. Er fröstelte und vergrub die Hände in den Taschen seiner Windjacke. In all den Monaten, die er in Ägypten verbracht hatte, war keine Nacht auch nur annähernd so kalt gewesen wie diese. Die Nächte schienen immer kälter geworden zu sein, als habe sich ein Gletscher auf das Land herabgesenkt. Er ließ den Blick über die dunklen, verlassenen Ruinen der Arbeitersiedlung schweifen. Die Fellachen waren alle fort, keiner war geblieben. Mark lenkte seine Gedanken auf die Sarkophage, deren Granitdeckel sich keinen Millimeter bewegt hatten, als er und Ron mit vereinten Kräften dagegendrückten. Man müßte prüfen, welche Werkzeuge zu ihrer Entfernung benötigt wurden. Wenn Hasim am nächsten Morgen mit Kairo telefonierte, würde Mark um ein Hebegerät bitten...

»Davison...«

Er blieb unvermittelt stehen. Nofretete erschien plötzlich vor ihm.

»Ihr habt ihn gefunden«, sagte sie. »Nun müßt Ihr ihm Leben einhauchen.«

»Ich habe zwei Särge gefunden.«

»Ja, mein Lieber.«

»Wer liegt in dem anderen?«

Ihre Augen wurden traurig; sie streckte ihre Hände aus.

»Wißt Ihr das nicht? Ich bin es, Davison. Ich liege in dem anderen Sarg.«

Mark preßte eine Faust an seine pochende Schläfe. »Das ist Wahnsinn!«

»Davison, Ihr müßt mir zuhören! Ich muß es Euch begreiflich machen. Ich bitte Euch, hört mich zu Ende an...«

Er ließ seine Hand sinken und sah sie verwirrt an. »Es gibt keine Kartuschen im Grab, keine Inschriften, keine Kanopen. In den vier Haupthimmelsrichtungen befinden sich keine Amulettziegel. Das verstehe ich nicht.«

»Habt Erbarmen mit uns, Davison! Sucht in Eurem Herzen nach der

Quelle der Barmherzigkeit und des Mitgefühls! Ihr müßt uns befreien!«

»Befreien wovon?«

Sie sprach hastig und flehentlich. »Die Särge sind unsere Gefängnisse. Die Priester bestatteten uns ohne Identität. Sie verurteilten uns zu ewiger Bewußtlosigkeit, zu einem Tod, der kein Tod ist. Wir schlafen beide namenlos, aber ich besitze mein Erinnerungsvermögen, mein Geliebter nicht. Er schlummert in einem Dämmerschlaf, in dem ich ihn nicht erreichen und er mich nicht hören kann. Seht, ich habe in diesen Tausenden von Jahren ständig versucht, ihn zu wecken, doch es kann nicht durch mich geschehen.«

»Wie kommt es, daß Euer Geist frei umherwandert?«

»Ich weiß es nicht, Davison. Ich bin aufgewacht, das ist alles...«

»Dann könnt Ihr doch fortgehen. Ihr könnt diesen Ort verlassen und zur Sonne fliegen...«

»Ich kann nicht!« jammerte sie. »Ich werde meinen Geliebten nicht verlassen. Ja, aus mir unbekannten Gründen bin ich erwacht, und mein Geist lebt. Aber ich will meinen allerliebsten 'Khnaton, meinen Mann, mein ein und alles nicht verlassen! Wie kann ich die Glückseligkeit des Westlichen Landes genießen, wenn ich weiß, daß er noch immer in diesem kalten Grab liegt, ohne Bewußtsein und traumlos? Davison, Ihr seid ein Narr, wie könnte ich meinen Geliebten verlassen?«

Mark kniff die Augen fest zusammen. »Ich werde wahnsinnig...«

»Ihr müßt die Tat rasch vollbringen, Davison, Ihr müßt uns bald befreien, denn die sieben sind aufgebracht. Ihr müßt uns zum Leben erwecken, bevor sie Euch Einhalt gebieten.«

Ihre Worte gingen in ein Wehklagen über. »Ich sehne mich danach, mit meinem Liebsten wieder vereint zu sein! Gebt uns unsere Namen zurück, Davison, sprecht die magischen Auferstehungsformeln. Dann können mein Geliebter und ich diesen Ort verlassen und in die Glückseligkeit des Westlichen Landes eingehen.«

Mark war innerlich aufgewühlt. »Warum gerade ich?«

»Weil Ihr allein meiner Sprache mächtig seid.«

»Dazu bin ich nicht hierhergekommen! Ich habe eine andere Verpflichtung! Ich muß diese Mumien wegbringen und...«

»Ich habe mir so viel Mühe gegeben!« klagte Nofretete. »All diese langen, trostlosen Jahre! Wie sehr habe ich versucht, mich einer anderen mitzuteilen, und doch hatte ich nicht die Kraft dazu. Diese andere, deren Kopf vom Donner gespalten wurde, war hierhergekommen, und ich versuchte, mich ihrer zu bemächtigen. Doch ich brachte es nicht fertig, denn die Frau war von so unerfüllter Leidenschaft besessen, daß sie zur zügellosen Buhlerin wurde. Ich konnte sie nicht dazu bringen, zu tun, was ich wollte.«

»Amanda Ramsgate...«

»Und die andere mit dem lodernden Haar bekämpft mich. Ihr eigener starker Wille prallt mit meinem zusammen. Wenn meine Liebe für 'Khnaton sie überwältigt, vermag ich sie nicht mehr zu zügeln, wie Ihr gesehen habt. Ihr müßt mein Werkzeug sein, Davison. Ihr kennt unsere Lebensweise und unseren Glauben. Wie lange habe ich darauf gewartet, daß einer wie Ihr in dieses Tal kommt, ein Mann, der mit den alten Sitten vertraut ist. Das Wissen ist in Eurem Kopf bereits vorhanden, Davison. Ihr wißt, daß die Seelen der Toten nicht ohne Identität ins Westliche Land fliegen können. Wenn niemand die gebührenden Formeln und Zaubersprüche rezitiert, ist die Seele auf ewig im Leib gefangen. Und wenn der Leib zerstört wird, wird mit ihm auch die Seele zerstört. Schreibt unsere Namen auf unsere sterblichen Hüllen, Davison, und sprecht die alten Gebete. Dann werden unsere Seelen erlöst, und wir können ein Leben in ewiger Glückseligkeit führen. Aber danach müßt Ihr unsere Mumien schützen und dafür sorgen, daß sie keinen Schaden nehmen, denn wie Ihr wißt, mein Lieber, muß die Seele regelmäßig in den Körper zurückkehren, um zu ruhen...«

Mark hätte schreien mögen. Ja, er wußte es! Er kannte sie nur zu gut, die altägyptischen Vorstellungen vom Leben nach dem Tod. Daß die Seele tagsüber mit der Sonne wanderte und nachts im Körper schlief. Aber die Seele mußte wissen, wo der Körper lag. Was war aus den Seelen der Mumien geworden, die, über die ganze Welt verstreut, in den Glaskästen der Museen lagen? Welches Unheil hatten die Ägyptologen im Namen der Wissenschaft angerichtet? Die Seele würde das Grab bei ihrer Rückkehr leer vorfinden. Wieviel Schmerz und Qual war durch die Wissenschaft verursacht worden! Und er, Mark Davison, war drauf und dran, sich desselben Verbrechens schuldig zu machen – er würde die Leichname weit weg, in eine ferne Stadt nilabwärts bringen, so daß die Seelen des Königs und der Königin verwirrt und verloren im Dunkel des Grabes nach ihrer schützenden Hülle suchen würden...

Er blickte sie über den Sand hinweg an, während er mit seinen widersprüchlichen Gefühlen kämpfte.

»Glaubt an die Götter Ägyptens, mein Lieber, denn sie sind Inkarnationen Atons! Sie existieren...«

»Das glaube ich nicht.«

»Beeilt Euch, Davison, bevor es zu spät ist. Ihr werdet Ruhe vor den Dämonen haben, wenn Ihr uns die Freiheit gegeben habt, doch solange wir schlummern, droht Euch ernste Gefahr.«

»Warum lassen Sie mich nicht in Ruhe?«

»Es beginnt, Davison. Da!« Nofretete streckte einen geisterhaften Arm aus und deutete mit dem Finger auf einen Punkt hinter ihm. »Es beginnt...«

Mark drehte sich um und sah, wie die Eingangsplane des Dunkelkammerzelts zur Seite geschoben wurde. Ron trat wankend heraus und sah sich suchend um. Es schien, als wittere er etwas in der Luft. Mark eilte durch das Lager auf ihn zu. »Was ist los, Ron?«

Ron ließ den Blick langsam über das schlafende Camp gleiten und starrte argwöhnisch auf den dunklen Saum, der das erleuchtete Lager begrenzte. »Da kommt etwas«, flüsterte er. »Aus dieser Richtung nähert sich etwas.«

Mark schauderte und begann unwillkürlich zu zittern. »Ich höre nichts.«

»Du kannst es auch nicht hören. Es ist ein Gefühl. Ich stand am Entwicklerbad, als mich plötzlich ein Gefühl äußerster... Hoffnungslosigkeit überkam.« Er blickte Mark direkt ins Gesicht. »Du spürst es auch. Ich sehe es dir an.«

Mark versuchte, nicht das Gesicht zu verziehen, als ihm ein stechender Schmerz in die Schläfen fuhr. Ja, er spürte es, wie er es zuvor schon zweimal gespürt hatte: ein schreckliches Grauen, eine seelische Qual, das plötzliche Bedürfnis, auf die Knie zu fallen und zu weinen.

»Horch!« Ron hob die Hand. »Jetzt kannst du es hören.«

Mark riß die Augen auf und starrte in die Schwärze jenseits des Lichtkegels. Da war es. Aus der Ferne hörte man es durch die pechschwarze Nacht näher kommen; zunächst nur ein Flüstern, dann aber immer lauter: Tock–tock, tock–tock... Es klang wie der unregelmäßige Schritt eines Betrunkenen, wie das Pochen eines Herzschlags, tock–tock, tock–tock; als ob jemand halb benommen vorwärts taumelte und sich mit schweren Schritten über den kalten Sand schleppte.

Es rückte immer näher.

Ron öffnete den Mund, als wolle er schreien.

Mark trat einen Schritt zurück, prallte gegen eine Zeltstange und blieb wie versteinert stehen.

Es war den ganzen Weg vom Grab zu Fuß heruntergekommen: durch den langen Schacht, die dreizehn Stufen hinauf, durch den dunklen Cañon, das Wadi hinunter, am Fuße der Felswand entlang bis zu den kleinen weißen Zelten. Langsam und unerbittlich näherten sich die geisterhaften Schritte. Es kam barfuß über den Sand.

Dann sahen sie die Gestalt. Sie wankte aus der Dunkelheit ins Licht: eine hochgewachsene, feingliedrige Frau mit cremefarbener Haut und einem wohlgeformten Körper. Sie hatte lange Arme und Beine, und ihr durchsichtiges Kleid gewährte einen Blick auf kleine, feste Brüste mit rosa Brustwarzen, breite Hüften und einen dreieckigen Schatten zwischen ihren Oberschenkeln.

Über ihren Schultern saßen anstelle eines Kopfes zwei lidlose Augen und die harten Scheren eines Skorpions.

Ron stieß einen hohen, erstickten Schrei aus, der an das klägliche Miauen einer Katze erinnerte.

Am Rand des Lichtkreises hielt das Ungeheuer kurz inne, während sich seine gelben, glänzenden Scheren beständig öffneten und schlossen. Dann setzte die Skorpionfrau mit hängenden Armen taumelnd ihren Weg fort. Am Eingang eines der Zelte blieb sie stehen. Mark versuchte zu schreien, eine Warnung auszustoßen, aber er hatte keine Stimme und keinen Atem mehr. Er war gelähmt wie in einem Traum. Er konnte gerade noch mit Entsetzen beobachten, wie die schlanken Arme sich ausbreiteten, als wollten sie einen Geliebten umarmen, da verschwand die Gestalt im Innern des Zeltes.

Ein markerschütterndes Geheul drang nach draußen. Aus der Erstarrung befreit, fiel Mark auf die Knie. Ein Licht nach dem anderen ging an. Jasmina erschien im Eingang ihres Zelts und verknotete rasch ihren Morgenmantel. Sanford Halstead stolperte halbnackt und mit verwirrtem Gesichtsausdruck aus seinem Zelt.

Ein zweites Heulen zerriß die Nacht. Dann konnte auch Ron sich bewegen. Er trat von der Zeltwand weg, taumelte über den Sand und schlug die Plane zurück, durch die das Wesen eingedrungen war.

Auf dem Boden kniete mit glasigen Augen Abdul. Er warf den Kopf zurück und heulte ein drittes Mal auf.

Jetzt waren auch die anderen zur Stelle: Jasmina, die ihre Arzttasche umklammert hielt, Halstead, der völlig entgeistert vor sich hinstarrte, Ron, vom Schluchzen geschüttelt, und schließlich Mark, der gegen die Zeltstange fiel und wie betäubt auf den Körper von Hasim al-Scheichly starrte.

Er lag auf dem Rücken, nackt, mit großen, leblosen Augen, und seine Haut wimmelte von gelben, unbehaarten Skorpionen, die immer und immer wieder zustachen.

Zweiundzwanzig

Mark versuchte, das Zittern seiner Hände unter Kontrolle zu halten, aber es wollte ihm nicht gelingen. Als er sich einen Bourbon eingoß, verschüttete er die Hälfte des Whiskys auf dem Fußboden. Die Eingangsplane wurde zurückgeschlagen, und er schrie auf vor Schreck und ließ das Glas fallen. Es war Jasmina.

Sie sah abgespannt und müde aus; ihr Haar war zerzaust. Sie setzte sich Mark gegenüber, auf Rons Feldbett. »Sie schlafen jetzt.«

Mark hob das Glas auf, legte den Hals der Flasche auf den Glasrand und schaffte es so, sich einen Drink einzuschenken. Er stürzte ihn in einem Zug hinunter.

»Kommen Sie, ich gebe Ihnen ein Beruhigungsmittel«, sagte Jasmina.

»Nein, es geht schon wieder. Machen Sie sich keine Sorgen. Ich habe nicht die Absicht, mich zu betrinken.« Er stellte Flasche und Glas auf den Nachttisch und fuhr sich mit den Fingern durch die Haare. »Die anderen haben sich also wieder gefangen?«

»Ich habe Mr. Halstead und Abdul eine Spritze gegeben, damit sie schlafen können. Seltsamerweise ist Mrs. Halstead nicht aufgewacht, als Abdul schrie, und auch jetzt schläft sie tief und fest weiter.«

»Was ist mit Ron?«

»Er ist dabei, um das Camp herum Kameras aufzustellen und Leitungsdrähte zu spannen. Er sagt, wenn so etwas noch mal passiert, will er ein Foto machen.«

Mark lachte auf, war aber alles andere als belustigt. »Typisch Ron!« Dann schlug er die Hände vors Gesicht und schluchzte: »Mein Gott, sie hat mich gewarnt...«

»Mark...« Jasmina versuchte ihn zu trösten.

Er blickte auf.

»Wir müssen von hier weg«, fuhr sie fort.

»Nein«, widersprach er.

»Wir müssen von hier weg, wir alle, und zwar sofort.«

»Das wollen sie ja gerade«, stieß er mit gepreßter Stimme hervor. »Domenikos und der 'Umda. Begreifen Sie das nicht? Sie versuchen, uns zu verjagen. Wir haben für sie das Grab gefunden, und jetzt wollen sie es für sich. Sie können die Mumien für eine Menge Geld verkaufen.«

Jasmina war überhaupt nicht aufgeregt, ihre Stimme klang ruhig und fest. »Mark, das glauben Sie doch selber nicht. Sie haben die Kreatur gesehen, die Hasim tötete. Ron sagt, es ist ein Dämon aus dem Grab, die Göttin, die die Toten in Fesseln legt.«

»Sie werden diesem Unsinn doch keinen Glauben schenken!«

Jasmina betrachtete Mark eingehend. Sein vernunftwidriges Verhalten zeigte sich in fahrigen Handbewegungen, flackerndem Blick und einem Anflug von Hysterie in der Stimme. Er wollte der Wahrheit ganz einfach nicht ins Auge sehen. Aus einem unerfindlichen Grund wollte er unbedingt hierbleiben...

Sie erhob sich von Rons Bett, zog den Gürtel ihres Morgenmantels enger, setzte sich neben Mark und legte ihm eine Hand auf den Arm. »Lassen Sie mich Ihnen etwas zur Beruhigung geben. Sie sind mit den Nerven völlig am Ende.«

»Nein.« Mark rang angestrengt um Fassung. Er holte mehrmals tief Luft und atmete langsam wieder aus. »Es war nur der erste Schock, als ich Hasim sah... Ich bekomme mich schon wieder in den Griff.« Er faßte nach ihrer Hand und setzte ein beruhigendes Lächeln auf. »Machen Sie sich keine Sorgen um mich, Jasmina.«

»Das tue ich aber, Mark. Ich kann einfach nicht anders.«

Er schaute in ihre dunklen Augen und wurde zusehends ruhiger, als sie sich an ihn lehnte und er die Wärme ihres Körpers spürte. »Sie sind sehr tapfer«, murmelte er. »Sie sind die einzige von uns, der es gelungen ist, einen kühlen Kopf zu bewahren, während Sie herumrannten, Spritzen austeilten, die Kranken versorgten und die Hysterischen zur Vernunft brachten. Eigentlich hätte es gerade umgekehrt sein müssen. In einer solchen Situation könnte man erwarten, daß Sie völlig durchdrehen und daß ich der Mann mit den stählernen Nerven bin, der Sie beruhigt.«

Er verstummte, und sie sahen einander in die Augen. Schwach drangen die Geräusche, die Ron beim Aufstellen der Stative machte, durch die Zeltwand zu ihnen.

»Wir werden folgendes tun, Jasmina: Morgen früh telefoniere ich mit Kairo. Danach werde ich selbst beim Grab Wache halten. Abdul und ich können das schaffen. Sie und Ron bringen unterdessen die Halsteads und Hasims Leiche nach El Minia.«

Sie schüttelte entschlossen den Kopf. »Nein, Mark. Ich werde Sie nicht im Stich lassen. Und ich glaube auch nicht, daß Regierungsbeamte und Polizei helfen können. Wir haben es hier mit einer übernatürlichen Macht zu tun, der wir ausgeliefert sind.«

Er drückte ihre Hand. »Es tut mir leid, Jasmina, aber ich werde jetzt nicht alles aufgeben und fortgehen.«

»Dann werde ich auch bleiben.«

In der tiefen nächtlichen Stille konnte man das Murmeln und Fluchen von Ron Farmer hören, während er um das Camp herum drei Kameras in schrägem Winkel zueinander auf Stative montierte. An den Verschlußkabeln befestigte er dünne Drähte, die er zwischen den Zelten verlegte. Hin und wieder löste er versehentlich ein Blitzlicht aus und schimpfte leise vor sich hin.

»Wenn Sie solche Angst haben«, fragte Mark, »warum wollen Sie dann bleiben?«

Jasmina öffnete den Mund, wandte dann aber den Kopf ab. Mark streichelte die kleine Hand, die unter seiner lag, und staunte über die Gefühle, die plötzlich in ihm aufwallten. Mit Nancy war es niemals so gewesen, nicht einmal ganz am Anfang. Nancy war zu einer Zeit in sein Leben getreten, als er niemanden hatte, weder Freunde noch Familie. Damals stand er gerade am Ende seiner Studienjahre, die von Verzicht und Selbstverleugnung geprägt gewesen waren. Da er neben dem Studium Geld verdienen mußte, hatte er für Freizeitaktivitäten, Freundinnen oder auch nur flüchtige Bekanntschaften kaum Zeit gehabt. Erst als er seinen Doktortitel erlangt hatte und ein Angebot erhielt, nach Assuan zu gehen, hatte Mark sich bereit gefühlt, sein Leben mit einer Frau zu teilen. Er fragte sich jetzt, als er über die Anziehungskraft staunte, die diese bemerkenswerte Frau auf ihn ausübte, ob er es damals mit irgendeiner Frau geteilt hätte – wenn nicht mit Nancy, dann mit einer anderen – und ob er es dann ebenfalls Liebe genannt hätte.

»Wissen Sie, Mark«, murmelte sie mit noch immer abgewandtem Blick, »als ich Sie das erste Mal traf, haßte ich Sie. Ich dachte, Sie seien wie all die anderen, die in mein Land kommen, die Fellachen ausbeuten und sie behandeln wie Tiere.« Sie sah ihn an, Tränen standen ihr in den Augen. »Aber Sie waren ganz anders. Sie waren freundlich zu den Arbeitern und behandelten sie wie Menschen. Und dann entdeckte ich, wieviel Liebe Sie der Vergangenheit unseres Landes entgegenbringen, wie sehr Sie unser kulturelles Erbe schätzen und daß Sie nicht an einen wie Domenikos verkaufen würden, was rechtmäßig Ägypten gehört. Mein Haß begann zu schwinden, in Bewunderung umzuschlagen und dann...«

»Und was dann?«

»Ich kann es nicht aussprechen, Mark. Selbst wenn ich es fühle, kann ich es nicht aussprechen.«

Er legte seinen Arm um ihre Schulter und zog sie an sich. »Dann werde ich es Ihnen sagen...«

»Nein, bitte nicht, Mark. Ich bin eine Fellachin! Die Welten, aus denen wir beide kommen, liegen unendlich weit auseinander. Wir unterscheiden uns in Religion und Tradition, in Sitten und Gebräuchen. Sie fragten mich einmal, warum ich mich im Speisezelt weiterhin von den Männern absondere, obwohl ich für die Emanzipation der ägyptischen Frauen kämpfe. Ich kann einfach nicht anders! Obwohl mein Verstand sich nach Gleichberechtigung sehnt, bin ich im Grunde Fellachin geblieben. Ich bin zutiefst von den alten Verhaltensmustern durchdrungen, Mark. Ich bin in Traditionen gefangen!«

Eine Träne rann ihre Wange herab. »Vielleicht werde ich mich nie ändern, Mark, nicht im Herzen, nicht genug, um einen Mann, der für mich so fremdartig ist wie Sie, unbefangen lieben zu können. Ich werde schon genug Schwierigkeiten mit einem Mann aus meiner eigenen Kultur haben. Ich kann nicht gegen althergebrachte Sitten verstoßen!«

Mark sah sie verständnisvoll an. Er wußte nur zu gut, wovon sie sprach. In Kairo hatte er viele ägyptische Freunde, allesamt jung, gebildet und fortschrittlich eingestellt. Doch bei gesellschaftlichen Anlässen zeigte sich, wie tief sie trotz alledem in der Tradition verwurzelt waren, denn wenn die Männer bei ihrem starken Kaffee im Wohnzimmer saßen, zogen sich die Frauen in die Küche zurück. Einmal hatte Mark versucht, die Frauen dazu zu bewegen, sich zu ihnen zu gesellen – Frauen, die an der Kairoer Universität Recht, Medizin oder Wirtschaftswissenschaften studierten –, doch sie hatten seinen Vorschlag entsetzt zurückgewiesen.

Sanft legte er eine Hand auf ihre Wange und schaute ihr in die Augen. »Wir können die alten Sitten ändern, Jasmina.«

»Nein!« schluchzte sie. »Das ist unmöglich! Sie haben gesehen, wie Abdul uns anschaut, wenn wir zusammen sind. Sosehr er Sie auch bewundert, Mark, er mißbilligt jeden Kontakt zwischen uns.«

»Liebst du mich?«

»Ich kann nicht ...«

»Liebst du mich?« Er faßte sie an den Schultern. »Sag es mir, Jasmina, sag es mir!«

Tränen traten ihr in die Augen und rannen an ihren Wangen herunter, und sie ließ ihnen freien Lauf. »Mark, ich bin keine Jungfrau mehr! Nicht nach dem Jahr, das ich im Haus des *Mudir* verbracht habe! Kein Moslem wird mich wollen, wie kannst du mich wollen?«

Er nahm sie in die Arme und barg ihr Gesicht an seinem Hals. »Weil ich dich liebe, und weil ich dich will. Und ich möchte dasselbe von dir hören.«

Ihre schmalen Schultern hoben und senkten sich bei ihren ängstlichen Schluchzern. Ihre Worte kamen gedämpft, stockend. »Und wenn ich dich liebte, Mark, wozu sollte das gut sein? Du wirst bald nach Amerika zurückkehren, und wir werden uns nie wiedersehen.«

Er richtete sie auf und legte seine Hände auf ihre Schultern.

»Du kommst mit mir, Jasmina.«

Sie sah ihn aus roten, verschwollenen Augen an. »Ich kann nicht mit dir gehen, Mark. Ich habe es mir zum Ziel gesetzt, mich um die Fellachen zu kümmern. Sie brauchen mich, Mark, sie brauchen jemanden, der für sie da ist! Ich kann niemals von hier weggehen. Sie sind mein Leben.«

»Und was ist mit mir? Was bin ich dann?«

Sie senkte den Kopf und antwortete nicht.

»Also gut. Dann bleibe ich eben in Ägypten. Ich kann für die Regierung arbeiten.«

»Nein, Mark«, widersprach sie. Ihre Stimme war plötzlich ruhig, und ihr Weinen ließ nach. »Du wärst hier nicht glücklich. Eine Zeitlang, vielleicht. Aber Kairo ist so ganz anders als Kalifornien. Wie lange würde es dauern, bis du dich danach sehnst, wieder unter deinesgleichen zu sein, auf Partys zu gehen, wo Männer und Frauen zusammenkommen und Alkohol trinken, und in einer Freiheit zu leben, die wir in Ägypten nicht kennen? Wie lange könntest du es aushalten ohne einen amerikanischen Film, einen Hamburger oder deinen Pazifischen Ozean?«

Ihre Worte trafen ihn ins Herz. Es stimmte, er könnte niemals in Kairo leben, nicht auf unbegrenzte Zeit, nicht für den Rest seines Lebens. Es war ihm zu fremd: die übervölkerten Straßen, der Schmutz, die Armut, die strengen islamischen Gesetze... das alles konnte man für eine Weile ertragen, solange man wußte, daß der Aufenthalt von begrenzter Dauer sein würde.

»Und wie würden wir leben?« fuhr sie leise fort, während sie sich die Tränen von den Wangen wischte. »Ich muß in den Dörfern am Nil arbeiten. Meine Lehr- und Forschungstätigkeit zwingt mich, ständig unterwegs zu sein. Welchen Status hätten unsere Kinder? Mit wem wären wir befreundet? Wir müßten gegen so viele Vorurteile kämpfen. Eine Weile mag das gutgehen, ja, aber wie lange würde unsere Liebe dem standhalten?«

Niedergeschlagen nahm er seine Hände von ihren Schultern.

»Mark«, sie hatte ihre Beherrschung wiedererlangt, »nach dem islamischen Gesetz darf nur der Ehemann einer Frau sie berühren. Und wenn sie unverheiratet ist, darf kein Mann sie berühren, nicht einmal aus Freundschaft.«

Er nickte. Wieder mußte er an seine Freunde in Kairo denken, an die junge Frau, die sieben Jahre lang mit einem Architekten verlobt gewesen war und während dieser ganzen Zeit nicht einmal einen Kuß mit ihm ausgetauscht hatte.

»Aber unsere Arbeit hier ist ohnehin bald beendet, Mark, es ist fast vorbei. Wir werden für immer auseinandergehen und uns vielleicht nie wieder begegnen. Und daher... Wenn es dein Wunsch ist, für diese eine Nacht...«

Er legte einen Finger auf ihre Lippen. »Nein, nicht so.«

»Dann laß mich hier bei dir schlafen, Mark. Halt mich bis zum Sonnenaufgang. Ich fürchte mich so sehr...«

Erschöpft legten sie sich auf das Feldbett. Er schlang seine Arme um sie, und Jasmina ließ ihren Kopf auf seiner Brust ruhen. Sie lauschten auf den Wind, der düster durch das Tal heulte.

Mark schlug die Augen auf. Er blinzelte zur dunklen Decke hinauf. Wie lange hatte er geschlafen? Jasmina, die sich wie ein Kätzchen an ihn schmiegte, schlief noch.

Mark horchte. Er war durch ein Geräusch wach geworden. Da war es wieder: ein langgezogenes, wehmütiges Klagen, Davison... Eine Frauenstimme, verträumt, unheimlich, Davison... Ein trauriger, lockender Ruf.

Und dann der Schmerz.

Er rollte den Kopf auf die Seite und stöhnte.

Jasmina setzte sich auf. »Was ist los?« flüsterte sie.

»Es... es kommt wieder.«

Davison...

Sie blickte über ihre Schulter nach hinten. »Jemand ruft dich, Mark.« Jasmina stand auf.

»Nein.« Er packte ihren Arm. »Geh nicht da hinaus.«

»Wer ist das, Mark? Wer ruft dich?«

»Es ist nur der Wind.«

Davison...

»Nein... es klingt wie eine Frauenstimme. Wir müssen nachsehen.« Jasmina ging zum Zelteingang. Er sprang auf, war noch vor Jasmina am Ausgang und zog die Zeltplane beiseite. Draußen stand Alexis Halstead, die in ein schimmerndes, weißes Gewand gehüllt war.

»Davison...«

»Allah«, flüsterte Jasmina. »Das ist nicht ihre Stimme!«

Mark faßte sich an den Kopf und stöhnte auf.

»Was hast du, Mark?«

»Es kommt zurück, kannst du es nicht hören?«

Sie lauschte, und jetzt hörte sie es auch. Aus der Finsternis jenseits des Camps kam ein Zischen...

Etwas wurde hoch in die Luft gehoben und sauste dann mit großer Wucht herab. Eine Axt, ein Schwert...

»Bleib drinnen, Jasmina!«

»Mark...«

Er schob sie ins Zelt zurück und trat schwankend wieder hinaus.

»Welcher ist es?« rief er, während er auf Alexis zutaumelte.

»Es ist der, der für Euch bestimmt ist, Davison. Er kommt zu Euch.«

»Nein!« Er wirbelte im Sand herum und schlug sich gegen die Schläfen. »Das glaube ich nicht! Das ist nicht wahr!«

Ron erschien am Eingang des Dunkelkammerzelts. »Mark, was...«

Er sah Alexis an, und ihm blieb der Mund offenstehen.

»Nehmt Euch in acht, Davison! Bringt Euch in Sicherheit. Lauft zum Grab, denn dort liegt Eure Rettung.«

Ron blickte verständnislos auf Alexis. »Was zum Teufel...«

»Wenn wir wieder zum Leben erweckt sind, Davison, werden die Dämonen ins Reich der Finsternis zurückkehren. Aber Ihr müßt Euch sputen.«

Das Zischen rückte vom Rand des Lagers immer näher.

Im nächsten Moment trat es ins Licht.

Mark erstarrte vor Schreck. Das Wesen hatte die Gestalt eines Mannes, breitschultrig und schmalhüftig, doch wo man Hals und Kopf vermutet hätte, wand sich zwischen den Schultern eine dicke Schlange empor, eine Kobra, die sich angriffsbereit aufgerichtet hatte. Das Ungeheuer zögerte und blieb unsicher schwankend stehen. Im Schein einer Außenlaterne waren seine Umrisse deutlich zu erkennen: die nackte, muskulöse Brust, der faltige Lendenschurz, die sehnigen Arme, der glänzende, schuppige Körper der Schlange, der sich vor- und zurückbewegte, während ihre grünen Augen gefährlich funkelten.

Dann bemerkte Mark, daß das Ungeheuer in einer Hand eine lange, gebogene Sichel trug, die im Licht der Laternen glitzerte. »O Gott!« schrie Ron. »Lauf, Mark! Lauf!« Die grünen Augen der Schlange richteten sich auf Mark, und das Monster bewegte sich auf ihn zu.

Mit langen, entschlossenen Schritten kam das Ungeheuer immer näher, wobei die Kobraaugen Mark in hypnotischer Erstarrung in Bann hielten. Er war sich nicht bewußt, daß Ron und Jasmina hinter ihm vor Entsetzen kreischten. Ihre Schreie verhallten ungehört.

Als das Scheusal nur noch wenige Meter von ihm entfernt war, hob es einen Arm und schwang die große Sichel über dem Schlangenkopf.

Alexis rief: »Rettet Euch, Davison…«

Mark starrte zu den blitzenden Reptilienaugen auf; sie wirkten wie glühende Smaragde. Die schmale, an der Spitze gespaltene Zunge schnellte aus dem Maul des Ungeheuers vor und zurück.

Mit hocherhobener Sichel trat das grauenvolle Untier näher. Mark blickte weiter wie gebannt zu ihm auf und bog den Kopf zurück, als der drei Meter große Dämon nun direkt vor ihm stand. Die Sichel reflektierte das Licht der Laternen und blitzte auf, als der Griff der Dämonenhand sich fester um sie schloß. Im nächsten Augenblick holte das Monster aus, und die Sichel sauste nieder.

Mark hörte: »Effendi!«, und jemand warf sich auf ihn. Die Wucht des Aufpralls streckte ihn zu Boden. Mark schüttelte den Kopf und stützte sich auf die Hände. Er starrte zu dem Ungeheuer auf, das Abdul mit seiner freien Hand den Turban vom Kopf schlug.

Abdul reagierte nicht rechtzeitig, denn schon hatte ihn eine gewaltige Faust an den Haaren gepackt und hochgerissen. Der Ägypter schrie auf. Er wand sich unter dem festen Griff und versuchte sich freizukämpfen, während an einer anderen Stelle ein unsichtbarer Auslöser betätigt wurde. Ein Blitzlicht leuchtete auf, als die Sichel mit sirrendem Ton niederging und Abduls Hals durchtrennte.

Mark mußte sich krampfhaft festhalten, um gegen die plötzlichen Zitteranfälle anzukämpfen, die ihn immer wieder überkamen. Er war allein im Speisezelt.

Er hörte ein Geräusch am Eingang und sprang auf. Doch als er sah, daß es nur Jasmina war, sackte er wieder in sich zusammen. Seine Stimme klang rauh, als er fragte: »Wie geht es ihnen?«

Sie ließ sich auf die Bank ihm gegenüber sinken. »Mr. Halstead hat seine Frau ins Bett gebracht. Er hat die ganze Sache von seinem Zelt aus beobachtet, und als Mrs. Halstead ohnmächtig zu Boden sank, wollte er mich nicht zu ihr lassen. Und er wollte sich auch kein Beruhigungsmittel von mir geben lassen.« Jasmina betrachtete ihre Hände, als wären es fremde Körperteile. »Das Blut von seiner Nase und seinem Mund...«

Mark kniff die Augen zusammen und versuchte, sich die Ereignisse der vergangenen Stunde noch einmal zu vergegenwärtigen: Alexis, die ihn aus dem Schlaf rief; die Erscheinung des Ungeheuers und wie es langsam näher gekommen war; sein völliges Unvermögen, sich zu bewegen oder um Hilfe zu schreien; Abduls Eingreifen, das ihm das Leben rettete; der Anblick von dessen im Sand liegenden Körper mit dem aus dem Halsstumpf strömenden Blut.

Mark vergrub das Gesicht in den Händen und versuchte, dieses letzte, erschreckende Bild zu verdrängen – wie der Dämon über ihm gestanden hatte, mit einer Hand wieder die Sichel hob und mit der anderen Abduls bluttriefenden Kopf emporhielt –, doch es hatte sich in sein Gehirn eingeprägt wie ein Brandmal, und Mark wußte, er würde es nie vergessen können.

Und dann war der Schrecken so schnell zu Ende gewesen, wie er begonnen hatte. Während sie noch alle wie betäubt dastanden und auf die grausige Szene starrten, löste sich der Dämon vor ihren Augen in Luft auf, und Abduls Haupt fiel mit einem gräßlichen, dumpfen Aufschlag in den Sand. Danach hatte sich alles wie im Traum abgespielt. Halstead, der über dem zusammengesunkenen Körper seiner Frau schluchzte. Ron, der verstohlen seine Kamera packte und zurück in die Dunkelkammer lief. Jasmina, die über dem armen Abdul kniete... Ein paar Augenblicke später hatte Mark mit Jasminas Hilfe Abduls sterbliche Überreste ins Arbeitszelt getragen, wo bereits Hasims Leiche lag.

»Mir ist kalt«, flüsterte Mark. »Ich habe noch nie eine Nacht erlebt, die so kalt war wie diese...«

Jasmina ging um den Tisch herum und setzte sich neben ihn. Sie lehnte sich an ihn, nahm eine seiner eisigen Hände und rieb sie zwischen ihren. »Es wird bald hell.«

»Ich weiß nicht, was ich mit... mit seiner Leiche tun soll«, murmelte

Mark und legte seine Wange an ihr Haar. »Am besten, ich fahre zum Haus des '*Umda* und rufe die Polizei.«

»Wie willst du ihnen seinen Tod erklären?«

»Ich weiß nicht...«

»Was wird danach geschehen?«

»Wenn die Sachverständigen von der Behörde für Altertümer erst einmal hier sind, werden wir die Arbeit fortsetzen, denke ich. Die Sarkophagdeckel müssen entfernt und die Mumien untersucht werden...«

Jasmina ließ seine Hand los und zog sich zurück. Sie musterte ihn traurig, beinahe mitleidig.

»Was ist los?«

»Hast du immer noch nicht gemerkt, daß wir die Ruhe dieser Toten nicht stören sollen, Mark? Dies ist der Grund für alles Unheil. Und das zeigte sich schon ganz am Anfang, als der Fellache beim Teezubereiten in den Ruinen einen Herzanfall bekam. Er hat etwas gesehen, Mark, etwas, das ihn zu Tode erschreckt hat.«

Marks Miene wurde düster, er wirkte gehetzt. Jasmina stand auf und zog ihn sanft am Arm. »Komm.«

Sie stapften erschöpft durch das dunkle Camp. Der Himmel über ihnen schien aus klirrendem Eis zu bestehen. Im Osten übertünchte ein blasses Blau die verlöschenden Sterne. In ihrem Zelt knipste Jasmina eine Glühbirne an und ging zum Arbeitstisch. Sie griff nach einem Röhrchen gelber Tabletten und forderte Mark auf: »Hier, nimm.«

»Ich will nicht schlafen. Warum nimmst du sie nicht?«

»Weil ich mir diesen Luxus nicht erlauben kann. Ich habe den Kranken gegenüber eine Verpflichtung. Ich darf sie nicht allein lassen. Mark, geh und leg dich eine Weile hin, bitte.«

Er sah sie hilflos an, seufzte dann tief und verließ das Zelt.

Eine Stunde später wurde er durch ein lautes Motorengeräusch geweckt und wunderte sich mehr über die Tatsache, daß er geschlafen hatte, als darüber, daß jemand einen der Landrover startete.

Aufgeregtes Geschrei ließ ihn aufspringen, und er stolperte noch halb schlaftrunken zur Zeltöffnung. Er blinzelte hinaus in den strahlenden Morgen und sah, wie Ron und Jasmina hinter dem Fahrzeug herrannten, das sich mit durchdrehenden Reifen rasch vom Camp entfernte.

»Was ist denn hier los?« fragte er.

»Die Scheißkerle haben unseren Landrover gestohlen, das ist los!« brüllte Ron.

»Wer?«

»Der letzte *Ghaffir* und Abduls Helfer! Sie haben uns im Stich gelassen! Jetzt sind wir mutterseelenallein hier draußen, eine leichte Beute!«

Sanford Halstead trat unrasiert aus seinem Zelt. »Was geht hier vor...?«

Mark drehte sich ruckartig um. »Ich fahre nach El Till.«

Ron folgte ihm in ihr gemeinsames Zelt. »Ich komme mit.«

»Nein.« Mark riß sich eilig das Hemd vom Leib, klatschte sich kaltes Wasser über den Oberkörper und rieb sich dann gründlich trocken.

»Du bleibst hier und sorgst dafür, daß hier nichts passiert. Binnen einer Stunde wird die Polizei hier anrücken.«

»Kommt nicht in Frage, mein Lieber! Ich bleibe nicht hier!« Ron zog ebenfalls sein Hemd aus, das mit Chemikalien aus seinem Fotolabor befleckt war, und schlüpfte in ein Greenpeace-T-Shirt. »Wir halten zusammen.«

»Jetzt hör mir gut zu, Ron. Wir können nicht beide gehen. Das würde Domenikos Gelegenheit geben, die Mumien zu stehlen.«

»Himmel noch mal!« schrie Ron. »Glaubst du vielleicht immer noch, daß dies alles das Werk dieses dicken Griechen ist?« Er packte einen Filmstreifen, der auf seinem Bett lag, und warf ihn Mark ins Gesicht.

»Schau dir das mal an, und schau es dir genau an!«

Mark sah Abdul aufrecht dastehen, während sein Kopf mit einem vor Entsetzen verzerrten Gesicht einen guten Meter über seinen Schultern schwebte.

Mark wandte sich ab.

»Der verdammte Dämon erscheint nicht auf dem Foto, er ist... ein Geist, Mark! Und du machst immer noch Domenikos für all das verantwortlich! Wir sind in eine tödliche Falle geraten, Mann!«

Mark sagte mit tonloser Stimme: »Ich werde das Telefon des *'Umda* benutzen und dann sofort zurückkommen. Heute mittag wird alles unter Kontrolle sein.« Er ließ sich neben seinem Bett auf die Knie nieder und langte so weit wie möglich nach hinten. Ächzend zog er eine kleine Kiste hervor, die noch immer versiegelt war.

»Was ist das?«

»Etwas, das ich auf jeder Expedition dabeihabe, das ich bislang aber noch nie benutzen mußte. Es ist nur für den Notfall.« Er brach die Latten auf und enthüllte vier in Stroh eingebettete 38er Smith-and-Wesson-Revolver.

»O nein, Mann...«

Mark nahm eine der Waffen zusammen mit einer Schachtel Patronen heraus. Mit ruhigen, geschickten Handbewegungen drückte er den Knopf auf der rechten Seite des Revolvers, ließ durch einen Ruck die Trommel heraustreten und lud in jede Kammer eine 38-Kaliber-Patrone. Nachdem er sich durch einen prüfenden Blick vergewissert hatte, daß die Patronen mit der Rückseite der Trommel abschlossen, ließ er sie wieder in der Mitte der Waffe einrasten.

»Gegen die Dämonen kannst du damit gar nichts ausrichten!«

»Hör zu, Ron.« Mark stand auf und hielt ihm die Pistole hin. »Du wirst sie brauchen, falls Domenikos oder irgend jemand anderes hier auftauchen sollte.«

»Du armer Irrer...«

Die Eingangsplane wurde angehoben, und Sanford Halstead steckte den Kopf herein. Er hielt sich ein blutiges Taschentuch vor die Nase.

»Was machen Sie da drinnen?«

»Wir kommen gleich heraus, Halstead«, gab Mark zur Antwort.

»Moment mal...« Als Halstead den Revolver entdeckte, kam er ins Zelt. »Wozu soll das dienen?«

»Wir müssen uns und das Grab verteidigen.«

»Pistolen werden nicht vonnöten sein, Davison«, entgegnete Halstead grimmig. »Wir verlassen das Camp.«

»Was?«

»Und Sie können uns nicht aufhalten.«

Mark blickte seinen Freund an. »Ron?«

»Wir müssen hier raus, Mark. Wir müssen uns in Sicherheit bringen.«

»Das ist doch wohl nicht dein Ernst! Schau, ich fahre jetzt auf der Stelle nach El Till, und ich verspreche dir, die Polizei wird innerhalb einer Stunde hier sein.«

»Jetzt hören Sie mir mal zu, Davison!« schrie Halstead durch sein blutgetränktes Taschentuch hindurch. »Ich weiß nicht, was das für eine Kreatur war, die den Ägypter erwischt hat, aber ich werde nicht hierbleiben, um abzuwarten, ob sie Lust verspürt, zurückzukommen! Es ist mir scheißegal, wer oder was es war. Ich weiß genau, wann mein Leben in Gefahr ist!«

»Wo wollen Sie denn hin?«

»Wir fahren nach Mellawi. Lassen Sie Leute aus Kairo kommen und die Grabarbeiten beenden. Ich kann darauf verzichten.«

Als Halstead sich zum Gehen wandte, packte Mark ihn am Arm. »Sie können das Camp nicht im Stich lassen! Begreifen Sie nicht? Genau das wollen sie doch!«

»Na und wenn schon? Überlassen Sie ihnen doch das verfluchte Camp! Keine Mumie ist mir so viel wert, daß ich mein Leben dafür riskiere!« Halstead stieß Mark zurück und rauschte aus dem Zelt.

»Ich fasse es nicht!«

»Und ich schließe mich ihm an«, sagte Ron und eilte Halstead nach.

Mark blieb einen Augenblick lang stehen und wog die Waffe in der Hand. Dann schleuderte er sie aufs Bett, griff nach seinem Hemd und rannte ebenfalls hinaus.

Sie saßen bereits in einem Landrover, als Mark sie einholte. Sanford lehnte den Kopf gegen das Fenster; Ron hatte hinter dem Steuer Platz genommen. Jasmina stand händeringend daneben. Als sie Mark kommen sah, rannte sie ihm entgegen. »Ich konnte sie nicht aufhalten! Er darf nicht wegfahren! Er ist zu krank, laß sie nicht fahren, Mark!«

Er schaute auf Halsteads Hemd, das bereits blutbefleckt war. »Seien Sie doch vernünftig. Geben Sie mir nur eine Stunde. Dann werden die Polizei und ein Arzt hier sein...«

Als der Geländewagen anfuhr, schrie Mark sie noch einmal an. Dann wandte er sich zu Jasmina um. »Du bleibst hier bei Mrs. Halstead.« Er stürzte zu dem verbleibenden Landrover.

Fünf Minuten später hielten die Landrover jäh in einer Wolke aus Staub und Sand. Niemand wartete, bis die Sicht wieder klar war. Halstead und Ron sprangen heraus und rannten auf den Fluß zu.

»Wartet doch!« brüllte Mark, der sich ihnen an die Fersen heftete. »Kommt mit mir zum 'Umda! Dort seid ihr sicher!«

Ron rief über die Schulter zurück: »Komm du mit uns, und mach deinen Anruf von Mellawi aus!«

Mark starrte ihnen nach und ballte die Fäuste. Dann lief er zum Haus des 'Umda.

Im Dorf war es seltsam still. Die engen Gassen waren wie ausgestorben. Nicht ein einziges Kind spielte im Sand. Die Hauseingänge waren mit Stöcken und Stoffbahnen versperrt. Kein Laut drang aus den dunklen Fensterlöchern. Die Felder waren ebenfalls verwaist, die Pflüge standen herum. Nur der Wind flüsterte durch die Lehmziegelbehausungen.

Als Mark das Haus des 'Umda erreichte, stellte er fest, daß die Tür verschlossen und die Fenster mit Stroh ausgestopft waren. Mark klopfte zunächst laut und vernehmlich an und versuchte dann, die Tür aufzustoßen. Das Haus war fest verriegelt.

Er wandte sich ab und folgte dem Pfad zum abgelegenen Wohnhaus von Constantin Domenikos. Doch an diesem Morgen spielten keine Kinder im Hof. Fenster und Türen waren zugenagelt.

Mark stemmte die Hände in die Hüften und schaute hinaus auf die verlassenen Felder. Ein einsamer Büffel kaute träge an einem Grasbüschel.

Mark marschierte zurück zu dem weißgetünchten Haus des 'Umda. Er hämmerte gegen die Tür und schrie: »Kommt schon heraus, ich weiß, daß Ihr da drin seid! Ich werde nicht gehen, bevor ich mit Euch gesprochen habe!«

Er hielt inne und horchte. Der heulende Wind fegte über den winzigen, ausgestorbenen Platz.

»Gott verdammt!« brüllte er. »Ich muß dringend Euer Telefon benutzen! Es handelt sich um eine offizielle Angelegenheit, *Hagg*. Wir müssen dringend die Behörden anrufen und brauchen dazu Euer Telefon!«

Noch immer rührte sich nichts. Ringsumher herrschte eine Totenstille, und ihn überfiel das ungute Gefühl, daß er von hundert unsichtbaren Augen beobachtet wurde.

Dann hörte er, wie jemand durch die engen Gassen, die zum Haus des 'Umda führten, auf ihn zugerannt kam. Mark fuhr herum und machte sich auf das Schlimmste gefaßt. Einen taumelnden Halstead stützend, erschien Ron Farmer auf dem Platz.

»Was ist passiert?«

»Sie weigern sich, uns überzusetzen«, stieß Ron aufgeregt hervor.
»Wir haben ihnen tausend Dollar angeboten, aber sie wollen uns partout nicht auf die andere Seite des Flusses bringen! Sie sagen, daß sie mit uns untergehen würden!«

»Wie viele Männer sind unten am Nilufer?«

»Nur die Eigentümer der Feluken.« Ron sah sich um. »Wo ist der *'Umda*? Wo sind die ganzen Leute?«

»Ich habe keine Ahnung.«

»Oje!« entfuhr es Ron, der über Marks Schulter spähte. Mark drehte sich um und sah sich vier hochgewachsenen Fellachen gegenüber, die langsam auf sie zukamen. In den Händen hielten sie schwere Knüppel.

»Wo ist der *'Umda*?« fragte er auf arabisch.

Die vier Männer blieben vor der Tür zum Haus des *'Umda* stehen.

»Wir bitten darum, das Telefon des *Haggs* benutzen zu dürfen!«

Dann begann einer von ihnen zu sprechen. Er ließ laut und erregt einen beinahe endlosen Wortschwall auf sie niedergehen. Mark unterbrach ihn ärgerlich. Als er ein paar Fragen und Antworten mit ihnen gewechselt hatte, stöhnte Mark auf und ließ ein wenig die Schultern hängen.

Halstead, dem das Blut aus den Mundwinkeln trat, fragte: »Worum geht es hier?«

»Sie sagen, als der letzte *Ghaffir* vor kurzem im Dorf haltmachte, versuchte der *'Umda* den *Ma'mur* zu verständigen.«

»Und?«

»Die Verbindung kam nicht zustande. Die Telefonleitung ist tot.«

»Dann bewegen Sie den Alten dazu, daß er herauskommt! Wir brauchen ein Fährboot!«

»Das ist zwecklos, Halstead, er ist ebenfalls tot. Sie sagen, er starb am Telefon. Er starb, während er mit offenen Augen dastand und auf das Gespräch wartete. Jetzt wollen sie, daß wir von hier verschwinden.«

»Aber dazu müssen wir doch den Fluß überqueren!«

»Halstead, die Fährleute wollen uns nicht in ihren Booten!«

»Dann nehmen wir uns eben die verdammten Boote!« Er wandte

sich an Ron. »Farmer, Sie sind doch ein Segler, können Sie mit einer Feluke umgehen?«

»Ich weiß nicht. Ich segle auf dem Meer, auf Flüssen habe ich keine Erfahrung. Der Nil ist wie der Mississippi, voller versteckter Sandbänke. Da muß man sich ganz genau auskennen. Ich glaube nicht, daß ich das kann.«

»Dann lassen wir es einfach darauf ankommen. Alles ist besser, als hierzubleiben!« Halstead drängte sich an ihnen vorbei und wankte davon. Ron eilte ihm nach.

Als sie die Landungsbrücke erreichten, stellte sich ihnen eine Gruppe Fellachen entgegen, die die Boote mit Mistgabeln bewachten.

Halstead stutzte. »Handeln Sie mit ihnen, Davison. Sagen Sie ihnen, daß sie haben können, was sie wollen. Das Camp, das Grab, was auch immer.«

»Sind Sie verrückt?«

»Sagen Sie es Ihnen!«

Mark versuchte, mit den grimmig dreinblickenden Männern zu sprechen, die wie ein Trupp Soldaten am Ufer Stellung bezogen hatten. Doch als er den Ausdruck in ihren Augen sah, verließ ihn der Mut.

»Es hat keinen Sinn, Halstead. Sie werden nicht auf uns hören.«

»Wir müssen aber hinüber, Davison!«

»Schon gut, schon gut. Bloß keine Panik! Hören Sie, es gibt noch weitere Landungsstege in El Hawata und Hag Qandil. Wir werden mit Tee und Cola zurückkommen und dann...«

»Mark«, murmelte Ron.

Die Fellachen kamen auf sie zu.

»Mark, ich glaube, die machen Ernst!«

»Verdammt noch mal!«

Bevor die Fellachen noch näher kommen konnten, hatten die drei schon auf dem Absatz kehrtgemacht und Reißaus genommen. Hinter sich hörten sie das dumpfe Aufklatschen nackter Füße auf dem Sand.

Halstead stolperte und fiel zweimal hin. Ron und Mark mußten ihn unter den Achseln fassen und hinter sich herziehen. Seine Nase blutete so heftig, daß sie ihm das Hemd ausziehen und es ihm vors Gesicht binden mußten.

Sie erreichten die Landrover und ließen gerade die Motoren an, als die

Fellachen ihre Mistgabeln nach ihnen schleuderten. Sie hagelten auf die Fahrzeuge nieder, gefolgt von wütendem Gebrüll und Verwünschungen. Die Geländewagen flogen buchstäblich über die Erdwälle und Ruinenfelder. Nachdem die drei keuchend und mit zitternden Knien im Camp angekommen waren, japste Halstead: »Die Revolver! Wir können uns den Weg zu den Booten freischießen!«

Mark versuchte ihn festzuhalten, als er vorwärts stolperte. »Halstead, seien Sie kein Narr! Wenn wir jetzt noch mal zurückkehren, werden da hundert auf uns warten! Es würde ein Blutbad geben!«

Als Mark vorstürzen wollte, um Halstead aufzufangen, brach dieser vor Marks Zelt ohnmächtig zusammen.

Mark blickte auf, als Jasmina das Zelt betrat. »Nun?«

»Er ist sehr krank und nicht transportfähig. Er braucht einen Arzt, Mark.«

»Ich werde einen Weg über den Fluß finden müssen, doch bei Tag ist es unmöglich.«

Mark schaute auf die Uhr. »In ein paar Stunden geht die Sonne unter.«

»Wie willst du hinüberkommen?«

»Ich weiß nicht. Vielleicht werde ich ein Boot stehlen. Ich glaube nicht, daß ich imstande bin, die ganze Strecke schwimmend zurückzulegen, aber vielleicht bleibt mir nichts anderes übrig. Jedenfalls . . .«, er sah Jasmina fest in die Augen, »muß ich es allein tun. Das bedeutet, ihr vier werdet ohne mich hierbleiben. Wirst du damit fertig?«

Sie zögerte. »Ja . . .«

»Wäre es dir lieber, wenn ich hierbleibe?«

»Du mußt gehen, Mark. Du wirst auch in den anderen Dörfern keine Hilfe finden, und östlich von uns ist nichts als Wüste. Du mußt nach Mellawi durchkommen und dort die Polizei verständigen.«

Das Geräusch einer zuschlagenden Wagentür und eines anspringenden Motors ließ sie herumfahren und auf die Zeltöffnung starren. »Was hat das schon wieder zu bedeuten?« Mark und Jasmina stürzten hinaus und erwischten gerade noch Ron, der im Begriff war, wegzufahren. Mark brüllte hinter ihm her, und der Landrover bremste.

»Darf man erfahren, was das soll?« fragte Mark keuchend, als er bei seinem Freund anlangte.

»Ich fahre zum Grab.«

»Warum?«

Ron hielt das Lenkrad so fest umklammert, daß seine Fingerknöchel weiß hervortraten. »Ich will nachsehen, was in den Sarkophagen ist.«

»Ron, nicht jetzt...«

»Ich will wissen, wofür wir unser Leben aufs Spiel setzen.«

»Ron, hör zu...«

Ron musterte Mark mit einem vernichtenden Blick. »Es wartet nicht, Mark. Ich muß es wissen. Ich muß sehen, was sich in diesen Särgen befindet. Du kannst machen, was du willst, ich fahre jedenfalls zum Grab.«

Der äußerst gelassene Tonfall in Rons Stimme beunruhigte Mark. »Warte einen Augenblick, ich komme mit.«

Zu Jasmina sagte Mark: »Wirst du hier mit den beiden anderen klarkommen?«

»Sie schlafen jetzt.«

»Komm einen Moment mit mir, Jasmina. Ron, ich bin gleich zurück.«

Mark führte Jasmina zu seinem Zelt. Sobald sie eingetreten waren, drehte er sich zu ihr um und meinte: »Ich kann ihn nicht aufhalten. Ich muß mit ihm fahren. Aber ich verspreche dir, daß ich vor Anbruch der Dunkelheit zurück bin. Hier«, er nahm einen der Revolver vom Bett, »ich möchte, daß du ihn immer bei dir trägst.«

Jasmina starrte auf die Waffe, die er ihr in die Hand drückte.

»Wirst du davon Gebrauch machen, wenn es sein muß?«

»Ja.«

»Wenn die Halsteads aufwachen, bevor ich zurückkomme, sag ihnen, daß ich weggefahren bin, um Hilfe zu holen. Das ist zwar eine Lüge, aber es wird sie beruhigen. Wirst du zurechtkommen?«

»Ja...«

Er faßte sie an den Schultern und küßte sie auf den Mund. Dann eilte er aus dem Zelt.

»Du begehst einen Fehler, Ron.«

»Das ist mir egal.«

»Noch sind die Mumien in Sicherheit. Niemand kommt an sie heran.

Wenn wir aber die Sargdeckel entfernen, haben wir keine Möglichkeit, sie vor Räubern zu schützen.«

»Mir scheint, daß Räuber im Moment unsere geringste Sorge sind.«

Mark schwieg den Rest der Fahrt über, und als sie in den Cañon hineinfuhren, bemerkte er zwei Dinge, die ihn beunruhigten: Der Tag neigte sich dem Ende zu, und der Tankanzeiger des Landrovers stand fast auf »leer«. Als sie am Grabeingang hielten, sprang Ron heraus, rannte zur Rückseite des Fahrzeugs und zerrte eine schwere Rolle Nylonseil heraus. »Hoffentlich ist es lang genug«, stieß er hervor, während er die Stufen hinuntereilte. »Wenn nicht, werde ich die Deckel wegsprengen.«

Ron stürmte durch die Öffnung ins Innere des Grabes, und Mark folgte ihm dicht auf den Fersen. Die beiden hasteten im schwachen Lichtschein ihrer Taschenlampen den dreißig Meter langen Schacht entlang. Eilig kletterten sie die Strickleiter hinunter, stießen mit den Füßen die Ausgrabungswerkzeuge beiseite und traten durch die Tür in die Sargkammer. Dabei entdeckte Mark, daß die von ihnen zurückgelassenen Laternen zerbrochen waren und über den Fußboden verstreut lagen. Die Taschenlampen stellten somit ihre einzige Lichtquelle dar.

Ron und Mark arbeiteten schnell und ohne ein Wort zu sprechen. Sie schlangen das Ende des Seils um einen der Sargdeckel und knoteten es fest. Als Ron anfing, das Seil zu entrollen, und sich langsam in Richtung Ausgang bewegte, hielt Mark ihn zurück und warnte ihn ein letztes Mal: »Das ist ein Fehler, Ron.«

Im matten Schein der Taschenlampen wirkte Rons Gesicht wie das eines Fremden. »Ja, aber es wird nicht unser letzter sein. Wenn du mich hupen hörst, schiebst du das Ding an.«

Mark legte die Taschenlampe auf den Deckel des anderen Sarkophags und stellte sich in Position. Die Grabkammer war schrecklich dunkel, nachdem Ron die zweite Lampe mitgenommen hatte. Mit Ausnahme des kleinen Lichtkegels, der von seiner eigenen Lampe ausging, war der ganze Raum in die furchterregendste Finsternis gehüllt, die Mark je erlebt hatte. Als er Ron durch den Gang davonhasten hörte und er seine Hand auf den kalten Granit legte, schnürte sich ihm vor Angst die Kehle zu.

Es schien eine Ewigkeit zu dauern, bis er endlich den Motor anspringen hörte. Dann kam das Hupsignal. Von draußen vernahm Mark das Knirschen der Räder im Sand, merkte, wie sich das Seil spannte, und einen Augenblick später begann sich der schwere Sarkophagdeckel ächzend zu bewegen.

Kurz darauf erstarb das Motorengeräusch, und Mark hörte Rons Schritte im Gang. Wenige Sekunden später wurde der Strahl einer Taschenlampe sichtbar, und Ron fragte: »Wieviel haben wir geschafft?«

Mark hatte Mühe, seine Stimme wiederzufinden. »Etwa fünfzehn Zentimeter...«

Ron richtete die Taschenlampe auf die Kante des Deckels und stellte fest, daß sich zwischen dem Deckelrand und der dicken Sarkophagwand ein winziger Spalt aufgetan hatte. »In Ordnung, laß es uns noch mal versuchen. Neunzig Zentimeter dürften ausreichen. Mehr brauchen wir nicht, um zu sehen, was da drin ist.«

Mark litt Höllenqualen, als Ron wieder wegging und seine Taschenlampe mitnahm. Er schwitzte jetzt so stark, daß sein Hemd ihm kalt und naß am Körper klebte. Eine unbeschreibliche Furcht lähmte ihn. Er versuchte, die Schreckensbilder zu verdrängen, die sich in seiner Phantasie zusammenbrauten und ihn zu überwältigen drohten. Er zwang sich mit aller Macht, sich auf die bevorstehende Aufgabe zu konzentrieren, die – so versuchte er sich einzureden – doch lediglich darin bestand, einen schweren Stein zu verschieben, nichts weiter.

Doch als der Deckel sich erneut unter seinen Händen zu bewegen begann und die dunkle Öffnung immer weiter und bedrohlicher klaffte, packte Mark das kalte Grauen, und er konnte nur mit Mühe einen Schrei unterdrücken.

Das Kratzen des Deckels übertönte das beruhigende, vertraute Motorengeräusch. Es war wie das Knarren eines rostigen Tors, das den Weg zur Hölle freigab.

Während er schob und ächzte, und der Deckel sich zentimeterweise bewegte, liefen Mark dicke Schweißtropfen über die Stirn. Er beugte sich jetzt schon weit über den offenen Sarg; unter ihm gähnte eine dunkle Höhlung. Er kniff die Augen zusammen und stellte sich vor, wie eine riesenhafte Hand plötzlich vorschnellte und ihn packte...

»Wie sieht es aus?«

Mark schrie auf.

»He!« Ron lief um den Sarkophag herum und rüttelte Mark am Arm. »Ich bin's doch nur! He, nun komm schon!«

Mark wich von dem Sarg zurück und stützte sich keuchend auf Ron.

»Du... hast mich zu Tode erschreckt...«

»Ach was«, Ron legte seinen Arm um Marks Schultern, »du hast dich zu sehr ins Zeug gelegt. Dabei hättest du den Stein nur dirigieren müssen. Der Landrover hat die ganze Arbeit getan. Na los, reiß dich zusammen.«

Mark schöpfte mehrmals tief Luft. Als er schluckte, hatte er einen beißenden, metallischen Geschmack im Rachen. »Geht schon wieder...«

»Bist du sicher?«

»Ja...« Mark hustete und sagte dann mit festerer Stimme: »Es ist wieder alles in Ordnung. Laß uns mal sehen, was wir da haben.«

Die beiden Ägyptologen stellten sich dicht nebeneinander und richteten die Strahlen ihrer Taschenlampen in das schwarze Loch unter dem Sarkophagdeckel. Sie staunten.

Dreiundzwanzig

Eine halbe Stunde später spähten sie auch in den zweiten Sarg.

Ron war zum Landrover zurückgegangen und hatte den ersten Deckel ganz heruntergezogen. Beim Auftreffen auf den Steinboden war er in zwei Hälften zerbrochen. Dann hatten er und Mark den Deckel des zweiten Sarkophags entfernt, der ebenfalls zu Bruch gegangen war. Jetzt konnten sie den Inhalt der Särge vollständig in Augenschein nehmen.

Mark wisperte in verschwörerischem Ton: »Ich habe nie zuvor eine so ausgezeichnete Präparierung gesehen.«

»Sie sind in jeder Hinsicht vollkommen«, pflichtete Ron ihm bei. »Es ist... als hätte man sie eben von der Einbalsamierungsstätte hierhergebracht. Sie weisen überhaupt keine Anzeichen von Verwesung oder Verfall auf!«

Die beiden Ägyptologen standen über den ersten Sarg gebeugt und ließen die Strahlen ihrer Taschenlampen über die Mumie gleiten. Jede Einzelheit der Perfektionsarbeit wurde deutlich sichtbar: die Präzision, mit der der Leichnam gewickelt worden war, das geometrische Muster der Bandagen, das reine Weiß der leinenen Tücher.

Die Sarkophage enthielten zwei kleine Menschen, die beide mit der gleichen Sorgfalt und auf identische Art und Weise gewickelt worden waren. Doch keine Totenmasken bedeckten ihre Gesichter, keine Amulette oder Zaubersprüche waren in die leinenen Verbände eingewoben. Es waren schlichte, ordentlich verschnürte Bündel ohne bestimmte Merkmale, die in Kästen aus kaltem Granit lagen.

»Diese hier ist weiblich«, bemerkte Ron leise. »Sieh dir die Haltung der Arme an.«

Mark hatte es schon bemerkt. Die andere Mumie hatte die Arme über der Brust verschränkt, was darauf hindeutete, daß es sich um den Leichnam eines Königs handelte. Diesem hier, klein und puppenähnlich, hatte man jedoch nur einen Arm über die Brust gelegt und den anderen ausgestreckt, so wie man Königinnen zur letzten Ruhe gebettet hatte.

»Was meinst du, wer ist das?« fragte Ron mit gedämpfter Stimme.

Marks Taschenlampe beleuchtete einen Gegenstand. Ein winziges Stück Papyrus, das zwischen den Bandagen über der Brust der Toten steckte. Er wußte schon, was es war. Behutsam langte er hinunter und zog den Papyrusstreifen mühelos heraus. Er war vergilbt und brüchig, aber noch ausreichend gut erhalten, um die Schriftzeichen darauf erkennen zu können. Mark richtete den Strahl seiner Lampe auf die Hieroglyphen.

Ron beugte sich darüber, so daß sein langes, blondes Haar den Arm der Königin streifte. »Eine priesterliche Handschrift«, murmelte er, »eilig hingekritzelt. Sieht aus, als wäre es nur ein einziges Wort. Ich glaube, ich kann es lesen...« Ron drehte sich um. Er starrte einen Augenblick auf den Papyrus und wich dann langsam zurück. Er blickte Mark über den Sarg hinweg an und flüsterte kaum hörbar: »Nofretete!«

Mark konnte den Blick nicht von der friedlichen, beinahe heiter wirkenden jungen Frau wenden, die da vor ihm lag, und murmelte: »Deshalb kann sie sich frei bewegen. Deshalb erinnert sie sich...«

»Wie bitte?«

Er hob den Kopf. »Ich denke, wir werden nie erfahren, wer das Papyrus da hineingeschoben hat. Vielleicht eine ihrer Töchter, möglicherweise auch der kleine Tutanchamun. Vielleicht auch ein enger Vertrauter, dem es gelang, einen Priester zu bestechen, oder der sich in das Haus einschlich, in dem die Einbalsamierung vorgenommen wurde, und sein Leben riskierte, um das Papyrus unter den Bandagen zu verstecken. Vielleicht«, er blickte über die Schulter, »vielleicht beabsichtigten sie, für Echnaton dasselbe zu tun, wurden aber dabei erwischt...«

»Wovon redest du eigentlich?«

Ein ferner Donnerschlag durchbrach ihr Schweigen. Erschreckt drehten sich die beiden zu der schwarzen Öffnung um, die in die Vorkammer führte. »Regnet es wieder?« wunderte sich Ron und erschauerte, als er sich an das vorige Mal erinnerte. Doch als das zweite Krachen ertönte, stellte Mark fest: »Das ist kein Donner, das sind Schüsse!«

Sie verließen eilends das Grab und traten in einen leuchtenden, glutroten Sonnenuntergang hinaus. Ron löste schnell das Seil von der Anhängerkupplung und schwang sich in den Landrover, als Mark schon losbrauste. Weitere Schüsse hallten von den Felsen wider, während sie holpernd durch die enge Schlucht ins Hauptwadi jagten. »Los, drück auf die Tube!« brüllte Ron, der bei jedem Ruck vom Sitz hochgeschleudert wurde.

Mark warf einen flüchtigen Blick auf die Tankanzeige und packte das Lenkrad so fest, daß seine Hände schmerzten.

Die Schüsse wurden immer lauter, während Mark und Ron sich mit Vollgas dem Ausgang des Wadis näherten. Vor ihnen lag das gewaltige Ruinenfeld der Arbeitersiedlung im letzten Glühen eines imposanten Sonnenuntergangs. Aber noch bevor sie die Ruinen erreichten, wurde der Landrover langsamer und kam schließlich zum Stehen.

»Warum hast du angehalten?«

Mark sprang mit einem Satz aus dem Wagen. »Kein Benzin mehr! Komm schon!«

Sie legten den Rest des Wegs im Laufschritt zurück, sprinteten durch den Sand, wichen Schotterhügeln aus und sprangen über hüfthohe Mauern. Das Camp, dessen Zelte in der untergehenden Sonne mandarinenfarben leuchteten, schien weiter weg zu sein als je zuvor. Mark und Ron schnappten keuchend nach Luft, stolperten über Felsbrocken und fluchten bei jedem Knall, der zu ihnen herüberdrang.

Als sie das Camp erreichten und sich erschöpft aneinander lehnten, war die Sonne bereits untergegangen. Sie entdeckten Jasmina, die in der Mitte des Lagers im Sand kniete und mit beiden Händen einen Revolver umklammert hielt. Mit ausgestreckten Armen richtete sie die Waffe auf Ron und Mark.

»He!« schrien sie. »Wir sind's!«

Mark rannte zu ihr, sah sich rasch um und entwand ihr die Waffe. Jasmina rollte wild mit den Augen, ihr Gesicht war verzerrt. »Bestien!« kreischte sie. »Allah! Bestien!«

Mark faßte sie um die Schultern und versuchte ihr auf die Beine zu helfen. Eine schwarze Gestalt rannte im Zickzack durch das Lager. Ron schrie: »Oh, Mist!« und riß den Revolver an sich. Er feuerte blind drauflos.

»Was zum Teufel...«

Bevor Mark reagieren konnte, tauchte eine zweite Kreatur auf, die sich laut kreischend auf ihn stürzen wollte, ein riesiges, häßliches schwarzes Ungetüm. Ron feuerte direkt auf das Tier, doch es rannte weiter.

»Sie sind so groß wie Bernhardiner!« schrie Ron, während er hastig die Patronen aufsammelte, die aus der Schachtel gefallen waren, und in aller Eile versuchte, sie in die Revolvertrommel zu stopfen.

Ein anderes Ungeheuer erschien, dann noch eines. Jasmina hielt sich die Ohren zu und kreischte.

Sie bewegten sich auf den Hinterbeinen eines Nilpferdes und den Vorderbeinen eines Löwen. Ihre Köpfe waren die von Krokodilen, boshaft grinsend und schnappend.

»Ins Zelt!« brüllte Mark. »Los!« Er riß Jasmina am Arm hoch, und als er losrennen wollte, verspürte er einen gewaltigen Schlag gegen seine Beine. Er wurde in die Luft geschleudert und landete flach auf dem Rücken.

Immer mehr von den Bestien tauchten aus dem Nichts auf und flitzten quiekend und grunzend durchs Lager. Mark versuchte sich zu bewegen, aber er hatte keine Kraft mehr. Die Angst schnürte ihm die Kehle zu.

»Sie beißen!« schrie Jasmina. »Sie werden dich zerfetzen!«

Ron, der mittlerweile nachgeladen hatte, feuerte einen donnernden Kugelhagel auf die Monster ab. Sie liefen dauernd um ihn herum, zwickten ihn in die Beine und kreischten dabei, als litten sie Schmerzen. Er versuchte ein letztes Mal zu schießen, aber der Revolver klickte nur noch. Ron sah sich verzweifelt nach weiterer Munition um, doch die Patronen lagen alle im Sand verstreut. Er warf die Waffe weg und packte einen von Marks Füßen. »Nehmen Sie den anderen Fuß!« rief er Jasmina zu.

Ein ganzer Schwarm von den Bestien stürzte geradewegs auf sie zu. Sie hatten ihre häßlichen Lefzen zurückgezogen und scharfe, spitze Zähne entblößt.

»Ziehen Sie!« brüllte Ron.

Jasmina nahm den anderen Fuß, und gemeinsam schleiften sie Mark, der auf dem Rücken lag, in Richtung Speisezelt. Wie ein Schraubstock schloß sich das Maul eines der Tiere um Rons Fußgelenk. Er schrie auf. Jasmina versetzte der Kreatur einen kräftigen Tritt gegen den Kopf, worauf es losließ. Andere kamen angerannt, schnappend und knurrend wie Hunde. Sie erwischten Zipfel von Kleidung und zerrissen sie. Eines schlug seine Zähne in Marks Oberarm. Als Ron das Scheusal verjagt hatte, blieb eine blutige, klaffende Wunde in Marks Arm zurück.

Ron und Jasmina rannten, so schnell sie konnten, während sie Mark hinter sich her zum Zelteingang schleiften und sich die Bestien durch Tritte und Gebrüll vom Leib zu halten versuchten. Hastig öffnete Ron die Plane, bückte sich, faßte Mark um die Taille und schaffte es unter Aufbietung aller Kräfte, ihn ins Zelt zu hieven. Jasmina stürzte nach ihm hinein und ließ sich auf den Boden fallen, während Ron schnell die Reißverschlüsse der Plane zuzog.

Dann trat er keuchend zurück und starrte mit Grauen auf die dunklen Schatten, die sich quiekend gegen die Zeltwand warfen.

Als er ein Stöhnen vernahm, drehte Ron sich um und sah, wie Mark sich auf dem Boden wälzte und sich den Oberarm hielt. Dann bemerkte er etwas, das ihn erstarren ließ. Im spiralförmigen Licht mehrerer Taschenlampen, die im Zelt aufgestellt waren, saßen Sanford und Alexis Halstead. »Ihr Feiglinge!« brüllte er sie an. »Warum habt ihr uns nicht geholfen?«

»Ron...«

Er schaute zu Mark, der immer noch auf dem Boden lag. Jasmina band seinen Arm gerade mit einem Lappen ab. »Ron, nicht doch...«

Ron wandte sich ab, und als er wütend zu den beiden Halsteads hinüberstarrte, merkte er, daß es im Camp mit einem Mal ganz still geworden war.

»Sie sind weg«, stöhnte Mark.

»Ist nicht so schlimm«, beschwichtigte Jasmina ihn und strich ihm über die Stirn. »Du hast nur eine Fleischwunde; zum Glück ist keine Ader verletzt. Die Blutung wird bald aufhören.«

Mark versuchte sich aufzusetzen, aber sie hielt ihn zurück. »Bleib ruhig liegen. Ich gebe dir ein Schmerzmittel. Hier«, sie nahm seine freie Hand und legte sie auf den Verband, »drück fest, und laß nicht los.«

Jasmina richtete sich zitternd auf und sah sich im Zelt nach ihrer Arzttasche um. Sie entdeckte sie und wollte eben darauf zugehen, als sie Ron aufschreien hörte.

»Was ist los?«

»Mein Knöchel... Ich glaube, er ist gebrochen...«

Sie kniete sich neben ihn und zog sein Hosenbein hoch. Im Leder des Stiefels, der den Knöchel geschützt hatte, befanden sich mehrere tiefe Bißmale. Sie schnürte vorsichtig den Stiefel auf, streifte die Seiten herunter und entdeckte blau verfärbte Stellen auf der weißen Haut.

»Bewegen Sie Ihren Fuß auf und ab.«

Sie tastete mit den Fingerspitzen die Knochen ab. »Ich glaube nicht, daß etwas gebrochen ist. Setzen Sie sich, und ich werde Sie verbinden.«

Sie warf noch einen Blick auf Mark und holte dann ihre Arzttasche.

Eine halbe Stunde später saßen sie noch immer schweigend da und lauschten auf das Heulen des eisigen Nachtwindes.

Schließlich sagte Mark, dessen Arm fest verbunden war und der inzwischen Demerol eingenommen hatte: »Wir müssen einen Weg finden, hier herauszukommen, und zwar so schnell wie möglich. Die Generatoren sind zerstört. Wir haben nur noch wenig zu essen. Wir könnten den Landrover nehmen und...«

»Und wohin sollen wir fahren?« fiel ihm Ron ins Wort. »In jedem der

anderen drei Dörfer werden sie uns umbringen, wenn wir uns nähern. Ich bin sicher, daß alle Fähren bewacht werden. Wir können
auch nicht den Weg über das Plateau nach Beni Hassan nehmen, weil
wir nicht genug Treibstoff haben. Und wenn wir hierbleiben...«
Seine Stimme erstarb. Rons anfängliche Wut gegen die anderen beiden im Zelt hatte sich schnell gelegt, als er bemerkte, in welchem
Zustand sie sich befanden. Sanford Halstead, der sich ein blutgetränktes Laken vors Gesicht preßte, hatte beim Aufwachen einen immer
größer werdenden Blutfleck auf seiner Hose entdeckt. Alexis befand
sich in einem Trancezustand und war nicht ansprechbar.
Ron empfand Mitleid für sie. Jetzt, da sein Knöchel verbunden war,
schmerzte er ihn nicht mehr. Mark hatte sich erholt und konnte aufrecht sitzen, und Jasmina hatte ihre Hysterie überwunden. Nun hing
die Rettung der Gruppe ganz von ihnen dreien ab.
»Was... waren das für Wesen...?« fragte Halstead mit schwacher
Stimme.
Mark vermied es, dem Mann ins Gesicht zu sehen. Wo es nicht mit
Blut verschmiert war, war es kreidebleich, und die Augen schienen
tief in die Höhlen eingesunken zu sein.
»Ich weiß es nicht«, antwortete er leise und verschloß die Augen vor
der Erinnerung. Aber in Wirklichkeit wußte er es: Es waren die Ge-
sandten Am-muts des Gefräßigen, des grauenvollen Ungeheuers, das
in der altägyptischen Jenseitsvorstellung neben der Waage der Wahrheit in der Unterwelt saß, bereit, das Herz eines Verstorbenen zu
verschlingen, wenn Osiris, der Totenrichter, ihn für einen Lügner
hielt. Mark schlug sich die Hände vors Gesicht, als er wieder Abduls
an den Haaren baumelnden Kopf vor sich sah. Abdul, der zu ihm
gerannt war, als alle anderen die Flucht ergriffen hatten. Abdul, der
nun, mit einem Laken bedeckt, im Arbeitszelt lag und dessen Leichnam schon anfing, Verwesungsgeruch zu verbreiten.
»...Exorzismus.«
Mark nahm die Hände herunter. »Was hast du gesagt?«
Ron sprach hastig. »Erinnerst du dich an den Artikel, den ich vor nicht
allzu langer Zeit für den *National Enquirer* schrieb? Den über altägyptischen Exorzismus?«
Mark nickte.
»Wenn ich die richtigen Worte noch zusammenbringe...«

»Das ist doch wohl nicht dein Ernst!«

»Warum nicht? Wenn wir uns von diesem dämonischen Ort nicht entfernen können, dann müssen wir versuchen, diese Teufel auf andere Weise loszuwerden!«

»Ron, wir müssen darüber nachdenken, wie wir hier herauskommen können! Wir haben zwei Kranke! Einer von uns muß Hilfe holen!«

»Davison . . .« bat Halstead mit leiser Stimme. »Tun wir, was Farmer sagt. Es ist unsere einzige Hoffnung . . .«

»Es ist Zeitverschwendung!«

»Mark, die Dämonen werden uns nicht entkommen lassen.«

Mark sprang auf. »Nun, ich werde es auf jeden Fall versuchen, darauf kannst du Gift nehmen!«

»Was willst du tun?« fragte Jasmina.

»Ich werde den Landrover nehmen und südlich von El Hawata zum Fluß hinunterfahren. Von dort aus werde ich einen Weg finden, wie ich hinüberkomme, ob ich nun für die Überfahrt bezahle oder sie mir durch Waffengewalt erzwinge. Wenn es sein muß, werde ich sogar rüberschwimmen.«

Doch niemand hörte ihm zu. Halstead fragte: »Was müssen wir tun, Farmer?«

»Als erstes brauchen wir einen Altar aus Sand, dann benötigen wir ein Sistrum, ein altägyptisches Rasselinstrument. Lassen Sie mich mal nachsehen.« Er schaute sich im Zelt um. »Was können wir als Sistrum benützen?«

Mark öffnete den Mund, um etwas zu sagen, unterließ es dann aber und stürmte zum Ausgang. Als er den Reißverschluß des Zelts öffnete, hörte er, wie Ron sagte: »Wir müssen die Götter des Lichts um Hilfe anrufen. Dazu müssen wir das Sternbild des Orion anvisieren . . .«

Mark schlug die Zeltplane zurück und stürzte in die Nacht hinaus. Jasmina rannte ihm nach.

In seinem Zelt nahm Mark einen der Revolver aus der Kiste und lud ihn. »Bitte, geh nicht«, flehte Jasmina. »Du darfst uns jetzt nicht allein lassen!«

»Dann kommt mit mir«, erwiderte er mit ausdrucksloser Stimme und ohne aufzuschauen.

»Ich kann die andern nicht zurücklassen, Mark!«

Als er die Waffe in seinen Gürtel steckte, sah er ihr direkt ins Gesicht und fragte: »Und was ist mit mir?«

Sie zögerte. »Ich…«

Mark packte Jasmina so fest an den Seiten, daß sie zusammenzuckte. »Jetzt hör mir mal zu! Das einzige, wovor wir uns fürchten müssen, ist unser eigener Wahnsinn, und den können wir nur bekämpfen, indem wir hier wieder für Normalität sorgen! Zuerst mußte ich gegen die Beschränktheit der Fellachen anrennen, und jetzt sind wir schon so weit, daß meine eigenen Leute verrückt spielen! Zum letzten Mal, kommst du mit mir?«

»Nein«, flüsterte sie.

Er ließ sie los, wobei er sie leicht zurückstieß, nahm eine Schachtel Patronen und seine Windjacke und rannte aus dem Zelt.

Draußen blieb er unvermittelt stehen, so daß Jasmina, die ihm nachgelaufen war, gegen ihn prallte.

In der Mitte des Lagers häuften Ron und Halstead kniend Sand auf und klopften ihn fest, wie Kinder, die eine Sandburg am Strand bauen. Hinter ihnen, im Eingang des Speisezelts, stand Alexis, die mit großen, ausdruckslosen Augen vor sich hin starrte. Halstead hielt in einer Hand eine Gabel, auf die ein kleines Säckchen mit harten Bohnen gespießt war. Als er es schüttelte, erzeugte es ein ähnliches Geräusch wie eine Babyrassel.

Ungläubig sahen Mark und Jasmina zu, wie Ron nach der Fertigstellung des »Altars« die Hände zum Himmel erhob und ausrief: »Horus, reinige uns von allem Bösen, Seth, gib uns Kraft; Seth, reinige uns von allem Bösen, Horus, gib uns Kraft!«

»Allmächtiger!« flüsterte Mark.

Rons Stimme tönte wie die eines Propheten, schallte zur Hochebene hinauf und stieg zum Himmel empor. »Wir rufen Euch an, o Kinder des Horus! Wir rufen die vier, die in Meskheti wohnen!« Der blonde, langhaarige Ron Farmer, in Jeans und Greenpeace-T-Shirt, rief: »Höre uns, Mestha! Höre uns, Hapi! Höre uns, Tuamutef! Höre uns, Qebhsen-nuf! Die Diener des Lichts bringen Euch Opfergaben dar!«

Mark beobachtete entsetzt, wie Ron feierlich ein neben seinen Knien liegendes Bündel nahm, es aufband und behutsam gefrorene Lammkeulen auf den Sandhügel legte.

Wieder hob er die Arme. »Ihr sollt zerstückelt werden, und Eure Glieder sollen zerhackt werden, und jeder von Euch soll den anderen vernichten!«

Ein Wind kam auf, der von der Hochebene hinunterfegte und durchs Camp pfiff. Rons platinblondes Haar wehte ihm um den Kopf, als er schrie: »So triumphiert Ra über alle seine Feinde, und so triumphiert auch Heru-Behutet, der große Gott, der Beherrscher des Himmels, über seine Feinde!«

Der Wind blies heftiger und erzeugte einen seltsamen Lärm in den Wadis. Es klang wie Stöhnen und Wehklagen von hundert Stimmen. Sand wurde aufgewirbelt, die Zeltwände flatterten. Halsteads Hemd, das mit Blutflecken übersät war, klebte ihm am Leib. Auf seinen nackten Armen, seinen Beinen bildeten sich purpurfarbene Beulen, die aufplatzten und bluteten. Blut quoll ihm auch aus Mund, Nase und Ohren und sammelte sich in einer Lache im Sand um ihn herum.

»Erhört uns, o Götter des Lichts!«

Das Stöhnen wuchs zu einem Gebrüll an; der Boden erzitterte. Jasmina tastete nach Marks Hand, und er zog sie an sich.

Die beiden Männer in der Mitte des Lagers, in ihrer grotesken Pose und in ihrem mitleiderregenden, feierlichen Ernst, sangen zusammen: »Wir rufen Horus an, den Bezwinger Seths! Wir rufen...«

»Mark!« schrie Jasmina und zeigte auf die Erde. In dem tosenden Wind begann eine Art lange, schwarze Ader den Sand zu zerteilen, eine gewundene Linie, die sich vom Rand des Camps auf die beiden knienden Männer zuschlängelte wie ein Riß in der Erdkruste.

Da bemerkte Mark, daß es sich um eine dicke, glänzende Schlange handelte, die aus der Dunkelheit auftauchte und deren teuflische Augen gefährlich leuchteten, als sie auf den Altar zuglitt.

Rons Blick war auf das Sternbild des Orion geheftet, seine Stimme war wegen des heftigen Windes kaum zu hören. »Wir flehen Euch an, Horus, Isis und Osiris! Ihr seid das Licht und die Wiederauferstehung!«

»Ron!« brüllte Mark, doch seine Stimme drang nicht durch.

Der Wind war jetzt so stark, daß man sich kaum mehr auf den Beinen halten konnte. Die riesige Schlange glitt züngelnd auf die beiden nichtsahnenden Männer an dem Sandhaufen zu.

Ein neues Geräusch übertönte sogar den Wind, und Mark beobachtete mit Schrecken, wie eine Wand des Arbeitszeltes aufzureißen begann.

Er versuchte, einen Schritt vorwärts zu tun, wurde jedoch zurückgeworfen. Er legte einen Arm vor die Augen und öffnete den Mund, um zu schreien, aber der Wind nahm ihm den Atem. Die Riesenschlange bewegte sich währenddessen unbeirrt über den Sand auf die beiden am Altar zu. Durch seine Finger, die er schützend vor die Augen gelegt hatte, sah Mark, wie das Speisezelt vom Sturm in die Luft gerissen und weggeweht wurde. Er sah, wie Ron seine Lippen bewegte, konnte ihn aber nicht hören.

Dann spürte er, wie eine Hand gegen seine Brust schlug. Jasmina tastete seinen Oberkörper ab, bis sie die Pistole zu fassen bekam. Sie klammerten sich aneinander, und der wütende Sturm drückte sie gegen Marks Zeltwand wie eine unsichtbare Hand. Jasmina gelang es, die Pistole zentimeterweise aus Marks Gürtel hervorzuziehen.

Jasmina kniff die Augen zu und nahm ihre ganze Kraft zusammen. Mit aller Macht gegen den Sturm ankämpfend, schaffte sie es, den Arm auszustrecken und die Waffe nach vorn zu richten. Sie wackelte hin und her.

Ron und Halstead schienen das Getöse um sie herum gar nicht wahrzunehmen. Ihre Augen waren wie gebannt auf die Sterne gerichtet, während sie laut die Namen altägyptischer Gottheiten rezitierten. Alexis stand starr und unbeweglich da, während das Zelt hinter ihr hochgeblasen wurde und auf die Seite fiel.

Die Schlange hatte den Altar erreicht und hob ihr gräßliches Haupt. Die Spitze ihrer vor- und zurückschnellenden Zunge war nur noch wenige Zentimeter von Ron entfernt.

Jasmina legte den Finger an den Abzugshahn und drückte ihn.

Dann feuerte sie noch einmal. Und noch einmal.

Da flaute der Wind plötzlich ab, und eine unheimliche Stille legte sich über das Camp.

Mark nahm die Hände von den Augen, wischte sich den Sand vom Gesicht und sah dann, wie Ron und Halstead vor dem Altar knieten und mit entsetzten Gesichtern auf das sich windende Reptil starrten.

Mark und Jasmina beobachteten wie versteinert, wie die Schlange sich

durch den Sand ringelte, sich krümmte und sich zusammenzog, bis sie
verschwunden war. Dann erst waren sie imstande, sich von der Stelle
zu rühren.

Jasmina rannte zu Halstead, der zusammengebrochen war, als der
Wind sich gelegt hatte. Sein Körper wurde von Krämpfen geschüttelt.
Ein Blutstrom ergoß sich in hohem Bogen aus seinem Mund.

»Mark!« jammerte sie.

Doch Mark blickte wie gebannt auf Alexis, die ihn aus einiger Entfernung anstarrte. Sie hob einen Arm und deutete mit ihrem langen,
spitzen Zeigefinger auf ihn. »Rettet Euch...«

»Mark!« schrie Jasmina. »Er stirbt! Hilf mir!«

Alexis' grüne Augen lähmten ihn; ihr flammend rotes Haar hob sich
von ihrem bleichen Gesicht ab, und mit verträumter, singender
Stimme wiederholte sie: »Ihr seid meine Rettung, Davison. Ihr
allein. Geht nun, mein Lieber, und vollbringt das Werk.«

Dann hörte er Ron sagen: »O mein Gott, oh, verdammt...«

Mark drehte sich um und gewahrte Sanford Halstead, der in einer
Blutlache lag und sich stöhnend wand wie zuvor die Schlange. Sein
Hemd und seine Hose waren mit Blut vollgesogen; die rote Flüssig-
keit triefte wie Schweiß aus jeder Pore seines Körpers.

Mark starrte in blindem Schrecken auf das Blut, das in Halsteads verwirrten Augen aufstieg und sich beim Herabtropfen mit dem Blut im
Sand mischte. Halsteads Blicke huschten hin und her wie die eines
verängstigten Tieres. Er versuchte, seine Hände zu heben, vermochte
es aber nicht mehr. Er warf Mark durch einen Schleier von Blut einen
letzten vorwurfsvollen Blick zu, dann erfüllte ein Röcheln die Nacht –
ein kurzer, gequälter Laut –, und Halstead ergab sich der Barmherzigkeit des Todes.

Einen Augenblick lang rührte sich keiner der verbleibenden vier.
Dann sprang Ron auf und blitzte Mark wütend an. »Du blöder
Scheißkerl!« brüllte er. »Das ist alles deine Schuld! Deinetwegen ist
es so weit gekommen!«

Mark blickte seinen Freund an. »Ron...«

Rons Augen sprühten vor Zorn und Irrsinn. »Ich weiß, was zu tun
ist!« schrie er, wobei ihm Speichel von den Lippen sprühte. »Ich
werde dafür sorgen, daß das aufhört!«

Er machte kehrt und rannte davon, sprang über den Altar und verschwand im Dunkeln.

»Haltet ihn auf, Davison...« wimmerte Alexis mit schwacher Stimme. Ihr starrer Körper wankte leicht. Das seltsame Licht in ihren Augen flackerte auf. »Er wird uns zerstören. Rettet uns, Davison, ich bitte Euch...«

Hinter dem umgestürzten Arbeitszelt ließ Ron sich auf alle viere nieder und tastete im Dunkeln umher. Er durchwühlte die verstreuten Generatorteile, verwickelte sich in den elektrischen Leitungsdrähten und roch den Gestank der verwesenden Leichname, die vom Sturm auf den Boden geweht worden waren.

Dann stieß er mit den Händen auf das, wonach er suchte. Ein Kanister Dieselöl. Er war unbeschädigt und voll.

Er packte den Kanister mit beiden Händen, erhob sich damit schwankend und schleppte ihn halb stolpernd, halb taumelnd in die Mitte des Camps zurück.

Er hielt inne, als er Alexis Halstead erblickte, die mit ausgestreckten Armen auf ihn zukam.

»Nein!« schrie er, drehte sich um und lief blitzschnell davon.

»He!« rief Mark und schüttelte sich, als wolle er seine Benommenheit loswerden. Sein Freund rannte weiter. Mark spurtete ihm hinterher und holte ihn am Landrover ein. »Ron, laß es sein...«

»Laß mich los, Mann! Es ist der einzige Weg!«

»Tu's nicht, bitte!«

Sie rangen miteinander, wobei der Treibstoffkanister zwischen ihre Füße fiel. »Ich muß es tun, Mann! Ich werde diese Mumien verbrennen! Sie sind die Ursache für alles! Wenn es keine Mumien mehr zu bewachen gibt, werden die Dämonen weggehen! Es ist unsere einzige Chance, Mark!«

»Das darfst du nicht tun! Du darfst sie nicht zerstören!«

Da wurde Ron plötzlich weggerissen. Er flog in hohem Bogen durch die Luft und kreischte vor Entsetzen auf.

Mark war vor Schreck wie erstarrt, als er sah, wie Ron, der wild mit den Armen fuchtelte, auf dem Rücken in die Nacht hinausgeschleift wurde, wobei seine Stiefel zwei tiefe Spuren im Sand hinterließen. Hinter Ron war eine riesenhafte, schwarze Gestalt aufgetaucht, die ihn an den Haaren über den Sand zerrte wie eine wehrlose Puppe.

Mark konnte nicht mehr reagieren; eine unsichtbare Macht hielt ihn in Bann. Er mußte mit ansehen, wie sein Freund, hilflos zappelnd wie ein Fisch am Haken, von Am-mut dem Gefräßigen weggeschleppt wurde und in der Dunkelheit verschwand.

Ein gleißender Lichtstrahl blendete ihn, und ein heftiger Schmerz durchzuckte seinen Kopf. Mark wich zurück und hielt sich schützend einen Arm vors Gesicht. Er hörte Jasminas Stimme: »Wo ist Ron?«

»Was...?«

Sie senkte die Taschenlampe und trat näher zu ihm.

»Mark, wo ist Ron hingegangen?«

»Er... er...«

»Mark!« Sie packte ihn am Oberarm und preßte den feuchten Verband dabei so fest zusammen, daß er vor Schmerz aufschrie. »Er hat recht, Mark! Ron hat recht! Wir müssen die Mumien zerstören!«

Er sah sie erschrocken an. »Nein... nicht auch noch du...«

»Doch, Mark! Sieh mich an! Hör mir zu! Ich bin nicht besessen, ich denke ganz vernünftig! Hör mich an, verdammt noch mal!« Sie schüttelte ihn. »Dein Freund hat recht. Es ist alles wegen der Mumien geschehen! Wir müssen sie vernichten, bevor die Dämonen uns vernichten!«

Hinter ihr stand mit einem Mal Alexis Halstead, stumm und still wie eine antike Statue, noch immer mit ausgestreckten Armen. In seinem Kopf vernahm Mark ein vertrautes Flüstern: »Rettet uns, mein Lieber, rettet uns, rettet uns...«

»Das dürfen wir nicht, Jasmina!« jammerte er. »Ich habe es ihr versprochen!«

»Der Teufel soll dich holen, Mark! Fahr zur Hölle mit deiner Engstirnigkeit! Woher weißt du, daß sie nicht das Böse verkörpert? Wie willst du das wissen?«

Er blickte Jasmina verwirrt an.

»Mark, wie kannst du wissen, daß sie wirklich diejenige ist, für die sie sich ausgibt? Wie kannst du wissen, daß sie nicht eine von ihnen ist? Sie benutzt dich, Mark. Wer immer sie ist, sie hat Mrs. Halstead in ihre Gewalt gebracht. Sie ist eine Zauberin! Sie ist eine böse Gottheit! O Mark, du Narr!«

Er blinzelte zu Alexis auf. »Nein... ich habe recht...«

»Vielleicht hatten die ägyptischen Priester einen guten Grund, dieses Grab hermetisch abzuriegeln! Vielleicht haben sie das Böse darin eingesperrt! Du darfst sie nicht retten! Du wirst damit wieder die alten Greuel über die Welt bringen! Ich weiß, was sie von dir verlangt!«

Doch die innere Stimme flüsterte: »Hört nicht auf sie, mein Lieber. Sie lügt. Ich spreche die Wahrheit. Schreibt unsere Namen auf unsere Leichname, rezitiert die Auferstehungsformeln, aber macht schnell, schnell...«

»Mark, du wirst diesem Ungeheuer seinen Namen geben, und dann wird es die Erde heimsuchen wie vor über dreitausend Jahren! Merkst du es nicht, Mark? Sie hat dich benutzt! Du bist ihr Werkzeug, um die Welt wieder ins Chaos zu stürzen!«

Mark riß den Mund auf und wollte protestieren, doch bevor er dazu kam, gellte ein unheimlicher Schrei durch die Nacht.

»Ron!« flüsterte er. »O mein Gott!«

»Geh nicht...«

»Ron!« Mark riß sich von ihr los.

»Bitte...«

Er drehte sich um und rannte los, immer den Schreien nach.

Mark fand ihn am Rand der Arbeitersiedlung im Sand liegen. Er hielt einen Moment inne, um sich zu wappnen, schluckte seine Angst hinunter und kniete sich dann sanft und liebevoll neben ihn. Als er Ron in die Arme schloß, liefen ihm Tränen über die Wangen.

Ron war skalpiert worden.

Als Mark Ron weinend an sich drückte, regte sich sein sterbender Freund noch einmal und stöhnte auf. Mark wich ein wenig zurück, so daß er Rons Gesicht sehen konnte. Genau über den Augenbrauen klaffte ein langer, gezackter Riß an der Stelle, wo die Kopfhaut und damit die langen blonden Haare weggerissen worden waren.

Ron schlug die Augen auf und bewegte leicht die Lippen. Er versuchte zu sprechen, aber das Blut strömte ihm übers Gesicht.

»Nicht sprechen«, sagte Mark und unterdrückte ein Schluchzen. Behutsam wischte er Ron das Blut aus den Augen.

»Nein«, kam ein heiseres Flüstern, »du hattest recht, Mann. Tut mir leid. Ich wußte am Ende nicht mehr, was ich tat, verstehst du? Es ist nicht deine Schuld. Es mußte so kommen...«

Ron hustete, und Blut spritzte Mark ins Gesicht. Mark strich ihm zärtlich über die Wange und murmelte: »Du mußt nichts sagen.«

»Begreifst du... es mußte so kommen; sie hatten es von Anfang an auf uns abgesehen.« Er röchelte, und es fiel ihm immer schwerer zu sprechen. »Hör zu... du hast eine phantastische Entdeckung gemacht, Mark. Du wirst berühmt werden. Du darfst nicht zulassen, daß die Dämonen dich erwischen. Amerika wird dich wie einen Helden empfangen. Oh, verdammt...«

»Ron?«

»Hör zu, Mann, wirst du dich für mich um die *Tutanchamun* kümmern?«

»Ja«, flüsterte Mark. Dann stieß Ron einen langen, rasselnden Seufzer aus, und Mark mußte mit ansehen, wie das Leben aus den starren Augen wich. Mark bettete seinen Freund behutsam auf den Sand.

Dann sprang er blindlings auf und wankte wie ein Betrunkener ins Camp zurück, wo er sich schluchzend gegen den Landrover warf. Und während er so an dem Fahrzeug lehnte, Rons entstellten Kopf vor sich sah und das bittere Salz der Tränen schmeckte, kochte eine Wut in ihm hoch, die sich in einem markerschütternden Schrei Bahn brach. Er reckte eine Faust und brüllte Alexis an: »Du gottverdammtes Miststück! Du willst, daß ich dich befreie? Da weiß ich etwas viel Besseres! Ich werde das tun, was schon vor dreitausend Jahren hätte geschehen sollen!«

Er packte den Treibstoffkanister und warf ihn in den Landrover.

»Nein, Davison«, heulte Alexis. »Ich bitte Euch!«

»Jasmina hat ganz recht!« schrie er so laut, daß seine Halsschlagadern hervortraten. »Du bist das Böse! Ron hatte recht, ihr müßt zerstört werden!«

»Davison, Davison, Davison...«

Mark zog Jasmina mit sich und stieß sie unsanft in den Landrover.

»Davison! Davison, so wartet doch, wartet, ich bitte Euch, rettet uns, rettet uns...«

Als er den Zündschlüssel umdrehte, trat ein Ausdruck der Überraschung auf Alexis Halsteads Gesicht. Sie schwankte und wich einen Schritt zurück, als habe man ihr einen Schlag versetzt, und stammelte: »Was...«

Im nächsten Augenblick erhellte eine Explosion weißen Lichts die

Nacht. Ihre Glieder flatterten wie die einer Marionette, ihre Haare loderten auf, und Alexis Halstead verwandelte sich in eine Feuersäule.

Mark und Jasmina starrten ungläubig auf das Schauspiel, als Alexis in einem letzten Moment der Klarheit und des Verstehens einen qualvollen Todesschrei ausstieß.

Es war ein langsames, qualvolles Verbrennen. Alexis rührte sich nicht von der Stelle, als sei sie an einen Pfahl gefesselt, und schrie bis zum bitteren Ende. Dann erstarben die Flammen, und ein verkohlter Leichnam fiel auf die Erde.

Jasmina sank in sich zusammen und barg ihr Gesicht auf den Knien. Mark legte den Gang ein und brauste mit knirschenden Reifen davon.

Vierundzwanzig

Als sie im Landrover über den holprigen Boden der Schlucht rasten, hörten Mark und Jasmina weit hinter sich ein Gewirr unheimlicher Laute. Es war das Grunzen und Quieken der Dämonen, die in das Camp einfielen. Mark wußte, daß es keinen Weg zurück mehr gab.

Im Cañon herrschte ein merkwürdiges grelles Licht, als habe sich ein Blitzstrahl darin verfangen. Es ließ jede Einzelheit hervortreten: die Schichtung des Kalkgesteins, die schwarze Feuerstelle, wo die verkohlten Gebeine der Ramsgate-Expedition gefunden worden waren, die fünf langen Gräben und am hinteren Ende die mit einem Seil abgesperrte Treppe, die zum Grab hinunterführte.

Mark fuhr wie ein Wahnsinniger, jagte in knapper Entfernung an den Gräben vorbei und trat das Gaspedal bis zum Anschlag durch, als wolle er die sieben Dämonen unter seinem Fuß zermalmen.

Er wartete nicht, bis der Landrover völlig zum Stillstand gekommen war, sondern stürzte hinaus, zerrte den Treibstoffkanister hinter sich her und rannte zur Treppe.

Unter ihm gähnte die schwarze Öffnung des Grabes. Die Worte der alten Samira hallten in seinem Kopf wider: »Die schlimmste Strafe wird Euch treffen, Herr, denn Ihr seid der Anführer. Langsame Zerstückelung...«

Unfähig, das Fahrzeug zu verlassen, beobachtete Jasmina in heillosem Entsetzen, wie Mark langsam die Stufen hinunterstieg. Da brachte ein unheimliches Summen sie wieder zu Bewußtsein.

Auf ihrem nackten Arm saß eine riesige Wespe, die langsam zu ihrer Schulter hinaufkroch.

Vor Angst wie gelähmt, blickte sie auf den Sitz hinunter und sah, daß er von abscheulichen schwarzen Käfern wimmelte. Wie eine lebende Decke breiteten sie sich über Sitz, Boden und Fenster aus.

Sie spürte Hunderte von Insekten, die an ihren Beinen emporkrabbelten, in ihre Stiefel eindrangen und sie mit Stichen traktierten. Dann krochen sie langsam an ihrem Hals aufwärts und befielen ihr Haar.

Durch die mit Käfern bedeckte Windschutzscheibe konnte sie Mark nicht mehr sehen; sie konnte nicht schreien, denn auch ihr Mund war plötzlich voll von wuselndem Getier.

Gräßliche hartschalige Körper und mit Häkchen versehene Beine drangen unter ihre Kleidung, zwischen ihre Schenkel, in ihre Nase und ihre Ohren.

Jasmina verharrte in stummem, unbeweglichem Schrecken. Die Angst schnürte ihr die Kehle zu und ließ sie erzittern.

Schwarzes Geschmeiß saß auf ihren Wangen. Gelbe Leiber huschten über ihre Brüste und tummelten sich in ihren Achselhöhlen. Tausende von Stacheln bohrten sich in ihr Fleisch, und ohrenbetäubendes Gebrumm dröhnte ihr im Kopf, als hätte das Ungeziefer ihr Gehirn befallen.

Im Todeskampf gelang es Jasmina trotz der Heuschrecken, die in ihren Mund schwärmten, ihre Lippen zu bewegen. Während die Insekten ihr schon die Kehle hinunterkrabbelten, flüsterte sie mit erstickter Stimme: »Gelobt sei Allah, der Herr der Welten, der Wohltätige, der Barmherzige...«

Als Mark die zweite Treppenstufe betrat, begann ein Wind durch den Cañon zu heulen, und eine unsichtbare Kraft hob ihn hoch, schleuderte ihn durch die Luft und schmetterte ihn zurück auf den Sand.

Der Dieselkanister wurde ihm aus der Hand gerissen und rollte in den nächsten Graben.

Keuchend und nach Luft ringend, versuchte Mark aufzustehen. Da erhielt er einen Schlag in die Rippen, als hätte ihm jemand in die Seite getreten. Er heulte auf und krümmte sich vor Schmerz.

Als er sich erneut aufrichten wollte, traf ihn ein unsichtbarer Huf im Gesicht. Vor seinen Augen blitzten Sterne auf, und ein stechender Schmerz durchzuckte sein Rückenmark.

Mark schüttelte den Kopf und versuchte abermals aufzustehen, doch statt sich zu erheben, wälzte er sich über den Sand, bis er den Rand der Treppe erreichte. Dann rollte er sich zu einer Kugel zusammen und stürzte sich die Stufen hinunter.

Polternd schlug er auf jeder Stufe auf und verletzte sich dabei Knie, Ellbogen und Steißbein, aber er schützte seinen Kopf mit den Armen, so daß er bei seiner Landung noch immer bei Bewußtsein war und sich bewegen konnte.

Sonderbare Lichter blinkten über dem Cañon auf.

Helleuchtende Streifen schossen von Felswand zu Felswand wie Laserstrahlen. Teuflisches Geschrei erfüllte die Nacht mit einem grauenerregenden Chor.

Mark schaute auf und sah oben an der Treppe einen Riesen stehen, der höhnisch zu ihm heruntergrinste.

Es war Apep, der breitschultrige Mann mit der Schlange als Kopf. Er begann herabzusteigen.

Mark rappelte sich auf, spürte die Erde unter sich schwanken und stürzte abermals. Panik ergriff ihn. Er tastete nach den Wänden, um sich daran hochzuziehen, rutschte an dem rauhen Kalkstein ab und schürfte sich die Haut auf.

Ein einziger Gedanke trieb ihn jetzt noch vorwärts: Er wollte die Mumien zerstören. Hätte er dies hinter sich gebracht, so wußte er, würden die Dämonen weichen, da es nichts mehr zu bewachen gab.

Das schlangenköpfige Monster nahm bedächtig eine Stufe nach der anderen, und Mark hörte es in seinem Innern flüstern: »Das Ende wird für Euch lang und qualvoll sein. Nacheinander werden Euch die Arme, dann die Beine herausgerissen, bis Ihr den Tod herbeisehnt.«

Mark erlangte sein Gleichgewicht wieder, stand auf und war mit einem Satz beim Eingang.

Eine Riesenhand schoß vor und packte seinen Arm. Ein stechender Schmerz fuhr ihm durch die Schulter. Dann ließ die Hand ihn wieder los, und er fiel mit dem Kopf voran in den Schacht. Während er sich kriechend durch den dreißig Meter langen Gang kämpfte und sein durchtrennter Arm gegen die roh behauenen Wände schlug, dachte er: So ist es also, wenn man stirbt...

Dann endete der Gang plötzlich, und er stürzte auf den Grund der Vorkammer. Ächzend und stöhnend lag er da und dachte: Ich werde einfach so liegenbleiben, es wäre so leicht... Aber dann fielen ihm die Mumien wieder ein, und die Rachgier spornte ihn an. Er stellte sich vor, was für ein Gefühl es wäre, die Mumien mit seinen bloßen Händen in Stücke zu reißen...

Mark spürte, daß die Taschenlampe unter ihm lag, er zog sie hervor und knipste sie an. Der Lichtstrahl fiel auf die sieben Gestalten, die an der gegenüberliegenden Wand drohend vor ihm aufragten.

»Ihr Dreckskerle!« stieß er keuchend hervor. »Noch habt ihr nicht gewonnen. Nicht, solange ich noch einen Funken Leben in mir habe. Ich bin noch nicht besiegt...«

Doch der Raum begann vor seinen Augen zu verschwimmen. Mark fiel nach hinten und schlug mit dem Kopf auf den Steinboden. Zuerst sah er nichts als Feuerräder, dann klärte sich sein Blick und richtete sich auf die vier Dämonen, die über ihm standen. Sie waren von der Wand heruntergekommen: Amun der Verborgene, der Aufrechte, Am-mut der Gefräßige und der rothaarige Seth starrten auf ihn herab. Wie auf einen Befehl hin ergriff jeder von ihnen eines seiner Gliedmaßen. Er sah, daß jeder der Dämonen in der anderen Hand eine stumpfe Axt hielt.

»Zuerst Eure Füße«, flüsterte eine innere Stimme, »dann Eure Hände, dann Eure Knie und Ellbogen, wie wenn man einen Baum zu Brennholz zerhackt...«

Mark schloß die Augen. Lähmendes Entsetzen ließ all seine Kräfte erschlaffen. Als er die erste Axt hoch in die Luft schwingen und auf seinen Fuß niedersausen sah, vernahm er eine andere Stimme und erinnerte sich an eine kalte Nacht, als ihm die blendende Gestalt Nofretetes erschienen war: »Glaubt an die Götter Ägyptens, Davison, denn sie sind Inkarnationen Atons...« Dann vollführte sein Geist seltsame Gedankensprünge. Als die erste Axt sein Fußgelenk durchhackte und ein rasender Schmerz ihn fast seiner Sinne beraubte, da erinnerte er sich an etwas, das schon lange zurücklag.

Ein Seminar über ägyptische Gottheiten, das er während seiner Studienzeit besucht hatte – so viele Einzelheiten und scheinbar unwichtige Fakten, die in seinem Gedächtnis verschüttet waren. Bis jetzt. Während er mit geschlossenen Augen dalag und spürte, wie die zweite Axt zum Schlag ausholte, sah Mark die antike Papyrusrolle mit der priesterlichen Handschrift wieder vor sich, die er damals studiert hatte. Er holte tief Luft und rief mit letzter Kraft: »O große Schwestern der Auferstehung, ich bin Euer Sohn, Euer Erbe! Ihr sanften Mütter, ich rufe Euch an. Liebliche Isis, die Ihr Trauer und Schmerz gesehen und Osiris wieder zum Leben erweckt habt, ich bitte Euch demütig...« Ein lähmender Schmerz durchzuckte sein Bein und ließ ihn aufschreien. »Ich flehe Euch an, Isis, große Mutter. Und Euch, holde Nephthys, Mutter des Anubis und Beschützerin derer, die...« Grelle Farben leuchteten vor ihm auf. Seinen Körper durchzuckten Höllenqualen. »Beschützerin derer, die vor Seth fliehen... göttliche Schwester, ich flehe Euch an, eilt Eurem demütigen Diener zu Hilfe. Ich glaube an Euch...«

Als die Axt seine rechte Hand durchtrennte, verwandelte sich der Schmerz in eine läuternde Kraft. Während Mark die Zauberformel wiederholte, kamen mühelos die altägyptischen Worte über seine rissigen Lippen: »*Ii kua xer-ten ter-ten tu ne ari-a ma ennu ari en ten en xu apu amiu ses en enb-sen... Isis, Nephthys...*« Dann wurde es Nacht um ihn, und er machte sich bereit, den Tod zu empfangen.

Als Mark wieder zu sich kam, lag er auf dem Rücken. Die Vorkammer war in sanftes Licht getaucht. Er blieb liegen und starrte an die Decke, während er angestrengt überlegte, was geschehen war. Er hatte einen Traum gehabt. Aber er konnte sich nicht mehr recht daran erinnern. Nur einzelne Bilder waren in seinem Gedächtnis hängengeblieben: zwei schöne, zarte Frauen mit gefiederten Flügeln, die ihre duftenden Körper schützend über ihn beugten.

Im Traum hatte er gespürt, wie eine wundervolle Ruhe sich über ihm ausbreitete. Ein Leuchten hatte ihn umgeben, und er hatte heiteren Gesang vernommen.

Doch an mehr konnte sich Mark nicht erinnern. Er hatte nur ein unbestimmtes Gefühl, als sei er von einer sehr weiten Reise zurückgekommen oder als ob er Jahrhunderte hindurch geschlafen habe.

Er erwachte völlig ausgeruht. Als er sich aufsetzte, fand er seinen Körper unversehrt. Nicht ein Kratzer, nicht eine Prellung waren zurückgeblieben.

Während Mark verwirrt auf seine Hände starrte und seine Finger krümmte, hörte er zunächst die Schritte nicht, die sich durch den Gang näherten.

Dann vernahm er ein Geräusch, und als er sich umdrehte, sah er Jasmina in der Vorkammer stehen.

Sie blickten sich lange an, und während Mark sich langsam erhob, flüsterte er: »Jasmina, ich dachte schon, sie hätten dich erwischt...«

»Das hatten sie auch, Mark, so wie sie dich erwischt haben.«

»Was ist geschehen?«

»Ich weiß es nicht. Ich habe gebetet. Doch hör zu, Mark, was auch immer uns beschützt haben mag, wir haben nicht viel Zeit. Die sieben werden wiederkommen. Mark...« Sie machte einen Schritt auf ihn zu. »Ich verstehe es jetzt. Ich stand auf der Schwelle zum Tod und rief Allah an. Da sah ich plötzlich alles deutlich vor mir. Wir müssen ihre Namen schreiben und die Zauberformeln sprechen. Wir müssen ihnen zurückgeben, was immer sie entbehren, Mark. Wir dürfen sie nicht zerstören.«

Er wich einen Schritt zurück. »Wie kann ich dessen gewiß sein, was ich tun soll?« fragte er mit erstickter Stimme. »Woher will ich überhaupt etwas wissen? Was ist, wenn die Amun-Priester recht hatten?«

Jasmina streckte flehentlich die Hände aus. »Befreie sie, Mark. Gib ihnen, was ihnen zukommt.«

Er wich weiter zurück. »Ich weiß nicht, was ich tun soll!«

»Mark...«

Er drehte sich abrupt um und stolperte in die Sargkammer, die von dem gleichen gespensterhaften Licht durchflutet wurde. Er fiel gegen einen der Sarkophage und spähte hinein. Ein Mann lag dort in seine Bandagen gewickelt, ein Mann, der dort, von aller Welt vergessen, schlief und der ohne seinen Namen keine Macht besaß. Wer war er? Was war er? Der Teufel in Menschengestalt oder der Sohn eines Gottes? Es wäre so leicht, hineinzugreifen, so leicht, diesen brüchigen Körper zu packen und ihn auseinanderzureißen. Dann wäre die Mög-

349

lichkeit, diesen schlafenden Geist zum Leben zu erwecken, für immer zunichte gemacht...

»Nein!« schrie Jasmina und rannte zu ihm hin. »Laß deine Wut nicht an ihnen aus! Sie sind unschuldig! Gib ihnen die Freiheit! Gib ihnen Ruhe!«

Mark schaute ihr tief in die Augen. Dann sagte er tonlos: »Ich werde tun, was immer du willst.«

»Wir müssen uns beeilen. Die Zeit drängt. Die Dämonen können jeden Augenblick zurückkommen.«

Mark sah sich im Raum nach etwas um, worauf er schreiben könnte, und da er nichts fand, riß er ein Stück von seinem Hemdsärmel ab. Dann hob er einen spitzen Stein vom staub- und schuttbedeckten Boden auf, ritzte sich damit in den Zeigefinger und drückte, bis ein Blutstropfen hervorquoll. Ganz behutsam malte er nun die Hieroglyphen auf den Stoff, die für Echnatons Namen standen.

Als dies geschehen war, beugte er sich über den Sarkophag und zögerte. Er blickte hinunter auf das verbundene Haupt des toten Königs und fragte sich, welches Gesicht sich wohl darunter verbarg. Da spürte er, wie Jasmina ihn sanft drängte, und als er von ferne im Cañon einen Wind aufkommen hörte, langte Mark in den Sarg hinunter und legte der Mumie den Stoffetzen auf die Brust.

Er suchte in seinem Gedächtnis nach längst vergessenen Worten und flüsterte: »Ich gebe Euch, geliebter Ra, den, der Aton wohl gefällt. Was auch immer Euer Leib hervorgebracht hat, dessen Herz wird nicht aufhören zu schlagen. Eure Stimme soll niemals von Euch weichen. Gegrüßet seid Ihr, Echnaton, Eure Lippen sind geöffnet, Euer *Ka* ist befreit. Der Weg zur Sonne steht Euch offen...«

Mark schloß die Augen und sang: »*Rer-k xent-k tu Ra maa-nek rexit neb*...«

Als er den alten Zauberspruch murmelte, spürte Mark, daß sich eine zweite Stimme zu seiner gesellte. Sie war tief und wohlklingend, zunächst leise, schwoll aber mit jedem gesprochenen Wort an. Sie sangen im Einklang miteinander und erfüllten die Sargkammer mit den alten Formeln, die vor Menschengedenken, am Anfang der Zeit geschrieben worden waren.

Eine starke Empfindung überkam Mark, ein erhebendes Glücksgefühl, als löse er sich vom Boden und steige zum Himmel auf.

»*Ta-k-tu er ka-k em Ra uben-k em xut Osiris an 'Khnaton!*« Er wurde von solcher Freude überwältigt, daß er am ganzen Leib bebte. Seine Stimme tönte laut und verband sich mit der anderen zu einer wunderbaren Harmonie.

»*'Khnaton an Osiris maaxeru t'et-f a neb-a sebebi heh unt-f er t'etta ne nebu suten suteniu aphi neter neteru Osiris!*«

Mark wurde von gleißendem Licht geblendet. »*A ta ret per em axex an ten-a a am snef per em nemmat an ari ahnnuit a neb Maat 'Khnaton!*«

Er hielt sich einen Arm vors Gesicht, um seine Augen vor der Helligkeit zu schützen. »*A tennemui per em Osiris! 'Khnaton! 'Khnaton!*« Er stieß einen letzten Schrei aus und brach über dem Sarkophag zusammen.

Als er benommen und erschöpft den Kopf hob, entdeckte er Jasmina, die eine Hand auf seine Schulter gelegt hatte und ihn ansah. »Es hat gewirkt«, sagte sie. »Es ist vollbracht. Schnell, komm mit in die Vorkammer.«

Mark richtete sich auf und folgte Jasmina in den anderen Raum. Jasmina preßte sich an die eine Wand und hielt den Blick starr auf das gegenüberliegende Wandgemälde gerichtet. Angstvoll beobachteten sie, wie ihre Taschenlampen flackerten und wie Kerzenflammen zu erlöschen drohten. Erschöpft lehnte auch Mark sich an die Wand und beobachtete gebannt das Schauspiel gegenüber.

Eines nach dem anderen verblaßten dort die Bilder der Wächtergötter. Amun, Seth und ihre fünf teuflischen Gefährten zerfielen vor ihren Augen und lösten sich beinahe in nichts auf. Jasmina sank erleichtert an seine Brust. »Es ist vorbei, Mark. Du hast gewonnen.«

Er starrte einen Moment lang ausdruckslos vor sich hin, dann machte er langsam einige Schritte vorwärts und zog Jasmina mit sich. Er blickte verwundert auf die kahle Wand, wo einst die Wächtergötter gestanden hatten. Auf dem Boden lagen sieben kleine Haufen farbigen Staubs.

»Sie sind weg, Mark. Die Dämonen sind weg.«

»Und der König und die Königin?«

Voller Trauer blickte Jasmina ihn an.

Er trat von der Wand weg und lief schwankend in die Sargkammer zurück. In den Särgen ruhten die Mumien.

»Sie war eine wunderbare Frau«, murmelte Mark vor sich hin, als er auf den kleinen, puppenartigen Körper herunterschaute. »Sie hätte schon vor dreitausend Jahren ins Westliche Land gehen und die Glückseligkeit des ewigen Lebens erlangen können. Doch sie zog es vor, hierzubleiben, an diesem scheußlichen Ort, und durchstreifte dieses Tal dreißig Jahrhunderte lang auf der Suche nach jemandem, der ihren Mann erwecken würde. Wie sehr muß sie ihn geliebt haben...«

Jasmina schaute nachdenklich auf den zarten Körper, den kleinen, bandagierten Kopf und überlegte flüchtig, wovon Mark eigentlich sprach. Dann flüsterte sie: »Was hast du mit ihnen vor?«

»Die Behörden müssen eingeschaltet werden. Ich werde für die fünf Todesfälle eine Erklärung finden müssen. Und ich werde nicht umhinkönnen, den Beamten das Grab zu zeigen. Sie werden die Mumien nach Kairo bringen und sie dort ausstellen.«

Er ergriff Jasminas Hand. »Sie hat dreitausend Jahre lang darauf gewartet, wieder mit ihm vereint zu sein. Wenn ihre Seelen hierher zurückkehren, um zu ruhen, werden die Mumien fort sein, und sie werden zugrunde gehen.«

Mark hob den Blick und sah Jasmina an. »Wir haben noch eine letzte Pflicht zu erfüllen.«

Sie blickte ihn fragend an.

»Ich werde sie im Landrover von hier wegbringen. Dieser Cañon ist von tiefen Spalten durchzogen. Ich werde eine finden, die innerhalb von Echnatons heiligem Bezirk liegt. Es wird nicht schwer sein, die Mumien tief im Fels zu bestatten und den Eingang so zu tarnen, daß niemand sie je finden wird. Und dann werde ich ihre Namen in den Felsen meißeln, so daß sie den Ort finden, an dem ihre Körper zur Ruhe gebettet sind. Jasmina, willst du mir helfen?«

»Ja.«

Als er sich über den Sarkophag beugte, um den zerbrechlichen Körper herauszunehmen, fragte Jasmina: »Was hast du damit gemeint, Mark, als du sagtest, sie habe in diesem Tal dreitausend Jahre lang nach jemandem gesucht, der ihren Mann zum Leben erwecken würde? Was bedeutet das?«

»Das ist eine lange Geschichte, Jasmina, und wir haben nicht viel Zeit. Später, wenn wir alles hinter uns gebracht haben, wenn wir sie bestat-

tet und die Gebete gesprochen haben, um ihre Seelen zurückzuführen, wenn wir die Behörden verständigt und mit der Polizei und den
Journalisten gesprochen haben, wenn alles vorbei ist...« Mark sah sie
durch das Dämmerlicht an.

»Dann werden wir Zeit haben«, flüsterte Jasmina. »Uns gehört die
Ewigkeit.«

Der Fluch
der Schriftrollen

Dieses Buch ist
Dr. William Robertson gewidmet,
der ein guter Freund, ein guter Neurochirurg
und ein großartiger Bildhauer ist.

Dank auch an Margie Dillenburg,
für ihre Unterstützung, ihre Geduld
und ihre heitere Gelassenheit.

Kapitel Eins

Hüte Dich vor dem Heiden und vor dem böswilligen Juden, der den Inhalt dieser Tonkrüge zu zerstören trachtet, denn der Fluch Mose wird über ihn kommen, und er wird verflucht sein in der Stadt und auf dem Land, und verflucht wird sein die Frucht seines Leibes und die seiner Felder. Und der Herr wird ihn mit einer schlimmen Feuersbrunst heimsuchen, ihn mit Wahnsinn und Blindheit schlagen und ihn für immer und ewig mit Grind und Krätze verfolgen.

Was ist das? Benjamin Messer wunderte sich. Ein Fluch? Verblüfft hielt er im Lesen der Papyrusrolle inne.

Zerstreut kratzte er sich den Kopf, während er die altertümliche Handschrift überflog. Ist es möglich? dachte er abermals verwirrt. Ein Fluch?

Diese Textstelle in dem Papyrus hatte Ben so sehr überrascht, daß er einen Augenblick überlegte, ob er sie nicht doch falsch verstand. Aber nein... Die Schrift war klar genug. Kein Zweifel.

Der Fluch Mose wird über ihn kommen...

Ben lehnte sich in seinem Stuhl zurück. Die Verblüffung über das, was er da eben gelesen hatte, stand ihm ins Gesicht geschrieben. Während er auf die zweitausend Jahre alte Handschrift starrte, die im grellen Licht seiner starken Speziallampe vor ihm auf dem Schreibtisch lag, ließ der junge Schriftenkundler noch einmal die Ereignisse dieses Abends in seinem Gedächtnis vorbeiziehen: Am späten Nachmittag war unerwartet an seine Tür geklopft worden, und als er geöffnet hatte, stand ein Postbote in triefendnassem Regenumhang vor ihm, der ihm einen feuchten Briefumschlag mit israelischen Briefmarken darauf übergeben hatte. Ben erinnerte sich noch genau daran, wie er den Empfang der Eilzustellung quittiert hatte und mit dem Umschlag in sein Arbeitszimmer gegangen war. Dort hatte er ihn ungeduldig und voller Erwartung mit zitternden Händen geöffnet und schließlich die erste Zeile gelesen. Diese Worte waren eine solche Überraschung gewesen, daß Ben noch immer dasaß und auf den Fetzen Papyrus starrte, als sähe er ihn zum ersten Mal.

Was konnte dieser Fluch wohl bedeuten? Was hatte John Weatherby ihm da geschickt? In dem Begleitschreiben war von der Entdeckung einiger antiker Schriftrollen am Ufer des Sees Genezareth die Rede gewesen. »Möglicherweise sogar eine größere Entdeckung als die Qumran-Handschriften vom Toten Meer«, hatte ihm der alte Archäologe Weatherby versichert.

Ben Messer betrachtete stirnrunzelnd das vor ihm liegende Schriftstück in aramäischer Sprache. Aber nein... Nicht die Schriftrollen von Qumran am Toten Meer. Keine biblischen Texte oder religiöse Schriften. Sondern ein Fluch. Der Fluch Mose.

Die Einleitung hatte ihn überrascht. Er hatte etwas anderes erwartet. Verwirrt beugte sich Ben nun wieder vor und las weiter:

Ich bin ein Jude. Und bevor ich von diesem Leben in ein anderes hinübergehe, muß ich mein geplagtes Gewissen vor Gott und allen Menschen erleichtern. Was ich getan habe, habe ich aus freiem Willen getan. Ich behaupte nicht, ein Opfer des Schicksals oder der Umstände gewesen zu sein. Offen bekenne ich, David Ben Jona, daß ich allein dafür verantwortlich bin, was ich tat, und daß meine Nachkommen an meinen Verbrechen keine Schuld tragen. Meine Abkömmlinge sollen nicht das Schandmal der Missetaten ihres Vaters tragen. Doch ebensowenig steht es ihnen zu, über mich zu richten. Denn das ist allein die Sache Gottes.

Ich habe mich durch mein eigenes Verschulden in diese unglückliche Lage gebracht. Ich muß nun von den Dingen sprechen, die ich tat. Und dann will ich endlich durch die Gnade Gottes im Vergessen Frieden finden.

Benjamin richtete sich auf und rieb sich die Augen. Das wurde ja immer interessanter. Diese letzten paar Zeilen verblüfften ihn so sehr, daß er sich abermals über den Text der Schrift beugte, um sich von der Richtigkeit seiner Übersetzung zu überzeugen. Zum einen war er überrascht davon, wie leicht er die Papyrusrollen lesen konnte. Normalerweise war das eine schwierige Aufgabe. In den vielen alten Schriften wurden Wörter abgekürzt und Vokale ausgelassen. Es handelte sich dabei ohnehin nur um Ermahnungen an jemanden, der den Inhalt sowieso schon auswendig wußte. Auf diese Weise wurde dem modernen Schriftenkundler die Übersetzung erschwert. Doch hier war dies nicht der Fall. Und die zweite Überraschung war die Erkenntnis gewesen, daß die Rolle nicht den religiösen Text enthielt, den Ben erwartet hatte.

Aber was ist es dann? dachte Ben. Er putzte seine Brille, setzte sie wieder auf und beugte sich erneut vor. Was um alles in der Welt hat John Weatherby da gefunden?

Ich habe nur noch einen weiteren Grund, all dies niederzuschreiben, bevor ich sterbe. Möge Gott der Herr sich meiner erbarmen, aber es ist von noch größerer Wichtigkeit als das Bekenntnis meiner Schuld. Ich schreibe nämlich, damit mein Sohn verstehen möge. Er soll die Tatsachen über die Vorgänge und Ereignisse kennenlernen, und er soll auch erfahren, was mich zu meinem Handeln bewog. Er wird Geschichten darüber gehört haben, was an jenem Tag geschah. Ich will, daß er jetzt die Wahrheit erfährt.

»Das ist ja nicht zu fassen!« murmelte Ben. »John Weatherby, ich glaube kaum, daß Sie wissen, was Sie da ans Tageslicht befördert haben! Bei Gott, das ist mehr als nur eine archäologische Entdeckung, mehr als nur ein paar gut erhaltene Schriftrollen für das Museum. Es sieht so aus, als würde hier eine letzte Beichte enthüllt werden. Und noch dazu eine, die mit einem Fluch behaftet ist.«
Ben schüttelte den Kopf. »Das ist unglaublich...«

Folglich sind diese Worte für Deine Augen bestimmt, mein Sohn, wo immer Du auch sein magst. Meine Freunde haben mich als sehr sorgfältigen Menschen gekannt, und ich darf bei diesem meinem letzten Werk meine Natur nicht verleugnen. Diese Schriftstücke werden für Dich, mein Sohn, als Erbe bewahrt werden, denn ich habe wenig anderes, was ich Dir geben könnte. Einst hätte ich Dir ein großes Vermögen vermachen können, aber jetzt ist alles zerronnen, und in dieser schwärzesten Stunde kann ich Dir nur mein Gewissen hinterlassen.
Obwohl ich weiß, daß es nicht lange währt, bis wir in Zion im

Neuen Israel wieder vereint sind, muß ich dennoch bestrebt sein, diese Schriftrollen zu verbergen, als sollten sie bis in alle Ewigkeit ruhen. Ich bin sicher, Du wirst sie bald finden. Es wäre indessen ein schlimmes Unglück, sollten sie vernichtet werden, bevor Dein Auge sie erblickte. Deshalb erbitte ich den Schutz Mose, auf daß sie sicher bewahrt werden.

Den Schutz Mose? wiederholte Ben in Gedanken. Er warf erneut einen Blick auf den oberen Teil der Papyrus-Rolle, las nochmals die ersten Zeilen und erkannte darin, wenn auch in etwas anderer Form, den Fluch, der auch im Alten Testament steht.

In dem Schreiben, das den Fotos der Schriftrollen beigelegt war, hatte John Weatherby die Vermutung geäußert, er und sein Team hätten allem Anschein nach einen archäologischen Fund von gewaltiger Tragweite gemacht. Doch offenbar war sich der alte Dr. Weatherby nicht genau darüber im klaren gewesen, was er da tatsächlich gefunden hatte.

Ben Messer, dessen Aufgabe es war, die Schriftrollen zu übersetzen, hatte religiöse Texte erwartet, Auszüge aus der Bibel. Wie die Qumran-Handschriften. Aber das hier? Eine Art Tagebuch? Und ein Fluch?

Er war überwältigt. Was zum Teufel konnte das bloß sein?

Nun, mein Sohn, bete ich zum Gott Abrahams, auf daß er Dich zum Versteck dieses Schatzes eines armen Mannes führen möge. Ich bete von ganzem Herzen, mit all meiner Kraft und mit größerer Inbrunst, als wenn ich um seine Gnade für meine Seele betete, daß Du, mein geliebter Sohn, eines nahen Tages diese Worte lesen wirst.

Richte nicht über mich, denn das steht allein Gott zu. Denk vielmehr an mich in Deinen schweren Stunden, und erinnere Dich daran, daß ich Dich über alles liebte. Und wenn unser Herr an den Toren Jerusalems erscheint, schau in die Gesichter derer, die sich um ihn scharen, und mit Gottes Wohlwollen wirst Du das Antlitz Deines Vaters unter ihnen erblicken.

Benjamin lehnte sich überrascht zurück. Das war ganz und gar unglaublich! Mein Gott, Weatherby, Sie hatten nur zur Hälfte recht.

Wertvolle Schriftrollen, ja. Ein archäologischer Fund, der »die zivilisierte Welt erschüttern wird«, ja. Aber da ist noch etwas anderes.

Ben sprang erregt auf und lief mit großen Schritten zur Fensterfront. Im Spiegelbild des Glases sah der sechsunddreißigjährige Schriftenkundler seinen hochgewachsenen, mageren Körper und seine weichen Gesichtszüge mit der Hornbrille und dem blonden Haar. Vor ihm funkelten die hellen, blitzenden Lichter von West Los Angeles. Draußen war es schon dunkel. Der Regen hatte aufgehört, und leichter Dunst lag über der Stadt. Es war kalt geworden an diesem Novemberabend, ohne daß Ben es bemerkt hatte. Wie immer, wenn er einen alten Text übersetzte, hatte er sich in den Sätzen längst verstorbener Autoren verloren.

Autor unbekannt und namenlos.

Mit Ausnahme von diesem hier.

Er wandte sich langsam um und starrte eine Zeitlang auf seinen Schreibtisch. Der kreisförmige Strahl der Leselampe erhellte eine kleine Fläche, während der übrige Raum im Dunkeln lag.

Mit Ausnahme von diesem hier, wiederholte er im Geiste.

Wie erstaunlich, dachte er, daß man Schriftrollen gefunden hat, die kein Priester, sondern ein gewöhnlicher Mann verfaßt hatte und die nicht religiöse Aufzeichnungen, wie sonst, sondern so etwas wie einen vertraulichen Brief beinhalten. Ist es denn möglich? Hat John Weatherby tatsächlich die lange verlorenen Schriften eines einfachen Mannes gefunden, der vor zweitausend Jahren lebte? Wie wichtig ist diese Entdeckung? Sie wäre sicherlich ebenso einzustufen wie das Grab Tutenchamuns und Schliemanns Troja. Denn falls es sich hierbei wirklich um die Worte eines gewöhnlichen Bürgers handelte, der aus ganz persönlichen Gründen schrieb, dann wären diese Schriftrollen die allerersten ihrer Art in der Geschichte!

Ben ging zum Schreibtisch zurück. Dort nahm gerade seine geschmeidige schwarze Katze Poppäa Sabina seine neueste Arbeit in Augenschein. Das glänzende Foto, scharf und kontrastreich, war eines von dreien, die Ben an diesem Abend per Eilboten erhalten hatte. Es waren Aufnahmen von einer Schriftrolle, die zur Zeit unter der Schirmherrschaft der israelischen Regierung restauriert und konserviert wurde. Auf den Fotos war jeweils ein Drittel der gesamten Rolle zu sehen. Weitere Rollen sollten folgen, hatte man Ben gesagt. Und jedes Bild war eine getreue Wiedergabe des Originals. Nichts war daran verändert worden, und man hatte auch keine Verkleinerung vorgenommen. Wären die Bilder weniger glatt und glänzend gewesen, so hätte Dr. Messer tatsächlich geglaubt, die Original-Papyrusfragmente vor sich zu haben.

Er setzte sich wieder, stellte Poppäa sanft auf den Boden hinunter und übersetzte weiter.

Höre, Israel, der Herr ist unser Gott, der Herr allein.
Gepriesen seist du, o Herr, unser Gott, König des Universums, der seines feierlichen Bundes stets eingedenk ist, seinem Bund treu bleibt und sein Versprechen hält; der den Unwürdigen Gutes tut und der auch mich mit allem Guten bedachte.

Er lächelte über das, was er da gerade übersetzt hatte: das *Schema Israel*, der Anfang des jüdischen Bekenntnisses und ein traditioneller Segensspruch, beides in Hebräisch: »*Baruch Attah Adonai Elohenu Melech ha-Olam.*« An so etwas war Ben schon eher gewöhnt. Heilige Texte, Gesetzessammlungen, Sprichwörter und Beschreibungen der Endzeit. Wer immer dieser David Ben Jona auch gewesen sein mochte, er muß ein äußerst frommer Jude gewesen sein, er hatte es nicht einmal gewagt, den Namen Gottes auszuschreiben, sondern hatte statt dessen die vier hebräischen Konsonanten JHWH benutzt. Beim nochmaligen Durchsehen seiner Übersetzung bemerkte Ben auch, daß es sich bei David Ben Jona um einen Mann von hoher Bildung handeln mußte.

Das Klingeln des Telefons schreckte Ben auf. Er warf seinen Kugelschreiber auf den Schreibtisch und nahm atemlos den Hörer ab.

»Ben?« Es war Angies Stimme.

»Bist du eben gerade nach Hause gekommen?«

»Nein«, entgegnete er verschmitzt, »ich habe die ganze Zeit hier am Schreibtisch gesessen.«

»Benjamin Messer, ich bin zu hungrig, um noch Sinn für Humor zu haben. Sag mir nur eines, kommst du nun vorbei oder nicht?«

»Ob ich vorbeikomme?« Er schaute auf die Uhr. »Ach du lieber Himmel! Es ist ja schon acht!«

»Ich weiß«, erwiderte sie trocken.

»Gott, das tut mir aber leid. Da bin ich ja wohl eine halbe Stunde...«

»Eine volle Stunde zu spät«, seufzte sie spöttisch. »Mutter pflegte stets zu sagen, Schriftkundler seien niemals pünktlich.«

»Das hat deine Mutter gesagt?«

Angie lachte. Sie brachte alle nur erdenkliche Geduld auf, wenn es um ihren Verlobten Ben ging. Er war so verläßlich in allen anderen Dingen, daß es ihr leicht fiel, wegen seiner notorischen Unpünktlichkeit nachsichtig zu sein.

»Arbeitest du am Kodex?« fragte sie.

»Nein«, antwortete er und runzelte die Stirn, da er sich plötzlich wieder an die Gesetzessammlung erinnerte, die er dringend übersetzen mußte. Als er Dr. Weatherbys Fotos aus Israel erhalten hatte, hatte er den ägyptischen Kodex, an dem er normalerweise gerade arbeitete, beiseite gelegt. »Etwas anderes . . .«

»Willst du's mir nicht verraten?«

Er zögerte. In einem seiner Briefe hatte John Weatherby Ben gebeten, mit niemandem über sein Projekt zu reden. Es befand sich noch im streng geheimen Frühstadium, und es sollte vorerst nichts davon an die Öffentlichkeit gelangen. Weatherby wollte nicht, daß gewisse Kollegen schon jetzt davon erfuhren.

»Ich erzähl's dir beim Abendessen. Gib mir noch zehn Minuten Zeit.«

Als er den Hörer auflegte, zuckte Ben Messer die Achseln. Angie war gewiß eine Ausnahme, ihr könnte er das Geheimnis ruhig anvertrauen.

Als er die Fotografien in den Umschlag zurückschieben wollte, hielt er von neuem inne, um das Manuskript in seiner klaren Sprache noch einmal zu bestaunen. Da lag es vor ihm in schlichtem Schwarz-Weiß. Die Stimme eines Mannes, der seit fast zwei Jahrtausenden tot war. Ein Mann, dessen Messer das Ende des Schreibrohrs angespitzt hatte, dessen Hände das vor ihm liegende Papyrus geglättet hatten, dessen Speichel den Farbstein benetzt hatte, um daraus Tinte zu machen. Hier waren seine Worte, die Gedanken, die er vor seinem Tod unbedingt noch festhalten wollte.

Eine ganze Weile stand Ben wie angewurzelt vor seinem Schreibtisch und starrte wie hypnotisiert auf die glänzenden Ablichtungen des alten Schriftstücks.

John Weatherby hatte recht. Falls noch weitere David Ben Jona-Schriftrollen gefunden würden, wäre dies eine Sensation.

»Warum?« fragte Angie, während sie ihm Wein nachschenkte. Ben antwortete nicht sofort. Geistesabwesend starrte er auf das lodernde Kaminfeuer. In dem hellen, heißen Licht sah er wieder die Handschrift David Ben Jonas vor sich, und er erinnerte sich, wie sehr es ihn am frühen Abend erstaunt hatte, zu entdecken, daß die Schriftrolle von einem Privatmann und in alltäglicher Sprache verfaßt worden war. Ben war ganz darauf eingestellt gewesen, einen religiösen Text zu übersetzen, vielleicht das Buch Daniel oder das Buch Ruth, und statt dessen war ihm die Überraschung seines Lebens bereitet worden.

»Ben?« sagte Angie ruhig. Sie hatte ihn schon einmal so gesehen, im »Schrein des Buches« in Israel, wo sie im Jahr zuvor als Touristen vor den eindrucksvollen Originalen der berühmten Schriftrollen vom Toten Meer gestanden hatten. Wenn Ben sich mit seiner einzigen großen Liebe beschäftigte – rissiges Papier und verblichene Tinte – zog er sich völlig in sich zurück und verlor den Bezug zur Wirklichkeit.

»Ben?«

»Hm?« Jäh wurde er aus seinen Gedanken gerissen. »Oh, verzeih mir, ich glaube, ich bin in Gedanken woanders.«

»Du hast mir gerade von Kopien einer Schriftrolle erzählt, die du heute abend aus Israel erhalten hast. Du hast gesagt, Dr. Weatherby hat sie dir geschickt, und alles spricht dafür, daß es sich dabei um eine sensationelle Entdeckung handelt. Warum? Stammen sie etwa vom Toten Meer?«

Ben lächelte und nippte an seinem Weinglas. Angies Kenntnis alter Manuskripte war nur laienhaft. Bestenfalls kannte sie die Qumran-Handschriften vom Hörensagen. Aber die hochgewachsene, gertenschlanke und auffallend hübsche Angie war ja schließlich Mannequin und hatte daher nur eine äußerst begrenzte Vorstellung davon, womit er seinen Lebensunterhalt verdiente.

»Nein, sie stammen nicht vom Toten Meer.« Er und Angie saßen bei einem Glas edlen Weines auf dem Fußboden vor dem Feuer. Reste des Abendessens standen noch auf dem Tisch. Bevor er antwortete, drehte sich Ben ein wenig zur Seite, um ihr hübsches Gesicht besser betrachten zu können.

»Sie wurden unter den Überresten einer alten Wohnstätte gefunden, an einem Ort namens Khirbet Migdal. Sagt dir das etwas?«

Sie schüttelte den Kopf. Im Schein des Feuers schien ihr glänzendes Haar wie aus Bronze zu sein.

»Nun, vor etwa sechs Monaten teilte mir John Weatherby mit, daß er von der israelischen Regierung endlich die Genehmigung erhalten habe, in Galiläa eine Ausgrabung durchzuführen. Wie ich dir sicherlich erzählt habe, gilt Weatherbys Hauptinteresse den ersten drei Jahrhunderten unserer Zeitrechnung. Daher beschäftigt er sich unter anderem mit dem alten Rom und seinem Niedergang, der Zerstörung Jerusalems und dem Aufstieg des Christentums. Jedenfalls zog John die richtigen Schlußfolgerungen aus den Hinweisen, die er vorfand, und konzentrierte seine Forschungen schließlich auf ein bestimmtes Ausgrabungsgebiet, auf das ich hier nicht näher eingehen will, und trug den Israelis sein Anliegen vor. Dann brach er vor fünf Monaten mit einem Archäologen-Team aus Kalifornien auf, schlug in der Nähe des Ortes Khirbet Migdal sein Lager auf und begann mit seiner Ausgrabung.«

Ben trank einen Schluck Wein und setzte sich bequem zurecht. »Ich möchte nicht im einzelnen auf seine Entdeckungen eingehen. Es sei nur so viel gesagt: Das Graben lohnte sich. Doch das, wonach er ursprünglich suchte – nämlich eine Synagoge aus dem zweiten Jahrhundert –, kam nie zum Vorschein. Er hatte sich getäuscht. Aber rein zufällig stieß er auf etwas anderes, auf etwas von solch bahnbrechender Bedeutung, daß er mich vor zwei Monaten aus Jerusalem anrief. Er habe ein Versteck mit Schriftrollen gefunden, erzählte er mir, ein Versteck, das so hermetisch abgeschlossen sei und so tief unter der Erde liege, daß die Rollen einwandfrei erhalten seien. Normalerweise haben wir nicht so viel Glück.«

»Aber was ist dann mit der Schriftrolle, die wir gesehen haben, als wir in Israel waren . . .«

»Das Tote Meer ist eine unglaublich trockene Gegend. Daher wurden die Rollen vor der Zerstörung durch Feuchtigkeit bewahrt. Genauso verhält es sich auch mit Papyri aus ägyptischen Gräbern. Aber in Galiläa, wo eine höhere Luftfeuchtigkeit herrscht, ist die Chance, daß so vergängliche Materialien wie Holz und Papier überdauern, praktisch Null. Natürlich vom Standpunkt der Archäologen gesehen.«

»Und doch hat Dr. Weatherby welche gefunden?«

»Ja«, erwiderte Ben, »es sieht ganz so aus.«

Nun begann auch Angie in die Flammen zu starren. Ihre Vorstellungskraft fing Feuer. »Wie alt mögen diese Rollen wohl sein?«

»Wir wissen es noch nicht mit hundertprozentiger Sicherheit. Das letzte Urteil darüber hängt von mir und zwei anderen Übersetzern aus Detroit und London ab. Durch chemische Analysen konnte Weatherby das Alter der Tongefäße in etwa abschätzen, mit einer möglichen Abweichung von ein oder zwei Jahrhunderten. Der Papyrus und die Tinte wurden ebenfalls analysiert, aber auch hier waren die Ergebnisse nicht restlos überzeugend. Die beiden anderen Übersetzer und ich sollen nun die genauere Eingrenzung vornehmen.«

»Die anderen beiden erhalten ebenfalls Auszüge und arbeiten in der gleichen Weise wie ich. Übersetzer arbeiten gewöhnlich in Teams, aber Weatherby möchte, daß wir getrennt und ohne gegenseitige Hilfe zu Werke gehen. Er glaubt nämlich, daß wir auf diese Weise genauere Übersetzungen liefern werden. Und ich schätze, er wählte uns drei, weil wir ein Geheimnis für uns behalten können.«

»Warum? Was ist denn dabei das Geheimnis?«

»Na ja, das hängt mit unserem Beruf zusammen. Manchmal ist es einfach besser, eine phantastische Entdeckung noch eine Weile für sich zu behalten, bis alles vorbereitet und fertiggestellt ist, um erst dann damit an die Öffentlichkeit zu treten. Die Authentizität eines solchen Fundes könnte in Zweifel gezogen werden, und dann muß man gewappnet sein, um seine Forschungsergebnisse zu verteidigen. In unserem Tätigkeitsfeld gibt es immer kleine Eifersüchteleien.« Ben wollte nicht noch weitergehen. Angie würde es nicht verstehen. Und auch sonst kein Außenstehender, denn es war nicht leicht zu erklären. Man konnte einen makellosen wissenschaftlichen Ruf haben und mit ehrlichen Methoden arbeiten, immer fand sich einer, der alles anfechten würde. Sogar wegen der Qumran-Schriftrollen war seinerzeit weltweit ein Meinungsstreit unter Wissenschaftlern ausgebrochen. Selbst bei naturwissenschaftlichen Entdeckungen war so etwas möglich.

»Du hast mir noch immer nicht verraten, was nun gerade an diesen Rollen so besonders ist.«

»Nun, einerseits sind sie die ersten ihrer Art, die je gefunden wurden. Alle antiken Schriftrollen, die heute auf der ganzen Welt in Museen und Universitäten aufbewahrt werden, haben durchweg einen religiösen oder irgendwie ›offiziellen‹ Inhalt, beispielsweise als Verwaltungs- oder Gesetzesaufzeichnung. Und sie wurden alle von Priestern, Mönchen oder sonstigen Schriftgelehrten verfaßt. Der Durchschnittsmensch, der in diesen Zeiten lebte, schrieb niemals

Dinge nieder, wie du und ich es tun. Deshalb ist noch nie zuvor etwas gefunden worden, was sich mit Weatherbys Rollen vergleichen ließe. Verstehst du, ein normaler Bürger, der persönliche Worte niederschreibt.«

»Was für Worte?«

»Es sieht aus wie eine Art Brief oder Tagebuch. Er sagt, er habe eine Beichte abzulegen.«

»Also werden die Rollen dadurch berühmt, weil sie die einzigen ihrer Art sind.«

»Deshalb und dann natürlich«, Ben kniff die Augen zusammen und zeigte ein verschmitztes Lächeln, »wegen des Fluchs.«

»Ein Fluch?«

»Irgendwie ist es ja romantisch, ein Versteck mit alten Schriftrollen zu finden, die mit einem Fluch behaftet sind. Weatherby erzählte mir am Telefon davon. Wie es scheint, war der Jude namens David Ben Jona, der die Rollen schrieb, vermutlich als alter Mann, fest entschlossen, seine kostbaren Handschriften sicher zu bewahren, und griff daher auf einen uralten Fluch zurück. Den Fluch Mose.«

»Den Fluch Mose!«

»Er stammt aus dem Fünften Buch Mose, Kapitel achtundzwanzig. Dort findet sich eine ganze Reihe schrecklicher Flüche. Wie etwa von einer schlimmen Feuersbrunst heimgesucht und auf ewig von Grind und Krätze verfolgt zu werden. Ich denke, David Ben Jona hatte diese Rollen wirklich schützen wollen. Er mußte wohl geglaubt haben, dies sei genug, um jeden Unbefugten in Angst und Schrecken zu versetzen und von den Rollen fernzuhalten.«

»Nun, Weatherby hat es anscheinend nicht abgeschreckt.«

Ben lachte. »Ich bezweifle, ob der Fluch nach zweitausend Jahren noch viel von seiner Kraft hat. Aber wenn Weatherby jetzt plötzlich von Grind und Krätze befallen wird...«

»Hör auf!« Angie rieb sich die Arme. »Brrr. Ich kriege Gänsehaut davon.«

Beide starrten wieder ins Feuer, und Angie, die sich an das verblichene Pergament erinnerte, das sie im »Schrein des Buches« gesehen hatten, fragte: »Warum waren die Rollen von Qumran eine so phantastische Entdeckung?«

»Weil sie den Beweis für die Richtigkeit der Bibel lieferten. Und das ist keine Kleinigkeit.«

»Ist das dann nicht bedeutender als das, was Dr. Weatherbys Rollen zu sagen haben?«

Ben schüttelte den Kopf. »Nicht vom Standpunkt der Geschichtsschreibung. Wir haben genug Bibeltexte, die uns das verraten, was wir über die Entwicklung der Bibel durch die Jahrhunderte hindurch wissen müssen. Was wir nicht besitzen, ist eine hinreichende Kenntnis darüber, wie sich zu jenen Zeiten das tägliche Leben abspielte. Religiöse Schriftrollen wie die vom Toten Meer enthalten beispielsweise Prophezeiungen und Glaubensbekenntnisse, doch sie sagen uns nichts über die Zeit, in der sie geschrieben wurden, oder über die Menschen, die sie verfaßten. Weatherbys Rollen dagegen... Großer Gott!« entfuhr es ihm plötzlich. »Ein persönliches Tagebuch aus dem zweiten oder dritten Jahrhundert! Denk nur mal an die Wissenslücken, die dadurch geschlossen werden könnten!«

»Was ist, wenn sie älter sind? Vielleicht aus dem ersten Jahrhundert?«

Ben zuckte die Schultern. »Das ist möglich, aber um das sagen zu können, ist es noch zu früh. Weatherby tippt auf das späte zweite Jahrhundert. Die Radiokarbonmethode kann es nicht weiter für uns eingrenzen. Letztendlich hängt es von meiner Analyse des Schreibstils ab. Erst sie wird uns Aufschluß darüber geben, wann David Ben Jona gelebt hat. Dabei ist meine Tätigkeit keine exakte Wissenschaft. Aus dem zu schließen, was ich bislang gelesen habe, könnte der alte David Ben Jona zu jeder x-beliebigen Zeit innerhalb einer Epoche von dreihundert Jahren gelebt haben.«

Ein verträumter Blick zeigte sich auf Angies Gesicht. Es war ihr gerade etwas eingefallen. »Aber das erste Jahrhundert wäre das phantastischste, nicht wahr?«

»Natürlich. Neben den Qumran-Handschriften, den Briefen von Bar Kochba und den Schriftrollen von Masada existiert nach heutiger Kenntnis kein weiteres aramäisches Schriftstück aus der Zeit Christi.«

»Meinst du, er wird darin erwähnt?«

»Wer?«

»Jesus.«

»Oh, na ja, ich glaube nicht...« Ben wandte seinen Blick von ihr ab. Für ihn war die Wendung »aus der Zeit Christi« lediglich ein Instrument zum Festlegen des historischen Maßstabs. Es war einfacher, als zu sagen »vom Jahr vier vor unserer Zeitrechnung bis etwa zum Jahr siebzig nach unserer Zeitrechnung« oder »nach-augustinisch und präflavianisch«. Es war nur ein Kürzel zur Bezeichnung dieser bestimmten Epoche in der Geschichte. Ben besaß seine eigene Theorie über den Mann, den die Leute Christus nannten. Und diese wich von der Norm ab.

»Du wirst also anhand der Schriften herausfinden können, wann es geschrieben wurde?«

»Das will ich hoffen. Die Schreibstile veränderten sich im Laufe der Jahrhunderte. Die Handschrift selbst, das benutzte Alphabet und die Sprache sind meine drei Maßstäbe. Ich werde Weatherbys Rollen mit anderen vergleichen, die wir heute schon besitzen, wie etwa die von Masada, und sehen, inwieweit der Schreibstil übereinstimmt. Nun haben wir nach der chemischen Analyse des Papyrus ein hypothetisches Entstehungsdatum von vierzig C. E. mit einer Spannweite von zweihundert Jahren. Das bedeutet, der Papyrus wurde zwischen hundertsechzig B. C. E. und zweihundertvierzig C. E. hergestellt.«

»Was heißt C. E.?«

»Es steht für *Common Era* und bedeutet dasselbe wie A. D., ›Anno Domini‹ oder ›Christi Geburt‹, beinhaltet aber keine religiöse Anspielung. Archäologen und Theologen benutzen es. Aber es ist ja auch einerlei, wie man sich bei der Zeitangabe nun ausdrückt. Die Radiokarbonmethode funktioniert prima bei prähistorischen Schädeln, wo ein so großer zeitlicher Spielraum nicht weiter stört. Aber wenn man eine relativ kleine Zeitspanne vor ungefähr zweitausend Jahren eingrenzen will, dann ist ein Spielraum von zweihundert Jahren praktisch überhaupt keine Hilfe. Er bildet lediglich die Grundlage, von der man ausgeht. Dann versuchen wir, anhand der Bodentiefe, in der die Ausgrabung gemacht wurde, ein Datum zu bestimmen. Ältere Schichten liegen darunter, und Lagen aus jüngeren Jahren breiten sich darüber aus. Wie geologische Bodenschichten. Doch nachdem dies alles geschehen ist, müssen wir uns für das endgültige Datum doch wieder der Schrift selbst zuwenden. Und bisher schreibt dieser David Ben Jona in einer Art, die große Ähnlichkeit mit den Handschriften vom Toten Meer aufweist und die man irgendwann zwischen hundert vor Christus und zweihundert nach Christus datieren kann.«

»Vielleicht erwähnt dieser David in seinem Schriftstück etwas, was dir einen genauen Anhaltspunkt geben könnte, einen Namen, ein Ereignis oder sonst etwas.«

Ben, der eben sein Glas zu den Lippen führen wollte, hielt auf halbem Weg inne und starrte Angie an. Darauf war er selbst noch gar nicht gekommen. Und warum sollte es auch nicht möglich sein? Schließlich hatte das erste Bruchstück ja bereits bewiesen, daß diese Migdal-Schriftrollen sich von allen bisherigen unterschieden. Es war möglich. *Alles* war möglich.

»Ich weiß nicht, Angie«, antwortete er langsam. »Daß er uns ein Datum nennt... auf soviel darf man wohl nicht hoffen.«

Sie zuckte die Achseln. »So wie du redest, könnte man meinen, daß du nicht einmal auf die Rollen selbst hättest hoffen dürfen. Und dennoch sind sie da.«

Ben blickte sie abermals erstaunt an. Angies Fähigkeit, selbst die wunderlichsten Ereignisse ganz beiläufig hinzunehmen, überraschte ihn immer wieder. Und doch, so überlegte er jetzt, während er ihren gleichgültigen Gesichtsausdruck studierte, war es vielleicht nicht so sehr die Gelassenheit, mit der sie gewisse Ereignisse hinnahm, sondern vielmehr die Gelassenheit, mit der sie sie abtat. Sie besaß die Fähigkeit, alles mit der gleichen nüchternen Sachlichkeit aufzunehmen, sei es nun die Tageszeit oder die Nachricht von einer Katastrophe. Angie war keine Frau von heftigen Leidenschaften. Niemals hatte sie etwas an den Tag gelegt, was auch nur annähernd einem Gefühlsausbruch gleichkam. Und sie schien in der Tat stolz darauf zu sein, eine höchst gleichmütige Person zu sein. Selbst in Krisensituationen verlor sie nie die Fassung. Eine beliebte Anekdote, die in ihrem Freundeskreis immer wieder erzählt wurde, handelte von Angies Reaktion auf die Nachricht von der Ermordung John F. Kennedys. Noch keine Stunde, nachdem es geschehen war und die ganze Welt von Entsetzen erfüllt war, hatte ihr einziger Kommentar gelautet: »Tja, das Leben ist gemein.«

»Ja, Schriftrollen wie diese sind mehr, als man sich zu erhoffen wagt. Eigentlich sind sie der Traum eines jeden Archäologen. Allerdings...«

Bens Stimme wurde schwächer. Da gab es noch so viele Wenn und Aber. Dr. Weatherby hatte in seinen Briefen nur auf »Schriftrollen« hingewiesen. Doch er hatte nie ihre genaue Anzahl erwähnt. Wie viele von ihnen gab es dort? Wie viele hatte der alte David Ben

Jona wohl noch schreiben können, bevor er von »diesem Leben in ein anderes« hinübergegangen war? Und was war es, das er noch so dringend hatte loswerden und zu Papier bringen müssen?

Während er mit Angie vor dem Feuer saß und Wein trank, begann Ben über Fragen nachzudenken, die ihm bis dahin nie in den Sinn gekommen waren.

Ja, in der Tat, was mochte den alten Juden wohl dazu gebracht haben, sein Leben zu Papier zu bringen? Was war so Bedeutendes geschehen, daß er das machte, was so wenige seiner Zeitgenossen taten: die eigenen Gedanken niederzuschreiben? Und was hatte ihn dann veranlaßt, jene Rollen ebenso sorgfältig zu verpacken, wie es die Mönche vom Toten Meer getan hatten – seine Aufzeichnungen als Lektüre für seinen Sohn?

Und dann dieser absonderliche Fluch! Die Rollen mußten etwas Wichtiges enthalten, wenn der alte David so weit gegangen war, um sie zu schützen.

Ben unterbrach seine Spekulationen und konzentrierte seine Gedanken wieder auf den Fund selbst. Er wußte aus Erfahrung, daß es nicht lange dauern würde, bis die Nachricht davon durchsickerte, und war dies einmal geschehen, dann würde die Welt den Atem anhalten. Der Medienrummel wäre schwindelerregend. Sein Name, Dr. Benjamin Messer, würde untrennbar mit der Entdeckung verbunden, und er fände sich plötzlich in dem Rampenlicht wieder, von dem er so oft geträumt hatte. Er würde Bücher veröffentlichen, im Fernsehen interviewt werden und Vortragsreisen durchs ganze Land unternehmen. Er fände Ansehen, Ruhm und Anerkennung und...

Im knisternden Feuer schlugen die Flammen hoch und tauchten das Zimmer für einen Moment in hellen Schein. Irgendwo, ganz nahe, hörte er ein sanftes Atmen. Ben spürte, wie sein Gesicht sich zunehmend erhitzte, sei es nun von dem Feuer im Kamin oder von seiner inneren Erregung. Er wurde langsam müde und dachte an die Briefe, die John Weatherby ihm geschrieben hatte.

Den ersten hatte er vor zehn Wochen erhalten. Darin hatte ihn Weatherby nur kurz von einer »bemerkenswerten Entdeckung« unterrichtet.

Ben erinnerte sich, wie er damals geglaubt hatte, daß Weatherby offenbar eine Synagoge aus dem zweiten Jahrhundert gefunden hatte. Doch dann war dieser Anruf aus Jerusalem gekommen, bei dem John

Weatherbys Stimme klang, als hätte er sich einen Eimer über den Kopf gestülpt. Er sprach von einem Versteck mit Schriftrollen, auf das er gestoßen sei, und kündigte an, daß er Ben mit ihrer Übersetzung und zeitlichen Zuordnung betrauen wolle. Das war vor zwei Monaten gewesen.

Die nächste Mitteilung war vier Wochen später in Form eines langen Briefes gekommen. Ein »Ausgrabungsbericht« in zeitlich genauer Abfolge von ihrem Beginn bis zum Fund der Schriftrollen; eine ausführliche Schilderung der Ausgrabungsstätte, insbesondere von Niveau VI; eine Liste von Gegenständen, die man neben den Tonkrügen gefunden hatte – Haushaltsgegenstände, Münzen, Tonscherben – und dann noch eine Beschreibung der Tonkrüge und der Schriftrollen selbst.

Als nächstes war ihm ein dreiseitiger Bericht über den Befund des Instituts für Nuklearforschung an der Universität Chicago zugegangen, die Ergebnisse der Radiokarbontests und eine Festsetzung des Alters der Münzen auf siebzig nach Christus. Doch letztendlich waren die Wissenschaftler lediglich imstande gewesen, auf das breite Spektrum von dreihundert Jahren hinzuweisen, und hatten es auch nicht näher eingrenzen können.

Aus diesem Grund waren die Ablichtungen der Rollen an Ben Messer geschickt worden. Um genauer zu bestimmen, in welchem Jahr sie geschrieben worden waren und was sie aussagten.

»Ben?«

»Hm?« Er öffnete langsam die Augen.

»Schläfst du ein?« Angies Stimme klang sanft und einschmeichelnd.

»Ich denke nur nach...«

»Worüber?«

»Oh...« Ben seufzte. Er spürte ein plötzliches Hochgefühl.

»Mir ist da gerade etwas eingefallen. Etwas, woran ich bisher noch gar nicht gedacht hatte.«

»Was ist es?«

»Daß Davids Vater denselben Namen trug wie mein Vater.«

»Woher willst du das wissen?«

»Das ist in seinem Namen, David Ben Jona, enthalten. ›Ben‹ bedeutet in Aramäisch ›Sohn des‹. Also hieß sein Vater Jona. Und zufälligerweise war Jona auch der Name meines Vaters...«

Allmählich spürte Benjamin Messer die Wirkung des Weines. Aus irgendeinem Grund schienen die Rollen plötzlich noch wichtiger als vorher. Dabei hatte er doch erst damit begonnen, sie zu lesen.

»Meinst du, daß es noch mehr davon gibt?«

»Das hoffe ich. Ich bete zu Gott, daß es so ist.«

Angie sah ihn von der Seite an. »Das wäre mir völlig neu, daß du wüßtest, wie man betet, Ben.«

»Schon gut, das reicht.« Sie hatte ihn oft damit aufgezogen, daß er der frömmste Atheist sei, den sie kenne. Er, Benjamin Messer, der Sohn eines Rabbiners.

Sie schmiegten sich im Halbdunkel des Kaminfeuers aneinander. Angie war emotional vielleicht etwas zurückhaltend, doch ihre sexuellen Wünsche konnte sie durchaus ausdrücken.

»Vergiß die Vergangenheit«, hauchte sie Ben ins Ohr, »komm zurück in die Gegenwart. Komm zurück zu mir.«

Sie machten sich nicht die Mühe, ins Schlafzimmer zu gehen. Der zottelige kleine Teppich vor dem Kamin war bequem genug. Und für eine Weile ließ Angie Ben das Rätsel eines zweitausend Jahre alten Alphabets vergessen.

Später, als sie sich vor dem glimmenden Kaminfeuer anzogen, spürte Ben, wie er rasch wieder nüchtern wurde. Der alexandrinische Kodex, der wohl fälschlich dem Evangelisten Markus zugeschrieben wurde, wartete darauf, übersetzt zu werden. Und dann war da natürlich noch der letzte Teil von Weatherbys Schriftrolle, der gelesen werden mußte. Und morgen gab er Unterricht.

»Bleib heute nacht hier«, drängte Angie sanft.

»Tut mir leid, Liebes, aber weder Regen noch Graupel, noch ein listiges Frauenzimmer sollen den Handschriftenkundler von seinen anstehenden Übersetzungen abhalten. Das ist Herodot.«

»Das ist albern.«

»Ach wirklich? War er Grieche oder Römer, dieser Marcus Tullius Albern?«

Angie schnappte sich seinen Pullover und warf ihn in Bens Richtung. »Benjamin Messer, mach, daß du rauskommst!«

Er lachte und streckte ihr die Zunge heraus. Angies kastanienbraunes Haar fiel ihr ins Gesicht und verlieh ihr das Aussehen eines kleinen Mädchens, während ihre Augen ihn verführerisch anblitzten. Es machte Spaß, mit ihr zusammenzusein. Zwar wußte sie nichts über alte Geschichte, aber es war immer unterhaltsam mit ihr. Und dafür liebte er sie.

»Ciao, Baby, wie sie im Fernsehen sagen.« Er ging fort und sprang, zwei Stufen auf einmal nehmend, die Treppe hinunter. Seine unbeschwerte Stimmung verflüchtigte sich jedoch bald in der frostigen Luft, als er den Wilshire Boulevard hinunterfuhr. Ein Radiosender spielte ein Lied von Cat Stevens oder Neil Young. Er konnte nicht genau sagen, von wem.

Ben gehörte dem Schlag unzeitgemäßer Menschen an, die sagen konnten, ihre Lieblingssängerin sei Olivia Elton John, und damit ungestraft davonkamen.

Doch er achtete nicht wirklich auf die Musik, weil das dringende Problem der Schriftrollen ihn wieder zu plagen begann. Wann waren sie denn nun wirklich geschrieben worden? Zweites oder drittes Jahrhundert wäre nicht annähernd so aufregend wie erstes Jahrhundert. Und ebensowenig hätte das späte erste Jahrhundert eine so sensationelle Wirkung wie das frühe erste Jahrhundert.

Gedankenverloren parkte Ben sein Auto in der Tiefgarage seines Apartmenthauses und lief die Treppe zu seiner Wohnung hinauf.

»Was, wenn . . . ? Was, wenn sie tatsächlich im frühen ersten Jahrhundert geschrieben worden wären? Sie könnten sogar irgendeine Erwähnung, einen Anhaltspunkt oder die Spur einer Zeugenaussage enthalten, durch die die Existenz eines Mannes, den man gemeinhin Jesus Christus nannte, entweder bewiesen oder widerlegt würde!

David Ben Jona, dachte Ben, als er mit seinem Wohnungsschlüssel hantierte, zu welcher Zeit hast du gelebt und was hast du mir so Wichtiges zu sagen?

Als er in seiner Wohnung war, machte sich Ben als erstes eine Tasse starken, schwarzen Kaffee, öffnete eine Büchse Katzenfutter für Poppäa und setzte sich dann wieder an seinen Schreibtisch. Der Schein seiner Leselampe erzeugte einen kleinen Lichtkreis, der sich gegen das Dunkel ringsumher abhob. Die übrige Wohnung wirkte wie eine grenzenlose, schwarze Höhle. Nur hin und wieder wurde der Lichtkreis von der neugierigen Poppäa durchbrochen, die über den Schreibtisch lief. Wenn sie dort nichts Interessantes darauf fand, setzte sie ihre nächtlichen Streifzüge durch die anderen Zimmer fort.

Auch an diesem Abend sprang sie, während Ben die Fotografien vor sich ausbreitete, geräuschlos nach oben, stolzierte zwischen Büchern, Aschenbechern und leeren Gläsern umher und schnupperte flüchtig an einem der Fotoabzüge. Dann sprang sie hinunter auf den Fußboden.

Ben war inzwischen wieder völlig nüchtern und vertiefte sich in den dritten Papyrus-Abschnitt. Plötzlich erinnerte er sich an eine Szene, die sich vor sechs Monaten ereignet hatte: Er und Dr. Weatherby waren in dessen Strandhaus am Pazifik gesessen und diskutierten das geplante Projekt Dr. Weatherbys.

Der grauhaarige, robuste Weatherby, der stets so lebendig sprach, hatte Ben schon oft seine Theorie dargelegt, nach der irgendwo in der Nähe von Khirbet Migdal in Israel eine unter der Erde verborgene Synagoge aus dem zweiten Jahrhundert liege. In seinem Wohnzimmer hatte Weatherby ihm an diesem Abend vor sechs Monaten gesagt: »Wie du weißt, führt das offizielle Verzeichnis des israelischen Ministeriums für Altertümer über siebzehnhundertfünfzig historische Stätten innerhalb der Grenzen von vor 1967 auf. 1970 fanden auf Israels achttausend Quadratmeilen mindestens fünfundzwanzig großangelegte Grabungen statt. Und ich beabsichtige, mir ein Stück von diesem Kuchen abzuschneiden. Die Grabungsgenehmigung muß nun bald kommen. Und dann geht's ab nach Migdal mit meinem Spaten und meinem Eimer, wie ein Kind, das zum Strand läuft.«

Ben starrte lange auf das dritte Foto, auf den formlosen Schreibstil, der dem religiöser Texte so ganz und gar nicht ähnlich war, und er dachte bei sich: So hast du, David Ben Jona, dein kostbares Testament in der Erde von Khirbet Migdal vergraben, und John Weatherby kam daher und grub es aus.

Aber natürlich kanntest du den Ort damals nicht als Migdal. Zu deiner Zeit hieß die Stadt Magdala. Berühmt für ihren Fisch, ihren Zirkus und für eine Frau namens Maria. Maria Magdalena.

Kapitel Zwei

Das dritte Teilstück ließ sich nicht so leicht lesen wie die ersten beiden, denn hier und da waren die Ränder des Papyrus eingerissen, und ganze Sätze wurden mitten im Wort abgebrochen. An mehreren Stellen war die Tinte in die kleinen Zwischenräume der Papyrusfasern gelaufen und hatte die Schrift verwischt. Ein weiterer Grund war, daß dieser Ausschnitt bisher größtenteils aus einem langatmigen Gebet und einem Segensspruch bestand. David Ben Jona war dabei vom Aramäischen zum Hebräischen übergegangen und damit auch zu der gängigen Praxis, Vokale auszulassen. Ben arbeitete die ganze Nacht hindurch, brütete über winzigen Bedeutungsnuancen und versuchte, die unverständlichen Stellen mit Sinn zu füllen.

Ben war ein wenig enttäuscht. Er war es zwar gewohnt, Gebete und religiöse Abhandlungen zu übersetzen – das war ja schließlich sein Beruf –, doch in diesem Fall hatte er gehofft, daß die Magdala-Schriftrollen sich inhaltlich von allen bisher gefundenen unterschieden.

Und jetzt, da der Tagesanbruch nahte, fing Ben allmählich an zu glauben, daß der alte Jude seinem Sohn letzten Endes nichts anderes hinterlassen habe als das übliche hebräische Vermächtnis – heilige Worte.

Auch war Ben über sich selbst enttäuscht, weil er die Zeit der Entstehung von Davids Handschrift nicht genau festlegen konnte. Einige Anhaltspunkte waren offensichtlich: die fehlenden Ligaturen zwischen den Buchstaben (eine Entwicklung, die seit Mitte des ersten Jahrhunderts zu beobachten war), die bekannte rechtwinklige aramäische Handschrift, den hebräischen Buchstaben Alef, der so charakteristisch war, weil er wie ein umgekehrtes N aussah. All diese Hinweise waren vorhanden, reichten aber nicht aus, um sich endgültig auf einen bestimmten Zeitabschnitt festzulegen.

Es gab noch mehr zu übersetzen; ein paar Zeilen waren noch übrig, aber Ben war zu müde, um sie in Angriff zu nehmen. Die Studenten seiner Zehn-Uhr-Vorlesung erwarteten sicher, daß er mit ihnen ihre

Arbeiten durchsehen würde, und der Unterricht um zwei Uhr würde eine engagierte Diskussion zum Gegenstand haben. Für beides mußte er vorbereitet sein.

Mit einer Mischung aus Widerstreben und Erleichterung steckte er daher die Fotos in den Umschlag zurück und beschloß, sie bis zum Wochenende warten zu lassen. Bis dahin müßte er mit dem alexandrinischen Kodex fertig sein.

Benjamin Messer war Professor für Orientalistik an der Universität von Kalifornien in Los Angeles und gab drei Unterrichtsfächer: Alt- und Neuhebräisch, die Deutung von hebräischen Manuskripten und altorientalische Sprachen. Wenn er nicht gerade mit der Übersetzung von alten Papyri oder einer antiken Inschrift beschäftigt war, wies er jeden, der sich interessiert zeigte, in die Grundlagen seines Fachgebietes ein.

Nachdem er den Unterricht in der Frühe noch ganz gut bewältigt hatte, begann er während des Nachmittags-Seminars allmählich die Auswirkungen seiner schlaflosen Nacht zu spüren. Es war sein Kurs in Neu- und Althebräisch, den sechzehn fortgeschrittene Studenten belegt hatten, die im Halbkreis um ihn herum saßen und an diesem Dienstagnachmittag nicht umhin konnten, eine gewisse Zerstreuung bei ihrem Professor festzustellen.

»Dr. Messer, sind Sie nicht der Ansicht, daß die Entwicklung der mündlichen Überlieferung sich stärker auf die Sprachentwicklung auswirkte als die schriftliche?« Der Kursteilnehmer, von dem dieser Beitrag kam, blickte Ben hinter seinen dicken Brillengläsern fragend an. Er studierte Sprachwissenschaft als Hauptfach und war ein begeisterter Anhänger von Esperanto.

Ben schaute ihn an, als sähe er ihn zum ersten Mal. Die heutige Diskussion befaßte sich mit der Dynamik der Entwicklung der hebräischen Sprache. Dabei wurde erörtert, welche äußeren Faktoren über die Jahrhunderte hinweg zum Sprachwandel beigetragen hatten. Ben hatte der Frage keine rechte Aufmerksamkeit geschenkt. Er hatte sich mehrmals dabei ertappt, wie er in Gedanken abschweifte und an die Schriftrolle von Magdala dachte.

»Warum sollte das so sein, Glenn? Meinen Sie, die mündliche Überlieferung sei für die Juden bedeutender gewesen als die schriftliche?«

»Ich denke schon. Besonders während der Diaspora. Die mündliche Überlieferung erhielt sie am Leben, als ihre Schriftrollen unerreichbar waren.«

»Dem kann ich nicht zustimmen«, meldete sich eine andere Studentin zu Wort. Sie hieß Judy Golden, eine Studentin der vergleichenden Religionswissenschaft. »Wir leben noch immer in einer Diaspora, und es ist das geschriebene Wort, das uns über die Entfernung hinweg zusammenhält.«

»Eigentlich haben Sie beide recht. Keine dieser Überlieferungen, weder die mündliche noch die schriftliche, kann von der anderen getrennt behandelt werden.« Er warf einen Blick auf die Uhr. Der Unterricht schien sich heute nur so dahinzuschleppen.

»Gut, nun befassen wir uns heute nachmittag ja eigentlich mit den Veränderungen, die im Laufe der Jahrhunderte im geschriebenen und gesprochenen Hebräisch auftraten, und mit den äußeren Faktoren, die diese Veränderungen bewirkten. Möchte sich jemand dazu äußern? Wie steht es mit den Auswirkungen der Diaspora auf das geschriebene Hebräische? Judy?«

Sie bedachte ihn mit einem kurzen Lächeln. »Vor der Entstehung des Talmud mußten sich die Juden auf ihre hebräischen Schriftrollen und auf ihr Gedächtnis verlassen. Doch im Zeitalter des Hellenismus, als die Juden das Hebräische, ihre ›Heilige Sprache‹, mehr und mehr verlernten, konnten sehr viele unter ihnen die Thora nicht mehr lesen. Zu dieser Zeit entstand die Septuaginta, die Fünf Bücher Mose, in griechischer Sprache, so daß dann alle über das Römische Reich verstreut lebenden Juden ihre Heiligen Bücher lesen konnten. Aber ich glaube nicht, daß die Septuaginta das Hebräische damals bloß verändert haben sollte; vielmehr beseitigte sie es ganz und gar.«

Benjamin Messer runzelte für einen Augenblick die Stirn. Judy hatte ein ausgezeichnetes Argument vorgetragen, das er nicht zu hören erwartet hatte. Während sie sprach, versuchte er sich zu erinnern, was er über sie wußte. Judy Golden, von der Universität Berkeley an die hiesige Universität übergewechselt, sechsundzwanzig Jahre alt, studierte im Hauptfach vergleichende Religionswissenschaft. Sie war eine ruhige junge Frau mit ausdrucksvollen braunen Augen und langem schwarzen Haar. Das Symbol des Zionismus, der Davidsstern, hing ihr an einer Kette um den Hals.

»Sie haben vollkommen recht«, meinte Ben, nachdem sie geendet hatte. »Die Septuaginta schaffte in der Tat zwei entgegengesetzte Bedingungen. Einerseits vermittelte sie den Juden, die kein Hebräisch beherrschten, den Inhalt der Heiligen Bücher, doch andererseits entweihte sie das Wort Gottes durch seine Wiedergabe in einer ›heidnischen‹ Sprache. Hier haben wir erneut ein gutes Beispiel dafür, wie untrennbar die hebräische Sprache mit der hebräischen Religion verbunden ist. Um das eine zu studieren, muß man sich auch mit dem anderen befassen.«

Ein weiterer verstohlener Blick auf die Uhr. Konnte er sich daran erinnern, daß eine Unterrichtsstunde sich jemals so in die Länge gezogen hatte? »Gehen wir nun weiter und kommen wir zum nächsten Punkt«, sagte er, während er ein neues Wort an die Tafel schrieb: Massora. Dann folgte ein Datum: Viertes Jahrhundert C. E.

»Wahrscheinlich war der erste Massoret Dosa Ben Eleasar...«

Und während der ganzen Vorlesung mußte er sich dazu zwingen, sich auf das zur Debatte stehende Thema zu konzentrieren. Durch seinen Schlafmangel sickerten immer wieder Gedanken an die magdalenischen Schriftrollen durch.

Er war erleichtert, als er die Vorlesung eine Stunde später wieder für ein paar Tage hinter sich hatte. Als Diskussionsthema für den kommenden Freitag standen die »Entwicklung des Mischna-Hebräischen und Beispiele für Unterschiede zwischen diesem und dem modernen Hebräisch« auf dem Unterrichtsplan. Er kündigte auch an, daß er in den nächsten paar Wochen seine gewöhnlichen Sprechstunden nicht abhalten würde, so daß besondere Terminvereinbarungen getroffen werden müßten.

Die kühle Abendluft, die ihm außerhalb des Gebäudes entgegenströmte, erfrischte ihn nur wenig. Es ging auf fünf Uhr nachmittags zu, und die Sonne war fast untergegangen. Um diese Zeit, zwischen den Tages- und Abendveranstaltungen, war der Campus, das ausgedehnte Unigelände, ruhig und fast menschenleer. Die wenigen Gedanken, die ihm durch den Kopf gingen, als er die Außentreppe des Gebäudes hinunterlief – einen Bericht über seine Handschriften an Randall schicken, Angie vor sechs Uhr anrufen, auf dem Heimweg an der Reinigung vorbeifahren –, wurden von einer Stimme an seiner Seite unterbrochen:

»Dr. Messer? Entschuldigen Sie...«

Er hielt auf der letzten Treppenstufe inne und schaute hin. Judy Golden war fast dreißig Zentimeter kleiner als er, und durch ihre flachen Sandalen wurde dieser Unterschied noch betont. Sie war ein zierliches, hübsches Mädchen. Ihr volles schwarzes Haar wehte im Abendwind. »Entschuldigen Sie, sind Sie in Eile?«

»Nein, überhaupt nicht.« In Wirklichkeit hatte er es natürlich eilig, aber er war auch neugierig, was sie von ihm wollte. Seit Beginn des Semesters hatte sich das stille Mädchen nur selten zu Wort gemeldet.

»Ich wollte Ihnen nur sagen, daß mir Ihr Gebrauch von ›Common Era‹ anstelle von ›Anno Domini‹ gefällt.«

»Wie bitte?«

»Viertes Jahrhundert C. E. Das haben Sie doch an die Tafel geschrieben.«

»Oh, ja, ja . . .«

»Ich war überrascht, es zu sehen. Besonders, weil es von Ihnen kam. Nun, ich meine . . . Ich wollte Sie nur wissen lassen, was ich darüber denke. Dieser Linguistik-Hauptfächler Glenn Harris fragte mich auf dem Weg aus dem Seminarraum, was es bedeute . . .«

Ben runzelte die Stirn. »Was meinen Sie damit, besonders, weil es von mir kam?«

Judy errötete und wich ein paar Schritte zurück. »Es war blöd von mir, das zu sagen. Es tut mir leid, es rutschte mir nur so heraus . . .«

»Oh, schon in Ordnung.« Er setzte ein Lächeln auf. »Aber was meinten Sie damit?«

Sie wurde noch röter. »Nun, ich meine, jemand erzählte mir, Sie seien Deutscher. Sie seien in Deutschland geboren, sagten sie mir.«

»Oh, das . . . Ja, das stimmt . . . aber . . .« Ben ging seinen Weg in der eingeschlagenen Richtung weiter, und Judy versuchte an seiner Seite mit ihm Schritt zu halten.

»Der Gebrauch von C. E. bedeutet nicht zugleich eine theologische Meinung. Es ist, wie wenn ich sage ›Ms‹. Wenn ich Sie Ms. Golden nennen würde, müßte das nicht unbedingt bedeuten, daß ich ein Anhänger der Frauenemanzipation bin.«

»Trotzdem sieht man C. E. nicht oft.« Sie mußte doppelt so viele Schritte machen, um mit seinem Tempo mitzuhalten.

»Ja, das kann schon sein.« Ben hatte niemals wirklich darüber nachgedacht. Unter jüdischen Historikern und Geisteswissenschaftlern hatte man den Gebrauch von ›A. D.‹ zur Bezeichnung der neuen Zeitrechnung fallenlassen, weil es ein Einverständnis mit der Bedeutung dieses Begriffs mit einschloß. Statt dessen benutzte man jetzt ›C. E.‹, Common Era, eine objektivere Bezeichnung, die aber eigentlich dasselbe aussagte.

»Was hat die Tatsache, daß ich in Deutschland geboren wurde, damit zu tun?«

»Nun, es ist ja eine jüdische Erfindung.«

Für einen Augenblick zeigte sich eine leichte Überraschung auf seinem Gesicht. Dann lachte er kurz auf und meinte: »Oh, ich verstehe. Wissen Sie denn nicht, daß ich auch Jude bin?«

Judy Golden blieb unvermittelt stehen. »Wirklich?«

Er schaute auf ihr Gesicht hinab.

»Was ist denn los? Oh, warten Sie, sagen Sie's mir nicht. Ich sehe nicht jüdisch aus, ist es das, was Sie denken?«

»Ich befürchte, jetzt bin ich wirklich ins Fettnäpfchen getreten«, erwiderte Judy verlegen. »Genau das habe ich gedacht. Und dabei hasse ich diese Vorurteile selbst.«

Sie liefen in Richtung auf das nächstgelegene Parkhaus weiter.

»Das erklärt es«, sagte sie.

»Erklärt was?«

»Das C. E.«

»Da muß ich Sie leider enttäuschen. Für mich beinhaltet diese Abkürzung keinerlei persönliche Anschauung. Ich benutze sie als objektive Bezeichnung und nicht aufgrund einer Nichtanerkennung des Glaubens, der durch die Worte Anno Domini, im Jahr unseres Herrn, zum Ausdruck kommt. Außerdem wird es in zahlreichen Büchern so gehandhabt, und auch viele meiner Kollegen sind dazu übergegangen, diesen Begriff zu verwenden. Die Juden haben da kein Monopol. Nur weil jemand C. E. sagt anstatt A. D., heißt das noch lange nicht, daß er ein Zionist ist.«

Unwillkürlich faßte sie nach ihrer Kette.

»Wissen Sie«, fuhr Ben fort, als sie sich dem Parkhaus näherten, »Sie sprechen Hebräisch wie eine Muttersprachlerin. Haben Sie Israel je besucht?«

»Nein, aber eines Tages würde ich das gern tun.«

Sie blieben am Eingang stehen. Hinter ihnen ging die Sonne unter und tauchte den Horizont in flammendrotes Licht. Ben wartete höflich darauf, daß die junge Frau noch etwas sagte, obwohl er insgeheim hoffte, daß das Gespräch beendet sei. Schließlich meinte er: »Jemand wie Sie, mit Ihrem Interesse für die Religion, die hebräische Sprache und das jüdische Erbe, sollte eigentlich seinen ganzen Besitz verkaufen und sich ein einfaches Flugticket nach Israel holen.«

»Das habe ich schon mehrmals versucht, aber meine Pläne schlugen immer fehl. Es ist schwer, Geld dafür aufzutreiben. Trotzdem danke, Dr. Messer, daß Sie sich Zeit für mich genommen haben. Auf Wiedersehen.«

»Auf Wiedersehen.«

Der Anblick des alexandrinischen Kodex auf seinem Schreibtisch verschaffte Ben gleich wieder ein schlechtes Gewissen, als er sich mit einem Glas Wein und einer noch nicht angezündeten Pfeife darüber beugte. Dr. Joseph Randall hatte ihn in einer Fotokopie vor zwei Wochen zwecks genauerer Übersetzung an Ben geschickt. Er war in einem koptischen Kloster in der Wüste bei Alexandria gefunden worden und befand sich nun im Ägyptischen Museum in Kairo. Es handelte sich um ein Manuskript in griechischer Sprache, das viele Parallelen zum Codex Vaticanus aufwies, einer im vierten Jahrhundert in Ägypten entstandenen Pergamenthandschrift der Bibel. Randalls Papyrus mit dem Titel »Apostelbrief des Markus« enthielt viele Ungenauigkeiten, und obwohl er unwiderlegbar vor vielen hundert Jahren geschrieben worden war, war er aller Wahrscheinlichkeit nach nicht echt.

Ben legte seine Pfeife zur Seite und trank den Wein aus. Aus der Stereoanlage ertönte leise und unterschwellig Bachs Toccata und Fuge in d-moll. Das half ihm oftmals, sich zu konzentrieren.

Im dritten und vierten Jahrhundert wimmelte es nur so von Fälschungen, von denen man viele für Briefe und Geschichten der Apostel hielt. Die vor ihm liegende Handschrift mußte jahrhundertelang sehr verehrt worden sein, bevor sie beim Auszug der Mönche aus dem Kloster zurückgelassen wurde, denn der Evangelist Markus galt als der Begründer der christlichen Kirche in Ägypten vor neunzehnhundert Jahren. Das war es wenigstens, was die Kopten glaubten.

»Wenn es überhaupt einen heiligen Markus gegeben hat«, murmelte Ben. Es fiel ihm schwer, sich zu konzentrieren.

Auch der Wein hatte nicht geholfen, und Bach ging ihm langsam auf die Nerven. Außerdem hatte er vergessen, auf dem Heimweg an der Reinigung zu halten.

Der Kodex war ein langes Werk und nicht sehr sorgfältig verfaßt. Einige Wörter waren nebulös und machten ganze Sätze unklar und bedeutungslos. Er griff auf mehrere andere Texte zurück, um Vergleiche anzustellen, und spürte, wie er sich selbst zwingen mußte, um beim Thema zu bleiben. Als wenig später Poppäa Sabina heraufsprang, um die Schreibtischplatte zu untersuchen, nahm Ben sie auf den Arm und begann, sie zu streicheln.

»Du hast ganz recht, meine struppige Teufelin. Eine Arbeit, die es wert ist, getan zu werden, ist es wert, gut getan zu werden. Und ich tue sie nicht gut.«

Er hörte das leise Schnurren der Katze an seiner Brust. Dann stand er auf, um es sich in einem der beiden behaglichen Sessel im Wohnzimmer bequemer zu machen. Bens Wohnung lag im Norden des Stadtteils Wilshire, also etwas unterhalb von Hollywood, und war deshalb auch entsprechend teuer, aber dafür hatte er viel Platz und viel Ruhe und konnte ungestört arbeiten. Er hatte die Räume sehr komfortabel eingerichtet. Das Wohnzimmer war sehr bequem mit seinen Teppichen, Kunstgegenständen und einladenden Möbelstücken. Seine vielen Bücherregale hatte er im Arbeitszimmer untergebracht, das ganz in Leder und dunklem Holz gehalten war. Außerdem verfügte er über Schlafzimmer und Küche, mit separatem Eingang und einem Balkon. Ben fühlte sich wohl in seiner Wohnung und nutzte sie häufig als stillen Zufluchtsort.

Trotzdem konnte er sich an diesem Abend nicht so recht entspannen. »Es liegt an diesem alten Juden«, sagte er zu Poppäa, die ihre Nase an seinem Hals rieb. »David Ben Jona ist bei weitem interessanter als dieser gefälschte Markus-Brief.«

Ben stützte seinen Kopf gegen die Sessellehne und starrte an die Decke. Zumindest, dachte er kühl, würde ich eher an die Existenz von David Ben Jona glauben als an einen Heiligen namens Markus, der angeblich das Evangelium niederschrieb. Benjamin Messer räumte ein, daß ein römischer Jude mit Namen Johannes Markus wahrscheinlich im ersten Jahrhundert in Palästina gelebt hatte und vermutlich in die Aktivitäten der Zeloten verstrickt gewesen war. Aber wer war das in Judäa zu jener Zeit nicht? Doch daß er der Autor des früheren und kürzesten Evangeliums sein sollte, war höchst fragwürdig. Immerhin existierte das Markus-Evangelium vor dem vierten Jahrhundert nicht einmal in irgendeiner vollständigen Form. Was, außer dem Glauben daran, konnte beweisen, daß das Markus-Evangelium »echter« war als zum Beispiel der Markus-Brief, der nun auf Bens Schreibtisch lag?

Glaube.

Ben setzte seine Brille ab, die ihm ungewohnt schwer vorkam, und legte sie auf das Seitentischchen neben sich. Was war überhaupt Glaube, und wie konnte man ihn messen? Daß das Neue Testament erst seit ungefähr dem Jahr dreihundert nach Christus in schriftlicher Form nachweisbar war, schien den Glauben so vieler Millionen Christen nicht im geringsten zu beeinträchtigen. Daß die Geschichte von der Unbefleckten Empfängnis, von unzähligen Wundern und von der leibhaftigen Auferstehung nach dem Tod der Menschheit erst Jahrhunderte, nachdem sie sich angeblich zugetragen haben, in Handschriften überliefert worden war und daß ihre Urheberschaft bis heute nicht zweifelsfrei bestimmt werden konnte, hatte keine Auswirkungen auf die Überzeugung von Millionen. Das war Glaube.

Einen flüchtigen Augenblick lang dachte Ben an seine Mutter Rosa Messer, die bereits vor vielen Jahren einen gnädigen Tod gefunden hatte. Und ebenso rasch schob er die Erinnerung daran beiseite. Es tat ihm nicht gut, jetzt an sie zu denken. Ebenso hatte Ben längst den Versuch aufgegeben, die wenigen Erinnerungen an seine Kindheit nach seinem Vater, Rabbi Jona Messer, zu durchforsten. Er war gestorben, als Ben noch ein kleiner Junge war.

Das war in Majdanek gewesen, einem Ort in Polen, an den Juden deportiert worden waren.

Das Telefon klingelte dreimal, bevor Ben aufstand, um den Hörer abzunehmen.

»Wie kommst du voran?« fragte Angie. Sie äußerte stets Interesse an seinem neuesten Übersetzungsvorhaben, und ob es nun echt oder gespielt war, spielte für Ben keine Rolle.

»Langsam«, gab er zurück. »Na ja, eigentlich geht es überhaupt nicht voran.«

»Hast du gegessen?«

»Nein. Hab keinen Hunger.«

»Willst du vorbeikommen?«

Ben zögerte. Gott, es wäre schön, bei Angie abzuschalten. Vor dem Kamin zu sitzen und die alten Manuskripte für eine Weile zu vergessen. Und mit ihr zu schlafen.

»Ich hätte wirklich große Lust dazu, Angie, aber ich habe Randall mein Wort gegeben. Gott, dieses Zeug ist der letzte Mist.«

»Kürzlich nanntest du es noch eine Herausforderung.«

Ben lachte. Seine Verlobte hatte eine bemerkenswerte Gabe, jemanden aufzuheitern. »Das ist dasselbe. Ja, es ist eine Herausforderung.«

Sein Blick schweifte zurück zum Schreibtisch, blieb aber nicht an der Fotokopie von Randalls Kodex, sondern an dem braunen Umschlag haften, der Weatherbys drei Fotografien enthielt.

Das war es, was ihn wirklich beschäftigte. Nicht der alexandrinische Kodex oder sein Versprechen gegenüber Joe Randall. Es waren die drei Fragmente einer Schriftrolle, die vor kurzem in Khirbet Migdal ausgegraben worden war und deren letzte paar Zeilen noch nicht übersetzt waren.

»Angie, ich werde ein Nickerchen machen, dann aufstehen und die Arbeit in Angriff nehmen. Ich habe Randall versprochen, ich würde ihm in zwei Wochen die beste Übersetzung abliefern. Du verstehst schon.«

»Natürlich. Und paß auf, wenn es in deiner Magengegend zu rumoren anfängt, ruf mich an, und ich bringe dir einen Schmortopf vorbei.«

Er blieb am Telefon stehen, nachdem er aufgelegt hatte, und bemerkte gar nicht, wie Poppäa Sabina ihm um die Beine strich. Sie schnurrte und miaute abwechselnd und wand ihren schlanken Körper um seine Wade, um ihn auf verführerische Art daran zu erinnern, daß sie auch noch da war. Doch Ben nahm keine Notiz davon. Er dachte an die magdalenische Schriftrolle. In seiner ganzen Laufbahn war ihm so etwas noch nie begegnet. Und wenn von Weatherby noch weitere Rollen kommen sollten und wenn David Ben Jona etwas Interessantes zu sagen hatte, dann wäre Ben Messer an einer der größten historischen Entdeckungen beteiligt, die je gemacht worden waren.

Er konnte es nicht mehr länger aushalten. Die Spannung wurde zu groß, und die Neugierde überwältigte ihn. Zum Teufel mit seiner Verpflichtung gegenüber Joe Randall und mit dem alexandrinischen Kodex. David Ben Jona hatte mehr zu sagen, und Ben wollte wissen, was das war.

Diese Segnungen sollen auf Dir ruhen, mein Sohn, auf daß Du Dich beim Lesen meiner Worte daran erinnerst, daß Du ein Jude bist, ein Sohn des Gelobten Landes und ein Teil von Gottes auserwähltem Volk. Da ich Jude bin, da mein Vater Jude war, so bist auch Du Jude. Vergiß dies niemals, mein Sohn.

Nun ist die Zeit für mich gekommen, Dir zu erzählen, was kein Vater seinem Sohn erzählen sollte, und dennoch sollst du es wissen – die Schande und das Grauen meiner Tat – denn dies ist meine letzte Beichte.

Ben beugte sich dichter über das Foto und richtete seine starke Schreibtischlampe neu aus. Er war fast am unteren Ende des Papyrus angelangt, und das Entziffern wurde immer schwieriger.

Jerusalem ist jetzt zerstört. Wir sind über ganz Judäa und Galiläa verstreut, viele von uns bis in die Wüste hinein. Ich bin nach Magdala, an den Ort meiner Geburt, zurückgekehrt, so daß er auch der Ort meines Todes sein wird. Wenn Du überhaupt nach mir suchst, so wirst Du hierher kommen. Und Du wirst hoffentlich diese Schriftrollen finden.

Ben starrte ungläubig auf die Schriftrolle. Es überwältigte ihn so sehr, daß er wie vom Donner gerührt dasaß. Er rieb sich die Augen, beugte sich noch dichter über das Manuskript und las es noch einmal ganz sorgfältig. *Jerusalem ist jetzt zerstört.* Es war zu phantastisch, um wahr zu sein! Diese vier Worte *Jerusalem ist jetzt zerstört* konnten nur eines bedeuten: Daß die Worte im Jahr siebzig oder kurz danach geschrieben worden waren!

»Großer Gott!« rief er aus. »Ich glaube es nicht!« Mit einem Ruck stand Ben auf, wobei er seinen Stuhl nach hinten umstieß. Vor ihm, eine Armlänge von ihm entfernt unter der Lampe, lagen funkelnd und glänzend David Ben Jonas neunzehnhundert Jahre alte Worte, die ihm ihre Botschaft über die Generationen hinweg entgegenschrien.

»Großer Gott...«, flüsterte er wieder. Dann hob er seinen Stuhl auf, setzte sich auf die Kante und legte seine Finger auf die Ränder der Fotografie.

Lange saß Ben schweigend über der Schriftrolle und versuchte, sein

rasendes Herz zu beruhigen. Doch ohne Erfolg. Dies war mehr, als er
sich erhofft hatte, mehr, als er sich je *erträumt* hatte. David Ben Jona
hatte gerade seine eigenen Worte für die Nachwelt mit einem Datum
versehen, so sicher, als hätte er das Jahr in leuchtendroter Tinte dar-
übergeschrieben.

Die Aufregung machte Ben schwindlig. Er mußte Weatherby sofort
davon unterrichten. Das war zu phantastisch, als daß man es glauben
konnte! Die gesamte Gelehrtenwelt würde sich erheben und die
Nachricht von dem Fund mit Beifall für John Weatherby und Lob für
Benjamin Messer zur Kenntnis nehmen.

Ben versuchte sich zu entspannen und wurde allmählich etwas ruhiger. Er mußte erst ganz sichergehen, daß er das Manuskript richtig
übersetzt hatte. Danach mußte er an Weatherby telegraphieren.
Dann mußte er nochmals die ersten zwei Fotoabzüge durchgehen und
sicherstellen, daß ihm auch dort bei der Übersetzung kein Fehler unterlaufen war.

Voller Freude nahm Ben Poppäa auf den Arm, hielt ihr Gesicht dicht
an seines und murmelte: »Ich begreife nicht, wie du so kühl und gelassen sein kannst. Es sei denn, es ist dir egal, daß David Ben Jona uns
gerade mitgeteilt hat, daß er etwa vierzig Jahre nach dem Tod Jesu
schrieb. Was nur eines bedeuten konnte«, seine Augen hefteten sich
wieder auf den Text, »daß David wahrscheinlich zur gleichen Zeit in
Jerusalem lebte wie Jesus. «

Als Ben verstummt und er seine letzten Worte noch im Raum klingen
hörte, kam ihm eine andere Idee. Er setzte Poppäa rasch auf den Boden und starrte auf die Fotos. Dieser neue Gedanke, der ihm so plötzlich, so unerwartet durch den Kopf schoß, ließ ihn frösteln.

Nur mühsam konnte Ben seine Augen von dem Papyrus abwenden.
Er blickte in sein dunkles Zimmer. Nein, dieser neue Gedanke gefiel
ihm überhaupt nicht.

Die plötzliche Vorstellung, daß Davids Fluch... der Fluch Mose...
etwas mit diesem anderen Galiläer zu tun haben könnte. Und daß
David ein Verbrechen zu beichten hatte... Benjamin zitterte, als der
kalte Hauch der Vorahnung durch den Raum wehte.

Kapitel Drei

Angie deckte das Geschirr vom Abendessen ab und räumte die Küche auf, während Ben in ihrem Wohnzimmer eine Art »Reise nach Jerusalem« spielte.

Zuerst setzte er sich in einen Lehnstuhl und trommelte mit den Fingern auf die Armlehne. Dann stand er auf und ließ sich auf den Diwan fallen. Eine Minute später sprang er auf und setzte sich auf das eine Ende der Couch, um sich gleich wieder zu erheben und sich auf dem anderen Ende niederzulassen. Nach einer kurzen Weile lief er im Zimmer umher, bevor er sich auf den Klavierhocker setzte, und als Angie wieder aus der Küche kam, fand sie ihn in dem Lehnstuhl, in dem er zuerst gesessen hatte.

»Ich denke, wir sollten heute abend besser nicht ins Kino gehen«, meinte sie.

»Warum nicht?«

»Nun, normalerweise bleibt man während eines Films auf seinem Platz sitzen und...« Sie beschrieb mit dem Arm einen Bogen durchs Zimmer.

Ben lächelte und streckte seine Beine aus. »Tut mir leid. Ich glaube, ich bin nervös.«

Angie setzte sich auf die Armlehne und fuhr mit den Fingern durch Bens üppigen blonden Haarschopf. Es war der zweite Abend nach seiner sensationellen Entdeckung der Zeitangabe in David Ben Jonas Manuskript.

Er wirkte mit seinem sehnigen Körper fast athletisch, so daß man, wenn man ihn ansah, niemals ernstlich vermuten würde, daß sein Leben sich größtenteils zwischen Universität und Arbeitszimmer abspielte.

»Ich bin froh, wenn du wieder von Weatherby hörst.«

»Ich auch. David Ben Jona hatte kein Recht, mich so hängenzulassen.«

Angie musterte Bens Gesicht eingehend und bemerkte, wie angespannt er war. Sie dachte darüber nach, wie aufgeregt er gewesen war, als er sie vor zwei Tagen angerufen und unzusammenhängendes Zeug in den Hörer gequasselt hatte. Er hatte weitergeplappert über Jerusalem, das zerstört worden sei, und einen Augenblick lang hatte sie geglaubt, die Araber hätten einen atomaren Angriff unternommen. Doch dann hatte er etwas über die »Zeit Christi« gesagt, und Angie hatte erleichtert erkannt, daß Bens Erregung von den Schriftrollen herrührte.

Sie war die ganze Nacht mit ihm aufgeblieben, während er immer und immer wieder dieses dritte Foto durchgegangen war. »Nur ein einziges Mal in der gesamten Geschichte wurde Jerusalem völlig zerstört. Es geschah im Jahr siebzig unserer Zeitrechnung und versprengte die Juden in alle Himmelsrichtungen. Offensichtlich war auch David von dieser Katastrophe betroffen und floh in seine Heimatstadt, um sich dort zu verstecken. Ich bin überzeugt, daß meine Folgerung richtig ist. Ich bin sicher, nichts übersehen zu haben.«

Dann hatte er sich das Foto noch einmal vorgenommen und es rasend schnell überflogen. »Siehst du? Siehst du hier? Dieses Wort ist ganz unmißverständlich. Und dieser kurze Satz hier...« Er hatte etwas in einer hartklingenden, fremden Sprache gemurmelt. »Es besteht kein Zweifel daran, was es besagt. Und es bedeutet auch, daß Weatherby mit seiner Schätzung fast zweihundert Jahre daneben lag, Angie!«

Dann hatte er ihr über das außergewöhnliche geschichtliche Ereignis der Zerstörung der Stadt Jerusalem berichtet, bei der fast alle Bewohner infolge der Belagerung durch die römischen Streitkräfte den Tod gefunden hatten. Die Juden hatten sich schon jahrelang gegen die römische Herrschaft aufgelehnt. Es war häufig vorgekommen, daß Rebellen und Aufwiegler gekreuzigt worden waren. Und als schließlich ein Aufstand ausbrach, den die Geschichtsschreiber als ersten jüdischen Krieg bezeichnen, kostete es Rom fast fünf blutige Jahre, um ihn zu beenden.

»Siehst du, wir glauben, die Schriftrollen vom Toten Meer wurden in jene Höhlen gebracht, weil stets Gefahr von römischen Soldaten drohte. Die Essener-Mönche, die die Tonkrüge mit den Schriftrollen versteckten, rechneten damit, eines Tages zurückzukommen und sie zu holen. Die Masada-Handschriften wurden inmitten eines Ruinenfelds gefunden, das von der Zerstörung durch römische Legionen zeugt. Die Römer brannten die Festung nieder, nachdem sie sie einge-

nommen hatten. Und die Briefe von Simon Bar Kochba, dem letzten
Führer des jüdischen Aufstandes, im Jahr einhundertfünfunddreißig
nach unserer Zeitrechnung, wurden nach dem endgültigen und tota-
len Sieg über die jüdischen Patrioten in den Höhlen der Wüste Juda
verborgen. Und jetzt gelangen wir zu David Ben Jona, der wegen des
Einzugs der römischen Truppen nach Magdala flieht... Siehst du,
wie alles zusammenpaßt?«
Angie hatte genickt und ein Gähnen unterdrückt. Dann hatte Ben
weitererzählt, wie die Vernichtung Jerusalems den Staat Israel für
Jahrhunderte ausgelöscht hatte. »Bis 1948. So lange brauchten sie,
um das Land zurückzubekommen, um dessen Besitz sie neunzehnhundert Jahre vorher so verzweifelt gekämpft hatten.«
Später war Ben in einen tiefen Schlaf gesunken, aus dem er sich durch
nichts hatte wachrütteln lassen. Angie hatte am Morgen in der Universität angerufen und Bens Unterricht abgesagt, und am Nachmittag
hatten sie beide an Weatherby nach Galiläa telegraphiert. Am Frei-
tagmorgen war Ben schon viel ruhiger und wesentlich ausgeglichener
gewesen und konnte die Ereignisse aus einem anderen Blickwinkel
betrachten. Er hatte wie gewöhnlich seine beiden Freitagsstunden
gegeben und für drei seiner Studenten sogar Sprechstunden abge-
halten.
Darüber dachte er jetzt nach, als er zu Hause saß. Angie war bei ihm
und hatte ihren kühlen Arm um seinen Nacken gelegt, während sie
ihm mit den Fingern durchs Haar fuhr. Zunächst hatten ihn zwei
Studenten aus seinem Kurs »Deutung hebräischer Manuskripte«
sprechen wollen, doch als dritte war Judy Golden zu ihm gekommen,
und über diese Begegnung dachte er nun nach.
»Ich möchte das Thema meiner Seminararbeit ändern, Dr. Messer.«
Sie war auf dem Stuhl ihm gegenüber in seinem winzigen Büro gesessen und hatte einen ganzen Stapel Bücher in den Armen gehalten. Ihr
glänzendes schwarzes Haar hing ihr lose über die Schultern und
rahmte ihr ungewöhnlich blasses Gesicht ein.
Als sie sprach, war es Ben aufgefallen, wie verschieden sie doch von
Angie war. Dann war es ihm seltsam vorgekommen, daß er daran
dachte.
»Wird das nicht schwierig für Sie? Ich denke, daß Sie die Materialsu-
che abgeschlossen haben und die Gliederung bereits feststeht.«
»Das ist richtig. Aber ich habe das Interesse an dem Thema verloren.

Na ja...«, sie blickte ihn unverwandt an, »nicht direkt das Interesse verloren. Nur war es so, daß mich etwas anderes mehr zu interessieren begann. Ich weiß, wie sehr Sie es mißbilligen, wenn man mitten im Semester das Thema wechselt, aber ich denke, ich könnte ein anderes Sachgebiet besser bearbeiten.«

Ben hatte nach seiner Pfeife gegriffen. »Macht es Ihnen etwas aus, wenn ich rauche?«

Judy schüttelte den Kopf. Eigentlich störte es sie. Sie haßte es wie die Pest, wenn ihr jemand Rauch ins Gesicht blies. Doch schließlich war dies sein Büro, und sie wollte ihn um einen Gefallen bitten.

Ben machte wie üblich aus dem Anzünden seiner Pfeife ein langes Ritual und verbrachte die nächsten ein oder zwei Minuten schweigend damit. Als er endlich fertig war und sie durch eine graue Wand aus Tabakrauch anblickte, meinte er: »Ich sollte Ihnen eigentlich von einem solchen Schritt abraten, doch offensichtlich sind Sie mit einem anderen Thema glücklicher, und Ihre Zeugnisse zeigen, daß Sie eine gute Studentin sind. Ich werde mir also Ihr neues Thema notieren.« Er öffnete seinen schäbigen Allerwelts-Karteikasten, nahm eine Karte heraus, strich etwas durch und hielt dann den Kugelschreiber bereit. Erwartungsvoll hob er die Augenbrauen.

»Der neue Titel soll lauten: ›Das Hebräische des Eleasar Ben Jehuda‹.«

Ben schrieb es auf, steckte die Karte zurück und zog an seiner Pfeife. »Es scheint kein leichtes Thema zu sein, obwohl es gut zum Unterrichtsstoff paßt. Aber was gefällt Ihnen nicht an Ihrem ersten Thema, ›Die Sprache der Aschkenasim‹?«

»Es war zu eng und schränkte mich zu sehr ein. Und vielleicht war es auch nicht so gut auf das Thema des Unterrichts anwendbar. Was Ben Jehuda für das Hebräische tat, kann man heute im israelischen Rundfunk hören und in Zeitungen aus Tel Aviv nachlesen.«

»Es scheint eine sehr anspruchsvolle Arbeit zu sein. Werden Sie überhaupt so viel Zeit haben?«

Judy grinste. »Mehr als genug.«

Ben paffte gedankenverloren an seiner Pfeife. »Worüber wollen Sie Ihre Magisterarbeit schreiben?«

»Nun, das steht für mich schon fest. Ich habe mich schon immer für besondere religiöse Gruppen interessiert, die sich dem Einfluß bedeutender historischer und religiöser Strömungen entzogen.«

»Wie die Samaritaner?«

»Ja genau, nur dachte ich daran, mich mit den Kopten, der christlichen Kirche Ägyptens, zu befassen. Vielleicht mit ihren Ursprüngen.«

»Tatsächlich? Irgendwie dachte ich, Sie würden sich etwas aussuchen, was näher mit Ihrer Heimat verbunden ist.«

»Warum? Für was halten Sie mich eigentlich, Dr. Messer, für eine strenggläubige Jüdin?«

Ben starrte sie eine Sekunde lang an, dann warf er seinen Kopf zurück und lachte. Seltsamerweise entsprach dies genau seinem Eindruck von Judy Golden – der Tochter Israels, der glühenden Zionistin.

»Ich bin nicht einmal eine orthodoxe Jüdin«, fügte sie belustigt hinzu.

»Tut mir leid, Sie zu enttäuschen. Ich koche am Sabbat.«

»Ach wirklich?« Er rief sich die samstäglichen Rituale und Beschränkungen ins Gedächtnis zurück. Heute konnte er darüber lächeln. Schon seit langem hatte er nicht mehr an diese so lange zurückliegenden trostlosen Sabbate gedacht. Und seltsam genug, jetzt, da er vor Judy Golden saß, wurde ihm erst bewußt, daß ihm die Worte »ich bin Jude« seit dreiundzwanzig Jahren wieder zum ersten Mal über die Lippen gekommen waren, als er sich vor zwei Tagen mit ihr unterhalten hatte. Damals hatte es ihn nicht überrascht, doch jetzt, in der Gegenwart dieses Mädchens, verwirrte es ihn.

»Die Kopten sind eine interessante Gruppe«, hörte er sich selbst sagen. »Sie führen ihre Kirche auf den heiligen Markus zurück und haben dem gewaltigen Druck des Islam bis heute standgehalten. Ihr Museum im Süden Kairos ist ganz einzigartig.«

»Das kann ich mir vorstellen.«

Seine Pfeife ging langsam aus. Daher klopfte er sie in dem billigen Glasaschenbecher auf seinem Schreibtisch aus. »Zufällig bin ich übrigens gerade dabei, einen erst kürzlich gefundenen Kodex aus der Gegend von Alexandria zu übersetzen. Man hat ihn in einem alten, verlassenen Kloster entdeckt, das wohl im sechzehnten oder siebzehnten Jahrhundert zum letzten Mal bewohnt war.«

»Wirklich?«

»Ich werde Ihnen diesen Kodex gerne einmal zeigen.«

»Oh, das wäre einfach...«

»Ich versuche, daran zu denken, ihn mitzubringen. Vielleicht nächste Woche.« Er schielte auf seine Armbanduhr. Um diese Zeit war die Post sicher schon da gewesen. Er wollte nach Hause. Es könnte ja etwas von Weatherby dabeisein, vielleicht eine weitere Schriftrolle... »Es ist nicht das Original, verstehen Sie, aber eine qualitativ gute Fotoablichtung. Die Urschrift wird in Kairo aufbewahrt. Wenn Sie mich jetzt entschuldigen...«

Ein lautes Krachen ertönte aus dem offenen Kamin, ein paar Funken flogen, und Ben kehrte in die Gegenwart zurück. Angie war aufgestanden und bürstete sich vor dem Spiegel die Haare. Er beobachtete sie dabei, während ihr bronzefarbenes Haar den Schein des Feuers widerspiegelte. Sie waren übereingekommen, zwischen zwei Semestern zu heiraten, und bis dahin lagen noch viele Wochen vor ihnen. Sie wollte ihre Einrichtung verkaufen und in seine Wohnung ziehen. Der einzige Grund, weshalb sie nicht schon jetzt zusammenlebten, war seine Arbeit. Dafür brauchte er Zurückgezogenheit, Ruhe und Einsamkeit.

»Vielleicht bekommst du ja morgen etwas«, tröstete sie ihn, als sie sein Gesicht hinter sich im Spiegel sah.

»Hoffentlich.« An diesem Nachmittag war er gleich im Anschluß an sein kurzes Gespräch mit Judy Golden nach Hause geeilt und hatte dort nur einen gähnend leeren Briefkasten vorgefunden. »Die nächste Rolle könnte möglicherweise noch weltbewegender sein.«

Ben fühlte, wie sich seine Stirn in Falten legte. Inwiefern würde sich sein Leben durch die Heirat ändern? Wie konnten sie sich einigen, damit ihm seine gewohnte Privatsphäre auch dann erhalten bliebe, wenn Angie einzog? Sie hatte zwar versprochen, ihn nicht bei der Arbeit zu stören und nicht in sein Zimmer zu kommen, während er übersetzte. Und dennoch wurde er an Abenden wie diesem von winzigen Zweifeln beschlichen. Angie bestand darauf, ins Kino zu gehen. Es geschehe zu seinem eigenen Besten, meinte sie, wenn sie ihn dazu bringen konnte, sich ein wenig zu entspannen und seine Schriftrollen zu vergessen.

Aber Ben war sich nicht sicher, ob er das wirklich wollte.

Am Montagmorgen fühlte er sich endlich wieder normal. Übers Wochenende hatte er viel Zeit allein verbracht und nachgedacht. Das hatte ihm geholfen, die Dinge wieder etwas klarer zu sehen. Schließlich war er Wissenschaftler und kein Romantiker. Nur weil die ersten drei Fragmente in einem so guten Zustand gewesen waren und solchen Zündstoff geboten hatten, hieß das noch lange nicht, daß das übrige Material aus dem Versteck in den Ruinen von Migdal ebenso ergiebig war. Er mußte sich auf eine Enttäuschung gefaßt machen und seine Hoffnungen nicht noch höher schrauben.

Den ganzen Samstag und Sonntag über hatte er am alexandrinischen Kodex gearbeitet und Randall dann einen ausführlichen Tätigkeitsbericht geschickt.

Seine äußere Ruhe und seine Unvoreingenommenheit als Wissenschaftler wurden jedoch jäh erschüttert, als er am Montagnachmittag den Briefkasten öffnete und ihm daraus ein leicht beschädigter Briefumschlag mit israelischen Marken in die Hände fiel.

Mit Überraschung stellte er fest, daß seine Handflächen schwitzten, als er seine beinahe schon rituellen Vorbereitungen für die Arbeit traf. »Ich bin aufgeregter, als ich dachte«, sagte Ben zu sich selbst. Dann lachte er leise. Er wußte, weshalb. »Niemand hat vor Tutenchamuns Grab von Howard Carter gehört! Und noch hat niemand von Benjamin Messer gehört!«

Er ging durch das Zimmer und löschte alle Lichter, außer seiner Schreibtischlampe, so konnte er sich am besten auf seine Arbeit konzentrieren. Dann legte er ein paar Platten von Bach und Chopin auf und drehte den Ton ganz leise. Er schenkte sich ein Glas Wein ein, vergewisserte sich, daß sich der Pfeifentabak in Reichweite befand, und nahm seinen Platz am Schreibtisch ein.

Er wischte sich die Handflächen an den Hosen ab. Ben war allgemein für sein unbekümmertes Wesen und seinen Sinn für Humor bekannt. Er lächelte viel und lachte oft und versuchte, die Dinge nicht zu ernst zu nehmen. Wenn jedoch seine Leidenschaft für alte Manuskripte ins Spiel kam, so wurde er schnell ernst. Er achtete die unbekannten Männer, über deren Wörter und Sätze er ganze Tage in mühevoller Arbeit zubrachte. Er ehrte ihre Ideale, ihre Hingabe und die Frömmigkeit, mit der sie ihre heiligen Worte niedergeschrieben hatten. Ben schätzte diese gesichts- und namenlosen Männer und hatte sogar ein wenig Ehrfurcht vor ihnen. Meistens stimmte er nicht mit ihren religiösen Anschauungen und ihrem nationalen Eifer überein. Ihre Überzeugungen waren nicht die seinen, und trotzdem bewunderte er sie wegen ihrer Inbrunst und Standhaftigkeit. Und jedesmal, wenn er sich einen neuen Text vornahm, verweilte er einen Augenblick, um sich des längst vergessenen Mannes zu erinnern, der ihn geschrieben hatte.

Diesmal waren es vier Fotos, die sich in einem versiegelten Innenumschlag befanden, an dem ein fehlerhaft getippter Brief von John Weatherby festgeklammert war. Dieses Schreiben las Ben zuerst.

Der alte Archäologe berichtete in knappen Sätzen über die sich ausbreitende Neuigkeit von dem Fund und über die Aufregung, die dadurch entstanden war. Er sprach von vier weiteren Tonkrügen, die gefunden worden seien, von dem beklagenswerten Zustand von zweien der Schriftrollen und von der Hektik, mit der er zwischen Jerusalem und der Ausgrabungsstätte hin- und herhetzte. Weatherbys Brief endete mit den Worten: »Es tat uns leid, als wir die Rolle Nummer vier so stark beschädigt vorfanden. Und als wir feststellten, daß Rolle Nummer drei wegen eines Sprungs im Tonkrug nur noch als Teerklumpen geborgen werden konnte, waren wir alle sicher, daß der Fluch Mose auf uns lastete!«

Ben lächelte schmerzlich bei diesen letzten Zeilen. Es gab nicht wenige Leute, insbesondere Journalisten, die den Fluch des alten David Ben Jona begierig aufgreifen und zur Sensation hochjubeln würden. Man erinnere sich nur, was sie aus dem Fluch Tutenchamuns gemacht hatten! Er schüttelte den Kopf. Der Fluch Mose, freilich!

Und was wird geschehen, wenn Weatherby mein Telegramm erhält? Dann wird jeder erfahren, wann David seine Beichte abgefaßt hat, und wenn *das* erst einmal durchsickert, wird es keine Ruhe mehr geben.

Ben malte sich in Gedanken die Schlagzeile aus: SCHRIFTROLLE AUS DER ZEIT JESU IN GALILÄA GEFUNDEN. Das wäre genug, um einen weltweiten Rummel auszulösen. Sag nur »erstes Jahrhundert« und »Galiläa«, und du hast rings um dich her eine Massenhysterie. Und wenn man dann noch einen antiken Fluch ins Spiel bringt...

Schließlich löste Ben die Klammer und ließ die vier Fotos vorsichtig herausgleiten. An jedem von ihnen haftete in der rechten oberen Ecke eine Zahl, um auf die Reihenfolge hinzuweisen. Sie waren in der Abfolge aufeinandergelegt, in der sie gelesen werden sollten.

Er steckte die anderen drei zurück und nahm sich das erste vor. Es zeigte zerfetzten Papyrus, der vor einem neutralen Hintergrund aufgenommen worden war. Sofort erkannte er David Ben Jonas Handschrift. Dieses Bruchstück maß sechzehn auf zwanzig Zentimeter, befand sich in relativ gutem Zustand und war in Aramäisch geschrieben.

Es ist gut für einen Mann, seinen Vater zu kennen, aber Du wirst über mich nur das erfahren, was ich Dir mitteile. Wisse, mein Sohn, daß Dein Vater David als Sohn von Jona Ben Ezekiel und seinem guten Weib Ruth vom Stamme Benjamins in der Stadt Magdala geboren wurde. Man schrieb damals das zwanzigste Herrschaftsjahr des Imperators Tiberius Claudius Nero, in dem Paulus Fabius Persicus und Lucius Vitellius Konsuln waren. Es war Dezember und das achtunddreißigste Jahr des Herodes Antipas, Tetrarch von Galiläa und Peräa.

»Guter Gott!« murmelte Ben erstaunt. »David Ben Jona, wirst du niemals aufhören, mich zu verblüffen?«
Er legte den Kugelschreiber nieder und massierte sich die Schläfen. Ben hatte Kopfschmerzen, die immer stärker wurden, und er wußte, daß sie von seiner wachsenden Anspannung und Aufregung herrührten. Zweifelnd starrte er wieder auf diesen ersten Abschnitt. Seine Bedeutung war schwindelerregend.
Die Tatsache, daß David bei seinen Zeitangaben sehr genau gewesen war, stellte wahrscheinlich sein größtes Geschenk an die Menschheit dar. Nicht, daß er damit etwas wirklich Weltbewegendes sagte. Aber die Bedeutung lag darin, daß er so feste Richtlinien für eine andernfalls unsichere Wissenschaft geschaffen hatte. Viele andere Manuskripte in Museen auf der ganzen Welt, die nur im nachhinein mit mutmaßlichen Datumsangaben versehen worden waren, könnten jetzt mit Davids Alphabet und Handschrift verglichen und zeitlich genauer bestimmt werden. Mit seinen eigenen Worten hatte der alte Jude den offiziellen Titel des Herodes bestätigt und dessen Herrschaftszeit mit der des Tiberius, des unmittelbaren Nachfolgers von Kaiser Augustus, in Verbindung gebracht. In diesen wenigen Zeilen hatte David Ben Jona durchblicken lassen, daß Magdala größer gewesen sein mußte, als man bisher vermutet hatte. Er gab sich auch selbst als ein weltlich gesinnter Mann zu erkennen, der gebildet und wahrscheinlich sogar ein Gelehrter war, obgleich er nicht hellenisiert war.
War das möglich? Ben putzte geistesabwesend seine Brille mit einem Hemdzipfel. Konnte ein solch weltlicher Jude wie dieser sich dem Einfluß seiner hellenistischen Umgebung entziehen und sein Judentum weiterhin bewahren? Wenn man Hillel und Gamaliel betrachtete, ja. Wenn man Saulus von Tarsus als Beispiel heranzog, ebenfalls.

Ben schauderte plötzlich. Als er noch einmal die Zeilen überflog, die er bereits übersetzt hatte, um sich von der Richtigkeit der Zahlen zu überzeugen, blieb er an dem Jahr des Kaisers Tiberius hängen. Im zwanzigsten Jahr... Tiberius hatte fast dreiundzwanzig Jahre lang regiert, von vierzehn bis siebenunddreißig nach der Zeitrechnung. Das würde bedeuten, daß David Ben Jona am dreizehnten Dezember im Jahr vierunddreißig nach der Zeitrechnung zur Welt gekommen war. Geboren war er im Jahr vierunddreißig nach der Zeitrechnung, und er hatte die Schriftrollen um siebzig nach der Zeitrechnung verfaßt. Damals mußte er also etwa sechsunddreißig Jahre alt gewesen sein.

Ben spürte, wie seine Kopfschmerzen schlimmer wurden. »Er ist nicht älter als ich!« flüsterte er. »Er ist im gleichen Alter!«

Er wußte selbst nicht genau, warum er von dieser Entdeckung so beeindruckt war. Er stand auf und ging langsam durch sein dunkles Wohnzimmer. Schließlich sank er in den Lehnstuhl und legte seine Füße auf den Diwan. Dann schloß er die Augen, um seine Kopfschmerzen abklingen zu lassen.

Ein junger David Ben Jona anstelle eines alten änderte plötzlich alles. Von Anfang an hatte Ben sich einen weißbärtigen alten Patriarchen vorgestellt, der mit gichtigen Händen über seinen kostbaren Rollen arbeitete. Es erschien einfach passend. Es waren stets die frommen alten Weisen, die mit einem gewissen Fanatismus Dinge niederschrieben.

Doch David Ben Jona war, wie es schien, ein kräftiger, junger Jude gewesen, nicht älter als Ben selbst, der von dem geheimnisvollen Entschluß getrieben worden war, seine Lebensgeschichte zu Papier zu bringen.

Aber warum sagt er dann, daß er bald sterben müsse? fragte sich Ben. Er hatte sich den Juden altersschwach auf seinem Totenbett liegend ausgemalt. Dabei verhielt es sich völlig anders. Wie kann ein Sechsunddreißigjähriger wissen, daß er bald sterben wird?

Einem plötzlichen Drang folgend, lief Ben mit großen Schritten zu seinem Schreibtisch zurück und setzte sich wieder vor das Manuskript. Argwöhnisch blickte er auf jedes Wort, auf jeden Buchstaben. Nein, es gab keinen Zweifel. David Ben Jona war zwei Jahre nach dem überlieferten Datum der Kreuzigung Jesu geboren.

Ohne einen Augenblick zu zögern, begann Ben den Rest des ersten Fotos zu übersetzen.

Mein Vater – Dein Großvater, den Du nie kennenlerntest – war Fischer von Beruf. Nachts warf er auf dem See Genezareth seine Schleppnetze nach Fischschwärmen aus, und tagsüber hängte er seine Netze zum Trocknen auf. Wir waren eine gesegnete Familie – fünf Knaben und vier Mädchen –, und wir alle halfen meinem Vater bei seiner Arbeit.

Hier endete das erste Fragment. Ben prüfte seine Übersetzung nochmals, steckte das Foto in den Umschlag zurück und zog das zweite Teilstück daraus hervor. Er wollte sich eben daranmachen, als das Telefon klingelte.

»Verdammt!« fluchte er leise und knallte seinen Kugelschreiber auf den Tisch.

»Ben, Liebling«, ertönte Angies Stimme, »ich habe darauf gewartet, daß du anrufst.«

»Ich habe heute nachmittag einen weiteren Umschlag von Weatherby erhalten. Eine vollständige Schriftrolle in vier Ausschnitten. Entschuldige, daß ich nicht dazu kam, dich anzurufen. Waren wir etwa verabredet?«

Während sie antwortete, blieben seine Augen an dem ersten Wort des Fotos Nummer zwei haften. Es hieß: Maria.

»Verabredet? Na hör mal, Ben, seit wann brauchen wir eine Verabredung? Paß auf, ich bin eben dabei, einen Braten zu machen...«

»Ich kann nicht, Angie. Nicht heute abend.«

Schweigen.

»Es tut mir leid, Liebes, ehrlich.« Und das stimmte. Für den Bruchteil einer Sekunde dachte Ben daran, die Rollen für eine Weile ruhen zu lassen und sich bei Angie zu entspannen. Ihre Stimme klang wie immer höchst verlockend.

»Du fehlst mir, Schatz«, bettelte sie sanft.

Ben seufzte und war schon drauf und dran nachzugeben, als sein Blick erneut den Namen Maria oben auf der Schriftrolle erhaschte.

»Wirklich, Angie, ich kann nicht. Ich habe es Weatherby versprochen.«

»Und was ist mit Joe Randall?«

Natürlich. Er hatte den Kodex vergessen.

»Und was ist mit mir?« Ihre Stimme klang zart, unwiderstehlich.

»Hast du nicht auch mir ein Versprechen gegeben? Ben, du bist den ganzen Tag über an der Uni, und abends übersetzt du. Was bleibt da noch für uns übrig?«

»Es tut mir leid«, wiederholte er kraftlos.

»Wirst du noch lange brauchen?«

»Das läßt sich schwer sagen. Wahrscheinlich nicht. Soll ich hinterher zu dir kommen?«

»Das wäre schön. Die Uhrzeit spielt keine Rolle. Brauchst nicht zu hetzen. Ich weiß, wie wichtig die Manuskripte sind. Alles klar?«

»Alles klar. Bis später.«

Er wandte sich dem zweiten Fotoabzug zu. Die erste Zeile lautete: Maria und Sarah und Rahel und Ruth waren meine Schwestern.

Die nächsten beiden Abzüge waren im Handumdrehen übersetzt, denn es handelte sich dabei nur um Namenslisten und Familienstammbäume. Drei von Davids Schwestern waren verheiratet und lebten in verschiedenen Teilen von Syria-Palästina. Eine war im Alter von zwölf Jahren an einem Blutsturz gestorben. Seine vier Brüder, allesamt älter, hießen: Moses, Saul, Simon und Judas, in dieser Reihenfolge. Die drei ältesten hatten geheiratet und waren in Magdala geblieben. Judas, der jüngste, war in einem der vielen unberechenbaren Stürme auf dem See ums Leben gekommen.

Wir waren keine arme Familie und dankten Gott jeden Tag für seine Gaben und Segnungen. Mein Vater war ein frommer Mann und befolgte das göttliche Gesetz, wie die besten Juden es tun. Er ging in die Synagoge, um mit den Gelehrten zu sprechen, und las jeden Tag in den heiligen Schriften. Er war kein weltlich gesinnter Mann und lebte nach einer grundlegenden Wahrheit, die besagte: »Denn der Herr behütet den Weg der Gerechten, doch der Weg der Sünder führt in den Abgrund.«

Bens Herz zuckte leicht zusammen. Diese letzten Worte – die er nicht so oft gelesen hatte, wie er sie gehört hatte – klangen für ihn so vertraut, daß er sich im Stuhl zurücklehnen mußte.

»Das kann doch wohl nicht wahr sein«, murmelte er ungläubig. Wie lange war es her? Wie viele Jahre waren vergangen, seit er genau diesen Satz zum letzten Mal gehört hatte, diesen Satz, den man ihm immer und immer wieder vorgesagt hatte, so daß er zum ständigen Begleiter seiner Kindheit geworden war? Die Tatsache, daß die Worte

nun, nach so vielen Jahren, wieder aus den dunkelsten Winkeln seiner Erinnerung zu ihm drangen, trieb ihm die Tränen in die Augen.
Und eine vertraute Stimme, eine, die er längst vergessen hatte,
klang nun seltsam fern und doch nahe zugleich an sein Ohr: »Benjy,
erinnere dich immer daran, was dein Vater dich gelehrt hat, daß
Gott den Weg der Gerechten behütet, und daß der Weg der Sünder
in den Abgrund führt.«
Das Lieblingszitat seines Vaters, das dem ersten Psalm entstammte,
war den meisten Leuten nicht geläufig. Für Ben aber war es eines der
vertrautesten Leitmotive seiner Kindheit gewesen, denn seine Mutter hatte es mindestens einmal am Tag wiederholt. Es war die
Grundphilosophie seines Vaters gewesen, und Rosa Messer hatte dafür gesorgt, daß ihr Sohn sich diesen Satz einprägte.
Nur daß Ben seit über zwanzig Jahren nicht einen Gedanken an diese
Worte verschwendet hatte!
Bis jetzt.
Ben Messer blickte mit halb zugekniffenen Augen auf das aramäische Schriftstück, und eine bittersüße Wehmut überkam ihn. Wie
erschütternd, gerade jetzt auf genau diese Worte zu stoßen! Wie
sonderbar, daß dieser seit Jahrhunderten tote Jude sie nun zu ihm
sprach und Erinnerungen an längst vergangene Zeiten in ihm
weckte.
Zwei Jonas, der eine war vor zweitausend, der andere vor dreißig
Jahren gestorben, und beide hatten sie nach derselben Philosophie
gelebt, nach derselben düsteren Warnung aus den Psalmen.
Ben starrte eine Weile vor sich hin und dachte an die lange begra-
bene Erinnerung, die David zufällig ans Tageslicht gebracht hatte.
Ben durchlebte sie nur für einen Augenblick, wandte sich dann aber
von ihr ab und drängte die Vergangenheit in den Schatten zurück.
Ben lächelte wehmütig. Die Erschütterung hatte ihn aus dem
Gleichgewicht gebracht und ihn für einen Moment die Arbeit ver-
gessen lassen, die vor ihm lag. Eine Sekunde lang war er das hilflose
Opfer von Davids Macht gewesen, der Macht, das Vergangene zu-
rückzubringen. Jetzt schüttelte er den Kopf und zwang sich, die
Übersetzung wiederaufzunehmen.

Einmal nahm er uns alle mit nach Jerusalem zum Passahfest, und
obwohl er beim Anblick des Tempels und beim Erklingen des

Widderhorns Tränen in den Augen hatte, war er doch froh, zu seinem einfachen Leben am Seeufer zurückzukehren.

Die Tage meiner Kindheit verliefen unbeschwert und ruhig und wurden nur einmal erschüttert, als ich neun Jahre alt war. Bei demselben Bootsunglück auf dem See, bei dem mein Bruder Judas ums Leben gekommen war, hatte ich mir das Bein gebrochen. Und obgleich es rasch heilte, blieb mir davon ein hinkender Gang zurück, der bis zum heutigen Tag nicht von mir gewichen ist.

Als meine Brüder zu Männern herangewachsen waren, traten sie in die Fußstapfen unseres Vaters und wurden Fischer. Nur ich bildete die Ausnahme. Ich glaube, mein Vater hatte sein ganzes Leben lang etwas anderes mit mir, seinem jüngsten Sohn, vorgehabt. Ich ertappte ihn oft dabei, wie er mich bei verschiedenen Gelegenheiten mit einem seltsamen Gesichtsausdruck ansah. Und ich nehme an, daß ich aus diesen nur ihm bekannten Gründen im Alter von dreizehn Jahren von Magdala weggeschickt wurde, um in Jerusalem zu Füßen der Gelehrten zu studieren.

Und dies, mein Sohn, ist der Zeitpunkt, an dem alles begann.

Kapitel Vier

Ein lautes, lästiges Klopfen drang an sein Ohr. Er bewegte seinen Kopf vorsichtig hin und her und merkte, daß er schrecklich schmerzte. Das Klopfen hielt noch eine kurze Weile an, dann hörte es auf, und es folgte ein rasselndes, klirrendes Geräusch. Ben stöhnte. Er fühlte sich elend.

Dann vernahm er das Klappen einer Tür. Leise Fußtritte näherten sich über den Teppich. Gleich darauf wurde er von einer Duftwolke eingehüllt, und eine sanfte Stimme fragte liebenswürdig: »Ben?« Er stöhnte lauter.

»Ben, Liebling! Fühlst du dich nicht wohl?«

Mühsam schlug er die Augen auf und erblickte Angie, die besorgt und liebevoll an seiner Seite kniete. Er versuchte zu sprechen, aber sein Mund fühlte sich trocken und pelzig an. Dann fragte er sich, warum er auf der Couch lag und warum sein Kopf wie rasend schmerzte.

»Ich klopfte und klopfte und benutzte schließlich meinen eigenen Schlüssel. Ben, was ist los? Warum schläfst du in deinen Kleidern?«

Das erste, was er herausbrachte, war: »Hm?«, dann: »O Gott...« und schließlich: »Wieviel Uhr?«

»Es ist fast Mittag. Ich hab immer wieder versucht anzurufen, aber du hast nicht abgenommen. Bist du krank?«

Er sah sie nochmals wie durch einen Nebelschleier an, dann wurde sein Blick schärfer, und er rief aus: »Fast Mittag! O nein!« Mit einem Ruck saß er kerzengerade da. »Mein Unterricht!«

»Professor Cox rief mich heute morgen an und wollte wissen, wo du seist. Ich sagte ihm, daß du furchtbar krank bist und im Bett liegst. Nun sehe ich, daß ich damit gar nicht so weit von der Wahrheit entfernt war. Was ist geschehen?«

»Ich hatte für sie einen Text fix und fertig vorbereitet...«

»Er hat die Stunde ausfallen lassen. Ist schon in Ordnung.«

»Aber ich habe sie auch letzten Donnerstag verpaßt. Ich muß mich

wirklich zusammenreißen.« Er schwang seine Füße über den Couchrand und faßte sich mit beiden Händen an den Kopf. »Menschenskind, fühl ich mich hundeelend! Machst du mir einen Kaffee?«
»Aber klar doch.« Der Blumenduft verflog, als Angie in die Küche
ging. »Was ist dir denn passiert, Schatz?«
»Ich habe letzte Nacht die ganze Rolle übersetzt und dann... und
dann...« Ben rieb sich die Augen. Und dann was? Was stimmte nicht
mit ihm? Warum konnte er sich nicht daran erinnern, was passiert
war, nachdem er die Rolle beendet hatte? Warum gab es für die Stunden zwischen dem Übersetzen der Rolle und dem Moment, als Angie
ihn auf der Couch gefunden hatte, einen weißen Fleck in seinem Gedächtnis? »Gott...«, murmelte er. »Ich fühle mich schrecklich. Was
um alles in der Welt ist gestern denn in mich gefahren?« Und zu
Angie gewandt, meinte er lauter: »Ich muß wohl todmüde gewesen
sein, schätze ich.«
Dann ging er ins Badezimmer, wo er kalt duschte. Nachdem er sich
frische Sachen angezogen hatte, fühlte er sich etwas besser, doch der
seltsame Gedächtnisverlust beschäftigte ihn die ganze Zeit. Er erinnerte sich nur an den unheimlichen Zwang, der ihn trotz seiner extremen Müdigkeit genötigt hatte, weiterzuarbeiten, bis er sich vor Erschöpfung auf die Couch gelegt hatte und eingeschlafen war.
Angie saß am Frühstückstisch vor dem dampfenden Kaffee, der schon
eingeschenkt war, und beobachtete ihn, als er auf sie zuging.
»Tut mir leid, daß ich dir Sorgen gemacht habe, Angie. Gewöhnlich
schlafe ich nicht so fest.«
»Das weiß ich. Hier, trink ihn schwarz. Sag mal, Ben, warum hast du
gerade eben gehinkt? Hast du dich am Bein verletzt?«
Er blickte sie leicht verwundert an. »Warum, Angie, ich habe doch
immer gehinkt. Das wußtest du doch.« Seine Miene verfinsterte sich.
»Seit jenem Bootsunglück auf dem See...«
Sie starrte ihn einen Moment fassungslos an, zuckte dann die Achseln
und meinte: »Wie dem auch sei, ich habe eine großartige Idee. Laß
uns eine Fahrt die Küste entlang machen. Ich habe heute keinen Termin, und es ist ein herrlicher Tag.«
Unwillkürlich wandte er seinen Kopf dem Schreibtisch zu, wo die Arbeit der letzten Nacht lag, als hätte ein Orkan darin gewütet. Wieder
kamen ihm Erinnerungen an die unheimliche Stimmung, die ihn
während des Übersetzens überwältigt hatte. Das unerwartete Echo

der Stimme seiner Mutter, die Worte sprach, die ihm einst so vertraut gewesen waren, die er aber schon lange vergessen hatte. Jonas' Lebensmotto: der erste Psalm.

»Das finde ich nicht...«

»Ich bin gestern nacht bis um zwei Uhr aufgeblieben und habe auf dich gewartet.«

Er antwortete nicht und starrte unverwandt auf seinen Schreibtisch. Angie streichelte seine Hände mit ihren langen, kühlen Fingern. »Du arbeitest zu hart. Komm schon, laß uns einen Ausflug machen. Das hat dir doch immer gefallen. Es entspannt dich...«

»Nicht heute. Ich will mich nicht entspannen.« Ben warf einen raschen Blick auf die Uhr. »In zwei Stunden kommt die Post. Ich will dann hier sein.«

»Wir werden rechtzeitig zurück sein.«

»Angie«, erwiderte er, wobei er aufstand und den Kaffee unberührt stehen ließ, »du verstehst das nicht. Ich kann im Moment nicht von meiner Arbeit fort.«

»Warum nicht? Hast du nicht gesagt, du hättest es fertigübersetzt?«

»Ja schon, aber...« Aber was? Was konnte er ihr erzählen? Wie konnte er ihr diesen plötzlichen Zwang erklären, bei den Schriftrollen zu verharren, Davids Worte immer und immer wieder zu lesen, und dazu die wachsende Spannung, mit der er die nächste Schriftrolle erwartete. »Es ist nur, daß...«

»Los, Ben, komm schon.«

»Nein, du verstehst nicht.«

»Nun, dann sag es mir doch, vielleicht verstehe ich hinterher.«

»Ach, komm, Angie! Du hast mich ja nicht einmal gefragt, was in der zweiten Rolle stand! Himmel, so etwas Phantastisches, und du interessierst dich nicht einmal dafür!«

Sie starrte ihn verblüfft an und schwieg.

Ben bereute es sofort. Er steckte seine Hände in die Hosentaschen und blickte zerknirscht zu Boden. »O Angie«, stammelte er.

Sofort war sie auf den Beinen und schlang ihre Arme um ihn. Er erwiderte die Umarmung, und sie standen eine Weile so da. »Ist schon gut«, murmelte sie sanft, »ist schon gut. Ich kann es eben nicht verstehen.«

Ihr Körper, der sich an ihn drängte, überbrachte ihm die Botschaft deutlicher als ihre Worte. Ben küßte ihren Mund, ihre Wangen und ihren Hals hastig und heftig, als ob er Angie aus Verzweiflung liebte. Er drückte sie so fest an sich, daß sie nicht mehr atmen konnte, und verhielt sich wie ein Mann, der von blinden Bedürfnissen getrieben wird.

Plötzlich und wie zum Spott klingelte das Telefon.

»Verdammt«, brummte Ben. »Rühr dich nicht von der Stelle, Angie. Wer immer es ist, ich werde ihn schon los.«

Sie lächelte verträumt und schlenderte zur Couch, wo sie sich hinlegte. Sie schleuderte ihre Schuhe von sich und begann, sich das Kleid aufzuknöpfen.

Es war eine schlechte Überseeverbindung mit vielen Störgeräuschen in der Leitung, doch die Stimme am anderen Ende war ganz unverkennbar die von John Weatherby.

»Ich kann dir gar nicht beschreiben, was für eine Aufregung dein Telegramm im Lager auslöste!« brüllte er in die Leitung. »Drei Stunden nach deiner Nachricht traf ein Telegramm von Dave Marshall aus London ein. Wir stimmen alle überein, Ben. Das Jahr siebzig! Wir köpften eine Flasche Sekt und feierten! Du hast das hoffentlich auch getan. Hör zu, Ben, ich habe eine große Neuigkeit für dich. Wir haben vier weitere Tonkrüge gefunden!«

»Was!« Ben spürte, wie er weiche Knie bekam. »Noch vier weitere! O Gott!«

»Hast du Rolle vier schon erhalten? Ich habe sie letzten Sonntag abgeschickt. Ich habe dir ja schon gesagt, daß Nummer drei hoffnungslos zerstört ist. Ein einziger Teerklumpen. Nummer vier ist schlecht, aber immer noch leserlich. Ben, bist du noch dran?«

Vier weitere Tonkrüge, dachte er verstört. So hatte David Ben Jona Zeit gehabt, noch mehr zu schreiben!

»John, das kann doch nicht wahr sein! Es ist zu aufregend, um es in Worte zu fassen!«

»Wem sagst du das! Wir haben erfahren, daß das ganze Ausgrabungsfeld von Menschen wimmelt. Einige der einflußreichsten Männer Israels sind gekommen, um die Stelle zu besichtigen. Ben, das könnte *die* Entdeckung unseres Lebens werden!«

»Sie ist es bereits, John!« Ben merkte, daß er in den Hörer brüllte. Er war quicklebendig, sein Körper energiegeladen. Es war ein neues ›Hochgefühl‹, das er nie zuvor erlebt hatte. »Schick mir diese Rollen auch zu, John!«

»Und Ben, du kannst dir nicht vorstellen, welche Aufregung im Camp herrschte! Wir hatten Ärger mit den hiesigen Arbeitern. Als sie von dem Fluch Mose hörten, nahmen sie alle mitten in der Nacht Reißaus. Wir mußten eine neue Mannschaft aus Jerusalem anheuern. «

»Der Fluch Mose...«, begann Ben, doch die Stimme versagte ihm. In der Leitung knackte und rauschte es. »Ich muß zur Grabungsstelle zurück, Ben. Ich bin nur nach Jerusalem gekommen, um dich anzurufen und die neuen Fotos abzuschicken. Diesmal gute. «

Als er aufgelegt hatte, merkte Ben, daß er vor Erregung zitterte. Sein Herz pochte zum Zerspringen. In seinem Kopf herrschte ein einziges Durcheinander.

Der Fluch Mose, wiederholte er still ein übers andere Mal. Der Gedanke ließ ihn nicht mehr los und hinterließ einen sonderbaren Geschmack in seinem Mund. Irgendwie erschien Davids Fluch jetzt nicht mehr seltsam und belustigend, obgleich Ben ihn einmal belächelt hatte. Aus irgendeinem Grund kam ihm der Fluch Mose plötzlich alles andere als komisch vor.

»Ben? War das Dr. Weatherby?«

Warum ein Fluch, David, und warum ein so furchtbarer? Was hast du nur in deinen Rollen geschrieben, das so kostbar und bedeutungsvoll ist, daß es dich bewog, sie mit dem mächtigsten Zauber zu belegen, damit sie sicher bewahrt würden?

»Ben?«

Der Herr wird dich mit einer schlimmen Feuersbrunst heimsuchen, dich mit Wahnsinn und Blindheit schlagen und dich mit Grind und Krätze verfolgen.

»Ben!«

Er blickte Angie geistesabwesend an. Sie war nun wieder vollständig angezogen und hielt ihre Tasche in der Hand.

»Ich kann jetzt jede Minute eine neue Rolle bekommen«, sagte er. »Es wird die Titelseiten mit Schlagzeilen füllen. Ich weiß nicht, wie lange Weatherby noch alles unter Kontrolle haben wird, besonders wenn sich erst einmal die Nachricht von dem Fluch verbreitet...«

»Nun, ich bin im Weg, und ich habe dir ja versprochen, dich nicht zu stören. Deshalb mache ich mich jetzt einfach davon. Ben?«

»Vielleicht komme ich heute abend vorbei...«

»Natürlich. « Sie küßte ihn auf die Wange und ging.

Ben verschwendete keine Zeit damit, das Durcheinander auf seinem Schreibtisch zu beseitigen und alles für die nächste Rolle vorzubereiten. Er fühlte sich so energiegeladen, daß er es in seiner Wohnung nicht mehr aushielt und sofort zur Universität fuhr. Dort erklärte er Professor Cox die Umstände seiner Krankheit, die zum zweimaligen Ausfall des Unterrichts in Manuskriptdeutung geführt hatten. Er versicherte ihm, daß es nicht noch einmal vorkommen würde.

Schließlich ging Ben in sein Büro, erledigte ein paar dringende Schreibarbeiten und eilte dann über den Campus zu dem Platz, wo er sein Auto geparkt hatte. Vor dem Gebäude der Studentenvereinigung stieß er mit Judy Golden zusammen.

»Hallo, Dr. Messer«, begrüßte sie ihn mit einem Lächeln.

»Hallo.« Nur aus Höflichkeit blieb er stehen, obwohl er eigentlich schnell nach Hause wollte. »Unterricht heute?«

»Nein. Ich bin gekommen, um in der Bibliothek ein paar Nachforschungen anzustellen.« Sie hielt ein Buch hoch, damit er den Titel lesen konnte.

»Koptische Auslegung«, las er, »klingt aufregend.«

»Nicht wirklich. An kalten Abenden ziehe ich es eigentlich vor, mich mit einem Krimi in mein Zimmer zu verkriechen...« Sie zuckte die Achseln.

»Na, hoffentlich hilft es Ihnen bei dem, was Sie wissen wollen.« Er versuchte, unauffällig seinen Weg fortzusetzen.

»Ich habe heute morgen in Ihrer Manuskriptstunde vorbeigeschaut, aber sie war ausgefallen.«

»Ja...«

»Ich dachte, Sie hätten vielleicht diesen Kodex mitgebracht...« Judy zögerte erwartungsvoll. »Aber ich vermute, es ist doch nicht so.«

»Nein, das habe ich völlig vergessen.«

Die Enttäuschung stand ihr ins Gesicht geschrieben.

»Ich versuche, morgen daran zu denken. Ich habe in letzter Zeit viel um die Ohren...«

»Oh, natürlich.« Sie schien plötzlich verlegen zu sein. Sie preßte ihre Bücher noch fester an ihre Brust und meinte mit einem kurzen Lachen: »Ich will ja nicht aufdringlich sein.«

Das bist du aber, verdammt noch mal, dachte er bei sich.

»Es besteht für mich keine dringende Notwendigkeit, ihn sofort zu sehen. Es ist einfach nur... na ja, für mich ist es eben wahnsinnig aufregend... der bloße Gedanke, ein koptisches Manuskript zu sehen, das noch nicht übersetzt worden ist... ich meine, das noch nicht in irgendeinem Buch erschienen ist. Es kommt mir vor, als ob ich in ein besonderes Geheimnis eingeweiht würde. Das muß sich für Sie total überdreht anhören.«

Er versuchte, ihr Lächeln zu erwidern. Einen Augenblick lang fühlte er sich ein wenig an seine eigenen College-Tage erinnert und daran, wie sehr ihn damals die Fragmente alter Schriftrollen in Aufregung versetzt hatten. Seine Freunde – Biologie- und Mathestudenten – hatten ihn als total vergeistigten Intellektuellen bezeichnet.

»Ich werde nie daran denken, es mitzubringen«, gestand er ihr schließlich, »wenn ich mich schon nicht einmal daran erinnern kann, daß ich morgens Unterricht habe.«

»Was?«

»Sollte nur ein Scherz gewesen sein. Ich mache Ihnen einen Vorschlag.« Er zog einen kleinen Spiralblock aus der Tasche, notierte seine Adresse und gab Judy den Zettel. »Würde es Ihnen etwas ausmachen, irgendwann einmal bei mir vorbeizuschauen, um ihn abzuholen? Dann würde ich Ihnen den Kodex und meine bisherige Übersetzung mitgeben, und Sie könnten beides eine Woche lang behalten. Hätten Sie etwas dagegen?«

»Ob ich etwas dagegen hätte?«

Ben konnte sich in ihre Lage einfühlen. Hätte er etwas dagegen, noch eine Schriftrolle aus Magdala zu bekommen? »Ich meine, in meiner Wohnung vorbeizuschauen. Wenn es Ihnen etwas ausmacht, muß ich eben versuchen, mich daran zu erinnern, den Kodex mit an die Uni zu bringen.«

»Nein, das ist schon in Ordnung. Wann wäre es Ihnen recht?«

»Ich bin abends meistens zu Hause.«

»Also dann, vielen Dank.«

»Keine Ursache. Auf Wiedersehen.«

Ben war froh, daß er sie endlich losgeworden war und seinen Heimweg fortsetzen konnte. Judy Golden war eine Schwärmerin, die er zur Zeit nur schwer ertragen konnte. Vielleicht lag es daran, daß da zwei überschwengliche Menschen zusammenprallten, die voller Energie waren. Um für so etwas empfänglich zu sein, mußte man neutral sein, und das war er im Augenblick wirklich nicht.

Der Briefkasten war leer.

Ben meinte, er müsse auf der Stelle sterben. Der Kasten war leer, und der Briefträger war schon dagewesen.

Angie würde sagen: »Das Leben ist gemein«, aber alles, was Ben tun konnte, war, auf dem ganzen Weg die Treppe hinauf »Verdammt, verdammt, verdammt« zu murmeln. In seiner Wohnung wußte er nichts mit sich anzufangen. Schallplatten halfen nicht. Der Wein schmeckte schal. Und Appetit hatte er auch nicht. So lief er mit großen Schritten auf und ab.

Eine Stunde später, um Punkt sieben Uhr, klopfte Judy Golden an seine Tür, und Ben, der damit rechnete, Angie vor sich zu sehen, riß sie schwungvoll auf.

»Hallo«, sagte das Mädchen. Sie hatte noch immer Blue Jeans und Sandalen an, trug jetzt aber einen groben Pullover über ihrem T-Shirt. »Sie werden sicher sagen, daß ich keine Zeit verliere.«

»Sie verlieren keine Zeit.«

»Störe ich Sie?«

»Nein, gar nicht. Kommen Sie einen Moment herein, und ich werde den Kodex holen. Falls ich mich daran erinnern kann, wo ich ihn hingelegt habe.«

Er verschwand im Arbeitszimmer, während Judy zunächst stehenblieb und sich mit großen Augen in der Wohnung umschaute. Das einzige Licht kam von der Straßenbeleuchtung, die durch die Vorhänge schien. Sie folgte Ben ins Arbeitszimmer.

Er wühlte zwischen seinen Bücherstapeln. »Irgendwo muß doch das verdammte Ding sein!«

Judy lächelte und schlenderte zum Schreibtisch. »Ich bin genauso. Ich springe auch von einem Vorhaben zum nächsten. Dabei liegt es bestimmt nicht daran, daß ich mich nicht lange auf eine Sache konzentrieren könnte.«

Während er weiter herumsuchte, fiel Judys Blick zufällig auf die Fotos, die auf dem Tisch verstreut lagen, und ohne auch nur nachzudenken, las sie die gesamte zweite und dritte Aufnahme der ersten Schriftrolle. Sie trat näher heran und murmelte die Überschrift: »*Baruch Attah Adonai Elohenu Melech ha-Olam*.« Als sie merkte, daß keines der anderen Fotos in Hebräisch war, sondern in Aramäisch, einer Sprache, die sie erkannte, aber selbst nicht beherrschte, runzelte sie heftig die Stirn. »Das sind interessante Fotografien, Dr. Messer.«

»Aha!« Unter einem schweren Buch zog er einen Umschlag hervor. »Ich wußte doch, daß er hier irgendwo herumliegen mußte. Hier sind der Kodex und meine Aufzeichnungen. Was? Oh, die Fotos.« Er schaute auf sie hinunter. »Ja... die sind etwas ganz Besonderes...«

»Darf ich fragen, was das ist? Sie sehen faszinierend aus.«

»Faszinierend ist der richtige Ausdruck, ja.« Er lachte kurz auf und reichte ihr den Kodex. »Sie sind alte Schriftrollen, die ich gerade übersetze.«

»Oh. Sie sehen aber gar nicht aus wie herkömmliche Schriftrollen. Aber ich könnte mich natürlich täuschen.«

»Warum? Wissen Sie etwas über alte Schriftrollen?«

»Nur das, was ich darüber in meinem Hauptfach mitkriege. Das zweite und dritte Foto kann ich lesen, weil sie in Hebräisch sind. Wovon handeln die anderen Fotos? Sind sie alle Gebete wie dieses hier?«

»Nein...«, erwiderte er langsam, »nein, das sind sie nicht. Sie sind mehr wie... hm, ich kann gar nicht richtig erklären, was sie eigentlich sind.«

»Nein, ich bin sicher, ich habe sie nie zuvor gesehen.«

»Tja«, meinte er, und sein Mund verzog sich zu einem Lächeln, »das liegt daran, weil sie vorher noch niemand gesehen hat. Zumindest nicht in den letzten tausendneunhundert Jahren.«

Judy schaute ihn verwundert an, während ihr die Bedeutung seiner Worte langsam bewußt wurde, und als sie wieder zu sich kam, flüsterte sie: »Meinen Sie etwa, sie sind gerade gefunden worden?«

»Allerdings.«

Ihre Augen weiteten sich. »In Israel?«

»In... Israel.«

Judy schöpfte tief Atem, und stieß dann hervor: »Dr. Messer!«

»Nun ja, es ist ein ziemlich interessanter Fund.« Ben versuchte, ruhig zu bleiben. Judy wurde aufgeregt, er konnte es sehen, konnte es fühlen. Ihre Augen wurden immer größer, und ihre Stimme klang belegt. Ihre Reaktion stachelte Ben nur noch mehr an.

»Aber ich habe nichts darüber gehört!«

»Es ist noch nicht in den Nachrichten. Die Rollen wurden erst vor einigen Wochen gefunden, und die Entdeckung wird noch streng geheimgehalten.«

Judy wandte sich den Fotografien zu. Der alexandrinische Kodex, den sie noch immer in der Hand hielt, war plötzlich bedeutungslos geworden. Der Ausdruck auf ihrem Gesicht rührte Ben, denn er offenbarte die Gedanken der jungen Frau, ihre Ergriffenheit über das, was er gerade gesagt hatte, und ihre Empfindungen stimmten auf bemerkenswerte Weise mit seinen überein.

»Sagen Sie«, meinte er, einem plötzlichen Antrieb folgend, »möchten Sie sie lesen? Das heißt meine Übersetzung?«

Sie schaute ungläubig zu ihm auf. »Darf ich?«

»Gewiß. Es ist noch immer so etwas wie ein Geheimnis, wenn Sie verstehen, was ich meine, aber ich denke, es wird schon in Ordnung sein, wenn Sie...« Ben war sich nicht sicher, ob aus seinem Mund Worte kamen, die er wirklich sagen wollte. Und während er Judy mit dem Schmierheft, in das er seine Rohübersetzung schrieb, ins Wohnzimmer führte, bedauerte er gleichzeitig seine Unbesonnenheit. Da gab es einige unter seinen Kollegen, andere Professoren und Spezialisten auf diesem Gebiet, die vielleicht Judys Dozenten waren. Sie konnte ihnen gegenüber etwas erwähnen...

Ihr Gesicht verriet nichts, als sie mit übergeschlagenen Beinen auf der Couch saß und seine Übersetzung las. Sie las die Seiten ohne aufzublicken, wobei sich ihr Gesichtsausdruck nicht einmal änderte. Ihr Atem ging langsam und flach. Sie hatte den Kopf über das Heft geneigt, wodurch ihr das lange, schwarze Haar nach vorne über die Schultern fiel.

So, dachte er, als er sie beobachtete, sie ist wohl gar nicht beeindruckt.

Doch als Judy Golden endlich von dem Heft aufsah, drückten ihre Augen alles aus, was ihr Gesicht nicht verraten hatte.

»Das hier läßt sich nicht mit Worten beschreiben«, meinte sie leise.

»Allerdings.« Er lachte gezwungen. »Ich weiß, was Sie meinen.« Falls Ben jemals der kühle, sachliche Wissenschaftler im Umgang mit Schriftrollen gewesen war, so war er jetzt das genaue Gegenteil. Irgend etwas an Judy Golden ließ ihn an seiner Gelassenheit zweifeln. Sie reagierte so ganz und gar nicht wie Angie – Angie, die eine Schriftrolle nehmen oder liegenlassen konnte. Nein, dieses Mädchen mit dem Stern Zions um den Hals war genauso wie Ben.

Er bedauerte es nicht länger, ihr die Rollen gezeigt zu haben.

»Lassen Sie mich Ihnen von dem Ort erzählen, wo sie gefunden wurden.« Ben beschrieb kurz die Ausgrabungsstätte in Khirbet Migdal, berichtete von John Weatherbys Suche nach einer alten Synagoge und schließlich von der zufälligen Entdeckung der »Bibliothek«.

»Wertvolle Schriftrollen in Tonkrügen zu lagern war, wie Sie wissen, eine gängige Praxis im alten Israel. Nur waren die bis heute gefundenen alle religiösen Inhalts. Offensichtlich betrachtete David Ben Jona seine Schriftrollen als ebenso wichtig wie irgendwelche heiligen Schriften.«

»Natürlich! Schließlich wollte er ja unbedingt, daß sein Sohn sie zu lesen bekäme.« Sie starrte vor sich hin. »Ich frage mich, warum.«

»Ich auch.«

»Es macht mich traurig.«

»Was?«

»Daß Davids Sohn sie niemals fand.«

Ben schaute Judy Golden erstaunt an. Ihr rundes Gesicht wirkte im Licht der einzigen Lampe blaß, ihr Haar so viel dunkler und voller.

»Daran hatte ich noch gar nicht gedacht, aber Sie haben wahrscheinlich recht. Zwei der Tonkrüge – die beiden unversehrtesten – trugen an der Stelle, an der sie versiegelt worden waren, sein Zeichen. Das bedeutet, daß sie nicht geöffnet worden sind. Außerdem: Wenn sein Sohn sie gelesen hätte, dann hätte er sie ja wohl nicht wieder versiegelt und vergraben, oder? Ich schätze, Sie haben recht. Sein Sohn... die einzige Person, der er sich so dringend mitteilen wollte..., vor dem er seine Beichte ablegen wollte...«

»Es ist traurig. Wir sind nicht die Menschen, für die er sie bestimmt hatte.«

Ben stand unvermittelt auf, drehte eine Runde im Zimmer und schaltete mehr Lampen an, so daß der Raum jetzt mit Helligkeit durchflutet wurde. Wie dumm es doch war, sich von einem Drama rühren zu lassen, das schon vor zweitausend Jahren zu Ende gegangen war. Was nutzte es, sich für jemanden zu grämen, der schon seit zwanzig Jahrhunderten tot war? »Möchten Sie einen Kaffee?« Aber warum hat dein Sohn die Rollen nicht bekommen, David? Was ist ihm widerfahren?

»Es ist nur löslicher Kaffee.«

»Ich bin an löslichen gewöhnt, danke.«

Mein Gott, David, war es dir im letzten Moment, bevor du deine Augen für immer geschlossen hast, bewußt, daß dein Sohn die Rollen niemals lesen würde? Und bist du im Bewußtsein gestorben, daß alles vergeblich gewesen war?

Er ging mechanisch in der Küche umher – ließ Wasser laufen, schaltete das Heißwassergerät ein, löffelte Kaffee in die Tassen –, und als er wieder ins Arbeitszimmer trat, fand er Judy von neuem in die Übersetzungen vertieft.

Ben setzte die Tassen zusammen mit Löffeln, Kaffeesahne und Zucker auf der Glasplatte des Kaffeetischchens ab.

Nein, dachte er betrübt, wir sind nicht diejenigen, die dies lesen sollten, sondern dein Sohn, wer immer er war und was auch immer mit ihm geschehen ist...

»Ich vermute, meine Handschrift ist ziemlich schlecht«, hörte er sich selbst sagen.

»Es geht schon.«

»Ich wünschte, ich könnte Schreibmaschine schreiben. Ich habe es nie gelernt. Ich weiß nicht, wie ich John Weatherby das alles schicken soll.«

»Ich würde es gern für Sie tippen, Dr. Messer. Es wäre mir wirklich eine Freude.«

Er sah den Stolz in ihren tiefbraunen Augen, ihre Unbefangenheit und Aufrichtigkeit und schenkte ihr ein Lächeln. Anders als ihre zufällige Begegnung am Nachmittag war dieses Zusammensein mit Judy Golden recht angenehm. Ben stellte überrascht fest, daß er mit ihr offen über die Schriftrollen sprechen konnte.

»Und bedenken Sie den Zeitraum«, fing sie an, »zwischen vierunddreißig und siebzig nach unserer Zeitrechnung! Über was für einen wichtigen historischen Fund Dr. Weatherby da gestolpert ist! Was wohl in den übrigen Rollen noch stehen mag?« Sie schaute auf das Gekritzel auf Bens Notizblätter. »Aber ich frage mich...«

»Was?«

»Ich frage mich, wie er wissen konnte, daß er sterben würde. Ich meine, er scheint ja nicht im Gefängnis zu sein. Ich frage mich, ob er krank ist. Oder glauben Sie...« Sie blickte zu ihm auf. »Könnte er Selbstmord geplant haben?«

Ben schloß seine Augen. O David, war dein Verbrechen so schlimm?

»Dies hier ist interessant. Ich möchte wissen, was es heißt.«

Er schlug die Augen auf. Sie deutete auf die untere Hälfte der Seite.

»›... unser Herr an den Toren Jerusalems‹...«

»Und hier: ›du wirst das Antlitz deines Vaters erblicken‹...Dr. Messer, ist es anzunehmen, daß David auf den Messias wartete?«

»Schon möglich.« Ben warf einen Blick auf seine Handschrift.

»Hätte er vielleicht sogar ein...«

»Sprechen Sie es nicht aus.«

»Warum nicht?«

»Weil es kitschig ist.«

»Warum wäre es kitschig, wenn David ein Christ gewesen wäre?«

»Weil die Chancen dafür einfach zu niedrig sind. Sie wissen doch selbst, daß das erste Jahrhundert von aufkeimenden neuen Religionen und den sonderbarsten Sekten nur so wimmelte. Jesus war zu jener Zeit nicht der einzige, der eine fanatische Jüngerschaft an sich zog. Nur weil er heute von Millionen verehrt wird, heißt das noch lange nicht, daß es damals genauso war.«

»Aber immerhin war David ein Jude, der in Jerusalem lebte.«

»In einer Stadt mit einigen hunderttausend Einwohnern gab es zu dieser Zeit mindestens hundert Sekten. Die Chancen, einen Rechabiten, einen Essener oder einen Zeloten vor sich zu haben, sind genauso groß, wenn nicht größer.«

Judy zuckte die Schulter und las weiter. »Hier ist eine Übereinstimmung. Er ist ein Mitglied aus dem Stamm Benjamins.«

»So?«

Judy hob den Kopf. »Sind Sie nicht ebenfalls Benjaminit?«

»Ich denke nicht, daß meine Familie je wußte, welchem Stamm sie angehörte. Ich glaube, der Vorname Benjamin stammt von einem Onkel, nach dem ich benannt wurde.«

Sie saßen noch eine Weile schweigend da und nippten an ihrem Kaffee, bis Judy schließlich mit einem Blick auf ihre Armbanduhr sagte: »Ich sollte jetzt besser gehen, Dr. Messer.«

Sie erhoben sich und standen sich ein wenig verlegen gegenüber, obgleich keiner von beiden wußte, warum. Ben schaute auf Judy herab und hatte das Gefühl, ihr in dieser Stunde ganz nah gewesen zu sein, ihr sehr persönliche Dinge gezeigt und etwas mit ihr geteilt zu haben, das er mit niemand anderem teilen konnte. Und der Gedanke daran ließ plötzlich etwas Unbehagen in ihm aufkommen.

Als sie zur Tür gingen, sagte sie: »Lassen Sie es mich wissen, falls ich die Tipparbeit für Sie übernehmen soll.«

»Ich werde es nicht vergessen.«

Als er die Tür aufmachte, blieb sie nochmals stehen und blickte mit einem schwachen Lächeln zu ihm auf. »Werden Sie es mir sagen, wenn Sie eine neue Rolle aus Israel bekommen?«

»Natürlich. Sofort, wenn ich sie erhalte.«

Mit diesem Versprechen gingen sie auseinander. Ben schloß hinter ihr die Tür, während er ihre Fußtritte unten im Flur verklingen hörte.

Spontan beschloß er, zu Angie zu gehen und dort die Nacht zu verbringen. Schließlich gab es an diesem Abend ohnehin nichts mehr zu tun, und die Wohnung kam ihm jetzt irgendwie kalt und leer vor. Ben stellte etwas Katzenfutter für Poppäa bereit, die sich für die Dauer des Besuchs zurückgezogen hatte. Dann ging er umher und löschte alle Lichter.

Als sein Blick auf den Schreibtisch fiel, stellte er fest, daß Judy den Kodex vergessen hatte.

Er war eben dabei, den Motor in der Tiefgarage warmlaufen zu lassen, als ein Nachbar – der alleinstehende Berufsmusiker, der eine Tür weiter wohnte – plötzlich vor ihm auftauchte. Er fuchtelte aufgeregt mit den Armen und kam dann zum Fenster auf der Fahrerseite.

»Hallo, Nachbar«, grüßte er, während er sich zu Ben herunterbeugte, »wie geht's, wie steht's?«

»Alles in Ordnung. Ich hab Sie in letzter Zeit gar nicht mehr gesehen.«

»Ich war auch nicht da. Ich bin erst heute morgen zurückgekommen. Hören Sie, ich war gerade auf dem Sprung, als ich Sie hier sah, und da sagte ich mir, jetzt mußt du die Gelegenheit beim Schopf fassen.« Er kramte in seiner Jackentasche und zog einen kleinen gelben Zettel daraus hervor. »Das habe ich heute abend in meinem Briefkasten gefunden. Der Briefträger hat es wohl versehentlich hineingesteckt. Es ist für Sie.«

»Oh.« Ben nahm den Zettel und betrachtete ihn.

»Ich dachte, es könnte ja wichtig sein«, fuhr der Nachbar fort. »Der Briefträger muß heute nachmittag mit einem Einschreiben vorbeigekommen sein, und Sie waren nicht zu Hause. Auf dem Zettel steht, Sie können es morgen zwischen neun und fünf auf der Post abholen.«

»Ja, haben Sie vielen Dank.«

»Nichts zu danken.« Der Musiker richtete sich auf, winkte beiläufig und schlenderte fort.

Ben starrte auf den Absender, der auf dem gelben Streifen angegeben war.

Jerusalem.

Kapitel Fünf

Die erste Unterrichtsstunde ging ziemlich schnell vorbei, da sie völlig mit Übungen in alten Schriften ausgefüllt war. Ben fand stets Vergnügen an den Herausforderungen von Hieroglyphik und Keilschrift, und die Sprachen der Archäologie waren sein Lieblingsfach. Das Seminar am Nachmittag verlief indessen nicht so gut. Ben hatte keine Gelegenheit gehabt, sein Einschreiben auf der Post abzuholen, weil er zwischen den beiden Unterrichtsstunden noch andere Aufgaben auf dem Campus zu verrichten hatte. Außerdem befürchtete er, zu spät zu kommen oder wegen seiner jüngsten Versäumnisse den Eindruck zu erwecken, er nähme seine Pflichten als Dozent auf die leichte Schulter. Da Alt- und Neuhebräisch ein zweistündiges Unterrichtsfach war, bei dem häufig über die Zeit hinaus diskutiert wurde, war Ben besonders darauf bedacht, den Saal pünktlich zu verlassen.

Das heutige Thema lautete »Die Sprache der Aschkenasim«, und wie der Zufall es wollte, schienen sich die Kursteilnehmer sehr dafür zu interessieren und beteiligten sich eifrig an der Diskussion.

Bens Unruhe verstärkte sich noch durch die Anwesenheit von Judy Golden, die ihn, obwohl sie selten zu ihm aufblickte und kaum sprach, ganz aus dem Konzept brachte.

Sie war meistens über einen Schreibblock gebeugt und schrieb Stichpunkte mit. Seit ihrer Unterhaltung am Abend zuvor, bei der sie David Ben Jonas Geheimnis für kurze Zeit geteilt hatten, war sie ihm nicht mehr aus dem Kopf gegangen. Er konnte den Gedanken an sie nicht abschütteln und fand keine Erklärung dafür.

»Dr. Messer, meinen Sie, daß die Wiederbelebung des Hebräischen bei der Verdrängung des Jiddischen eine Rolle gespielt haben könnte?«

Er schaute den Studenten an, der die Frage gestellt hatte. Bevor Ben jedoch antworten konnte, entgegnete schon ein anderer Student: »Du gehst einfach von der Annahme aus, daß die jiddische Sprache zurückgedrängt wird. Diese Auffassung teile ich ganz und gar nicht.«

Die Worte verschwammen, während Ben wieder seinen Gedanken nachhing. Ja, Judy Goldens Gegenwart berührte ihn aus irgendeinem Grund. Sie hatte Davids Bericht gelesen, sie war in das Geheimnis der magdalenischen Schriftrollen eingeweiht. Sie wußte ebensoviel über David wie Ben, und hierin lag möglicherweise das Problem: Judy war nun keine Außenstehende mehr. Sie hatte seine eigenen Erfahrungen mit den Schriftrollen geteilt. Die Gedanken daran stürmten wieder auf ihn ein: das schreckliche Verbrechen, das David begangen hatte, das schmerzliche Bedürfnis, zu beichten, das im ersten Psalm enthaltene Lebensprinzip seines Vaters, der Fluch Mose und der schreckliche Umstand, daß Davids Sohn die Rollen niemals gefunden hatte.

Nachdem Judy Golden sich am Abend zuvor verabschiedet hatte, war Ben zu Angie gefahren. Sie hatten etwas Exotisches gegessen, sich einen Film im Kabelfernsehen angeschaut, sich zweimal geliebt und am Morgen den Wecker überhört. Und während der ganzen Nacht war Ben imstande gewesen, nicht an die Rollen zu denken. Er war so mit Angie beschäftigt gewesen, daß er David Ben Jona für einige Zeit vergessen hatte und schließlich in einen tiefen, traumlosen Schlaf gesunken war.

Doch jetzt, da er Judy Golden über ihre Arbeit gebeugt dasitzen sah und wußte, daß ein weiterer Brief von Weatherby im Postamt auf ihn wartete, konnte Ben es nicht verhindern, daß sich wieder Bilder von Magdala bei ihm einschlichen.

Er schaute auf die Uhr. Es war vier, und alles deutete darauf hin, daß sich der Unterricht noch eine ganze Weile hinziehen würde. Geduldig räumte er seinen Studenten noch fünfzehn Minuten ein, in denen er Fragen beantwortete, Vergleiche zwischen Hebräisch und Jiddisch an die Tafel schrieb und versuchte, irgendwie zu einem Abschluß zu gelangen.

»Ich denke, wir haben das Thema erschöpfend behandelt«, meinte er schließlich, wobei er zwei weiteren Wortmeldungen einfach keine Beachtung mehr schenkte. Es war Viertel nach vier. Er würde mindestens zwanzig Minuten brauchen, um den Campus zu verlassen und zur Post zu gelangen – eine halbe Stunde, wenn auf den Straßen starker Verkehr herrschte. Der zeitliche Spielraum war zu knapp, als daß Ben sich noch länger aufhalten konnte. »Wenn Sie noch weitere Fragen haben, können wir sie am Freitag aufgreifen.«

Er beobachtete Judy Golden, die über ihrem Schreibblock gebeugt immer noch weiterschrieb. Eine Sekunde lang fragte er sich, was sie da so stark beschäftigte und ob es ihr wohl schwergefallen war, nicht mehr an David Ben Jona zu denken. Doch im nächsten Augenblick wies er diese Gedanken von sich. Tags zuvor hatte er ihr versprochen, sie über die Schriftrollen auf dem laufenden zu halten und es ihr mitzuteilen, wenn weitere Manuskripte einträfen. Er beschloß nun, sein Versprechen nicht einzulösen.

Ben raffte Pfeife und Aktentasche zusammen und verließ hastig den Seminarraum. Er war noch nicht weit gekommen, da wurde er auf dem Flur von Stan Freeman, einem langjährigen Freund und Professor für Altertumswissenschaft, aufgehalten. Ihre Fachgebiete waren miteinander verwandt, sie waren im gleichen Alter und hatten andere gemeinsame Interessen. Die wenigen Male, die Ben in die Berge zum Fischen gefahren war, war er mit Stan gefahren.

»Hallo!« rief sein Freund begeistert. »Hab dich lange nicht gesehen! Was treibst du denn die ganze Zeit?«

»Wie gewöhnlich nichts Gutes, Stan.«

»Ich hab dich nicht gerade oft gesehen in letzter Zeit. Hält Angie dich auf Trab?«

»Nun ja, ich habe außerdem einen ägyptischen Kodex zu übersetzen.«

»Im Ernst! Den würde ich mir gerne mal ansehen.« Stan wartete darauf, daß Ben etwas entgegnete. Doch als dieser nichts erwiderte, fügte er mit einem kurzen Lachen hinzu: »Wie ich sehe, wirst du langsam zum Verfechter eines unkonventionellen Lebensstils!«

»Was?«

Stan deutete nach unten. »Die Sandalen. Weißt du, in all den Jahren, die wir beide befreundet sind, habe ich dich niemals in Sandalen gesehen. Du hast immer gesagt, Sandalen hätten etwas von gewolltem Künstlergehabe an sich. Wenn ich mich recht erinnere, hattest du in der Tat eine wahre Abneigung dagegen. Diese hier gefallen mir. Wo hast du sie her?«

Ben sah auf seine Füße. Die Sandalen hatte er heute morgen gekauft. Sie bestanden aus einer groben Ledersohle und Riemen und wirkten etwas derb und urtümlich. »Ich habe sie in Westwood gekauft. Ich wollte mal was anderes.« Etwas gereizt dachte Ben: Was ist denn eigentlich dabei, wenn ich jetzt plötzlich Sandalen trage? In diesem

Augenblick kam Judy Golden vorüber, mit einer ganzen Ladung Bücher unter dem Arm, und verschwand um die Ecke.

»Hör zu Stan. Ich bin in großer Eile.« Ben versuchte, sich von ihm loszumachen.

»Oh, natürlich. Sag, wann ist der große Tag?«

»Was für ein großer Tag?«

»Die Hochzeit! Du und Angie. Erinnerst du dich?«

»Oh. In den Semesterferien. Ich werd's dich schon rechtzeitig wissen lassen. Wenn du dich geschickt anstellst, kannst du mein Trauzeuge werden.« Ben hatte in der letzten Sekunde beschlossen, Judy Golden einzuholen und ihr den Kodex zu geben, an den er diesmal gedacht hatte. Er wollte ihn ihr jetzt, hier auf dem Campus geben und ihr auf diese Weise jede mögliche Entschuldigung für einen späteren Besuch in seiner Wohnung nehmen. »Ich muß wirklich gehen, Stan. Ich ruf' dich an. Okay?«

»Klar doch. Bis bald.«

Jetzt, am späten Nachmittag, war der Andrang auf den Fluren ziemlich groß, und so mußte Ben sich durch die Menschenmenge zum Ausgang kämpfen. Als er nach draußen in die untergehende Sonne trat, sah er Judy mit schnellem Schritt in Richtung Bibliothek eilen. Er schaute auf die Uhr. Vier Uhr fünfundzwanzig. Er hatte noch etwas Zeit.

»Judy!« rief er, während er seinen Schritt beschleunigte, um sie einzuholen.

Sie schien ihn nicht zu hören. Für eine Person ihrer Größe lief sie bemerkenswert schnell, wobei ihr schwarzes Haar hinter ihr im Wind wehte.

»Judy!«

Endlich schaute sie über ihre Schulter. Sie blieb stehen und drehte sich nach ihm um.

»Ich vergaß, Ihnen heute im Unterricht dies hier zu geben«, sagte er, während er ungeschickt an dem Verschluß seiner Aktentasche herumnestelte. »Sie haben es gestern abend liegengelassen.«

Sie schaute ihm ins Gesicht.

»Hier.« Er zog den großen braunen Umschlag hervor und reichte ihn ihr. Sie nahm ihn entgegen, ohne ihren Blick abzuwenden. »Oh, der Kodex. Vielen Dank.«

Ben bedachte sie mit einem halbherzigen Lächeln. Ich werd ihr nichts sagen, dachte er bei sich. Wir lassen es einfach bei gestern abend bewenden und bringen nie wieder die Sprache auf die Schriftrollen.

»Ich hätte ihn gerne in etwa einer Woche zurück, wenn Sie nichts dagegen haben. Die letzten paar Zeilen sind verdammt schwer zu übersetzen, und ich habe mich auf einen bestimmten Abgabetermin festgelegt.«

»Oh, natürlich.« Sie schien unschlüssig. »Dr. Messer, darf ich etwas sagen?«

Er steckte sich seine kalte Pfeife in den Mund. »Nur zu.«

»Ich teile nicht Ihre Ansicht, daß Jiddisch im Aussterben begriffen ist. Vielleicht wird es heute weniger gebraucht, und vielleicht hat sich sein Stellenwert im Leben der Juden geändert, aber ich denke nicht, daß es ausstirbt.«

Ben blickte das Mädchen erstaunt an und lächelte. »Diese Meinung kann man natürlich mit guten Argumenten vertreten. Wahrscheinlich könnte uns nur eine weltweite Studie die richtige Antwort darauf geben, und bis es soweit ist, können wir nur Vermutungen anstellen. Ihre Einschätzung ist ebenso gut wie meine.«

Sie nickte. »Ich bin mit Jiddisch aufgewachsen. Es war die einzige Sprache, die meine Mutter wirklich beherrschte. Als ich klein war, sprachen wir zu Hause ausschließlich Jiddisch. Vielleicht hat es für mich deshalb so hohen Wert. Nun ja, jedenfalls vielen Dank, daß Sie an den Kodex gedacht haben.«

»Gewiß.« Ben beobachtete sie, wie sie ihm zuwinkte und sich zum Gehen wandte. Dann, einer plötzlichen Regung folgend, sagte er: »Ach übrigens...«

»Ja?«

»Ich habe anscheinend eine neue Rolle aus Magdala erhalten.«

Der Wein in seinem Glas war warm und bitter geworden. Bachs Toccata und Fuge in d-moll kam aus dem Plattenspieler wie eine Folge mißklingender Töne. Der Qualm aus seiner Pfeife hing in dicken, ungesunden Rauchwolken in der Luft. Ben stand ungeduldig auf, stellte den Plattenspieler ab, entleerte seine Pfeife in den Aschenbecher und kippte den Wein in die Spüle. Dann kehrte er an seinen Schreibtisch zurück und setzte sich wieder.

Der Nachgeschmack von einem Pastrami-Sandwich lag ihm noch auf der Zunge und erinnerte ihn daran, daß er sein Abendessen weniger genossen als in sich hineingestopft hatte, wie eine lästige Pflicht, die er sich vom Hals schaffen sollte. Genauso hatte er es auch empfunden. Ben war hungrig gewesen, hatte sich aber auch nicht weiter mit Essen abgeben wollen. Und jetzt, mit einem Klumpen im Magen und einem schlechten Geschmack im Mund, reute es ihn, daß er so hastig gewesen war.

Wieder blickte er im Schein der Schreibtischlampe auf die ihm schon vertraute fehlerhafte Maschinenschrift Dr. Weatherbys.

Der Begleitbrief bestand aus einem kurzen Kommentar zu Rolle Nummer vier, die er in schlechtem Zustand gefunden hatte und die man unter Infrarotlicht hatte fotografieren müssen, um die Schrift sichtbar zu machen. Er erwähnte auch, wie schon zuvor am Telefon, Rolle Nummer drei, die wegen eines Sprunges im Tonkrug unbrauchbar geworden war. Das war alles.

Ben schüttelte traurig den Kopf, als er die beiden vor ihm liegenden Fotos betrachtete. Diese Übersetzung würde wirklich eine Herausforderung darstellen. Die Ecken sahen aus, als seien wilde Hunde darüber hergefallen. Und in der Mitte erinnerte die Rolle an Schweizer Käse. Ganze Absätze waren völlig verschwunden, viele Wörter bis zur Unkenntlichkeit entstellt.

Ben fühlte sich persönlich betrogen, als sei ihm dies absichtlich angetan worden. Zuerst der unwiederbringliche Verlust der dritten Rolle und nun noch dies.

Wütend schlug er mit der Faust auf den Schreibtisch. Irgendwo im Halbdunkel lauerte Poppäa Sabina, die den ganzen Tag geschlafen hatte und nun zu ihren nächtlichen Runden aufbrach. Sie wußte, wann ihr Herrchen seine Ruhe brauchte, und hielt sich daher in diskreter Entfernung zu ihm. Der Lärm von dem Faustschlag scheuchte sie ins Schlafzimmer, wo sie eine einsame Nachtwache antrat.

»David Ben Jona«, murmelte Ben über dem Foto, »wenn du willst, daß ich deine Worte lese, wenn du mich dazu auserwählt hast, die Beichte zu lesen, die dein Sohn nicht hatte lesen können, dann mache es mir doch nicht gar so schwer.«

Er stand auf und ging in die Küche, um sich ein frisches Glas Wein zu holen, kam dann zurück zum Schreibtisch, zündete seine Pfeife wieder an und machte sich an die mühsame Übersetzung von Rolle Nummer vier.

Und so kam es, daß ich, David Ben Jona, im Alter von vierzehn Jahren mein Studium bei Rabbi Joseph Ben Simon vollendete. Jene drei Jahre waren eine gute Zeit gewesen, und ich werde stets in liebevollem Andenken an diese Tage der Jugend und Unschuld zurückblicken. Saul blieb mein innigster Freund, und so kam es, daß er und ich zusammen bei Rabbi Eleasar Ben Azariah in die Lehre gehen wollten, der damals einer der berühmtesten und erhabensten Lehrer war.

Dieser Teil war überraschend gut gegangen. Doch nach genauerer Untersuchung war er offensichtlich von beiden Fotos der leserlichste Abschnitt. Der Rest würde nicht so einfach werden.

An den Rändern seiner Übersetzung machte Ben einige Anmerkungen: Rolle drei offensichtlich Beschreibung von frühem Schulbesuch und ersten Jahren in Jerusalem. David unter der Anleitung von Rabbi Joseph, wahrscheinlich zusammen mit mehreren anderen Jungen. Gegenstand der Unterweisung kann nur vermutet werden – wahrscheinlich Aufsagen der Thora, Gedächtnistraining, Gebete etc. Bezweifle, daß er irgendeine Deutung der Gebote besaß. Wahrscheinlich die übliche Ausbildung der Jugend aus der Mittelschicht. Freund Saul wahrscheinlich schon in Rolle drei erwähnt und Umstände ihrer Begegnung geschildert.

Ben ließ seinen Kugelschreiber sinken und rieb sich die Augen. Der Verlust der dritten Rolle war in der Tat sehr ärgerlich. Und die Lükken, die in dieser hier überall auftauchten, konnten einen ebenfalls zur Verzweiflung bringen. Er war ungehalten und gereizt.

Er stand auf und trat zum Fenster. Irgend etwas störte ihn. Sonst war er ein Mann, der sich an die Arbeit setzte und sofort damit begann, aber heute abend war daran nicht zu denken. Er konnte Davids Worte nicht lesen, ohne unruhig und nervös zu werden.

Dann kam ihm Judy Golden in den Sinn. Warum war er so vorschnell mit der Nachricht von der vierten Rolle herausgeplatzt, besonders nachdem er sich geschworen hatte, ihr nichts davon zu erzählen? Gewiß, sie hatte ihn nicht dazu gedrängt. Er war ja sogar derjenige gewesen, der ihr nachgerannt war, um sie für eine Minute zurückzuhalten. Warum hatte er ihr aber schließlich, als sie sich schon zum Gehen wandte, doch gesagt, daß er eine weitere Rolle erhalten hatte?

Ben ging eine Zeitlang mit leicht hinkendem Schritt im Zimmer auf und ab. Auch etwas anderes beschäftigte ihn. Er wurde viel zu schnell ungeduldig, wenn er auf das Eintreffen künftiger Rollen wartete. Es regte ihn auf, daß es so lange dauerte, bis sie zu ihm gelangten. Und er beneidete John Weatherby darum, auf dem Schauplatz der Ereignisse zu sein und die Tonkrüge gerade so zu finden, wie David Ben Jona sie hinterlassen hatte.

Bens Überlegungen wurden durch das Klingeln des Telefons unterbrochen, das er zuerst nicht beachten wollte. Dann nahm er aber doch ab.

»Hallo, Liebling«, ertönte Angies sanfte Stimme. »Störe ich dich bei irgend etwas?«

»Ich war gerade mitten in einer neuen Übersetzung.«

»Oh!«

»Ich habe heute die vierte Rolle von Weatherby erhalten. Es ist eine besonders schwere.«

Angie lachte kurz auf. »Ich weiß nicht, ob ich mich für dich freuen oder dich bedauern soll.«

»Warum?«

»Mich für dich freuen, daß du eine neue Rolle hast, oder aber dich bedauern, weil es eine schwierige ist.« Sie zögerte. »Ben?«

»Ja?«

»Du klingst so kühl. Ist alles in Ordnung?«

»Mir geht's gut. Ich denke nur gerade nach.«

»Willst du herüberkommen?«

»Nicht heute abend. Ich bin mittendrin und will es zu Ende bringen.«

»Natürlich«, murmelte sie, »ich verstehe. Trotzdem, wenn du Hunger bekommst oder dich einsam fühlst... Ich bin hier.«

»Danke.« Er wollte ihr eben auf Wiedersehen sagen, doch im letzten Augenblick überlegte er es sich anders und fragte: »Angie?«

»Ja, Liebling.«

»Willst du nicht wissen, wovon die vierte Rolle handelt?«

Am anderen Ende der Leitung herrschte Stillschweigen.

»Nun ja, egal«, fuhr er fort, »sie ist sowieso ziemlich langweilig, erzählt nur von David Ben Jonas Lehrzeit in Jerusalem. Gute Nacht, Angie.«

Mit dem Zeigefinger drückte er die Gabel nach unten, während er gleichzeitig horchte, um sicherzugehen, daß die Verbindung unterbrochen war. Und dann tat Benjamin Messer etwas, was er nie zuvor in seinem Leben getan hatte: Er legte den Hörer neben die Gabel.

... Schriftgelehrte. Wir wußten, daß es uns Jahre harter Arbeit und viele Opfer abverlangen würde und daß nur eine Handvoll ihr Ziel je erreichten. Saul und ich wählten Rabbi Eleasar ... den größten Lehrer in Judäa ... *(Tinte verwischt)* ... sein Ruhm. Wir strebten nach dem Allerhöchsten. Wir wußten, daß wir, sollten wir die Lehrzeit bei ihm durchstehen, Männer von hohem Ansehen sein würden.

Doch so viele junge Männer traten an ihn heran, und so wenige wurden auserwählt. Saul und ich waren fest entschlossen. Es würde meiner Familie zu größter Ehre gereichen, sollte es mir gelingen, ein Schüler des großen Eleasar zu werden.

Ich war voller Furcht zu versagen. Ich kannte viele Knaben, die an Eleasar herangetreten und abgelehnt worden waren. Doch Saul war zuversichtlich. Saul ... stolzer und fröhlicher Knabe mit lachenden Augen und ... Mund. Er versicherte mir tagtäglich, daß wir die besten Schüler von Rabbi Joseph gewesen seien. Und das ermutigte mich. Wenn ich indessen hörte, wie viele Eleasar um Unterweisung angingen, wurde ich wieder ganz niedergeschlagen. Aus diesem Grund ... *(große Lücke im Papyrus)* ... mit Saul. Zum Passah-Fest kamen wir ... *(Handschrift unleserlich)* ... und ich lag ängstlich bis spät in die Nacht hinein wach.

Aber Saul schien sich nicht zu fürchten. Er hatte auch viele Freunde, denn er besaß die Fähigkeit, lustige Geschichten zu erzählen und die Leute zum Lachen zu bringen. Ich bewunderte Sauls geistreichen Witz und sein sorgloses Wesen, und ich wünschte mir oft, ebenso gesellig und freimütig zu sein wie er und schnell Freunde zu gewinnen. Wir gingen oft zusammen ... *(Papyrus zerrissen)* ... und beteten gemeinsam im Tempel. Saul und ich waren uns näher, als meine Brüder und ich es gewesen waren, und wir halfen uns gegenseitig, wo wir konnten. In Jerusalem war er mein einziger Freund, und ich liebte ihn innig. Hätte sich die Gelegenheit je geboten, ich hätte mit Freuden mein Leben für Saul hingegeben.

Als er am Ende des ersten Fotos angelangt war, nahm Benjamin seine Brille ab, legte sie sachte auf die Schreibtischplatte und rieb sich die Augen. Dann starrte er auf die aramäische Handschrift, die unter dem Infrarotlicht nur undeutlich hervorgekommen war, und fühlte sich plötzlich um Jahre zurückversetzt, an eine Schule in New York City, die er besucht hatte und wo er eng mit einem Jungen namens Salomon Liebowitz befreundet gewesen war...

Die Jeschiwa, die Talmudschule, hatte sich im Stadtteil Brooklyn befunden. Er war vierzehn Jahre alt gewesen, als er sich, beladen mit Büchern in Hebräisch und Jiddisch, mühsam einen Weg durch den matschigen Schnee bahnte. Er und Salomon machten immer einen weiten Bogen, um zur Jeschiwa zu gelangen, denn der direkte Weg führte durch ein katholisches Nachbarviertel, wo ihnen immer einige rüpelhafte Jugendliche auflauerten, um sie zu schikanieren. Einmal hatten die grobschlächtigen Söhne polnischer Einwanderer Bens Samtkäppchen geschnappt, es auf den Boden geworfen und waren darauf herumgetrampelt. Und dann hatten sie über seine Tränen gelacht.

Aber es waren keine Tränen der Trauer oder der Wut gewesen, sondern Tränen der Ohnmacht. Woher hätten die Gojim, die Nichtjuden, auch wissen sollen, wie sehr Ben sich wünschte, das Haus ohne sein Käppchen verlassen zu können, und wie sehr er sich danach sehnte, in die öffentliche Schule zu gehen, wo er wie andere Kinder hätte sein können.

Und einmal hatte Salomon, der so viel größer und stämmiger war als Ben, Ben verteidigt und den halbstarken Gojim die Nasen blutig geschlagen. Im Wegrennen hatten die Polen ihnen über die Schulter nachgerufen: »Wir werden's euch schon zeigen, ihr Jesusmörder! Wir werden's euch zeigen!«

Und so hatten Ben und Salomon von da an den längeren Weg zur Jeschiwa genommen.

Ben fühlte einen Kloß im Hals. Er rückte ein wenig vom Schreibtisch weg und schaute auf seine Hände. Seit vielen Jahren hatte er nicht mehr an Salomon Liebowitz gedacht. Ihre Verbindung war abgebrochen, als Ben von New York nach Kalifornien gezogen war und Salomon den Entschluß gefaßt hatte, Rabbiner zu werden. Sieben Jahre lang waren sie die besten Freunde gewesen, und Ben hatte Salomon wie einen Bruder geliebt und die meiste Zeit mit ihm verbracht.

Doch dann war der Augenblick der Trennung gekommen – der Augenblick, da es galt, als Erwachsene Entscheidungen zu treffen und den Weg von reifen Männern zu gehen. Ihre Kindheit war zu Ende. Salomon Liebowitz und Benjamin Messer konnten ihre Abenteuer in den Straßen von Brooklyn nicht länger wie zwei Glücksritter fortsetzen. Jetzt war die Zeit gekommen, der Wirklichkeit ins Auge zu schauen.

Ben hatte sich für die Wissenschaft und Salomon für Gott entschieden.

Ein schüchternes Pochen drang von der Tür an sein Ohr, so leise, daß Ben es zuerst nicht hörte. Dann blickte er in die Richtung, aus der das Geräusch kam, doch Poppäa Sabina, die manchmal an der Tür kratzte, war nirgends zu sehen. Als das Pochen etwas lauter wurde, erkannte Ben, daß jemand an der Tür klopfte.

Er warf einen Blick auf das abgehängte Telefon und fluchte leise, weil er Angie für den Störenfried hielt.

Seufzend fügte er sich in sein Schicksal und öffnete die Tür. Zu seiner Überraschung sah er Judy Golden davor stehen. Eine Tasche hing ihr über die Schulter. In der Hand hielt sie einen großen braunen Umschlag.

»Hallo, Dr. Messer«, grüßte sie lächelnd, »ich hoffe, ich störe Sie nicht.«

»Nun, um ehrlich zu sein, das tun Sie. Womit kann ich Ihnen dienen?«

Wortlos hielt sie ihm den Umschlag entgegen.

»So rasch?« wunderte er sich und runzelte die Stirn. »Sie können ihn doch nicht länger als zwei Stunden gehabt haben.«

»Vier Stunden, Dr. Messer. Es ist nach acht.«

»Ach wirklich?«

»Und ich...« Sie schien seltsam zurückhaltend. »Ich habe hin und her überlegt, ob ich herkommen oder bis zur Freitagsstunde warten sollte. Aber ich möchte den Kodex so gerne lesen, und Sie hatten erwähnt, daß Sie ihn zu einem bestimmten Termin zurückgeben müßten. Deshalb bin ich hierher gekommen.«

»Ich verstehe nicht.«

Sie hielt ihm den Umschlag hin. »Er ist leer.«

»Was!« Ben riß ihn auf und traute seinen Augen nicht. »Ach, um Gottes willen! Kommen Sie herein, kommen Sie!«

Judy lächelte und verlor allmählich ihre Anspannung. »Ich will Sie wirklich nicht belästigen, aber ich...«

»Ich weiß«, schnitt er ihr das Wort ab. Ben lief schnurstracks ins Arbeitszimmer und warf einen prüfenden Blick auf das beständig anwachsende Durcheinander. Texte alter aramäischer Schriftrollen, hebräische Apokryphen und Bücher über semitische Handschriften lagen überall verstreut herum inmitten von Pastrami-Krümeln, einer ausgetrockneten Gurkenschale, einer schalen Pfeife und drei halbleeren Gläsern Wein. Typische Junggesellenhöhle, dachte er, während er versuchte, sich zu erinnern, wo er den Kodex zuletzt gesehen hatte. Dieses Mädchen muß denken, daß ich ein richtiger Schlamper bin.

»Bin gleich wieder bei Ihnen«, murmelte er, während er seine Bücher hochhob. Einige waren aufgeschlagen und zeigten Fotos von vergilbten Papyrusstücken, Verzeichnisse und Tabellen mit alphabetischen Vergleichen oder lange Texte. Alles Hilfsmittel, mit denen er David Ben Jonas Schriftrollen die feinsten Wortbedeutungen entlocken konnte.

Während er seine Stapel durchsuchte, betrachtete Judy die beiden Fotografien, die auf dem Schreibtisch neben Bens Schmierblock ausgebreitet waren. Das müssen die neuen Rollen sein, dachte sie aufgeregt und trat unauffällig näher heran.

Doch urplötzlich drehte sich Ben um, riß verärgert die Arme hoch und meinte: »Ich werde die ganze Nacht brauchen, um mich in diesem Durcheinander zurechtzufinden...« Er hielt inne, als er sie bei den Fotos sah.

»Ist schon in Ordnung«, erwiderte sie rasch. »Ich kann warten. Es tut mir leid, daß ich Sie gestört habe.«

Der Raum war völlig dunkel bis auf den kleinen Lichtkreis seiner Schreibtischlampe. Als Ben im Halbdunkel Judy Goldens Gesicht betrachtete, wünschte er sich, es möge ein wenig heller sein, damit er ihren Gesichtsausdruck erkennen könnte.

Plötzlich begriff er, warum sie wirklich gekommen war, und er sagte: »Sie hätten wirklich bis Freitag warten können. Oder Sie hätten mit mir nach meinem Zehn-Uhr-Kurs morgen früh sprechen können. Oder aber eine Nachricht in meinem Büro hinterlassen können.«

»Ja«, gab sie kleinlaut zu, »ich weiß.«

Ben schaute auf die Fotos von Rolle Nummer vier. »Diese hier ist nicht ebenso gut erhalten wie die ersten zwei«, stellte er sachlich fest.

»Weatherby schreibt, das Dach des alten Hauses müsse wohl vor Jahrhunderten eingestürzt sein und dabei einige der Rollen beschädigt haben. Wenn erst einmal die Außenluft damit in Berührung kommt, verwandelt sich Papyrus, wie Sie wissen, in eine klebrige, teerige Substanz, mit der sich nichts mehr anfangen läßt. Rolle Nummer drei ging auf diese Weise gänzlich verloren.«

Judy zögerte und schien ihre Worte genau abzuwägen. »Dr. Messer?«

»Ja?«

»Was steht darin?«

Er schaute dem Mädchen wieder ins Gesicht; die blasse Haut, die großen, dunklen Augen und das lange, schwarze Haar. Sie war nicht so schön wie Angie, doch ihr Gesicht hatte etwas, was Angie fehlte, eine Eigenschaft, die Ben gefiel. Doch wußte er nicht, was genau es war.

»Was darin steht?« wiederholte er. Dann dachte er an Salomon Liebowitz und die Zeit, die sie zusammen in Brooklyn verlebt hatten. Wie lange her, wie traumhaft ihm das alles nun erschien. Als hätte es sich niemals wirklich zugetragen.

»Kommen Sie.« Ben nahm das Heft mit der Übersetzung und reichte es Judy. Sie überflog die Übersetzung, die Anmerkungen am Rand und die dazwischenliegenden Leerräume. Dann las sie es nochmals genauer und ließ schließlich das Heft sinken und schaute zu Ben auf.

»Danke«, murmelte sie.

»Tut mir leid, daß es nicht ordentlicher geschrieben ist.«

»Es ist gut. Einfach gut.«

»Meine Handschrift...« Ben schüttelte den Kopf.

Judy starrte wie gebannt auf das Foto. »David Ben Jona hat wirklich gelebt«, sagte sie. »Es könnte erst gestern gewesen sein, denn die dazwischenliegende Zeit bedeutet nichts. Wir könnten ihn beinahe gekannt haben.«

Ben lachte kurz auf. »Mir kommt es allmählich auch so vor, als würde ich ihn schon persönlich kennen.«

»Hoffentlich kommen noch weitere Rollen.«

»Es kommen noch weitere. Vier weitere, um es genau zu sagen.«

Judy riß den Kopf hoch. »Vier weitere! Dr. Messer!«

»Ja, ich weiß...« Er wandte sich unvermittelt um und verließ das

Arbeitszimmer, wobei er im Gehen Lichter anmachte. »Möchten Sie etwas Wein?« rief er ihr über die Schulter zu.

»Nur wenn es billiger Wein ist«, gab sie zurück, während sie ihm ins Wohnzimmer folgte.

»Oh, dessen können Sie sicher sein. Nehmen Sie doch Platz. Ich bin gleich wieder da.«

Ben machte sich in der Küche zu schaffen, wo es in letzter Zeit zunehmend unordentlicher und schmutziger geworden war. Während er für gewöhnlich ein ordentlicher Mensch war, der stets hinter sich aufräumte, hatte Ben die Küche in diesen letzten paar Tagen völlig verkommen lassen. Hier sah es fast so schlimm aus wie im Arbeitszimmer. Nachdem er zwei saubere Gläser aufgespürt hatte, schenkte er den Wein ein und ging zurück ins Wohnzimmer. Judy Golden saß auf der Couch und streichelte Poppäa Sabina.

»Ich wußte gar nicht, daß Sie eine Katze haben«, sagte sie und nahm den Wein entgegen. »Danke.«

»Gewöhnlich sieht sie auch kein Besucher. Poppäa ist menschenscheu und kommt daher niemals hervor, um Freundschaft zu schließen. Sogar vor meiner Verlobten versteckt sie sich. Das ist auch ganz gut so, dann Angie ist allergisch auf Katzen.«

»Das ist wirklich zu schade. Diese hier ist einfach niedlich.«

Ben beobachtete verwundert, wie sich seine sonst so launische und hochnäsige Katze auf Judys Schoß zusammenrollte und zufrieden die Augen schloß.

»Wußten Sie, daß Ihr Telefonhörer neben der Gabel liegt?«

»Ja, das habe ich absichtlich getan. Ich wollte nicht gestört werden.«

»Na, großartig. Wenn es jetzt nur noch eine Möglichkeit gäbe, Ihre Tür einfach neben die Gabel zu legen...«

Er lachte leise. »Keine Sorge. Ich habe das noch nie zuvor gemacht. Ich glaube eigentlich nicht, daß das richtig ist. Jemand könnte versuchen, mich in einem Notfall zu erreichen.«

»Da stimme ich Ihnen zu. Danke für den Wein.«

»Ist er billig genug für Sie?«

»Wenn er Sie mehr als neunundachtzig Cent gekostet hat, ist er zu teuer für mich.«

Ben lachte wieder. Er fühlte sich sonderbarer Weise ganz entspannt in ihrer Gegenwart. Seine Unruhe während des Nachmittagsunterrichts

– die Art und Weise, wie sie ihn aus der Fassung gebracht hatte – war nun vergessen.

»Warum haben Sie ihr den Namen Poppäa gegeben?« erkundigte sie sich, während sie die Katze kraulte.

Ben zuckte die Schultern. Er hatte nie ernstlich darüber nachgedacht. Der Name war ihm ganz spontan eingefallen, als er sie vor zwei Jahren als junges Kätzchen kaufte.

»Ist ihr Name Poppäa Sabina?« fragte Judy weiter.

»In der Tat, ja.«

»Die Gattin des Kaisers Nero. Lebte um fünfundsechzig nach unserer Zeitrechnung, glaube ich. Interessanter Name für eine Katze.«

»Sie ist ein verführerisches, eigensinniges, eingebildetes und verwöhntes kleines Aas.«

»Und Sie lieben sie.«

»Und ich liebe sie.«

Sie nippten beide eine Zeitlang an ihrem Wein, ohne ein Wort zu wechseln. Judy ließ ihren Blick in der Wohnung umherschweifen und bewunderte die geschmackvolle und teure Einrichtung. Sie glaubte, die persönliche Note Benjamin Messers darin zu erkennen, die seiner lässigen, südkalifornischen Art entsprach. Dann schoß ihr ein Gedanke durch den Kopf, eine plötzliche, brennende Neugierde packte sie. Sie rang einen Augenblick mit sich selbst, ob sie die Frage stellen sollte.

Sie musterte den Mann an ihrer Seite, sein gefälliges, attraktives Gesicht, sein ungekämmtes, blondes Haar, seinen Körper, der sie an den eines Schwimmers erinnerte. Sie war über sich selbst überrascht, als sie mit gedämpfter Stimme fragte: »Sind Sie praktizierender Jude?«

Ihre Offenheit verblüffte ihn. »Wie bitte?«

»Entschuldigen Sie. Es geht mich ja nichts an, aber ich bin immer neugierig, die religiösen Ansichten von Leuten zu erfahren. Das war unhöflich von mir.«

Ben wandte seinen Blick von ihr ab und fühlte, wie er in Verteidigungsstellung ging. »Es ist kein Geheimnis. Ich praktiziere die jüdische Religion nicht mehr. Schon seit vielen Jahren nicht mehr.«

»Warum?«

Er blickte sie erstaunt an und fragte sich zum wiederholten Male, welch sonderbare Eingebung ihn dazu veranlaßt hatte, ihr von der vierten Rolle zu erzählen. Und warum er ihr Wein angeboten hatte und warum er nun bereitwillig mit ihr hier saß, anstatt ihr die Tür zu weisen.

»Die jüdische Religion ist nicht die Antwort für mich, das ist alles.«

Sie schauten sich einen Moment lang in die Augen – gefangen in einem Blick, der in diesem Augenblick dazu geschaffen schien, die Distanz zwischen ihnen zu überbrücken. Dann wandte sich Ben ab, während er langsam sein Weinglas in den Händen drehte. Er fing an, sich äußerst unbehaglich zu fühlen.

»Also dann«, Judy hob die Katze aus ihrem Schoß und stand auf, »Sie können es wohl kaum mehr abwarten, an das nächste Foto zu kommen.«

Ben stand ebenfalls auf. »Ich werde versuchen, an den Kodex zu denken . . .«

»Das wäre prima.« Sie warf ihr Haar nach hinten über die Schultern, so daß es ihr über Rücken und Taille fiel, und nahm ihre Schultertasche an sich.

Gemeinsam gingen sie zur Tür, wo Ben einen Moment verweilte, bevor er sie öffnete. »Ich lasse Sie wissen, was David zu sagen hat«, versprach er.

Sie warf ihm einen kurzen, etwas seltsamen Blick zu und meinte dann: »Danke für den Wein.«

»Gute Nacht.«

An seinem Schreibtisch las er nochmals das erste Foto. Danach machte er sich an die Übersetzung des zweiten.

Es war nicht leicht für uns, bei Rabbi Eleasar Gehör zu finden. Viele Tage lang warteten Saul und ich im Hof des Tempels, nur um . . . (*Riß im Papyrus*) . . . Wir saßen zusammen mit anderen Jugendlichen im Schneidersitz in der glühenden Sonne, bis uns alles weh tat. Wir waren oft hungrig und erschöpft, wagten es aber nicht, uns von der Stelle zu rühren. Einer nach dem anderen gab auf, und mit der Zeit wurde unsere Gruppe immer kleiner . . . (*Ecke an dieser Stelle herausgebrochen*) . . . Saul und ich. Nachdem wir eine Woche ausgeharrt hatten, um bei Rabbi Eleasar vorzusprechen, wurden wir in seinen Kreis in die überdachte Vorhalle gerufen.

Meine Kehle war trocken und meine Knie weich. Dennoch zeigte ich meine Furcht vor dem großen Mann nicht. Demütig fiel ich zu seinen Füßen auf die Knie... (*unleserlicher Satz*)... während Saul stolz aufrecht stehenblieb. Die Augen Eleasars waren wie die eines Adlers. Sie durchbohrten mich, als wollten sie sehen, was auf der anderen Seite meines Körpers war. Ich hatte Angst, und dennoch hielt ich unabänderlich an meinem Entschluß fest. Ich vermochte nicht zu lächeln; Saul hingegen zeigte dabei keine Scheu.

Rabbi Eleasar fragte Saul: »Warum möchtest du ein Schriftgelehrter werden?« Und Saul antwortete: »Und alle Leute versammelten sich geschlossen auf der Straße vor der Schleuse, und sie sprachen zu Ezra, dem Schriftgelehrten, er möge das Gesetzbuch Mose bringen, das der Herr dem Volk Israel zur Vorschrift gemacht hatte. Und am ersten Tag des siebten Monats brachte der Priester Ezra das Gesetz vor die Gemeinde aus Männern und Frauen und allen, die hören und verstehen konnten.« Saul sagte: »Rabbi Eleasar, ich möchte gerne werden wie Ezra und Nehemia vor mir.«

Dann wandte sich Rabbi Eleasar an mich und fragte: »Warum willst du ein Schriftgelehrter werden?« Und ich konnte zuerst nichts sagen, denn Sauls Antwort war so vollkommen gewesen, daß ich mich ihm nicht ebenbürtig fühlte. Dann schluckte ich den Kloß in meinem Hals hinunter und erwiderte: »Ich möchte wissen, Meister, woher Kains Frau kam, wenn sie nicht von Gott geschaffen wurde.«

Rabbi Eleasar sah mich überrascht an und wandte sich zu seinen Jüngern. Er sprach zu ihnen: »Was für ein Betragen legt dieser Neuling an den Tag, daß er eine Frage mit einer Frage beantwortet?« Und sie lachten alle.

Verärgert und gedemütigt, sagte ich zu Eleasar: »Hätte ich keine Fragen, Meister, so würde ich einen armen Schriftgelehrten abgeben. Und wenn ich schon alle Antworten wüßte, welches Bedürfnis hätte ich dann, zu Euch zu kommen?«

Zum zweiten Mal war Eleasar überrascht. So sagte er zu mir: »Was fürchtest du mehr, das Gesetz oder den Tempel Gottes?«

Und ich antwortete: »Das Studium der Thora ist eine größere Tat als die Errichtung des Tempels.«

Rabbi Eleasar entließ Saul und mich in die Vorhalle, und ich kämpfte gegen die Tränen der Bitternis und der Enttäuschung an. Ich sagte zu Saul: »Er gab mir nicht die kleinste Gelegenheit, um zu beweisen, daß ich seines Unterrichts würdig bin. Nun muß ich zu einem unbedeutenderen Rabbi gehen und werde nur die Hälfte lernen.«

In dieser Nacht weinte ich allein in meinem Zimmer: die ersten Tränen, die ich vergoß, seitdem ich vor drei Jahren aus Magdala gegangen war. Ich hatte nach dem höchsten Gipfel gestrebt und war gescheitert.

(*Der Papyrus war an dieser Stelle von Rand zu Rand mittendurch gerissen und machte damit vier Zeilen unverwertbar. Die letzte Zeile lautete:*) Am nächsten Tag erhielten Saul und ich den Bescheid, daß wir unsere Lehre bei Rabbi Eleasar antreten könnten.

Kapitel Sechs

Am nächsten Morgen erwachte Ben in heiterer und gelöster Stimmung. Er stand früh auf, duschte und rasierte sich, frühstückte ausgiebig und nutzte die Zeit vor Unterrichtsbeginn, um die Wohnung aufzuräumen. Da mußten mindestens fünfzehn Gläser eingesammelt und in die Spülmaschine geräumt werden. Alle Aschenbecher quollen über. Poppäas kleines Katzenklo mußte frischgemacht werden. Er öffnete die Fenster, um durchzulüften und die abgestandene Luft zu vertreiben. Dann brachte er sein Arbeitszimmer in Ordnung. Er stellte die Bücher auf die Regale zurück, leerte den vollgestopften Papierkorb, wischte Krümel, Asche und Weinflecken von der Tischplatte. Die ganze Zeit summte er vor sich hin.

Ben hatte sich lange nicht mehr so großartig gefühlt. Es war, als hätte er gerade eine Menge Geld geerbt oder eben erfahren, daß er hundert Jahre alt werden sollte. Sein ganzer Körper war wie elektrisiert, und so tanzte er singend durch die Wohnung, während er aufräumte.

Als Angie um neun Uhr an die Tür klopfte, begrüßte er sie mit einer Umarmung, einem stürmischen Kuß und einer Flut von Entschuldigungen für die vorangegangene Nacht.

»Es war ein harter Brocken«, erklärte er, während er sie in die Wohnung hereinzog, »die vierte Rolle war ein hartes Stück Arbeit, aber es ist mir gelungen, sie gestern nacht fertigzuübersetzen und mir acht Stunden wohl verdienten Schlaf zu gönnen. Ich habe mich seit Wochen nicht so gut gefühlt!«

Angie strahlte. »Das freut mich. Weißt du, dein Telefon war dauernd besetzt.«

»Und deshalb, mein Schatz, habe ich eine Überraschung für dich. Am Samstag morgen bei Tagesanbruch setzen wir beide uns in mein Auto und fahren hinunter nach San Diego für zwei vergnügliche, ausgelassene Tage.«

»O Ben, das klingt ja großartig.«

»Wir gehen in den Zoo und ins Meerwasseraquarium, wir essen bei

Boom Trenchard's, und wir lieben uns die ganze Nacht lang.« Er küßte sie lange. »Oder... vielleicht unternehmen wir auch einfach nichts und lieben uns nur zwei Tage lang ohne Unterbrechung.«
Sie kicherte. »Alberner Kerl!«
Ben hielt sie eine Armlänge von sich weg, um ihr schönes Gesicht zu betrachten, und sog den süßen Duft ihres Parfüms und das erregende Gefühl ihrer Nähe in sich auf. Er war in diesem Augenblick so verliebt, daß er glaubte, er müsse zerspringen. »So, was führt dich heute morgen zu mir?«
»Deine Leitung war besetzt.«
»Was? Oh!« Er schnalzte mit den Fingern. »Ich habe den Hörer letzte Nacht neben die Gabel gelegt, um nicht gestört zu werden.«
»Von wem? Etwa von mir?«
»I wo...«
»Ach, ist schon in Ordnung.«
»Ha, ich habe eine Idee! Fahre mit mir an die Uni, warte eine Stunde, und ich spendiere dir das tollste Mittagessen, das du dir vorstellen kannst.«
»Klingt großartig.«
Sie fuhren zusammen an die Uni, und Angie ging auf dem Campus spazieren, während Ben seine Vorlesung in Manuskriptdeutung hielt und sich wortreich bei seinen Studenten für den Ausfall der letzten beiden Sitzungen entschuldigte. Unterdessen schlenderte Angie durch den Universitätsgarten und fühlte sich so glücklich wie schon lange nicht mehr. Es war gut, Ben so gelöst zu sehen, nachdem er eine Zeitlang ganz und gar von diesen Schriftrollen eingenommen war. Er war wieder er selbst.
Zumindest versuchte Angie, sich das einzureden. Sie hatte zuvor seine neuen Sandalen und das leichte Hinken in seinem Gang bemerkt, und ihr war aufgefallen, wie seltsam geschraubt und linkisch er heute morgen geredet hatte. Aber sie beschloß, dies alles zu vergessen und aus ihrem Gedächtnis zu streichen. Ben war nur müde, das war alles.
Nach dem Unterricht fuhren sie die Küste hinauf zu einem beliebten Restaurant, das in die Klippen hineingebaut war und sogar über die Wellen hinausragte.
Nachmittags suchten sie sich einen abgeschiedenen Platz und liebten sich im Auto. Anschließend machten sie bei Sonnenuntergang einen

Ausflug in die Berge, aßen in Hollywood zu Abend und sahen sich einen Film im Kino an.

Während dieser ganzen Zeit fühlte Ben sich Angie näher, als er es je gewesen war. Ihre gute Laune und ihr Humor ließen ihn alles andere vergessen. Sie war schön anzusehen und sehr erregend. Der Tag war vollkommen gewesen, von dem Augenblick, wo er mit diesem Hochgefühl aufgewacht war, bis zu dem leidenschaftlichen Gutenachtkuß, mit dem er sich um Mitternacht von Angie verabschiedete. Es war ein traumhaft schöner Tag gewesen.

»Das nächste Mal nehmen wir uns ein Zimmer im Hotel Circle«, versprach er Angie, kurz bevor er sie verließ. »Und wir können nach Tijuana hinunterfahren, wenn du willst.«

Sie war unter seiner Aufmerksamkeit richtig aufgeblüht und strahlte übers ganze Gesicht. Sie fühlte sich überglücklich und war sich ganz sicher, daß sie den vollkommenen Mann gefunden hatte, mit dem sie den Rest ihres Lebens verbringen wollte.

Um Mitternacht standen sie beide ein wenig angesäuselt und todmüde in der Toreinfahrt zu Angies Wohnung und lachten leise. »Laß uns das wieder tun«, flüsterte Ben.

»Jeden Tag, Liebling, jeden Tag.«

Und er verließ Angie mit dem Gefühl, sich eine Zeitlang im Paradies aufgehalten zu haben.

In bester Laune fuhr er nach Hause. Während des ganzen Tages hatte er sich nicht einmal gefragt, warum er denn auf einmal so gelöst und voller Freude gewesen war.

Und natürlich hatte er in diesem Zusammenhang nicht eine Sekunde lang an David Ben Jona gedacht.

Am nächsten Morgen fühlte er sich völlig anders. An diesem Freitag war seine Hochstimmung wie weggeblasen und hinterließ ihn in annähernd demselben Gemütszustand wie in den Tagen zuvor.

Während ihres Telefongesprächs am Dienstag hatte John Weatherby Ben mitgeteilt, er sei in Jerusalem, um ihn anzurufen und »eine neue Serie Fotos abzuschicken. Diesmal gute.« Das bedeutete, sie könnten jeden Tag eintreffen, spätestens am Montag. Ben konnte es kaum erwarten, die nächste Rolle zu bekommen.

Er war kaum in der Lage, sich auf seinen Kurs »Sprachen der Archäologie« zu konzentrieren, und noch schwerer fiel es ihm, die Alt- und

Neuhebräisch-Stunde durchzustehen. Die ganze Zeit über konnte er nur an die nächste Rolle denken. Falls Weatherbys Brief per Einschreiben käme, müßte er vor fünf noch schnell mit dem Zettel aufs Postamt gehen und dort Krach schlagen, um seinen Brief noch vor Montag zu bekommen. Ansonsten wäre ein elendes Wochenende vorprogrammiert.

Ben stellte überrascht fest, daß Judy Golden im Seminar fehlte. Obgleich ihre Gegenwart ihn durcheinanderbrachte, erfüllte ihn ihre Abwesenheit mit noch größerer Unruhe. Und diesmal hatte er sogar daran gedacht, den Kodex mitzubringen.

Nachdem er den Unterricht pünktlich zu Ende gebracht hatte, hastete Ben nach Hause und fand einen gelben Zettel in seinem Briefkasten. Ein Einschreiben aus Israel konnte am Montag zwischen neun und fünf auf dem Postamt abgeholt werden.

Er verlor keine Zeit. Um Viertel vor fünf war Ben auf dem Postamt und verlangte, den Postamtsvorsteher zu sprechen. Innerhalb von fünf Minuten hatte er beachtliche Aufmerksamkeit auf sich gezogen. Es wurde ihm gestattet, auf seinen Postboten zu warten, der kurz darauf im Postamt eintraf. Er händigte Ben mißbilligend seinen Umschlag aus, wobei er ihn darüber belehrte, daß dies eigentlich gegen die Vorschriften sei.

Fünfzehn Minuten später war Ben wieder in seiner Wohnung, schaffte sich ein wenig Platz auf seinem Schreibtisch, verbannte Poppäa ins Schlafzimmer und setzte sich hin. Nachdem er sich innerlich auf den nächsten Auszug aus David Ben Jonas Leben vorbereitet hatte, fiel sein Blick auf das Telefon, und mit weniger Skrupeln als das letztemal nahm er den Hörer von der Gabel. Dann wischte er seine verschwitzten Handflächen an der Hose ab und öffnete den Umschlag.

Darin war ein Brief von John Weatherby.

Die gesamte Knesseth einschließlich des Premierministers habe die Ausgrabungsstätte besucht, hieß es darin. Sogar der amerikanische Botschafter und der berühmte Professor Yigael Yadin seien nach Khirbit Magdal geeilt. Es folgten Beschreibungen von den gräßlichen Arbeitsbedingungen: unberechenbare Wetterumschwünge, Insekteneinfälle, ungenießbares Essen und kalte Nächte erschwerten die Ausgrabungen. Und am Ende wünschte John Weatherby allen Mitarbeitern seines Archäologenteams den Segen Gottes.

Ben warf den Brief auf die Seite und riß den inneren Umschlag auf. Drei Fotos fielen heraus.

Das eine war ein Schnappschuß, auf dem Dr. Weatherby über seine Schreibmaschine gebeugt zu sehen war. Seine Hemdsärmel waren hochgekrempelt, und die Brille mit dem Drahtgestell saß ihm ganz vorne auf der Nase. Er saß an einem Kartentisch vor einem Zelt.

Das zweite Foto zeigte Dr. Weatherby, seine Frau Helena und Professor Yigael Yadin – alle drei posierten am Rand der Ausgrabungsstätte. Sie lächelten, als hätten sie im Lotto gewonnen. Ihre Kleider waren staubig und schweißgetränkt.

Das letzte Foto war von der Ausgrabungsstätte selbst – die Grabung war darauf schon viel weiter fortgeschritten als auf dem ersten Bild, das Ben erhalten hatte. Pappschilder zeigten die verschiedenen Ebenen an, und ein abgegrenzter Bereich schien die Fundstelle der berühmten Tonkrüge zu sein. Der Schauplatz wurde von einer Vielzahl Menschen bevölkert: Ben konnte darauf hagere, alte Wissenschaftler und kräftige, junge Studenten erkennen, die in Khakikleidung über ihre Arbeit gebeugt waren.

Er schaute nochmals in den Umschlag. Es gab keine weiteren Fotos. Fluchend knallte er das ganze Bündel auf den Tisch.

Jetzt mußte er doch noch auf die Ankunft von Rolle Nummer fünf warten! Wieder vierundzwanzig Stunden der Anspannung, des ungeduldigen Hin- und Herlaufens, des Wartens darauf, daß David wieder zu ihm sprechen würde...

Poppäa Sabina kratzte ärgerlich an der Schlafzimmertür, und Ben ließ sie heraus. Er nahm die Katze auf den Arm und ließ sich mit ihr auf der Couch im dunklen Wohnzimmer nieder. Poppäa war gekränkt, weil ihr nicht genug Beachtung geschenkt wurde, und Ben schmollte wie ein enttäuschtes Kind.

Nachdem er eine halbe Stunde lang versucht hatte, mit seiner unglaublichen Ernüchterung fertig zu werden, beschloß Ben, vernünftig zu sein und sich zu beruhigen. Er entschloß sich auch, Rolle Nummer vier nochmals durchzugehen. Da er beim Lesen solche Schwierigkeiten gehabt hatte, wollte er sich vergewissern, daß ihm keine Fehler unterlaufen waren.

Zwei Stunden verbrachte er an seinem Schreibtisch und fügte hier und da Korrekturen in seine Übersetzung ein.

Als er die letzte Zeile des zweiten Fotos beendet hatte, fühlte er sich seltsam glücklich und freudig erregt. Er sprang vom Schreibtisch auf und lief singend in die Küche, wo er sich ein Glas Wein eingoß. Mitten im Einschenken jedoch ließ ihn sein eigenes Pfeifen in seiner Tätigkeit innehalten. Bestürzt stellte er Glas und Flasche hin und starrte finster auf die kahle Wand.

Warum um alles in der Welt war er plötzlich so glücklich?

Er lief zur Küchentür und blickte von dort quer durchs Wohnzimmer in sein Arbeitszimmer. Im Halbdunkel konnte er gerade noch seine Schreibtischecke und die Lehne seines Drehstuhls wahrnehmen. Auf dem Schreibtisch lag sein Übersetzungsheft wie ein weißer Fleck.

Ben verharrte eine Weile im Kücheneingang und blickte durch die stille Wohnung. Er starrte ins Leere und spürte, wie ein unheimliches Gefühl Besitz von ihm ergriff. Er bekam eine Gänsehaut, und die Haare an den Armen und im Nacken standen ihm zu Berge. Eine furchterregende Kälte erfüllte den Raum.

Jetzt wußte er es.

Langsam ging er zurück ins Arbeitszimmer und blieb einen Meter vom Schreibtisch entfernt stehen. Zuerst schaute er auf das Foto von dem beschädigten Papyrus, dann auf seine Übersetzung.

Die Worte »am nächsten Tag erhielten Saul und ich den Bescheid, daß wir unsere Lehre bei Rabbi Eleasar antreten könnten« fielen ihm wieder ein.

Und jetzt wußte er es genau.

Diese Worte hatten ihm eine riesige Freude bereitet.

Als ob es *mir* passiert wäre, flüsterte er, über das Foto gebeugt. »Deswegen war ich gestern in einer so guten Stimmung. Es war, als wäre *ich* in Rabbi Eleasars Schule aufgenommen worden.«

Ben kniff die Augen fest zusammen, und merkwürdigerweise fröstelte es ihn. Er rieb sich die kalten Arme und zitterte hemmungslos. Die gestrige Freude war nicht meine eigene gewesen, dachte er, es war Davids Freude gewesen. Davids Freude ...

Ben öffnete die Augen und blickte wieder auf die aramäischen Worte. Ein Gefühl, als habe er eine Brücke überquert, als sei er an einem Punkt angelangt, an dem es kein Zurück mehr gab, ließ ihn erschauern.

Er versuchte, diese Empfindung abzuschütteln, die einen warnenden Beigeschmack hatte, und zwang sich zu einem Lachen. Dann sagte er

laut zu sich selbst: »Ich glaube, jetzt bin ich völlig übergeschnappt.«
Aber seine Stimme klang blechern, das Lachen fast wie ein Röcheln. »O
David«, murmelte er mit einem Schauder, »was machst du nur mit
mir?«

Es war nicht das erstemal, daß Ben von einem Klopfen an seiner Tür
aufwachte. Während er mühsam die Augen aufschlug und versuchte,
sich zurechtzufinden, konnte Ben sich nicht vorstellen, wer ihn zu
einer solch ungewöhnlichen Stunde sprechen wollte. Dann bemerkte
er, daß er keine Ahnung hatte, wie spät es eigentlich war.
Er schwang sich aus dem Bett und schleppte sich barfuß ins Wohnzimmer, gerade rechtzeitig, um zu sehen, wie Angie hereinkam und
die Tür hinter sich schloß. Sie trug einen Hosenanzug aus Baumwolle
und hatte ihr Haar kunstvoll mit einem Schal hochgebunden. »Hallo,
Liebling«, rief sie strahlend und stellte ihren Handkoffer auf dem
Couchtischchen ab.
»Hallo«, erwiderte er verwirrt.
Sie küßte ihn auf die Wange, tätschelte ihn auf die andere und ging
zur Küche. »Irgend etwas sagt mir, daß wir heute morgen nicht rechtzeitig fortkommen.«
»Was?« murmelte er. »Wozu fortkommen?«
Angie blieb an der Küchentür stehen. »San Diego, erinnerst du dich?
Du wirst dieses Wochenende ein gefallenes Mädchen aus mir ma-
chen. Das hast du versprochen.« Dann ging sie in die Küche und be-
gann herumzuklappern. »Ich hoffe, du glaubst nicht an den Wetter-
bericht«, hörte er sie aus der Küche rufen, »denn es wäre eine gute
Entschuldigung dafür, achtundvierzig Stunden in einem Motel zu
verbringen!«
Ben stand mitten im Wohnzimmer und fragte sich: »San Diego?«
Angie streckte ihren Kopf aus der Tür. »Willst du hier frühstücken
oder unterwegs?«
»Nun, ich...«
»Gute Idee. Kaffee hier und was zu essen unterwegs. So gefällt es mir.
Vielleicht in San Juan Capistrano. In der Nähe der Mission gibt es ein
entzückendes Café im spanischen Stil...« Noch mehr Geschirrge-
klappere kam aus der Küche, und schließlich tauchte Angie wieder
auf. »Der Kaffee braucht nur eine Minute zum Durchfiltern. Geh
duschen, und wenn du herauskommst, ist er fertig.«

»Angie…«

Sie blieb vor einem Spiegel stehen, um ihre Frisur zu richten. »Hm?«

»Angie, wir können nicht fahren.«

Sie hielt mitten in der Bewegung inne. »Was willst du damit sagen?«

»Ich will damit sagen, daß ich heute vielleicht die fünfte Rolle bekomme.«

Angie ließ langsam die Arme sinken und drehte sich zu ihm um. »Ach ja?«

Er machte mit ausgestreckten Händen einen Schritt auf sie zu. »Ich will hier sein, wenn sie kommt.«

»Wird der Briefträger sie nicht in den Kasten stecken?«

»Nein. Die Rollen kommen immer per Einschreiben. Wenn ich nicht hier bin, um sie entgegenzunehmen, muß ich bis Montag warten.«

Ihre Stimme klang kühl. »Ach so?«

»Komm schon, Angie. Versuche mich zu verstehen.«

Sie holte tief Luft und atmete langsam wieder aus. »Ich habe mich so auf diesen Ausflug gefreut.«

»Ich weiß…«

»Früher bist du auch weggegangen, wenn Manuskripte zugestellt werden sollten. Du hast sogar diesen Kodex aus Ägypten drei Tage auf dem Postamt liegenlassen, bevor du hingefahren bist. Normalerweise bist du zuverlässiger, wenn es darum geht, deine Wäsche von der chemischen Reinigung abzuholen. Was ist mit diesen Schriftrollen so anders?«

»Himmel noch mal, Angie!« explodierte er. »Du weißt verdammt gut, was so anders ist!«

»He«, erwiderte sie ruhig, »schrei mich nicht an. Ich bin im selben Raum. Schon gut, schon gut, die Rollen bedeuten dir viel. Und sie sind anders als alles, was du bisher erhalten hast. Aber du hast gesagt, die fünfte Rolle käme *vielleicht* heute. Kannst du es nicht darauf ankommen lassen und mit mir nach San Diego fahren?«

Ben schüttelte den Kopf.

»Weißt du, es ist nicht nett von dir, mich so zu enttäuschen. Das hast du bisher noch nie getan.«

»Es tut mir leid«, verteidigte er sich schwach.

»Also gut. Ich werde versuchen, dich zu verstehen. Du mußt mich nur für diese niederschmetternde Enttäuschung entschädigen.«

»Hör zu, Angie«, sagte er rasch, »wenn ich die Rolle heute nicht bekomme, gibt es keinen Grund, warum wir nicht morgen früh nach San Diego fahren und den Tag dort verbringen können.«

Sie schaute ihn traurig und liebevoll an. »Wird es immer so sein, wenn man mit einem Schriftenkundler verheiratet ist?«

»Das kann ich dir nicht sagen. Ich bin nie mit einem verheiratet gewesen.«

Sie lachte und küßte ihn auf die Wange. Das Aroma von frisch gebrühtem Kaffee erfüllte die Luft. »Geh duschen und zieh dich an. Ich kann ebensogut mit dir auf die Rolle warten, und wenn sie nicht mit der Nachmittagspost kommt, können wir schon heute abend nach San Diego aufbrechen. Was hältst du davon?«

Ben duschte ausgiebig. Er war sich der Tatsache bewußt, daß ihm der Gedanke an Angies Gesellschaft leicht widerstrebte. Obwohl er es ihr nicht erklären konnte und es in der Tat nicht einmal selbst verstand, hatte er doch das dringende Bedürfnis, bis zur Ankunft der fünften Rolle allein zu bleiben. Es schien ihm, als müßte er sich wieder auf David vorbereiten.

Sie saßen schweigend über dem Kaffee, wobei Angie ständig aus dem Fenster blickte und nach Regen Ausschau hielt, während Ben an die nächste Rolle dachte.

Als er seinen schwarzen Kaffee umrührte, schweifte er in Gedanken ab, bis er schließlich ein Gesicht vor sich sah, daß er sich schon lange nicht mehr vergegenwärtigt hatte: die große Nase und die langwimprigen Augen von Salomon Liebowitz. Damals war Salomon ein gutaussehender junger Mann gewesen, mit einem muskulösen Körper und markantem Gesicht. Er hatte lockiges, schwarzes Haar gehabt, einen recht dunklen Teint und einen sinnlichen, vollen Mund. Die Leute hatten die beiden Jungen oft wegen ihrer äußeren Erscheinung aufgezogen: der eine ein dunkelhäutiger, semitischer Typus und der andere ein blasser, blauäugiger Blondschopf. Vom Aussehen her waren sie so verschieden wie Tag und Nacht, doch was ihre Gesinnung und Einstellung anbetraf, hatten sie gut zusammengepaßt. Beide verfügten sie über einen außergewöhnlichen Ideenreichtum und waren bei ihren Streifzügen durch Brooklyn unzertrennlich. In der Jeschiwa waren sie ausgezeichnete Schüler gewesen, die miteinander um das

Lob der Lehrer wetteiferten. Sie saßen häufig bis spät in die Nacht beieinander, lernten zusammen und trafen später gemeinsame Verabredungen mit Mädchen.

Welch eine Überraschung war es da gewesen, daß sie, als sie nach Beendigung der Jeschiwa auf eigenen Füßen standen, so entgegengesetzte Wege eingeschlagen hatten.

»Ben?«

Er konzentrierte seinen Blick auf Angie.

»Ben? Du hast kein Wort von dem, was ich sagte, mitbekommen. Denkst du über die Rollen nach?«

Er nickte.

»Willst du mir davon erzählen?« Angie legte ihren Kopf zur Seite.

Ben konnte sich nicht genau erklären, warum Angie ihn heute morgen so reizte. Wahrscheinlich lag es daran, daß sie Interesse an den Rollen heuchelte, damit er sich besser fühlte. Der Ausdruck in ihren Augen sagte: »Es wird vorübergehen. Der kleine Ben wird darüber hinwegkommen, und dann können wir spielen gehen.«

»Das verstehst du doch nicht!« antwortete er und wandte seinen Blick von ihr ab. Im Morgenlicht fiel es Ben trotz des trüben Wetters auf, daß Angie zuviel Make-up trug. Und dieses verdammte Parfüm, das sie immer an sich hatte, verdarb ihm den Geschmack an seinem Kaffee.

»Du kannst es mir trotzdem erklären.«

»Oh, um Himmels willen, Angie, versuch doch nicht künstlich, dich mir anzupassen.« Er stieß seinen Stuhl zurück und stand mit den Händen in den Hosentaschen auf. Ein leichter Sprühregen tröpfelte ans Fenster.

»Was ist nur los mit dir, Ben? Ich habe dich niemals so erlebt. Mal bist du nett und fröhlich und im nächsten Augenblick launisch und gereizt. Du warst doch sonst nie so unausgeglichen.«

»Es tut mir leid«, murmelte er und entfernte sich ein paar Schritt von ihr. Himmel noch mal, dachte er, alles, was ich will, ist doch nur, daß du mich alleine läßt! Damit ich in Ruhe nachdenken kann. Und du platzt hier herein in deiner feenhaften Aufmachung und mit deinem Kindergartenstimmchen und...

»Diese Rollen nehmen mich mehr und mehr gefangen, Angie. Ich kann nichts dagegen tun. Sie sind... sie sind...« Was? Was sind sie? Sind sie im Begriff, mich völlig zu beherrschen?

Er roch, wie der Duft ihres Parfüms näher an ihn herankam. Dann fühlte er ihre schlanken Hände auf seinen Schultern.

»Laß mich lesen, was du bis jetzt übersetzt hast.«

Ben drehte sich um, damit er sie ansehen konnte. O Angie, Liebes, dachte er unglücklich, ich weiß ja, daß du versuchst, mich zu verstehen. Ich weiß, daß du das alles nur meinetwegen tust. Bitte, tu's nicht...

»Darf ich?«

»Sicher, warum nicht? Setz dich.«

Sie streifte ihre Schuhe ab, sank auf die Couch und zog die Füße aufs Polster. Als er ihr das Heft reichte, überflog sie die Seiten und meinte dann: »So viel! Ist ja toll!«

Er ging ins Wohnzimmer zurück und nahm seinen Kaffee. Er schmeckte jetzt besser.

Nach einer beachtlichen Weile warf Angie das Übersetzungsheft auf den Couchtisch und urteilte: »Das war interessant.«

Ben schaute sie an.

»Ich denke, du hast ein ganzes Stück Arbeit geleistet. Ich hoffe, daß Weatherby sie dir großzügig honoriert.«

Bens Augen weiteten sich ungläubig. »Was denkst du über David Ben Jona?«

»Was ich über ihn denke? Oh...« Sie zuckte die Schultern. »Eigentlich gar nichts. Wenn er jetzt noch Jesus erwähnt, dann hast du wirklich das große Los gezogen.«

Ben setzte seine Kaffeetasse ab. »Angie«, begann er leiser, wobei er jedes Wort mit besonderer Sorgfalt abwägte, »David Ben Jona... wenn du seine Worte liest... fühlst du dann nicht etwas?«

Sie hielt den Kopf schief und fragte: »Was meinst du?«

»Nun«, er wischte sich seine feuchten Hände an seiner Hose ab, »wenn ich zum Beispiel seine Worte lese, dann fühle ich mich ganz stark mit einbezogen. Weißt du, was ich meine? Ich werde darin eingeschlossen und kann mich nicht daraus befreien. Es ist, als spräche er wirklich zu mir...«

»Ben...«

Er sprang auf und fing an, mit einem auffällig hinkenden Gang durch das Zimmer zu gehen. Kann es sein, daß nur ich davon betroffen bin? überlegte er verstört. Bekomme ich als einziger diese Gefühle, wenn ich Davids Worte lese? Was ist es nur? Was ist die Ursache dafür?

Das ist lächerlich! Schau sie nur an. Wie kann sie so verdammt desinteressiert an der ganzen Sache sein, während ich zum Nervenbündel werde!

»Ben, was ist los mit dir?«

Er beachtete sie nicht, sondern hing seinen Gedanken nach. Jona, der Vater von David, und Jona Messer, der Vater von Ben, und beide sagten: »Denn der Herr behütet den Weg der Gerechten; doch der Weg der Sünder führt in den Abgrund.« Du bist einer aus dem Stamme Benjamins. Der Fluch Mose wird über dich kommen, und der Herr wird dich mit Wahnsinn schlagen . . .

»Ben!«

Er hielt plötzlich inne. »Angie, ich möchte für eine Weile allein sein.«

»Nein!« Mit einem Satz sprang sie auf. »Schick mich nicht fort.«

Ben wich zurück und fühlte sich eingesperrt.

»Bis die Post kommt, dauert es noch Stunden«, fuhr sie fort.

»Laß uns einen Ausflug machen und das alles für ein Weilchen vergessen . . .«

»Nein!« schrie er. »Zum Teufel noch mal, Angie, das einzige, was du willst, ist, mich von meiner Arbeit wegzubringen. ›Vergiß es für ein Weilchen.‹ ›Mach dich davon frei.‹ Ist es dir je in den Sinn gekommen, daß ich mich vielleicht gerne damit beschäftige?«

»Ich verstehe«, antwortete sie ruhig.

»Nein, das tust du nicht. Und ich mache dir deswegen auch keine Vorwürfe. Ich will nur allein sein.«

»Ich werde dich nicht stören.«

Er wandte sich von ihr ab und tat so, als ob er den Thermostat kontrollierte. »Es ist kalt hier drinnen«, stellte er ruhig fest. Doch, du wirst mich stören. Du kannst ja nicht länger als fünf Minuten sitzen bleiben, ohne dich zu unterhalten.

Ben drehte sich zu Angie um. Sie saß auf der Couch, ganz das elegante Model aus den Werbeaufnahmen in den Hochglanzzeitschriften, ihre hohen Backenknochen rot geschminkt, ihre Lippen und ihre spitzen Fingernägel blutrot. Wie seltsam, daß ihm gerade jetzt diese Dinge auffielen, die er vorher nie bemerkt hatte. Dies alles war doch greifbare Wirklichkeit. Diese schöne Frau mit dem Kameengesicht und dem wilden, kastanienbraunen Haar, die da gelassen auf der Couch saß, war der Traum eines jeden Mannes. Sie lachte viel, kleidete sich geschmackvoll, hatte einen anschmiegsamen Körper und verstand es, sich jederzeit angeregt zu unterhalten. Ben hatte es immer genossen, daß andere Männer ihr nachschauten, wo immer sie auch hingingen. Angie am Arm war wie eine Medaille am Revers.

Doch als er sie jetzt anschaute – und irgendwie war es, als sähe er sie zum erstenmal –, kamen Ben Gedanken, die ihm völlig neu waren.

»Ich werde dich nicht stören«, beteuerte Angie.

»Und was willst du tun? Während ich im Dunkeln sitze und Bachmusik höre, was willst du tun?«

»O Ben!« Sie sah ihn beunruhigt an. »Also gut, ich gehe. Wenn es das ist, was du wirklich willst. Ich komme morgen früh wieder. Okay?« Sie nahm ihren Handkoffer an sich. »Und bitte, leg den Hörer nicht neben das Telefon. Du hast es gestern abend wieder getan, nicht wahr, denn immer, wenn ich es probiert habe, hörte ich nur das Besetztzeichen.«

»Ich werde es nicht wieder tun.«

Vor der geöffneten Wohnungstür zögerte sie, als sei sie sich unschlüssig, was sie als nächstes sagen sollte. »Ich halte die Rollen wirklich für interessant, Ben.«

»Gut.«

»Aber du darfst nicht vergessen, daß ich mit jüdischen Dingen nicht vertraut bin.«

»Bist du mit mir etwa nicht vertraut?«

»Benjamin Messer!« Angie war aufrichtig überrascht. »Das ist das erste Mal, daß du zugibst, Jude zu sein! Gewöhnlich versuchst du mit allen Mitteln, es zu leugnen.«

»Nicht zu leugnen, mein Schatz. Ich versuche lediglich, es zu vergessen. Da ist ein Unterschied.«

Ben lief den Rest des Vormittags und den ganzen Nachmittag ziellos durch die Wohnung. Er erinnerte sich daran, Poppäa zu füttern. Fand einige Wörter im *Los Angeles Times*-Kreuzworträtsel heraus. Hörte ein paar Platten, stopfte ein Käsebrot in sich hinein und ging wieder auf und ab. Der Postbote mußte jetzt bald kommen.

Er hatte fast ein ganzes Paket Pfeifentabak verbraucht, als er sich um Punkt vier Uhr entschloß, zu den Briefkästen hinunterzugehen. Er hatte auf das Klopfen an der Tür gewartet, denn für eine Einschreibesendung mußte er ja eine Unterschrift leisten. Da sich aber bis jetzt noch nichts getan hatte, fragte er sich, ob der Briefträger wohl schon dagewesen war.

Er war dagewesen.

In den anderen Briefkästen lag Post, in seinem eigenen eine Gasrechnung und im Zeitungskasten neue Zeitschriften. Doch kein kleiner gelber Zettel.

Ben bemerkte erst in diesem Augenblick, mit welcher Begierde er die fünfte Rolle erwartet hatte. Und jetzt war er buchstäblich am Boden zerstört. Während ein leichter Regen von einem grauen Himmel herabfiel und die Gehsteige von West Los Angeles sauber wusch, stand Ben da wie ein Schwachsinniger und glotzte die Briefkästen an. Es gab nichts Schlimmeres in der Welt, als seine ganzen Hoffnungen auf etwas zu setzen und es dann nicht zu bekommen. Ihm war zum Heulen zumute.

»Ich halte das nicht länger aus«, murmelte er immer wieder, während er zu seiner Wohnung hinaufstieg. Warum kamen die Rollen nicht schneller? Warum wurde ihm diese quälende Zeit des Wartens auferlegt?

Oben angelangt, drehte Ben die Heizung noch mehr auf, schenkte sich ein Glas Wein ein und ließ sich auf dem Sofa nieder. Im Handumdrehen war Poppäa auf seinem Schoß. Sie schnurrte und tapste auf seinem Bauch herum, als wollte sie ihm ihre Freude über seine Gesellschaft kundtun.

»Ich weiß nicht, was in mich gefahren ist, Poppäa«, flüsterte er ihr sanft zu. »Ich war vorher noch nie so. Es wird zu einer fixen Idee. Warum? Worin liegt die Ursache? Ist es David? Wie kann jemand, der seit zweitausend Jahren tot ist, eine solche Kontrolle über mich ausüben?«

Langsam schlürfte Ben den Wein und spürte, wie die Zimmertemperatur anstieg. Es war, als würde er von einer Wärmedecke umgeben, von einer behaglichen Hülle, in der er sich entspannte und seinen Kopf schläfrig zurücklegte.

Sogleich strömten die Erinnerungen an die Tage mit Salomon Liebowitz in sein Gedächtnis zurück. Es schien, als wären sie viele Jahre lang hinter einer verschlossenen Tür zurückgehalten worden, bis er jetzt aus einem unbekannten Grund den Schlüssel zu dieser Tür gefunden hatte. Und Erinnerungen, die Ben längst vergessen hatte, überschlugen sich nun in seinem Geiste.

Es kamen ihm auch andere Bilder, die weniger heiter waren als die von der Jeschiwa und von Salomon. Es waren Momentaufnahmen von seiner Kindheit in Deutschland, von seiner Auswanderung in die Vereinigten Staaten, von der schmerzvollen Zeit seines Heranwachsens unter der Obhut seiner Mutter.

Ben hatte keine Geschwister gehabt. Und auch keinen Vater. Soweit er sich zurückerinnern konnte, waren da immer nur er selbst und seine Mutter gewesen. Und seine Mutter – sein einziger Elternteil und seine einzige Bezugsperson – war ein schwieriger Mensch gewesen.

Dann flackerte ein anderes Bild kurz in seinem Gedächtnis auf: das Handgelenk seiner Mutter. Irgend etwas stimmte damit nicht. Sie trug immer lange Ärmel, um es zu verbergen. Doch einmal hatte er es zu Gesicht bekommen. Er hatte darauf gedeutet und gefragt: »Was ist das, Mama?«

Ein Ausdruck des Entsetzens war über das Gesicht seiner Mutter gehuscht. Sie hatte schnell ihre Hand über die Verstümmelung gelegt und war aus dem Zimmer gestürzt. Und sie hatte noch Stunden danach und lange in die Nacht hinein geweint.

Als Ben dreizehn Jahre alt war, hatte seine Mutter am Tag seiner Bar-Mizwa, als er in die jüdische Glaubensgemeinschaft eingeführt wurde, ihren Ärmel aufgerollt, um ihm ihr Handgelenk zu zeigen. »Weil du nun ein Mann bist«, hatte sie ihm in Jiddisch gesagt. »Weil du jetzt über solche Dinge Bescheid wissen solltest.«

Und sie hatte ihm die fleckigen Narben gezeigt, die von den Bissen wilder Hunde an einem Ort namens Majdanek herrührten.

Als das Telefon klingelte, sprang Ben mit einem Satz auf und vertrieb Poppäa von seinem Schoß. Er taumelte auf steifen Beinen zum Telefon und rieb sich das Gesicht, bevor er abnahm. Überrascht bemerkte er, daß ihm eine Träne über die Wange lief.

»Hallo, Schatz! Nun, wie lautet der Urteilsspruch?«

Für einen Moment wußte er nicht, wer am Apparat war, doch dann antwortete er schwerfällig:

»Keine Rolle, Angie.«

»O toll!« freute sie sich. »Dann also San Diego?«

»Na ja... San Diego. Aber erst morgen früh. Jetzt bin ich zu müde.«

»Großartig. Bis morgen also. Tschüß, Liebling.«

Seine Lippen formten das Wort »Auf Wiedersehen«, aber seine Stimme versagte ihm. Ben stand lange am Telefon und starrte vor sich hin wie unter Hypnose. Dann kam er langsam wieder zu sich und erkannte, daß er eine Zeitlang auf der Couch geschlafen haben mußte. Es war fast sieben Uhr abends.

Im Augenblick wollte er nur eines, und zwar diese Erinnerungen aus seinem Gedächtnis vertreiben. Den Schrecken und die Qual des Konzentrationslagers vergessen. Die Trübsal seiner Kindheit wegwischen. Und Rabbi Salomon Liebowitz hinter die verschlossene Tür zurückdrängen. Es war nicht gut, die Vergangenheit wieder auszugraben. Es machte einen nur unglücklich und trieb einem die Tränen in die Augen.

Er schaltete eine Menge Lichter an und legte eine Beethoven-Platte auf. So gelang es ihm, die Schwermut und die Stille ein wenig zu vertreiben. Als er die Gedanken an die Gesichter von seiner Mutter und Salomon Liebowitz jedoch nicht verdrängen konnte, wurde ihm bewußt, daß er den Abend nicht allein verbringen wollte.

Er wählte die drei ersten Ziffern von Angies Nummer, legte dann aber wieder auf. Er dachte einen Augenblick nach und holte schließlich auf gut Glück das Telefonbuch hervor, um nachzusehen, ob sie darin aufgeführt war. Überraschenderweise fand er sie. Das heißt, wenn die Judith Golden aus dem Telefonbuch die war, nach der er suchte.

»Hallo?«

»Judy? Hier ist Ben Messer.«

»Ach, hallo, wie geht es Ihnen?«

»Prima. Hören Sie, ich weiß, es ist Samstagabend, und wahrscheinlich haben Sie schon etwas vor. Aber ich könnte Ihre Hilfe gebrauchen.«

Sie antwortete nichts.

»Es geht um die Schriftrollen«, fuhr er weniger zuversichtlich fort. »Weatherby hat mich um einen Tätigkeitsbericht gebeten, und ich fürchte, wenn ich meine Aufzeichnungen selbst tippe, würde ich eine Woche dazu brauchen. Und so habe ich mich gefragt, ob Sie nicht...«

»Aber mit Vergnügen. Ihre Schreibmaschine oder meine?«

»Nun, ich habe eigentlich eine sehr gute. Sie ist elektrisch und...«

»Wunderbar! Um wieviel Uhr soll ich vorbeikommen?«

Ben seufzte erleichtert. »Ist in einer halben Stunde zu früh?«

»Nein, das paßt ausgezeichnet.«

»Ich werde Sie natürlich dafür bezahlen.«

»Nicht nötig. Lassen Sie mich nur am Ruhm teilhaben. Und vergewissern Sie sich bitte, daß Sie meinen Namen richtig buchstabieren. Bis gleich, Dr. Messer.«

»Bis gleich und vielen Dank.«

Nachdem er aufgelegt hatte, war er nicht sicher, ob er das Richtige getan hatte. Eigentlich war er sich nicht einmal sicher, warum er es getan hatte. Wie so oft in letzter Zeit, war er einer plötzlichen Eingebung gefolgt, und nun war es zu spät, um alles rückgängig zu machen.

Ben begab sich langsam ins Wohnzimmer. Er befand sich in einem Zwiespalt, mit dem er sich abfinden mußte: Einerseits wollte er allein sein, andererseits verspürte er gleichzeitig das Bedürfnis nach Gesellschaft. Poppäa war nicht genug, und Angie war zuviel. Vielleicht würde Judy irgendwo dazwischen liegen. Wenn sie am Wohnzimmertisch tippte und sich um ihre eigenen Angelegenheiten kümmerte und er selbst im Arbeitszimmer saß, dann könnte vielleicht ein vernünftiges Gleichgewicht gefunden werden.

Ben wollte sich nicht eingestehen, daß das Tippen des Tätigkeitsberichts nur ein Vorwand war, um Judy bei sich zu haben. Tief in seinem Innern keimte ein unerklärliches Bedürfnis nach Judy Goldens Gesellschaft, so daß er Gründe und Entschuldigungen erfand, um in ihrer Nähe zu sein.

Ben konnte nur noch daran denken, daß er diesen Abend nicht allein verbringen wollte. Denn Salomon Liebowitz würde niemals freiwillig in seinen Verschlag zurückgehen. Und genausowenig würde Rosa Messers Stimme schweigen. »Sie folterten deinen Vater, Benjamin! Sie folterten ihn zu Tode!«

Ben drehte den Plattenspieler auf – Beethovens siebte Symphonie – und summte mit. Geräuschvoll spülte er in der Küche ein paar Tassen aus und setzte eine frische Kanne Kaffee auf.

»Und was sie mir angetan haben!« schrie Rosa Messers Stimme aus der Vergangenheit. »Eine Mutter sollte das ihrem Sohn nicht erzählen. Aber ich bin damals mit deinem Vater zusammen gestorben. Ich bin an dem gestorben, was die Deutschen deinem Vater und mir antaten! Ich bin nicht mehr lebendig, Benjamin! Eine Frau sollte nicht durchmachen müssen, was ich durchgemacht habe! Du lebst mit einer Toten, Benjamin!«

Judy Golden mußte sehr laut klopfen, um gehört zu werden. Ben begrüßte sie mit gezwungener Begeisterung. Und zu seiner Überraschung war sie triefendnaß.

»Draußen schüttet es!« erklärte sie. »Wußten Sie das nicht?«

»Nein, ich hatte keine Ahnung. Sie kommen genau richtig, der Kaffee ist gerade fertig.«

Er half ihr aus der dicken Jacke, die er an einen Türrahmen hängte, damit sie schneller trocknete. Dann ging er in die Küche, wobei er ihr auf dem Weg etwas über die Schulter hinweg zurief.

»Ich kann Sie nicht hören, Dr. Messer.« Judy sah zum Plattenspieler hinüber. »Donnerwetter«, bemerkte sie leise. Er kehrte um und drehte die Lautstärke herunter. »Entschuldigung.«

»Ich wette, Ihre Nachbarn lieben Sie.«

»Ich habe nur einen auf demselben Stockwerk, und der ist selten zu Hause. Nehmen Sie doch Platz. Sie trinken Ihren Kaffee schwarz, nicht wahr?«

Judy ließ sich auf die luxuriöse Couch fallen und legte ihre Füße auf den Diwan. Die Musik auf der Schallplatte war nun in den zweiten Satz übergegangen – diese langsame, klagende Melodie, die selbst den teilnahmslosesten Zuhörer in ihren Bann schlug. Ben holte aus der Küche Kaffee und ein paar Kuchenstücke, die er zuvor aus dem Tiefkühlfach genommen hatte.

»Sie haben hoffentlich schon zu Abend gegessen. Ich dachte nicht...«

»O ja.«

»Sie haben keine Verabredung oder irgend etwas abgesagt, um herzukommen...?« Seine Stimme wurde schwächer. Judy sah ihn belustigt aus den Augenwinkeln an.

»Ich bin eigentlich nicht der Typ, der sich ständig verabredet. Ich habe genug an meinen Büchern und an Bruno, danke.«

»Bruno?«

»Mein Zimmergenosse.«

Er griff nach einem Stück Kuchen und hatte es schon fast zum Mund geführt, als die eine Hälfte abbrach und in seinen Schoß fiel. Er schaute einen Augenblick verdutzt drein, brach aber gleich darauf in schallendes Gelächter aus. Als sie gemeinsam versuchten, alle Krümel von der weißen Couch und dem weißen Vorleger aufzuklauben, meinte Ben: »Ich wette, daß Sie mit Bruno als Zimmergenossen keine Verabredungen mehr brauchen.«

Judy schaute auf. »Was?« Dann lachte sie noch lauter. »Oh, Dr. Messer! Bruno ist ein Schäferhund!«

Ben sagte: »Ach so« und lachte ebenfalls.

Sie hatten sich schnell wieder gefangen und lehnten sich zurück, um Beethovens Klängen aus dem Plattenspieler und dem Regen am Fenster zu lauschen. Ben erlaubte sich, den Kopf zurückzulegen, um sich zu entspannen, und nach einer kurzen Weile hatte er vergessen, daß Judy Golden hier war.

Unzählige Gedanken gingen ihm durch den Kopf, hauptsächlich über seine Liebe zur deutschen klassischen Musik, die er in Kalifornien entdeckt hatte. Damals in Brooklyn hatte er kaum von Beethoven gehört, und allenfalls im Zusammenhang mit etwas Unheilvollem, Hassenswertem. In seiner Jugend war alles, das aus Deutschland kam, schlecht. Volkswagen, Sauerkraut, Bach und Glockenspiele galten allesamt als verabscheuungswürdige Dinge. Sie trugen das Mal des Todes und stanken nach bestialischer Grausamkeit und Unglück.

Nur Jüdisches war gut. Jüdisches war vollkommen, heilig und rein. Und zwischen den zwei Polen – den abscheulichen Deutschen und den geheiligten Juden – war die übrige Welt angesiedelt. Es hatte etwas mit Rosa Messers verzerrtem Bild von den Völkern der Welt zu tun und der Rangfolge, die sie einnahmen. Kein Volk war geringer einzustufen als die Deutschen, denn diese lagen gerade unterhalb der Hölle.

»Dr. Messer?«

»Hm? Ah!« Er schnellte mit dem Kopf nach vorn.

»Die Platte ist zu Ende.«

»Ach ja, richtig. Ich glaube, ich war in Gedanken. Hören Sie, Sie können jederzeit anfangen zu tippen. Ich weiß nicht, wie lange Sie brauchen werden.«

Sie standen beide auf. Ben ging ins Arbeitszimmer, um die Schreibmaschine zu holen, die in einem Koffer unter seinem Schreibtisch stand. Dann legte er wieder den Telefonhörer neben die Gabel. Mittlerweile dachte er sich gar nichts mehr dabei.

Im Wohnzimmer hob er die Schreibmaschine aus dem Koffer,

schloß das Stromkabel an und drückte auf den Ein-Schalter. Die Maschine begann zu summen.

»Sehr schön«, urteilte Judy. »Meine eigene ist eine von diesen alten, schwarz-goldenen mechanischen, die einem brutale Gewalt abverlangen, um eine Taste herunterzudrücken. Das hier ist wie sterben und in den Himmel kommen.«

Er lief nochmals ins Arbeitszimmer und kam mit Schreibmaschinenpapier, Kohlepapier und dem Übersetzungsheft zurück, das er aufgeschlagen auf den Tisch legte. Stirnrunzelnd betrachtete er die erste Seite. »So ein Geschmiere«, murmelte er, »ein fürchterliches Gekritzel. Es sieht fast so aus, als müßten Sie eine ebenso schwere Arbeit beim Entziffern leisten wie ich beim Übersetzen. Und ich habe mich über David Ben Jonas unordentliche Schrift beschwert! Schauen Sie nur das an!«

Judy lächelte, setzte sich vor die Schreibmaschine und begann, mit der Umschalttaste zu spielen. Ben beugte sich über sie und schaute beim Anblick seiner Handschrift noch finsterer drein. »An dieser Stelle habe ich richtig schnell geschrieben, so daß ich einige Wörter zusammenzog. Wissen Sie, David tat das ebenfalls. Beim Übersetzen kann einen das an den Rand der Verzweiflung bringen. Er war ein gebildeter Mann und ein ausgezeichneter Schreiber, doch manchmal, wahrscheinlich wenn er aufgeregt oder vielleicht in Eile war, schrieb er nachlässig – wie ich hier. Nun, das ist das eine, was David und ich miteinander gemeinsam haben. Zuweilen fügte er Wörter zu dicht aneinander, und es kostete mich eine halbe Stunde, um sie zu entziffern. Der geringfügigste Irrtum kann die gesamte Bedeutung eines Satzes verändern. Wie zum Beispiel...«, Ben nahm einen Bleistift und kritzelte eine Folge von Buchstaben oben auf die Seite: Godisnowhere. »Das ist natürlich Englisch, aber es vermittelt Ihnen einen Eindruck von den Schwierigkeiten, auf die ich beim Übersetzen von Davids Aramäisch stoße. Lesen Sie es einmal laut vor.«

Judy musterte das Geschriebene eine Sekunde lang und las dann: »God ist nowhere.« (Gott ist nirgendwo.)

»Sind Sie ganz sicher? Sehen Sie nochmals hin. Könnte es nicht auch heißen: *God is now here!*« (Gott ist jetzt hier.)

»Oh, ich begreife, was Sie meinen.«

»Und das verändert die Bedeutung erheblich. Wie dem auch sei, wenn Sie irgendwelche Probleme mit meinem Gekrakel haben sollten, dann brauchen Sie nur zu rufen. Die Abschnitte, die sich Ihnen als wildes Gekritzel präsentieren, sind Stellen, wo ich eine ebensolche Unleserlichkeit in Davids Handschrift antraf.«

»Ich denke, das wird lustig werden.«

»Wenn Sie irgend etwas brauchen, die Küche ist dort drüben, und das Badezimmer finden Sie, wenn Sie da hinten durchgehen. Ich bin im Arbeitszimmer, in Ordnung?«

»Alles klar. Viel Spaß.«

Ben war eben dabei, seine Regale nach einem entspannenden Lesestoff durchzusehen, als es an der Tür klopfte. Es war sein Nachbar, der Musiker, bekleidet mit einem triefendnassen gelben Regenumhang.

»Hallo, Nachbar«, grüßte er, »ich habe da etwas für Sie. Ich war heute nachmittag unten, gerade als der Briefträger wieder einen gelben Zettel in Ihren Kasten stecken wollte. Ich glaubte, Sie seien nicht zu Hause, und wenn es ein Einschreiben ist, könnte es ja wichtig sein. So quittierte ich dafür.« Er zog den schwarzen Umschlag unter seinem Arm hervor. »Andernfalls hätten Sie bis Montag warten müssen, richtig?«

Ben antwortete nicht, sondern starrte nur auf die vertraute Handschrift und die israelischen Briefmarken.

»Hören Sie, es tut mir leid, daß ich es nicht eher heraufgebracht habe, aber ich hatte noch etwas Dringendes zu erledigen. In Ordnung?«

»Was? Oh, ja, ja. Ganz wunderbar! Ich war den ganzen Nachmittag zu Hause und habe auf dieses Einschreiben gewartet, aber ich habe wohl nicht gehört, als der Briefträger klopfte. Ich bin Ihnen zu großem Dank verpflichtet.«

»Lassen Sie es gut sein. Schönen Abend noch.«

Lange, nachdem die Tür ins Schloß gefallen war, stand Ben noch immer wie angewurzelt da und starrte auf den Umschlag. Und sein Herz begann wie rasend zu schlagen.

Kapitel Sieben

Ich trat meine Lehrzeit bei Eleasar mit großer Sorge an. Nicht daß ich die vor mir liegenden Jahre voller Mühsal und Verzicht fürchtete. Aber ich war mir nicht sicher, ob ich würdig genug war, ein Jünger zu sein. Rabbi Eleasar Ben Azariah war einer der wahrhaftig großen Autoritäten des Gesetzes, und er war ein berühmter Lehrer. Außerdem war er Mitglied des Hohen Rats der Juden, ein Pharisäer und frommer Mann. Eleasar lebte einfach und anspruchslos und arbeitete in seinem Handwerk als Käsemacher, um sich und seine Familie zu ernähren. Er kleidete sich in das Gewand eines bescheidenen Mannes und trug keine breiteren Gebetsriemen als seine Nachbarn. Anders als manche seiner Kollegen, die laut betend durch die Straßen gingen, war Eleasar ein ruhiger Mann, der mit seinem Herzen zu Gott sprach. Er kannte den Wortlaut des Gesetzes besser als irgendein anderer, und er praktizierte den Geist des Gesetzes durch seine Weisheit und seine tägliche Lebensführung.

Und dieser Mann sollte nun mein Lehrer werden.

Wie die meisten Rabbis hatte auch Eleasar stets zwölf Jünger um sich geschart. Wir zwei waren die jüngsten. Saul und mir wurde ein ungenutzter Schuppen hinter seinem Haus als Schlafstätte zugewiesen, so daß wir ständig in seiner Nähe sein konnten. Von den anderen zehn lebten drei in den Häusern ihrer Väter, drei wohnten bei Verwandten und vier waren in den oberen Räumen von Eleasars Haus untergebracht. Eleasars Frau Ruth nährte und kleidete uns als Gegenleistung für unsere Arbeit. Da sie keine Töchter hatte, fiel mir die unwürdige Aufgabe zu, täglich die Wasserbehälter am Brunnen aufzufüllen. Sauls Pflicht war es, das alte Haus in gutem Zustand zu halten. Die anderen vier Schüler halfen Eleasar in seinem Käseladen, wenn wir nicht gerade im Tempel weilten. Wir mußten lange Jahre dieser Knechtschaft erdulden, in denen wir als bescheidenste Diener ohne Lohn lebten, denn dies war der Preis, wenn man ein Mann des Gesetzes werden wollte.

Am Anfang meiner Lehrzeit, als ich auf meiner Matte lag und in das Dunkel unserer winzigen Kammer starrte, ließ ich meinen Tränen freien Lauf. Eine große Finsternis breitete sich vor mir aus, ein so weiter, unendlicher, furchterregender Abgrund, daß meine Kinderseele laut aufschrie: »Bin ich würdig genug, Herr?«

Und ich hatte Heimweh nach Magdala. Ich träumte vom Haus meines Vaters am Seeufer; davon, wie ich ihm half, seine Netze unter der heißen Sonne aufzuspannen, und im Traum hörte ich sein rauhes Lachen. Ich vermißte die Umarmung meiner Mutter, den süßen Duft nach Honig und Gerste, der sie stets umgab; die Art, wie ihr die Tränen kamen, wenn sie zu sehr lachte.

Ich hatte Sehnsucht nach den Sommernächten, in denen wir alle draußen vor dem Haus saßen, gebratenen Fisch und Schrotbrot aßen und dazu die Milch unserer einzigen Ziege tranken. Das Feuer der Kochstellen erhellte jedes lächelnde Gesicht. Die Männer unterhielten sich leise, und die Frauen summten in ruhiger Zufriedenheit vor sich hin. Vor uns lag der schwarze See Genezareth, der unser ganzes Leben bestimmte. Und hinter uns erstreckten sich die westlichen Hügel bis zu einem Gewässer, das so riesig war, daß man es das »Große Meer« nannte, und jenseits davon – das Ende der Welt.

Während Saul auf seiner Matte schlummerte, schluchzte ich wie ein Kind vor Einsamkeit. »Vater«, rief ich ihm über die Entfernung hinweg zu, »warum hast du mich hierher geschickt?«

Doch es stand mir nicht zu, die Entscheidungen meines Vaters in Zweifel zu ziehen. Ich hatte demütig zu sein und von Eleasar das Gesetz des heiligen Bundes zu lernen. Mit weniger wollte ich mich nicht begnügen. Ich würde eines Tages ein großer Rabbi werden und die Thora aus dem Gedächtnis zitieren.

Ich würde werden wie Eleasar.

Jerusalem schien kleiner zu werden, je älter ich wurde. Als ich mit elf Jahren im Haus meiner Schwester zum erstenmal die Stadt sah, überwältigte sie mich. Doch je mehr ich körperlich und geistig heranwuchs, desto mehr schien Jerusalem zu schrumpfen. Warum dies so war, wußte ich nicht. Doch Du hast Jerusalem gesehen, mein Sohn, und Du weißt, was ich meine, wenn ich sage, es ist der Mittelpunkt der Welt. Du hast die Geschäftigkeit seines Marktplatzes erlebt, den Lärm der vielen Menschen vernommen und den mannigfaltigen Gestank seiner Rinnsteine eingeatmet. Du warst auch Zeuge seiner Pracht und fühltest die Gegenwart des Herrn, wo immer du auch gingst.

Vom ersten Tag an standen Saul und ich vor dem Morgengrauen auf, verrichteten unsere Gebete, steckten uns Brot und Käse in unsere Gürtel und brachen mit Rabbi Eleasar zum Tempel auf. Den ganzen Tag über sprach er mit uns. Während ein Großteil der Stadt noch im Schlafe lag, wanderten wir, fest in unsere Umhänge gehüllt, durch jene kalten Straßen und erörterten das Gesetz. Wenn wir in Eleasars Gesellschaft waren, gab es nie einen Augenblick, in dem wir nicht über das Gesetz sprachen. Und er prüfte uns ständig. Wenn wir bei einer Antwort zögerten, war er streng mit uns. Wenn wir richtig antworteten, lächelte er zustimmend.

An der Vorhalle des Tempels erspähte ich oft andere Knaben, die uns neidisch beobachteten. Als Eleasar Saul und mich aufgenommen hatte, hatte er zugleich siebenunddreißig andere abgewiesen. Ich versuchte, deshalb nicht hochmütig zu werden, auch wenn es mir ziemlich schwerfiel. Mein Lehrer wußte mehr über das Gesetz als irgend jemand anders, und eines Tages würde ich sein wie er.

Saul und ich waren ihm nicht gleichgültig, obwohl es uns vielleicht anfangs so vorkam. Die anderen Knaben waren weiter fortgeschritten als wir und schienen häufiger mit seinem Lächeln bedacht zu werden. Doch wie in der Parabel von dem verlorenen Schaf wandte sich Eleasar oftmals von den anderen Knaben ab, um uns gesondert zu unterweisen.

Mit der Zeit verlor ich meine Ängste und weinte nicht mehr. Statt dessen versah ich mein Amt mit großer Entschlossenheit. Die Aufgabe, am Brunnen Wasser zu schöpfen, war meine einzige Schmach. Und ich fühlte, daß man mich damit auf die Probe stellen wollte. Wenn ich in einem Punkt schwach war, dann in diesem. Hätte ich es jedoch gezeigt, so hätte Eleasar mich weggeschickt. So peinlich es auch war, eine Frauenarbeit zu verrichten, so führte ich sie doch genau aus und verdiente mir dadurch ein klein wenig von Eleasars Respekt.

Und dies war auch alles, was wir verdienen konnten, denn da der Rabbi uns Unterkunft und Verpflegung gewährte, brauchten wir kein Geld.

Und dennoch gab es da einen Fall, in dem ich Geld benötigte, und zwar als ich mich zum erstenmal mit meinem Vater in Verbindung setzen wollte. Ich war bereits seit sechs Monaten im Hause des Rabbis und hatte das dringende Bedürfnis, meinem Vater in meinen eigenen Worten zu schildern, wie mein neues Leben sich anließ.

Wie sollte ich indessen einen Brief schreiben, wenn ich weder Papyrus noch Tinte besaß und auch nichts hatte, um einen Boten zu bezahlen? Ich suchte nach einer Möglichkeit.

Unsere Wasserbehälter wurden jeden Nachmittag kurz vor Sonnenuntergang aufgefüllt, so daß Eleasars Frau Ruth genügend Wasser zum Kochen und Waschen hatte. Eines Tages fiel mir ein, daß ich dieselbe Besorgung auch für eine andere Person verrichten und mir dabei vielleicht ein kleines Trinkgeld verdienen könnte. Mein Problem war folgendes: Alle mir zur Verfügung stehende Zeit war dem Studium des Gesetzes gewidmet. Der übrige Tag war mit Beten, Essen und Schlafen ausgefüllt – alles unter Eleasars wachsamem Auge. Und so konnte sich eine günstige Gelegenheit nur am Brunnen ergeben, was eines Tages auch geschah.

Als ich meinen Tonkrug eintauchte und hochzog, beobachtete ich die mühevollen Anstrengungen einer alten Witwe, die ich schon vorher des öfteren gesehen hatte. Ich wußte, daß sie eine alleinstehende Frau ohne Angehörige oder Freunde war, und obgleich sie nicht arm war, konnte sie sich keine Diener leisten. So trat ich zu ihr hin und sagte ihr dies: »Wenn ich einen Monat lang für Euch Wasser tragen und Euch damit die Mühsal ersparen würde, würdet Ihr mir dann einen Schekel bezahlen?«

Zu meinem großen Erstaunen nahm die Witwe freudig an. Ihr Rücken schmerzte sie, und ihre Gelenke waren steif, und dennoch gab es niemanden, der für sie Wasser schöpfte. Und so kamen wir rasch überein.

Ab sofort hatte ich sowohl die Wasserbehälter meines eigenen Hauses als auch die ihren in derselben Zeit zu füllen. Denn Rabbi Eleasar hätte es nicht gebilligt, wenn mir für das Studium des göttlichen Gesetzes auch nur ein Moment verlorengegangen wäre. So tat ich folgendes: Ich lief doppelt so schnell und trug doppelt soviel Wasser. In der Zeit, die ich benötigt hatte, um unsere eigenen Wasservorräte aufzufüllen, füllte ich nun auch die der Witwe auf. Zuerst ermüdete ich rasch, und meine Muskeln schmerzten furchtbar. Und das Hinken, das mir aus meiner Kindheit geblieben war, stellte zunächst eine wahre Behinderung dar. Doch allmählich paßte sich mein Körper den neuen Umständen an, und ich fand die Arbeit gar nicht mehr so hart.

Doch schon damals – ich hätte es nicht für möglich gehalten – hatte Eleasar bereits Verdacht geschöpft.

Nach einem Monat bezahlte mir die Witwe nicht einen Schekel, sondern zwei, und als ich mich an diesem Abend auf meine Matte zum Schlafen niederlegen wollte, fand ich darauf ein frisches Blatt Papyrus.

Nach einem weiteren Monat gab sie mir wieder zwei Schekel, und ich fand ein Schreibrohr auf meinem Lager.

Am Ende des dritten Monats wieder zwei Schekel und ein schwarzer Tintenstein auf meiner Matte.

So schrieb ich den Brief bei Mondschein und übergab ihn am darauffolgenden Nachmittag einem Boten, den ich schon oft in der Nähe des Brunnens gesehen hatte. An diesem Abend nahm mich Rabbi Eleasar nach dem Abendessen und nach unseren Gebeten zu einem Gespräch unter vier Augen beiseite. Es beunruhigte mich, denn er hatte dergleichen noch nie zuvor getan.

Er sprach: »David Ben Jona, hast du den Brief an deinen Vater heute abgeschickt?« Ich antwortete überrascht: »Ja, Meister.«

»Dachtest du etwa, ich wüßte nichts von deinen Plänen? Daß die Witwe mir nichts davon erzählt hätte? Daß ich die Entwicklung deiner Armmuskeln nicht bemerkt hätte?«

»Ja, Meister«, gestand ich schüchtern.

»Und sage mir, David Ben Jona, wer hat deiner Meinung nach den Papyrus, das Schreibrohr und die Tinte auf deine Matte gelegt?«

Meine einzige Antwort war: »Seid Ihr böse auf mich, Rabbi?« Ich glaube, Eleasar war verblüfft. »Böse auf dich? Warum, David Ben Jona, sollte ich böse auf dich sein, wo du doch der einzige unter all meinen Schülern bist, der so sehr bemüht war, das heilige fünfte Gebot des Herrn einzuhalten? Du hast deinen Vater und deine Mutter wohl geehrt.«

Nun legte Eleasar seine Hände schwer auf meine Schultern, und ich sah eine tiefe Zuneigung in seinen Augen. »Und um diese löbliche Tat zu vollbringen«, fuhr er fort, »hast du das Studium des Gesetzes nicht einen Moment vernachlässigt.«

Ich schöpfte auch weiterhin Wasser für die Witwe und versteckte meine Schekel an einem sicheren Ort. Als wir in unser zweites und drittes Jahr bei Eleasar kamen und vom Schuppen ins oberste Stockwerk umzogen, erhielten wir jeden Monat ein kleines Taschengeld. Wir benötigten jetzt neue Sandalen und neue Umhänge und hatten wenig Gelegenheit, zu sparen.

Als wir heranreiften und das Knabenalter hinter uns ließen, wurde die Freundschaft zwischen Saul und mir noch enger, noch inniger und noch kostbarer. Wir schliefen zusammen, aßen zusammen und studierten das Gesetz zusammen. Ich kannte jeden seiner Gedanken, und er kannte die meinen. Und dennoch bemerkten die Leute oft, daß wir so verschieden seien wie Tag und Nacht.

Mit sechzehn war Saul der größte Mann, den ich kannte, und überragte die Köpfe der Priester und Schriftgelehrten, wenn wir uns im Tempel versammelten. Er hatte breite Schultern und eine massige Brust, kräftige Arme und Hände von unglaublicher Stärke. Sein dunkelbraunes Haar war drahtig und gelockt, und sein Bart war noch dicker und voller als der von Eleasar. Viele hielten Saul für viel älter, als er in Wirklichkeit war.

Ich dagegen war von leichterem Körperbau, wenn auch keinesfalls schwach. Meine Arme waren schlank, aber durch das Wassertragen kräftig geworden. Mein Körper war ebenso schlank und dennoch kräftig, und ich belehrte viele, die mich wegen meines Hinkens für einen Schwächling hielten, eines Besseren. Mein Haar war schwarz, schwärzer als der Boden eines Brunnens, und ebenso dunkel waren meine Augen. Eleasar bemerkte einmal, ich habe die großen, melancholischen Augen eines Propheten oder Dichters. Und gleich darauf schüttelte er traurig den Kopf, als wüßte er etwas, das ich nicht wußte. Mein Kopfhaar war lang und gewellt und fiel mir auf die Schultern hinab. Das Haar in meinem Gesicht war dagegen spärlich, und wenn ich es mit Sauls Bart verglich, fürchtete ich, daß es wohl niemals so eindrucksvoll würde. Eleasars Frau Ruth hatte oft von uns als ihren tüchtigen Jungen gesprochen, und ich glaube, sie mochte uns auf eine ganz besondere Weise. Saul und mich sah man niemals getrennt; ihn, den Lauten und Lachenden, mich, den Stillen und in sich Gekehrten. Sie verglich uns mit den Königen Saul und David und meinte, daß der Tag kommen werde, an dem Prinzessinnen um unsere Gunst wetteiferten.

Diese Bemerkung machte mich verlegen, denn anders als Saul, der schon ein offenes Auge für die Mädchen hatte, war ich zu schüchtern, um auch nur zu einem weiblichen Wesen aufzusehen. Wenn wir am Morgen oder am späten Nachmittag durch die Straßen liefen, kamen wir regelmäßig an Gruppen von jungen Frauen vorbei, die auf dem Markt ihre Einkäufe verrichteten. Sie lächelten uns zu und schlugen dann sittsam die Augen nieder. Trotzdem ertappte ich jedesmal die eine oder andere von ihnen dabei, wie sie Saul bewundernd anschaute.

Es kam die Zeit, da ich nicht länger Wasser vom Brunnen holen mußte. Ich war erleichtert und traurig zugleich, denn obgleich ich nicht mehr diese erniedrigende Frauenarbeit erdulden mußte, so blieb mir nichtsdestoweniger meine kleine Einnahmequelle von nun an versagt.

Saul schien sich nichts aus Geld zu machen und auch keines zu benötigen. So sparte er seine paar Schekel nie. Ich dagegen erkannte in Geld Sicherheit und war davon überzeugt, daß der Tag käme, da sich meine Genügsamkeit bezahlt machen würde. Dieser Charakterzug stand natürlich in direktem Zusammenhang mit dem, was später geschehen sollte, und wäre ich nicht von einer solchen Denkweise durchdrungen gewesen, so wäre meine Geschichte möglicherweise ganz anders verlaufen. Und ich würde heute nicht hier in Magdala sitzen und dies für Dich niederschreiben, mein Sohn. Doch so war ich nun einmal, und so mußte mich der Lauf meines Schicksals zu der Stunde führen, über die ich Dir berichten muß.

Doch laß mich zuvor noch einmal die süßen Tage meiner Jugend in Jerusalem durchleben.

Über meine Sparsamkeit sagte Eleasar einmal zu mir: »David Ben Jona, würde ich dich in die Straßen hinausschicken, um den Mist von Pferden und Eseln mit einer Schaufel einzusammeln, so würdest du einen Weg finden, es zu einem einträglichen Geschäft zu machen.« Er sagte dies halb im Spaß, halb ernst.

»Du bist einer meiner besten Schüler des Gesetzes«, fuhr er fort, »mit deinem scharfen Verstand und deiner Klugheit. Und doch frage ich mich zuweilen, ob du für Israel kein größerer Gewinn wärst, wenn du Geldverleiher würdest oder einem anderen Gewerbe nachgingest.« Diese Betrachtung hatte mich so sehr entsetzt, daß ich ebenso niedergeschlagen war, als hätte er mich gezüchtigt. »Verzeihe mir, David«, sprach er weiter, »aber du solltest das nicht als Beleidigung, sondern als Kompliment auffassen. Wenn ich dir einen Schmerz zufüge, so geschieht dies unabsichtlich. Doch sei stets eingedenk, mein Sohn, daß es auch noch andere Arten gibt, Gott zu dienen, als sein Gesetz zu hüten. Nicht alle Menschen sind zu Schriftgelehrten geboren, ebensowenig wie alle Menschen zu Fischern geboren sind. Und doch dient jeder Mensch Gott auf seine Weise, so wie er es am besten versteht. Du wirst ein Gelehrter der Heiligen Schrift werden und Gottes Gesetz gegen die verheerenden Auswirkungen des Zeitenwandels schützen.«

Er legte an dieser Stelle eine Pause ein und sah mich lange an. »Und trotzdem...«, sagte er. Aber er führte seinen Gedanken niemals zu Ende.

So hatte ich mir in einem Versteck ein wenig Silbergeld angespart. Stets trug ich meine Sandalen, bis sie gänzlich durchgelaufen waren, und besserte meinen Umhang aus, wie es nur eine Frau getan hätte. Als Saul sich sein drittes Paar Sandalen erstand, nahm ich seine alten abgelegten und trug sie noch weitere sechs Monate. Er lachte mich deswegen aus, aber ich glaube, daß er mich insgeheim um meine Fähigkeit, Geld zu sparen, beneidete.

Ich war siebzehn Jahre alt, als ich zum erstenmal Rebekka begegnete.

Die meisten anderen jungen Männer waren in diesem Alter schon verheiratet oder verlobt, doch für uns Rabbinerschüler, die wir uns keine Minute vom Studium des Gesetzes freimachen durften, konnte dies nicht gelten. Folglich machten wir uns übers Heiraten nur wenig Gedanken. Die Zeit würde kommen, da unser Lehrer uns für reif genug erachten würde, auf eigenen Füßen zu stehen und selbst Lehrer zu sein. Und wenn diese Zeit käme, würden wir eine begehrenswerte Frau finden und sie heiraten. Doch genausowenig, wie wir wußten, wann unser Lehrer uns freigeben würde, konnten wir voraussehen, wann wir in der Lage wären zu heiraten. Deshalb dachten wir wenig darüber nach.

Zumindest verhielt ich mich so, bis ich Rebekka traf. Sie war die Tochter von Eleasars Bruder, der als Zeltmacher in Jerusalem arbeitete. In den ersten drei Jahren, die ich im Hause des Rabbis wohnte, war ich nie mit diesem Mädchen zusammengetroffen. Doch eines

Tages wurde Eleasars Frau Ruth krank und war für viele Wochen ans Bett gefesselt. Der Bruder des Rabbis schickte zwei seiner Töchter, um Eleasar zu helfen, denn er selbst hatte keine.

Der Tag, an dem ich Rebekka traf, war der Tag vor dem Sabbat. Sie und ihre Schwester kamen ins Haus, um die Mahlzeiten zuzubereiten, die wir am nächsten Tag verzehren sollten. Ich werde diesen Nachmittag nie vergessen.

Wir alle kamen früh mit Eleasar vom Tempel: Saul und ich und die vier anderen Knaben, die bei uns wohnten. Rebekka und Rahel waren emsig beim Kochen und beeilten sich, um vor Sonnenuntergang fertig zu werden. Ich ging sofort hinauf, um mich zu waschen und mich für die Gebete vorzubereiten. Da bemerkte ich, daß Saul mir nicht folgte. Nach kurzem Warten stieg ich wieder hinunter und fand ihn zu meiner Überraschung in der Küche.

Rebekka hatte ungewöhnlich rotes Haar und blaßgrüne Augen. Ich werde niemals die Art und Weise vergessen, wie sie errötete, als Saul uns miteinander bekanntmachte. Rahel, die vier Jahre älter und wenig hübsch war, nickte mir zu und fuhr mit der Arbeit fort. Saul und ich machten Rebekka so gut wir konnten den Hof, wobei wir natürlich durch unser linkisches Auftreten und unsere Unerfahrenheit behindert wurden. Sie war sechzehn, ein Jahr jünger als wir.

Eleasar schien nichts dagegen zu haben, daß wir dem Mädchen mit ausgesuchter Höflichkeit begegneten, und war, wie ich glaube, belustigt. Sie blieb zum Essen bei uns, mußte danach aber ins Haus ihres Vaters zurückkehren, während Rahel dablieb, um Ruth zu pflegen.

Eleasar wählte mich, um Rebekka zu begleiten.

Ich habe mich nie in meinem Leben – weder zuvor noch danach – zugleich so unbehaglich und so glücklich gefühlt. Rebekka war ein reizendes Mädchen, schüchtern und doch gefällig, mit einem lustigen Lachen, das ich gerne hörte. Wir sprachen wenig, als wir durch die dunklen Straßen liefen; dennoch war unser Schweigen weniger verlegen als erwartungsvoll.

An ihrem Haus angelangt, das voller Kinder und hell erleuchtet war, stellte sie mich ihrem Vater vor, der tief beeindruckt war, einen Schüler des Gesetzes vor sich zu haben. Er lud mich ein, zu bleiben, aber ich bestand darauf, heimzugehen – so sehr es mich auch betrübte, Rebekka zu verlassen –, denn ich wollte die Abendstudien mit Eleasar nicht versäumen.

Rahel blieb während der ganzen Zeit, in der Ruth krank war, bei uns, und ich sah Rebekka noch viele Male danach.

Kapitel Acht

Ben ging geradewegs ins Badezimmer und besprengte sein Gesicht mit eiskaltem Wasser. Während er es mit einem groben Handtuch trockenrieb, lief er ins Arbeitszimmer zurück und schaute auf die Uhr. Es war sechs Uhr dreißig. Die Sonne war vor einer halben Stunde aufgegangen.

Das Arbeitszimmer glich einem Schlachtfeld. Während seiner langen Übersetzungsnacht hatte Ben jedes Nachschlagewerk, das er besaß, herausgezogen, hatte über jedem Wort und jedem Buchstaben Davids geschwitzt, hatte kontrolliert und gegengeprüft und schließlich in einem Durcheinander von Büchern, Papieren und Tabakresten sein Werk beendet.

Er rieb seine schmerzenden Arme und hinkte in die Küche, um sich einen Pulverkaffee zu bereiten. Auf dem Weg durchs Wohnzimmer bemerkte er, daß seine Schreibmaschine wieder in ihrem Koffer auf dem Tisch stand und daß ein Stoß Papier fein säuberlich darauflag. Sein Übersetzungsheft und eine tadellos getippte Abschrift lieferten den einzigen Beweis dafür, daß Judy dagewesen war.

Er schaute aus dem Fenster auf den bedeckten Himmel. Die Gehsteige waren noch immer naß, die Bäume glänzten vom Regen. Wann war sie gegangen? Wann hatte sie leise ihre Arbeit beendet und war auf Zehenspitzen, ohne ein Wort zu sagen, aus der Wohnung geschlichen?

Ben ging in die Küche. Die beiden Kaffeetassen und die Teller vom Vorabend waren gespült und weggestellt worden. Der nicht verzehrte Kuchen lag, sauber in Zellophan eingewickelt, auf einer Ablage im Kühlschrank.

Er konnte sich an ihr Weggehen nicht erinnern.

Eine halbe Stunde später, als er mit seinem Kaffee und dem Übersetzungswust von Rolle fünf auf dem Schoß auf der Couch saß, wurde Ben von einem Klopfen an der Tür aufgeschreckt. Lächelnd stand er auf und dachte bei sich: ›Aha, Judy, Sie sind also zurückgekommen, um mir zu sagen, was für ein miserabler Gastgeber und rücksichtsloser Arbeitgeber ich bin. Wieviel schulde ich Ihnen für das Tippen? Ich zahle Ihnen das Doppelte.‹

Zu seiner Überraschung war es nicht Judy.

»Angie!« rief er erstaunt.

»Hallo, Liebling!« Frisch und lebhaft kam sie herein, drückte ihm einen Kuß auf die Wange und hielt ihre Nase in die Luft. »Rieche ich Kaffee?«

»Es ist Pulverkaffee«, erklärte er verwirrt.

»Das ist mir auch recht.« Angie drehte sich lächelnd zu ihm um. »He, du hast dich ja noch gar nicht rasiert. Bin ich zu früh?«

»Wofür?«

Sie lachte. »Ein Komiker zu dieser frühen Morgenstunde! Weißt du, ich habe versucht, dich anzurufen, bevor ich weggefahren bin. Ich wollte sichergehen, daß du auch schon auf bist. Aber deine Leitung war belegt. Hast du schon wieder den Hörer abgenommen? Ganz schön ungezogen von dir!«

Sie wandte sich um und ging in Richtung Küche davon. Als er sie so betrachtete, ihren schlanken Körper in den engen, gelben Hosen und der geblümten Bluse, da fiel es ihm plötzlich siedendheiß ein. »O Gott!« murmelte er. Und ein flaues Gefühl überkam ihn.

Ben stellte sich neben die Küchentür und beobachtete Angie, die dabei war, Kaffee zu machen. Er fragte sich, wie er seinen nächsten Satz in Worte fassen sollte. Alles, was er herausbrachte war: »Angie...«

Das reichte. Sie war eben im Begriff, den Pulverkaffee in ihre Tasse zu löffeln, doch plötzlich hielt sie inne, erstarrte für eine Sekunde, dann stellte sie das Kaffeeglas hin und drehte sich zu Ben um: »Was ist eigentlich los?«

»Angie, ich bin nicht eben gerade aufgestanden. Ich war die ganze Nacht auf. Ich bin überhaupt nicht ins Bett gegangen.«

»Warum nicht?«

Er erklärte, daß der Nachbar für das Einschreiben quittiert und es erst später heraufgebracht hatte. Angies Gesicht blieb ausdruckslos, ihre Stimme eintönig. »Warum hast du mich dann nicht angerufen?«

Ben rang nach Worten. »Ich war so aufgeregt. Ich habe es wohl vergessen...«

Angie schaute einen Augenblick lang zu Boden und rang sichtlich mit sich selbst. Als sie wieder zu ihm aufsah, hatte sie einen rätselhaften

Ausdruck in den Augen. »Du hast es vergessen. Du hast alles, was mich betrifft, vergessen.«

»Ja«, antwortete er kaum lauter als ein Flüstern.

»Also gut.« Sie begann zu zittern.

»Angie, ich...«

»Ben, du wirst es vielleicht nicht glauben, aber ich gebe mir alle Mühe, Verständnis für dich aufzubringen. Du siehst, es ist nicht einfach für mich.« Mit einiger Mühe drängte sie sich an ihm vorbei und lief ins Wohnzimmer. »Es war niemals so, Ben«, fuhr sie mit fester Stimme fort. »Früher hast du immer Zeit für mich gefunden, ganz egal wie wichtig ein Auftrag war. Aber die Dinge liegen nun anders. Du bist anders. Warum bist du mit einemmal so...verändert?«

Er streckte hilfesuchend die Hände aus.

Ja, dachte Angie nun sachlich, Ben hatte sich verändert. Wo war nur der ausgeglichene, berechenbare Ben, den sie bis dahin gekannt hatte? Statt dessen sah sie einen seltsam irrationalen Menschen vor sich, der ständig zwischen zwei Persönlichkeiten schwankte. Und es schien, als wäre er sich dessen nicht einmal bewußt, als hätte er keine Gewalt mehr über sich.

Ganz so, als würde er von irgend jemandem beeinflußt.

Sie sah ihn aus schmalen Augen durchdringend an. Was war neben seinem sprunghaften Wesen noch anders an ihm? Welche äußerlichen Veränderungen hatte er durchgemacht? Oh, gewiß, sie waren ihr schon vorher aufgefallen, doch sie hatte geflissentlich darüber hinweggesehen, sie einfach nicht beachtet. Diesmal aber musterte sie Ben mit anderen Augen und stellte die leichten Veränderungen fest, die sich allmählich an ihm vollzogen hatten.

Die plötzliche Vorliebe für Sandalen. Das Hinken in seinem Gang. Seine geschraubten Sätze. Die Tatsache, daß er sich anhörte wie ein Fremder, der sich alle Mühe gab, richtig zu sprechen. Nichts von alledem hatte vor dem Auftauchen der Schriftrollen zu Ben Messer gehört.

Sie schlenderte hinüber zur Couch und sah die darauf ausgebreiteten Seiten seiner Übersetzung. »Ist es eine gute Rolle?« fragte sie ruhig.

»Ja, und eine lange. Möchtest du sie lesen?«

Sie fuhr herum. Auf ihrem Gesicht zeigte sich Ärger. »Was ist so besonders an diesem David, daß er dir mehr bedeutet als ich?«

»Das tut er nicht, Angie.«

»O doch, Ben!« Ihre Stimme wurde lauter. »Seinetwegen vergißt du mich! Du verbringst deine Zeit lieber mit ihm als mit mir.« Sie wurde schrill. »Irgendein alter, toter Jude hat dich plötzlich so...«

»Lieber Gott, Angie!« schrie Ben.

»Und sag bloß das nicht! Warum nennst du unnütz den Namen von jemandem, an den du nicht einmal glaubst?«

»Du glaubst ja auch nicht an ihn, Angie.«

»Was weißt du schon davon?« Sie machte einen Schritt auf ihn zu. »Woher willst du das wissen? Hast du mich je danach gefragt? Haben wir je über Gott oder Jesus oder Glaubensdinge geredet?«

»Na wunderbar, das ist jetzt der richtige Moment, um theologische Probleme aufs Tapet zu bringen!«

»Warum auch nicht? Kein anderer Zeitpunkt war dir je gut genug. Irgendwie ist es dir immer gelungen, dem Thema aus dem Weg zu gehen, als hättest du in Sachen Religion eine Monopolstellung. Ich weiß, daß du ein Atheist bist, Ben, aber das heißt noch lange nicht, daß es alle anderen auch sind.«

»In Gottes Namen, Angie! Was zum Teufel hat das alles mit dem heutigen Vormittag zu tun?«

Sie schaute wieder auf die Couch hinab, und plötzlich legte sich ihr Ärger. Ein seltsamer Ausdruck huschte über ihr Gesicht, als sie auf die überall verstreuten Papiere blickte. »Ich weiß nicht, Ben«, meinte sie in sanftem Ton, »aber da besteht ein Zusammenhang. Ich weiß wirklich nicht, was hier vor sich geht, aber es geht um mehr als nur um einen archäologischen Fund. Ich kann es nicht genau bestimmen. Ich kann es nicht einmal in Worte fassen, aber ich bekomme ein ganz merkwürdiges Gefühl dabei. Als ob...« Sie blickte endlich zu ihm auf. »Als ob du langsam von David Ben Jona besessen wärst.«

Ben starrte sie einen Augenblick lang an, dann rang er sich ein nervöses Lachen ab.

»Das ist doch lächerlich, das weißt du genau.«

»Ich weiß nicht...«

»Hör zu, Angie«, er streckte wieder seine Hände aus, »ich bin müde. Ich bin so erbärmlich müde. Können wir es für heute nicht einfach vergessen?« Er massierte sich zerstreut die linke Schulter. »Und ich bin ganz steif. Ich habe die ganze Zeit Wasser geschleppt für die...

ich meine, ich mußte doppelt so schnell laufen und doppelt soviel tragen...« Er schüttelte den Kopf. »Nein, ich meine...«

»Ben! Was stimmt denn nicht mit dir?«

»Verdammt noch mal, Angie, ich bin müde, das ist alles! Ich hatte überhaupt keinen Schlaf! Ich will jetzt nur meine Ruhe haben!«

»Aber wie konntest du mich so völlig vergessen?«

O Gott, dachte er, während er sich mit den Händen das Gesicht rieb, ich kann mich nicht einmal an letzte Nacht erinnern! Ich erinnere mich nicht daran, wie Judy gegangen ist. Ich erinnere mich nicht daran, daß ich die Rolle übersetzt habe. Da ist ein weißer Fleck...

Er sah zu ihr auf. »Es tut mir leid«, gab er sich geschlagen.

Angie wich einen Schritt zurück. »Na schön, wie du willst.«

Ben streckte seinen Arm nach ihr aus, ging auf sie zu.

Aber Angie wehrte ihn mit einer Hand ab und sagte: »Nein, Ben. Nicht dieses Mal. Ich bin gekränkt. Tief gekränkt. Ich muß diese Sache zu Ende denken. Sag mir eines: Gedenkst du, diese Rolle für einen Tag ruhenzulassen? Oder wenigstens für ein paar Stunden?«

Er runzelte die Stirn. »Ich kann nicht, Angie. Ich kann... nicht von ihr lassen...«

»Das reicht! Vielleicht komme ich zu dir zurückgekrochen, wenn das alles vorbei und in einem Buch veröffentlicht ist. Bis dahin hoffe ich, daß du und David sehr glücklich miteinander werdet...«

Ben merkte, wie das Zimmer vor seinen Augen zu verschwimmen begann. Durch einen Wirbelwind von Gedanken hörte er undeutlich, wie Angie aus dem Zimmer stolzierte und die Tür hinter sich zuschlug. Er war todmüde und völlig erschöpft, denn die Anspannung der letzten Nacht hatte ihn vollkommen aufgezehrt. Noch lange, nachdem Angie gegangen war, stand er mitten im Wohnzimmer, unschlüssig, was er als nächstes tun sollte, und mit dem Gefühl, zwischen mehreren Wirklichkeiten zu schweben.

Nachdem er sich beruhigt hatte und versucht hatte, Ordnung in seine Gedanken zu bringen, fühlte Ben, wie ihn eine große Niedergeschlagenheit überkam. Es begann in seiner Magengrube – ein kränkliches, hohles, einsames Gefühl, das ihm durch den ganzen Körper kroch und ihn in einem Anfall von Trauer und Bedrücktheit überwältigte. Plötzlich wollte er nur noch schlafen. Er wollte sich in einer dunklen Höhle verkriechen und eine ewig während Nacht durchschlafen.

Nur war es jetzt Tag. Fast acht Uhr und draußen helles Licht. Er schloß alle Fensterläden und Vorhänge in der Wohnung, um das grelle Tageslicht und die unentrinnbare Gegenwart auszusprerren. Dann fiel er, ohne sich überhaupt erst auszuziehen, auf sein Bett und schlief sofort ein.

Der letzte Traum war der wunderbarste. Der erste war die gewöhnliche Mischung aus Personen und der übliche Strudel aus Ereignissen gewesen – von Angie und Judy Golden und von Dr. Weatherby. Er war von einer verwickelten Sequenz zur nächsten übergegangen und bewegte sich dabei durch eine Welt von nebelhaften Gesichtern und gedämpften Stimmen. Doch am Ende, kurz bevor er aus der Bewußtlosigkeit wieder auftauchte, durchlebte Ben einen ganz klaren und beängstigenden Traum.
Er lief zu einer unbestimmten Nachtstunde eine unbekannte Straße hinunter. Es gab keine Lichter, keine Autos oder irgendwelche Orientierungspunkte, die ihm verraten konnten, wo er war. Es war nicht so sehr die Furcht vor dem Nichts, das ihn umgab, als die eisige Angst, die seine Seele beschlich – die unglaubliche Weite des Alleinseins, die Einsamkeit eines Menschen, der keine Familie und keine Freunde hatte und mutterseelenallein kalte, dunkle Straßen hinunter lief.
Plötzlich war jemand an seiner Seite. Ein hübsches, junges Mädchen mit langem, rotem Haar und grünen Augen. Er war aber durch ihr unerwartetes Auftauchen nicht überrascht. Sie gingen eine Weile schweigend nebeneinander her, bis Ben sich selbst fragen hörte: »Wo sind wir?«
»Wir sind in Jerusalem«, antwortete sie.
»Das ist seltsam. «
»Warum?«
»Es ist nicht so, wie ich es mir vorgestellt habe. «
Daraufhin lachte das Mädchen ganz merkwürdig. Sie hatte ein hohes, schallendes Lachen wie das einer Geisteskranken. Sie sagte: »David, du mußt dir Jerusalem nicht *vorstellen*!«
»Aber ich bin doch gar nicht David. «
»Wie albern! Natürlich bist du David. Wer solltest du denn sonst sein?«
Bevor er noch irgend etwas erwidern konnte, überkam ihn ein komisches Gefühl, als würde er beobachtet, auf Schritt und Tritt bespitzelt.

Seine Angst wurde größer. Das Mädchen auf seiner Seite war eine Bedrohung. Sie hatte keinen Namen, keine Identität, und doch fürchtete er sie.

»Wie heißt du?« fragte er mit zusammengeschnürter Kehle.

»Rosa«, antwortete sie mit schallendem Gelächter.

»Nein!« schrie er. »Du bist nicht Rosa!«

Ihr Gelächter dröhnte in seinen Ohren. Es kam von überallher, von allen Seiten gleichzeitig.

»Was ist so lustig?« schrie er sie an.

»Wir sind nicht allein«, stieß das rothaarige Mädchen, glucksend vor Lachen, hervor. »Wir sind nicht allein!« Das Gefühl, beobachtet zu werden, steigerte sich in einem Maße, das an Wahnsinn grenzte. Alles um ihn her war Finsternis und Kälte und Trostlosigkeit. Und doch war er sicher, Augen auf sich zu spüren. »Wo?« rief er. »Wo sind sie?«

Das Mädchen, das zu laut lachte, um sprechen zu können, deutete hinunter auf die Erde.

Ben schaute nach unten. Er stand barfuß auf losem Grund. Als er darauf starrte, schien der Boden sich zu bewegen. Ein unheimliches Gefühl ergriff Besitz von ihm. Die Erde bewegte und verschob sich, als ob etwas daraus hervorkommen wollte.

»O Gott!« stöhnte er, und das kalte Grausen packte ihn.

Als ob etwas daraus hervorkommen wollte.

»O guter Gott, nicht!« flüsterte er.

Das Mädchen war fort. Ben stand allein auf der bebenden Erde. Ihm war, als stünde er am Rand der Schöpfung, schwankend über einem Abgrund des Vergessens.

Er wollte nicht hinabsehen. Er wußte, was er da sehen würde und daß es ihn zu Tode erschrecken würde.

Mit weitaufgerissenen, fast aus den Höhlen tretenden Augen starrte er hinunter auf die Erde.

Plötzlich brach sie auf.

»O Gott!« schrie er und saß kerzengerade im Bett.

Kalter Schweiß bedeckte Bens Körper, und die Bettwäsche war völlig durchnäßt. Er hatte durch seine Kleider hindurch das darunterliegende Laken naßgeschwitzt.

Bens Zähne schlugen aufeinander. Sein Körper zitterte unkontrollierbar. »O Gott, o Gott«, wiederholte er immer wieder.

Das Schlafzimmer war dunkel und kalt. Die Luft war eisig. Hinter den Vorhängen hörte man einen schweren Novemberregen gegen die Scheiben trommeln. Im Nu hatte er alle Lichter angeschaltet und drehte das Thermostat herauf. Mit ruckartigen, ungleichmäßigen Bewegungen streifte er seine Kleider ab und stürzte unter die heiße Dusche, wobei er sich die Haut unter dem knallharten Strahl beinahe verbrühte. Er verzog sein Gesicht, als das Wasser seinen Körper bearbeitete, und versuchte, die Erinnerung an den Alptraum aus dem Gedächtnis zu vertreiben.

Dann zog er frische Kleider an, rieb sich mit dem Handtuch die Haare trocken und ging direkt in die Küche, um sich einen starken Kaffee zu machen. Im Vorbeigehen drehte er jedes Licht an.

An der Spüle hielt Ben schließlich inne. Es gab kein Entrinnen vor der Erinnerung, vor dem Bild, das ihn beinahe zu Tode erschreckt hatte. Alles Hin- und Hergelaufe, alle Beschäftigung, alle Lichter und aller Kaffee würden nicht verhindern können, daß diese Szene wieder in ihm hochkäme.

Weil sie nun offen ans Tageslicht getreten war. Jahrelang war Ben in der Lage gewesen, sie in sein Unterbewußtsein zurückzudrängen, sie unter dem Alltagstrott zu verbergen. Er hatte sie über sechzehn Jahre lang vergessen, doch der Alptraum hatte die Erinnerung in ihm heraufbeschworen, und es gab keine Möglichkeit mehr, davor wegzulaufen.

Ben verbarg sein Gesicht in den Händen und schluchzte verzweifelt. Langsam, als näherte sie sich aus einer großen Entfernung, ließ sich allmählich wieder die Stimme seiner Mutter vernehmen.

Sie sagte: »Benjamin Messer, heute bist du dreizehn Jahre alt. Du bist nun ein Mann. Es ist deine Pflicht, der Sohn zu sein, den dein Vater sich wünschte, denn er starb, als er dich beschützte. Ich habe dir nie erzählt, wie dein Vater umkam, Benjamin. Von heute an solltest du es wissen.«

Eine Träne rann zwischen Bens Fingern hindurch, als er so an die Spüle gelehnt dastand und die Szene von vor zweiundzwanzig Jahren noch einmal durchlebte. Und er empfand dasselbe Leid und dieselbe Qual wie damals.

»Benjamin«, sprach Rosa Messer ernst, »du solltest wissen, daß dein Vater von den Nazis getötet wurde. Du solltest wissen, daß er starb, während er Zion für die Juden auf der ganzen Welt verteidigte. Er ging nicht wie ein Lamm in den Tod wie die Juden in Auschwitz, sondern kämpfend wie ein Streiter Gottes. Ich stand hinter einem Zaun und beobachtete, wie die Deutschen deinen Vater aus der Baracke holten, ihn nackt auszogen und ihn zwangen, mit einer Schaufel eine Grube zu graben. Dann, Benjamin, stießen die Nazis deinen Vater in das Loch und begruben ihn bei lebendigem Leib.«

Ben wußte, daß es lange her war, seit er gegessen hatte, und doch war ihm jetzt der Gedanke an Essen im höchsten Grad zuwider. Da er zumindest imstande war, Kaffee zu trinken, verdickte er ihn mit Sahne und Zucker und stürzte zwei Tassen hinunter, bevor er sich besser zu fühlen begann.

Der Alptraum hatte eine unglaubliche Wirkung auf ihn gehabt. Jetzt fiel ihm wieder ein, wie er vor zweiundzwanzig Jahren, als seine Mutter ihm zum erstenmal die Wahrheit über den Tod seines Vaters erzählt hatte, von denselben Alpträumen heimgesucht worden war. Sie waren nie genau gleich, lediglich in diesem einen Punkt, dem Gefühl, daß sich etwas unter seinen Füßen bewegte. Er war viele Male tränenüberströmt und schweißgebadet aufgewacht und hatte sogar gelegentlich im Schlaf geschrien. Doch nicht nur der schreckliche Tod seines Vaters hatte Ben die Kindheit zum Greuel gemacht. Verantwortlich dafür waren auch die anderen Erzählungen seiner Mutter von ihren Erlebnissen im Konzentrationslager, mit denen sie ihr Kind belastet hatte. Die langen Abende, an denen er ihren Geschichten lauschte, sich die Greueltaten ausmalte und seine Mutter stundenlang ununterbrochen weinen sah; all dies hatte die Kindheit für Ben Messer zur Trübsal werden lassen, so sehr, daß er sich wünschte, nie als Jude geboren worden zu sein.

Das letzte Mal, als er sich über seinen Vater oder Majdanek Gedanken gemacht hatte, war auch das letzte Mal gewesen, da er mit Salomon Liebowitz zusammengesessen und geredet hatte. Damals war er neunzehn Jahre alt gewesen, und danach hatte er nie wieder geweint.

Ben griff nach den verstreuten Seiten seiner Übersetzung und versuchte, sie in die richtige Reihenfolge zu bringen.

Es hatte ihm wehgetan, von Salomon Abschied zu nehmen, denn Salomon war das einzige Glück seiner Jugend gewesen. Ein Freund, den er liebte, dem er sich anvertraute und auf den er angewiesen war. Aber gleichzeitig wußte Ben, daß er dem Umfeld seiner Kindheit entfliehen mußte, um in einer veränderten Umgebung einen neuen Anfang zu machen. Die alten Straßen von Brooklyn waren voller Erinnerungen. Er mußte ihnen entkommen.

Seine Übersetzung der fünften Rolle war lang – bis dahin war es die längste Rolle – und daher ziemlich unordentlich. Zeilen waren durchgestrichen. Einige Wörter hatte er durchgestrichen und verbessert. Randbemerkungen waren in den Text hineingeschrieben. Und stellenweise stieß er auf seine völlig unleserliche Handschrift.

Ben schaute zum Telefon, dann auf die Uhr. Es war sechs Uhr dreißig. Er fragte sich, ob Judy Golden wohl zu Hause war.

Sie war wieder durchnäßt, und trotzdem lächelte sie verschmitzt. »Es tut mir gut«, meinte sie, als sie ihren Pullover zum Trocknen aufhängte. »Ich könnte näher am Haus parken, aber ich laufe gerne durch den Regen.«

Judy trug wieder Jeans und ein T-Shirt. Ihr Haar war feucht und klebte ihr am Kopf und verlieh ihr das Aussehen eines nassen Kätzchens. »Danke, daß Sie alles stehen und liegen gelassen haben und gekommen sind«, sagte Ben.

»Ich mußte gar nichts stehen und liegen lassen. Ich bin gespannt, die Rolle zu lesen. Und Sie sagen, es sei bisher die längste?«

Sie gingen ins Wohnzimmer, wo alle Lichter brannten und es wohlig warm war. Gegen die regnerische Nacht war es eine sehr behagliche Atmosphäre.

»Diesmal habe ich richtigen Kaffee für uns zubereitet«, verkündete er auf dem Weg in die Küche. Judy sank auf die Couch und schleuderte ihre Stiefel von sich. Dann zog sie die Knie an und schlang die Arme um die Beine. Ben Messers Wohnung war gemütlich, überhaupt nicht zu vergleichen mit ihrer eigenen, die unordentlich und unaufgeräumt war und von einem riesigen Hund bewohnt wurde, der noch dazu schnarchte. Judy hatte laute Nachbarn zu beiden Seiten, und in der Wohnung über ihr lebte, nach dem Getrampel zu schließen, ein zehnfüßiges Ungeheuer. Sie hatte selten den Frieden und die Ruhe, die Ben zu Hause genießen konnte.

Er kam mit dem Kaffee herein und setzte ihn auf dem niedrigen Tisch ab. Als er neben ihr Platz genommen hatte, deutete er auf den Stoß Papier neben dem Tablett und erklärte: »Rolle Nummer fünf. In all ihrer unleserlichen Pracht.«

Sie grinste. »Wissen Sie, als ich letzte Nacht wegging, stand ich im Eingang Ihres Arbeitszimmers und beobachtete Sie am Schreibtisch. Mann, haben Sie sich vielleicht konzentriert! Ich räusperte mich ein paarmal, und Sie hörten mich nicht einmal. Und Ihre Hand schrieb mit einer Geschwindigkeit von hundert Stundenkilometern! Es muß eine spannende Rolle sein.«

»Lesen Sie selbst.«

Mit der Kaffeetasse in einer Hand und den Blättern auf ihrem Schoß begann Judy, Rolle Nummer fünf zu lesen.

Lange Zeit vernahm man nichts als den heftigen Regen, der gegen die Fenster klatschte. Gelegentlich konnte man hören, wie sich das Heizgerät an- und ausschaltete, da der Thermostat für eine gleichbleibende Raumtemperatur sorgte. Und Judys schwaches, leises Atmen, während sie die Rolle las.

Ben saß dicht neben ihr und streichelte zerstreut Poppäa Sabina, die auf seinen Schoß gesprungen war. Er konnte seine Augen nicht von Judys Gesicht abwenden, und gleichzeitig wunderte er sich über sie und fragte sich, warum er sie zu sich gerufen hatte.

Als ihre großen, braunen Augen langsam über die Zeilen wanderten, erkannte Ben fasziniert, daß sie in eben diesem Augenblick einen Tag im alten Jerusalem durchlebte. Und er fragte sich: Ist das der Grund, warum ich sie hier haben will? Um Davids Erfahrungen mit ihr zu teilen? In der Wärme und Stille der Wohnung, während der Herbstregen ununterbrochen gegen die Fenster prasselte, kam Ben der Erkenntnis, warum er Judy Golden an seiner Seite brauchte, einen Schritt näher. Denn während er von den entfernten Geräuschen des Novemberregens dahingetrieben wurde, glaubte Ben Messer, aus seinem Unterbewußtsein ein sanftes Flüstern zu vernehmen, das ihm sagte: Sie ist hier, weil David es so will.

Als Judy geendet hatte, rührte sie sich nicht von der Stelle, sondern starrte weiter auf die letzte Zeile, die sie gelesen hatte. In der linken Hand hielt sie auf halbem Weg zu ihren Lippen eine Tasse mit kaltem Kaffee. Neben ihr saß Ben, der kaum atmete und in einem Dämmerzustand vor sich hin grübelte.

Endlich brach sie den Bann. »Es ist wunderschön«, flüsterte sie.

Ben versuchte, seinen Blick auf Judy zu konzentrieren. Worüber hatte er gerade nachgedacht? Über irgend etwas im Zusammenhang mit David... Ben schüttelte den Kopf und hatte Judy jetzt schärfer im

Blickfeld. Er war in Gedanken abgeschweift. Er konnte sich nicht daran erinnern, woran er gedacht hatte. An irgend etwas, was mit David zu tun hatte...

Doch nun war es wie weggeblasen.

Ben räusperte sich. »Ja, es ist schön. Wissen Sie, ich bekomme irgendwie ein seltsames Gefühl, wenn ich Davids Worte lese. Wie... beinahe, als ob er direkt zu mir spräche. Wissen Sie, was ich meine? Es ist, als könnte er jeden Augenblick sagen: ›Nun, Ben...‹«

»Tja, offensichtlich fühlen Sie eine gewisse Verwandtschaft mit ihm. Sie haben doch tatsächlich einige Dinge mit ihm gemein. Dasselbe Alter, beide Juden, beide Gelehrte des Gesetzes...«

Ben hörte nicht weiter hin. Sein Blick wanderte die Wände entlang und blieb an einem Aquarell vom Nil und den Pyramiden hängen. Eine andere, aus großer Ferne kommende Stimme trat an die Stelle von Judys Stimme und sagte: »Benjy, dein Vater hat immer gesagt, daß der Herr den Weg der Gerechten behütet, der Weg der Sünder aber in den Abgrund führt.«

Jona Messer. Jona Ben Ezekiel.

Dann dachte er an Saul, so kräftig und muskulös neben dem sanften, romantischen David. Und er dachte an Salomon Liebowitz, der den polnischen Rohlingen die Nasen blutig geschlagen hatte.

Kann das alles Zufall sein? fragte er sich verwirrt. Ich verstehe es nicht. Es scheint zuviel...

Judys Stimme drang wieder langsam an sein Ohr. »Ich bin sicher, Sie erkennen viel von sich selbst in David, und deshalb bedeuten Ihnen seine Worte so viel.«

Er schaute sie schräg von der Seite an, während er abermals versuchte, ihr Gesicht klar zu sehen.

Judy brachte da einen ganz neuen Gedanken ins Spiel, einen merkwürdigen, schwer faßbaren Gedanken... Ich erkenne viel von mir selbst in David. Was hatte das zu bedeuten? Was bedeutete das alles? Die Übereinstimmungen... David, der zu mir spricht...

Judy beugte sich nach vorne, um ihre Kaffeetasse auf dem Glastisch abzustellen, und durch die Bewegung und das Klappern wurde Ben aus seinen Träumen gerissen. Er schüttelte seinen Kopf zum zweitenmal. Seltsame Gedanken. Ich kann mir nicht vorstellen, wie ich darauf komme. Es muß hier drinnen wohl zu warm sein. Vielleicht bin ich auch hungrig.

»Möchten Sie etwas zu essen?« hörte er sich fragen und schreckte von der Lautstärke seiner eigenen Stimme hoch.

»Nein, danke. Bruno und ich haben, kurz bevor Sie anriefen, zu Abend gegessen. Der Kaffee ist völlig ausreichend, danke.«

Sie saßen wieder schweigend da und lauschten auf das sanfte Prasseln des Regens gegen das Fenster, während sie sich im Geiste die kahlen, herbstlichen Bäume und die blankgewaschenen Gehsteige ausmalten. Bis Judy ganz unvorbereitet fragte: »Warum sind Sie Paläograph geworden?«

»Was?«

»Warum sind Sie Schriftenkundler geworden?«

»Warum? Nun ...?« Er runzelte die Stirn und suchte nach einer Antwort. »Niemand hat mir je zuvor diese Frage gestellt. Ich weiß nicht recht. Wahrscheinlich einfach, weil ich mich dafür interessiere.«

»Schon immer?«

»Solange ich mich erinnern kann. Schon als Junge haben mich antike Manuskripte fasziniert.« Ben führte seine Tasse zum Mund und trank schlürfend einen Schluck. Es war tatsächlich so. Niemand hatte ihn je zuvor danach gefragt, und folglich hatte er sich auch nie Gedanken darüber gemacht. Als er nun darüber grübelte, fiel ihm absolut kein Grund ein, warum er sich der Paläographie, der Handschriftenkunde, verschrieben hatte. »Ich glaube, es hat sich wohl einfach so ergeben.«

»Es ist interessant. Aber man muß dafür sehr geduldig sein, was ich nicht bin. Hatten Sie als Kind eine intensive religiöse Erziehung?«

»Ja.«

»Ich nicht. Meine Eltern waren Reformjuden. Und selbst als solche hielten sie sich an keinerlei Gebote. Ich kann mich nicht entsinnen, je den Unterschied zwischen Jom Kippur und Rosch Ha-Schana gekannt zu haben.« Sie nippte ein wenig an ihrem Kaffee und überlegte sich, wie sie ihre nächste Frage formulieren sollte. »Waren Sie sehr klein, als Sie Deutschland verließen?«

»Ich war zehn.«

Sie sah ihn mit ihren großen Augen an, die so ausdrucksvoll und unwiderstehlich waren, und Ben wußte genau, was sie dachte. Es war ein Thema, das er noch nie zuvor angeschnitten hatte, nicht einmal mit Angie, und er erkannte, daß er gefährlich nahe daran war, sich darauf einzulassen.

»Haben Sie Geschwister?«

»Nein.«

»Da haben Sie aber Glück. Ich war eines von fünf Kindern. Drei Brüder und eine Schwester, und ich war in der Mitte. Gott, was für ein Irrenhaus! Mein Vater war Schneider. Er hatte sein eigenes Geschäft und konnte es sich leisten, uns in relativem Wohlstand aufzuziehen. Rachel, meine kleine Schwester, lebt immer noch bei meinen Eltern. Die anderen sind alle verheiratet. Wissen Sie«, sie lachte leise auf, »ich habe mir so oft gewünscht, ein Einzelkind zu sein. Sie hatten Glück.«

»Hm, ich weiß nicht recht«, erwiderte er geistesabwesend. Wie oft hatte er sich als Kind Geschwister gewünscht? »Eigentlich hatte ich ja doch einen älteren Bruder. Aber er starb, als ich noch klein war.«

»Das ist zu traurig. Erinnern Sie sich an Deutschland?«

Ben sah Judy ruhig an und fühlte sich seltsam behaglich dabei, sich so mit ihr zu unterhalten. Er wußte, daß sie ihn aus der Reserve locken wollte. Nachdem sie über ihre eigene Vergangenheit gesprochen hatte, würde es ihm leichter fallen, über seine eigene zu sprechen.

»Sie wollen wissen, wie es war, während des Krieges ein Jude in Deutschland gewesen zu sein«, stellte er schließlich fest.

»Ja.«

Ben schaute gedankenvoll auf seine Hände. Heute scheint der richtige Tag zu sein, um an wunden Punkten zu rühren, dachte er. Zuerst Angie, dann der Alptraum und nun auch noch das. »Wissen Sie, ich habe nie mit jemandem über diesen Abschnitt meines Lebens gesprochen. Nicht einmal meine Verlobte weiß viel über mich vor meinem zwanzigsten Lebensjahr, und sie ist durchaus bereit, es dabei zu belassen. Warum interessieren Sie sich so dafür?«

»Es liegt wohl in meiner Natur. Ich weiß gern über die Leute Bescheid. Darüber, was sie bewegt. Was einen Juden dazu veranlaßt, kein Jude mehr zu sein.«

»Woher wollen Sie wissen, daß ich je einer war?«

»Sie sagten, Sie hatten eine religiöse Kindheit?«

»Ja ... das sagte ich, nicht wahr? Also gut, ich werde es Ihnen erklären. Ich habe dem jüdischen Glauben tatsächlich den Rücken gekehrt. Aber ich wurde nicht nur ins Judentum hineingeboren, und damit hatte es sich, wie es auch bei Ihnen der Fall war. Ich war einmal ein praktizierender Jude, und dann habe ich es aufgegeben. Eigentlich tat ich sogar mehr als das. Ich wandte mich erhobenen Hauptes davon ab und schlug die Tür hinter mir zu. Zufrieden?«

Sie zuckte die Achseln. »Das war keine sehr theologische Antwort.«

»Das habe ich auch nie behauptet. Na ja...« Es war, als spräche er mit sich selbst. »Vielleicht war ich einfach nicht dazu bestimmt, ein Jude zu sein. In der Kindheit wurde ich weiß Gott genug darauf getrimmt. Hebräisch war mir ebenso geläufig wie Jiddisch. Ich besuchte die Jeschiwa und ging jeden Samstag in die Synagoge. Als ich dann neunzehn war, stellte ich fest, daß es einfach nichts für mich war. Und so habe ich es ganz und gar sein lassen.«

»Sind Sie jetzt ein Atheist?«

Erneut fühlte er sich durch ihre Frage unliebsam überrascht.

»Junge, Junge, Sie scheuen sich wohl überhaupt nicht davor, persönliche Fragen zu stellen, oder? Sind Sie Atheistin?«

»Ganz und gar nicht. Ich hänge dem Judentum auf meine eigene Weise an.«

»Ein Judentum nach Ihrem eigenen Gutdünken.«

»Wenn Sie so wollen...«

»Ja, ich bin Atheist. Überrascht Sie das?«

»In gewisser Weise schon. Nur weil es mir sonderbar vorkommt, daß Sie Ihr Leben dem Studium religiöser Schriften widmen, ohne selbst religiös zu sein.«

»Großer Gott, Judy, man muß doch wohl kein Grashüpfer sein, um Insektenkunde zu studieren!«

Sie lachte. »Das ist wahr. Aber trotzdem könnte ich wetten, daß Sie die Thora besser kennen als irgendein Rabbi.«

Ben zog die Augenbrauen hoch. Irgendwann in seiner nebelhaften Vergangenheit hatte jemand schon einmal dasselbe zu ihm gesagt. Er konnte sich nur nicht erinnern, wer es gewesen war, aber es hatte in seinem Geist dieselbe Reaktion hervorgerufen. Genau wie damals ertappte sich Ben dabei, wie er dachte: Es ist doch ziemlich seltsam, daß ich über Thora und Judentum vermutlich mehr weiß als beispielsweise der hiesige Rabbi, und doch gibt es dabei diesen großen Unterschied...

Was ist überhaupt Religion? Es ist mehr, als etwas zu wissen, mehr, als etwas auswendig zu lernen und ein Fachmann darin zu sein. Religion ist, etwas zu *fühlen*.

Und dieses Gefühl, das man gewöhnlich Glauben nannte, war bei Ben nicht vorhanden.

»Warum wurden Sie dann aber Atheist?« hörte er Judy fragen. »Warum haben Sie es nicht einmal mit dem Christentum versucht? Oder mit dem Buddhismus?«

»Es war nicht das Judentum, von dem ich mich abwandte, sondern Gott. Es gibt Leute, die keine Religion brauchen. Sie bringt nämlich nicht jedem den ersehnten Seelenfrieden. Für manche Menschen kann Religion Leid bedeuten.«

»Ja, das kann schon sein...« Sie blickte wieder nach unten auf den Stapel Papier in ihrem Schoß. »Ich frage mich, wie es für David ausgeht. Meinen Sie, daß er ein großer Rabbi wurde? Vielleicht sogar ein Mitglied des Hohen Rats?«

Auch Ben fing an, auf seine übersetzten Seiten zu starren. Er stellte sich einen siebzehnjährigen Juden mit schwarzem, welligem, schulterlangem Haar und den träumerischen Augen eines Propheten vor.

David, David, dachte Ben, was versuchst du nur, mir zu sagen? Welche furchtbare Tat ist es, die zu gestehen du deinen ganzen Mut zusammengenommen hast, die du in verborgenen Tonkrügen versiegelt und mit einem mächtigen Fluch geschützt hast?

Und dieser Fluch... Bens Miene verdüsterte sich. War es möglich, daß er wirklich über einige Macht verfügte? Könnte er mich etwa in irgendeiner Weise beeinflussen? Ist das der Grund für meine Alpträume, für meine schlaflosen Nächte, für meinen Streit mit Angie? Habe ich deshalb den Eindruck, daß David langsam Einfluß auf mein Leben gewinnt? Kann es sein, daß der Fluch Mose tatsächlich wirkt? –

»Dr. Messer?«

Er blickte Judy an. Sie hatte geredet, und er hatte nichts gehört.

»Es wird allmählich spät. Deshalb sollte ich mich jetzt vielleicht ans Tippen machen.«

Warum fallen mir so wunderliche Dinge ein? Warum kommen mir Gedanken, die ich nie zuvor hatte, als ob jemand anders sie mir eingäbe...?

»Ja, ans Tippen...«

Sie standen zusammen auf und vertraten sich die Beine. Ben warf einen Blick auf seine Armbanduhr und wurde von der vorgerückten Stunde aufgerüttelt. Wo war nur die Zeit geblieben?

Judy tippte bis spät in die Nacht hinein, wobei sie ab und zu ein paar kürzere Pausen einlegte. Währenddessen saß Ben allein in seinem dunklen Arbeitszimmer. Das Geklapper der Tasten war weniger störend als die immer wieder einkehrende Stille, so daß Ben einmal, als er glaubte, Judy habe ganz aufgehört, aufstand und nach ihr sah. Judy saß, das Kinn auf die Hände gestützt, vor der Schreibmaschine und starrte ins Leere. Einen Augenblick später setzte sie ihre Tipparbeit fort, als hätte sie sich plötzlich auf sich selbst besonnen.

Ben kehrte an seinen Schreibtisch zurück, lehnte sich in seinem Stuhl zurück und verschränkte die Hände hinter dem Kopf. Wieder zogen die Ereignisse von Rolle Nummer fünf an seinem inneren Auge vorbei. Er verweilte ein wenig bei Rebekka, malte sich den Unterricht in der Vorhalle des Tempels aus, sah sich dabei, wie er den ersten Brief an seinen Vater schrieb, und wunderte sich, daß Eleasar von seiner Tätigkeit als Wasserträger erfahren hatte. Dies waren gute Jahre, damals in Jerusalem, als er im Hause des Rabbis wohnte. Ben wünschte, er könnte diese Jahre noch einmal zurückholen, denn er hegte süße Erinnerungen daran.

»Dr. Messer?«

Er ließ seine Hände sinken und setzte sich auf. »Ja?«

»Ich bin fertig.«

»Prima.« Ben stand auf. »Wissen Sie was? Ich bin mit einemmal hungrig. Mögen Sie Pizza?« Judy zögerte. »Passen Sie auf, ich flitze schnell nach unten und besorge uns eine mit allem darauf, was dazugehört. Ich denke, mein Magen hat nichts Eßbares mehr bekommen, seit, nun seit... ich kann mich nicht erinnern, wie lange es schon her ist.«

Er lief zur Garderobe. »Ich werde nicht lange brauchen. Die Pizzeria ist gerade hier um die Ecke, und es geht immer sehr schnell. Gewöhnlich hole ich mir dort etwas, wenn ich viel Arbeit habe. Ich werde auch eine Flasche billigen Wein dazu kaufen. Was halten Sie davon?«

»Einfach toll.«

Nachdem er gegangen war, schlenderte Judy durch die Wohnung und nahm einige der Kunstgegenstände in Augenschein. Es waren vorwiegend Sachen aus dem Mittleren Osten, viele Geräte aus archäologischen Funden, ein paar Souvenirs und schließlich der übliche, in besseren Häusern anzutreffende Nippes. Sie stand gerade vor dem Aquarell vom Nil und den Pyramiden, als das Telefon klingelte.

Ohne zu zögern, nahm Judy den Hörer ab. »Hallo?«

Am anderen Ende der Leitung trat eine kurze Stille ein, dann hörte sie, wie aufgelegt wurde.

Judy wollte eben weggehen, als das Telefon abermals klingelte. Diesmal nahm sie ab und sagte: »Bei Dr. Messer«, aber der andere Teilnehmer legte wiederum auf.

Es klingelte kein drittes Mal mehr, und als Ben schließlich mit dem Wein und der Pizza nach Hause kam und Judy ihm von den Anrufen erzählte, zuckte er nur die Schultern und meinte: »Wenn es wichtig ist, werden sie schon zurückrufen.«

Sie breiteten die Pappschachtel auf dem Kaffeetischchen aus, holten Gläser und Servietten und nahmen die Pizza in Angriff.

»Sie haben einige interessante Dinge in Ihrer Wohnung«, bemerkte Judy, während sie von ihren Fingern Käsefäden ableckte.

»Alles Beute von meinen Reisen.«

»Ich mag dieses Gemälde dort.«

»Die Pyramiden? Ja, es ist auch eines von meinen Lieblingsbildern. Es bringt Erinnerungen zurück.« Er lachte ein wenig in sich hinein. »Wissen Sie, es gibt da einen Trick, mit dem die Kameltreiber einen bei den Pyramiden aufs Kreuz legen. Es ist eine Touristenattraktion, auf einem Kamel um die Pyramiden herum zu reiten, und es kostet auch nur ein paar Piaster. Wenn Sie jedoch auf dem Höcker des hinterlistigen Tieres dahinschweben und sich gerade richtig großartig fühlen, fängt der Kameltreiber an, Ihnen eine Lügengeschichte aufzutischen, wie sehr er Sie doch ins Herz geschlossen habe und wie gerne er Ihnen einen extra langen Gratis-Ritt zukommen lassen würde. Niemand versteht es besser, einem zu schmeicheln, als ein Araber. So nehmen Sie natürlich gerne an. Der Kameltreiber läuft neben dem Kamel her, während Sie immer weiter in die Wüste hinausreiten, weit genug, daß man Sie nicht mehr hören kann und die Menschen um die Pyramiden herum wie Ameisen wirken. Dann wendet sich der Kameltreiber an Sie, während Sie hoch oben auf seinem reizbaren Tier sitzen, und teilt Ihnen mit, daß es Sie fünf amerikanische Dollar kostet, wieder zurückzukommen.«

»Scherz beiseite! Ist Ihnen das wirklich passiert?«

»So wahr ich hier sitze. Und ich mußte ihn auch bezahlen, sonst wäre ich von seinem Biest womöglich noch zertrampelt worden. Und außerdem ist es ein langer Rückweg über die Sanddünen.«

»Ist er ungeschoren davongekommen?«

»Natürlich nicht. Sobald wir zurückkamen, fand ich einen Polizisten und schilderte ihm den Vorfall. Er verhielt sich wirklich prima in der Sache und brachte den Mann dazu, mir mein Geld zurückzugeben. Die Polizei ist überall in Ägypten und kann manchmal ganz hilfreich sein.«

»Ich beneide Sie. Die weiteste Reise, die ich je nach Osten unternahm, war letztes Jahr eine Fahrt nach Brooklyn. Sind Sie schon einmal dort gewesen?«

»Das will ich meinen. Ich bin dort aufgewachsen.«

»Das kann doch nicht Ihr Ernst sein! Wo ist Ihr Brooklyner Akzent?«

»Ich habe hart daran gearbeitet, ihn loszuwerden.«

»Sie klingen wie ein Kalifornier.«

»Danke.«

»Warum? Mochten Sie Brooklyn nicht?«

Ben stellte sein Weinglas ab und wischte sich Gesicht und Hände mit einer frischen Serviette ab. Der Wein begann, seine Wirkung zu tun. Er lehnte sich zurück und starrte vor sich hin. »Es ist schwer zu sagen. Einerseits mag ich Brooklyn, andererseits wieder nicht.«

»Schmerzliche Erinnerungen?«

»Manche, nicht alle.« Er dachte an Salomon Liebowitz.

»Ist dort Ihr Bruder gestorben?«

Ben wandte langsam sein Gesicht, so daß er Judy ansehen konnte.

»Mein Bruder starb in einem Konzentrationslager in Polen.«

»Oh«, flüsterte sie kaum hörbar.

»Er war noch ein ganz kleiner Junge und verhungerte. Mein Vater ist übrigens auch dort umgekommen.«

»Wo?«

Er schloß die Augen und drehte seinen Kopf weg. »Der Ort hieß Majdanek in Lublin, Polen. Etwa einhundertfünfundzwanzigtausend Juden fanden dort den Tod. Zwei davon waren mein Vater und mein Bruder.«

»Wie sind Sie diesem Schicksal entgangen?« fragte sie leise.

»Ich weiß nicht recht. Mein Vater äußerte sich sehr offen gegen die Nazis und bekämpfte sie, wo er konnte. Bevor sie in unser Haus kamen, wurden wir von Nachbarn gewarnt, und so war mein Vater noch imstande, mich mit ihrer Hilfe wegzuschaffen. Ich fand im Haus eines

Sympathisanten Aufnahme, während mein Vater, meine Mutter und mein Bruder fortgebracht wurden. Er hatte keine Zeit mehr gehabt, auch sie zu verstecken.«

»Was geschah mit Ihrer Mutter?«

»Sie überlebte es und kam 1944 aus dem Lager, als die Sowjets es befreiten.«

»Nun...« Judy stellte ihr Glas ebenfalls ab und wischte sich schweigend die Hände an einer Serviette ab. Sie wußte, daß es Ben Messer nicht leichtgefallen war, sich ihr so anzuvertrauen, daß es ihm jetzt vielleicht sogar lieber gewesen wäre, ihr nichts darüber gesagt zu haben. Deshalb fühlte Judy eine gewaltige Verantwortung.

»Ich habe keine Familienangehörigen im Krieg verloren. Ich glaube nicht, daß irgend jemand von uns, Cousinen, Tanten, Onkel, davon betroffen waren. So kann ich nur in recht bescheidener Weise mit Ihnen mitfühlen.«

»Hol's der Teufel. Es geschah vor über dreißig Jahren.«

»Trotzdem...«

»Ich war fünf, als meine Mutter mich wieder zurückholen konnte. Wir wohnten weiterhin bei Freunden, die ihr irgendwie halfen, eine Arbeit zu finden. Sie war eine ausgezeichnete Näherin, und sie war imstande, ob Sie es glauben oder nicht, in dieser Nachkriegszeit genügend Arbeit zu finden, um sich Geld zusammenzusparen. Fünf Jahre später, als ich zehn war, wanderten wir nach Amerika aus. Meine Mutter arbeitete hart, um uns hier durchzubringen. Ich kann mich an sie erinnern, wie sie den ganzen Tag und die ganze Nacht beim Schein einer einzigen Lampe dasaß, mit einem Haufen änderungsbedürftiger Kleidungsstücke zu ihren Füßen. Sie war eine geschickte und gewissenhafte Näherin, und es mangelte ihr nie an Kundschaft. Aber der Lohn war gering und die Arbeit anstrengend. Es machte sie vorzeitig alt.«

Er wandte sich wieder zu Judy um. Seine Augen glänzten feucht. »Das und Majdanek.«

Judy schwieg. Sie erkannte, daß hier alte Wunden aufgerissen worden waren, und blieb ruhig sitzen, bis er fortfuhr.

»Majdanek hatte sie alt und krank gemacht. Als wir nach Amerika kamen, war sie dreiunddreißig Jahre alt, doch jeder hielt sie für meine Großmutter. Mit ihr aufzuwachsen war eine Erfahrung für sich. Sie sprach unablässig von meinem Vater und meinem Bruder, oftmals gerade so, als seien sie noch am Leben. Es war nicht leicht, wir beide allein in einem fremden Land, und vermutlich halfen ihr die Erzählungen über ihre Familie dabei, nicht den Verstand zu verlieren. Sie überhäufte mich mit ihrer Liebe und mütterlichen Fürsorge. Und ich kann es ihr nicht verübeln. Ich war alles, was sie hatte.«

Bens Gesicht verzog sich zu einem zynischen Lächeln.»Ich erinnere mich, daß mir immer die Schnürsenkel aufgingen. Bei welchem Kind passiert das nicht? Doch sie machte eine Riesenaffäre daraus. Wenn sie es sah, geriet sie so außer sich, daß sie mir drohte, sie werde sie mir dicht über dem Fuß zunähen. ›David‹, pflegte sie zu sagen, ›wenn du über diese Schnürsenkel stolperst und dir den Hals brichst, dann bin ich ganz allein. Liebst du deine Mutter nicht?‹ Das arme Geschöpf lebte in der ständigen Angst, mich zu verlieren. Es wundert mich, daß sie mich überhaupt zur Schule gehen ließ.«

»Ich kann ihre Gefühle verstehen«, meinte Judy einfühlsam.

»Aber warum nannte sie Sie David?«

»Was?« Er hob den Kopf. »Ach, Unsinn. Ich meine natürlich Benjy. Sie nannte mich Benjy.«

Judy räusperte sich und rückte auf der Couch nach vorne. »Es ist spät, und ich sollte jetzt besser gehen.«

»Oh, natürlich.«

Sie stand auf und sah sich nach ihrer Tasche um. »Danke für die Pizza«, sagte sie mit fester Stimme. »Das war sehr nett von Ihnen.«

Ben holte ihren Pullover, der inzwischen getrocknet war. Als er ihr beim Hineinschlüpfen behilflich war, meinte er: »Ich teile es Ihnen mit, sobald ich Rolle Nummer sechs bekomme.«

»Gut.«

Er öffnete seinen Garderobenschrank und zog seine Jacke heraus. »Ich begleite Sie zum Wagen. Man kann nie wissen, wer sich um diese Zeit draußen herumtreibt.«

In melancholischem Stillschweigen gingen sie die Treppe hinunter und traten auf die nasse Straße hinaus. Judy kickte beim Laufen braune Blätter vor sich her und hatte das Gefühl, viel länger als nur einen Abend mit Ben Messer zusammengewesen zu sein. An ihrem Wagen standen sie in dem leichten Dunst und versuchten, die richtigen Abschiedsworte zu finden. Es war kein x-beliebiger Besuch gewesen – viel war gesagt und viel offengelegt worden. Jetzt teilte Judy

Golden Bens Geheimnisse. Sie stand nicht mehr außerhalb seines Lebens.

Er war einen Kopf größer als sie und mußte deshalb nach unten sehen, um ihr zuzulächeln. Tröpfchen sammelten sich auf seinen Brillengläsern und behinderten seine Sicht, aber er konnte erkennen, daß sie zurücklächelte. Sie verstanden sich wortlos.

Schließlich murmelte sie: »Gute Nacht« und stieg ins Auto. Er trat zurück, als sie den Motor anließ, und winkte ihr nach, als sie abfuhr. Während er ihre Rücklichter allmählich verschwinden sah, flüsterte Ben: »Schalom« und ging langsam in seine Wohnung zurück.

Kapitel Neun

Ben fühlte sich elend, als er am nächsten Morgen erwachte. Er war noch lange, nachdem Judy gegangen war, aufgeblieben und hatte den Rest des Weines ausgetrunken. Dann hatte er sein Gesicht in den Händen vergraben und lange Zeit geweint. Als es ihm irgendwann nach Mitternacht einfiel, daß er in sechzehn Jahren nicht eine Träne mehr vergossen hatte, während er heute gleich zweimal geweint hatte, sank Ben in einen unruhigen Schlaf. Wieder verfolgten ihn merkwürdige Träume, in denen er wechselnde Rollen spielte: zuerst sich selbst, dann David, anschließend seinen toten Vater und zum Schluß seinen toten Bruder. Immer neue schreckliche Erinnerungen kamen in ihm hoch. Je mehr ihm davon in den Sinn kamen, desto schneller folgten andere auf dichtem Fuß nach. Die ganze Strategie des Verdrängens seiner schmerzlichen Vergangenheit war jetzt plötzlich zunichte gemacht. Aus irgendeinem Grund konnte Ben die Vergangenheit nicht länger daran hindern zurückzukommen.

Um zehn Uhr hielt er eine Vorlesung über klassisches Griechisch als Hilfe für den Archäologen. Ben zeigte Dias und sprach dazu mit eintöniger Stimme. Die meiste Zeit war er völlig geistesabwesend. Er dachte fortwährend an David zu Eleasars Füßen in Salomons Tempel; an David, der für die Witwe Wasser trug; an Eleasars tiefe Zuneigung zu seinem jüngsten Schüler; an Rebekka...

Später in seinem Büro dachte Ben hinter verschlossener Tür inmitten einer Wolke aus Pfeifenrauch an seine Vergangenheit.

Vor einundzwanzig Jahren, als er und Salomon durch den braunen Schneematsch von Brooklyn gestapft waren, hatten ihnen die halbwüchsigen Söhne polnischer Einwanderer nachgerufen: »Wir werden's euch zeigen, ihr Jesus-Mörder!«

An jenem Abend, als sie am Küchentisch ihr einfaches Mahl einnahmen, hatte Ben seine Mutter gefragt, was die polnischen Jungen damit gemeint hatten. Seine Mutter hatte Gabel und Messer sinken lassen und ihren Sohn müde angeschaut. »Die Gojim verehren einen toten Juden als Gott, Benjamin, und sie sagen, wir hätten ihn umgebracht.«

»Wo ist das passiert? In Polen?«

Ein schmerzliches Lächeln zeigte sich auf ihrem Gesicht. »Nein, Benjamin. In Polen waren es die Juden, die von den Gojim ermordet wurden. Der Mann, von dem sie sprechen, lebte vor vielen hundert Jahren. Die Römer haben ihn gekreuzigt, weil er die Stimme gegen Cäsar erhoben hatte. Aber irgendwie«, sie schüttelte traurig den Kopf, »wurde die Geschichte im Laufe der Zeit verdreht, und den Juden wurde statt dessen die Schuld zugeschrieben.«

Ben hatte die Jesus-Geschichte nie zuvor gehört und fragte sich, was eigentlich so Besonderes an ihm sei, daß Millionen von Christen daran glaubten. Rosa Messers Kenntnis war spärlich, und sie sah diese Dinge ohnehin verzerrt. Da Ben keine nichtjüdischen Freunde hatte und da seine eigenen Freunde von Jesus ebensowenig wußten wie er, hatte er versucht, sich aus anderen Quellen Klarheit zu verschaffen.

»Benjamin Messer, du solltest dich nicht selbst beflecken, indem du auf die Worte der Nichtjuden hörst«, hatte ihn einer seiner Jeschiwa-Lehrer ermahnt. »Es genügt schon, zu wissen, daß sie den Bund, den Abraham mit Gott schloß, entweihten und durch einen eigenen, falschen ersetzten. Die Lügen der Gojim kann man nur dadurch bekämpfen, daß man die Thora studiert und ihre heiligen Gesetze einhält.«

Nirgends war Ben imstande gewesen, seinen Wissensdurst über den Jesus der Christen zu stillen. Und so hatte er beschlossen, in der Bibel zu lesen. Im verborgensten Winkel, den er ausmachen konnte, uneinsehbar für jegliche Juden, die vielleicht zufällig vorbeikommen mochten, hatte Ben mit der vor sich aufgeschlagenen Bibel in der öffentlichen Bibliothek gesessen.

Seine Lehrer und Rabbiner hatten ihn gelehrt, daß die Thora nur gegen die Gojim verteidigt werden konnte, wenn man sie auswendig lernte, ihre Gesetze streng einhielt und die Verunreinigung durch christliche Worte vermied. Aber das hatte Ben nicht zufriedengestellt, und seine Neugierde hatte ihn dazu getrieben, eine Tat zu begehen, die seine Lehrer entsetzt hätte. Ben hatte in seinem Innern gespürt, daß er wissen mußte, was die Gojim überhaupt sagten und woran sie glaubten. Der Feind mußte ebenfalls studiert werden.

So hatte Ben in seiner Neugierde und seinem Drang, zu verstehen, was Juden von Christen trennte, an einem winterlichen Tag das Neue Testament gelesen.

Es klopfte an der Tür, und eine vertraute Stimme fragte: »Dr. Messer? Sind Sie da drinnen?«

Er sprang auf und öffnete die Tür. Davor stand Judy Golden. Dr. Messer, es ist vierzehn Uhr fünfzehn. Ich dachte mir, daß ich Sie vielleicht hier antreffen würde...«

»Was?« Er schaute hinaus zur Uhr. »Ach du lieber Himmel, wo bin ich gewesen?«

»Der ganze Kurs wartet schon...«

»Gehen wir.« Er schnappte seine Aktentasche, und sie eilten durch die Halle davon.

Nachdem er sich bei den Studenten in fast übertriebener Weise entschuldigt hatte, begann er unbeholfen mit seiner Vorlesung. Er war völlig unvorbereitet, war aber durch seine Erfahrung in der Lage, der Stunde den Anschein einer organisierten Vorlesung zu geben. Sein Blick ruhte ständig auf Judy Golden, die ihn ebenfalls nicht aus den Augen ließ. Und während er sprach, achtete er genau auf die Uhrzeit.

Die Post würde bald kommen. Rolle Nummer sechs würde eintreffen und auf dem Postamt darauf warten, daß er sie mit dem gelben Zettel abholen käme. David Ben Jona würde wieder einmal zu ihm sprechen.

David Ben Jona. Ben hatte letzte Nacht viel von ihm geträumt. Er hatte sich als David im alten Jerusalem gesehen, wie er mit Saul und Rebekka durch die Straßen schlenderte. An warmen Sommerabenden saß er in Magdala bei Rosa Messer, die über einem offenen Feuer Fisch briet. Im Traum hatte er viele Geschwister und eine glückliche Kindheit. So wohltuend war diese Vorstellung gewesen, daß Ben traurig war, als er beim Erwachen feststellte, daß er nur geträumt hatte.

Nach zwei Stunden, die Ben wie eine Ewigkeit erschienen, neigte sich die Vorlesung ihrem Ende entgegen. Es war ihm wirklich nicht leichtgefallen, sich zu konzentrieren, denn immer wieder hatte er sich dabei ertappt, wie er von David oder seiner Mutter oder seiner Kindheit in Brooklyn träumte. Es kostete Ben viel Kraft, in der Gegenwart zu bleiben. Und als die Stunde schließlich um war, packte er seine Aktentasche und eilte hinaus zu seinem Auto, noch bevor einer seiner Studenten aufgestanden war.

So hatte der vierzehnjährige Benjamin Messer in seinem Bemühen, zu verstehen, warum die Gojim ihn haßten, ohne ihn überhaupt zu kennen, das Neue Testament gelesen.
Am Anfang war es sehr verwirrend gewesen, denn die ersten vier Abschnitte, die als Evangelien bezeichnet wurden, stimmten nicht genau überein. Sie schienen sich in vielen Punkten zu widersprechen. Der Teil, der den Titel »Die Apostelgeschichte« trug, war ihm als eine interessante Geschichtsdarstellung erschienen. Doch die daran anschließenden Briefe, die zur Offenbarung führten, beinhalteten keine weitergehende Auskunft über den Mann, den man Jesus nannte. Und so mußte sich Ben einzig und allein auf die vier Evangelien verlassen, in denen er aber trotz seines ernsthaften Bemühens die Grundlage für eine der größten Religionen der Welt nicht erkennen konnte.
Daß Jesus ein guter Jude gewesen war, lag auf der Hand. Daß er wahrscheinlich auch Rabbiner gewesen war, erschien Ben ebenfalls einleuchtend. Doch daß sich sein Gerichtsverfahren genauso abgespielt haben sollte, wie es dort geschrieben stand, kam ihm unbegreiflich vor. Irgend etwas paßte nicht zusammen: die nächtliche Zusammenkunft des Synedriums, des Hohen Rats der Juden; die Tatsache, daß ein römischer Statthalter einen Haufen zusammengerotteten Pöbels um seine Entscheidung gebeten haben soll, und die Hinrichtung durch Kreuzigung statt der üblichen Steinigung. Er hatte die vier Evangelien wieder und wieder gelesen und konnte sie inzwischen auswendig. In ihrem Kern, das wußte Ben, lag der Ursprung des unter den Christen verbreiteten Antisemitismus. Denn laut diesen heiligen Büchern hatten sich die Juden des Mordes an ihrem Heiland schuldig gemacht.
Und doch konnte es nicht so sein. Der junge Ben hatte zwar gespürt, daß der Prozeß und die Tötung Jesu unlogisch waren. Doch damals hatte er noch nicht genau ausmachen können, wo das Problem lag. Erst Jahre später auf dem College hatte Ben endlich verstanden.
Es war wirklich zu einfach. Die Darstellung in den Evangelien war voll von Irrtümern und falschen Angaben. Zunächst war da das Synedrium, der Hohe Jüdische Rat, der angeblich bei Nacht zusammen-

getreten sein sollte, was er jedoch nie tat. Zweitens, wenn die jüdischen Führer Jesus der Gotteslästerung angeklagt und verurteilt hätten (wie sie es laut Markus 14,64 getan hatten), dann wäre die Strafe Tod durch Steinigen gewesen. Drittens, Pilatus stellte ihn allem Anschein nach wegen politischer Vergehen unter Anklage, während der Hohe Rat ganz andere Motive dafür hatte (Markus 15,1–10). Viertens war der Charakter von Pilatus durch die Überlieferung alter Geschichtsschreiber hinreichend bekannt. Daß ein so eigensinniger, überheblicher Mann einen jüdischen Mob bei seinen Entscheidungen zu Rate gezogen und vor dem Pöbel Schwäche gezeigt haben sollte, war wirklich absurd. Und der fünfte Punkt war, daß es sich bei der Kreuzigung um eine Bestrafungsart handelte, die nur von Römern und nur bei dem Verbrechen des Hochverrats angewandt wurde; und an den Querbalken über seinem Kopf war ein Schild genagelt worden, auf dem das Verbrechen Jesu beschrieben wurde – er hatte den Anspruch erhoben, König der Juden zu sein. Ganz klar ein Tatbestand des Verrats.

So stellte sich nun folgende Frage: Wie kam es, daß man mit einemmal die Juden der Ermordung Jesu bezichtigte?

Wenn man die Lösung des Problems in den Evangelien vermutete, suchte man vergebens, denn diese waren unlogisch und voll verwirrender Widersprüche. Dennoch konnte man die Antwort leicht herausfinden, wenn man die Erzählung aus den Evangelien in Bezug zum geschichtlichen Rahmen setzte.

Das Markus-Evangelium war kurz vor der Zerstörung Jerusalems verfaßt worden, als in Rom eine heftige anti-jüdische Stimmung geherrscht hatte. Da Markus nicht imstande gewesen wäre, die dortigen Heiden zum neuen Christentum zu bekehren, wenn die römischen Statthalter für die Ermordung des Messias verantwortlich gewesen wären, hatte er einfach die Schuld von Pilatus auf die Juden abgewälzt – eine einfache Lösung, um zu erreichen, daß sein Evangelium in Rom akzeptiert würde. Als Ben sich langsam von seinem Wagen entfernte, schüttelte er traurig den Kopf. Soviel zu dem Jesusmörder!

Ein Fetzen Papier war an dem großen, etwas mitgenommenen Umschlag befestigt, der Ben entgegenfiel, als er seinen Briefkasten öffnete. Darauf hatte sein Nachbar eine kurze Notiz gekritzelt. Der Postbote war wieder mit einem Einschreibebrief dagewesen und hatte eben den gelben Abholzettel in Bens Kasten werfen wollen, als der Musiker zufällig vorbeigekommen war. Er hatte wieder dafür quittiert.

In unermeßlicher Dankbarkeit drückte Ben den Umschlag an sich. Er würde diesem Burschen die teuerste Flasche Wein kaufen, die er finden konnte.

Dann hastete er so schnell er konnte die Treppe hinauf, stürmte in die Wohnung und in sein Arbeitszimmer, wo er sich auf seinen Stuhl fallen ließ und den Umschlag hastig aufriß. Obenauf lag die übliche schlecht getippte Mitteilung von Weatherby, und darunter befand sich ein weiterer versiegelter Umschlag. Er war dick und fühlte sich an, als enthielte er eine Menge Fotografien. Ohne die Notiz auch nur zu lesen, warf Ben sie vor sich auf den Schreibtisch, riß den zweiten Umschlag auf und zog liebevoll die Bilder daraus hervor.

Vor ihm lag die vertraute Handschrift von David Ben Jona.

Rebekka war ein scheues, stilles Mädchen, das sich in meiner Gegenwart oft schüchtern hinter seinem Schleier versteckte. Ich weiß nicht, wann ich zum erstenmal spürte, daß ich sie liebte, aber es war ein Gefühl, das immer stärker wurde. Ich weiß nicht, was Rebekka für mich empfand, denn sie schlug oft die Augen nieder, wenn ich sie ansah. Für mich war sie wie ein zerbrechliches, kleines Vögelchen, so zart und kostbar. Sie hatte winzige Hände und Füße und kleine Sommersprossen im Gesicht. Und wann immer sie mich aus ihren schönen blaßgrünen Augen ansah, glaubte ich, das Entzükken selbst zu sehen.

Ich hätte in meiner Liebe zu der sanften Rebekka glücklich sein können, und doch war ich es nicht, denn die Gedanken an sie machten es mir oft schwer, mich auf mein Studium zu konzentrieren. Eleasar bemerkte es und gab mir weise Ratschläge. Aber es war nicht leicht, ihnen zu folgen. Ich war siebzehn und hätte Rebekka liebend gern zur Frau genommen. Was hätte ich ihr aber bieten können? Ich war arm. Als Schüler des Gesetzes hatte ich ein bescheidenes Leben zu führen und meine Freude einzig und allein aus der Ehre zu schöpfen, dem Rabbi dienen zu dürfen. Meine Kleidung war grob und schlicht. Jedesmal, wenn ich Rebekka sah, versuchte ich, die ausgefransten Ränder meines Umhangs zu verdekken oder die Stellen zu verbergen, auf die ich Flicken genäht hatte.

Rebekka schien keinen Anstoß an meiner Armut zu nehmen, und dennoch war ich mir nicht sicher, ob sie unter diesen Umständen eingewilligt hätte, meine Braut zu werden.

Ich hatte noch mehrere Jahre unter Rabbi Eleasar vor mir, bevor ich mein eigener Herr wäre. Und selbst dann, wenn ich Schriftgelehrter wäre, würde ich erst einmal Zeit brauchen, um das für eine Verbindung mit Rebekka nötige Geld und Ansehen zu erwerben.

Ich erzähle Dir all dies, mein Sohn, weil es in direktem Zusammenhang zu dem steht, was als nächstes geschah – ein Ereignis, das möglicherweise den entscheidenden Wendepunkt meines Lebens herbeiführte. Und danach kam alles, wie es kommen mußte, bis zu jenem späteren Ereignis, über das Du die Wahrheit erfahren mußt und das der eigentliche Grund ist, warum ich dies schreibe.

Doch im Augenblick muß ich Dir erst erzählen, was meine Liebe zu Rebekka und meine Armut bewirkten. In der freien Zeit, die Eleasar uns nun gewährte, führten Saul und ich ein sorgloses Leben. An einem Nachmittag und an einem Abend pro Woche durften wir das Studium ruhen lassen. Dann schlenderten wir durch die Straßen Jerusalems, erforschten die Gärten jenseits der Stadtmauern oder besuchten Freunde. Während wir uns im Gedränge des Marktplatzes voranschoben, stiegen uns die intensiven Gerüche von exotischen Speisen, teuren Düften, gegerbtem Leder und menschlichen Ausdünstungen in die Nase. Außergewöhnliche Anblicke übten eine magische Anziehungskraft auf uns aus: der Sklavenmarkt, die Stadttore, an denen täglich Fremde um Einlaß baten, die schönen heidnischen Frauen in ihren Sänften, Schlangenbeschwörer, Straßenmusikanten und römische Soldaten in ihren roten Umhängen. Jerusalem mit seinen vielen Gesichtern, Stimmen und Farben hörte nie auf, uns zu unterhalten. Und doch war ich in Gedanken meist bei Rebekka. Ich ging so oft mit ihr aus, wie ich konnte, ohne bei ihr Anstoß zu erregen, denn wir waren nicht verlobt. Und Eleasar sagte oft zu mir: »David Ben Jona, du darfst dich durch diese Betörung nicht vom Gesetz abbringen lassen. Wenn du nur ein einziges Mal bei der Befolgung des göttlichen Gesetzes schwankst, wenn du je in einer solchen Weise davon abkommst, daß du ihm Schande machst, dann wäre es gerade so, als hättest du auf das Allerheiligste gespuckt. Denn der Schriftgelehrte steht in einer Hinsicht über allen Menschen: Er ist auf dieser Erde, um Abrahams heiligen

Bund zu schützen und dafür zu sorgen, daß das auserwählte Volk sich niemals von Gott abkehrt. Wenn du durch deine Vernarrtheit in Rebekka das Volk im Stich lassen solltest, dann hast du Gott im Stich gelassen, und das ist unverzeihlich.«

»Aber was kann ich tun, Rabbi? Ich muß ständig an sie denken. Und wenn ich neben ihr sitze, spüre ich eine merkwürdige Schwäche in meinen Lenden.«

Er antwortete: »Alle Diener Gottes werden in ihrem Leben viele Male in Versuchung geführt, und sie müssen dagegen ankämpfen. Das Einhalten des göttlichen Gesetzes ist keine leichte Aufgabe, und deshalb stehen wir über anderen Menschen. Durch unser Vorbild werden sie das Gesetz befolgen. Und das Gesetz muß an erster Stelle kommen, David. Wenn du ihm wegen dieses Mädchens den Rücken kehrtest, dann wäre es besser, du hättest nie das Licht der Welt erblickt.«

So tobte in meinem Innern ein Kampf. Ich sah keinen Ausweg. Ich mußte an meinem Studium festhalten und Rebekka vergessen. Doch ich konnte es nicht. Und eines Nachts, mein Sohn, trug das Fleisch den Sieg über meinen Geist davon.

Saul und ich hatten in einem der Gärten jenseits der Stadtmauern Oliven gegessen. Haus und Garten gehörten einem alten Mann, der allein lebte und sich über unsere Gesellschaft freute. Als die Sonne zu sinken begann, bat er uns, noch ein Weilchen zu bleiben, weil er so einsam sei. Er bot uns dafür von seinem besten Wein an. Saul und ich hatten in unserem Leben nur sehr wenig davon getrunken, denn Eleasar erinnerte uns beständig an Noahs Schwäche. Wir blieben und tranken etwas Wein mit ihm, in der Absicht, gleich zu gehen. Doch als der Wein erst einmal unser Blut erwärmt hatte, schien jeglicher Widerstand zu schwinden. Und so blieben wir und labten uns an des alten Olivenhändlers Wein.

Als wir endlich aufbrachen, war ich ziemlich erhitzt und hatte mich nicht mehr ganz in der Gewalt. Der große, kräftige Saul schien hingegen nur wenig davon berührt zu sein. Wir sangen auf unserem Weg durch die engen, gewundenen Gassen Jerusalems und stießen schließlich durch Zufall auf eine berüchtigte Schenke. Keiner von uns hatte je zuvor eine Schenke besucht, so daß unsere Neugierde wuchs, als wir draußen vor der Tür standen und auf der anderen Seite die Lichter sahen und von drinnen fröhliche Stimmen hörten. Es war Saul, der vorschlug, wir sollten hineingehen und uns drinnen umsehen. Und ich willigte ohne weiteres ein. Wir erregten großes Aufsehen, so ärmlich wie wir gekleidet waren, mit unseren langen, schwarzen Bärten und unseren Schläfenlocken. Da sie selten Rabbinenschüler in ihrer Mitte sahen, luden uns die Heiden ein, uns zu ihnen zu setzen und uns mit ihnen zu unterhalten. Sie brachten uns Krüge mit ungewässertem Wein, den wir zuerst ablehnen wollten, schließlich aber doch tranken. Dabei schauten wir ganz unverhohlen auf junge Mädchen, die mit nackten Brüsten tanzten und sich von fremden Männern berühren ließen. Saul und ich waren befremdet, und doch starrten wir wie gebannt darauf. In der überfüllten Schenke gab es Kameltreiber, römische Soldaten und ähnliche Männer, die viel in der Welt herumgekommen waren. Sie erzählten uns Geschichten von fremden Völkern am anderen Ende der Welt, von Seeungeheuern und Fabelwesen und von fernen Orten, so daß uns vor Staunen der Mund offen stand.

Ich weiß nicht genau, wann ich Salmonides traf; ob er schon die ganze Zeit über dagewesen war oder sich erst später zu uns gesellt hatte. Alles, woran ich mich entsinne, ist, daß ich ihn in meiner Benommenheit plötzlich neben mir sitzen sah und daß er mir eine lange, weiße Hand auf den Arm gelegt hatte. Er hatte ein merkwürdiges, zeitloses Gesicht, dazu weißes Haar und unergründliche blaue Augen. Er sprach ausgezeichnet Aramäisch, als ob es seine Muttersprache gewesen wäre.

Ich muß ihm wohl mein Leid in bezug auf Rebekka und meine Armut geklagt haben, denn er sagte: »Es gibt nur einen sicheren Weg, das Herz einer Frau zu gewinnen, und zwar durch Geld. Du mußt dein Studium nicht aufgeben, um von ihr ein Heiratsversprechen zu erlangen. Du mußt nur beweisen, daß du eines Tages in der Lage sein wirst, gut und anständig für sie zu sorgen. Dann wird sie sich einverstanden erklären, auf dich zu warten. Ich weiß das, denn die Frauen sind überall auf der Welt gleich.«

Ich gab mir große Mühe, sein Gesicht deutlich zu sehen, aber ich vermochte es nicht. Wie aus weiter Ferne konnte ich Saul in Gesellschaft einiger Männer lachen hören. Unser Tisch war beladen mit Wein und Käse und Schweinswürsten, und alles war so köstlich, daß ich mich bis obenhin damit vollstopfte. Ich war ebenso berauscht vom Essen wie vom Wein und achtete daher nur wenig darauf, was ich sagte. Ich mußte Salmonides gegenüber wohl mein kleines Geldversteck erwähnt haben, denn er fuhr fort: »Geld wächst, wie es die Zeder und die Palme tun. Pflanze deine Schekel, mein redlicher Jude, und beobachte, wie sie zu großen Sesterzen sprießen.«

»Wer seid Ihr?« fragte ich. »Ein Hexenmeister?«

»Ich bin ein Händler aus Antiochia in Syrien. Übermorgen läuft eine Flotte von Joppe nach Ägypten aus. Sie werden dort große Mengen Korn für Rom an Bord nehmen, und wenn alle Schiffe es bis Ostia schaffen, wird das Unternehmen einen Riesengewinn abwerfen.«

»Was wollt Ihr von mir?«

»Der Kapitän dieser Schiffe braucht Geld, um seine Mannschaft zu bezahlen. Als Gegenleistung wird er seine Gewinne teilen. Du, mein Freund, hast nun Gelegenheit, dir einen Anteil an diesem Gewinn zu sichern. Gib mir das Geld, das du besitzt, und in sechs Monaten gebe ich dir dafür eine Riesensumme.«

»Und wenn die Schiffe untergehen?« fragte ich.

»Das ist das Risiko, das alle Geldverleiher auf sich nehmen müssen. Wenn sie untergehen, wie es zuweilen vorkommt, wirst du dein Geld verlieren. Wenn sie es dagegen mit dem Korn bis Ostia schaffen...«

Wäre ich nüchtern gewesen, mein Sohn, hätte ich den Griechen nur ausgelacht und ihn stehenlassen. Aber ich war nicht nüchtern. Ich war siebzehn und betrunken und zu allem fähig, um Rebekka zu gewinnen.

Ich weiß nicht, zu welchem Zeitpunkt ich die Schenke verließ, aber Saul hatte mich wohl nicht gesehen, denn später sagte er, er habe meine Abwesenheit nicht bemerkt. Wie dem auch sei, irgendwie fand ich den Weg zu Eleasars Haus, stolperte, ohne jemanden zu wecken, die Treppe hinauf in mein Zimmer, holte meinen kleinen Geldschatz aus dem Versteck und wankte zurück zur Schenke. Als ich zurückkam, hatte der Grieche bereits einen Vertrag in zwei Ausfertigungen aufgesetzt, und ohne ihn durchzulesen, unterschrieb ich ihn bereitwillig. Salmonides nahm mein Geld und gab mir dafür das Stück Papier.

Und das ist alles von diesem Abend, woran ich mich erinnere.

Saul erzählte mir tags darauf, daß er einmal zufällig aufgeblickt und mich schlafend an einem Tisch gesehen habe, an dem ich allein

saß. Und so habe er sich von der Gruppe, mit der er zusammengesessen hatte, verabschiedet, mich auf seinen breiten Schultern
nach Hause getragen und dort zu Bett gebracht. Der nächste Tag
sollte der schlimmste meines Lebens werden.

Die Scham war größer als irgendeine Last, die ich in meinem Leben getragen hatte. Ich erniedrigte mich vor Eleasar und schüttete
ihm mein Herz aus. Während ich mit gesenktem Blick sprach,
hörte er in ernster Stille zu. Ich erzählte ihm, daß ich mich in der
Öffentlichkeit betrunken hatte, daß ich mich in der Gesellschaft
nackter Mädchen und schändlicher Heiden aufgehalten hatte, daß
ich reichlich Schweinefleisch gegessen und schließlich Salmonides
mein ganzes Geld gegeben hatte.

Als ich fertig war, saß Eleasar für einen Augenblick in tödlichem
Stillschweigen da. Dann stieß er einen solchen Schrei aus, daß ich
vor Angst zitterte. Er schlug sich an die Brust, raufte sich das
Haar und schrie heraus: »Womit habe ich das verdient, o Herr?
Worin habe ich gefehlt? War es nicht dieser Knabe, in den ich
meine größten Hoffnungen setzte und der als größter Rabbiner in
Judäa meine Nachfolge hätte antreten sollen? Womit habe ich das
nur verdient, o Herr?«

Eleasar fiel auf die Knie und tat lautstark kund, welches Unglück
ihm widerfahren sei. Er gab sich selbst die Schuld an meiner Missetat, klagte, daß er als Lehrer versagt habe, und jammerte, daß er
Gott enttäuscht habe, indem er seinen besten Schüler vom rechten
Weg abgehen ließ.

Ich weinte mit ihm, bis die Tränen meine Ärmel durchnäßt hatten
und ich nicht mehr weinen konnte. Als ich nur noch trockene
Schluchzer von mir gab, schaute ich zu Eleasar auf und sah auf
seinem Gesicht, wie groß sein Schmerz war.

»Du hast Gottes heiliges Gesetz besudelt«, sagte er erbarmungs-
los. »David Ben Jona, durch dein eigenes Tun hast du den Bund
Abrahams mit Füßen getreten und alle Juden vor Gott beschämt.
Habe ich dich nicht recht gelehrt? Wie konntest du nur derart in
die Irre gehen und so tief sinken?«

Saul, den der Wein nicht betrunken gemacht hatte, der das
Schweinefleisch zurückgewiesen und kein Geld an einen Griechen
verloren hatte, war bei Eleasar ebenfalls nicht mehr gut angese-
hen, und doch war es nicht dasselbe. Eleasar war auf Saul nicht so

stolz gewesen wie auf mich. Er hatte in Saul nicht den Nachfolger für sein eigenes erhabenes Amt und für die Weiterführung der Tradition erblickt. Und wegen alldem blieb Saul ein Verweis von der Schule erspart. Anders verhielt es sich mit mir. Eleasar betrachtete meine abscheulichen Sünden als eine ihm persönlich zugefügte Schmach. Ich hatte ihn enttäuscht, und ich hatte das göttliche Gesetz beschmutzt. Es durfte keine Gnade für mich geben.

Noch am selben Tage verbannte mich Eleasar aus seinem Haus und legte ein Gelübde ab, daß er mich niemals mehr als seinen Sohn ansehen wolle. Ich packte meine armselige Habe zusammen und lief auf die Straße hinaus, ohne zu wissen, wohin ich gehen oder was ich tun sollte.

Als Eleasars Tür hinter mir zufiel, war es, als hätte Gott selbst mir den Rücken zugekehrt. Ohne Eleasar und die Schule, beladen mit Schande und im Bewußtsein, daß ich jetzt weder als Ehemann für Rebekka noch für ein Leben unter Juden in Frage kam, erwägte ich ernstlich, mir das Leben zu nehmen.

Ben fühlte etwas an seiner Wange, und als er daran rieb, fand er eine Träne. Die Wirkung von Davids Worten, den tiefen Eindruck, den sie beim Lesen auf ihn machten, setzten Ben in Erstaunen. Als würde sich die Verzweiflung des alten Juden auf ihn übertragen, fühlte Ben sich innerlich krank und furchtbar elend. Er mußte fortfahren. Er mußte die letzten beiden Teilstücke von Rolle sechs lesen. Doch sein Blick war von Tränen verschleiert, und seine Nase fing an zu laufen. Er brauchte ein Taschentuch.

Ben stand vom Schreibtisch auf und drehte sich um. »Liebe Güte!« entfuhr es ihm.

Angie stand im Türrahmen. »Hallo, Ben«, begrüßte sie ihn mit sanfter Stimme.

»Mensch, was fällt dir eigentlich ein, dich so klammheimlich heranzuschleichen?« Er faßte sich an die Brust.

»Es tut mir leid, aber ich klopfte und klopfte. Ich habe Licht bei dir gesehen. So dachte ich mir, daß du zu Hause sein mußt. Ich bin mit meinem Schlüssel hereingekommen.«

»Wie lange hast du da gestanden?«

»Lange genug, um mich ein paarmal zu räuspern und keine Antwort von dir zu bekommen.«

»Mensch...«, wiederholte er und schüttelte den Kopf. »Für eine Weile war ich wieder in Jerusalem...« Ben nahm das Blatt Papier, auf das er seine Übersetzung gekritzelt hatte. »Ich erinnere mich nicht einmal daran, das hier geschrieben zu haben. Alles, woran ich mich erinnere, ist, daß ich in Jerusalem war...«

»Ben.«

Er wandte sich zu ihr um.

»Ben, wo warst du letzte Nacht?«

»Letzte Nacht?« Er rieb sich das Gesicht. Letzte Nacht, wann war das? »Laß mich nachdenken... Letzte Nacht war ich...ich war hier... Warum?«

Angie wandte sich ab und ging langsam in das dunkle Wohnzimmer. Eine sternklare Nacht schien durch die offenen Vorhänge hinein, und rundum herrschte eine frostige Stille. Ben wollte ihr folgen, doch dann spürte er, daß er wie magisch an den Schreibtisch zurückgezogen wurde. Als er über die Schulter sah, fiel sein Blick auf den noch unübersetzten Teil von Rolle Nummer sechs im Schein der Leselampe. Er fühlte eine kalte Leere in seinem Innern. Davids Worte hatten ihn völlig niedergeschmettert. Er wollte sich mit Angie auf keine Diskussion einlassen. Er mußte wieder nach Jerusalem zurück.

»Ben.« Angie wirbelte herum. »Ich habe dich gestern nacht angerufen, und eine Frau nahm den Hörer ab.«

»Was? Das ist unmöglich. Du hast sicher die falsche Nummer gewählt.«

»Sie meldete sich mit: ›Bei Dr. Messer.‹ Wie viele Dr. Messers, glaubst du, gibt es in West Los Angeles?«

»Aber das ist doch albern, Angie...« Er unterbrach sich mitten im Satz und runzelte die Stirn. »Warte mal. Jetzt erinnere ich mich. Das war wohl Judy...«

»Judy!«

»Ja. Ich bin nach draußen gegangen, um Pizza zu holen...«

»Was für eine Judy?« Angies Stimme wurde lauter.

»Eine Studentin von mir namens Judy Golden, die hier war, um etwas für mich auf der Maschine zu tippen.«

»Wie nett.«

»Ach, jetzt stell dich doch nicht so an, Angie. Eifersucht steht dir nicht. Sie hat etwas für mich abgetippt, nichts weiter. Ich habe weder dir noch irgend jemandem sonst Rechenschaft darüber abzulegen, was ich tue.«

»Ganz recht, das hast du nicht.« Obgleich es ihm nicht möglich war, ihren Gesichtsausdruck im Dunkeln zu erkennen, konnte er ihn sich doch anhand des Klangs ihrer Stimme vorstellen. Sie zitterte und versuchte, sich selbst in der Gewalt zu behalten. Die gute, alte leidenschaftslose, sich stets beherrschende Angie.

»Bist du hergekommen, um zu streiten? Ist es das?«

»Ben, ich bin gekommen, weil ich dich liebe. Kannst du das nicht verstehen?«

»Werde doch nicht gleich so melodramatisch. Ich lasse eine Studentin Tipparbeiten für mich erledigen, und schon müssen wir uns gegenseitig unsere Liebe beweisen. Lieber Himmel, Angie, kannst du mir nicht einfach glauben und es dabei belassen?«

Ein lähmendes Stillschweigen herrschte im Raum. Angie war verwirrt, bestürzt. Früher war Ben so berechenbar gewesen. Sie hatte stets gewußt, wie er reagieren oder was er sagen würde. Warum war jetzt alles so anders?

Mit matter Stimme stellte sie fest: »Du hast dich verändert, Ben.«

»Und du ziehst falsche Schlußfolgerungen!« Er lachte nervös. »Wenn irgend jemand sich verändert hat, meine Hübsche, dann bist du es. Ich mußte mich dir gegenüber niemals rechtfertigen. Es bestand nie die Notwendigkeit großartiger Liebesbezeugungen. Was ist denn plötzlich in dich gefahren?«

Sie ging auf ihn zu. Als das Licht der Schreibtischlampe auf ihr Gesicht fiel, konnte Ben den seltsamen Blick in ihren Augen erkennen.

»Es geht nicht darum, was in mich gefahren ist«, erwiderte sie langsam. »Es geht darum, was in dich gefahren ist. Oder vielmehr...«

Ihre Augen schweiften von seinem Gesicht ab und blieben an einem Punkt über seiner Schulter haften. »Vielmehr... wer in dich gefahren ist.« Eine kleine Sorgenfalte zeigte sich zwischen ihren Augenbrauen, als sie die Stirn runzelte. »Du bist nicht mehr der alte seit der Entdeckung dieser Schriftrollen. Ich kenne dich seit über drei Jahren, Ben, und ich habe geglaubt, dich besser zu kennen als irgend jemand sonst. Aber in den letzten paar Tagen bist du mir vorgekommen wie ein Fremder. Ich bin dabei, dich zu verlieren, Ben, ich verliere dich schnell, und ich weiß nicht, wie ich dich zurückholen kann.«

Als Ben sah, daß Angie Tränen in die Augen schossen, zog er sie plötzlich an sich und preßte ihr Gesicht gegen seinen Hals. Eine unheimliche Furcht schwebte in diesem Moment über ihm, und es war ihm, als stünde er am Rande eines großen, schwarzen Abgrundes. Er schaute hinunter, konnte aber nichts sehen als tiefschwarze Finsternis. Er klammerte sich wie ein Ertrinkender an Angie und schwankte zwischen Vernunft und Wahnsinn, zwischen Wirklichkeit und Alptraum. Ben erkannte in diesem Augenblick, daß er selbst jetzt, da er versuchte, sich an Angie festzuhalten, immer weiter an den Rand des Abgrunds glitt.

»Ich weiß nicht, was es ist, Angie«, murmelte er verwirrt in Angies duftendes Haar. »Ich kann nicht von diesen Schriftrollen lassen. Es ist fast, als ob... als ob...«

Sie wich zurück und schaute mit tränenüberströmtem Gesicht zu ihm auf. »Sag's nicht, Ben!«

»Ich muß, Angie. Es ist fast, als ob David Ben Jona einen Alleinanspruch auf mich erheben würde.«

»Nein!« schrie sie. »Du kannst davon loskommen. Du kannst, Ben. Ich werde dir dabei helfen.«

»Aber ich will ja gar nicht, Angie. Kannst du das nicht begreifen? Von Anfang an wollte er mich besitzen. Und jetzt hat er mich. Ich will nicht vor ihm davonlaufen, Angie. Er ist nun da, und ich kann ihm nicht entkommen. Ich muß herausfinden, was er versucht, mir mitzuteilen.«

Vor Ben gähnte der schwarze Abgrund, und er wußte, daß er im nächsten Augenblick hineinfallen würde.

»Ich werde nicht länger gegen ihn ankämpfen, Angie. Ich muß mich David völlig hingeben. Die Antwort liegt in diesen Rollen, und ich muß sie finden.«

Als Ben in den Abgrund des Vergessens hinabstürzte und die Wirklichkeit weit hinter sich ließ, hörte er noch, wie Angies Stimme ihm von weither zurief: »Ich liebe dich, Ben. Ich liebe dich so sehr, daß ich sterben könnte. Aber ich bin drauf und dran, dich zu verlieren, und weiß nicht einmal, an wen. Wenn es eine andere Frau wäre, wie diese Person, diese Judy, dann wüßte ich, mit welchen Waffen ich mich zu wehren hätte. Aber wie kann ich gegen einen Geist kämpfen?« Er wandte sich von ihr ab, da die magische Anziehungskraft der verbleibenden Fotos wieder auf ihn zu wirken begann. Er mußte zurück zu David.

»Bitte, geh nicht weg von mir!« flehte sie.

Ben war über sich selbst erschrocken. Es war, als hätte er keine Kontrolle mehr über seinen Körper. Zum erstenmal in ihrer Beziehung zeigte Angie wahre Gefühle. Der Anblick ihrer blassen, zitternden Lippen und ihrer von Wimperntusche verschmierten Augen erschreckte ihn. Er hatte noch nie erlebt, daß Angie eine solche Szene machte. Er hatte nicht einmal geglaubt, daß sie dazu imstande wäre. Doch da stand sie nun, flehend und in Tränen aufgelöst. Unter anderen Umständen hätte Angies Auftritt Ben tief bewegt, aber in diesem Augenblick verfehlte er seine Wirkung völlig.

»Ich kann es nicht ändern, Angie«, hörte er sich selbst sagen. »Ich kann nicht erklären, was es ist, aber es gibt in meinem Leben keinen Platz mehr für irgend etwas anderes als diese Schriftrollen. Ich muß Davids Worte lesen. Er verlangt nach mir.«

»Und ich verlange auch nach dir, Ben. Mein Gott, was geschieht nur mit dir?«

Doch er mußte von ihr weggehen. Er hatte David Ben Jona am Rande des Selbstmords inmitten von Elend und Hoffnungslosigkeit verlassen, und Ben mußte zu ihm zurückkehren. Das Bedürfnis, immer weiter zu lesen, wurde übermächtig. Er konnte sich Davids Einfluß nicht widersetzen.

Ben ließ sich wieder an seinen Schreibtisch nieder und wandte sich den aramäischen Buchstaben zu. Er hörte nicht mehr, wie Angie leise die Wohnung verließ.

Am oberen Rand des nächsten Fotos stand: »Mein Unglück läßt sich nicht mit Worten beschreiben.« Dann schilderte David seine Einsamkeit und Verzweiflung, als er durch die Straßen Jerusalems irrte, ohne einen Freund, ohne einen Ort, wohin er gehen konnte, und – was das Schlimmste war – von Gott verlassen.

>»Wegen eines Augenblicks der Schwäche verlor ich alles, wonach ich gestrebt hatte; brachte Schande über mich und meine Familie, verlor die Frau, die ich liebte, und wurde von Gott verlassen. Konnte es ein erbärmlicheres, verachtenswerteres Geschöpf geben als mich?«

An dieser Stelle legte Ben seinen Kopf auf die Arme und schluchzte. Er weinte, als ob er selbst derjenige gewesen wäre, der einsam und allein, ohne Familie oder Freunde, durch die Straßen Jerusalems irrte, der Schande über den Namen seines Vaters gebracht hatte und von seinen Lieben verstoßen wurde; als ob er, Ben Messer, dafür verantwortlich wäre, daß ihm Gottes Liebe nunmehr versagt blieb.

Es riß ihm Herz und Seele aus dem Leib. Ihm war übel, kalt und hundeelend. Indem er David Ben Jonas Leid auf sich nahm, durchlebte Ben Messer noch einmal jenen schrecklichen Tag vor zweitausend Jahren.

Und als er die Last von Davids Not schließlich nicht mehr länger ertragen konnte, sprang er mit einem Satz auf und stolperte blind zum Telefon. Er wählte, ohne nachzudenken, und als sie antwortete, sagte er in einer Stimme, die nicht seine war: »Judy, kommen Sie bitte. Ich brauche Sie...«

Kapitel Zehn

Mein Unglück läßt sich nicht mit Worten beschreiben. Hatte es je zuvor eine elendere Kreatur als mich gegeben, eine solche Schande für die Menschheit? In meiner Trunkenheit hatte ich der Thora den Rücken gekehrt und ihre Gesetze entweiht. So war es jetzt nur gerecht, wenn Gott sich von mir abwandte. Wie betäubt wanderte ich durch die Straßen und klammerte mich an das kleine Bündel mit meinen Habseligkeiten. Ich war völlig verwirrt und hatte keine Ahnung, wohin ich mich wenden sollte. Nach Magdala konnte ich nicht zurückkehren, da ich sonst die Schmach meiner Familie noch vergößert hätte. Außerdem wußte ich, daß mein Vater mich ohnehin davonjagen würde. Ich wagte nicht, zu meiner Schwester zu gehen und Schande über ihr Haus zu bringen. Ich hatte weder Geld für ein Zimmer in einem Wirtshaus, noch besaß ich die Mittel, um Judäa zu verlassen. Ich hatte kein Talent, keinen Beruf, um mich selbst zu ernähren. Ich konnte nicht länger die sanfte Rebekka anschauen. Und am schlimmsten von allem war, daß Gott mich verlassen hatte. Wegen eines Augenblicks der Schwäche hatte ich alles verloren, wonach ich gestrebt hatte; hatte Schande über mich und meine Familie gebracht, die Frau, die ich liebte, verloren und wurde von Gott verlassen. Konnte es ein erbärmlicheres, verachtenswerteres Geschöpf geben als mich?

Mir blieben nur zwei Möglichkeiten: entweder in der Stadt zu bleiben und um Almosen zu betteln oder aufs Land zu gehen und darauf zu hoffen, mit Feldarbeit etwas Brot zu verdienen. Keine dieser Aussichten war sehr ermutigend, und ich wünschte mir von ganzem Herzen, ich wäre niemals geboren worden.

Ich wanderte den ganzen Tag über durch fremde Straßen und stieß dabei auch in mir unbekannte Teile der Stadt vor. Als ich bei Sonnenuntergang vom vielen Laufen erschöpft war, ließ ich mich an einem Brunnen nieder, wo mehrere Frauen gerade ihr letztes Wasser schöpften. Ihr Anblick erinnerte mich an die Tage, die ich damit verbracht hatte, Eleasars Wasservorräte aufzufüllen, und daran, wie ich es damals eingerichtet hatte, in der gleichen Zeit auch der Witwe das Wasser nach Hause zu tragen. Die Schekel, die sie mir bezahlt hatte, befanden sich unter denen, die ich, völlig kopflos, in der Nacht zuvor Salmonides gegeben hatte. Und der Gedanke daran erfüllte mich mit bitterem Schmerz.

Wie ich so auf dem Brunnenrand saß und hinunterblickte, sah ich den Ausweg aus meiner schlimmen Lage auf seinem trüben Grund. Zu sterben wäre so einfach, so leicht. Da es für mich ohnehin keinen Sinn mehr hatte, zu leben, würde ich meinem Elend durch den Tod entrinnen. Und alles, was ich zu tun brauchte, war loszulassen, mich fallenzulassen...

Es war die Stimme einer Frau, die mich davon abhielt weiterzugehen. Sie hatte in der Nähe ihr Wasser heraufgezogen und war schon abmarschbereit, blieb aber hinter den anderen zurück, um mich zu beobachten. »Guten Abend, Bruder, geht es dir gut? Du siehst müde aus«, hörte ich sie sagen.

Ich warf erst einen flüchtigen Blick über meine Schulter, um zu sehen, mit wem sie sprach, und da ich niemanden gewahrte, schaute ich sie überrascht an. Sie war eine ältere Frau, möglicherweise älter als meine eigene Mutter, und doch noch sehr stattlich und wohlgekleidet.

Sie kam näher an mich heran. »Geht es dir gut?« erkundigte sie sich abermals.

Dann fiel mir ein, daß ich eigentlich gar keinen Grund hatte, überrascht zu sein, daß sie mit mir sprach. Denn schließlich konnte sie ja nichts von meiner Schande wissen. »Es geht mir nicht gut«, erwiderte ich. »Und ich bin todmüde.«

»Bist du auch hungrig?« Ihre Stimme klang gütig.

So antwortete ich ihr: »Bevor Ihr Euch meiner erbarmt, gutes Weib, ist es nur recht und billig, wenn ich Euch vor mir warne. Ich bin ein schändlicher Kerl, ein von der eigenen Familie Verstoßener. Es gibt keinen Mann, der mich Freund nennt, und keine Frau, die mich Bruder nennt.«

Doch sie sprach: »Es interessiert mich nicht, was du getan hast. Ich sehe nur, daß du müde und hungrig bist. Wir haben in meinem Haus eine Menge zu essen und einen Platz, wo du schlafen kannst. Du kannst gerne mit mir kommen.« Ich protestierte ein zweites

Mal: »Ich bin verbannt, gute Frau. Ihr würdet einem Verfluchten Einlaß in Euer Haus gewähren.«

Doch sie entgegnete: »Es obliegt Gott, über dich zu richten, nicht mir.«

Und ich widersprach ein drittes Mal: »Würdet Ihr eine Giftschlange mit nach Hause nehmen?«

Und da lächelte sie und meinte: »Selbst die Giftschlange sucht ihre Opfer nicht unter ihren Artgenossen.«

Zu matt, um noch weiter zu streiten, und verlockt durch die Aussicht auf Essen, begleitete ich die Frau nach Hause. Dort traf ich mehrere Leute, die mich als einen der Ihren aufnahmen und das Brot mit mir brachen. Sie waren fromme Juden, die makellos weiße Gewänder und Gebetsriemen an Stirn und Arm trugen. An diesem Abend bekam ich eine Matratze zum Schlafen und das Angebot, so lange zu bleiben, wie ich wollte.

Aber nach kurzer Zeit beschloß ich, Miriams Haus – so hieß die gute Frau – wieder zu verlassen, denn seine Bewohner waren ehrwürdige Leute, die beteten, bis ihre Knie gefühllos wurden. Ich spürte, daß meine Gegenwart sie befleckte. Nicht ein einziges Mal versuchten sie herauszufinden, welch schändliche Tat ich begangen hätte. Auch behandelten sie mich in keiner Weise als Fremden, sondern schienen nur um meine Gesundheit besorgt zu sein. Als ich ihnen zwei Tage später meinen Abschied ankündigte, stellten sie mir keine Fragen. Statt dessen gaben sie mir ihren Segen und steckten mir ein paar Schekel in den Beutel.

So schöpfte ich Mut, um ein neues Leben zu beginnen, denn nun zog ich Selbstmord nicht mehr in Betracht. Obgleich ich mich nicht im geringsten als würdig erachtete, vor das Angesicht Gottes zu treten oder auch nur unter Juden zu leben, hatten mir die Ruhe und das gute Essen die Kraft und Entschlossenheit verliehen, meiner unsicheren Zukunft entgegenzusehen.

An dem Tag, als ich Miriams Haus verließ, hatte ich einen Einfall. Mit einem Schekel kaufte ich ein frisches Papyrusblatt und ging damit auf den Marktplatz. Dort breitete ich meinen Umhang auf dem Boden aus, setzte mich darauf und verkündete den Vorbeigehenden lauthals, daß ich ein Briefeschreiber sei. Der Lohn war mager und die Stunden des Dasitzens lang und mühsam. Doch war dies die einzige Art und Weise, wie ich nach meiner Verbannung aus Eleasars Haus in Jerusalem überleben konnte. Mit Miriams Schekeln kaufte ich Papyri, und aufgrund meiner Bildung konnte ich Briefe schreiben. So war ich in den darauffolgenden Wochen imstande, in einem nahen Gasthaus ein Zimmer anzumieten und mir jeden Tag eine Mahlzeit zu leisten.

Und doch war ich auch weiterhin todunglücklich. Ich hörte auf, mein Haar zu kämmen, und ließ meine Kleider zu Lumpen verwahrlosen. Ich würde keinen Mann je mehr meinen Freund nennen können noch die Frau, die ich liebte, je wieder ansehen können. Ich würde mein Leben lang ein erbärmlicher Briefeschreiber inmitten des Kotes und der Fliegen auf dem Marktplatz bleiben. Ich würde mich zu der Masse gesichtsloser Wesen gesellen, die ebenfalls von Gott verlassen worden waren.

Eines Tages, als ich in der Sonne schwitzte, während sich der Dreck in meine Haut einbrannte, sah ich den Saum eines vertrauten Umhangs an mich herankommen. Als ich aufschaute, glaubte ich, meinen Augen nicht zu trauen, denn es war Saul, und er lächelte mir zu. »Bitte geh weg«, rief ich ihm zu und versuchte, mich vor seinem Blick zu verstecken. Doch Saul kniete im Staub nieder und betrachtete mich ernst. Dann sprach er: »Mein lieber Bruder, ich habe wieder und wieder die ganze Stadt nach dir abgesucht. Es ist kein Tag vergangen, an dem ich nicht die Gesichter der Menge studiert hätte, in der Hoffnung, darunter meinen treuen David zu erblikken. Wie habe ich dich vermißt!«

Als er mich umarmen wollte, stieß ich ihn zurück und rief: »Verunreinige dich nicht selbst in meiner Gegenwart. Laß mich in Ruhe und geh deiner Wege. Ich habe gebetet, daß du mich vergessen mögest und daß meine Familie mich für tot hielte. Erzähle ihnen nicht, daß du mich gefunden hast, Saul!«

Seine Stimme klang traurig, als er antwortete: »Sie denken tatsächlich, du seist tot, denn seit drei Monaten hat dich niemand mehr gesehen noch von dir gehört. Wir finden dich nicht auf der Straße und begegnen dir auch nicht im Tempel bei der Andacht. Nur zufällig habe ich heute nach unten geblickt und meinen Bruder erkannt.«

»Ich kann nicht in den Tempel gehen, Saul, denn ich würde es niemals wagen, Gottes heiligen Boden zu entweihen. Sprich, was denkt mein Vater über dies alles?«

»Er war über das Geschehene tief betrübt, David. Trotzdem betet er täglich, daß du zu ihm nach Hause zurückkehren mögest.«

Seltsamerweise war es aber nicht die Meinung meines Vaters, die mir das Herz schwermachte. »Und Eleasar?« fragte ich.

»Am Tage, als du weggingst, raufte sich Eleasar die Haare und zog die Trauerkleidung an. Er trägt sie bis auf den heutigen Tag und hat nicht ein Mal deinen Namen ausgesprochen. Doch höre, David, er betet jetzt doppelt soviel, und man kann ihn bis spät in die Nacht weinen hören. Seitdem du uns verließest, leben wir in einem Haus der Trauer. David, ich liebe dich wie meinen Bruder; ohne dich kann ich nicht leben. Bitte, komme zurück!«

Doch ich wußte, daß dies unmöglich war, denn Eleasar war ein stolzer Mann, und ich hatte sein Gesetz befleckt.

Bevor Saul fortging, mußte er mir versprechen, niemandem etwas von mir oder von dieser Begegnung zu erzählen und niemals zurückzukommen. Er gab mir sein Wort.

Ein Monat verging, bevor ich ein zweites Mal Besuch bekam. Rebekka, die ebenfalls die Stadt nach mir abgesucht hatte, fand mich unter den Straßenhändlern, Bettlern und Eseln, und sie kniete sich vor mich hin und bat mich, zurückzukehren. Sie sprach: »Ich liebe dich, David Ben Jona, und kann es nicht ertragen, dich so zu sehen. Komm mit in mein Haus. Mein Vater wird dich bei sich aufnehmen.«

Doch ich wußte, daß auch dies unmöglich war, denn ich dachte an Eleasar, und dieser war ein stolzer Mann, und ich hatte sein Gesetz befleckt.

Ich war innerlich so zerrissen von Rebekkas Besuch und vom Anblick der Tränen in ihren lieblichen Augen; so elend fühlte ich mich danach, daß ich meinen guten Platz auf dem Marktplatz aufgab und mich jenseits der Stadtmauern niederließ, wo man mich nicht finden konnte, wo aber auch weniger Kunden hinkamen.

Eines Tages, als ich wie gewöhnlich, von Fliegen umschwirrt, im Schmutz saß und an einem Stück hartem Käse knabberte, stand plötzlich ein hochgewachsener, bescheiden gekleideter Mann vor mir. Er hatte die Sonne im Rücken, so daß ich nur seine Umrisse wahrnahm. »Wie hoch ist dein Honorar?« fragte er mich.

»Ein Schekel für den Papyrus und das Schreiben, Meister, und zwei Schekel für den Karawanenführer.«

»Wie weit kannst du einen Brief schicken?« fragte er weiter.

»Ich stehe in Verbindung mit Männern, die bis nach Damaskus, Alexandria und sogar bis nach Rom reisen. Um einen Brief weiter zu schicken, wie etwa nach Gallien oder Britannien, müßt Ihr Euch nach einem anderen umsehen.«

»Mein Brief muß keinen weiten Weg zurücklegen«, entgegnete er, »und es ist auch ein sehr kurzer Brief.«

»Es wird Euch trotzdem einen Schekel kosten, Meister«, gab ich zurück.

»Es sei, wie du sagst«, antwortete er und räusperte sich, um zu diktieren.

Ich spuckte auf meinen Tintenstein und tauchte die Spitze meines Schreibrohres hinein. Dann hielt ich meine Hand, zum Schreiben bereit, über den Papyrus.

»Dieser Brief geht an meinen Sohn David, der in Jerusalem lebt«, begann er mit leiser Stimme. »Ich will ihm sagen: Mein Sohn, ich habe Unrecht getan. Ich war ein eitler und gotteslästerlicher Mann, indem ich an Gottes Stelle das Urteil sprach. Nicht mir oblag es, dich zu richten, sondern Gott, und in meinem Stolz tat ich es dennoch. Ich liebte dich mehr als meine eigenen Söhne, denn du warst scharfsinnig und zeigtest eine einzigartige Leidenschaft für das Gesetz Gottes. Ich war ein selbstsüchtiger Mann und dachte nur daran, wie sehr du meinen Namen mit Ruhm bedecken würdest, wenn du erst einmal als Schriftgelehrter im Tempel Aufnahme gefunden hättest. Als du die besagten Sünden begingst, faßte ich sie als eine persönliche Beleidigung auf – und nicht als eine Beleidigung Gottes. Und dies war ganz falsch. Ich bin ein schwacher, eitler Mensch gewesen und habe meiner Familie durch meine selbstsüchtige Verbitterung Leid zugefügt. Und durch meine Entrüstung habe ich dich bewogen, dich vom Tempel fernzuhalten und Gott den Rücken zu kehren. Nun bitte ich dich, zu mir zurückzukommen, David, und einem alten Lehrer seinen Stolz nachzusehen.«

Verblüfft blickte ich schweigend zu Eleasar auf. Jetzt, wo er sich gegen die Sonne abhob, erschien er dünner als zuvor, fast gebrechlich. Seine Stimme bebte; seine Augen waren gen Himmel gerichtet.

Als ich den Saum seines Gewandes küssen wollte, beugte sich Eleasar zu mir herunter und hob mich auf. Und dann umarmten wir uns, wie es sich für Vater und Sohn gehört. Er war so schmächtig in meinen Armen und kam mir plötzlich so klein vor. Ich hatte früher nie auf Eleasars Wuchs geachtet und hatte auch nicht bemerkt, daß ich größer war als er.

»Du mußt mit mir in den Tempel zurückkehren«, sagte er mit Freudentränen in den Augen, »und wieder mein Schüler sein.« Doch ich entgegnete: »Ich will mit Euch in den Tempel zurückkehren, Rabbi, aber nur als einfaches Mitglied der Gemeinde, nicht als Euer Schüler. Was geschehen ist, kann nicht ungeschehen gemacht werden. Die Nacht meines fürchterlichen Falls vor sechs Monaten hat mir die Augen geöffnet und mir gezeigt, daß ich nicht würdig bin, mich einen Schüler des Gesetzes zu nennen. Ich aß Schweinefleisch und starrte auf die Nacktheit junger Mädchen. Ich vergaß Gott und das Volk Israel in meiner Gier nach mehr Geld, und dies ist nicht wiedergutzumachen. Saul ist ein guter Schüler, und er liebt das Gesetz. Er würde sich niemals die Ruchlosigkeit gestatten, der ich in jener Nacht verfiel, denn er ist ein stärkerer Mann als ich. Macht ihn zu Eurem besten Beispiel, Eleasar, denn dies wäre Euer beider würdig.« Wir blieben lange Zeit so beim Tor stehen und weinten uns an der Schulter des anderen aus. Als wir später dann nach Hause kamen, war die Freude in seiner Familie und unter den anderen Schülern groß. Und nachdem ich mir frische Kleider angezogen und die Füße eines jeden Anwesenden gewaschen hatte, erzählte uns Rabbi Eleasar die Geschichte vom verlorenen Sohn.

Am nächsten Tag sah ich Rebekka.

Judy mußte mehrmals laut klopfen, bevor Ben die Tür öffnete. Er war überrascht, sie zu sehen.

»Ist etwas nicht in Ordnung?« fragte sie. »Geht es Ihnen gut?«

»Ich . . . ja, mir geht es prima.« Er rieb sich die Stirn und blickte finster. »Kann ich irgend etwas für Sie tun?«

Judy erschrak, als sie bemerkte, wie verstört er war, wie verkrampft und müde.

»Sie haben bei mir vor etwa einer Stunde angerufen und mich gebeten, herzukommen.«

Er zog seine Augenbrauen hoch. »Ich?« Ben rieb sich abermals die Stirn. »Ich soll . . .?«

»Soll ich hereinkommen?«

»Oh, natürlich! Aber sicher!« Er versuchte verzweifelt, seine Gedanken zu ordnen, als sie an ihm vorbei in die Wohnung ging und die Tür hinter sich schloß. War vor einer Minute nicht Angie hier gewesen?

»Wie spät ist es?« fragte er mit belegter Stimme.

»Es ist zehn Uhr, Dr. Messer. Ich kam, so schnell ich konnte...« Judy sah die dunklen Ringe unter seinen Augen, bemerkte, daß seine Brille fehlte und daß sein blondes Haar nach allen Seiten vom Kopf abstand.

»Erinnern Sie sich nicht daran, daß Sie mich angerufen haben?«

»Ich...« Ben massierte sich die Schläfen. »Ja... jetzt erinnere ich mich. Aber Angie war doch hier. Nein, warten Sie, sie ist ja gegangen. Wir hatten eine Auseinandersetzung, und danach ist sie gegangen. Aber das ist schon Stunden her! O Gott!«

Ben lief in die Küche, wo er sich daranmachte, die Kaffeekanne mit Wasser zu füllen. Als er spürte, daß Judy hinter ihm im Türrahmen stand und ihn beobachtete, meinte er: »Ich kann Ihnen nicht beschreiben, wie sehr ich mich in dieser letzten Schriftrolle verloren habe. Es ist, als ob ich überhaupt nicht hier gewesen wäre. Es kommt mir gerade so vor, als wäre ich um zweitausend Jahre zurückversetzt worden und hätte Davids Leben noch einmal gelebt...«

»Haben Sie heute wieder eine Rolle bekommen?«

Er schaute zu Judy auf. Es kam ihm wie eine Ewigkeit vor, seit er sie im Unterricht an der Uni gesehen hatte. Und doch war es erst an diesem Nachmittag gewesen. So viel war seither geschehen: David hatte sein Geld verloren und war in Ungnade gefallen, so daß er wie ein Bettler unter dem Pöbel von Jerusalem leben mußte.

»Ja, ich habe heute Nummer sechs bekommen...«

»Ist es...«

Ben schaute hinab auf seine zitternden Hände. »O Herrgott, was geschieht nur mit mir! Ich kann nicht glauben, daß mich diese Rollen derart beeinflussen, daß ich solche Reaktionen zeige. Ich muß mich erst wieder beruhigen.«

»Warum setzen Sie sich nicht hin und lassen mich den Kaffee machen?«

Ben verließ die Küche und kam ein paar Minuten später mit den losen Blättern zurück, auf die er seine Übersetzung geschrieben hatte. Stirnrunzelnd betrachtete er sie. »Ich kann mich nicht erinnern, das hier geschrieben zu haben. Helfen Sie mir doch, Judy! Ich kann mich nicht erinnern, auch nur ein einziges von diesen Blättern geschrieben zu haben. Und doch ist dies hier die vollständige Übersetzung von Rolle sechs.«

Sie nahm ihm die Seiten aus der Hand und überflog die unregelmäßige, kaum leserliche Handschrift. »Noch nie bin ich von einer Sache so sehr in Anspruch genommen worden wie von dieser«, fuhr er fort. »Ich habe mich so sehr hineinvertieft, daß mir nicht einmal bewußt war, daß ich etwas las. Vielmehr habe ich die geschilderten Ereignisse tatsächlich erlebt.«

Sie nahmen ihren Kaffee und die übersetzten Seiten und gingen zu ihren gewohnten Plätzen auf der Couch. Judy zog ihre Schuhe aus und machte es sich im Schneidersitz für die lange Lektüre bequem. Ben beobachtete sie dabei. Er hatte das Gefühl einer gewissen Sicherheit, wenn sie an seiner Seite war, etwas, das er mit Angie nie verspürt hatte. Judy Golden besaß die bemerkenswerte Fähigkeit, wirklich zu verstehen, was er zur Zeit durchmachte, und das brauchte Ben jetzt.

Während sie las, schwebten sie beide irgendwo zwischen Vergangenheit und Gegenwart. Es war ein unwirklicher Augenblick. Denn in dem Moment, als sich ihre Augen in die von ihm geschriebenen Worte versenkten, wußte Ben, daß Judy wieder in Jerusalem war.

Sie ließ die Blätter in ihren Schoß fallen, während sie vor sich hin starrte. »Das ist phantastisch ... ganz phantastisch!« flüsterte sie.

Ben nahm die Seiten sorgsam an sich und legte sie auf dem Kaffeetischchen ordentlich zu einem Haufen zusammen. »Sie haben es also auch gespürt?«

Judy wandte sich zu ihm um. Ihre Augen waren weit aufgerissen, und es spiegelten sich darin die Bilder wieder, die soeben an ihr vorbeigezogen waren. »Ja! Wie könnte man es nicht spüren? Es ist, als ob die zwischen uns liegenden zweitausend Jahre überhaupt nicht existierten.«

»Haben Sie Jerusalem gesehen? Haben Sie Jerusalem gespürt?« Judy blickte Ben direkt ins Gesicht, und für einen Moment war in ihren Augen ein verwirrtes Flackern zu erkennen. Zum erstenmal, seit sie ihn zu Hause besuchte, bemerkte sie eine Veränderung an ihm.

»Was sehen Sie, wenn Sie diese Worte lesen?« fragte sie und beobachtete aufmerksam sein Gesicht.

»Dasselbe wie Sie. Die überfüllten Straßen des alten Jerusalem, die Mauern aus Lehmziegeln und die aufragenden Gebäude. Ich sehe Fremde in farbenfrohen Gewändern auf dem geschäftigen Marktplatz. Die feinen Straßen der römischen Oberschicht und das verwahrloste Armenviertel. Ich höre das Geplapper von vielen Menschen und rieche die Düfte von tausend Dingen. Ich spüre die Hitze der Sonne Judäas im Nacken und laufe durch den Staub von Jerusalems Gassen.«

Während er sprach, erwachte Ben zu neuem Leben. Sein Gesicht glühte, und seine Gebärden waren lebhaft. Judy hörte die Erregung in seiner Stimme und beobachtete das Leuchten in seinen Augen. Und langsam begann sie, dort eine verborgene Eigenschaft wahrzunehmen... eine, die sie zuvor noch nicht bemerkt hatte.

Durch seine Bewegung und Ausdrucksweise wirkte Ben wie ein Mensch, der von einer weiten Reise zurückkehrt.

Judy nahm ihre Tasse und hielt sie lange an ihre Lippen. Der heiße Kaffee wärmte ihr das Gesicht und füllte ihre Nase mit einem köstlichen Wohlgeruch. Und während sie dasaß und halb Bens Beschreibung von Jerusalem lauschte, halb über David Ben Jonas Worte nachdachte, kam sie zu der Erkenntnis, daß der Mann neben ihr eine gewisse Veränderung durchgemacht hatte.

»Woran denken Sie gerade?« fragte er plötzlich.

Ja, eine deutliche Veränderung. Seine Sprache klang irgendwie ganz anders...

»Ich stellte mir gerade das Bild vor, das Sie von Jerusalem malen«, erwiderte sie. »Sie bringen es einem richtig zum Bewußtsein.«

»Das ist Davids Verdienst, nicht meines. Er läßt mich die Dinge sehen, wie sie wirklich sind.« Er stieß einen langen Seufzer aus und wandte sich dann lächelnd zu ihr um. »Wissen Sie, was ich an Ihnen so mag? Sie sind eine gute Zuhörerin.

Nein, es ist mehr als das. Sie sind anpassungsfähig. Es scheint Ihnen gleichgültig zu sein, ob man sich unterhält oder nicht. Wenn ich wollte, könnte ich hier schweigend sitzen, und Sie würden ebenfalls geduldig bei mir sitzen bleiben. Und wenn ich mich entscheiden würde zu sprechen, würden Sie zuhören. Das ist eine seltene Eigenschaft, wissen Sie?«

Judy schaute weg. An Komplimente war sie nicht gewöhnt. Von Schmeicheleien fühlte sie sich unangenehm berührt.

Ben studierte für einen Augenblick ihr Profil und fragte sich, ob er sie zum erstenmal sah. Judy Golden war eigentlich nicht direkt ein hübsches Mädchen, aber sie hatte ein interessantes Gesicht. Große, nachdenkliche Augen mit langen, schwarzen Wimpern. Eine gerade, scharf geschnittene Nase und einen kleinen Mund. Glattes, schwarzes Haar, das stets frisch gewaschen war und glänzte. Judy war ein stilles, fast etwas befremdliches Mädchen. Und Ben war froh, sie bei sich zu haben.

»Wissen Sie... Ich frage mich...« Ben wußte nicht, wie er formulieren sollte, was ihm auf der Zunge lag.

»Was fragen Sie sich?«

»Ob meine Familie vor langer, langer Zeit wirklich einmal dem Stamm der Benjaminiten angehörte. Vielleicht bekam ich deshalb den Namen Benjamin, und nicht weil ein Onkel von mir so hieß.«

»Das ist möglich. Die Stämme bestehen heute noch in den Levis, den Cohens und den Reubens fort. Wenn Sie zu den Benjaminiten gehören, wären Sie in guter Gesellschaft. Der erste König von Israel, Saul, war einer vom Stamme Benjamins.«

Ben nickte. »Saul...«, wiederholte er langsam und sah im Geiste Davids Freund. Wie sehr ähnelte doch diese Freundschaft seiner Beziehung zu Solomon vor vielen Jahren! Es gab viele Parallelen: Solomon war größer als Ben; Solomon lachte oft und gewann mit seiner liebenswerten Art schnell Freunde; Solomon war auf der Rabbinerschule geblieben, während Ben einen anderen Lebensweg eingeschlagen hatte.

»Wir sind uns so ähnlich... so ähnlich«, murmelte Ben.

»Was haben Sie gesagt?«

»Ich denke gerade an einen Freund von früher, einen Jungen namens Saul Liebowitz. Wir waren ähnlich eng befreundet wie David und Solomon.« Ben schüttelte den Kopf. »Nein, ich meine wie David und Saul. Solomon war der Name *meines* Freundes.« Ben starrte auf seine Hände und dachte über Davids Entschluß nach, das Studium der Gesetze nicht fortzusetzen. Er erinnerte sich an seinen letzten Besuch in Brooklyn, als er versuchte, Solomon zu erklären, warum er die Rabbinerschule verlassen wollte.

»Wissen Sie«, sagte er schließlich zu Judy, sprach aber mehr zu sich selbst, »zu dieser Zeit, als ich beschlossen habe, nach Kalifornien zu gehen, um dort zu studieren, hatte ich eigentlich vor, weiterhin am jüdischen Glauben festzuhalten. Ich denke, ich habe mir damals selbst etwas vorgemacht. Oder vielleicht hatte ich auch Angst, mir selbst gegenüber und zu meinen Freunden ehrlich zu sein. Ich hatte zu Solomon gesagt, daß ich immer noch ein Jude sei, auch wenn ich nicht länger die Rabbinerschule besuchen wollte. Aber das war nicht ehrlich gemeint. Rückblickend erkenne ich, daß ich schon damals nicht die Absicht hatte, beim Judentum zu bleiben. Eigentlich konnte ich gar nicht schnell genug davon wegkommen.«

Er betrachtete Judy mit trüben Augen. »Wissen Sie was? Ich war immer heimlich froh darüber, daß ich nicht jüdisch aussehe.«

»Oh, bitte...«

»Es ist wahr. Und keiner meiner Freunde weiß, daß ich Jude bin. Es ist wie ein streng gehütetes Familiengeheimnis, wie eine Leiche im Keller, die fault und modert und zum Himmel stinkt. O Gott!« Er stand unvermittelt auf. »Das ist verrückt! Hier sitze ich und verrate Ihnen schon wieder meine innersten, dunkelsten Geheimnisse. Ich kann mir vorstellen, was Sie jetzt wohl denken.«

»Nein, das können Sie nicht«, entgegnete sie sanft.

Ben schaute zu ihr herab. Da war es schon wieder, dieses sonderbare Verlangen, Judy Golden an seiner Seite zu haben; ein schwacher, flüchtiger Gedanke, der sich seinem Zugriff entzog, so daß er ihn nicht fassen konnte. Hatte er sich nicht einmal geschworen, ihr von den nächsten Rollen nichts zu erzählen? Hatte er sich nicht ganz fest vorgenommen, ihr keine vertraulichen Mitteilungen mehr zu machen? Doch was war es, fragte er sich jetzt, welche namenlose Sehnsucht setzte sich über seine Vernunft hinweg und veranlaßte ihn, sie zum wiederholten Male zu sich zu rufen?

Ben schüttelte abermals den Kopf. Der Gedanke war verflogen, bevor er ihn greifen konnte. Es hatte etwas mit David zu tun...

Ben wandte sich von ihr ab und begann, mit großen Schritten durch den Raum zu laufen. Er ging vor Judy auf und ab wie ein Rechtsanwalt vor den Geschworenen, während sein Geist schon wieder von einem Gedanken zum nächsten sprang. Diese raschen Stimmungsänderungen waren unkontrollierbar, unberechenbar. Ben war sich dessen nicht einmal bewußt, aber Judy bemerkte, wie sein Gesicht sich nach einer angestrengten Überlegung entspannte und sich gleich darauf wieder in nachdenkliche Falten legte.

Ein neuer Gedanke ging Ben nun im Kopf herum.

»Wissen Sie, seit ich mit der Übersetzung der Rollen begann, habe ich die unglaublichsten Alpträume. Und wenn ich wach bin, kann ich meine Gedanken nicht mehr steuern.« Er unterbrach sich und starrte vor sich hin.

Sie erhob sich und trat ihm gegenüber. »Vielleicht erinnern die Rollen Sie an Dinge...«

»Natürlich tun sie das!« platzte er heraus. »Schauen Sie sich doch die ganzen verdammten Übereinstimmungen an!«

»Nun, es gibt...«

»Ich weiß, es klingt verrückt, Judy, aber ich werde das Gefühl nicht los, daß... daß...« Er stürzte wie wild auf sie zu; sein Mund verzerrte sich, und er vermochte das nächste Wort nicht auszusprechen.

»Welches Gefühl werden Sie nicht los?« flüsterte sie.

Er biß sich heftig auf die Unterlippe, als ob er sich selbst am Sprechen hindern wollte. Dann sagte er: »Das Gefühl, daß David Ben Jona wirklich zu mir spricht.«

Judy riß die Augen auf.

»Ich weiß, es klingt verrückt, aber ich glaube daran! Es ist, als ob David noch immer lebt, als ob er mir beim Übersetzen über die Schulter schaut.«

Ben drehte sich rasch um und lief im Zimmer hin und her wie ein in einem Käfig gefangenes Tier. »Und was noch schlimmer ist, ich habe keine Kontrolle darüber! Wie sehr ich es auch versuche, David geht mir einfach nicht aus dem Sinn. Ich ertappe mich bei Gedanken, die er gedacht haben könnte. Ich schwelge in Erinnerungen an Magdala, als erinnerte ich mich an meine eigene Kindheit. Ich träume mit offenen Augen von Rebekka und vom Sommer in Jerusalem. Ich leide unter Gedächtnisschwund. Ich kann mich nicht daran entsinnen, die Übersetzungen geschrieben zu haben. Ich vergesse ständig, welche Tageszeit es ist.«

Plötzlich hielt er mitten in seiner Rede inne. »Sie denken, ich bin verrückt, nicht wahr?«

»Nein, das tue ich nicht.«

»Dann sagen Sie mir, was Sie davon halten?«

»Ehrlich?«

»Ehrlich.«

»Nun, ich denke, daß die Rollen bei Ihnen auf die eine oder andere

Weise Erinnerungen an Ihre Vergangenheit wachgerufen haben. Erinnerungen, die Sie lieber vergessen wollten und die Sie bis heute verdrängen konnten. Vielleicht sind es sogar Schuldgefühle...«

»Schuld!«

»Sie haben mich doch darum gebeten, ehrlich zu sein. Ja, Schuld.«

»Weswegen?«

»Wegen der völligen Ablehnung Ihrer Vergangenheit und Ihres jüdischen Erbes. Als Kind wurden Ihnen jüdisch-orthodoxe Verhaltensregeln eingeschärft, und dann, ganz plötzlich, kehrten Sie dem allen den Rücken. Sie haben sich so weit davon entfernt, daß Sie Juden heute beinahe als eine andere Sorte Mensch betrachten und nicht als Ihr eigenes Volk. Haben Sie sich eigentlich nie gefragt, warum Sie Ihr Leben lang danach streben, uralte geistliche Texte zu übersetzen? Sie sind auf der Suche nach Ihren eigenen Ursprüngen. Indem Sie sich mit hebräischen Manuskripten befassen, suchen Sie vielleicht nach Ihren eigenen verlorengegangenen jüdischen Wurzeln«.

»Unsinn!«

»Nun, als Sie sich vom Judentum abwandten, gaben Sie es dennoch nicht vollständig auf, oder? Statt dessen gingen Sie es von einer anderen Seite an. Jetzt sind Sie der unbeteiligte Wissenschaftler, der anstelle des Talmudisten die alten Texte liest. In einer etwas verdrehten Art und Weise haben Sie die Hoffnungen erfüllt, die Ihre Mutter in Sie setzte – nämlich ein Rabbi zu werden. Indem Sie als Paläograph arbeiten, dienen Sie zugleich zwei Persönlichkeiten, dem Juden und dem Nichtjuden.«

»Das ist doch wirklich an den Haaren herbeigezogen! Ich befasse mich mit alten Manuskripten, weil ich von der Jeschiwa her gute Voraussetzungen dafür mitbrachte. Ich hätte ein anderes Sachgebiet wählen können, doch damit hätte ich gute Wissensgrundlagen einfach verkommen lassen. Sie haben noch immer nicht meine Frage beantwortet: Weswegen sollte ich Schuldgefühle haben?«

»Also gut, wenn es nicht wegen des jüdischen Glaubens selbst ist, dann vielleicht wegen Ihrer Mutter.«

»O Gott, meine Mutter! Sie haben ja keine Ahnung, wie es war, von ihr erzogen zu werden! Tag für Tag zu hören, daß die Juden die Heiligen auf Erden seien. Daß alle Gojim böse seien. Um Himmels willen, die Juden haben doch keine Monopolstellung bei der Verfolgung. Sie waren nicht die einzigen, die in Konzentrationslager deportiert wurden. Polen und Tschechen und andere Menschen, die die Deutschen als minderwertig ansahen, wurden vernichtet! Warum zum Teufel müssen wir immer die leidenden Diener Gottes sein?« Diesen letzten Satz hatte Ben so kraftvoll ausgestoßen, daß seine Adern an Hals und Schläfen hervortraten. Dann verstummte er plötzlich, atmete schwer und blickte zu Judy. »Es tut mir leid«, murmelte er.

Er ging zurück zur Couch und ließ sich müde darauf fallen.

»So bin ich nie gewesen. David fördert wohl alle in mir aufgestauten Gefühle der Ohnmacht zutage. Es tut mir wirklich leid, Judy.«

Sie setzte sich neben ihn. »Ist schon gut.«

»Nein, ist es eben nicht.« Ben ergriff ihre Hände und hielt sie ganz fest. »Ich rufe Sie spätabends an, und dann schreie ich Sie an wie ein Wahnsinniger. Ich weiß wirklich nicht, was in mich gefahren ist. Ich bin wohl tatsächlich verrückt geworden.«

Judy schaute auf ihre eng umschlungenen Hände und fühlte, wie eine sonderbare Wärme sie durchströmte.

»Ich bin besessen«, sagte er. »Ich weiß es, aber ich kann nicht dagegen ankämpfen. David würde es nicht zulassen.«

Wieder wurde Ben von merkwürdigen Bildern und entsetzlichen Alpträumen gepeinigt. Gefangen im Schlaf, war er Zeuge der unglaublichen Greuel im Konzentrationslager, mußte mit ansehen, wie sein Vater grausam umgebracht und seine Mutter brutal gefoltert wurde. Die ganze Nacht lang wurde er von Jahrhunderten jüdischer Verfolgung gequält. Er erlebte mittelalterliche Massaker und Pogrome. Er sah, wie Juden in rasenden Ausbrüchen christlichen Glaubenseifers dahingeschlachtet wurden.

An einer Stelle erwachte er zitternd, fiebrig und zugleich eiskalt. Seine Bettwäsche war herausgezerrt und zu einem Knäuel zusammengedreht. Wankend lief Ben auf den Flur hinaus und stellte den Thermostat höher. Dann kroch er wieder ins Bett zurück und zog die Bettdecke über sich. Der Schweiß brach ihm aus allen Poren, und er bebte derart, daß das Bett wackelte.

»O Gott!« stöhnte er. »Was ist nur los mit mir?«

Als er wieder in Bewußtlosigkeit versank, wurde er nur noch stärker von Alpträumen heimgesucht. Er sah sich unter einem Galgen stehen und auf eine bösartige, johlende Menge herabblicken. Ein Mann ohne Gesicht stand neben ihm und rief aus: »Spricht irgend jemand von euch für diesen Mann?«

Und die Menge brüllte zurück: »Sein Blut komme über uns und über unsere Kinder!«

Als ihm die Schlinge des Henkers um den Hals gelegt wurde, schrie Ben: »Nein, nein, ihr habt es falsch verstanden! Matthäus hat das nur erfunden, um Römer zum Christentum zu bekehren. Die Juden waren nicht verantwortlich!«

Doch die Menge grölte abermals: »Sein Blut komme über uns und über unsere Kinder!« und bekundete mit Gebärden, daß es sie nach seinem Tod gelüstete.

Da kam der gesichtslose Mann ganz dicht an Ben heran und flüsterte ihm ins Ohr: »Kapitel siebenundzwanzig, Vers fünfundzwanzig.« Dann straffte sich das Seil, und Ben spürte, wie der Boden unter seinen Füßen nachgab.

Mit einem erstickten Schrei in der Kehle fuhr Ben im Bett hoch. Sein ganzer Körper war schweißgebadet, und die Laken waren klatschnaß.

»Jahrhundertelanges Leiden«, flüsterte er in die Finsternis hinein, »und alles wegen dieser einen Zeile. O Gott, das hätte doch verhindert werden können!« Und er verbarg sein Gesicht in den Händen und weinte.

Bei Tagesanbruch war er erschöpft und fühlte sich so, als hätte er überhaupt nicht geschlafen. Erinnerungen an die Alpträume verfolgten ihn hartnäckig, als er sich frischmachte und für den Tag vorbereiten wollte. Unter der heißen Dusche grübelte er über die symbolische Bedeutung seiner Träume nach und fragte sich, warum sie nach all den Jahren ausgerechnet jetzt zu ihm zurückkamen.

Er nahm keine Notiz von der Unordnung in seiner Wohnung und achtete nicht auf Poppäa, die um Futter bettelte. Wie in Trance saß er über einer Tasse mit bitterem Kaffee. Vor seinen Augen tanzten Bilder aus seinen Träumen – phantastische, unheimliche Szenen von Tod, Verstümmelung und bestialischer Grausamkeit. Sie widerten ihn an und erfüllten ihn mit Trostlosigkeit und Kälte. Ihm war, als ob er persönlich eine Nacht lang die Schmerzen, Qualen und Erniedrigungen aller Juden in zwei Jahrtausenden Geschichte erlitten hätte.

»Alles wegen einer Zeile in einem Buch«, murmelte er über dem Kaffee. »Warum tust du mir das an, David? Warum muß ich leiden?«

Vor seinem trüben, teilnahmslosen Blick tauchte das Bild von David Ben Jona auf, einem dunklen, ansehnlichen Juden mit ernsten, nachdenklichen Augen. Er war keine greifbare Erscheinung, sondern eine nebelhafte, durchscheinende Gestalt wie aus einer Fata Morgana. Ben starrte ihn ohne Gemütsbewegung an und sprach ohne Empfindung: »Wenn ich nur wüßte, warum deine Wahl ausgerechnet auf mich fiel, könnte ich es vielleicht noch ertragen. Aber ich weiß es nicht und habe das Gefühl, den Verstand zu verlieren.«

Ben stand langsam auf und wanderte ins Wohnzimmer hinüber. Er legte sich auf die Couch und verschränkte die Arme unter dem Kopf. Vielleicht würde er bei Tageslicht besser schlafen können.

Doch dies war nicht der Fall. Sobald er eingeschlafen war, gingen die Träume aufs neue los. Genauso lebendig, als ob sie sich wirklich ereigneten. Ben war wieder bei seiner Mutter in Brooklyn und erbrach sich im Badezimmer. Sie hatte wieder angefangen, vom Konzentrationslager zu erzählen – immer und immer wieder wie eine Geistesgestörte. Sie berichtete von Greueltaten, die der vierzehnjährige Ben noch gar nicht verkraften konnte. Es war nicht das erstemal, daß er sich so übergeben hatte. Und die ganze Zeit über Rosa Messers weinerliche Stimme: »Für deinen armen toten Vater mußt du ein Rabbiner werden, Benjamin. Er starb, indem er für Juden kämpfte. Nun mußt du seinen Platz einnehmen und die Gojim bekämpfen.«

Daß seine Mutter in Majdanek in mancher Hinsicht verrückt geworden war, hatte Ben immer gewußt. Und daß sie mit jedem Jahr, das verging, unausgeglichener wurde, war ihm ebenfalls bekannt. Doch warum er selbst auf ihr Wehgeschrei so heftig reagiert hatte, warum er ihr das für sie so kostbare Judentum ins Gesicht geschleudert hatte, das konnte er bis heute nicht verstehen.

»Weißt du, Benjy«, hatte Solomon Liebowitz bei ihrer letzten Begegnung gesagt, »du bist dir nur selbst nicht ganz klar darüber, warum du dem jüdischen Glauben den Rücken kehren willst.«

»Ich habe nicht gesagt, daß ich ihm den Rücken kehren wolle. Ich werde trotzdem noch Jude bleiben.«

»Aber kein orthodoxer, Benjy, und damit bist du überhaupt kein Jude mehr. Du hast die Thora und die Synagoge aufgegeben, Benjy, und ich kann einfach nicht verstehen, warum.«

Ben hatte die Ohnmacht in seinem Inneren gespürt. Wie konnte er seinem besten Freund Solomon erklären, wie konnte er ihm begreiflich machen, daß er, um von seiner unglücklichen Vergangenheit loszukommen, sich auch vom Judentum lösen mußte? Weil Judentum und Unglück für Ben unentwirrbar miteinander verflochten waren.

»Es wird deine Mutter ins Grab bringen«, hatte Solomon gewarnt.

»Sie hat Schlimmeres durchgemacht. «

»Wirklich, Benjy? Hat sie das?«

Dieser letzte Abschied von Solomon war einer der schmerzlichsten Augenblicke in Bens Leben gewesen. Und jetzt, als er sich in seinen Alpträumen verzweifelt auf der Couch wand, strömten all die quälenden Erinnerungen an Rosa Messer und Solomon Liebowitz zu ihm zurück.

Im letzten Traum stand Ben David gegenüber. Der stattliche, bärtige und fein gekleidete Jude sagte in Aramäisch: »Du bist ein Jude, Benjamin Messer, ein Mitglied von Gottes auserwähltem Volk. Es war falsch, dein eigenes Volk durch deine Feigheit im Stich zu lassen. Dein Vater ist im Kampf für die Würde der Juden gestorben. Doch du würdest davor Reißaus nehmen, als handelte es sich um etwas Unreines. «

»Warum verfolgst du mich?« schrie Ben im Schlaf.

»Ich verfolge dich nicht. Du verfolgst dich selbst. Kapitel siebenundzwanzig, Vers fünfundzwanzig. «

Das Klingeln des Telefons riß ihn aus dem Schlaf. Er hob völlig verwirrt ab. Am anderen Ende hörte er Dr. Cox' Stimme klar und deutlich. Es war Nachmittag, und Ben war schon zum dritten Mal nicht zum Unterricht erschienen. Was stimmte nicht?

Ben hörte sich selbst als Entschuldigung irgend etwas von Krankheit murmeln. Dann vereinbarte er mit Professor Cox, sich um fünf Uhr in dessen Büro mit ihm zu treffen. Ob er denn persönliche Probleme habe, ob ein Lehrer als Vertretung nötig sei... »Das sieht dir ja überhaupt nicht ähnlich, Ben... «

»Ja, ja, danke. Bis um fünf dann. «

Ben legte auf und wandte sich ruckartig vom Telefon ab. Ein leichter Schmerz rumorte in seinem Kopf und ein noch größerer in seinem Magen. Ohne richtig darüber nachzudenken, lief er schnurstracks in die Küche und durchstöberte die Schränke nach etwas Eßbarem.

Schließlich fand er eine Büchse mit Suppe, leerte sie in einen Topf, stellte den Topf auf den Herd und verließ die Küche.

Ihm war so schlecht wie noch nie zuvor in seinem Leben. Es überstieg körperliches Unbehagen bei weitem, denn die Gründe für diese Übelkeit waren in den Abgründen seiner Seele zu suchen. Ben fühlte sich durch und durch krank, gequält von den gräßlichen Alpträumen, die ihn verfolgten.

Er ließ sich auf die Couch zurückplumpsen und starrte wie betäubt vor sich hin. Er war unglaublich müde. Die Uhr an der gegenüberliegenden Wand zeigte noch etwa eine Stunde bis zur Postzustellung an – noch eine Stunde, bevor er wieder in Jerusalem sein, in Davids Haut schlüpfen und der Gegenwart entfliehen konnte. Eine qualvolle Stunde des Wartens auf die nächste Rolle, wenn es überhaupt eine solche geben würde. War Weatherby am Ende angelangt?

Ben rieb sich mit den Fäusten die Augen. Irgendwann letzte Woche hatte Weatherby ihm mitgeteilt, er habe vier weitere Rollen gefunden. Wann war das gewesen? Hatte Ben sie etwa schon gelesen?

»O Gott, bitte nicht«, flüsterte er. »Mach, daß die Rollen nicht eher enden, als bis ich sie alle gelesen habe. Ich muß herausfinden, was David mir sagen will. Ich muß wissen, warum er gerade mich auswählte.«

Die Stunde verbrachte Ben träumend im Jerusalem der Antike. Er schloß die Augen, legte den Kopf nach hinten und glitt sanft in eine andere Welt hinüber. In West Los Angeles fiel grauer Regen, doch in Jerusalem war es heiß und sonnig. Die Straßen waren staubig und erfüllt von dem ständigen Summen der Fliegen. Hunde schliefen im spärlichen Schatten, und die Bettler waren nirgends zu sehen. Ben ging zusammen mit seinem Freund David spazieren. Sie gingen auf das Tor zu, das zu den Gärten jenseits der Stadt führte. Sie würden der Straße nach Bethanien folgen, den Kidron überqueren und den alten Händler auf dem Ölberg besuchen. Vielleicht würden sie auch im Schatten eines Olivenbaumes etwas Wein trinken und die müßigen Stunden ungestört mit Scherzen und Lachen verbringen. Es war ein gutes Gefühl, einen Nachmittag mit David zu verleben, und Ben kehrte nur ungern in die Wirklichkeit zurück. Nur aus einem Grund tat er es dennoch. Der Postbote würde bald vorbeikommen.

Mit einem Satz erwachte er plötzlich wieder zum Leben, stürmte zum Garderobenschrank und zog hastig eine Jacke daraus hervor. »Okay,

David, mein Freund. Nun wollen wir hoffen, daß du mich nicht ent-
täuschst.«

Er sprang die Stufen hinunter und blieb jäh vor den Briefkästen stehen. Ein kurzer Blick ergab, daß die Post noch nicht dagewesen war.
So ließ er sich auf den kalten, feuchten Stufen nieder und wartete.
Fünfzehn Minuten vergingen. Ben war außer sich vor Ungeduld. Er
begann, in dem glitschigen Durchgang auf und ab zu gehen und kümmerte sich nicht um den Nieselregen, der auf ihn herabfiel. Je näher
der Augenblick rückte, da er die nächste Rolle lesen würde, desto unerträglicher wurde das Warten. Und als er so mit hinter dem Rücken
gefalteten Händen hin- und herlief, war sich Ben völlig darüber im
klaren, daß ein unsichtbarer Geist an seiner Seite harrte.

Es war David Ben Jona. Er paßte auf, daß die nächste Rolle auch sicher
ankäme.

Als der Briefträger auftauchte, stürzte Ben auf ihn zu.

»Messer? Wohnung dreihundertzwei? Lassen Sie mich nachschauen.« Der Mann blätterte die Post in seinen kalten Händen
durch. »Muß wohl ein Scheck sein. Richtig? Es scheint, daß sich nur
Leute, die auf Schecks warten, in der Nähe der Briefkästen herumtrei-
ben.« Er hatte den Stoß fertig durchgesehen. »Nee, da gibt es keinen
Brief für Messer. Tut mir leid.«

Ben schrie beinahe auf. »Es muß aber einer dabei sein! Sehen Sie noch
einmal nach. Ein großer, brauner Umschlag.«

»Schauen Sie, Mister, Sie können sich selbst überzeugen. Hier ist
nichts dabei.«

»Wie steht es denn mit Ihrer Tasche? Schauen Sie doch dort einmal
nach!«

»Für diese Adresse ist da nichts drin.«

»Er ist eingeschrieben!« rief er. »Ein eingeschriebener Brief!«

Der Briefträger hob den Zeigefinger. »Oh, ein Einschreiben, sagen
Sie. Ja. Da habe ich eines für diesen Block. Der Empfänger ist gewöhnlich nie zu Hause, um dafür zu quittieren. Lassen Sie mich nachsehen...« Er durchstöberte ein Seitenfach seiner Ledertasche. »Hier
ist es. Nicht zu glauben. Es ist tatsächlich für Sie. Wenn Sie hier bitte
unterschreiben wollen.«

Ben nahm zwei und drei Stufen auf einmal, um nur schnell wieder in
die Wohnung zu gelangen. Als er schließlich drinnen war, lehnte er
sich schwer atmend gegen die Tür und starrte auf den Umschlag. Eine

plötzliche Erregung durchfuhr seinen Körper wie ein Blitz, und in einer Mischung aus Freude, Besorgnis und Überschwang begann er zu zittern.

Während er auf Weatherbys vertraute Handschrift hinabsah, flüsterte Ben: »David. Oh... David...«

Kapitel Elf

Obgleich Eleasar darauf drang, daß ich wieder bei ihm wohnen solle, konnte ich dieses Angebot nicht annehmen. Es war das Heim von braven Leuten, von frommen Juden, und ich fühlte mich nicht länger als einer der Ihren. Ich mußte mich auf meine eigene Weise mit Gott versöhnen und mir selbst einen neuen Lebensinhalt schaffen. Als Eleasar mir eine Lehre in seinem Käseladen anbot, lehnte ich abermals ab. Als mein Vater mich bat, nach Magdala zurückzukehren und dort mein eigenes Fischerboot zu betreiben, schlug ich auch das aus.

Eines Tages ging ich aus der Stadt hinaus und begab mich zu dem Haus des Olivenhändlers, dessen Wein ich damals mit Saul getrunken hatte. Ich erzählte ihm alles, was in diesen sechs Monaten geschehen war, und machte ihm einen Vorschlag. Da er ein kinderloser Witwer war und einen Olivenhain und eine Ölpresse zu bewirtschaften hatte, würde ich für ihn zu einem Lohn arbeiten, der weit unter dem Durchschnittsverdienst eines Tagelöhners lag. Er war froh über mein Angebot, denn er hatte schon etwas Zuneigung zu mir gefaßt und erinnerte sich an die Tage, an denen ich ihm die einsamen Stunden vertrieben hatte. Aber er wollte mir keinen Sklavenlohn bezahlen. Was immer ich auch getan hatte, war geschehen. Die Sünden der Vergangenheit waren vorbei. Wir würden nicht zurückblicken.

Und so kam es, daß ich schweren Herzens von Eleasar Abschied nahm und in der bescheidenen Behausung des Olivenhändlers eine neue Bleibe fand. Ich sah Rebekka selten, aber ich träumte jede Nacht von ihr. Eines Tages, als wir allein miteinander waren und ich es wagte, ihre Hände in die meinen zu nehmen, schwor ich ihr meine Liebe und versprach ihr, daß der Tag kommen werde, an dem ich einen würdigen Ehemann abgäbe. Doch bis dahin mußte ich mich vor Gott und den Menschen bewähren. Ich mußte mich als würdig erweisen, wieder unter Juden leben zu können.

Mit Saul traf ich häufig zusammen. Er kam zur Ölpresse und aß Käse und Brot mit mir. Was er mir von Eleasar und der Schule erzählte, tat mir im Herzen weh, und es war, als ob ein Messer in meiner Brust umgedreht wurde. Und doch bat ich ihn nicht, darüber zu schweigen, denn von diesen Dingen zu hören war meine Strafe. Saul würde eines Tages den Titel des Schriftgelehrten erlangen und hocherhobenen Hauptes durch die Menge schreiten. Ich beneidete ihn darum, und gleichzeitig liebte ich ihn dafür.

Eleasar betrachtete ich auch weiterhin wie meinen eigenen Vater. Ihn allein liebte ich mehr als irgendwen sonst, denn er war weise, gerecht und gütig. Auf eigene Faust fuhr ich damit fort, das Gesetz zu studieren, wußte ich doch, daß die Thora für die Juden das Mittel war, ihren Erwählungsauftrag auf Erden zu erfüllen. Wenn ich Fragen hatte, ging ich in die Stadt, setzte mich zu Eleasars Füßen und lauschte seinen Ermahnungen.

Ich war traurig und glücklich zugleich. Ich schwitzte unter der Sonne im Olivenhain und aß Fisch und Käse. Die Abende waren ruhig und mild, und in Gedanken weilte ich oft bei der sanften Rebekka. Möglicherweise hätte ich mit diesem Leben für den Rest meiner Tage zufrieden sein können, doch sollte es anders kommen.

Ich erzähle Dir dies, mein Sohn, damit Du weißt, daß unsere größten Pläne ganz einfach zunichte gemacht werden können. Gott allein plant unser Schicksal, und wir haben keinen Einfluß darauf. Das Leben ist wie ein Fluß, der ständig in Bewegung ist, und du kannst deine Hand nicht zweimal an derselben Stelle eintauchen.

Wieder einmal sollte mein Leben eine Wendung nehmen. Es trat etwas ein, das im Grunde nur einen weiteren Schritt hin zu der unausweichlichen Stunde darstellte, über die ich Dir bald berichten werde. Das Verbrechen, das ich letzten Endes beging und von dem Du zweifellos bereits gehört hast, war das Endergebnis von vielen derartigen Umwegen und Änderungen in meinem Leben. Mein ganzes Planen und meine ganze Macht hätten mich nicht daran hindern können, in dieser verhängnisvollen Stunde so zu handeln.

Ebenso, wie mein Leben einen anderen Verlauf nahm, als mein Vater mich von Magdala zum Studium nach Jerusalem schickte, ebenso, wie ich in Ungnade fiel und von der Schule gewiesen wurde, so brachte mich ein drittes Ereignis wieder auf die Straße, an deren Ende das Verhängnis wartete.

Ich war dabei, Öl von unserer Presse zum Verkauf auf den Marktplatz zu bringen. Ich wartete mit den Eseln, die die fünf Tonkrüge trugen, geduldig in der Schlange, die sich langsam durch das Goldene Tor wand. Und als ich müßig in der Sonne stand und zufällig aufsah, erspähte ich ein bekanntes Gesicht in der Menge.

Es war Salmonides, der Grieche.

Ein aufgeregtes Klopfen drang von der Tür her zu Ben.

»Lieber Himmel!« rief er, als er aufsprang. Er riß die Tür auf. »Judy!«

»Hallo, ich wollte gerade...«

»Bin ich vielleicht froh, Sie zu sehen!« Ben nahm sie bei der Hand und zog sie in die Wohnung. »Er hat Salmonides gefunden!«

»Was?«

»David hat Salmonides gefunden! Kommen Sie, wir können es zusammen lesen!« Er zog Judy hinter sich her ins Arbeitszimmer und bedachte sie mit einem strahlenden, breiten Lächeln. »Können Sie das glauben? Was meinen Sie, wie sich David wohl verhält? Hoffentlich haut er dem Griechen gehörig die Hucke voll!«

Ben verstummte, als er ihren ernsten Gesichtsausdruck bemerkte. Als nächstes gewahrte er die zusammengefaltete Zeitung in ihrer Hand. »Was ist das?«

»Haben Sie es noch nicht gesehen?«

»Es gesehen? Was gesehen?«

Mit zitternden Fingern schlug Judy die Zeitung auf und breitete sie vor Ben aus. Dieser starrte ungläubig auf die Titelseite. Die Schlagzeile lautete:

JESUS-HANDSCHRIFTEN GEFUNDEN?

»Was zum Teu...« Er riß ihr die Zeitung aus der Hand.

»Jesus-Handschriften! Was zum Henker soll das für ein schlechter Scherz sein!«

»Es ist kein Scherz...«

»Jesus-Handschriften! Jesus-Handschriften! Ach, um Gottes willen!« Er hielt die Zeitung mit ausgestreckten Armen von sich und starrte entgeistert darauf. Dann fiel er rücklings in seinen Sessel. »Jesus-Handschriften gefunden! Und noch dazu mit einem Fragezeichen versehen! Gott, ist das vielleicht billig!«

Unter der Überschrift war das Foto einer Nachrichtenagentur abgedruckt, das Dr. John Weatherby mit einem der großen Tonkrüge in den Armen am Rande der Ausgrabungsstätte zeigte. Die Unterschrift des Bildes lautete: »Archäologe Dr. John Weatherby aus Südkalifornien hält einen Tonkrug, der eine der in Khirbet Migdal gefundenen Schriftrollen enthielt.«

Ben starrte ungläubig auf die Zeitung, als wäre er vom Blitz getroffen worden.

»Lesen Sie die Geschichte«, forderte Judy ihn auf. Sie räumte sich einen Platz auf dem Schreibtisch frei und setzte sich auf die Kante. Ihr Gesicht wirkte blaß und traurig. Sie hatte ihm diese Neuigkeit nur sehr ungern überbracht.

»Das ist verheerend«, murmelte Ben. »Ich kann es einfach nicht glauben!«

»Nun, das mußte ja irgendwann passieren. Sie können nicht erwarten, daß sich so etwas lange geheimhalten läßt.«

Ben zitierte aus dem Artikel. »Hören Sie sich das an: Daß es sich dabei um einen bedeutenderen Fund handeln könnte als bei den Qumran-Handschriften vom Toten Meer, wurde heute von einem Archäologen vor Ort angedeutet, der wörtlich sagte: ›Das hier wird ein bedeutenderer Fund sein als die Qumran-Handschriften vom Toten Meer.‹« Ben schaute zu Judy auf. »Ach du lieber Himmel, was ist denn das für ein Journalismus?« Er las weiter. »Zum Inhalt der Schriftrollen wollte sich Dr. Weatherby bislang noch nicht äußern. Er teilte mit, der Text werde erst dann veröffentlicht, wenn die Übersetzung abgeschlossen sei. Die Rollen werden gegenwärtig von drei Experten auf dem Gebiet der Handschriftenkunde in Amerika und Großbritannien übersetzt. Bislang kann man über Bedeutung und Inhalt des Fundes nur Vermutungen anstellen.«

Ben schleuderte die Zeitung auf den Boden. »Vermutungen anstellen, ja, aber um Gottes willen ... Jesus-Handschriften!«

»Das steigert die Auflage, Ben ...«

»Ich weiß, daß es die Auflage steigert. Wem sagen Sie das? Darum heißt es in der Überschrift auch nicht: ›David Ben Jona-Handschriften gefunden.‹ Wer kennt schon David Ben Jona? Dagegen weiß jeder, wer Jesus war. Ach, du meine Güte! Haben Sie gelesen, wie begierig sie solche Namen wie Galiläa und Magdala aufgreifen! ›Zur Zeit Jesu‹. Was zum Teufel hat dieser Jesus eigentlich getan, das ihn so verdammt bedeutend macht?«

Judy war bestürzt darüber, Ben so außer sich zu sehen. Sie wußte, welchen Schmerz ihm die entwürdigende Vermarktung seiner kostbaren Schriftrollen bereitete, wußte, daß er es nicht ertragen konnte, daß David Ben Jona wie ein exotischer Vogel vor ein Publikum gezerrt wurde. Sie war ebenfalls betroffen, wenn auch weit weniger als er.

»Als nächstes werden sie einen Hollywood-Film daraus machen«, fuhr er fort, »mit zwei Sex-Idolen in den Rollen von David und Rebekka. Auf der Madison Avenue werden T-Shirts und Auto-Aufkleber verkauft. Sie werden daraus so viel Kapital schlagen wie möglich. O Judy...« Er schüttelte den Kopf, als wollte er anfangen zu weinen. »Ich kann es nicht ertragen, daß sie David so etwas antun. Sie werden ihn nicht verstehen. Nicht wie wir es tun.«

»Ich weiß.«

Als Ben sich ein wenig beruhigt hatte, hob er die Zeitung vom Boden auf und überflog sie noch einmal. Was für ein schändliches Medienspektakel würde die Presse daraus machen. Sie würden begierig jede Einzelheit aufgreifen und sie verzerren. Die Tatsache, daß der Autor der Schriftrollen ein sanfter, frommer Jude war, der seinem einzigen Sohn ein privates Geständnis abzulegen hatte, würde überhaupt keine Beachtung finden. Statt dessen würden sie es ausschlachten, daß die Schriftrollen ausgerechnet am See Genezareth gefunden wurden, und mit Schlagwörtern wie Magdala und ›zur Zeit Christi‹ aufwarten.

»Das steigert die Auflage, in der Tat«, murmelte er traurig.

»Ich schätze, Weatherby hatte gar keine Wahl.«

»Da bin ich mir sicher.«

»Sehen Sie sich das an.« Er tippte mit dem Finger auf eine Textstelle. »Sie erwähnen den Fluch. Den Fluch Mose, als handelte es sich dabei um irgendeinen komischen, lachhaften Einfall. Sie werden sehen, morgen steht in der Überschrift irgend etwas über den Fluch. Sie bringen es fertig und finden einen, der während der Ausgrabung verletzt oder krank wurde, und das schreiben sie dann dem Fluch zu.«

Ben schaute müde zu Judy auf. »Ich kann das nicht aushalten. Ich hatte gestern eine schreckliche Nacht. Es war die schlimmste meines Lebens. Ich glaubte allen Ernstes, ich würde sterben.«

»Wieder Alpträume?«

Er nickte.

Judy wollte gerade weiterreden, da klingelte das Telefon. Ben schien es nicht zu hören. Beim fünften Klingeln nahm Judy den Hörer ab und meldete sich: »Hallo?«

Es war Professor Cox.

Judy legte ihre Hand auf die Hörmuschel. »Er sagt, Sie seien um fünf mit ihm verabredet.«

Ben schaute auf seine Armbanduhr. »Ach du großer Gott! Ich kann nicht hingehen. Nicht jetzt. Hören Sie, sagen Sie ihm... sagen Sie ihm, daß es in meiner Familie einen Todesfall gegeben habe und daß ich es vor Schmerz kaum aushalten könne und daß ich verreisen müsse und eine Vertretung für meinen Unterricht bräuchte.«

Judy starrte ihn mit offenem Mund an.

»Machen Sie schon. Sagen Sie ihm das. Sagen Sie ihm, daß ich mich in ein paar Tagen mit ihm in Verbindung setzen werde und daß es mir wirklich leid tut.«

Sie zögerte abermals, unsicher, was sie tun sollte.

Schließlich, als sie sah, daß sie wirklich keine Wahl hatte, setzte sie Professor Cox, so gut sie konnte, auseinander, was Ben gesagt hatte, legte auf und starrte ihn wieder an.

»Was ist los?«

»Ihr Unterricht...«

»Ich kann keinen Unterricht geben, Judy. Nicht jetzt. Sie wissen das. Ich kann keine Minute von David lassen – oder besser... er wird nicht von mir lassen. Er verfolgt mich, hält mich gefangen und wird mir keine Atempause geben, bevor ich nicht seine ganze Geschichte kenne.«

Ohne eine weitere Überlegung zu äußern, wandte sich Ben von ihr ab und beugte sich über das nächste Papyrus-Stück. Als er zu lesen begann, musterte Judy ihn eingehend, sah die dunklen Ringe unter seinen Augen, die tiefen Falten, die sich um seinen Mund herum eingegraben hatten. Ben war in den letzten Tagen deutlich gealtert.

Nachdem sie einige Zeit nachgedacht hatte, legte sie ihm schließlich sanft eine Hand auf die Schulter. »Ben?« Er schien nicht zu hören. »Ben?«

»Hm?« Er blickte auf.

»Wann haben Sie zum letzten Mal gegessen?«

»Gegessen? Ich weiß nicht. Kann nicht lange her sein. Erst vor... erst vor...« Er runzelte die Stirn. »Ich erinnere mich nicht.«

»Kein Wunder, daß Sie Alpträume haben. Sie müssen ja am Verhungern sein. Ich werde nachsehen, ob ich in der Küche etwas für Sie finde.«

»Ja, ja, das wäre großartig.«

Als sie das Arbeitszimmer verließ, bemerkte Judy, daß es in der Wohnung sehr warm war. Während sie den Thermostat herunterdrehte, warf sie einen Blick ins Schlafzimmer und sah die Verwüstung, die er im Bett angerichtet hatte. Eine Spur aus schmutzigen Kleidungsstücken führte ins Schlafzimmer. Die übersetzten Seiten von Rolle Nummer sechs waren im Wohnzimmer über den ganzen Fußboden verstreut, Kissen lagen überall herum, auf Schritt und Tritt stieß man auf halb geleerte Kaffeetassen und überquellende Aschenbecher. Die Küche sah noch schlimmer aus. Inmitten von Bergen mit schmutzigem Geschirr stand dort auch ein Topf mit kalter Suppe auf dem Herd.

Poppäa Sabina hockte zusammengekauert in einer Ecke und starrte Judy aus funkelnden Augen finster und mißtrauisch an. Sie hatte sich vor dem Schreien und Stöhnen ihres Herrchens in Sicherheit gebracht und schmollte nun über einem leeren Futternapf.

Judy fütterte die Katze. Als nächstes reinigte sie die kleine Katzenkiste, die ebenso überquoll wie die Aschenbecher. Danach wollte sie sich daranmachen, so etwas wie ein Essen zusammenzustellen. Doch in den Schränken herrschte gähnende Leere.

Als sie das Telefon abermals klingeln hörte, fuhr sie zusammen. Es klingelte dreimal, bevor sich Ben mit gedämpfter Stimme meldete. Im nächsten Augenblick hörte sie ihn schreien: »Laß mich in Ruhe!«, gefolgt von einem Krachen.

Judy rannte ins Arbeitszimmer, wo sie Ben ruhig über die Rolle gebeugt vorfand. »Was ist passiert?« fragte sie atemlos.

»Nichts.«

»Aber was war...« Die Frage wurde beantwortet, noch bevor sie sie ganz gestellt hatte. Auf dem Fußboden, an der Wand gegenüber, lag das Telefon, wo Ben es offensichtlich hingeschleudert hatte, nachdem er das Kabel herausgerissen hatte.

»Das erspart die Mühe, ständig den Hörer auszuhängen«, murmelte Judy, als sie das Zimmer verließ und in die Küche zurückkehrte.

Da sie sich völlig im klaren darüber war, daß Ben im Augenblick selbst das erlesenste Festessen nicht anrühren würde, beschloß Judy, die Suppe für später aufzuheben. Sie wollte ihn bei der Übersetzung von Rolle sieben nicht stören und beschäftigte sich in der Zwischenzeit damit, die Wohnung in Ordnung zu bringen.

Als eine Stunde vergangen war und noch immer kein Geräusch aus dem Arbeitszimmer gedrungen war, wagte es Judy, einen Blick hineinzuwerfen. Ben saß noch immer über den Papyrus gebeugt, während er unablässig ins Übersetzungsheft kritzelte und seine Augen unverwandt an dem aramäischen Text hingen. Doch noch etwas anderes fiel Judy auf, etwas, das sie faszinierte, bewog, näher heranzutreten. Unmittelbar vor Ben blieb sie stehen. Was sie sah, verblüffte sie.

Seine Gesichtszüge waren merkwürdig verklärt, und er schien in eine andere Welt zu blicken. Er war wie versteinert, wie ein Mensch, der eine tiefgreifende geistige Offenbarung erlebt. Die bleiche Haut wirkte unnatürlich straff und ließ die blauen Adern an Schläfen und Hals hervortreten. Seine weißen und blutleeren Lippen waren fest aufeinander gepreßt und bildeten eine dünne Linie. In Bens blauen Augen, die starr auf die Schriftrollen gerichtet waren, lag ein ungewöhnliches Leuchten, als ob in ihnen ein fiebriges Feuer loderte.

Er atmete kaum und rührte sich nicht. Das einzige Geräusch, das man vernahm, war das Kratzen seines Bleistifts auf dem Papier, während er unleserliche Sätze dahinkritzelte. Kein einziges Mal schaute er auf das Heft oder wandte den Blick von dem Papyrus. Für ihn schien die Zeit stillzustehen. Er war gefangen in einer anderen Welt. Judy hatte so etwas noch nie gesehen und konnte nur darüber staunen.

Nach einer Weile – sie hatte keine Ahnung, wie lange sie dagestanden und ihn beobachtet hatte – verließ sie das Arbeitszimmer und setzte sich hinüber ins Wohnzimmer. Sofort war Poppäa Sabina auf ihrem Schoß, dankbar schnurrend und bereit, sich verwöhnen zu lassen. Judy lächelte der Katze zu. Die arme Poppäa Sabina hatte keine Ahnung, was mit ihrem Herrchen vor sich ging.

»Ich weiß es auch nicht«, flüsterte Judy, als die Katze sich an sie schmiegte. »Ich kenne ihn erst seit kurzem, aber ich weiß, daß er sich verändert hat. Oder vielleicht noch dabei ist, sich zu verändern. Ist es schon geschehen oder geschieht es noch? Und dann muß man sich wieder fragen... was geht hier eigentlich vor?«

Als Ben aus dem Arbeitszimmer trat, hatte er das Gesicht eines Menschen, der gerade eine innere Wandlung durchgemacht hat. Er war nicht derselbe Mann, der sich zwei Stunden zuvor hingesetzt hatte, um die Schriftrolle zu Ende zu lesen, obgleich die Veränderungen kaum auffielen. Es war, so dachte Judy bei sich, als ob er sich jedesmal, wenn er eine Rolle las, ein wenig veränderte.

»Ich bin froh, daß Sie noch hier sind«, sagte er.

Als ob mit jeder der Rollen ein wenig von Ben Messer verlorenginge und ein wenig von etwas anderem an seine Stelle träte.

»Ich konnte nicht gehen, ohne Rolle sieben gelesen zu haben«, erwiderte sie ruhig. Ja, es hatte sich tatsächlich eine Wandlung mit ihm vollzogen. Seine seltsam gesteckte Sprechweise war jetzt noch ausgeprägter.

Er nahm ihr gegenüber neben dem Kaffeetischchen Platz und schaute sie mit strahlend blauen Augen an. »Danke, daß Sie mir in dieser schwierigen Lage beistehen. «

»Möchten Sie jetzt etwas essen?«

»Noch nicht. Lesen Sie das zuerst. « Er reichte ihr die Blätter, auf die er seine Übersetzung gekrakelt hatte. »Meine Handschrift wird immer schlimmer. «

Als sie ihm die Seiten aus der Hand nahm und den Text überflog, sah sie, wie er den Mund öffnete, um noch etwas zu sagen.

»Worum geht es?«

Er zögerte. »In dieser Rolle gibt es eine neue Entwicklung, Judy. Eine, die, wie ich fürchte, zu Problemen führen wird. «

»Zu Problemen?«

Er stieß einen Seufzer aus. »David erwartet vermutlich eine bestimmte Reaktion von uns, aber das weiß ich nicht genau. Alles, was ich sagen kann, ist, daß es eine Katastrophe gibt, wenn die Zeitungen Wind davon bekommen. Dann wird ein Massenansturm auf Magdala einsetzen. «

Dann tat Ben etwas Merkwürdiges. Sowie er das letzte Wort gesprochen hatte, drehte er den Kopf nach einer Seite, als ob er jemandem zuhörte. Er blickte starr auf die Wand hinter Judy und schien sich auf irgend etwas zu konzentrieren. Ben lächelte und schüttelte den Kopf.

»David will mir keinen Hinweis über den Inhalt der nächsten Rolle geben. «

»David?«

»Ich denke, wir werden unser Lehrgeld bezahlen müssen.«

Judy schauderte unwillkürlich. Bens Stimme klang eigentümlich scharf, so daß es ihr plötzlich ganz kalt wurde.

»Wie dem auch sei, lesen Sie, was ich geschrieben habe, und sagen Sie mir, was Sie davon halten.«

Während ich dastand und zu Salmonides hinüberstarrte, brachte ich keinen Ton heraus. Ich konnte ihn nicht ansprechen, so gelähmt war ich. Jener Abend vor acht Monaten, jene Nacht meines schändlichen Falls, erschien mir nun wie ein Traum. Ich hätte nie erwartet, den skrupellosen Griechen je wiederzusehen. Ich hatte sogar den Vertrag zerrissen, für den ich ihm in meiner Torheit mein ganzes Geld gegeben hatte. Ihn dort am Goldenen Tor stehen zu sehen, so leibhaftig, als wäre ich ihm erst gestern begegnet, traf mich so unerwartet, daß es mir die Sprache verschlug.

Aber ich mußte auch gar nicht sprechen. Sowie Salmonides mich erblickt hatte, erhellte sich sein Gesicht zu meiner großen Überraschung, und er kam auf mich zu, als ob wir Freunde gewesen wären, die lange nichts voneinander gehört hatten.

»Seid gegrüßt, junger Herr!« rief er mir zu und kam mir mit ausgestreckten Armen entgegen.

Unwillkürlich wich ich einen Schritt zurück.

»Vergebt mir, junger Herr«, entschuldigte er sich. »In meiner Freude, Euch zu sehen, hatte ich ganz vergessen, welch frommer Jude Ihr seid und daß Euch die Berührung durch einen Heiden verhaßt ist. Aber, bei den Göttern, ich bin froh, Euch zu sehen!«

»Warum?« fragte ich stumpfsinnig.

»Warum? Weil ich die ganze Stadt nach Euch abgesucht habe, Meister. Ich bringe Euch gute Nachrichten und reichlich Gewinn.«

»Was?« fragte ich, immer noch begriffsstutzig.

»Die Schiffe sind sicher und ohne ein einziges Korn Verlust in Ostia angekommen. Die Schekel, die Ihr pflanztet, sind tatsächlich zu Sesterzen gewachsen.«

Ich war abermals sprachlos. Salmonides hatte sich also nicht nur getreu an unser Abkommen gehalten, sondern war überdies auch noch bestrebt, mir mein Geld zu geben. Er hatte daran gedacht, daß ich vielleicht nochmals bereit wäre, Geld zu verleihen, und so hatte er alles darangesetzt, mich zu finden. Ich vertraute meine Esel der Obhut eines Freundes an und begleitete Salmonides in die Straße der Geldverleiher, wo man ihm auf seine schriftliche Anweisung zweihundert Denare ausbezahlte. Von dort aus begaben wir uns zu den Geldwechslern beim Tempel, wo die römischen Münzen unter dem wachsamen Auge meines griechischen Begleiters gewogen, geprüft und gegen zweihundert syrische Zuzim eingetauscht wurden. Fünf davon gab ich Salmonides, der sie sogleich mit einem entschuldigenden Achselzucken in Drachmen umwechselte.

Danach kehrten wir in eine Schenke ein, wo wir uns im Schatten niederließen und über die Wirtschaft des römischen Reiches diskutierten. Daß ich von solchen Dingen nicht die leiseste Ahnung hatte, war für Salmonides ganz offensichtlich. Trotzdem war er geduldig mit mir. Er sagte: »Ihr habt eine seltene Eigenschaft, mein junger Herr, die ein scharfsinniger Mann wie ich auf Anhieb erkennt. Ihr besitzt eine schnelle Auffassungsgabe und seid gewandt im Umgang mit Zahlen. Seht selbst, mit welcher Leichtigkeit Ihr versteht, was ich Euch erkläre. Die meisten Menschen begreifen das nur langsam und langweilen sich dabei. Doch Ihr interessiert Euch für das, was ich sage, und könnt es leicht im Gedächtnis behalten. Ihr habt den falschen Beruf gewählt, mein junger Herr. Anstelle der Thora solltet Ihr besser den Geldhandel studieren.«

So erzählte ich Salmonides, was nach der Nacht meiner Schande geschehen war, und es überraschte ihn, daß Eleasar so hart gegen mich gewesen war.

»Doch Ihr geht auch mit Euch selbst übermäßig hart ins Gericht. Welcher junge Mann verbringt nicht einmal im Leben eine solche Nacht? Und das nicht nur einmal, sondern oft. War denn Euer Verbrechen wirklich so groß – ein kleiner Rausch? Ihr solltet Rom besuchen, wenn Ihr einmal sehen wollt, was wirkliche Sünde ist.«

Doch ich hob abwehrend meine Hand. »Für Juden gelten andere Maßstäbe«, entgegnete ich, »denn wir sind Gottes auserwähltes Volk. Da wir dem Rest der Welt ein gutes Beispiel geben sollen, müssen wir eifrig darauf bedacht sein, das Gesetz zu befolgen. Was wären wir für ein Vorbild, wenn wir uns ebenfalls der Trunkenheit, der Unzucht und anderen schändlichen Taten hingeben würden?«

Ich wußte, daß Salmonides an meinen Worten zweifelte wie so viele Heiden, aber nur deshalb, weil sie noch nicht daran glauben, daß Gott uns zu den Erben der Welt erkoren hat.

Im Laufe dieses Nachmittags gab ich Salmonides einhundert Zuzim und schloß einen weiteren Vertrag mit ihm. Diesmal ging es um den Ankauf einer Gerstenernte, die bald eingebracht werden sollte. Wäre die Ernte ertragreich, würde ich sie mit Gewinn verkaufen. Sollte sie sich dagegen als dürr erweisen, dann hätte ich mein Geld verloren. Aus diesem Grund gab ich ihm nur die Hälfte und sparte den anderen Teil für künftige Notlagen auf.

An diesem Abend befragte ich Eleasar über die Sittlichkeit und Moral meines Gewinns. »Kann diese Art von Verdienst so ehrbar sein wie das Geld, das man mit seiner Hände Arbeit verdient?« fragte ich. Doch er erwiderte, daß ich ja auch arbeitete, wenn nicht mit meinen Händen, so doch mit meinem Geist. Das Geld hätte ich nicht auf unzulässige Weise verdient. Und ich hätte es auch nicht auf Kosten anderer Juden erworben. Aus diesen Gründen war mein Handeln in Eleasars Augen gerechtfertigt.

Am nächsten Morgen begab ich mich für eine Besorgung abermals in die Stadt. In den acht Monaten, die seit meiner Schmach vergangen waren, hatte ich nicht für einen Augenblick die Frau namens Miriam vergessen, die ich beim Brunnen getroffen hatte und die mich mit nach Hause genommen hatte, um mir Nahrung zu geben und Zuflucht zu gewähren. Vor acht Monaten hatte sie mich aus Frömmigkeit und Nächstenliebe mit einem vollen Bauch und einigen Münzen in der Tasche meiner Wege ziehen lassen. Sie hatte mich auch von dem Gedanken an einen Selbstmord abgebracht. Heute würde ich in ihr Haus zurückkehren und sie für ihre Güte belohnen.

Sie erkannte mich sofort und forderte mich auf einzutreten. Eine der vielen Frauen, die in diesem Haus wohnten, wusch mir die Füße und gab mir Brot und Käse. Als ich meinem Erstaunen über diese Behandlung Ausdruck verlieh, meinte Miriam: »Wir heißen einen zurückkehrenden Bruder stets willkommen.«

»Bin ich Euer Bruder?« fragte ich sie.

Und als Antwort küßte sie mich auf die Wange.

Als ich ihr den Beutel mit fünfundzwanzig Zuzim überreichte, nahm sie ihn in aller Bescheidenheit entgegen und versicherte mir, das Geld werde der Speisung vieler zugute kommen.

»Habt Ihr eine so große Familie?« fragte ich.

Sie erwiderte: »Alle, die auf die Rückkehr des Meisters warten, gehören zu meiner Familie.«

Als ich noch mehr wissen wollte, hielt sie mich zurück und bat mich, noch ein Weilchen zu bleiben. Denn in Kürze werde ein Mann kommen, der meine Fragen beantworten könne. Und so kam es, daß mein Leben zum vierten Mal eine Wende nahm. Ich wartete in Miriams Haus, bis ein Mann namens Simon heimkam.

Judy ließ die Blätter fallen und sah Ben an. Sie rührte sich nicht und gab keinen Laut von sich. Aber in ihren Augen drückte sich alles aus, was in ihr vorging.

»Wir können das wohl nicht vor der Presse bewahren, oder?«

»Wenn das erst mal durchgesickert ist...«

»O Gott!« rief Ben plötzlich aus. »Warum muß das sein? Warum mußte das herauskommen?« Ben sprang auf und ballte die Fäuste. »Ist dies Teil deines Plans, David? Siehst du nicht, wie sehr es mich quält?«

Ben verstummte und starrte auf die gegenüberliegende Wand. Er atmete schwer. In seinen Augen lag etwas, das an Wahnsinn grenzte, eine Mischung aus Verwirrung und Wut. Dann, nachdem er einen Augenblick die Wand angestiert hatte, ließ Ben plötzlich seinen Kopf auf die Brust fallen, so daß er in Gebetshaltung oder wie ein reuiger Sünder dastand.

Als er sich schließlich aufrichtete und sein Blick auf Judy fiel, sagte er mit dumpfer Stimme: »Ich kann ihn sehen... aber Sie können es nicht.«

Fassungslos starrte Judy ihn an.

»Ja, hier ist er wieder. David Ben Jona. Eigentlich war er schon eine ganze Weile hier, nur war ich mir dessen bis gestern nicht bewußt. Er zeigte sich nicht, bis er sicher sein konnte, daß ich verstünde, warum er hier ist.«

Judys Blicke glitten über die blanke Wand und versuchten, die Erscheinung ausfindig zu machen, die aber nur Ben Messer zu sehen vermochte. »Wie könnte es möglich sein, daß er...«

»Ich weiß nicht, Judy. Es ist mir noch immer nicht ganz klar. Alles, was ich weiß, ist, daß der Geist David Ben Jonas hier an meiner Seite ist und daß er aus irgendeinem Grund...« – seine Stimme klang plötzlich belegt –, »daß er aus irgendeinem Grund zurückgekommen ist, um mich heimzusuchen.«

Judy sprang auf. »Aber warum sollte er?«

»Ich weiß nicht.« Bens Stimme wurde schwächer. Er sprach in einem matten, gleichbleibenden Ton. »Aus irgendeinem Grund will David, daß ich seine Geschichte kenne. Er will, daß ich erfahre, was ihm passiert ist. Vielleicht hat es etwas mit dem Fluch Mose zu tun. Vielleicht ist es, weil sein Sohn die Rollen niemals zu lesen bekam. Wie kann ich das wissen? Alles, was ich weiß, ist, daß seine Wahl auf mich fiel.«

O Ben, dachte Judy außer sich, es ist weder der Fluch noch Davids Sohn und auch nicht David selbst! Kannst du das nicht begreifen? Es ist deine eigene Vergangenheit, die dich verfolgt!

Ben hielt Judys Blick eine schier endlose Weile stand. Er starrte durch die Stille wie hypnotisiert in ihre Augen. Verkehrslärm drang von der Straße herauf, eine Fahrradklingel läutete hell, kreischende Kinderstimmen ließen sich vernehmen. Aber weder Ben noch Judy nahmen diese Geräusche wahr, denn sie gehörten in eine andere Zeit und in eine andere Wirklichkeit.

Endlich meinte Ben mit weicher Stimme: »Sie glauben mir, nicht wahr?«

Sie hielt für eine Sekunde den Atem an, dann flüsterte sie: »Ja, ich glaube Ihnen.«

Er seufzte, als ob ihm eine schwere Last von den Schultern genommen worden wäre.

»Gott sei Dank, daß ich Sie hier bei mir habe«, seufzte er, als er auf die Couch sank. Jetzt ist mir klar, weshalb Sie hier sind, dachte er bei sich, als sie sich neben ihm niederließ. Sie sind hier, weil David wußte, daß ich Sie brauchen würde.

Während Judy versuchte, ruhig zu bleiben und sich ihre Bestürzung nicht anmerken zu lassen, hob sie die Blätter mit der Übersetzung auf und las ein paar Zeilen laut vor. Sie wollte Ben damit wieder zur Vernunft bringen und versuchen, den Zauberbann zu brechen. »Ich möchte wissen, was die Zeitungen schreiben werden, wenn sie das erfahren.« »Nun«, erwiderte Ben mechanisch, »Miriam und Simon waren geläufige Namen im alten Israel. Nichts weist darauf hin, daß es sich bei ihnen um Maria und Petrus handeln könnte.«

»Aber der Kuß auf die Wange. Diese Art der Begrüßung war nur unter den frühen Christen üblich; andere Juden kannten sie nicht.«

»Ja... ich weiß. Die Paulusbriefe. Sie denken also, daß diese Miriam dieselbe Maria ist, deren Haus das Zentrum der Nazaräer Kirche in Jerusalem war? Die Mutter von Markus?«

»Warum nicht?«

»Weil es lächerlich ist. Um Gottes willen, die Schriftrollen eines Anhängers Jesu...« Ben fuhr sich mit der Hand übers Gesicht. »Die Chancen, daß es nicht so ist, sind... nun... Ich will einfach nicht glauben, daß wir ein echtes christliches Dokument in Händen halten.«

Daß ich nicht lache, dachte Judy. Daran willst du nicht glauben, aber gleichzeitig bist du überzeugt, von einem Mann verfolgt zu werden, der seit zweitausend Jahren tot ist.

Forschend schaute sie in Bens Gesicht. Nein, der Zauber hatte von ihm Besitz ergriffen. Durch nichts ließe Ben sich da wieder herausreißen. Wo immer sich sein Geist auch festgesetzt hatte, dort wollte er auch bleiben, aus Gründen, die nur ihm selbst bekannt waren.

»Wie wär's, wenn ich jetzt die Suppe warm mache?«

Ben antwortete nicht.

»Ben, warum sollte ich Professor Cox anlügen?«

»Weil ich nicht zum Unterricht gehen will, bis das hier vorbei ist. David läßt es nicht zu. Ich muß hier bleiben.«

»Ich verstehe.«

Es war ein beunruhigender Gedanke: Ben, der sich von der Welt abschottete, sich immer mehr zurückzog, bis er eines Tages nie mehr in die Gegenwart zurückgebracht werden konnte.

Es schien beinahe so, als befürchtete er, daß die Berührung mit der Wirklichkeit den dünnen Faden zerreißen könnte, der ihn mit David verband.

Kapitel Zwölf

Die Zwangsvorstellung wurde immer mächtiger. Wohin Ben sich auch wandte, David Ben Jona war da. Der Jude stand am Rande seiner Träume und beobachtete das Geschehen wie ein unbeteiligter Zuschauer. Als Ben in bizarren Alpträumen von Majdanek und seiner Kindheit in Brooklyn wieder mit der Vergangenheit kämpfte, stand David Ben Jona untätig dabei, als wollte er die Grenzen von Bens Leidensfähigkeit ergründen.

»Warum diese Träume?« murmelte Ben, als er am nächsten Morgen wieder unausgeschlafen und verstört erwachte. »Warum muß ich das erdulden? Ist es nicht genug, daß mich nach all diesen Jahren meine Vergangenheit wieder eingeholt hat und ich nicht mehr imstande bin, sie aus meinem Gedächtnis zu verbannen? Ich verstehe nicht, warum ich diese heftigen Alpträume haben muß!«

Er schleppte sich auf bleischweren Füßen durch die Wohnung, während sich das nebelhafte Gespenst David Ben Jonas dicht an seiner Seite hielt. Ben war nicht nach Essen zumute. Auch hatte er keine Lust, irgend etwas anderes zu tun, außer die nächste Rolle zu lesen. Vor vier Uhr nachmittags würde sie nicht eintreffen, und Ben fürchtete sich vor den Stunden des Wartens.

In der Hoffnung, daß er davon einschliefe, schenkte Ben sich ein großes Glas Wasser ein, trank es in einem Zug aus und legte sich erschöpft auf die Couch.

Judy mußte diesmal nicht an die Tür klopfen, denn zu ihrer großen Überraschung stand sie halb offen. Es war acht Uhr abends. Sie war sich sicher, daß Ben zu Hause war und an seiner Übersetzung saß, doch in der Wohnung brannte kein Licht.

Vorsichtig streckte sie ihren Kopf hinein. »Ben? Schlafen Sie? Ich bin's.«

Totenstille.

»Ben?« Sie trat ganz ein und schloß leise die Tür hinter sich.

Die Wohnung war dunkel und kühl. In der Luft hing unverkennbar der Geruch nach Alkohol. Judy bemühte sich, etwas zu sehen. Als plötzlich etwas Warmes ihr Bein berührte, stockte ihr der Atem.

»Oh, Poppäa!« rief sie. »Hast du mich vielleicht erschreckt!«

Judy nahm die Katze auf den Arm und ging weiter in die Wohnung. Ben lag auf dem Wohnzimmerboden, neben einer leeren Weinflasche und einer leeren Scotch-Flasche. In unmittelbarer Nähe lag ein umgestoßenes Glas, inmitten eines roten Flecks auf dem Vorleger.

Judy kniete sich neben ihn und schüttelte ihn an der Schulter. »Ben? Ben, wachen Sie auf.«

»Hm? Was gibt's?« Sein Kopf rollte von einer Seite auf die andere.

»Ben, ich bin's, Judy. Ist alles in Ordnung?«

»Ja...«, lallte er. »Is schon gut...«

»Ben, wachen Sie auf. Es ist spät. Kommen Sie schon.«

Er hob zitternd eine Hand und faßte sich an die Stirn. »Fühl mich hundeelend...«, stammelte er. »Ich glaub', ich sterbe...«

»Heda«, flüsterte sie, »so schnell stirbt man nicht. Aber Sie müssen aufstehen. Wie sieht es hier aus!«

Endlich schlug Ben die Augen auf und versuchte, sie anzusehen. »Es war Davids Schuld, wissen Sie?« brachte er undeutlich hervor. »Er hat mich dazu getrieben. Ich habe zwei Stunden lang am Briefkasten gewartet, aber die Rolle ist nicht gekommen! Das hat er absichtlich getan. Er beobachtet mich, Judy. Die ganze Zeit über. Egal, was ich tue, dieser gottverdammte Jude steht immer neben mir.«

»Stehen Sie bitte auf.«

»Oh, wozu soll das gut sein? Es gibt keine Rolle. Wie soll ich das heute nacht und morgen nur durchstehen?«

»Seien Sie unbesorgt. Ich werde Ihnen helfen. Los jetzt.«

Sie schob einen Arm unter seine Schultern und half ihm, sich aufzusetzen. Dabei schaute Ben in ihr Gesicht, das so dicht an dem seinen war, und murmelte: »Wissen Sie, früher fand ich nicht, daß Sie hübsch seien, aber jetzt sehe ich es.«

»Danke. Meinen Sie, Sie können aufstehen?«

Er umklammerte seinen Kopf mit den Händen und schrie: »David Ben Jona, du bist ein niederträchtiger Halunke! Ja... ich denke, ich kann aufstehen.«

Judy stöhnte, als sie Ben auf die Beine half. Es gelang ihr, ihn ins Badezimmer zu führen, wo sie das große, helle Licht einschaltete und ihn mit fester Stimme anwies, sich unter die Dusche zu stellen. Er gehorchte ohne Widerspruch. Als er sich auszog, drehte Judy das Wasser auf und ließ ihn dann allein. Im Schlafzimmer fand sie Kleider und Wäsche zum Wechseln, reichte sie ihm durch die Badezimmertür hinein und rief: »Lassen Sie sich nur Zeit!« Dann ging sie zurück ins Wohnzimmer und brachte es, so gut sie konnte, in Ordnung. Als Ben eine halbe Stunde später wieder herauskam, sah er etwas besser aus. Er sagte kein Wort, als er zur Couch hinüberging, sich setzte und anfing, den starken Kaffee zu trinken, den sie für ihn bereitgestellt hatte. Fünf lange Minuten vergingen, bis er endlich zu ihr aufsah.

»Es tut mir leid«, entschuldigte er sich leise.

»Ich weiß.«

»Ich weiß einfach nicht, was mit mir los ist. Ich habe nie zuvor so etwas getan. Ich blicke einfach nicht mehr durch.«

Wie er so dasaß und den Kopf schüttelte, versuchte Judy sich vorzustellen, was er durchmachte. Sie sah sein gealtertes, blasses Gesicht mit dem Stoppelbart und fragte sich, wie es wohl für einen Menschen sein mußte, wenn man ihm plötzlich seine Identität aus dem Leibe reißt und ihn ohne irgendeinen Ersatz einfach stehenläßt. Ohne irgend etwas Greifbares, nur mit entsetzlichen Erinnerungen.

»Ich erinnere mich«, begann er mit belegter Stimme, »ich erinnere mich noch genau daran, wie meine Mutter und ich am Schabbes im Dunkeln saßen, und wie sie mir immer und immer wieder einschärfte: ›Benjy, deine Aufgabe ist es, unter den Juden ein Führer zu sein. Dein einziger Lebensinhalt muß darin bestehen, ein großer Rabbiner zu werden und die Juden zu lehren, die Thora als Schutzschild zu benutzen.‹«

Er zwang sich zu einem trockenen Lachen. »Sie hatte immer nach Eretz Israel gehen wollen, doch statt dessen war sie in die Vereinigten Staaten gekommen. Sie sprach ständig davon, eines Tages mit ihrem Sohn, dem berühmten Rabbiner, nach Israel auszuwandern.« Er starrte nachdenklich in seinen schwarzen Kaffee. »Ich habe den Teppich bestimmt verhunzt, nicht wahr?«

Judy schaute auf den großen Weinfleck, der den Teppich verunstaltete. »Mit Shampoo müßte man den Flecken schon rauskriegen.«

»Das ist schön, aber im Grunde ist es mir auch egal.« Ben richtete seine blauen Augen auf Judy, und sie sah, wie sorgenvoll sie waren. »Ich hinterfrage es nicht mehr. Es ist einfach geschehen. Wer weiß, warum? Vielleicht ist der Fluch Mose daran schuld. Aber es ist mir gleich. David steht in diesem Augenblick hier neben mir und horcht mit, was ich Ihnen sage. Ich habe keine Ahnung, worauf er wartet, doch ich nehme an, daß ich es erfahren werde, wenn das geschieht, was er erwartet.«

Ben trank wieder ein paar Schluck Kaffee, während sein Blick abermals an dem Teppichflecken haften blieb. Als er endlich die Tasse abstellte, stieß er einen langen, tiefen Seufzer aus. »O David... David«, entfuhr es ihm. In seinen Augen standen Tränen. »Was ist dir vor all diesen Jahren widerfahren? Wie bist du gestorben? Und woher wußtest du, daß du sterben würdest? Du hast einmal daran gedacht, dir das Leben zu nehmen, als es dir unerträglich erschien, weiterzumachen. Ist es das, was am Ende passierte? Hofftest du darauf, im Selbstmord Trost zu finden?«

Judy langte zu ihm hinüber und legte ihre Hand auf die seine. Sehr lange blieben sie so sitzen und starrten vor sich hin.

Tags darauf kam sie am frühen Nachmittag zurück. Sie hatte Bens Wohnung um Mitternacht verlassen, nachdem sie sich vorher noch darum gekümmert hatte, daß er eine Weile schlief. Danach war sie nach Hause gegangen und hatte Vorbereitungen für den Fall getroffen, daß sie ihren Hund Bruno in den nächsten Tagen zu jemandem in Pflege geben müßte. Judy ahnte, daß sie vielleicht bald für längere Zeit von zu Hause weg wäre.

Nach ihren beiden Vorlesungen an der Uni hatte sie in einem Supermarkt eingekauft und traf um Punkt drei Uhr bei Ben ein. Als er auf ihr Klopfen nicht reagierte, kramte sie den Wohnungsschlüssel aus ihrer Tasche, den Ben ihr am Abend zuvor mitgegeben hatte, und öffnete die Tür. In der Wohnung stellte sie zu ihrer Überraschung fest, daß er nicht zu Hause war.

Das Bett war sorgfältig gemacht, das Wohnzimmer ein wenig aufgeräumt, und in der Küche standen frisch gespülte Kaffeetassen. Im Arbeitszimmer stieß Judy dagegen auf das vertraute Durcheinander. Auf dem überquellenden Schreibtisch lag die Post vom Vortag, darunter auch ein ungeöffneter Brief von Joe Randall, dem Mann, der auf eine Übersetzung des alexandrinischen Kodex' wartete.

Ganz oben auf dem unordentlichen Haufen lag ein Stück geblümtes Briefpapier, auf dem in einer weiblichen Handschrift eine kurze Mitteilung geschrieben stand. Es stammte von Angie. Eine Hotelagentur hatte ihr einen Job in Boston angeboten, und sie beabsichtigte, ihn anzunehmen. Dies würde bedeuten, daß sie eine Zeitlang fort wäre. Falls Ben darüber sprechen wollte, wäre sie noch bis morgen abend zu Hause. Dann würde sie aufbrechen.

Ein Stück Klebestreifen auf der Rückseite deutete darauf hin, daß Ben die Notiz wohl an seiner Wohnungstür vorgefunden hatte.

Judy gab Poppäa etwas zu fressen und räumte die Lebensmittel weg. Dann verließ sie die Wohnung durch den separaten Küchenausgang. Sie wußte ganz genau, wo sie Ben finden würde.

»Hallo«, begrüßte sie ihn, als sie die Hintertreppe herunterkam. Er saß auf der untersten Stufe und hielt bei den Briefkästen Wache.

»Hallo«, erwiderte er schwerfällig.

»Haben Sie heute nacht besser geschlafen?«

»Nein, ich wurde von denselben grausigen Bildern gequält. Von der Vorstellung, daß der Boden unter meinen Füßen nachgäbe. Von Massenmorden und Verfolgungen. Gott, warum macht David so etwas mit mir?«

»Ich sah den Brief von Randall. Haben Sie den Kodex nicht weiterübersetzt?« Ben schüttelte den Kopf.

Judy setzte sich neben ihn und nickte verständnisvoll. Auch sie hatte das Interesse an dem alexandrinischen Kodex verloren.

Der Postbote kam fünfundvierzig Minuten später, und sowie Ben für den Umschlag quittiert hatte, hastete er in Windeseile die Treppe hinauf und ließ Judy weit hinter sich. Oben angekommen, riß er den Umschlag auf, zog die Fotos heraus und warf den Rest auf den Fußboden.

Als Judy zu ihm ins Arbeitszimmer trat, war er eben dabei, sich auf dem Schreibtisch Platz zu schaffen. Mit einer ausladenden Armbewegung fegte er über den Tisch, so daß alles krachend zu Boden fiel. Dann setzte er sich sofort hin, um die Rolle zu lesen. Sein Gesicht war rot vor Begeisterung; seine weit aufgerissenen Augen schienen beinahe aus den Höhlen zu treten. Er leckte sich die Lippen, als schickte er sich an, einen Festschmaus zu verzehren. Judy hob ein Stück Papier vom Boden auf. »Es ist ein Brief von Weatherby. Wollen Sie ihn lesen?«

Er schüttelte heftig den Kopf. Mit seinem Kugelschreiber, der sich rasch über ein sauberes Blatt Papier bewegte, hatte Ben bereits mit der Arbeit begonnen.

»Er schreibt, es gebe danach nur noch eine weitere Rolle.«

»Gut, gut«, gab er ungeduldig zurück, ohne aufzusehen. »Das bedeu-tet, daß der ganze Spuk morgen vorbei ist.«

»Und er schreibt…« Judy hielt mitten im Satz inne. Im nächsten Augenblick beschloß sie, Ben den restlichen Inhalt des Briefes nicht mitzuteilen, zumindest jetzt noch nicht, weil er doch gerade so wahn-sinnig glücklich war und sich wieder dort befand, wo er sich so ver-zweifelt hinsehnte.

Simon war einer jener frommen Asketen, die in einer religiösen Gemeinschaft am Salzmeer unweit von Jericho leben. Er trug ein makelloses weißes Gewand und praktizierte die bemerkenswerten Wunderheilungen, für welche die Essener bekannt sind. Ich war sofort von ihm beeindruckt, denn obgleich seine Stimme sanft und seine Rede maßvoll war, klangen seine Worte gewichtig, und alles, was er sagte, war von großer Bedeutung.

Als Miriam uns miteinander bekanntmachte, küßte Simon mich auf die Wange und erklärte, daß es sich dabei um ihren Gruß han-delte, der bedeutete: Friede sei mit dir, Bruder.

Daraufhin wusch er mir die Füße und brach das Brot mit mir.

In Jerusalem trifft man nicht selten auf Angehörige der unter-schiedlichsten religiösen Sekten, von den extremen Nazaräern, die Samsons Beispiel folgen, bis zu den schwerttragenden Zeloten, welche die Thora mit dem Blut von Israels Feinden nähren. Doch in den vielen Jahren, die ich nun schon in Jerusalem lebte, war ich so mit Eleasar und dem Studium des Gesetzes beschäftigt gewesen, daß ich nicht ein einziges Mal Gelegenheit gefunden hatte, mich mit einem der edlen Essener zu unterhalten.

»Wir leben in Erwartung der Endzeit«, erklärte mir Simon, »die jederzeit über uns hereinbrechen kann. Und während einige mei-ner Brüder im Kloster, in der Wüste und in anderen abgeschiede-nen Gemeinschaften bleiben, ziehen meine Freunde und ich unter die Leute und verkünden die Wiederkunft.«

Er fuhr fort, mir die Philosophie seiner Sekte auseinanderzusetzen, die darin bestand, Gottes Gesetz in seiner Reinheit zu bewahren und sich für die Wiederkehr des nächsten Königs von Israel rituell rein zu halten. Nach Simons Ansicht und der seiner vielen Freunde stand diese Wiederkehr kurz bevor.

Seine Rede war klar und vernünftig und bewies eine außergewöhnliche Kenntnis des Gesetzes und der Propheten.

»Seid Ihr ein Rabbi?« fragte ich ihn.

»Ich bin nur einer der Armen, der Söhne des Lichts, welche die Erde erben werden.«

Die meisten Juden warten auf die Zeit, da Gott seinen Stellvertreter auf die Erde herabsenden werde, um die Vorherrschaft Israels über alle anderen Völker zu verwirklichen. Simon bildete darin keine Ausnahme. In vielerlei Hinsicht erinnerte er mich an Eleasar, der ein Pharisäer war und ebenfalls in Erwartung des Messias lebte. Und doch unterschieden sich ihre Auffassungen in einem Punkt: Während Eleasar von einer Zeit sprach, die noch kommen sollte, behauptete Simon, dem neuen König bereits begegnet zu sein.

»Wo ist er?« erkundigte ich mich. »Wie heißt er?«

»Er ist fort und bereitet sich vor. Sein Name ist nicht von Belang. Aber er ist von königlichem Geblüt, der letzte aus der Linie der Hasmonäer und ein Nachfahre Davids. Ihr werdet ihn kennenlernen, wenn er zurückkehrt.«

Simon und ich saßen bis spät in die Nacht zusammen, und ich verließ Miriams Haus in der Oberstadt mit gemischten Gefühlen. Ich konnte Simons Prophezeiung kaum glauben, wonach unser Königreich schon jetzt kommen sollte. Und doch hatte er so überzeugend gesprochen, daß ich in den darauffolgenden Tagen an nichts anderes denken konnte.

Zu meiner Überraschung nahm Eleasar Simons Überzeugungen mit größter Vorsicht auf. »Die Mönche sind gute Menschen und halten das Gesetz rein«, sagte er. »Aber in ihrem Eifer, das Königreich Israel wieder errichtet zu sehen, sind sie zu fanatischen Schwärmern geworden. Sie sind voreilige Menschen, David, und irren sich in ihren Voraussagen. Jedermann weiß, daß keiner vom Stamm der Hasmonäer übriggeblieben ist, denn der letzte wurde vor Jahren durch die Römer hingerichtet.«

»Kann es vielleicht einen anderen geben, der sich versteckt hielt?« fragte ich.

»Wenn ein rechtmäßiger Anwärter auf den Thron heute noch am Leben wäre, so würden wir von ihm wissen, denn alle Juden würden sich zu seiner Unterstützung zusammentun. Doch wie ich schon sagte, wurde der letzte kurz vor deiner Geburt gekreuzigt.«

Ich glaubte Eleasar, aber wenngleich Simons Worte mich nicht überzeugten, so machten sie mich doch neugierig, und so kehrte ich in Miriams Haus zurück.

Eines Abends nahm ich Rebekka mit mir, und sie ließ sich sofort zu dem neuen Glauben bekehren. Simon überzeugte sie davon, daß der Messias schon unter uns geweilt habe und daß er zurückkehren werde.

Da fragte ich Simon: »Wenn er schon einmal hier war, warum ist er dann wieder weggegangen?«

»Weil er das erste Mal kam, um sein eigenes Kommen zu verkünden. Er ist erschienen, um uns Zeit zu geben, uns vorzubereiten. Wenn er das nächste Mal durch die Straßen Jerusalems zieht, wird er als Gottes Stellvertreter kommen, und all jene, die nicht vorbereitet sind, werden verdammt sein.«

»Wohin ist er gegangen?« forschte ich.

Und hier ist die verblüffende Antwort, die Simon mir gab: Er sprach: »Unser Meister fand an einem römischen Holzkreuz den Tod und wurde von Gott wieder zum Leben erweckt, um den Menschen zu zeigen, daß er wirklich unser neuer König sei.«

Während Rebekka dies ohne Widerspruch hinnahm und der neuen Sekte, die sich »die Armen« nannte, beitrat, war ich dazu nicht imstande. Und so beriet ich mich ein zweites Mal mit Eleasar.

Er warnte mich: »Diese Männer sind fehlgeleitet, David. Ihr Führer starb nicht an dem Holzkreuz, denn er hing dort nur für ein paar Stunden. Jedermann weiß, daß der Tod am Kreuz erst nach Tagen eintritt. Er wurde von Männern in weißen Gewändern, die von einfältigen Augenzeugen als Engel bezeichnet wurden, heruntergenommen und in ihr Kloster am Salzmeer gebracht. Du hast selbst die Wunder gesehen, die die Mönche dort schon seit über hundert Jahren in der Heilkunst vollbringen, und der Name Essener, den sie sich geben, bedeutet soviel wie ›Heilender‹. Ich zweifle nicht daran, daß ihr Führer heute am Leben ist und sich in der Wüste versteckt hält. Sie sind Fanatiker, David, die verzweifelt danach trachten, das Joch römischer Unterdrückung niederzureißen, und sich blind an ein Wunder klammern, das nie stattgefunden hat.«

Ein zweites Mal ließ ich mich von Eleasar überzeugen und ging mit dem Gedanken weg, daß Simon zwar ein guter Jude sei, aber fehlgeleitet.

Statt mich zum Passah-Fest Eleasar und seiner Familie anzuschließen, wie es meine Gewohnheit war, begab ich mich diesmal in Begleitung von Rebekka und dem Olivenhändler, für den ich arbeitete, in Miriams Haus. Ich tat dies aus zwei Gründen: Erstens war es Rebekkas Wunsch, und zweitens war ich neugierig auf das Ritual von religiösen Menschen, die dem Tempelkult abgeschworen waren.

Zu Anfang unterschied sich der Ablauf nur unwesentlich von dem mir bekannten, und Simon rezitierte die vier Fragen während der ersten Liturgie. Doch dann änderte sich das Fest und ging in das traditionelle Liebesfest der Essener über, wie sie es schon seit hundert Jahren feiern. Dabei teilt man Brot und Wein miteinander in der Erwartung des Tages, an dem man sie mit dem neuen König Israels teilen wird. Obgleich ihr Passah-Fest im wesentlichen dem eines jeden guten Juden entsprach, unterschied es sich davon durch den symbolischen Messias in unserer Mitte.

Ein drittes Mal wandte ich mich an Eleasar, und ich spürte, daß er langsam die Geduld mit mir verlor. Ich erzählte ihm: »Dieser Mann namens Simon sprach von den Prophezeiungen Jesajas und Jeremias' und erklärte, daß ihr Meister die Erfüllung dieser Prophezeiungen sei.« Doch Eleasar entgegnete: »Sie benutzen Jesaja, um ihre falschen Lehren zu untermauern. Der Erlöser Israels ist noch nicht gekommen, weil wir seiner noch nicht würdig sind.«

»Aber sie geben sich Mühe, sich würdig zu verhalten«, wandte ich ein, »und sie versuchen, anderen zu helfen, einen Zustand der Reinheit zu erlangen. Das sind ganz außergewöhnliche Juden, Rabbi. Vielleicht sollten wir auf sie hören.«

Jetzt wurde Eleasar ärgerlich. »Sie sind in ihrer Befolgung des Gesetzes nicht so streng wie ich, und trotzdem bin ich noch nicht würdig genug, den Messias zu empfangen.«

Zum ersten Mal bemerkte ich in seiner Demut einen Hang zum Stolz, als ob Eleasars Bescheidenheit in nicht geringem Maße seiner Eitelkeit diente.

»Aber sie sind wirklich anständige Leute«, gab ich zurück, »und so tadellos, wie Juden nur sein können. Sie leben nicht nur *nach* dem Gesetz, Eleasar, sondern ebenso *für* das Gesetz, und so will Gott es haben.« Darauf schwieg Eleasar, und so nahm ich für diesen Tag von ihm Abschied.

Von da an besuchte ich Miriams Haus regelmäßig, bis auch ich mich eines Tages bekehren ließ. Als Teil der Zeremonie meiner Aufnahme in die Gemeinschaft der Armen wurde ich tief in ein Becken mit Wasser eingetaucht. Sie nannten es Taufe, ein Ritual, das schon seit über hundert Jahren von ihnen praktiziert wurde. Wenn ich damit auch kein Essener wurde, keine weißen Gewänder trug und auch nicht ihre Heilkunst erlernte, so wurde ich doch in ihre Gemeinschaft aufgenommen und von allen Bruder genannt. Gleichzeitig willigte ich ein, meine irdischen Güter mit meinen neuen Brüdern und Schwestern zu teilen, ihnen in jeder Notlage zu helfen und mich nach den Vorschriften des Gesetzes rein zu halten, so daß ich vorbereitet sei, wenn der Meister zurückkehre.

Und so kam es, mein Sohn, daß ich dem Neuen Bund beitrat und mich den frömmsten aller Juden anschloß. Kein Tag verging, an dem ich meinen eigenen Wert nicht hinterfragte.

Die Zeit kam, als Salmonides mich wieder aufspürte, um mir den Gewinn aus der Gerstenernte auszubezahlen. Ich bedachte ihn mit einem stattlichen Honorar, teilte das restliche Geld mit Miriam und den Armen und gab auch ein wenig dem Olivenhändler, für den ich arbeitete. Auf Salmonides' weisen Rat hin verlieh ich einen Teil an einen Karawanenführer, der nach Damaskus ziehen wollte.

Als der Olivenhändler zwei Monate später starb und mir, den er wie einen Sohn liebte, sein ganzes Hab und Gut hinterließ, fand ich mich plötzlich in bescheidenem Wohlstand wieder.

Und so fühlte ich mich nun fähig und würdig, Rebekka zur Frau zu nehmen.

Sie saß unter dem Baldachin vor Miriams Haus, während sich all unsere Freunde um uns scharten, uns beglückwünschten und mit uns feierten. Der Meister würde bald kommen, vielleicht schon morgen, und dann wollte ich Rebekka an meiner Seite haben. Als Mann und Frau würden wir dem neuen König an den Toren Jerusalems zujubeln.

Eleasar sprach nicht mehr mit mir. Es war, als ob ich mich für ihn in Luft aufgelöst hätte und nicht mehr existierte. In seinen Augen hatte ich Gott eine fürchterliche Schmach zugefügt, doch in meinen Augen wurde ich vor Gott rein. Eleasar war ein konservativer Rabbi, einer, der in der Vergangenheit und für die alten Gesetze lebte. Er wollte einfach nicht begreifen, daß dies tatsächlich die Endzeit war, die Jesaja und Daniel vorausgesagt hatten. Er wollte auch nicht einsehen, daß, während die alte Welt das alte Gesetz brauchte, ein neues Zeitalter ein neues Gesetz verlangte. Dieses neue Gesetz war der Neue Bund – das Neue Testament, das die Thora nicht aufhob, sondern vollendete. Es war keinesfalls so, daß wir dem Gesetz der Bücher Mose entsagt hätten. Ganz im Gegenteil waren wir nun eifriger als früher darauf bedacht, es einzuhalten. Dennoch änderten sich für uns zwei Dinge: Wir sahen den Tempel nicht länger als notwendig an, um den Bund des Herrn heiligzuhalten, denn wir verrichteten unsere Andacht nun zu Hause; und wir hatten neben dem Sabbat einen zweiten heiligen Tag – an dem wir unser essenisches Fest der Liebe begingen und Simon oder einem der Zwölf zuhörten, wie sie über den kommenden König sprachen.

Es schmerzte mich, Eleasar zu verlieren, aber es war eine andere Art von Schmerz als der, der mich zwei Jahre zuvor zu der Überlegung getrieben hatte, mir das Leben zu nehmen. An jenem düsteren Tag hatte Eleasar mich mit Schimpf entlassen und weggejagt. Diesmal verließ ich ihn für eine Aufgabe, die heiliger war als die seine.

Ich blieb auch weiterhin mit Saul befreundet. Obwohl er sich mit meinem neuen Glauben nicht im geringsten einverstanden zeigte – er stand ja noch immer unter Eleasars Einfluß –, respektierte er dennoch mein Recht, ihm zu huldigen. Und ich gab Saul das Versprechen, daß ich, auch wenn er sich den Armen nicht als Mitglied anschlösse, am Tage der Rückkehr unseres Meisters nach Jerusalem für ihn sprechen und seinen Wert bezeugen würde.

All dies ereignete sich sechzehn Jahre vor der Zeit, über die ich dir noch berichten muß. Doch obgleich diese Begebenheiten dem Tag, über den du erfahren mußt, weit vorausgingen, lasten sie schwer auf den späteren Ereignissen. Ohne das, was vorher passierte, wäre es später wohl niemals zu meiner niederträchtigen Tat gekommen.

Eine weitere Wende in meinem Leben sollte eintreten, die mich meinem unvermeidlichen Schicksal immer näher brachte. Und ich denke, mein Sohn, daß ich vielleicht jetzt nicht in Erwartung meiner letzten Stunde hier in Magdala sitzen würde, wenn diese eine Sache hätte abgewendet werden können.

Doch dazu bestand keine Möglichkeit, denn wir besitzen als einfache Menschen nicht die Fähigkeit, in die Zukunft zu sehen. Und so konnte ich nicht ahnen, daß an einem bestimmten Sommerabend, als ich auf meinem Anwesen unter den Olivenbäumen saß, mein Schicksal auf immer besiegelt werden sollte.

Denn an diesem Abend stellte Saul mir Sara vor.

Um Mitternacht wurden sie mit der Rolle fertig, wobei Judy mitlas, während Ben seine Übersetzung niederschrieb. Sie hatte einen Stuhl herangezogen und saß neben ihm, begierig über das Heft gebeugt. Als er die letzte Zeile geschrieben hatte, ließ Ben den Kugelschreiber sinken und faßte sich ans Handgelenk, da ihm plötzlich bewußt wurde, daß er einen Schreibkrampf hatte.

Nach einer Weile wandten Ben und Judy sich einander zu und schauten sich an, während ihre Gesichter von dem grellen Licht der Schreibtischlampe angestrahlt wurden. Zum ersten Mal hatten die beiden einen Abend zusammen im alten Jerusalem verbracht, und durch diese Erfahrung fühlte sich Ben ihr näher als je zuvor.

»Ich hatte recht«, flüsterte er schließlich. »David war ein gebildeter und wohlhabender Mann. Das wußte ich von Anfang an. Er wird seinen Reichtum mehren, da bin ich mir ganz sicher. In der nächsten Rolle wird er uns von immer größeren Gewinnen berichten...«

Ben lehnte sich bequem im Sessel zurück und versuchte, seine stechenden Rückenschmerzen nicht zu beachten. »Haben Sie nicht etwas gesagt... ein Brief von Weatherby? Etwas darüber, daß die nächste Rolle die letzte sei?«

Judy antwortete nicht. Der Augenblick war zu schön, zu zerbrechlich, um gerade jetzt mit schlechten Nachrichten aufzuwarten.

»Dann wird es also die letzte sein. David wird uns verraten, was er Abscheuliches getan hat, und damit wird diese Geschichte hier beendet sein. Dann wird er mich endlich in Frieden lassen.«

Während Ben sprach, fühlte Judy, wie sich ihr der Magen zusammenzog. Eine schreckliche Vorahnung beschlich sie und vertrieb die Hochstimmung, in der sie sich bei ihrem Besuch im alten Jerusalem befunden hatte. Sie spürte plötzlich, daß diese Sache nicht gut enden würde.

»Ich mache uns einen Kaffee«, sagte sie schließlich. »Ich glaube, wir sollten auch etwas essen.«

»Ich bin nicht hungrig«, entgegnete Ben mit monotoner Stimme.
»Sie werden immer magerer.«

»Tatsächlich?« Sie standen langsam auf, blieben dann aber einen Moment über dem letzten Foto stehen. Es fiel ihnen schwer, sich von Jerusalem loszureißen, von den Juden, die einander liebten, von dem Friedenskuß und von heiteren Sommerabenden.

»Und Sie waren sowieso schon ziemlich dünn«, fügte Judy hinzu. Dann nahm sie seine Hand. »Kommen Sie mit.«

Judy führte Ben ins Wohnzimmer und ging dann in die Küche. Doch plötzlich, als sie vor der Spüle stand, konnte sie sich nicht mehr bewegen. Im Geiste sah sie Davids hübsches Gesicht und die reizende Rebekka vor sich. Es war fast so, als ob sie sie kannte. Sie malte sich aus, wie die »Armen« sich in Miriams Haus versammelten, wie sie miteinander den essenischen Wein und das Brot teilten und sich gegenseitig in der Hoffnung auf künftige bessere Tage bestärkten.

Als sie bemerkte, daß Ben hinter ihr im Türrahmen stand, drehte sich Judy zu ihm um. Sie blickten sich in die Augen. Dann meinte Ben ruhig: »David war ein Christ, nicht wahr?« »Das nehme ich an.« Er wandte sich jäh ab und ging ins Wohnzimmer zurück.

»Was ist denn so Schlimmes daran?« fragte Judy, die ihm nachgefolgt war. »Warum können Sie sich nicht einfach mit der Möglichkeit abfinden, daß...«

»Oh, daran liegt es nicht, Judy. Es geht mir dabei um etwas anderes, über das ich mit Ihnen noch nicht gesprochen habe.«

Ben stockte nach diesen Worten. In der Wohnung war es dunkel und kalt, aber keiner von beiden rührte sich, um die Heizung aufzudrehen oder Licht anzumachen.

»Was könnte es sonst sein?« fragte sie leise.

»Es gab Hunderte von sonderbaren Kulten zu jener Zeit«, erwiderte Ben.

»Aber keinem von ihnen hätte sich ein frommer Jude wie David angeschlossen. Was ist mit dem Führer, der von den Römern gekreuzigt wurde und dann angeblich von den Toten auferstanden sein soll? Und wer waren die Zwölf, die David erwähnte?«

»Nun gut. Er war also ein Christ oder vielmehr ein Nazaräer, wie sie in dieser Gegend hießen. ›Christen‹ waren in Rom und Antiochia. Nazaräer gab es nur in Jerusalem. Da bestand ein Unterschied, wissen Sie?« Ben sah Judy fragend an.

»Ich denke, ich weiß etwas darüber. Es gab eine Jerusalemer Kirche und eine römische Kirche.« Judy saß dicht neben Ben auf der Couch. Sie war ihm so nahe, daß sie ihn fast berührte, und sprach gedämpft weiter. »Nach der Zerstörung Jerusalems überlebte nur die römische Kirche.«

»Das ist es im Grunde. Also war David... einer von ihnen.«

»Was ist denn so schlimm daran? Das ist doch großartig! Diese Schriftrollen werden so viele Wissenslücken schließen, so viele historische und theologische Theorien beweisen und andere widerlegen. Sie werden Licht in die dunklen Anfänge der Kirche bringen. Denken Sie an die Erkenntnisse, die dadurch gewonnen werden können, Ben. Was sollte daran schlecht sein?«

»Nichts«, war alles, was er erwiderte.

Judy überlegte einen Moment. »Wovor fürchten Sie sich? Davor, daß diese Rollen vielleicht die Existenz eines Mannes beweisen könnten, an die Sie lange Zeit nicht geglaubt haben?« Ben fuhr zu ihr herum. »O nein! Ganz und gar nicht! Und ich habe auch niemals gedacht, daß Jesus erfunden sei, weil es ja sicher irgendeine Grundlage für die Evangelien geben muß. Nein, Jesus lebte, aber er war nicht der, für den jedermann ihn heute hält. Er war nur ein jüdischer Wanderprediger, der eine besondere Ausstrahlung auf Menschen besaß. David wird uns in dieser Hinsicht nicht mehr sagen, als wir schon wissen. Es besteht kein Zweifel, daß es vor dem Jahr siebzig unserer Zeitrechnung eine messianische Bewegung gab und daß Essener und Zeloten darin verstrickt waren. Das hat David bestätigt, weiter nichts.«

»Was stört Sie dann, Ben?«

»Was mich stört?« Er wandte seinen Blick von ihr ab und seufzte tief. »Als ich vierzehn Jahre alt war, litt ich an einer unersättlichen Neugierde. Ich hatte auch die schlechte Angewohnheit, alles zu hinterfragen. Meine Mutter und meine Lehrer beriefen sich auf die Thora und betrachteten sie als Schutzschild gegen die Verunreinigung durch die Gojim. ›Aber was für eine Verunreinigung?‹ fragte ich mich. ›Und warum bezeichnen Sie uns als Jesus-Mörder?‹ Eins kam zum anderen, bis ich mich selbst nicht mehr zurückhalten konnte. Ich mußte versuchen, herauszufinden, was uns von den Gojim trennte. Oh, ich wußte schon, daß wir die Thora hatten und sie nicht. Aber das war dem kleinen Benjamin Messer nicht genug. Er wollte wissen, was die Christen anstelle der Thora hatten und was daran so schlimm war.«

Sie saßen mehrere Minuten lang im Dunkeln. Ben durchlebte wieder die Schrecken der Vergangenheit, während Judy geduldig darauf wartete, daß er fortfuhr.

»Ich fing an, regelmäßig in die Bibliothek zu gehen, um das Neue Testament zu lesen. Es interessierte mich einfach, obwohl ich nicht im geringsten an das glaubte, was da stand. Ich las es immer wieder und suchte nach irgendeinem Anhaltspunkt, warum die Christen daran glaubten. Das ging eine Weile so, bis ich schließlich aus Leichtsinn ein Exemplar mit nach Hause nahm. Über eine Woche lang hielt ich es in meinem Zimmer versteckt, bevor meine Mutter es fand. Und Judy...« Er stockte. »Sie trieb es mir gehörig aus. Ich meine, sie prügelte mir die Seele aus dem Leib. Ich kann mich nicht mehr an die Ausdrücke erinnern, mit denen sie mich beschimpfte, so sehr fürchtete ich um mein Leben. Sie tobte wie eine Wahnsinnige. Als ob die Horrorgeschichten vom Konzentrationslager nicht schon gereicht hätten, als ob die Verherrlichung meines heldenhaften Vaters nicht schon genug gewesen wäre, so mußte sie jetzt den Mist aus mir herausprügeln, um mir ein wenig Judentum einzuhämmern.«

Ben beugte sich nach vorn und legte seine Stirn auf seine Knie. »Mein heldenhafter Vater! Oh, um Gottes willen! Warum verurteilt jedermann die Juden von Auschwitz, weil sie sich wie Schafe zur Schlachtbank führen ließen? Was zum Teufel hätten sie denn tun sollen? Was hätten sie tun können? Mein Vater hatte einem SS-Offizier ins Gesicht gespuckt und Hitler ein Schwein genannt. Dafür wurde er dann dazu verurteilt, lebendig begraben zu werden. Und weil meine Mutter die Frau dieses heldenhaften Juden war, hetzte man wilde Hunde auf sie los. Was für eine Art Heldentum soll das sein?«

Judy streichelte sanft Bens Rücken und wartete, während er im Dunkeln weinte. »Das war vor über dreißig Jahren, Ben«, tröstete sie ihn leise.

»Allerdings.« Er richtete sich auf und wischte sich die Tränen fort. »Und David Ben Jona lebte vor zweitausend Jahren, aber schauen Sie ihn nur an, wie er dort steht. Schauen Sie ihn an!«

Judy blickte argwöhnisch in die unergründliche Finsternis des Zimmers. »Ich sehe ihn nicht, Ben.«

»Nein, natürlich nicht. Er zeigt sich nur mir. So wie Sie auch meine Mutter nicht brüllen hören können, was für ein dreckiger kleiner Scheißkerl ich doch sei, weil ich die Bibel der Gojim las. Was konnte ich ihr sagen? Wie hätte ich ihr erklären können, daß ich, indem ich die Bibel der Gojim las, ihre Schwäche erkannte, und nicht ihre Stärke.« Ben putzte sich die Nase und sprach etwas ruhiger weiter. »Wenn ich sie als Feinde bekämpfen sollte, mußte ich doch über sie Bescheid wissen. Ich mußte wissen, gegen wen ich überhaupt kämpfte. Aber meine Mutter konnte das nicht einsehen. Es kam ihr gar nicht in den Sinn, daß ich vielleicht versuchte, ein guter Jude zu sein, daß ich der Rabbi werden wollte, den sie in mir sah. Doch es klappte eben nicht. Sie wollte es erzwingen. Irgend etwas in meinem Innern zerbrach in jener Nacht. Als ich in meinem Bett lag, zu schwach und schmerzerfüllt, um zu weinen, war mir, als gingen mir zum ersten Mal die Augen auf. Und Judy... in dieser Nacht, als ich in meinem Bett lag, begriff ich, was die jüdische Religion einem Menschen antun kann. Ich sah, wie Millionen von Juden im Laufe der Geschichte wegen ihres Glaubens dahingeschlachtet worden waren, wie unzählige Juden in den Konzentrationslagern der Nazis vernichtet worden waren, wie dieser Glaube meinen Vater zugrunde gerichtet und meiner Mutter grausame Folterqualen bereitet hatte. Wir waren alle verachtenswert, weil wir Juden waren. Nicht die Christen befanden sich im Irrtum, sondern wir selbst. Wir waren das Problem. Und der einzige Weg, dem Elend, der Folter und dem Wahnsinn des jüdischen Daseins zu entfliehen, bestand für mich einfach darin, daß ich aufhörte, ein Jude zu sein.«

»Ben...«

»Ich weiß, was Sie jetzt denken«, unterbrach er sie. »Sie denken, daß meine Mutter wohl nicht die einzige Wahnsinnige in unserer Familie war. Vielleicht stimmt das auch. Aber zumindest bin ich in meinem Wahnsinn glücklich.«

»Tatsächlich?«

»Zumindest war ich es bis vor wenigen Tagen. Von dem Augenblick an, als ich vor sechzehn Jahren die Vergangenheit hinter mir ließ, bin ich glücklich gewesen. Und zwar deshalb, weil ich kein Jude mehr war. Wie wäre es gewesen, wenn ich weitergemacht hätte, wie sie es wünschte?«

»Ich weiß nicht, Ben.« Judy stand ganz plötzlich auf und schaltete ein paar Lichter an. »Sagen Sie mir, warum es Sie so aus der Fassung bringt, daß David ein Christ war. Ich kann immer noch nicht begreifen, warum Sie das stört.«

»Weil«, er erhob sich ebenfalls, »weil ich mich bis jetzt mit David

verwandt gefühlt habe. In den Schriftrollen ist er gerade neunzehn
Jahre alt, und bis zum Alter von neunzehn war ich immer noch praktizierender Jude. Jetzt hat er das alles umgestoßen. Er ist in demselben
Konflikt, der vor langer Zeit einmal der Anlaß für all meinen Kummer war – das Dilemma zwischen Christen und Juden. Gute Menschen und schlechte Menschen. Die einen rein, die anderen verderbt.
Als ich vierzehn war, versuchte ich dieser Unstimmigkeit auf den
Grund zu gehen und wurde dafür halb totgeschlagen. Nun hat David,
mein lieber David, sich tatsächlich ihnen angeschlossen. Nur ist er
jetzt gleichzeitig Jude und ein Christ.«

»Zu Davids Zeiten waren Christen eben Juden, nichts anderes.«

»Ein schwacher Trost.«

»Kann ich Ihnen jetzt etwas zu essen bringen?«

»Ja...« Ben begann, im Wohnzimmer auf und ab zu laufen.

An der Küchentür blieb Judy stehen und drehte sich um. »Ach übrigens«, begann sie vorsichtig, »wegen der nächsten Rolle...«

Ben blieb mit hängenden Schultern in der Mitte des Wohnzimmers
stehen. »Dem Himmel sei Dank für die nächste Rolle!« Er schüttelte
matt den Kopf. »Da sie die letzte ist, müßte sie meiner inneren Unruhe ein Ende bereiten und all unsere Fragen beantworten. Und dann
wird alles vorbei sein. Gott, ich kann es gar nicht... erwarten...«

»Ben...«

»Was?« Die Behutsamkeit in ihrer Stimme machte ihn stutzig.

»Es ist doch die letzte Rolle, nicht wahr?«

»Hm ja. Die nächste Rolle wird die letzte sein. Aber nicht, weil David
danach keine mehr schrieb...«

»Was soll das heißen?« Sein Herz begann zu pochen.

»Es ist die letzte, die Weatherby schicken wird. Die wirklich letzte
Rolle, die David schrieb, konnte nicht geborgen werden. Sie war nur
noch ein Teerklumpen.«

Kapitel Dreizehn

Ben las Weatherbys Brief zum zehnten Mal, doch nichts änderte sich. Die Nachricht war und blieb niederschmetternd. Wie bei Rolle Nummer drei war der Tonkrug Nummer zehn schwer beschädigt worden. Zweitausend Jahre der Fäulnis und des Zerfalls hatten ihr Zerstörungswerk vollbracht. Die letzte Rolle war unwiederbringlich verloren.

Dies war der schlimmste Tag in Bens Leben. Am Vorabend, nachdem Judy ihm die Nachricht eröffnet hatte, war Ben in eine solche Wut geraten, daß er Gegenstände an die Wand geschmettert und Judy so in Angst versetzt hatte, daß sie im Laufschritt aus der Wohnung floh. Dann war er in einen tiefen, traumlosen Schlaf gesunken, der fast einem Koma gleichkam. Am nächsten Morgen war er mit dem Gefühl erwacht, als hätte er eine Zeitlang im Reich der Toten geweilt.

So war Davids letzte Rolle auf ewig verloren, und es gab keine Möglichkeit, herauszufinden, was darauf gestanden hatte. Dies bedeutete, daß sich nun alles um Rolle neun drehte. Ben betete verzweifelt darum, daß es sich um einen langen und unbeschädigten Papyrus handeln möge und daß David genug darin sagen möge, damit er sich den Ausgang der Geschichte zusammenreimen konnte. Andernfalls...

Ben starrte auf den Geist, der vor ihm stand, auf den Geist David Ben Jonas.

Andernfalls... *würde er vielleicht nie von ihm lassen*. Möglicherweise würde er nicht verstehen, daß die letzte Rolle nie eintreffen sollte, und Ben deshalb auf ewig heimsuchen.

Judy klopfte schüchtern an der Tür, und als Ben öffnete, schloß er sie sofort in die Arme und küßte sie sanft auf die Stirn. »Es tut mir leid wegen letzter Nacht«, murmelte er. »Es tut mir so unbeschreiblich leid. Gegenstände nach dir zu werfen, wie ein Wilder herumzutoben... Ich weiß wirklich nicht, was...« »Mach dir nichts daraus, Ben«, erwiderte sie, ihr Gesicht an seiner Brust vergraben. Auch für sie war es eine schlimme Nacht gewesen. Und die Entscheidung, zurückzukehren, hatte ihr großen Mut abverlangt. Doch die Liebe hatte ihr geholfen, ihre Angst zu überwinden.

»Ich hätte dich bestimmt nicht verletzt«, beteuerte er.

»Warte.« Sie legte ihre Fingerspitzen auf seine Lippen.

»Sprich nicht darüber. Wir wollen es nicht mehr erwähnen, in Ordnung?«

Er nickte.

»Ich bin gekommen, um mit dir auf die nächste Rolle zu warten.«

Sie bereitete schnell ein Mittagessen, das sie wortlos verzehrten. Dann versuchten sie gemeinsam, im Arbeitszimmer Ordnung zu schaffen. Eine Menge Blätter mit übersetztem Text lagen überall verstreut. Sie mußten aufgesammelt, in die richtige Reihenfolge gebracht und für Weatherby getippt werden. Die Möglichkeit, daß er von den anderen beiden Handschriftenkundlern laufend über den neuesten Stand der Übersetzung unterrichtet werden könnte, war ihnen bisher gar nicht eingefallen. Es war ihnen auch nicht in den Sinn gekommen, daß sich ein großes Archäologenteam in Jerusalem mit den Papyrus-Blättern beschäftigte. Für Ben und Judy war dies zu einer persönlichen Angelegenheit geworden, die nur ihn selbst und David betraf. Ben bestand darauf, daß sie schon um zwei Uhr nach unten gehen sollten, obgleich die Post immer erst um Punkt vier Uhr kam. Voll Erwartung setzten sie sich auf die Stufen, und jeder von ihnen hoffte inständig, wenn auch aus verschiedenen Gründen, daß die letzte Schriftrolle heute ankommen möge.

Als sie eintraf, wurde Ben vor Aufregung beinahe ohnmächtig. Er zitterte so heftig, daß Judy den Empfangsschein unterschreiben und Ben dann die Treppe hoch bis in die Wohnung helfen mußte.

»Du schwitzt ja«, bemerkte sie, als sie drinnen waren, »und da draußen war es kalt.«

»Ich dachte schon, sie würde niemals kommen. Ich dachte, sie würde niemals kommen.«

»Jetzt ist sie ja da, die letzte Rolle. Wir wollen sie gleich lesen, Ben.«

Den Fotos lag kein Begleitschreiben bei, und zu Bens grenzenloser Freude stellte er beim schnellen Überfliegen fest, daß die Papyrusrolle lang und ziemlich gut erhalten war.

»An diesen beschädigten Ecken hier können wir wahrscheinlich recht

genau raten, was dort geschrieben stand. Problematisch wird es nur, wenn ganze Textpassagen fehlen. So, fangen wir jetzt an zu lesen. O Gott... ich dachte schon, sie würde niemals kommen.« Er griff blindlings nach ihrer Hand und drückte sie fest. »Bete, Judy, bete, daß diese Rolle allem ein Ende setzen möge.«
Ich hoffe es, dachte sie verzweifelt. Gott, wie sehr ich es hoffe.

Rebekka und ich waren seit einem Monat verheiratet und genossen die Glückseligkeit und die neuen Erfahrungen aller Frischvermählten. Sie war eine sanfte, liebevolle Ehefrau, wie ein ruhiges Kind in meinen Armen, und ich dankte Gott täglich für das Glück, das mir durch sie zuteil wurde. Ich brachte dem Herrn gegenüber auch meine Zufriedenheit zum Ausdruck und dachte, daß ich so für immer und ewig weitermachen könnte, mit der sittsamen Rebekka an meiner Seite und unseren stets ertragreichen Olivenbäumen.
Doch dann, eines Abends, als wir gerade einen Monat verheiratet waren, kam Saul vorbei, um uns zu besuchen und mit uns zu Abend zu essen. Ich hatte ihn mehrere Tage zuvor eingeladen, und er hatte angekündigt, daß er uns zu diesem Anlaß eine Überraschung mitbrächte.
Die Überraschung war folgende: Saul hatte sich verlobt. Und er hatte seine zukünftige Frau mitgebracht.
Mein Sohn, ich hatte keine Möglichkeit, mich auf diesen Augenblick vorzubereiten. Das hat wohl kein Mensch. Ebenso, wie es dir vielleicht eines Tages ergehen wird, erging es mir an diesem Abend, als ich meinem Freund die Tür öffnete.
Mir verschlug es die Sprache. Es kam mir vor, als wäre ich vom Blitz getroffen worden. Saras Blicke trafen die meinen, und in Sekundenschnelle drangen sie durch mich hindurch und spalteten meine Seele in zwei Hälften. Was ich in diesem Moment empfand, läßt sich mit Worten nicht beschreiben. In demselben Augenblick, als Saul uns begrüßte und uns stolz seine Braut vorführte, verliebte ich mich in Sara. Und als ihre Augen sich in meine vertieften, als ihr Gesichtsausdruck erstarrte und ihr Mund sich leicht öffnete, da wußte ich, daß Sara für mich dasselbe empfand.
Dergleichen hören wir normalerweise nur in Märchen und Legenden und rechnen nicht im Traum damit, daß es uns selbst einmal so ergehen könnte. Doch es packte mich, mein Sohn, und traf mich

mit einer solchen Wucht, daß ich bereits damals, in jenem flüchtigen Augenblick, wußte, daß mein Leben nie mehr so sein würde wie früher.

Weder Saul noch Rebekka bemerkten, was zwischen uns vorging. Ich wusch meinem Freund Hände und Füße und teilte mit ihm gewässerten Wein, während Sara und Rebekka sich in der Küche zu schaffen machten. Und während Saul munter darauflos schwatzte und mir allerlei Neuigkeiten aus der Stadt berichtete, war ich die ganze Zeit taub und blind. Ich konnte nur an Sara denken, den Inbegriff geheimnisvoller Schönheit, der den Männern sonst nur im Traum erscheint.

Ich war den ganzen Abend verlegen, aber Saul und Rebekka nahmen keine Notiz davon. Beim Essen unterhielten wir uns und lachten und genossen die Gesellschaft guter Freunde. Ich fürchtete mich davor, Sara anzusehen. Ich wußte, wenn ich es täte, würde ich wie eine Feuersäule auflodern. Ein- oder zweimal trafen sich unsere Blicke, und wir waren sogleich wie erstarrt. Sie blickte mich keck an mit leicht geöffneten feuchten Lippen, als ob sie mir etwas mitteilen wollte.

Als Saul und Sara sich schließlich verabschiedeten, war ich völlig betäubt. In dieser Nacht rührte ich Rebekka nicht an, sondern gab vor zu schlafen. Und in den Stunden der Finsternis sah ich das Bild die ganze Zeit vor meinen Augen: Saras weit aufgerissene, forschende Augen, ihr voller Mund, ihr glänzendes schwarzes Haar und ihr anmutiger Körper. Sie war mehr als eine Schönheit, sie war eine Märchenfee, die gekommen war, mich zu peinigen.

Noch Tage danach konnte ich den Gedanken an Sara nicht loswerden. Ich schenkte meiner Arbeit nur wenig Aufmerksamkeit und mußte oft zweimal angesprochen werden, bevor ich Antwort gab. Ich weiß nicht, ob Rebekka es bemerkte, jedenfalls machte sie diesbezüglich keine Andeutung. Doch Rebekka war ohnehin eine stille und gehorsame Ehefrau, die mein Handeln niemals in Frage gestellt hätte.

Eines Tages konnte ich es nicht länger aushalten. Statt meinen Verwalter zu den Geldhändlern zu schicken, wie ich es üblicherweise tat, ging ich selbst und ließ ihn zurück, um im Olivenhain nach dem Rechten zu sehen. Ich zog meine feinste Tunika und meinen besten Umhang an, rieb wohlriechendes Öl in meinen

Bart und machte mich mit klopfendem Herzen auf den Weg nach Jerusalem.

Saul stand kurz vor dem Ende seines Studiums und wohnte daher nicht länger bei Eleasar. Er war wieder zu seinem Vater zurückgekehrt und würde dort nach der Hochzeit mit seiner jungen Ehefrau so lange wohnen, bis er sich ein eigenes Heim leisten konnte.

Saul war noch nicht zu Hause, aber ich wurde von seiner Familie herzlich empfangen. Als Saul dann kurze Zeit später aus dem Tempel zurückkam, freute er sich über meinen Besuch und bemerkte in seiner Begeisterung gar nicht den Anflug von Enttäuschung, der sich auf meinem Gesicht zeigte. Sara war nicht bei ihm.

Und was hatte ich auch erwartet? Bis zur Hochzeit würde sie natürlich nicht allzu häufig in seiner Gesellschaft sein. Ich mußte einen anderen Weg ersinnen.

Was ich mir ausdachte, war folgendes: Ich lud die beiden für den Vorabend des Sabbat erneut zum Abendessen ein und bat sie, bis zum nächsten Tag zu bleiben.

Ich sagte: »Rebekka fühlt sich einsam in diesem Haus am Olivenhain, denn sie kommt selten mit gleichaltrigen jungen Frauen zusammen. Saras Gesellschaft würde ihr sicherlich guttun.«

Und Saul nahm die Einladung bereitwillig an.

Mein Sohn, ich betrog meinen besten Freund und benutzte ihn, um meine eigenen Ziele zu erreichen. Doch in meinem glühenden Verlangen, Sara wiederzusehen, kam mir nichts von alledem in den Sinn. Ein Mann, der von der Liebe getrieben wird, von einer verzehrenden Leidenschaft, ist kein vernunftbegabter Mensch mehr.

Als Saul und Sara kurz vor Sonnenuntergang eintrafen, war ich ganz außer mir. Ich stand auf, um zu beobachten, wie sie den Pfad heraufkamen. Ich hörte Saras Lachen zwischen den Bäumen schallen, ich sah, wie sich das Sonnenlicht in ihrem herrlichen, im Abendwind wehenden Haar verfing. Als sie indes an unserer Schwelle anlangte, zeigte sie sich schüchtern und ließ den Schleier wieder herunter. Und doch spürte ich, wie ihre dunklen Augen mich durch den Schleier hindurch anblitzten, und die Knie wurden mir weich. Niemand vermag das Gefühl der Liebe zu erklären, woher es kommt, warum es überhaupt existiert, wodurch es zu bestimmten Zeiten hervorgerufen wird. Man weiß nur, daß es die erhabenste aller Empfindungen ist.

Von deinen Lippen, o Braut, träuft Honigseim; Milch und Honig birgt deine Zunge, und der Duft deiner Kleider gleicht dem Duft des Libanon!

Ich kann mir vorstellen, wie König Salomo zumute war, als er dieses Lied schrieb, denn in Saras Gegenwart war ich schwach, von glühender Leidenschaft verzehrt und erfüllt von dem Verlangen, sie in meinen Armen zu halten.

Tags darauf kehrte Saul in die Stadt zurück, um in den Tempel zu gehen. Ich begleitete ihn nicht, denn wir von den Armen hielten unseren Gottesdienst nicht am Sabbat, sondern einen Tag später ab. Und so erbot ich mich, Sara in meinem Olivenhain herumzuführen, damit sie all meine Besitztümer sehen und die frische Morgenluft genießen könnte. Rebekka zog es vor, im Haus zu bleiben, und so wanderten Sara und ich allein zwischen den Olivenbäumen einher.

Zuerst sprachen wir nicht. Es herrschte ein seltsames Stillschweigen zwischen uns. Doch als wir unter den Zweigen dahinschlenderten und uns an der Wärme des Tages ergötzten, wußte ich, daß Sara dasselbe empfand wie ich.

Schließlich erreichten wir den letzten der Bäume und standen am Rand eines wunderbaren Aussichtspunktes. Die blutrote Anemone war in voller Blüte und belebte die Landschaft mit ihrem strahlenden Glanz. Die Luft war erfüllt von dem Duft der Aleppokiefern, und weiße Lilien sprossen da und dort im Gras wie schlafende Tauben.

Endlich konnte ich es nicht mehr aushalten und erzählte Sara, was ich im Grunde meines Herzens empfand. Ich gestand ihr, daß ich mich nicht schuldig fühle, daß ich zwar ein jung vermählter Ehemann sei, aber dennoch nicht an meine Frau denken könne und daß sich das Feuer, von dem ich verzehrt wurde, meiner Kontrolle entziehe.

Zu meiner Überraschung und Freude äußerte sich Sara ganz ähnlich; daß sie seit dem Augenblick unserer ersten Begegnung rastlos sei und einen stechenden Schmerz im Herzen empfinde.

»Wie kann das sein?« fragte sie. »Kann eine solche Liebe in einem so kurzen Augenblick erblühen? Ist es möglich, daß sich zwei Menschen nur ansehen und hilflos in einer Leidenschaft gefangen werden, die so groß ist, daß alles Wasser von Siloam sie nicht zu kühlen vermag?«

Ich sagte ihr, daß es wohl so sein müsse, da es uns widerfuhr. Ich wollte sie küssen, aber ein kleiner Rest Vernunft war mir noch verblieben. Im fünften Buch Mose heißt es, daß ein frisch vermählter Mann ein Jahr lang mit seinem Weib fröhlich sein soll. Ich befolgte dieses Gebot nicht vollständig. Und dabei war ich doch ein Mann des Gesetzes.

Wir unterhielten uns leise oben auf dem Hügel, und als eine leichte Brise Saras Schleier ein wenig lüftete und ihr Haar freigab, meinte ich zu hören, wie mein Herz laut aufschrie.

Ich empfand große Zuneigung für Saul. In meinen acht Jahren in Jerusalem war Saul mein Bruder und mein Freund gewesen. Es gab nichts, was ich im Angesicht Gottes nicht für ihn getan hätte. So war es aus keinem anderen als aus diesem Grund, daß ich es unterließ, mich Sara zu nähern. Meine Liebe zu Saul verlieh mir die Kraft, um meiner Liebe zu seiner Verlobten nicht nachzugeben. Ich bin ein Mann der Treue.

Ich bin auch ein Mann des Gesetzes, und doch war es seltsamerweise nicht das Gesetz, das mich an diesem Tag im Zaume hielt. Ich wußte, daß die Strafe für einen Mann, der bei der Verlobten eines anderen Mannes schläft, die Steinigung war – zu Tode steinigen. Weiterhin wußte ich, daß auch ein Mädchen zu Tode gesteinigt werden konnte, wenn es nicht als Jungfrau zu ihrem Manne ging und er dies in der Hochzeitsnacht entdeckte. Doch so streng und abschreckend die Gesetze des fünften Buches Mose auch sind, es war meine Freundschaft mit Saul, die mir an diesem Tage Willenskraft gab.

In den darauffolgenden Tagen war ich ein anderer Mensch. Als Salmonides sich bei mir mit noch größeren Gewinnen meldete und verkündete, die Götter seien mir geneigt, trafen seine Worte auf die Ohren eines Tauben. In meiner Brust tobte ein Schmerz, der sich durch nichts lindern ließ. Meine Liebe zu Sara nahm mit jeder Stunde zu.

Rebekka und ich besuchten auch weiterhin unsere Freunde im Hause von Miriam in der Oberstadt, und weil sie fromme Juden waren, strengte ich mich sehr an, zuvorkommend zu sein. Ich habe bisher noch nicht von Jakobus gesprochen, den du ja auch kennst. Jetzt will ich von ihm berichten.

Jakobus war ein Nazaräer, ein Mann von felsenfesten Überzeugungen und eisernen Gelübden. Neben Simon war er einer der Führer der Armen. Es waren arbeitsreiche Tage für sie, da sie darauf bedacht waren, ihre Anhängerschaft zu vergrößern, bevor der Meister wiederkehrte. Jakobus pflegte zu sagen: »Wir wurden angewiesen, auszuziehen, um die verlorenen Schafe Israels zu suchen und ihnen zu verkünden, daß das Königreich nahe.«

Deshalb zogen Simon und seine Anhänger durch das ganze Land, predigten den Neuen Bund und verkündeten die Rückkehr unseres Königs. Es würde nicht mehr lange dauern, bis sich die vor langer Zeit gemachten Prophezeiungen erfüllten und Israel zum rechtmäßigen Herrscher der Welt erhoben würde. Für dieses Ereignis mußten alle Juden vorbereitet sein, und es war die Aufgabe von Simon und Jakobus, die Missionarstätigkeit zu organisieren und dafür Sorge zu tragen, daß die Botschaft jeden Bürger Israels erreichte. Einst fragte ich ihn: »Wohin geht ihr, Brüder?«

Und Jakobus antwortete: »Wir sind verpflichtet, in jede Stadt Israels zu gehen und mit jedem Juden dort zu sprechen. Wir erhielten Anweisung, den Heiden aus dem Weg zu gehen und die Städte der Samariter nicht zu betreten. Denn das nahende Königreich ist allein für Juden.«

Um diesen Punkt entspann sich ein heftiger Meinungsstreit. Simon und Jakobus erhielten Briefe von ihren Brüdern in Antiochia, die zu Juden predigten, und diese erzählten von einem anderen Mann, einem gewissen Saul von Tarsus, der behauptete, mit dem Meister auf der Straße nach Damaskus gesprochen und die Anweisung erhalten zu haben, auch zu Heiden zu predigen.

Doch Simon und Jakobus, welche über alle Angelegenheiten der Armen wachten, rieten ihnen strikt davon ab, sich unter die Unbeschnittenen zu begeben. Denn sofern sie nicht Juden würden wie wir – das heißt, wenn sie nicht das Ritual der Beschneidung über sich ergehen ließen – und versprächen, die Thora heiligzuhalten, könnten die Heiden dem Neuen Bund nicht beitreten.

Eine zweite Unstimmigkeit erwuchs ebenfalls aus diesem Punkt, ein Streit, der zunächst recht harmlos begann, der aber in späteren

Jahren immer größere Ausmaße annahm. Wie du weißt, war Simon der beste Freund des Meisters und sein erster Jünger gewesen. Du weißt auch, daß Jakobus des Meisters Bruder war. Daraus entwickelte sich eine kleine Zwietracht zwischen ihnen. Simon und Jakobus wetteiferten miteinander um die absolute Vorherrschaft bei den Armen. Wenn sie in einer Sache unterschiedlicher Meinung waren, entstand sofort eine hitzige Debatte, und jeder von beiden erhob Anspruch auf das letzte Wort. Dies war zunächst kein größeres Problem, doch später, als Simon und Jakobus sich in ihren Auffassungen immer weiter auseinanderlebten, wurde der Kampf um die oberste Führungsposition bei den Armen immer heftiger geführt.

So waren Simon und Jakobus zu dieser Zeit sehr beschäftigte Leute. Der Tag der Rückkunft schwebte fast schon über uns. Es konnte schon morgen sein, und sie befürchteten, nicht genug Juden für ihre Sache gewonnen zu haben, bevor unser Meister als König in Jerusalem Einzug hielt. Simon und Jakobus bekämpften die Idee, auch Heiden in die Gruppe aufzunehmen, und sie wetteiferten miteinander um die absolute Kontrolle über die Gemeinschaft.

Es war auch eine Zeit, in der leider viele von uns begannen, zum Schwert zu greifen. Zeloten in ganz Galiläa und Judäa sorgten für wachsende politische Spannungen mit unseren römischen Oberherren, und wir befürchteten, daß ein offener Konflikt ausbrechen könnte, bevor unser Meister zurückkehrte.

Im Vergleich zu dem, was später passierte und was du miterlebtest, mein Sohn, waren diese noch keine gefährlichen Zeiten. Damals wurde erst die Saat der Unruhe ausgebracht, und ein paar widrige Winde verbreiteten sie übers ganze Land. Als das Wasser plötzlich aus dem siedenden Kessel hervorbrach, warst du Augenzeuge davon.

Meine Liebe zu Sara wurde immer stärker. Ich vermochte ihr keinen Einhalt mehr zu gebieten. Als man Saul, meinen Freund, endlich für fähig erachtete, das Gesetz seinerseits zu lehren, und Eleasar ihm den Titel Rabbi verlieh, legte Saul den Tag der Hochzeit fest. Diese Nachricht zerriß mir die Seele, als ob hungrige Löwen darin wüteten.

Rebekka war so aufgeregt, als wäre sie selbst die Braut, und verbrachte viele Tage bei Sara, um ihr bei den Vorbereitungen zu helfen. Saul und Sara besuchten uns häufig, denn wir waren ihre besten Freunde, und ich fühlte mich jedesmal wie ein kranker Hund. Ich schmachtete nach Sara. Ich sehnte mich nach ihr, wie ich mich nie zuvor nach einer Frau gesehnt hatte. Meine Liebe wurde zur flammenden Leidenschaft und dann zur nackten Begierde, und ganz egal, wie sehr ich in meinem Olivenhain unter der Sonne schwitzte oder betete, bis ich Schwielen an den Knien bekam, das heftige Verlangen, Sara zu besitzen, wurde nur noch stärker. Daß sie ebenso litt wie ich, konnte man deutlich in ihren Augen erkennen. Und einmal, als sich unsere Hände zufällig berührten, sah ich eine tiefe Röte ihre Wangen bedecken. Nachts träumte ich lange von ihr. Ich warf mich hin und her, wie vom Fieber befallen. Und ich betete, daß ich am Tage ihrer Hochzeit imstande sein möge, meinen Leib und meine Seele von dieser Besessenheit zu befreien.

Eines schönen Tages begab es sich, daß Rebekka nach Jerusalem ging, um ihre Mutter und ihre Schwestern zu besuchen, während ich allein bei der Ölpresse zurückblieb. Ich wußte, daß Saul schon im Tempel weilte und nach Schülern Ausschau hielt, damit er seine eigene Schule begründen könnte. Mein Verwalter war in Jerusalem mit dem Öl, das wir zuletzt gepreßt hatten, und meine wenigen Sklaven hielten im Schatten ihren Mittagsschlaf.

Und so schien es ganz so, als ob das Schicksal Sara an diesem Tag den Pfad heraufführte. Als ob unsere Sterne schon vor langer Zeit, in der Stunde unserer Geburt, zwangsläufig miteinander verbunden worden wären. Ich trat aus dem Schatten heraus ins Sonnenlicht und glaubte meinen Augen nicht zu trauen. Es war, als ob ein Traumbild sich mir näherte.

Mit heruntergelassenem Schleier und niedergeschlagenen Augen wünschte mir Sara einen guten Tag und erklärte, sie habe Rebekka und mir einen Korb voll Honigkuchen mitgebracht. Süße Honigkuchen, die sie gerade gebacken hatte und die noch warm waren.

Als ich ihr sagte, daß Rebekka das Haus verlassen habe und ich allein sei, schlug Sara ihre Augen zu mir auf, und mein Herz begann zu singen.

»Nimm einen Kuchen«, forderte sie mich auf und hielt mir den Korb hin. »Sie sind mit Honig, geriebenem Johannisbrot und den feinsten Nüssen bereitet.«

Aber ich konnte nicht essen. Mein Mund war trocken und mein Hals wie zugeschnürt. Mein Herz raste wie das eines kleinen Jungen.

»Komm, setze dich in den Schatten«, lud ich sie ein und nahm ihr den schweren Korb ab.

Wir gingen eine Weile und genossen die sommerliche Wärme und die frische Luft. Zuweilen blieben wir stehen, um die Vögel zu beobachten oder den Duft einer Blume einzuatmen.

»Es ist so ruhig hier«, bemerkte Sara, als wir ein Stück gegangen waren. »Nicht wie in der überfüllten Stadt, wo immer Lärm herrscht. Hier zwischen den Bäumen ist es friedvoll.«

Wir beschlossen, uns eine Weile im Schatten einer Pinie niederzulassen, deren schwere Zweige tief herunterhingen und die ihre Arme weit ausbreitete, um den Himmel zu umarmen. Als wir uns setzten, stellte ich fest, daß wir uns außer Sichtweite des Hauses befanden.

»Saul hat jetzt einen Schüler«, berichtete Sara mit gesenktem Blick. Sie saß auf der Seite, wobei sie ihre kleinen Füße sittsam unter sich gezogen hatte. »Er ist der Sohn eines armen Krämers, der es sich nicht leisten kann, ihn zu einem bekannteren Rabbi zu schicken.«

Ich erwiderte: »Alle berühmten Männer haben einmal bescheiden angefangen. Die Zeit wird kommen, da Saul ebenso begehrt sein wird wie Eleasar.«

Dann saßen wir eine Zeitlang schweigend da.

Ich fragte sie: »Wann ist die Hochzeit, Sara?«

»In zwei Monaten, denn bis dahin kann Saul ein kleines Haus in der Stadt kaufen. Es ist ein recht einfaches, aber immerhin wird es unser eigenes sein.«

Zwei Monate, dachte ich. Wird es leichter sein, gegen diese Leidenschaft anzukämpfen, wenn sie erst eine verheiratete Frau ist, oder macht es keinen Unterschied?

Als wir einigen Vögeln beim Spiel zusahen, lachte Sara, so daß ihr Schleier zurückfiel. Der Anblick ihres langen, schwarzen Haares, das ihr über Schultern und Brust fiel, schürte meine Leidenschaft.

»Sara«, sprach ich zu ihr, »es ist schwer für mich, so mit dir zusammen zu sein.«

»Mir geht es nicht anders«, erwiderte sie.

»Saul ist mein bester Freund und mein Bruder. Ich kann ihn nicht hintergehen.«

Sie flüsterte: »Ich weiß.«

Und trotzdem konnte ich nicht anders. Ich zitterte von dem Kampf, der in meinem Innern ausgetragen wurde, versuchte verzweifelt, den Drang, der über mich kam, zu besiegen. Doch ich konnte mich nicht mehr beherrschen. Einer plötzlichen Regung folgend, griff ich mit beiden Händen nach ihrem Haar und küßte es.

Tränen standen ihr in den Augen. Plötzlich sagte sie mit gepreßter Stimme: »Saul wird nie etwas davon erfahren.«

Ich war wie vom Donner gerührt. »Aber meine Liebe«, entgegnete ich, »du mußt doch als Jungfrau zu deinem Mann gehen. Das Gesetz ist ganz klar. Und es steht ganz unmißverständlich geschrieben: ›Wenn eine Jungfrau mit einem Mann verlobt ist, und ein anderer Mann trifft mit ihr innerhalb der Stadt zusammen und schläft bei ihr, so sollt ihr die beiden zum Tor der Stadt hinausführen und sie beide zu Tode steinigen.‹«

Ich sagte: »Das Gesetz ist klar. Ich fürchte dabei nicht für mich selbst, sondern um deinetwillen, meine Liebe.«

Ihre Hand lag auf meiner, und alle Treue zu Saul war dahin. Sara saß dicht neben mir; ihr kleiner Körper bebte; ihre Lippen lösten sich voneinander.

Da fuhr ich fort: »Im fünften Buch Mose steht auch folgendes geschrieben: ›Wenn aber der Mann das verlobte Mädchen auf freiem Felde antrifft, es mit Gewalt nimmt und bei ihr schläft, so soll der Mann allein sterben, der bei ihr geschlafen hat.‹«

Doch Sara widersprach: »Nein, mein Geliebter! Wenn man uns ertappt, so soll man uns auch beide bestrafen. Vergiß das Gesetz und die Stadt und das Land. Es führt kein Weg darum herum. Wir müssen die Gelegenheit ergreifen. Wenn man uns entdeckt, dann ist es nur gerecht. Wenn man uns nicht entdeckt, dann müssen wir auf ewig mit unserem schlechten Gewissen leben.«

Niemand sah uns an jenem Tag, und es kam auch nie heraus. Für den Moment war es wie ein flüchtiger Blick ins Paradies. Aber danach, am Abend und an den folgenden Tagen, trieb mich mein schlechtes Gewissen an den Rand der Verzweiflung. Es gab auf der Welt kein niedrigeres Geschöpf als mich, der ich ein verabscheuungswürdiger Betrüger war. Ich hatte meine Frau Rebekka hintergangen, ich hatte meinem besten Freund Saul die Treue gebrochen, und ich hatte Verrat an Gott begangen. Es gab für diese Tat keine

Entschuldigung, und ich suchte auch nicht danach. Ich hatte meinem besten Freund gestohlen, was rechtmäßig ihm gehörte. Ich würde ihn nie mehr ansehen können, ohne die tiefste Scham zu empfinden. Zweimal in meinem Leben hatte ich nun die Thora beschmutzt. Wie konnte ich erwarten, bei der Rückkehr des Meisters zu den Auserwählten zu zählen, wenn ich Gottes heiliges Gesetz nicht in Ehren hielt? Es konnte nun jeden Tag ein König in Zion Einzug halten, und ich war nicht mehr würdig.

In meiner Bedrängnis wandte ich mich an Simon um Rat. Ich schilderte ihm keine Einzelheiten, sondern gestand nur, daß ich eine verbrecherische Tat begangen hatte. Ich warf mich vor ihm auf die Knie und bat ihn um seine Belehrung. Zu meiner Überraschung sagte Simon folgendes: »Indem du dich um Läuterung bemühst, wirst du geläutert, denn Gott kann in dein Herz sehen. Bist du in deiner Zerknirschung aufrichtig, dann wird dir sofort vergeben.« Darauf antwortete ich: »Ich bin kein Jude, der würdig genug wäre, den Messias zu empfangen.«

Und Simon erwiderte: »Erinnere dich an das Gleichnis vom Hochzeitsfest. Setze dich niemals auf den besten Platz, denn es könnte vorkommen, daß der Gastgeber einen Bedeutenderen eingeladen hat als dich und zu dir sagt: ›Bitte stehe auf und gib ihm diesen Platz.‹ Dann wärest du beschämt und müßtest dich auf einem geringeren Platz niederlassen. So gehe hin, wenn du eingeladen bist, und setze dich statt dessen auf den niedrigsten Platz, so daß dein Gastgeber sagen kann: ›Komm höher, Freund, und setze dich dort oben hin.‹ Dies wird dir vor den anderen Gästen zur Ehre gereichen. Denn wer sich selbst erhöht, wird erniedrigt, und wer sich selbst erniedrigt, wird erhöht.«

Ich machte mir viele Gedanken über Simons Rat, und obgleich ich fühlte, daß er recht haben könnte, trug er nur wenig dazu bei, meine Verzweiflung zu lindern.

Ich hatte jetzt noch mehr zu leiden, denn obwohl ich den Preis erhalten hatte, nach dem ich mich so sehr gesehnt hatte, und obwohl ich mich hinterher dafür elend fühlte, liebte ich Sara noch immer von ganzem Herzen und von ganzer Seele.

Es bewirkte eine Veränderung in mir, mein Sohn. Während Simon mir versicherte, daß ich erst neunzehn Jahre alt sei und mit mir selbst zu hart ins Gericht gehe und daß ich mit der Zeit lernen werde, mir selbst zu verzeihen, bin ich danach nie wieder imstande gewesen, mir meiner Würde vor Gott sicher zu sein. Und so erlegte ich mir selbst Gelübde auf: doppelt so oft und doppelt so lang zu beten, als das Gesetz es verlangte; die Gebetsriemen um Arm und Stirn zu tragen; sowohl den Alten Bund als auch den Essenischen Bund heiligzuhalten; und mich doppelt anzustrengen, ein würdiger Diener des Messias zu werden. Nur auf diese Weise war ich in der Lage, mit mir selbst zu leben. Ich liebte Sara weiterhin still und heimlich, verstärkte aber gleichzeitig meine Hingabe an Rebekka, damit sie wegen meiner Schwäche nicht zu leiden brauchte. Ich blieb Saul gegenüber standfest, war in seiner Gegenwart aber stets verlegen und bemühte mich, jeden Kontakt mit Sara zu vermeiden.

Ich wohnte ihrer Hochzeitsfeier nicht bei. Ich gab vor, krank zu sein, und schickte Rebekka mit ihrer Mutter und ihren Schwestern allein zum Fest. Frisch verheiratet, waren Saul und Sara zu sehr mit den Besuchern beschäftigt, die sich nun ständig bei ihnen einfanden. Und ich fand stets neue Entschuldigungen, um die Einladungen in ihr Haus zu verschieben.

In dieser Zeit trat Salmonides mit dem Vorschlag an mich heran, ich solle doch das Nachbargut kaufen, welches verarmt und unrentabel war, und es in ein gewinnbringendes Unternehmen verwandeln. Ich wußte die Ablenkung zu schätzen. Ich stellte sofort neue Hilfskräfte ein, kaufte eine größere Ölpresse und erarbeitete ein besseres Bewässerungssystem. Salmonides hatte recht, denn der angrenzende Hof fing bald an, sich selbst zu tragen und wenig später auch Gewinn abzuwerfen. Während meine Olivenbäume dicke, fleischige Früchte trugen und meine Presse das beste Öl hervorbrachte, mehrte Salmonides weiterhin meine Gewinne aus anderen Unternehmungen.

Gegen Anfang des folgenden Jahres, kurz nach meinem zwanzigsten Geburtstag, kam ein Bote aus der Stadt mit einem Brief von Saul. Sara hatte soeben ihr erstes Kind zur Welt gebracht.

Acht Tage später fanden Rebekka und ich uns zur Beschneidungszeremonie ein. Es war das erste Mal, daß ich Sara seit unserer Begegnung kurz vor ihrer Hochzeit wieder ansah, und ich war verblüfft, wie rasch mir bei ihrem Anblick die Knie weich wurden und mein Herz zu rasen anfing. In ihrer Blässe und Zerbrechlichkeit – denn es war eine schwere Geburt gewesen – war sie ebenso reizend, wie ich sie in Erinnerung hatte. Und als der Mohel die Beschneidung vornahm und dazu die üblichen Worte sprach, galt meine Aufmerksamkeit allein Sara.

Sie nannten den Knaben Jonathan, nach dem ältesten Sohn des ersten Königs von Israel. Ich sollte sein Onkel und er mein Neffe sein. Wir sprachen besondere Gebete für das Neugeborene, und insgeheim beneidete ich Saul. Ich selbst hatte bis jetzt noch keinen Sohn.

Ich sprach meinen Segen über Jonathan und wünschte ihm ein langes Leben, und dann betete ich leise in meinem Herzen, daß er bis zur Rückkehr des Messias am Leben bleiben möge, so daß er im wahren Königreich Israel zum Mann heranwachsen würde.

Judy ließ Ben allein, um in der Küche ein paar Hamburger zurechtzumachen. Sie verrichtete diese Arbeit mit mechanischen Bewegungen, ohne zu denken, denn obgleich sich ihr Körper in dieser hochmodernen, vollelektrischen Küche des zwanzigsten Jahrhunderts befand, war sie im Geiste noch immer im alten Jerusalem.

Ben saß regungslos an seinem Schreibtisch. Nachdem er sich so in die Rolle vertieft hatte und so sehr damit beschäftigt gewesen war, das Leben von David Ben Jona nachzuvollziehen, ließ ihn der Schock darüber, am Ende der Handschriften angelangt zu sein, regelrecht in der Luft hängen.

»Das kann nicht sein«, dachte er, innerlich leer, »das kann noch nicht alles sein.«

Ben legte seine Hände mit ausgestreckten Fingern flach auf die Fotografien. Völlig regungslos saß er da und spürte die Worte David Ben Jonas unter seinen Handflächen, spürte den heißen Sommer in Jerusalem und den Liebesakt unter einer Aleppokiefer. Er spürte den Lärm und das Gedränge auf Jerusalems Markt; roch den aus Kapernaum, Magdala und Bethesda herbeigeschafften Fisch; fühlte die Seidenstoffe aus Damaskus, das Leinen aus Ägypten, das Elfenbein aus Indien. Er spürte die exotischen Wohlgerüche, das Geschrei der Straßenhändler und Kaufleute, spürte das Klirren der römischen Schwerter in der Scheide, als die Soldaten vorübergingen, spürte den Staub und die Tiere und die Hitze und den Schweiß...

»O Gott!« rief Ben und sprang auf.

Im nächsten Augenblick war Judy bei ihm und wischte sich die Hände an einem Geschirrtuch ab. »Ben, was ist los?« Er starrte auf seine zitternden Fingerspitzen. »O Gott«, flüsterte er wieder.

»Was ist geschehen?«

»David...«, begann er. »David war...«

Sie legte ihm einen Arm um die Schultern. »Komm, Ben, du bist erschöpft. In ein paar Minuten bin ich mit dem Essen fertig, dann können wir uns entspannen. Wie wär's mit einem Glas Wein in der Zwischenzeit?«

Sie führte ihn ins Wohnzimmer über den purpurfarbenen Fleck auf dem Vorleger hinüber zur Couch. Sowie er sich gesetzt hatte, war Poppäa auf seinem Schoß. Sie schnurrte und rieb ihr Gesicht an seiner Brust. Doch Ben schenkte der verführerischen Katze keine Beachtung. Statt dessen legte er seinen Kopf auf der Couch zurück und starrte mit offenem Mund an die Decke.

Was war ihm da gerade im Arbeitszimmer passiert? Es war etwas Neues, etwas anderes. Es war, als ob David...

»Was willst du auf deinen Hamburger?« erkundigte sich Judy und streckte den Kopf aus der Küchentür.

»Was?« Er riß den Kopf hoch. »Hmm... Senf...« Ein kurzes Rumoren war zu hören, und im nächsten Augenblick trat Judy mit einem schweren Tablett aus der Küche. Sie stellte es vor ihn auf den Kaffeetisch, ließ eine Serviette in seinen Schoß fallen und riß eine riesige Tüte Kartoffelchips auf. Die Hamburger sahen dick und saftig aus.

»Los jetzt, du hast mir versprochen, zu essen.«

»Ach ja...?« Er schubste Poppäas Nase sanft von seinem Teller weg und führte den Hamburger zum Mund.

Was hatte David dort im Arbeitszimmer versucht zu tun? Sie aßen eine Weile schweigend, wobei die Eintönigkeit nur durch das gelegentliche Krachen eines Kartoffelchips durchbrochen wurde, bis Ben plötzlich sagte: »Was mir Kopfzerbrechen bereitet... David ist noch immer hier.«

»Warum macht dir das Kopfzerbrechen?«

»Ich dachte, er würde verschwinden, wenn ich nichts mehr zu übersetzen hätte, aber ich glaube fast, ich habe mich getäuscht. Was ist, wenn er mich nun bis ans Ende meiner Tage verfolgt, weil er nicht weiß, daß die letzte Rolle niemals kommen wird?«

Sie aßen die Hamburger zu Ende, wischten sich Hände und Mund ab und lehnten sich mit dem Wein zurück. Poppäa schnupperte zwischen den Krümeln herum.

»Sie ist so ein kleines Miststück«, bemerkte Ben. »Tut so, als wäre sie erstklassig und wählerisch, und ist doch eine Hure im Herzen.«

»Das hat sie vielleicht von ihrer Namensschwester.« Der Augenblick verging langsam, ruhig, in Gedanken. Dann meinte Ben leise: »Weißt du, er schaut dich an. David schaut dich an.«

Judy riß die Augen auf und starrte vor sich in das trübe Halbdunkel auf der anderen Seite des Zimmers. Sie sah nichts als die Umrisse von Möbeln und Pflanzen und die Schatten der Bilder an der Wand. »Warum nimmst du das an?«

»Ich weiß nicht. Vielleicht erinnerst du ihn an Sara.«

Sie lachte leise auf. »Wohl kaum!«

»Oh... wer weiß...?«

»Die Schriftrollen sind jetzt also zu Ende«, sagte Judy nervös.

»Ja, ich denke schon.« Bens abwesender Blick verschwand, und mit ernstem Gesicht sagte er: »Und ich denke, wir haben eine Menge gelernt.« Seine Stimme war ausdruckslos, völlig teilnahmslos. »David liefert den Nachweis für einige Aussprüche Jesu, was wohl jedermann glücklich machen wird. Auch für ein paar Worte von Simon. Für das Zitat des Jakobus. Für das Gleichnis vom Hochzeitsfest.«

»Du scheinst nicht gerade glücklich darüber zu sein.«

»Das bin ich auch nicht. Ich sorge mich nur um David und um das, was in aller Welt ihm zugestoßen ist.« Ben fing an, seine Faust zu ballen und wieder zu öffnen.

Judy beobachtete ihn mit wachsender Sorge. Sie hatte sich an seine unvorhersehbaren Schwankungen gewöhnt und war imstande, die Anzeichen zu erkennen, die auf einen plötzlichen Stimmungswechsel hindeuteten. Aber sie mochte es nicht. Diese Unbeständigkeit beunruhigte und erschreckte sie.

»Was war das für ein großes Verbrechen, über das er seinem Sohn berichten wollte? War es die Sache mit Sara?«

»Das kann wohl nicht sein. In Rolle acht sagt er doch, daß der Tag seiner niederträchtigen Tat erst sechzehn Jahre später kommen sollte. Er meinte nur, daß der Zwischenfall mit Sara entscheidend dazu beitrug, daß es im Jahr siebzig unserer Zeitrechnung zu seinem Verbrechen kam.«

Ben wurde immer erregter. Judy sah, daß er wieder drauf und dran war, die Beherrschung zu verlieren. »Das bedeutete, daß die letzte Rolle, diejenige, die wir niemals zu Gesicht bekommen werden, uns seinen eigentlichen Beweggrund für das Schreiben der Rollen verraten hätte. Sie hätte wahrscheinlich auch erklärt, wie und warum er bald sterben mußte, und sechzehn Jahre...«

»Ben!«

Er war plötzlich auf den Beinen. »Ich ertrage das nicht! Ich kann unmöglich weiterleben, ohne den Rest von Davids Geschichte zu kennen. Es wird mich wahnsinnig machen. *Er* wird mich wahnsinnig machen!« Und er deutete auf den unsichtbaren Juden vor ihm. »Glaubst du, er wird mich jetzt eine Sekunde in Frieden lassen? Sieh ihn dir nur an! Sieh ihn dir nur an, wie er dort steht und mich anstarrt! Warum spricht er nicht? Warum rührt er sich nicht von der Stelle?« Bens Stimme wurde laut und schrill. Sein Körper zitterte heftig. »Herrgott noch mal!« schrie er. »Steh doch nicht nur so herum! Tu gefälligst etwas!«

Judy tastete nach Bens Hand und versuchte ihn wieder hinunterzuziehen. »Bitte, Ben. O Ben, bitte...«

»Sieh ihn dir nur an! Ich wünschte, du könntest ihn sehen. Wenn ich ihn nur bekämpfen könnte! Wenn ich nur wüßte, wie ich an ihn herankomme! Er treibt mich zum Wahnsinn!« Bens Hände ballten sich zu Fäusten. »Los, du gottverdammter Jude! Du traust dich wohl nicht! Sag mir, hinter was du eigentlich her bist!«

Und in diesem Augenblick wurde Ben plötzlich still. Er atmete schwer und schwitzte. Seine Augen waren weit aufgerissen und schienen fast aus den Höhlen zu treten. Die nervösen Bewegungen seiner Finger hörten auf. Ben war mitten in der Bewegung erstarrt.

Judy schaute sprachlos zu ihm auf.

Und dann, leise, fast nicht wahrnehmbar, begann er zu sprechen: »Warte einen Moment... Ich denke, jetzt weiß ich, was du willst...«

Kapitel Vierzehn

Hätte man Ben erzählt, daß dasselbe irgendeinem anderen passierte, so hätte er dem Betreffenden geraten, sich an einen Psychiater zu wenden. Weil es ihm nun aber selbst widerfuhr, weil er selbst es erlebte und wirklich fühlte, glaubte er daran.

Nachdem Judy gegangen war, rannte er in der Wohnung hin und her wie ein Mensch, der kurz davor ist, zu explodieren. Er brüllte unzusammenhängendes Zeug, häufig in Jiddisch, schlug sich mit der Faust in die Handfläche und schleuderte Bücher gegen die Wand.

»Das kann noch nicht das Ende sein!« schrie er völlig außer sich. »Ich habe das nicht alles durchgemacht, habe das nicht alles erlitten, nur um am Schluß so hängengelassen zu werden! Das ist nicht fair! Das ist einfach nicht fair!« Kurz nach Mitternacht sank er erschöpft aufs Bett und verbrachte die Nacht in einer Art Dämmerzustand. Er hatte jeden Bezug zur Realität verloren. Unruhig warf er sich hin und her und kämpfte mit einer Abfolge von Alpträumen und Wahnvorstellungen. Die darin auftretenden Personen waren altvertraut: Rosa Messer, Solomon Liebowitz, David und Saul und Sara.

Zweimal stand er auf und streifte, ohne sich dessen bewußt zu sein, durch die Wohnung, auf der Suche nach etwas, von dem er nicht wußte, was es war. Die dunklen Schatten verkörperten für ihn das Böse und das Entsetzen, die kalten, leeren Zimmer waren die Jahre seines Lebens. Wenn er sprach, so war es entweder auf Jiddisch, Aramäisch oder Hebräisch.

Das Gesicht zu einem hämischen Grinsen verzerrt, krümmte und wand er sich auf dem Bett, während an seinem Körper kleine Bäche von Schweiß herunterrannen. Oft waren seine Augen weit geöffnet, aber er vermochte nicht zu sehen. Oder wenn er sah, so waren es Bilder, die einer anderen Zeit angehörten. Nazaräer, die sich in einem niedrigen Raum versammelten, um auf die Rückkehr ihres Messias zu warten. Rosa Messer, die zum Sabbat eine schwache Glühlampe brennen ließ, während das übrige Haus traurig und bedrückend wirkte. Solomon Liebowitz, der sich an der rabbinischen Hochschule einschrieb. David Ben Jona, der oben auf dem Hügel stand und auf Sara wartete.

Als die Morgendämmerung anbrach und Tageslicht in die Wohnung fiel, das die Schatten und die Dunkelheit zerstreute, fühlte sich Ben, als hätte er hundert Folterqualen durchlebt. Jeder Muskel seines Körpers schmerzte. Er hatte blaue Flecken an Armen und Beinen. Er entdeckte, daß er sich im Bett übergeben hatte und in seinem Erbrochenen liegen geblieben war.

Während er sich mühsam herumschleppte und schwer atmete, zwang sich Ben, seiner Wohnung wieder den Anschein einer gewissen Ordnung zu geben. Er hatte eine vage Vorstellung von dem, was er während der Nacht durchgemacht hatte. Winzige Bruchstücke der Alpträume blitzten in seinem Gedächtnis auf, und er wußte, warum es geschehen war.

»Es kann jetzt nicht mehr aufgehalten werden«, murmelte er vor sich hin, als er das Bett frisch bezog. »Wenn ich weiter dagegen ankämpfe, wird es mich umbringen, und eines Morgens werde ich tot aufwachen. Warum gebe ich nicht einfach nach und erspare mir damit den Schmerz und die Angst?«

Er sprach mehr im Interesse von David als in seinem eigenen, denn er wollte dem Juden mitteilen, zu welchem Schluß er gekommen war.

»Ich bin dir nicht gewachsen«, gestand Ben. »Da du unsterblich bist, hast du Kräfte, die ich nicht bekämpfen kann. Wie etwa die Fähigkeit, meine Vergangenheit wieder zum Leben zu erwecken. Du warst es die ganze Zeit über, nicht wahr? Du hast mich dazu gebracht, mich zu erinnern. Sogar noch bevor du dich zeigtest, hast du die kleinen, unabwendbaren Greuel in mein Gedächtnis gepflanzt. Gott, bist du vielleicht heimtückisch, David Ben Jona!«

Danach beschloß Ben, einen Spaziergang zu machen, um wieder einen klaren Kopf zu bekommen. Der graue Morgen in West Los Angeles war kalt und schneidend. Trotzdem trug Ben keine Jacke, denn als er hinaustrat und auf dem Gehsteig stand, wandelte er in Gedanken auf einem staubigen Pfad, der sich zwischen alten Olivenbäumen hindurchschlängelte. Die Luft war warm und schwer, voller Staub und summenden Fliegen. Er fühlte sich wohl, weil der Pfad in die Stadt führte und weil er in der Stadt Ablenkung finden würde.

Als er den Wilshire Boulevard hinunterlief, nickte Ben den Passanten,

denen er begegnete, freundlich zu: Bauern auf dem Weg zum Marktplatz, Schriftgelehrte, die zum Tempel gingen, römische Soldaten, die
immer zu zweit durch die Straßen patrouillierten, Gruppen von Kindern auf dem Schulweg. Hin und wieder blieb er stehen, um die Arbeiten von Kunsthandwerkern zu bewundern, die ihrem Broterwerb
in überfüllten Werkstätten nachgingen, die sich nach der engen
Straße öffneten. Er trat zur Seite, um die Sänfte eines wohlhabenden
Bürgers durchzulassen. Es war ein so gutes Gefühl, die Stadt völlig
unbeschwert nach Herzenslust zu durchwandern, auf einem Brunnenrand zu sitzen, Brot und Käse zu essen und die Waren eines Stoff-
händlers nach einem kleinen Geschenk für Rebekka durchzusehen.
Sein Anwesen war nun groß, und er hatte sein Geld auch weiterhin
mit Verstand angelegt und dabei gute Gewinne gemacht. David fühlte
sich in diesem Abschnitt seines Lebens sicher und zufrieden und wartete nur auf den Tag, da Rebekka ihm einen Sohn schenken würde.
Dann wäre er der glücklichste Mann auf Erden. Und wenn dieser Tag
kam, wollte er ein großes Fest unter den Olivenbäumen geben und so
viele Leute einladen wie möglich und Musikanten holen, damit jedermann singen und tanzen konnte.
Nach einigen Stunden beschloß er, auf den Hof zurückzukehren und
des Tages Arbeit zu begutachten. David konnte sich glücklich schätzen, daß er einen so vertrauenswürdigen Verwalter zur Aufsicht über
die Sklaven hatte. Und er konnte auch froh sein, daß er den Griechen
Salmonides hatte. Einen solchen ehrlichen Menschen zu finden, war
in diesen Zeiten etwas sehr Ungewöhnliches.
David passierte das Stadttor und schlug den Weg nach Bethanien ein,
von dem er ein wenig später auf den Pfad abbiegen mußte, der zu
seinem Haus hinaufführte. Unterwegs sah er viele Menschen nach
der Stadt strömen: Bauern und Handwerker mit Waren, die sie feil-
halten wollten; Gruppen römischer Soldaten, die ihre Fahnen einroll-
ten, auf daß das Bildnis Cäsars niemanden kränken würde; den stattlichen Hauptmann, der ihm von seinem hochbeinigen Pferd herab
zuwinkte, da er in ihm einen einflußreichen Juden erblickte; und
Fremde aus aller Herren Länder. David staunte immer wieder über
das Aufgebot an Menschen, die Gott erschaffen hatte, jeder von ihnen
verschieden, jeder mit seiner eigenen Sprache, jeder mit einer anderen farbenfrohen Tracht bekleidet.
David wanderte auf dem Pfad bergauf und freute sich auf eine Tasse

kühler Milch im Schatten eines Feigenbaumes. Vielleicht hatte Rebekka Honigkuchen gebacken. Es war ein schöner Tag gewesen.

Als Ben durch seine Wohnungstür eintrat, war er augenblicklich verwirrt. Judy stand sofort von der Couch auf und ging zu ihm.

»Ich habe mir Sorgen gemacht. Wo warst du?«

»Wo ich war...?« Ben legte die Stirn in Falten. Seine Augen drückten Bestürzung und Verwirrung aus. »Ich... weiß... nicht. Was tue ich eigentlich hier? Ich war doch im Schlafzimmer...«

»Nein, dort warst du nicht. Du warst draußen. Ich habe mir selbst aufgemacht, als ich hier ankam. Deine Tür war nicht verschlossen. Ich warte schon seit drei Stunden.«

»Drei Stunden...« Er rieb sich die Stirn. »O je! Wie spät ist es?«

»Fast Mittag.«

Da begann er sich zu erinnern. Der kalte, graue Himmel kurz nach Tagesanbruch, die menschenleere Straße, eine Totenstille ringsumher. Und dann auf einmal das Getümmel in Jerusalem. »O Gott«, stöhnte er, »ich muß Stunden draußen verbracht haben!«

»Wohin bist du gegangen?«

»Ich weiß nicht. Ich weiß es nicht einmal!«

»Komm hier herüber und setz dich. O Ben, du siehst fürchterlich aus! Wann hast du dich zum letztenmal rasiert?« Er fuhr mit der Hand über sein Kinn. »Ich... weiß... Judy! Judy, es ist etwas ganz Außergewöhnliches passiert!«

»He, beruhige dich erst einmal. Du zitterst ja. Ben, ich mache mir Sorgen um dich.«

»Hör zu, ich muß dir von heute morgen erzählen. Es ist wirklich unheimlich.« Seine Stimme erstarb zu einem Flüstern, während er mit ausdruckslosen Augen vor sich hin starrte. »Nun... ich muß auf der Straße herumgelaufen sein und mit mir selbst geredet haben. Himmel, hab ich ein Glück, daß sie mich nicht aufgegriffen haben!«

»Ben...«

»Ich werde einfach mit dem, was mir geschieht, nicht fertig.«

»Ben, hör mir zu. Ich möchte, daß du etwas ißt.«

»Später.«

»Nein! Du bist in keiner guten Verfassung. Schau dich nur an, blaß und zittrig. Tiefliegende Augen. Um Himmels willen, du siehst schrecklich aus.«

»Ich komme einfach nicht darüber hinweg.«

»Ben, gib mir nicht das Gefühl, daß ich gegen eine Wand rede. Schau, ich habe etwas mitgebracht, was ich dir zeigen will.«

In ihrem verzweifelten Bemühen, ihn aus seiner Verwirrung herauszureißen, hielt Judy ihm die Zeitung hin, die sie ihm eigentlich erst später zeigen wollte. Doch es wirkte. Sowie er die Schlagzeile erblickte, kam Ben wieder zu sich. Er las die Überschrift. »Was zum Teufel . . . ? Meinen sie das im Ernst?«

»Lies die Geschichte. Ich mache dir einen Kaffee.«

Ben überflog die Titelgeschichte, betrachtete eingehend die Bilder von der Ausgrabungsstelle und warf die Zeitung dann angeekelt zu Boden.

»Ach komm, Judy! Das ist doch pure Auflagenschinderei! Du weißt, daß sie es nur darauf abgesehen haben!« Er ging hinüber zur Küche, lehnte sich an den Türrahmen und beobachtete, wie sie die Kanne füllte und die Kaffeemaschine einsteckte. »Noch mehr Regenbogenjournalismus! Wie zum Teufel machen sie es nur, daß sie mit ihren Fragezeichen in der Überschrift immer ungestraft davonkommen?« Er warf einen Blick hinter sich auf die Zeitung, die ausgebreitet auf dem Boden lag. Von hier konnte er die Überschrift erkennen: Q-SCHRIFTEN GEFUNDEN?

»Sie wollen wirklich nur Geld damit machen!« schrie er. »Wie kann Weatherby das zulassen?«

»Ich glaube nicht, daß er irgendeinen Einfluß darauf hat, Ben.«

Er schüttelte voll Abscheu den Kopf. Die Überschrift nahm Bezug auf ein nicht existierendes Schriftstück, das nach der gängigen Meinung der Bibelkundler in der Zeit kurz nach Jesu Tod und noch vor der Niederschrift des ersten Evangeliums verfaßt worden war. Auf Grund gewisser Hinweise bei Matthäus, Markus und Lukas war man zu der Annahme gelangt, daß eine andere Sammlung mit den Aussprüchen Jesu noch vor Erscheinen des Markus-Evangeliums unter Nazaräern im Umlauf gewesen sein mußte. Diese vermeintliche Spruchsammlung ist von deutschen Gelehrten im neunzehnten Jahrhundert als »Quelle« bezeichnet und in neuerer Zeit einfach mit Q abgekürzt worden. Keine Spur dieses Dokuments war je gefunden.

»Glauben die Leute tatsächlich, daß es das ist, was Weatherby hat?«

»Nicht die Leute, Judy, sondern die Zeitungsschreiber. Und nicht einmal die glauben daran. Vielmehr ist es das, was sie die Leute glauben machen wollen, damit sie ihre verdammten Zeitungen verkaufen können. Nur weil David hin und wieder ein paar Zitate einstreute, die vielleicht beweisen, daß sie tatsächlich von Jesus stammen! Ich glaube kaum, daß die Schriftrollen von Magdala die Grundlage für Markus, Matthäus und Lukas waren!«

Judy lächelte verschmitzt. Sie war froh, in Ben wieder den analytischen Historiker zu erkennen. »Weißt du was«, meinte sie, als die Kaffeemaschine zu brodeln begann, »ich möchte sogar bezweifeln, daß David je etwas von der Unbefleckten Empfängnis oder der Geburt Christi gehört hat.« Ben verschränkte die Arme und lehnte sich gegen den Türrahmen. »Die mythische Verklärung kam erst viel später. Und Jesus hatte keinerlei Absicht, die Heiden zu bekehren. Sogar Matthäus sagt uns das im fünften Vers des zehnten Kapitels. Wenn man David Ben Jona fragte, wüßte er nicht, was ein Christ ist, ja nicht einmal, was eine Kirche ist. Er und all die anderen, die auf die Rückkehr Jesu warteten, waren fromme Juden, die das Passah-Fest begingen, an Jom Kippur fasteten, den Verzehr von Schweinefleisch unterließen und sich selbst als Gottes auserwähltes Volk betrachteten. Die ganze Mythologie und die Rituale kamen erst viel später, als die Heiden sich dem neuen Glauben anschlossen.«

Judy zog den Stecker der Kaffeemaschine heraus und füllte zwei Tassen mit dampfendem Kaffee. »Hier. Komm, wir wollen uns setzen. Ich wünschte wirklich, die letzte Rolle wäre nicht zerstört worden. Vielleicht hätte sie einige der Dinge klären können, von denen du gerade sprachst.«

Ben versetzte der Zeitung einen Tritt, bevor er sich setzte. »Q-Schriften, was ihr nicht sagt! Ein Haufen Scheiße! Was wißt ihr schon davon?«

Judy schlürfte ihren Kaffee langsam und genüßlich. »Als David von einem Kloster am Salzmeer sprach, meinte er doch Qumran, oder?«

»Die alte Bezeichnung für das Tote Meer war Salzmeer. Aller Wahrscheinlichkeit nach kannte er den Mann, der die Qumran-Handschriften in jenen Höhlen versteckte, sogar persönlich.« Judy schauderte unwillkürlich. »Gott, ist das Ganze einfach überwältigend.« Sie drehte sich zu Ben um. »Was willst du jetzt tun? Ein Buch schreiben?«

Doch er hüllte sich in Schweigen. In seinem Gesicht lag ein seltsamer

Ausdruck, der Judy beunruhigte. »Noch ist es nicht vorbei«, sagte er abwesend.

»Was? Woher willst du das wissen?«

»Ich habe es im Gefühl. Judy, erinnerst du dich an gestern abend, als du in der Küche warst und ich plötzlich aufschrie? Und du kamst hereingerannt? Ich habe dir noch gar nicht gesagt, was mir da passierte. Es war das merkwürdigste...« Bens Augen umwölkten sich, als er sich an das unheimliche Gefühl erinnerte, in eine andere Zeit zurückversetzt zu werden. »Ich finde keine Worte, um es zu beschreiben. Es war einfach... überirdisch! Ich saß hier an meinem Schreibtisch und hatte die Hände über den Fotos ausgebreitet, als ich urplötzlich spürte, wie eine Veränderung über mich kam. Es war höchst absonderlich. Ich hatte keine Kontrolle darüber. Ich war wie angewurzelt und konnte mich nicht vom Fleck rühren. Und als ich so dasaß, da begann ich zu fühlen... zu fühlen...«

»Was zu fühlen, Ben?«

»Zu fühlen, wie die Luft sich um mich herum veränderte. Sie verwandelte sich in die Luft eines anderen Ortes und einer anderen Zeit. Dann sah ich Bilder vor meinen Augen, Dinge, die ich mir normalerweise nicht ausdenken würde. Sie flimmerten wie schlechtes Fernsehbild, bald verschwommen, bald scharf, bis ich plötzlich alles ganz klar und deutlich sah. Alles. Und da saß ich inmitten der wirklichen Düfte und Geräusche und Sehenswürdigkeiten von Jerusalem. Judy, für einen kurzen Augenblick war ich tatsächlich in Davids Jerusalem!«

Sie starrte ihn ungläubig an. Die Erregung spiegelte sich auf seinem Gesicht wider. Seine Augen standen wie in Flammen. Und die Worte, die er gerade gesprochen hatte... Judy wurde unruhig. Bens Stimmungen schlugen zu leicht um, er wurde immer unbeständiger.

»Du glaubst mir nicht«, stellte er mit ausdrucksloser Stimme fest.

»Nein.«

»Aber was ich sah...«

»Du warst schon in Israel, Ben. Du hast Jerusalem viele Male gesehen. Und du hast Beschreibungen darüber gelesen, wie es früher dort aussah. Du hast dir das alles nur eingebildet!«

»Nein, das habe ich nicht. Und heute morgen bin ich fünf Stunden lang durch die Straßen von West Los Angeles gelaufen, und jede einzelne Sekunde habe ich im alten Jerusalem verbracht. Ich habe mir das nicht eingebildet!«

»Und was willst du mir damit sagen? Daß David versucht, dich mit sich nach Jerusalem zu nehmen?«

»Nein«, entgegnete Ben, »das will ich damit überhaupt nicht sagen. Letzte Nacht bin ich David Ben Jona mutig entgegengetreten und habe ihn angeschrien. Ich ballte meine Fäuste und forderte ihn heraus, sich von der Stelle zu rühren. Nun«, Ben blickte zu Judy auf, »David nahm meine Herausforderung an. Jetzt weiß ich, was er die ganze Zeit hier tat. Er war nicht hier, um dabeizustehen, während ich seine Schriftrollen übersetzte, wie ich anfangs dachte. Nein. David hatte einen anderen Grund, weshalb er herkam, sich neben mich stellte und mich beobachtete. Er wartete auf den Anblick, in dem ich zusammenbrechen würde, was ich letzte Nacht schließlich tat.«

»Warum? Was will er?«

»Er will mich, Judy. Oder vielmehr, er will meinen Körper.«

Sie rückte unwillkürlich von ihm ab und starrte ihn aus großen, ungläubigen Augen an. »Nein!« flüsterte sie heiser.

»Doch, es ist wahr. David schert sich einen Dreck um mich, Judy. Er will nur in meinen Körper schlüpfen, damit er nach Israel zurückkehren kann.«

»O Ben, das ist doch irrsinnig!«

»Verdammt noch mal, sag das nicht! Ich bin völlig in Ordnung!«

Sie sah die Adern an seinem Hals hervortreten, sah, wie ihm beim Schreien Speichel aus dem Mund lief. »Hör zu, Ben, das kann unmöglich so sein«, meinte sie beschwichtigend. »David würde dir nicht weh tun. Er ist doch ... dein Freund.«

»Oh, aber verstehst du nicht? Es tut überhaupt nicht weh. Es ist sogar sehr schön.« Ben lachte in sich hinein. »Er hat mir gezeigt, wie angenehm es sein kann, ins alte Jerusalem zurückzukehren.«

Oh, lieber Gott, dachte Judy in panischem Schrecken. »Was willst du jetzt tun?« fragte sie mit erstickter Stimme.

»Ich weiß es nicht, Judy. Ich habe mir noch nicht so viele Gedanken darüber gemacht. Vielleicht werde ich David die Entscheidung überlassen.«

»Meinst du ... meinst du, du wirst es zulassen, daß er ... dich beherrscht.«

»Warum nicht?«

Judy spürte, wie sich ihr der Magen umdrehte. »Aber Ben, du bist doch dein eigener Herr! Was wird aus dir, wenn sich David auch deines Geistes bemächtigt? Was wird dann aus Benjamin Messer?«

»Benjamin Messer kann von mir aus zur Hölle fahren, zusammen mit seiner geistesgestörten Mutter und seinem heldenhaften Vater. Siehst du, ich habe letzte Nacht, nachdem du gegangen warst, eine Menge Veränderungen durchgemacht.«

»Und?«

»David zeigte mir, was für ein Mensch ich in Wirklichkeit war. Was für ein elender Tropf er eigentlich ist, dieser Ben Messer, der seine Mutter im Stich ließ und sich seines verstorbenen Vaters schämte. Ich war von Anfang an ein niederträchtiges Kind und ein noch schlechterer Jude.«

»Aber Ben, für das alles kannst du doch nichts. So, wie du aufgezogen wurdest...«

»Ich denke, ich werde mit David glücklicher sein.«

Sie wandte sich von ihm ab und rang verzweifelt die Hände.

»Und was wird aus mir?«

»Aus dir? Nun ja, ich werde dich natürlich mitnehmen.«

Judy fuhr herum. Bens blaue Augen waren hell und durchdringend. Seine Züge entspannten sich, und auf seinem Gesicht zeigte sich ein unbefangenes Lächeln. Er sah aus wie ein Mann, der ein Picknick auf dem Land organisiert. »Mich... mitnehmen...?«

»Aber sicher. Das wäre Davids Wunsch, und es ist auch ganz bestimmt der meine.« Ben griff nach ihrer Hand, drückte sie zart und sagte sanft. »Du hast doch nicht geglaubt, ich würde ohne dich gehen, oder?«

Völlig unbeherrscht schossen ihr Tränen in die Augen. Sie war nun schon eine ganze Weile in Ben verliebt, und es trieb sie zur Verzweiflung, zu sehen, was mit ihm geschehen war. Sie beschloß, ihm ab sofort nicht mehr von der Seite zu weichen. Sie würde in seine Wohnung ziehen und diese Sache bis zum Ende mit ihm durchstehen. Und wenn es kein Ende gäbe...

Genau in diesem Moment klopfte es an die Tür, und Ben sprang auf, um zu öffnen. Sie konnte die Person auf der anderen Seite nicht sehen, aber sie hörte eine Stimme: »Ein Telegramm aus Übersee für Dr. Messer. Normalerweise geben wir den Eingang eines Telegramms telefonisch durch, aber Ihr Telefon ist defekt. Wußten Sie das?«

»Ja, ja, danke.« Ben quittierte für das Telegramm, gab dem Boten ein Trinkgeld und schloß langsam die Tür. »Es ist von Weatherby«, verkündete er.

»Wahrscheinlich hat er versucht dich anzurufen, und es klappte nicht. Ich wette, er will wissen, warum du ihm keine Übersetzungen geschickt hast.«

»Ja, du hast recht.« Ohne es zu öffnen, warf Ben das Telegramm auf das Couchtischchen. Dann nahm er Judys leere Tasse. »Soll ich dir nachschenken?«

»Ja bitte. Tu diesmal viel Sahne hinein.«

Als Ben in der Küche verschwand, schaute Judy auf den zerknitterten braunen Umschlag auf dem Couchtischchen. Und eine frostige Vorahnung überkam sie. Nein, dachte sie traurig. Mit diesem Telegramm hat es mehr auf sich, als wir denken. Sonst hätte Weatherby wohl nur einen gewöhnlichen Brief geschickt.

Mit großer Besorgnis nahm sie den Umschlag und schlitzte ihn auf. Als sie die kurze Nachricht darinnen las, blieb ihr fast das Herz stehen. »O Gott!« flüsterte sie und begann zu zittern.

Wieder einmal befand sie sich in einer verzwickten Lage. Sie wußte nicht, wie sie Ben die Neuigkeit beibringen sollte. Oder *ob* sie ihm überhaupt etwas davon sagen sollte. Aber auf der anderen Seite würde er ohnehin bald dahinterkommen, und es war besser für ihn, es von ihr zu erfahren.

Müde erhob sich Judy von der Couch. Sie war sich ihrer Gefühle in diesem Augenblick nicht sicher. Sie wußte nicht, ob sie über die Nachricht glücklich, traurig oder ärgerlich war. In gewisser Hinsicht war sie alles auf einmal.

Ben kam pfeifend ins Wohnzimmer, und als er Judys Miene sah, blieb er unvermittelt stehen. »Was ist los?«

»Es ist wegen Weatherby«, antwortete sie mit fester Stimme. »O Ben...«

Rasch stellte er die Tassen auf dem Couchtischchen ab und griff nach dem Telegramm.

Judy sagte: »Ich weiß nicht, ob ich schreien oder lachen oder weinen soll, Ben. Dr. Weatherby hat drei weitere Schriftrollen gefunden.«

Kapitel Fünfzehn

Die Tage, die bis zum Eintreffen von Nummer elf vergingen, waren für Ben und Judy eine schier unerträgliche Zeit. Judy hatte eine halbe Stunde gebraucht, um nach Hause zu hetzen, ein paar Dinge zusammenzupacken, Bruno der Obhut eines Nachbarn anzuvertrauen und wieder zurückzueilen. Hatte die Nachricht vom Ende der Rollen Ben fast zusammenbrechen lassen, so brachte ihn die Neuigkeit von drei weiteren Rollen nun völlig aus dem Gleichgewicht. Sie erlebte mit, wie er beständig zwischen drei Zeitebenen hin- und hersprang. Für einen Augenblick war er in der Gegenwart ganz normal und gesprächig; im nächsten Moment befand er sich wieder als armer, gequälter Junge in Brooklyn, und gleich darauf genoß er als David Ben Jona unter einem Olivenbaum eine Mahlzeit aus getrocknetem Fisch und Käse. Dann kam er wieder in die Gegenwart zurück und konnte sich nicht mehr erinnern, was in den letzten Minuten geschehen war.
»Ich habe keine Kontrolle darüber!« schrie er an diesem Abend verzweifelt. »Ich kann es nicht bekämpfen. Wenn David von mir Besitz ergreift, läßt er mich das sehen, was er will!«
Und wenn Ben in diesen Zustand geriet, nahm Judy ihn in die Arme und wiegte ihn, bis er ruhig wurde.
An diesem Abend löste sie eine Schlaftablette in etwas warmem Wein auf und verhalf ihm damit zum ersten erholsamen Schlaf seit vielen Tagen. Nachdem er in seinem Bett fest eingeschlafen war und mit friedlichem Gesicht und ruhig atmend dalag, machte sie sich mit einem Kopfkissen und einer Decke ein Lager auf der Couch zurecht und lag noch lange wach, bevor sie ebenfalls einschlief.

Am nächsten Morgen, nach einer traumlosen Nacht, schien es Ben schon wesentlich besser zu gehen. Er duschte, rasierte sich und zog frische Kleider an. Obgleich er nach außen hin fröhlich schien, bemerkte Judy darunter die Anzeichen der Unruhe – ruckartige Handbewegungen, rasche, flüchtige Blicke, ein gezwungenes, nervöses Lachen. Sie wußte, daß Ben begierig war, die nächste Rolle zu bekommen, und sie war sich auch darüber im klaren, daß seine Unruhe mit jedem Tag zunehmen würde.

Sie spürte es auch. Eine weitere Rolle... ja sogar drei weitere Schriftrollen! So wären diese drei Rollen diejenigen, welche die unbeschriebenen sechzehn Jahre ausfüllen würden. Sie würden von der Entwicklung der Messias-Bewegung berichten und die schändliche Tat enthüllen, die David begangen hatte und für die er sterben sollte. Auch Judy sehnte die Ankunft der Rolle herbei und hoffte verzweifelt, daß alles vorüber wäre, bevor Ben den letzten Rest seines gesunden Menschenverstandes einbüßte.

Am Sonntag gelang es ihr, ihn abzulenken, indem sie ihn in Diskussionen verwickelte und noch einmal seine bisherigen Übersetzungen mit ihm durchging. Stundenlang saß er da und starrte auf die aramäische Schrift auf dem Papyrus, und Judy wußte, daß er zweitausend Jahre von ihr entfernt weilte und gerade einen ruhigen Tag im Leben von David Ben Jona verlebte. Sie unternahm nicht einmal den Versuch, ihn aus dieser Welt zu reißen, denn er schien mit sich selbst im reinen und vollkommen zufrieden. Sie kam zu dem Schluß, daß es im Augenblick besser war, ihn Davids friedvollen Tag in Ruhe genießen zu lassen, als ihn in die stürmische Gegenwart zurückzuholen. Denn wenn er wieder er selbst war und in dieser Wirklichkeit lebte, war er nervös und hörte nicht auf, hin und her zu laufen. Und wenn er wieder in seine Kindheit zurückglitt und die Schreckensszenen mit seiner verrückten Mutter durchlebte, weinte er und rief Verwünschungen auf Jiddisch und warf sich hin und her.

So ließ ihn Judy in seiner Traumwelt und hoffte, daß er dort bleiben möge, bis die nächste Rolle eintraf.

Am Montag kam ein Brief von Weatherby. Bevor er eintraf, war Ben fünf Stunden lang in der Gegenwart geblieben, ohne auch nur einmal in eine andere Zeit abzugleiten. Er konnte klar denken und war vollkommen Herr seiner selbst. Abgesehen von seiner großen Unruhe, war er beinahe normal. Judy mußte ihn davon abhalten, über den Postboten herzufallen, als dieser auftauchte. Und dann mußte sie ihm über eine gewaltige Enttäuschung hinweghelfen, als er statt der erwarteten Rolle nur einen Brief von Weatherby bekam. Er blieb lange genug in der Gegenwart, daß Judy den Brief lesen und für Ben kurz zusammenfassen konnte.

»Er schildert, wie sie die letzten drei Tonkrüge gefunden haben«, erklärte sie. »Nachdem sie sich bereits mit dem Gedanken abgefunden hatten, daß es wohl keine weiteren Rollen mehr gebe, ist, wie es scheint, der Boden des Hauses eingestürzt, und darunter kam so etwas wie ein alter Regenwasserspeicher oder Lagerraum zum Vorschein. Darin befanden sich drei weitere Tongefäße. Weatherby meint, daß dem alten David in seinem ursprünglichen Versteck wohl der Platz knapp geworden war, so daß er den Rest hier untergebracht hatte. Auf alle Fälle, sagt Weatherby, haben sie seitdem den ganzen Bereich gründlich durchsucht und seien auf nichts anderes mehr gestoßen. Er ist sich sicher, daß diese nun wirklich die letzten Rollen sind.«

»Teilt er uns auch mit, in welchem Zustand sie sind und wann er sie abgeschickt hat?«

»Nein, aber er schreibt, daß er ungeduldig auf eine Nachricht von dir wartet.«

»Ha! Das ist wie ein Schlag ins Gesicht!« Ben machte auf dem Absatz kehrt, und in diesem Augenblick ergriff David jäh Besitz von ihm. Wieder fiel jener gleichgültige, starre Blick wie ein Vorhang über Bens Gesichts. Und er wandte sich ohne ein weiteres Wort von ihr ab, glitt leise ins Schlafzimmer und ließ sich aufs Bett fallen.

Da er nun für eine Weile nicht ansprechbar sein würde, beschloß Judy, die Zeit sinnvoll zu nutzen. Sie stellte deshalb die Schreibmaschine im Wohnzimmer auf und fing an, die Übersetzungen abzutippen.

Rolle Nummer elf traf am nächsten Tag ein. Ben mußte den ganzen Tag Höllenqualen ausstehen. Wie ein im Käfig gefangenes Tier lief er nervös im Zimmer auf und ab. Von ihrem Platz am Wohnzimmertisch aus belauschte Judy gelegentlich Bens Streitgespräche mit David oder seiner Mutter. Manchmal hörte sie ihn ruhig mit Saul über die Unterschiede zwischen Eleasars und Simons Lehre diskutieren. Dabei kam es ihr oft so vor, als wolle David Saul zum Messianismus bekehren. Hin und wieder sprach Ben auch mit Solomon und gestand ihm leise, daß er zuweilen wünschte, er wäre mit ihm weiter auf die Universität gegangen und ein Rabbi geworden.

Judy hörte, wie Ben David anschrie, er solle gefälligst aus seinem Körper verschwinden und seine schauerlichen Alpträume wieder mitnehmen. Dann wieder hörte sie ihn schluchzen und Jiddisch sprechen, woran sie erkannte, daß er gerade bei seiner Mutter war.

Den allmählichen Zusammenbruch von Bens Vernunft so hautnah mitzuerleben, zerriß Judy beinahe das Herz. Zweimal, nachdem sie ihn etwas über Majdanek hatte brüllen hören, hatte sie ihren Kopf auf die Schreibmaschine gelegt und geweint. Aber es lag nicht in ihrer Macht, einzugreifen. Diesen Kampf hatte Ben allein auszutragen. Die Suche nach der eigenen Identität war eine einsame Suche, und sie wußte, daß ein Eingreifen ihrerseits verheerende Folgen haben würde.

Als Rolle Nummer elf ankam, riß Ben sie dem Briefträger aus der Hand und stürzte nach oben, während Judy zurückblieb, um für das Einschreiben zu quittieren und sich für sein Benehmen zu entschuldigen. Als sie die Wohnung betrat, saß Ben bereits an seinem Schreibtisch und kritzelte in sein Übersetzungsheft.

Als der eigentliche Augenblick des Abschieds kam, war ich betrübt, doch bis dahin hatte ich meiner Reise erwartungsvoll und voller Freude entgegengesehen. Die Vorfreude überwiegt stets den Gedanken an den Abschied von den Lieben oder an die Gefahren, die einer solchen Reise innewohnen. Erst wenn es dann soweit ist und man an Bord geht, besinnt man sich plötzlich auf die Monate der Einsamkeit, die vor einem liegen.

Rebekka litt in stiller Verzweiflung. Nicht ein einziges Mal, seitdem ich ihr angekündigt hatte, daß ich gehen würde, hatte sie ihr Entsetzen darüber bekundet. Denn Rebekka war eine zurückhaltende und gehorsame Frau, die wußte, daß meine Entscheidungen allen zum besten gereichten. Und auch wenn es ihr vielleicht insgeheim widerstrebte, mich ziehen zu lassen, oder wenn sie schlimme Vorahnungen hatte, so verlieh sie ihren Befürchtungen dennoch keinen Ausdruck. So ehrerbietig war Rebekka.

Indessen gab es viele, die ihre Zunge nicht im Zaum hielten. Saul war derjenige, der am wenigsten ein Blatt vor den Mund nahm. Mehrmals war er abends zu uns gekommen und hatte stundenlang auf mich eingeredet, um mich von meinem Vorhaben abzubringen. Und ich liebte ihn dafür um so mehr.

Er sagte: »Du überquerst ein großes, tückisches Meer, das oft viele Menschenleben fordert. Und selbst wenn du die Fahrt überlebst, was soll dich in diesem sündigen Babylon vor heimtückischen Überfällen bewahren? Und wenn du durch irgendeine wundersame

Fügung am Ende deines Besuches dort noch am Leben bist, dann steht dir wieder die Heimreise über das tückische Meer bevor!«

»Du bist ein Optimist, mein Bruder«, gab ich zurück und rang ihm ein Lächeln ab. »Wie du weißt, habe ich mein Geld dort angelegt und muß zumindest einmal im Leben hinreisen, um an Ort und Stelle alles in Augenschein zu nehmen. Der alte Salmonides begleitet mich ja. Er ist ein erfahrener Reisender und weiß über die Niedertracht deines Babylons bestens Bescheid.«

Meine anderen Freunde von den Armen waren ebenfalls gegen meine Reise. Sie befürchteten, daß der Meister zurückkehren könne, während ich fort war, aber ich wußte, daß dies ein Risiko war, das ich eingehen mußte. Doch mein alter Mentor Simon war in Rom, und ich sehnte mich danach, ihn wiederzusehen. Und da ich schon so viele frevelhafte Geschichten über diese eine Million Einwohner zählende Stadt gehört hatte, wollte ich sie selbst einmal sehen.

Von allen, die versuchten, mich davon abzubringen, hätte nur eine Person vielleicht Erfolg haben können. Aber meine liebe Sara hüllte sich in Schweigen. Seitdem sie sich den Armen angeschlossen hatte, war ich es gewohnt, sie in meiner Nähe zu haben, und doch empfand ich stets den vertrauten Schmerz in meinem Herzen und die Schwäche in meinen Knien, wann immer ihr Blick sich mit meinem kreuzte. Eine lange Zeit war seit jenem Nachmittag auf dem Hügel vergangen, und doch liebte und begehrte ich sie, als wäre es erst gestern gewesen.

Am Tag meiner Abreise hatten sich alle meine Freunde um mich versammelt. Meine Frau stand an meiner Seite, als unsere Brüder und Schwestern von den Armen mir den Friedenskuß gaben. Auch Sara drückte ihre Lippen auf meine Wange und flüsterte: »Möge der Gott Abrahams dich beschütze.« Doch sie blickte nicht zu mir auf. Saul, der noch immer kein Mitglied des Neuen Bundes war und nicht daran glaubte, daß der Messias dieser Tage zurückkommen werde, umarmte mich und ließ seinen Tränen freien Lauf.

Der letzte, der mir Lebewohl sagte, war Jonathan, mein Lieblingsneffe, den ich innig liebte. Er schlang seine Arme um meinen Hals und bat mich inständig, nicht zu gehen.

Da sagte ich zu ihm: »Jonathan, du bist Sauls ältester Sohn wie der älteste Sohn des ersten Königs von Israel. Dieser Jonathan war ein berühmter Krieger und ein tapferer Mann. Erinnerst du dich daran, was David ehedem von seinem besten Freund Jonathan sagte? Es steht geschrieben, daß David sagte: ›Saul und Jonathan, die Gelehrten, die Holdseligen, in ihrem Leben wie in ihrem Tode sind sie unzertrennt geblieben.‹ Jonathan, du warst mir über alles lieb! Ja, deine Liebe ging mir über Frauenliebe!«

Jonathan freute sich über diese Worte und war weniger betrübt. So erwähnte ich auch nicht, daß es sich dabei um die Wehklagen Davids über die Ermordung von Saul und Jonathan im Gebirge Gilboa handelte. Und weil er ebenfalls ein Mitglied der Armen war, da Sara, ungeachtet Sauls Mißbilligung, darauf bestanden hatte, ihn zu den Versammlungen mitzunehmen, gab Jonathan mir den Friedenskuß. Salmonides und ich reisten an diesem Tag mit einer Karawane ab und kamen in der Woche darauf nach Joppe. Dort bekamen wir einen Platz auf einem Phönizischen Schiff, das nach Kreta unterwegs war. Auf der Fahrt ging es uns gut, da wir uns nahe an der Küste hielten. In einem Hafen unweit der Stadt Lasea konnten wir uns eine Überfahrt an Bord eines römischen Schiffes sichern, das mit seinem schweren Segel einen recht soliden Eindruck machte. Wir waren überzeugt, daß ihm auch stürmisches Wetter nichts würde anhaben können.

Die Jahreszeit war noch immer günstig, und so brachen wir in Richtung Rom auf. Auf der ganzen Fahrt wurden wir von leichten Südwinden begleitet, und während der Kapitän seinen kapitolinischen Gottheiten für ihre Hilfe dankte und Salmonides seinen griechischen Göttern huldigte, wußte ich allein, daß nur das Werk des Gottes Abrahams die Reise so angenehm machte.

Meinen ersten flüchtigen Eindruck von Italien bekam ich in Rhegium, das wir anliefen, um Passagiere an Land zu setzen und andere aufzunehmen. Und von dort aus segelten wir an der Küste entlang nach Ostia, dem Hafen Roms.

Dort angekommen, mieteten wir uns Esel und ritten einen Tag, bis wir am Vorabend eines Festtages, der unter dem Namen Saturnalien bekannt ist, die Stadt erreichten. Wie es sich so ergab, sollte dann auch der Geburtstag des Kaisers gefeiert werden.

Ich möchte, mein Sohn, in diesen kurzen Schriftrollen nicht auf die haarsträubenden Szenen eingehen, die sich meinem Auge darboten, als ich mit Salmonides die Stadt betrat. Mir bleibt nur noch wenig Zeit, und jede Stunde, die mein Schreibrohr über diesen Papyrus gleitet, bringt mich meinem Tode näher. Ich will mich deshalb nicht länger mit dem zügellosen Wesen Roms oder dem schockierenden Benehmen des Pöbels in dieser Stadt befassen. Laß mich vielmehr an meiner eigenen Geschichte festhalten, und es genügt wohl, wenn ich dir sage, daß Rom ein wahrhaftiges Babylon ist.

Salmonides und ich nahmen getrennte Zimmer in einem angesehenen Gasthof, und während ich ihn ausschickte, um sich als mein Bevollmächtigter Einblick in meine Beteiligungen in Rom zu verschaffen, hatte ich selbst nur ein Vorhaben im Sinn: Simon zu besuchen.

Wie du weißt, mein Sohn, hatte Simon Jerusalem mehrere Jahre zuvor verlassen. Doch was du nicht weißt und was du auch nicht verstehen wirst, bis du ein erwachsener Mann bist, ist, warum Simon Jerusalem verließ. Du erinnerst dich sicher daran, was ich dir über die Meinungsverschiedenheiten zwischen ihm und Jakobus und über ihren Kampf um die oberste Führung der Armen berichtete. Je größer die Zahl unserer Mitglieder wurde und je weiter die Zeit voranschritt, ohne daß der Messias zurückkehrte, desto heftiger stellte Jakobus Simons Führerschaft in Frage. Die Ursache dafür lag darin, daß Jakobus der Bruder des Meisters war.

Und so geschah es, daß Simon, des Meisters bester Freund, schließlich unterlag und mit seinem Weib aus Jerusalem fortzog, um in anderen Städten von der Rückkunft des Messias zu predigen. Warum er sich dabei ausgerechnet nach Rom wandte, vermag ich nicht zu sagen. Es wäre allenfalls denkbar, daß ihn eine wachsende Messianische Gemeinde dort zu diesem Schritt bewog und daß er dieser beistehen wollte.

Als ich mich der Gemeinschaft der Armen anschloß, herrschte, wie ich dir schon berichtete, eine große Bestürzung unter den Zwölfen über einen Mann namens Saul von Tarsus. Dieser behauptete, der Messias sei ihm auf der Straße nach Damaskus erschienen und habe ihm befohlen, Heiden zum Neuen Bund zu bekehren. Nachdem er bereits eine große Gemeinschaft der Armen in Antiochia ins Leben gerufen hatte, begab sich dieser Saul von Tarsus wegen eines Verbrechens, das man ihm zur Last legte, nach Rom, um seinen Fall Cäsar vorzutragen. Saul war einer der Verantwortlichen für die Bekehrung vieler in Rom lebender Juden zu unserem Glauben.

Und deshalb war es für mich, als ich an diesem fünfzehnten Tag des römischen Monats Dezember in Rom ankam, nicht schwer, die Häuser von Menschen ausfindig zu machen, die wie ich selbst auf die Rückkehr des Messias warteten.

Sie empfingen mich, gaben mir den Friedenskuß und nannten mich Bruder. Es war das erste Mal, daß ich das Wort *Christ* hörte, und ich war darüber im höchsten Maß verwirrt. Auch bezeichneten meine jüdischen Glaubensgenossen in Rom den Messias mit dem Namen Jesus, welches der lateinische Ausdruck für seinen Namen ist. Das stimmte mich ebenfalls nachdenklich.

Als man mich schließlich zu Simon führte, gab es ein unvergeßliches Wiedersehen, bei dem wir uns in die Arme schlossen und unseren Freudentränen freien Lauf ließen. Ich drückte den alten Mann an mich, als ob ich ihn nie mehr loslassen wollte, und er ließ einen solchen Wortschwall in Aramäisch auf mich niedergehen, daß ich spürte, wie gut es seiner Zunge tat, wieder die Muttersprache zu sprechen. Dann setzten wir uns zu einer Mahlzeit aus herbem Käse, Brot und Oliven zusammen und schwelgten in Erinnerungen an vergangene Zeiten.

Er fragte mich: »Hat Jakobus seine Sache gut gemacht?« Und ich antwortete: »Ja, weil er einflußreich ist. Tausende haben sich unserer Gemeinschaft angeschlossen, und alle warten sie auf die Rückkunft des Meisters. Während die Hetzreden gegen Rom ständig zunehmen, sind wir uns alle einig, daß wir in der Endzeit leben und daß dies die Zeit ist, von der der Meister sprach. Er wird morgen vor den Toren stehen.«

Dann sah ich mich unter den Anwesenden in der Versammlung um und bemerkte die Halsbänder, die sie trugen. Und da wußte ich, daß sie Heiden waren. So sagte ich: »Wenn der Meister zurückkehrt, so wird in Zion das Königreich Gottes errichtet, und das auserwählte Volk wird die Welt regieren.« Da legte Simon mir eine Hand auf die Schulter und sprach: »Ich weiß, was in deinem Herzen vorgeht, mein Sohn, und würde gerne deine Bestürzung zerstreuen. Als unser Meister vor dreißig Jahren diese Erde verließ und wiedergeboren wurde, da war ich ein junger Mann und konnte seine Rückkehr kaum erwarten. So erzählte ich jedermann, daß es schon morgen sein würde. Doch jetzt bin ich sehr alt und ein wenig vorausschauender. Ich erkenne jetzt, daß er nicht die Absicht hatte, zurückzukehren, bevor nicht mehr Gläubige für seinen Empfang vorbereitet wären.«

Ich entgegnete: »Ganz Jerusalem erwartet ihn, Simon.« Und er antwortete: »Sie sind alle nur Juden. Wir können auch die Heiden nicht im Stich lassen.«

Das traf mich wie ein Schlag auf den Kopf, und ich war sprachlos. Simon hatte sich in den Jahren unserer Trennung dermaßen verändert, daß er nicht mehr derselbe Mensch war. Nach einer langen Pause vermochte ich endlich, meine Gedanken in Worte zu fassen: »Wollt Ihr damit sagen, daß Ihr den Römern vom Messias predigt?«

»Ich predige ihnen vom Messias, und sie glauben daran«, gab er zur Antwort.

»Aber sie sind doch nicht beschnitten!« wandte ich ein.

»Die Beschneidung gehört dem Alten Bund an«, erklärte Simon. »Wir sind aber Brüder im Neuen Bund.«

»Und halten sie das Gesetz der Thora heilig?«

»Nein.«

»Gehen sie am Versöhnungstag in die Synagoge oder fasten sie?«

»Nein.«

»Verzichten sie auf den Genuß von Schweinefleisch?«

»Nein.«

Ich war entsetzt. Vielleicht wurde meine Erschütterung noch dadurch vergrößert, daß ich all dies von Simon hören mußte, der einst der frömmste Jude überhaupt gewesen war.

Ich fragte ihn: »Was sind das für Symbole, die sie um ihre Hälse tragen?«

Er antwortete: »Es ist das Zeichen des Fisches, das Symbol unserer Bruderschaft. Es kam ursprünglich aus Antiochia, wo man Griechisch spricht.«

»Und Ihr erlaubt ihnen, Götzenbilder zu tragen?«

»Es bleibt keine Zeit, den Heiden unsere Gesetze aufzuzwingen, denn der Messias kann jeden Augenblick wiederkehren. Vielleicht nähert er sich gerade jetzt, während wir uns unterhalten, den Toren der Stadt. Diese guten Menschen hier glauben an ihn; sie sind errettet worden. Hätte ich darauf bestanden, daß sie zuerst Juden würden, so wären sie vielleicht nicht rechtzeitig vorbereitet und blieben auf der Strecke, wenn das Königreich Gottes naht.«

Aber ich ließ mich nicht beschwichtigen und entgegnete ihm: »Simon, in Judäa bereiten sich unzählige Juden darauf vor, gegen die Römer zu kämpfen. Männer, die eure Brüder sind, rüsten sich für den Kampf, der unausweichlich ist. Und was macht Ihr? Ihr seid hier und bekehrt Römer. Was ist geschehen? Es ist, als ob Ihr und ich auf entgegengesetzten Seiten stünden.«

»Aber das tun wir doch nicht«, hielt er dagegen, »denn wir stehen beide auf der Seite Gottes.«

Ich konnte seine Meinung nicht teilen. In Jerusalem, wo Simon einst gepredigt hatte, warteten Juden darauf, daß ihr König zurückkehren würde. In Rom warteten Heiden auf jemanden, den sie gar nicht erkennen würden.

»Warum nennen sie euch Petrus?« fragte ich.

»Weil der Meister einst sagte, ich sei ein so solider und zuverlässiger Freund, daß ich für ihn wie ein Fels sei.«

»Und sie verbrennen Weihrauch, was ein heidnischer Brauch ist.«

»Es ist, weil diese Menschen einst Heiden waren, aber jetzt verehren sie Gott. Dies ist ihre Weise, ihm zu huldigen.«

»Sie verehren nicht Gott«, sagte ich bitter. »Sie haben einfach die Namen ihrer eigenen Götter gegen andere vertauscht. Ein jeder von ihnen wird weitermachen wie zuvor, denn sie haben sich kaum verändert. Und in ihren Herzen werden sie stets Heiden sein. Ihr nennt ja sogar den Tag des Herrn Tag der Sonne, weil die Anhänger des Sonnengottes Mithras ihn so bezeichnen.«

»Es sind viele von ihnen unter uns«, erklärte er, »und wir haben auch Anhänger von Isis, von Baal und von Jupiter zu unserem Glauben bekehrt.«

Doch ich widersprach: »Eine Bekehrung hat nicht stattgefunden, Simon, denn alles, was sie getan haben, besteht darin, daß sie alte Wörter gegen neue eintauschten. Letzten Endes ist dies alles heidnisch.«

Wir gingen traurig auseinander, und diesmal sollte es ein Abschied für immer sein. Erst später erfuhr ich, daß Saul von Tarsus nach dem Vorbild von Petrus seinen Namen in Paulus geändert hatte, um den Römern zu gefallen. Weiterhin fand ich heraus, daß nur wenige Juden in Rom vom Messias gehört hatten und daß er größtenteils von unbeschnittenen Heiden erwartet wurde.

Ich weinte heftig und bejammerte den Tag, an dem ich Judäa verlassen hatte. Als ich in dem Gasthofzimmer saß, sehnte ich mich nach meinen Olivenbäumen zurück und wünschte mir, den Staub Israels unter meinen Füßen zu spüren. Ich sah das schöne Gesicht Saras vor mir, hörte die Stimme meines geliebten Saul und fühlte die Arme des kleinen Jonathan an meinem Hals. Wie sehr wünschte ich nun, ich hätte auf sie gehört, denn außer Kummer und Schmerz hatte mir meine Reise nichts eingebracht.

Ich drang darauf, daß wir bereits am nächsten Tag von Ostia wieder abreisen sollten. Salmonides versuchte, mich zu überreden, noch ein wenig in Rom zu verweilen, und versicherte mir beharrlich, daß ich über die Stadt ein zu schnelles und zu hartes Urteil gefällt habe. Indes war ich gegen seine Worte taub. In Rom war das Streben nach Sinneslust und Genuß weit verbreitet, und es herrschte Gleichgültigkeit gegenüber Gott. Ich fühlte mich unrein. So sagte ich ihm: »Meine Heimat ist Israel, denn ich bin ein Jude. Dort ist Zion und das Land, das Gott uns verheißen hat. Wie kann ein Jude die Gesetze der Thora befolgen, wenn er von diesen sündigen Menschen umgeben ist?«

Salmonides zuckte nur die Schultern und schüttelte den Kopf. In den fast elf Jahren unserer Freundschaft hatte er mich bis jetzt noch nicht verstanden.

Es ergab sich, daß ich am Abend vor Einbruch der Dunkelheit mit Salmonides einen kleinen Spaziergang machte, denn ich war rastlos. Auf der Straße begegneten wir großen Menschenmengen, Männern und Frauen unterschiedlichster Herkunft, die sich in mir unverständlichen Sprachen unterhielten. Prostituierte riefen mich aus Toreinfahrten an. Händler schoben Karren, vollbeladen mit Haxen und anderen Teilen vom Schwein. Überall standen Statuen, und von Säulen und Mauern blickten Götzenbilder herab. Es war eine übervölkerte, wimmelnde Stadt, viel schlimmer als Jerusalem selbst während der Passah-Woche.

An einer Stelle spürten wir plötzlich, wie wir von einer Woge erfaßt wurden, als die Menschenmenge sich zusammendrängte und nach vorne bewegte. Salmonides und ich versuchten uns freizukämpfen, jedoch vergebens, so stark war der Sog. Ein lautes Geschrei erhob sich aus dem Volk wie aus einer Kehle. Und in diesem Moment teilte sich der Mob wie die Wogen des Roten Meeres, als sie von Moses zerteilt wurden, und mein Begleiter und ich fanden uns in der ersten Reihe wieder. Vor uns war eine Schneise entstanden, und auf der gegenüberliegenden Seite des Weges stand die andere Hälte des Pöbelhaufens.

Und dies ist, was wir sahen: Scharen römischer Soldaten in leuchtendroten Umhängen und glänzender Rüstung zogen an uns vorbei und schwenkten die Fahnen von Kaiser Nero. Hinter ihnen kam ein Fanfarenzug. Männer in Reih und Glied bliesen auf Trompeten gen Himmel und machten einen solchen Lärm, daß ich mir die Ohren zuhalten mußte. Auf den Fanfarenzug folgte ein Regiment der Prätorianergarde, der persönlichen Leibwache des Kaisers, die hocherhobenen Hauptes und in anmaßender Eitelkeit an der Menge vorbeistolzierte. Und gleich hinter ihnen fuhr der Kaiser selbst in einem goldenen Triumphwagen, welcher von vier prachtvollen Pferden gezogen wurde. Der sechsundzwanzigjährige Imperator war untersetzt, hatte fast keinen Hals und trug auf seinem Kopf einen dichten, kurzgeschnittenen Schopf roter Locken zur Schau. Er lächelte, als er vorbeifuhr, und winkte uns mit seiner dicken Hand zu. Es faszinierte mich, diesen jungen Mann, der die Welt regierte, leibhaftig und aus nächster Nähe vor mir zu sehen. Diesen jungen Mann, der fast so alt war wie ich selbst.

Nachdem Nero vorübergefahren war, bot sich uns ein Anblick, den ich lange nicht vergessen werde. Als nächstes folgte die Frau des Kaisers, Poppäa Sabina, die ihren eigenen mit zwei Pferden bespannten Wagen lenkte.

Sie war zweifellos die prächtigste Frau, derer ich je ansichtig wurde. Goldblondes Haar krönte ihr Haupt und wurde mit winzigen Bändern und juwelenbesetzten Nadeln festgehalten. Ihr schönes Antlitz wies sehr viel Ähnlichkeit mit den Gesichtern auf, die ich in Statuen gesehen hatte. Es war schneeweiß, blaß und fein wie aus Porzellan mit himmelblauen Augen und zartrosa Lippen. Sie wirkte anstößig mit ihrem bloßen Hals und einem unbedeckten Arm. Und doch war sie wunderschön, wie sie so ruhig in ihrem Wagen stand, daß man sie tatsächlich für eine Statue halten konnte. Ihre Kleider waren aus reiner Seide und von einer so lebhaften Lavendelfarbe, daß ich glaubte, den Duft riechen zu können.

Schweigen legte sich über die Menge, als die Kaiserin vorbeifuhr, und als sie in einem ganz kleinen Abstand an mir vorüberkam, fühlte ich, wie mir der Atem stockte. Im ganzen Römischen Reich konnte es keine Frau geben, die schöner war als sie.

Nahe an meinem Ohr hörte ich eine Stimme murmeln: »Sie ist so eitel und nutzlos wie die Göttinnen und hat Zähne wie eine Viper.«

Es war Salmonides, der den bewundernden Blick auf meinem Gesicht bemerkt hatte.

Mit leiser Stimme, so daß niemand anders es hören konnte, fuhr er fort: »Sie badet sich jeden Tag in Milch und reibt sich die Hände mit Krokodilschleim ein. Sie gibt sich aristokratisch, aber im Herzen ist sie eine Hure. Ihretwegen teilte Nero das Schicksal von Orestes und Ödipus.«

Ich wußte, was Salmonides meinte, und verbannte den bezaubernden Anblick aus meinem Gedächtnis. Er hatte recht. So schön und verlockend Poppäa auch sein mochte, so war sie nicht minder ein verführerisches Teufelswerk, dazu bestimmt, Männer ins Verderben zu führen.

Ich erzähle dir all dies, mein Sohn, damit du weißt, daß von Rom nichts Gutes kommt. Während diese Stadt vordergründig reizvoll und verlockend erscheint, ist sie darunter böse und gottlos. Und ich erzähle dir auch deswegen all dies, mein Sohn, auf daß du den rechten Weg wählen mögest.

Während ich diese Zeilen schreibe, sind jene in Jerusalem tot und dahingegangen, und alle, die den Meister zu seinen Lebzeiten kannten, sind umgekommen. Doch jene in Rom leben noch fort, wenngleich sie ihn nie kannten. Der Mann, den sie Messias nennen und auf dessen Rückkehr sie warten, ist ein Mythos. Er hat nie gelebt, und sie werden ewig ausharren müssen. Aber du, mein Sohn, bist ein Jude und mußt auf den Mann warten, der zurückkommen wird, um das Königreich Gottes auf Erden zu verkünden. Er wird nur zu Juden kommen, denn er ist der Messias der Juden.

Richte deinen Blick deshalb nicht auf Rom, denn die Menschen dort wandeln auf dem Pfad der Unwahrheit und des Vergessens.

Es war Mitternacht, und das einzige Licht in der Wohnung brannte auf Bens Schreibtisch. Er und Judy saßen dicht beieinander, und während Ben seine Übersetzung niederschrieb, las Judy gleich mit, so daß sie die Ereignisse in Davids Leben zusammen und zur gleichen Zeit erlebten.

Eine ganze Weile sprach keiner von beiden ein Wort, sondern starrten noch immer auf die letzte Zeile, die Ben geschrieben hatte. Sie schwebten zwischen den Zeiten, gefangen in einer Welt zwischen Traum und Wirklichkeit, und schienen sich beinahe davor zu fürchten, die Stimmung zu vertreiben.

Schließlich, nach einem schier endlosen Stillschweigen, sagte Ben mit ausdrucksloser Stimme: »Das ist phantastisch.«

Er sprach monoton und ohne Gefühl. »Diese Rolle hat die Sprengkraft einer Bombe, und wenn sie freigesetzt wird...« Er starrte weiter vor sich hin. In seinem glasigen Blick lag eine eigentümliche Ferne, die Judy in Erstaunen versetzte. »Wo bist du jetzt, Ben?«

Ganz allmählich, wie ein Schläfer, der aus einem tiefen Schlummer gerissen wird, begann Ben, sich zu rühren und Lebenszeichen von sich zu geben. Er richtete sich auf und reckte sich stöhnend. Dann sah er Judy an und lächelte schwach. »Es gibt eine Menge Leute, denen diese Rolle überhaupt nicht gefallen wird. Sie enthält mit Sicherheit nichts, was der Vatikan begrüßen wird... Ein Urchrist, einer der früheren Anhänger Jesu, der die römische Kirche verdammt.«

Dann gab er ein kurzes, trockenes Lachen von sich, und seine Gesichtszüge verhärteten sich. »Sie werden diese Rolle vernichten wollen, wenn nicht gar alle. David vernichten...«

Judy zwang sich schließlich dazu, aufzustehen, und stellte fest, daß ihre Beine zitterten. »Los, Ben, laß uns hinüber ins Wohnzimmer gehen. Ich brauche einen Kaffee.«

Er zeigte keine Reaktion.

»Ben?«

Er saß dicht über eines der Fotos gebeugt und blickte argwöhnisch auf ein verwischtes Wort. Judy bemerkte, daß er seine Brille nicht trug, daß er sie schon den ganzen Abend nicht aufgehabt hatte, und so nahm sie sie und hielt sie ihm hin.

Doch er schob ihre Hand weg und meinte: »Ich brauche sie nicht.«

»Ich verstehe.« Sie drehte und wendete die schwere Brille in ihren Händen.

»Wer bist du jetzt?«

Ben schaute auf. »Was?«

»Wer bist du? Mit wem spreche ich, mit Ben oder mit David?« Seine
Gesichtszüge waren für einen Moment ausdruckslos und verzogen
sich dann zu einem Stirnrunzeln. »Ich... ich weiß nicht...« Er raufte
sich die Haare. »Ich weiß nicht. Ich kann es nicht sagen...«

»Komm mit, ich mache dir einen Kaffee.« Judy streckte ihre Hand
aus, und zu ihrer Überraschung ergriff er sie ruhig. Er folgte ihr ins
Wohnzimmer und sank mit noch immer verstörtem Gesicht auf die
Couch. Judy schaltete ein paar Lichter an und ging in die Küche.
Während er aus der Küche das Rauschen von laufendem Wasser und
das Klappen von Schranktüren hörte, schaute Ben noch immer verwirrt umher. Er fühlte sich ganz merkwürdig – so eigenartig, wie nie
zuvor in seinem Leben.

Als Judy mit dem Kaffee und einigen Krapfen zurückkam, fand sie
Ben auf der Couch, sein Gesicht in den Händen vergraben. Sie setzte
sich neben ihn, legte ihm sacht eine Hand auf den Rücken und flüsterte: »Was ist los mit dir, Ben?«

Er blickte zu ihr auf, und sie war entsetzt, die Angst und Verwirrung
in seinen Augen zu sehen. »Ich fühle mich ganz komisch«, antwortete
er mit gepreßter Stimme. »Diese Rolle... irgend etwas daran...«
Dann drehte er seinen Kopf zum Arbeitszimmer und schien die Wand
mit seinem Blick zu durchdringen, so daß er die Fotos auf dem
Schreibtisch sehen konnte. »Poppäa Sabina...«, murmelte er, als
versuchte er, zu verstehen.

»Ben, komm jetzt. Iß einen Krapfen und trink einen Schluck Kaffee.
Du mußt jetzt wieder zu dir kommen, weil ich möchte, daß du mir
etwas erklärst.«

Er richtete seinen stumpfen Blick auf sie. »Und meine Brille...«
Während sie gegen den inneren Drang ankämpfte, zu schreien und
ihn durch einen Klaps in die Wirklichkeit zurückzubefördern, zwang
sie sich dazu, ihm ruhig eine Tasse Kaffee einzuschenken. Er trank sie
gehorsam und ohne weitere Regung.

»Es gibt etwas, das ich an dieser Rolle nicht verstehe«, sagte sie laut
und versuchte, ihn damit aus der Reserve zu locken. »Wann wurde sie
geschrieben?«

Er gab keine Antwort, sondern fuhr fort, zu trinken und vor sich hin
zu starren.

»Ben, wann wurde die Rolle geschrieben?« Sie legte eine Hand auf
seinen Arm. »In welchem Jahr ist David nach Rom gefahren?«

Endlich trafen Bens Augen die ihren, und er begann langsam, sie klar und deutlich vor sich zu sehen. »Was?«

»Das Jahr, in dem David in Rom war? Welches Jahr war das? Wir haben eine Lücke zwischen Rolle neun und dieser hier, weil wir Rolle zehn verloren haben. Wir sind in der Zeit vorangeschritten. David war in der letzten Rolle zwanzig Jahre alt, und Sauls Sohn war gerade geboren worden. Jetzt sind sie alle älter...«

»Ach, das meinst du«, erwiderte Ben sachlich. »Das läßt sich leicht herausfinden. Wie alt, sagte David, war der Kaiser?«

»Sechsundzwanzig.«

»Und in welchem Jahr wurde Nero geboren?«

»Ich weiß nicht.«

Ben stand plötzlich auf, lief ins Arbeitszimmer und kam eine Minute später mit einem Lexikon zurück. Er blätterte bereits darin, als er wieder seinen Platz auf der Couch einnahm. »Nero... Nero... Nero...« brummte er, während er die Seiten überflog. »Da haben wir's.« Er schlug mit der Hand auf die entsprechende Stelle. »Geboren im Jahr siebenunddreißig nach unserer Zeitrechnung.«

Ben reichte Judy das Buch. Das aufgeschlagene Kapitel trug die Überschrift »Lucius Domitius Ahenobarbus (Nero)«. Der erste Abschnitt bezifferte die Lebensdaten des Kaisers mit siebenunddreißig nach Christus bis achtundsechzig nach Christus.

»Jetzt mußt du nur sechsundzwanzig zu siebenunddreißig hinzuaddieren, dann kommst du auf dreiundsechzig. Das ist das Jahr, in dem David in Rom war, im Jahr dreiundsechzig unserer Zeitrechnung. Das bedeutet, daß Rolle Nummer zehn wahrscheinlich die dazwischenliegenden acht Jahre abdeckte. In dieser Zeit muß sich eine Menge ereignet haben. Saras Bekehrung zu den Armen, zunehmender Wohlstand für David. Hingegen scheint es nicht so, daß Saul ebenfalls dem Heer der Nazaräer beigetreten ist. Ich frage mich, warum wohl...«

Judy schaute Ben forschend an. Plötzlich schien er wieder er selbst zu sein, als ob wenige Minuten vorher überhaupt nichts gewesen wäre. Sie beobachtete ihn, als er sich eine zweite Tasse Kaffee einschenkte und sich daran machte, einen Krapfen zu verzehren.

»Rolle zehn«, sprach er mit vollem Mund weiter, »ergänzte diese fehlenden Jahre. Ich bedaure sehr, sie nicht zu haben.«

»Aber es bleiben uns ja immerhin noch sieben Jahre.«

Ben nickte. Er wirkte jetzt ruhig, entspannt und unbeschwert. Was auch immer ihn noch eine Minute vorher bedrückt hatte, jetzt war es vergessen und wie weggeblasen. »Die nächsten beiden Rollen werden diese sieben Jahre ausfüllen. Und sie werden die abscheuliche Tat enthüllen, die David beging. Er wird uns auch Aufschluß darüber geben, warum er kurz davor steht zu sterben.«

Judy nickte nachdenklich und starrte in ihre Tasse. Es fiel ihr schwer, mit Bens abrupten Persönlichkeitsschwankungen fertigzuwerden. Es war nicht leicht, ihm zu folgen, zu wissen, wie man ihn anpacken mußte oder was man als nächstes zu erwarten hatte.

Als er endlich seine Tasse abstellte und verkündete: »Ich bin todmüde«, war sie sehr erleichtert.

»Ich gehe ins Bett. Morgen ist auch noch ein Tag, und wir werden eine weitere Rolle erhalten.« Ben erhob sich von der Couch und reckte seinen langen, mageren Körper. Dann hielt er einen Augenblick inne, um auf Judy herabzuschauen, und bemerkte aufs neue, wie klein sie doch wirkte. »He«, sagte er sanft, »es ist spät. Wir müssen uns schlafen legen.«

Aber Judy schüttelte den Kopf. Das Schlimmste an Bens plötzlichen Stimmungsänderungen war, daß er sie gar nicht wahrnahm. Sie wollte fragen: »Was war vor ein paar Minuten mit dir los? Was bringt dich dazu, daß du den Bezug zur Wirklichkeit verlierst?« Aber sie tat es nicht. Sie wußte, was er sagen und wie er reagieren würde. Er hätte keine Erinnerung daran, wie eigenartig er sich verhalten hatte, nachdem er die Rolle gelesen hatte. Und es wäre auch sinnlos, es ihm erklären zu wollen.

»Ich will noch eine Weile aufbleiben«, erwiderte sie abweisend.

Ben langte herunter und legte seine Hand auf ihren Kopf. »Weißt du«, begann er mit gedämpfter Stimme, »ich habe dir nie dafür gedankt, daß du zu mir gezogen bist. Durch deine Anwesenheit erhält die Sache ein ganz anderes Gesicht.«

Judy blickte nicht zu ihm auf, rührte sich nicht. Für einen ganz kurzen Augenblick spürte sie, wie er mit der Hand über ihr Haar strich, dann zog er sie zurück, und sie hörte ihn aus dem Wohnzimmer gehen und die Schlafzimmertür hinter sich schließen.

Judy blieb noch eine Zeitlang sitzen, bevor sie schließlich aufstand und zum Fenster hinüberwanderte. Die Vorhänge waren aufgezogen und ließen die kalte, mitternächtliche Finsternis von draußen herein, während sich die Lichter aus der Wohnung auf der Fensterscheibe widerspiegelten. Sie erblickte darin auch ihr eigenes Spiegelbild, ein trauriger Abklatsch ihres früheren Ich – ein viel zu blasses Gesicht, das vor Sorge ganz schmal geworden war. Verloren blickte sie mit ausdruckslosen Augen hinaus auf die schlafende Stadt. Gefühle und jegliches Interesse waren Judy abhanden gekommen. Die Ereignisse der vergangenen Woche hatten sie aller Sicherheit und Charakterstärke beraubt und sie willenlos gemacht. Denn wie Ben war Judy letzten Endes auch nur eine Marionette, die von den hier wirkenden Kräften beliebig gesteuert werden konnte. Aber was waren das nur für Kräfte, die den Bewohnern dieser ruhigen Wohnung von West Los Angeles so übel mitspielten? Waren es übernatürliche Mächte, oder waren es nur Energien, die ihnen beiden innewohnten?

Sie preßte ihr Gesicht gegen das kalte Glas. Warum bin ich hier? fragte sie sich gedankenverloren. Wie kam es eigentlich, daß ich in Ben Messers private Katastrophe verwickelt wurde? War es vom Schicksal vorherbestimmt?

Es ist fast, als wären wir beide hier zusammengebracht worden, um dieses eigenartige Stück durchzuspielen. Aber warum? Zu welchem Zweck?

Ohne darüber nachzudenken, drehte Judy sich um und lief durch das Zimmer, wobei sie alle Lichter löschte. Sie verabscheute das Licht; sie wollte Dunkelheit. Es war leichter, sich in der Dunkelheit zu verirren, leichter, in der Dunkelheit Vergessen zu finden.

Als sie wieder ans Fenster trat, waren die Spiegelungen verschwunden, und alles, was sie sehen konnte, waren die skelettartigen Bäume, die die Straße säumten und sich im Wind bogen. Draußen sah es kalt aus. Kalt und bedrohlich.

Wie kann Wind kalt aussehen? dachte sie abwesend, ihre Stirn wieder gegen die Scheibe gepreßt. Wie kann man etwas beurteilen, was unsichtbar ist? Wie kann man Wind betrachten?

Es ist wie mit David Ben Jona. Ich kann ihn nicht sehen, und doch...

Judy wandte sich langsam vom Fenster und den kahlen Bäumen draußen ab und begann, in die Tiefen der finsteren Wohnung zu starren.

Sie konnte David nicht sehen und wußte doch, daß er anwesend war.

Sie ließ ihre Augen zur Schlafzimmertür schweifen und dort eine

Weile verharren, während sie über den seltsamen Mann nachdachte, der auf der anderen Seite schlief.

Was für eine unglaubliche Veränderung hatte Benjamin Messer in diesen letzten drei Wochen durchgemacht! Was für eine Krise mußte er bewältigen! Und warum? »Liegt es am Judentum?« fragte sich Judy, während vor ihrem inneren Auge staubige Straßen und Palmen vorbeizogen. »Oder ist es einfach eine Identitätsfrage?« Oder waren Identität und Judentum möglicherweise ein und dasselbe? Ein Mensch war einfach ein Jude. Ob Katholiken wohl genauso empfanden? Oder gab es am Judensein etwas, was sich von allen anderen Erfahrungen unterschied – wenn man davon ausging, daß Judentum und Identität so unentwirrbar miteinander verflochten waren?

Sie starrte mit leerem Blick vor sich hin und achtete nicht auf die Bilder von sonnenverbrannten Straßen und überfüllten Marktplätzen, die ihr rastloser Geist heraufbeschwor. Sicherlich war Benjamin Messer nicht der einzige wichtige Faktor in diesem Spiel, obgleich möglicherweise die Hauptfigur. Daneben standen David Ben Jona, die geduldig leidende Rosa Messer, ihr Ehemann, der als Rabbiner den Märtyrertod gestorben war. Und schließlich Judy selbst.

Ihre Gedanken konzentrierten sich jetzt auf einen bestimmten Punkt. Statt sich weiter getrocknete Feigen, geschnürte Sandalen und weiße Gewänder auszumalen, blickte sie jetzt in ihr tiefstes Inneres.

Und was sie dort sah, erschreckte sie. Als ob sie am Rand eines riesigen, unergründlichen Kraters stünde, fühlte Judy, wie sie von einem starken Gefühl der Leere überwältigt wurde. Eine unfaßbare Einsamkeit. Eine kalte Einöde, die sie so entsetzte, daß sie vor Verzweiflung aufschreien wollte. Der riesige, schwarze Krater, der mit einer tintenartigen Kälte gefüllt war und sich bis an die Grenzen der Vorstellungskraft ausdehnte, befand sich im tiefsten Innern ihrer Seele. In diesem schrecklichen Nichts war alles tot, denn kein Leben konnte hier gedeihen.

Die dunkle Wohnung, die schwarze Nacht draußen und die furchterregende Leere in Judys Seele hatten eines gemeinsam: die Finsternis wurde von keinem Licht erhellt.

Mehr Bilder blitzten vor ihr auf. Aleppokiefern, die sich gegen einen strahlendblauen Himmel abhoben. Der Duft nach Narde, der die Luft erfüllte. Die heiße Sonne, die auf staubige Straßen herunterbrannte.

Sie wandte sich davon ab. Kehrte dem Zauber des antiken Jerusalem den Rücken. Es wäre schön, dorthin zu entfliehen, ja, sich nur für einen Moment gehenzulassen und in der Vergangenheit Zuflucht zu suchen, um der Gegenwart nicht ins Auge sehen zu müssen. So, wie Ben es tat...

Judy blickte wieder hinüber zur Schlafzimmertür, und für einen kurzen Augenblick wurde ihr bewußt, daß Ben ungewöhnlich ruhig war.

Sie riß sich von den Offenbarungen ihres inneren Ichs und den flüchtigen Einblicken in die Vergangenheit los, durchquerte den dunklen Raum und öffnete die Schlafzimmertür.

Ben lag völlig bekleidet auf dem Bett und schlief tief und friedlich. Als Judy behutsam näher trat, konnte sie den Ausdruck auf seinem Gesicht sehen, der sie überraschte. Ben lächelte fast unmerklich und schien sich in einem Zustand vollkommener Ruhe zu befinden.

Judy starrte ihn ungläubig an. Mit Ausnahme der Nacht, in der sie ihm eine Schlaftablette verabreicht hatte, war es Ben nie vergönnt gewesen, so friedvoll zu schlafen. Auch hatte sie ihn nie zuvor jemals so gelöst gesehen. Als sie jetzt auf ihn hinabblickte, begann sie, in diesem Gesichtsausdruck eine tiefere Bedeutung zu erkennen.

Es waren Anzeichen der Kapitulation, der völligen Aufgabe.

Judy hob jäh den Kopf und sah sich im Zimmer um. Irgend etwas stimmte nicht. Irgend etwas stimmte ganz und gar nicht. Seltsam beunruhigt verließ Judy auf leisen Sohlen das Schlafzimmer, schloß sachte die Tür und kehrte zu ihrem Wachtposten am Fenster zurück. Das Glas an ihrem heißen Gesicht fühlte sich angenehm kühl an.

Sie hätte eigentlich froh darüber sein sollen, daß Ben so gut schlief. Und doch war sie es nicht. Sein Gesichtsausdruck ließ nichts Gutes ahnen. Als sie die schweren Wolken am Himmel dahinziehen sah, dachte Judy: Warum tust du uns das an? Warum bist du hierhergekommen? Und was bist du eigentlich, David Ben Jona, ein Freund oder ein Feind? Stehst du neben ihm und wachst über ihn, um ihn zu beschützen, oder wartest du nur auf einen Augenblick der Schwäche...?

»O Gott!« stieß sie hervor und hielt sich die Hände vor den Mund. »Was geschieht nur mit mir?«

Judy fuhr herum; versuchte angestrengt, in der Dunkelheit etwas zu erkennen.

»Wonach suche ich? Verliere ich jetzt auch meinen Verstand?« fragte sie sich verstört.

Während sie vor sich hin starrte, tauchten immer neue Bilder in ihrem Geist auf. Die dunkle Wohnung wurde plötzlich von strahlender Helligkeit durchflutet, und sie blickte auf einen grünen Hang, der mit weißen Lilien und roten Anemonen bewachsen war. Sie sah die Feigen- und Olivenbäume und einen Jungen, der eine kleine Herde Ziegen hütete.

»O Gott, ich will dir helfen, Ben«, flüsterte sie heiser. »Ich will dir helfen, weil ich dich liebe, aber ich weiß nicht, wie. Ich weiß nicht, wie ich gegen dieses Etwas ankommen soll! Wie kann ich einen Geist bekämpfen?«

Sie roch Olivenöl, das in einer Lampe verbrannte, und schmeckte herben Käse auf ihrer Zunge. »Es ist stärker als ich, Ben. So, wie du am Ende aufgegeben hast, unterliege ich jetzt ebenfalls...«

Tränen rannen an Judys Wange herunter. Sie zitterte am ganzen Körper. Die große Leere tauchte aus ihrer Seele empor, um die Wärme und das Leben der antiken Vergangenheit zu verschlingen.

Ein Donnerschlag vertrieb das Phantasiebild. Sie war wieder in der dunklen Wohnung. Draußen begann der Regen gegen das Fenster zu trommeln.

Judy wandte sich um und schaute hinaus. Weitere krachende Donnerschläge. Ein Blitz. Und in dem kurzen Augenblick der Helligkeit sah sie die Kuppel des Tempels und die starken Mauern der Antonia-Festung.

»Wo fällt der Regen?« murmelte sie traurig. »Hier oder... oder dort?«

Die Zeit verstrich, während Judy wie versteinert am Fenster stand. Sie war versunken in einem Meer von Fragen, auf die sie keine Antwort bekam. Es gab keine Lösungen zu den Problemen, die in ihrem Geist aufgeworfen wurden, nur immer mehr Rätsel. Judy hatte einen flüchtigen Eindruck von der Leere gewonnen, die ihr Leben bestimmte. Jetzt überlegte sie sich, was sie wohl veranlaßt haben mochte, zu dieser unmöglichen Stunde plötzlich ihr ganzes Dasein in Frage zu stellen.

Und wieso konnte sie mit einem Mal Dinge sehen, die sie sich nie zuvor ausgemalt hatte? Stand sie ebenfalls kurz davor, sich angesichts der Macht, die der Geist David Ben Jonas ausübte, geschlagen zu geben? Kurz vor Tagesanbruch wurde Judy aus ihren Gedanken gerissen. Während dieser ruhigen Stunde vor Sonnenaufgang, da ein leichter Regen fiel und sie fühlte, daß sie den Antworten allmählich näher kam, geschah etwas, das sie vor Schrecken erstarren ließ. Sie hörte keinen Laut und kein Geräusch und bemerkte auch sonst kein äußeres Anzeichen. Es schien ganz einfach, als ob die Dunkelheit sich um sie herum bewegte. Die Luft hatte sich verändert, und sie spürte, daß irgend etwas anders war. Eine unheimliche Vorahnung ließ sie herumfahren.

Die Schlafzimmertür war offen, und Ben stand dort, bewegungslos und stumm.

Ein eisiges Frösteln durchfuhr Judys Körper, und sie begann unwillkürlich zu schlottern.

Ihre Augen waren weit aufgerissen, ihr Mund leicht geöffnet. Plötzlich überkam sie sonderbare Angst.

Irgend etwas war geschehen.

»Ben...«, flüsterte sie.

Er kam ein paar Schritte auf sie zu, langte dann hinunter und schaltete das Licht ein.

In diesem Augenblick wurde Judy der Grund für ihre Angst bewußt.

Und als sie seine Augen sah, schrie sie auf.

Sie schrie sehr lange.

Kapitel Sechzehn

Die Veränderung fiel Judy sofort auf. Bens Augen waren nicht mehr blaßblau, sondern dunkelbraun.

Er stand vor ihr und blickte mit einem Lächeln auf den Lippen fast mitleidvoll auf sie herab. »Judith...«, sagte er mit einer unwiderstehlich weichen Stimme.

Als er sich ihr einen Schritt näherte, wich sie zurück.

»Warum fürchtest du dich vor mir, Judith?«

»Ich...«. Sie suchte krampfhaft nach einer Antwort. Doch es gab keine. Sie konnte nur verwundert den Kopf schütteln und ihr Herz klopfen hören. Ihre Kehle war vom Schreien heiser geworden. Und nun folgte auf den Schock tiefe Bestürzung.

»Wie kannst du dich nach so langer Zeit noch vor mir fürchten?« fragte er sanft. »Judith...«. Ben streckte beide Hände nach ihr aus, und Judy schreckte erneut zurück. »Weißt du denn nicht, wer ich bin?«

»Wer... bist du?«

»Ich bin David«, erklärte er mit einem beteuernden Lächeln.

»Nein!« schrie Judy und schüttelte heftig den Kopf. »Sag das nicht!«

»Aber es ist wahr.«

»Und wo ist Ben?«

»Ben? Ach so, der hat niemals existiert. Es hat nie einen Benjamin Messer gegeben...«

»O Gott«, wimmerte Judy. Tränen schossen ihr in die Augen und ließen ihn vor ihr verschwimmen. »Ich will, daß Ben zurückkommt. O Gott, was ist nur geschehen?«

Bens Gesichtsausdruck änderte sich und verriet nunmehr Besorgnis. »Bitte, es ist doch nicht meine Absicht, dich zu erschrecken. Weiche nicht vor mir zurück, Judith. Ich brauche dich.«

»O Ben«, entfuhr es ihr. Als ihre Tränen zu fließen begannen, unterdrückte sie ein Schluchzen. »Was... was ist mit deinen Augen passiert?«

Er zögerte einen Augenblick und überlegte. Dann meinte er lächelnd:
»Es ist interessant, nicht wahr, daß sie jetzt eine andere Farbe haben?
Ich kann es dir nicht erklären, doch ich nehme an, daß dieser Veränderung eine große Bedeutung zukommt.«
Judy starrte den Mann vor sich verstört an, während sie jede Sekunde
erwartete, aus diesem Alptraum zu erwachen.
Er fuhr fort: »Es hat nie einen Benjamin Messer gegeben, weil ich
schon immer David Ben Jona war. Ich habe über so viele Jahre hinweg
geschlummert. Erst die Schriftrollen haben in mir mein eigenes Ich
zum Bewußtsein erweckt und mich daran erinnert, wer ich wirklich
war. Und jetzt bin ich zurückgekommen, um wieder zu leben. Verstehst du?«
Nein, es lag nicht nur an seinen Augen; das wurde Judy allmählich
klar. Zwar stellten sie die einzige körperliche Veränderung an ihm
dar, doch es hatte sich noch ein anderer Wandel an ihm vollzogen.
Es war sein Auftreten, seine ganze Haltung. Ruhig und selbstsicher
war dieser Mann, nicht derselbe nervöse, von Ängsten geplagte
Mensch, der ihr wenige Stunden zuvor gute Nacht gesagt hatte. Dieser Fremde mit dem blonden Haar und den dunkelbraunen Augen
wirkte völlig entspannt und selbstbewußt. Er stand in lässiger Haltung vor ihr und sprach in einem Ton, der einen völlig gelösten und
von sich selbst überzeugten Mann verriet.
»Ich weiß, daß es schwer für dich sein muß«, hörte sie ihn sagen, »und
daß du Zeit brauchen wirst, um dich an mich zu gewöhnen. Bis jetzt
hast du mich ja bloß für einen Geist gehalten.«
Er sprach diese Worte mit einem winzigen, kaum wahrnehmbaren
Akzent. Deutsch? Hebräisch?
»Wird Ben zurückkommen?« fragte sie im Flüsterton.
»Er kann nicht zurückkommen, weil er nie existierte. Weißt du, als
ich Benjamin war, glaubte ich zuerst, David verfolge mich. Dann
dachte ich, er wolle von mir Besitz ergreifen. Doch diese Annahmen
waren falsch, denn ich war ja die ganze Zeit über David. Benjamin war
derjenige, den es nie gab.«
Von einer plötzlichen Übelkeit ergriffen, wandte Judy sich jäh von
ihm ab und preßte ihre Hand auf den Bauch.
»Warum weist du mich zurück?« fragte er fast flehentlich.
»Ich... ich weise dich nicht zurück«, hörte sie sich selbst antworten.
»Ich lehne es nur ab, dir zu glauben.«

»Aber du wirst es schon noch tun. Siehst du, das erklärt so vieles. Letzte Nacht, als wir die Rolle lasen...« Er ging lässig an ihr vorbei und nahm auf der Couch Platz. »Als wir gestern nacht die Rolle lasen, da fiel mir auf, daß es an dem Abschnitt über Poppäa Sabina etwas Merkwürdiges gab. Erinnerst du dich?«

Da es ihr schwerfiel, laut zu sprechen, flüsterte Judy nur: »Ich erinnere mich.«

»Es gab daran etwas, das ich nicht genau bestimmen konnte. Natürlich weiß ich jetzt, was es war. Poppäa Sabina heißt doch meine Katze, und aufgrund dieses Erlebnisses kam ich darauf, sie nach der Kaiserin zu nennen. Als ich die Katze vor zwei Jahren kaufte, erinnerte sie mich an Neros Frau, die ich in ihrem Streitwagen an mir hatte vorüberfahren sehen.«

Judy kniff die Augen fest zusammen. »Nein«, murmelte sie kaum hörbar.

»Und als du mir die Brille angeboten hast, brauchte ich sie nicht mehr, denn schon letzte Nacht war ich nicht mehr Ben. Ich sah, wie sehr du dich über meinen Zustand beunruhigt hast, aber es gab keinen Grund zur Besorgnis, liebe Judith, da es sich nur um das letzte Stadium meiner Selbstwerdung handelte.«

Sie schlug die Augen auf und starrte ihn an, als wäre er ein Monster.

»Bitte, komm und setze dich zu mir.«

»Nein.«

»Bitte, halte dich nicht von mir fern. Ich hatte nicht die Absicht, dich zu verletzen. Ich dachte, du würdest dich freuen.«

Als er traurig den Kopf schüttelte, tauchte im Eingang zur Küche eine kleine schwarze Gestalt auf, die den Mann auf der Couch mit mißtrauischem Blick und stark geweiteten Pupillen beäugte. Poppäa lief vorsichtig ein paar Schritte in seine Richtung, doch als er sich vorbeugte, um sie zu locken, machte sie einen Buckel und fauchte ihn an.

Ben lachte nur leise. »Das tut sie, weil ich jetzt ein Fremder für sie bin. Sie wird mich schon noch kennenlernen, und dann werden wir Freunde sein.«

Judy blickte die Katze ungläubig an. Poppäas Fell war gesträubt, ihre Ohren lagen flach am Kopf an. Im nächsten Augenblick schoß sie voller Angst in die Küche zurück, und man konnte hören, wie sie sich in einem kleinen Winkel verkroch.

»Sie wird es schon noch lernen«, ließ sich Bens sanfte Stimme vernehmen. »Und auch du wirst dich daran gewöhnen, liebste Judith.«

Judy blickte ihn an und sah ein traurigsüßes Lächeln auf seinem Gesicht. Seine ganze Haltung, sein ganzes Wesen schien um Vergebung und Annahme zu bitten. Und als sie ihn so sah, fühlte Judy, wie ihr Herz ihm entgegenschlug.

»Ich fürchte mich vor dir«, gestand sie schließlich.

»Aber das mußt du doch nicht. Ich würde dir nie etwas zuleide tun.«

»Ich weiß nicht, was du bist. Ich weiß nicht, wer du morgen oder selbst in der nächsten Stunde sein wirst. Und das macht mir Angst.«

»Aber es ist alles vorbei, Judith, siehst du das nicht? Kein Identitätskampf und kein Bemühen um Selbstfindung mehr. Die Höllenqualen, die Benjamin Messer durchstehen mußte, die Alpträume und die Tränen und die quälenden Gedanken waren nichts anderes als die Schmerzen meiner Geburt. Es war notwendig, daß er, daß ich all dies erduldete, damit ich wiedergeboren werden konnte. All das gehört nun der Vergangenheit an, meine liebe Judith, denn ich bin jetzt eins mit mir selbst und mit meiner Persönlichkeit ins reine gekommen. Ich hoffte, du würdest verstehen.«

Sie musterte ihn noch ein wenig länger und näherte sich dann vorsichtig und behutsam der Couch. Während sie sich auf der äußersten Kante, so weit wie möglich von ihm entfernt, niederließ, hielt sie fortwährend die Augen auf ihn gerichtet. Endlich flaute ihre Übelkeit ab, und die Unruhe verebbte. Die erste Erschütterung war vorüber, und jetzt ließ auch die Bestürzung nach. Statt dessen fühlte sich Judy unsicher, weil sie nicht wußte, was sie als nächstes tun sollte.

Ben streckte seine Hand aus, als wollte er ein Geschenk überreichen. Judy ergriff sie und fühlte, wie sie noch ruhiger wurde.

Er lächelte ihr beruhigend zu und erweckte den Anschein von völliger Kontrolle und Selbstvertrauen. Seine Hand war warm und zart, seine Stimme ermutigend. »Was sich verändert hat, hat sich verändert, und es gibt keinen Weg zurück. Was gestern war, wird nie wiederkehren. Benjamin Messer lebt nicht mehr. Ich war nicht glücklich in dem Leben von damals. Aber in diesem hier bin ich es.«

Judy spürte, wie er ihre Hand drückte und sie ein wenig zu sich hin zog. Zuerst wehrte sie sich, gab dann aber nach und ließ es zu, daß er sie auf der Couch nahe an sich heranholte. Er hielt sie mit beiden Armen umschlungen, aber so leicht, als befürchtete er, sie zu zerbrechen, und er sprach mit gefühlvoller Stimme: »Du kannst mich doch unmöglich als Ben gemocht haben, denn dieser Ben war ein geplagter Mann. Er war ein Mensch, der seine Vergangenheit und sein Erbe verleugnete und der immer etwas sein wollte, was er nicht war. Benjamin Messer war nur eine Seite meiner Persönlichkeit, und es tut mir leid, daß du gerade diese kennenlernen mußtest. Nun, da ich David Ben Jona bin...« Er zog sie an sich und drückte ihr Gesicht gegen seinen Hals. »Doch nun, da ich endlich David Ben Jona bin, kannst du, teure Judith, in deinem Herzen vielleicht ein wenig Liebe für mich finden.«

Als Judy erwachte, lag sie im Bett. Obgleich sie noch alle Kleider anhatte, war sie zugedeckt, und ihre Schuhe standen fein säuberlich neben dem Bett. Ein ermutigend heller Tag flutete durchs Fenster und brachte die noch an der Scheibe hängenden Regentropfen zum Glitzern. Durch das Geäst der Bäume hindurch konnte sie weiße Wolken und blauen Himmel erkennen. Und durch die offenstehende Tür hörte Judy, wie jemand im angrenzenden Zimmer herumhantierte.
Ihre Gedanken überschlugen sich. Obgleich ihr die unheilvollen Ereignisse der letzten Nacht auf Anhieb wieder einfielen, konnte sie sich nicht daran entsinnen, ins Bett gegangen oder eingeschlafen zu sein. Das letzte, woran sie sich erinnerte, war, daß sie mit Ben eng umschlungen auf der Couch gesessen und seiner sanften Stimme gelauscht hatte, die auf unwiderstehliche Weise von Liebe gesprochen hatte.
Sie war sich unschlüssig, ob sie aufstehen sollte. Sie fürchtete sich vor dem, was sie vielleicht im Nebenzimmer vorfinden würde. Bens Wahnsinn konnte in jede Richtung losbrechen; seine vorübergehende Festigkeit konnte durch die leichteste Herausforderung ins Wanken geraten. Doch obwohl es ihr widerstrebte, ihm gegenüberzutreten, verlangte es sie danach, an seiner Seite zu bleiben und über ihn zu wachen. Sie steckte in einem unüberwindlichen Zwiespalt der Gefühle: Einerseits verspürte sie den Drang, aus diesem Irrenhaus zu fliehen; andererseits hegte sie den Wunsch, Ben zu helfen, die Krise durchzustehen.
Sie stand geräuschlos auf und schlich leise ins Bad, um von ihm nicht

gesehen zu werden. Judy versuchte, eine Entscheidung zu treffen, was sie als nächstes tun sollte.

Unter der kühlen Dusche wichen die Erinnerungen an die unheilvolle vorangegangene Nacht einer analytischen Betrachtungsweise. Als sich ihre Schläfrigkeit verlor und der Schrecken allmählich nachließ, fühlte Judy sich eher in der Lage, die Situation zu meistern.

Immerhin hatte Ben – in seiner neuen Identität als David – noch keine Neigung zu Gewalttätigkeiten erkennen lassen. Und wenn er seine gegenwärtige Ruhe und Gelassenheit beibehielte – zumindest bis die letzte Rolle gelesen war –, könnte sie gut mit ihm fertig werden.

Was danach geschehen würde, konnte sie sich nicht im geringsten vorstellen. Und es war ihr im Augenblick auch gleichgültig. Momentan ging es für sie und Ben allein darum, einen weiteren Tag irgendwie durchzustehen.

Er schaute auf, als sie ins Zimmer kam, und verzog das Gesicht zu einem breiten Grinsen. »Guten Morgen, Judith. Fühlst du dich besser?«

»Ja, danke.« Sie musterte ihn vorsichtig.

»Du bist in meinen Armen eingeschlafen, und da habe ich dich ins Bett getragen. Du bist so leicht; es war, wie wenn man ein Kind hochhebt.«

Als er sprach, starrte Judy ihn mit wachsender Faszination an. Der Mann vor ihr war, mit Ausnahme der braunen Augen, in jeder Hinsicht Benjamin Messer. Nur war es nicht...

Er kam auf sie zu und ergriff ihre Hand. Dann führte er sie zum Eßtisch.

Nein, dieser Mann war zweifellos verändert. Er mochte genauso aussehen wie Ben Messer, unterschied sich aber von ihm durch sein ganzes Verhalten. Die Gebärden und das zuweilen etwas gespreizte Benehmen gehörten zu einem anderen. Und seine Art, sich zu geben, war völlig neu. Dieser Mann erschien älter, reifer und auffallend selbstsicher. Er war ein Mensch, der sich selbst voll unter Kontrolle hatte und es gewohnt war, den Ton anzugeben.

Er setzte sich an den Tisch vor eine dampfende Tasse Kaffee und einen Teller mit Eiern und Buttertoast. Während er ihr gegenüber Platz nahm, erklärte er: »Ich habe schon gegessen. Bitte, laß es dir schmekken, du wirst dich gleich besser fühlen.«

Judy merkte beim Essen, wie hungrig sie eigentlich war. Gierig verschlang sie das Frühstück und stürzte zwei Tassen Kaffee hinunter. Während sie aß, hielt Ben/David seinen beunruhigenden Blick ständig auf sie geheftet und ließ sie keine Sekunde aus den Augen. Ein kaum merkliches heimlichtuerisches Lächeln umspielte die ganze Zeit über seinen Mund. Zweimal wollte sie etwas sagen, doch jedesmal hob er eine Hand und meinte: »Iß zuerst. Später werden wir uns unterhalten.« Und sie gehorchte.

Anschließend gingen sie zusammen ins Wohnzimmer, das zu Judys Überraschung mit peinlicher Gründlichkeit gereinigt worden war. Sogar der Weinfleck auf dem Teppich erschien blasser, und alles wirkte sauber und ordentlich. Ohne nachzusehen, vermutete sie, daß es im Arbeitszimmer wohl genauso aussah.

Als sie sich auf der Couch niederließen, sagte Ben: »So, nun fühlst du dich sicher besser. Ist es dir jetzt immer noch unbehaglich, mit mir zusammen zu sein?«

»Ich weiß nicht«, antwortete sie unsicher. »Bist du...?«

Er lachte herzlich. »Ja, ich bin noch immer David. Ich habe dir doch gestern nacht gesagt, daß Ben fort ist und nie mehr wiederkommt. Aber ich sehe ein, daß es Zeit braucht, dich davon zu überzeugen. Das ist schon in Ordnung, denn ich bin ein geduldiger Mensch.«

Judy lehnte sich bequem auf der Couch zurück. Jetzt, da sie gegessen hatte, fühlte sie sich wirklich besser und überlegte, was sie als nächstes sagen sollte. »Wenn du David Ben Jona bist«, begann sie vorsichtig, »dann kannst du mir ja sicher verraten, was in der nächsten Rolle steht?«

Er lächelte vielsagend. »Du willst mich auf die Probe stellen, Judith. Das ist ein Zeichen von Ungläubigkeit, und ich will, daß du an mich glaubst. Tust du das?«

»Du weichst meiner Frage aus.«

»Und du meiner.«

Judy drehte sich um, so daß sie ihm direkt ins Gesicht sehen konnte. »Ich habe keine Lust, Wortspiele mit dir zu veranstalten, Ben. Ich versuche nur zu verstehen, was passiert ist. Du behauptest, du seist jetzt der wiedergeborene David. Ist das richtig?«

»Wenn dir diese Ausdrucksweise zusagt, ja. Aber es ist mehr als eine Wiedergeburt, mehr als eine Wiederverleiblichung, denn, siehst du, ich war ja nie wirklich fort. Als Benjamin Messer bin ich die ganze Zeit über hier gewesen.«

»Ich begreife...«

»Das glaube ich nicht.«

»Nun, zumindest versuche ich es.« Sie lehnte sich zurück und betrachtete ihn wieder.

Ja, diese neue Persönlichkeit war zweifellos umgänglicher. Benjamin Messer war ein Mensch gewesen, der von seiner Vergangenheit gequält wurde und mit dem man nur schwer auskommen konnte. Als David von ihm Besitz ergriffen hatte, war er still und in sich gekehrt. Doch dieser neue Zustand, in dem er nun tatsächlich den Juden verkörperte, war beinahe angenehm. Er wirkte vernünftig, war mitteilsam und schien einigermaßen gefestigt.

Wenn er nur nicht plötzlich wieder in eine andere Zeit abglitt oder von Gedächtnisschwund heimgesucht würde; wenn er keine Wutausbrüche bekam, wie Ben sie zuvor gehabt hatte, dann wäre diese neue Entwicklung möglicherweise nur von Vorteil. Zumindest im Augenblick.

»Und wie soll es weitergehen?« fragte sie ruhig.

»Das kann ich nicht wissen. Die Zukunft ist mir ebenso unbekannt wie dir.«

»Aber gewiß kannst du nicht als Ben Messer weitermachen.«

»Und warum nicht? Der Name hat mir bis jetzt gute Dienste geleistet. Ich kann die Identität auch noch eine Weile länger benutzen, bis ich mir über meine Pläne klar werde. Doch wie dem auch sei, liebe Judith«, er griff nach ihrer Hand, »sie werden dich mit einschließen.«

O Ben, schrie sie innerlich voller Verwirrung, ich will, daß du mich immer mit einschließt! Und ich liebe dich über alles. Aber was bist du jetzt? Wer bist du? Und wer wirst du morgen sein?

»Warum schaust du so traurig, Judith?«

Sie wandte ihr Gesicht ab. »Weil ich Ben liebe.«

»Aber ich bin doch der gleiche Mann.«

»Nein«, entgegnete sie schnell, »nein, das bist du nicht.«

»Nun...« Seine Stimme wurde leiser. »Kannst du in deinem Herzen nicht auch ein wenig Liebe für mich finden?«

Sie wandte sich jäh um. Auf seinem Gesicht spiegelten sich Sehnsucht und sanfte Trauer wider. Sie spürte, wie er mit den Fingerspitzen ihre Wange streichelte, hörte seine liebevolle Stimme. In ihren Augen war es Ben, der da ungeschickte Versuche unternahm, mit ihr zärtlich zu werden, doch im Herzen wußte sie, daß es ein anderer Mann war. In seinem Identitätskampf hatte Ben die Schlacht verloren und auf sonderbare Weise die Persönlichkeit des Mannes aus den Schriftrollen angenommen. Aus welchen unausgesprochenen Bedürfnissen und verborgenen Gründen heraus es auch geschehen sein mochte, Ben hatte sich nun einmal entschlossen, David zu werden, einfach, weil er nicht mehr stark genug war, als Ben weiterzuleben.

»Ich will dich zurück«, flüsterte Judy in einem letzten Versuch, auf ihn einzuwirken. »Schick David dorthin zurück, wo er hingehört, Ben, und komm zurück zu mir.«

Doch der Mann, der sie weiter geheimnisvoll anlächelte und mit seinen tiefsinnigen, dunklen Augen liebevoll anblickte, war nicht Benjamin Messer.

Es war unvorstellbar, daß die nächste Rolle an diesem Nachmittag eintreffen würde, und doch war es so. Nummer zwölf kam wie gewöhnlich als Einschreiben und erforderte die übliche Unterschrift. Aber diesmal wurde sie anders in Empfang genommen. Anstelle der Erregung und Unruhe, die Ben beim Erhalt der vorangegangenen Rolle an den Tag gelegt hatte, wurde Rolle Nummer zwölf mit Gelassenheit und stiller Freude entgegengenommen.

Ben stieg in aller Seelenruhe die Treppe hinauf und betrat die Wohnung. Dann lief er voll Bedacht umher, legte Heft und Bleistift zurecht und stellte das Licht richtig ein. Pfeifenhalter, Tabaksbeutel und Aschenbecher waren vom Schreibtisch entfernt und aus dem Blickwinkel verbannt worden – sie waren nicht länger notwendig.

Poppäa Sabina, die sich auf dem Drehstuhl zusammengerollt hatte, machte einen Buckel und fauchte Ben an, als er sich näherte. Dann sprang sie vom Stuhl und schoß wie ein Pfeil aus dem Zimmer. Ben schüttelte nur den Kopf.

Judy blieb zögernd an der Tür stehen und beobachtete ihn, wie er sich langsam darauf vorbereitete, die nächste Rolle in Angriff zu nehmen. Das war nicht der Ben, den sie früher gekannt hatte, der zu diesem Zeitpunkt die Fotos schon herausgezerrt, den Umschlag auf den Fußboden geworfen und bereits die ersten Worte übersetzt hätte, noch bevor er sich hingesetzt hatte.

Als er aufblickte und sie im Türrahmen stehen sah, fragte er: »Bist du nicht interessiert?«

»Doch schon...«

»Nun, dann komm und setz dich neben mich. Lies, während ich schreibe. Wir werden diese Tage meines Lebens noch einmal miteinander durchleben.«

Während Judy einen Stuhl heranzog und sich neben ihn setzte, murmelte sie: »Weißt du nicht bereits, was darin steht?«

Doch er gab keine Antwort.

Rolle Nummer zwölf befand sich in erbärmlichem Zustand. Sie setzte sich aus sechs Bruchstücken zusammen, deren Kanten zerfressen waren; mitten auf der Seite klafften Löcher, und stellenweise war die Handschrift unleserlich. Doch was verblieb, war noch immer ein großer Teil und sehr informativ.

Ich kehrte heim in ein von politischen Unruhen geschütteltes Judäa. Meine Landsleute sahen sich immer weniger imstande, die Anwesenheit unserer römischen Oberherren hinzunehmen, und ich gewahrte überall Anzeichen des Aufruhrs. Salmonides und ich waren beide zutiefst erschrocken, als wir entlang der Straße nach Joppe so viele Kreuze sahen, und fragten uns verwundert, ob die Zelotenbewegung in unserer Abwesenheit derart Zulauf bekommen hatte. Wir sahen auf den Straßen auch wesentlich mehr römische Legionen als früher, viele von ihnen bis zu den Zähnen bewaffnet und von Rom neu ausgerüstet, und wir erkannten, daß uns unruhige Zeiten bevorstanden.

Aber nach einer Abwesenheit von so vielen Monaten war es schön, wieder unter Freunden zu sein und meine Lieben in die Arme zu schließen. Sie hatten sich alle in meinem Haus zusammengefunden: Saul und Sara und der kleine Jonathan; Rebekka und unsere Freunde von den Armen und sogar Jakob, der in seinen weißen Gewändern abseits der Gruppe stand und sich in asketisches Schweigen hüllte.

Saul wusch meine Füße, als ich hereinkam, und ich bemerkte, daß er Tränen in den Augen hatte. Er sprach: »Wahrlich, es ist ein freudiger Tag, der mir meinen Bruder zurückgebracht hat! Wir haben dich vermißt, David, und jeden Tag gebetet, daß dir in Babylon nichts zustoßen möge.«

Ich bemerkte, daß er seine besten Kleider trug und daß er seinen Gesetzesunterricht heute hatte ausfallen lassen, um den ganzen Tag mit mir zu verbringen.

Dann kam Rebekka zu mir. Sie fiel mir um den Hals und küßte mich und ließ ihre Tränen ungehindert auf meine Schulter fließen. Wenn sie auch tief im Herzen vor Sorge vergangen war, so sprach sie es dennoch nicht aus. Auch erinnerte sie mich mit keinem Wort an die Einsamkeit, unter der sie in meiner Abwesenheit gelitten hatte. Rebekka war eine gute Frau, die wußte, daß ich aus Notwendigkeit gehandelt hatte.

So hielt ich sie auf Armeslänge von mir weg und versprach: »Es wird in Zukunft keine Reisen nach Rom mehr geben, meine Liebste, denn ich habe genug gesehen.«

Als nächster begrüßte mich der kleine Jonathan, dessen Wiedersehensfreude keine Grenzen kannte. Er drückte mich an sich und küßte meine Wangen und plapperte, ohne Luft zu holen, über all die Dinge, die ich versäumt hatte, während ich weg gewesen war. Und mein Herz lachte vor Freude, ihn zu hören und ihn anzuschauen, denn ich liebte den kleinen Jonathan innig. Er hatte Sauls Gabe, schnell Freundschaft zu schließen, und er hatte das schöne Gesicht seiner Mutter. Doch tief im Herzen wußte ich, daß ich Jonathan so übermäßig liebte, weil ich noch immer kein eigenes Kind hatte und daran schier verzweifelte.

Als Sara zu mir trat, um mich willkommen zu heißen, wurden meine Knie weich, und mein Herz schrie auf, denn sie war noch immer die eine Frau, die ich über alles liebte, und es war ihr Bild gewesen, das ich in den endlosen Nächten auf See vor mir gesehen hatte. Seitdem sie den Armen beigetreten war und viel Zeit in der Gesellschaft von Miriam und den anderen Frauen verbrachte, war Sara noch schöner und strahlender geworden. Ihr Glaube an Gott und an die Wiederkehr des Königreichs Israel hatten ihr eine besondere innere Schönheit und eine Ruhe verliehen, die sich in ihren Augen widerspiegelten.

Seit dem Tag im Olivenhain hatten wir nie wieder von Liebe gesprochen. Doch man kann sich einander auch auf andere Art als durch Worte mitteilen, und an diesem Tag sah ich auf ihrem Gesicht und in ihren Augen, daß sie mich noch immer liebte.

Jakob, der Führer der Armen, wartete, bis alle mich begrüßt hatten, bevor er selbst zu mir trat und mir den Friedenskuß gab. Dann sprach er: »Bruder, es bereitete uns großen Kummer, dich in Babylon zu wissen, während wir stets in dem Bewußtsein lebten, daß das Königreich Gottes nahe bevorstand. Josua wird vielleicht schon morgen vor den Toren Jerusalems stehen, und wir befürchteten, daß du an diesem glorreichen Tage noch immer fern von uns weilen könntest. Aber jetzt bist du zurück und wirst das zweite Kommen des Messias nicht versäumen. «

Jakobs stechende Augen drangen in meine Seele vor, und ich sah in seinem Blick den festen Glauben an die bevorstehende Wiederkunft seines Bruders. Er ergriff meine Arme und sprach kein Wort mehr, aber in seinem Gesicht konnte ich seine Gedanken lesen.

Er sagte mir, daß dies wirklich die letzten Tage seien, von denen die Propheten gesprochen hatten, denn allerorten herrsche Unruhe und Aufregung. Dies waren die Weissagungen von Jesaja, Jeremia und Daniel: Es wird eine Zeit kommen, da ein Greuel der Verwüstung herrschen wird und das Königreich Zion wiederhergestellt wird.

In meiner Abwesenheit hatten meine Weinberge und Ölpressen mich zu einem noch wohlhabenderen Mann gemacht, so daß ich selbst viele adlige Familien in Jerusalem an Reichtum übertraf. All dies verdankte ich meinem Freund Salmonides, der mit den Jahren nicht zu altern schien und dessen scharfer Verstand nie nachließ. Er verhielt sich auch weiterhin ehrlich und treu und nahm nie mehr als das ihm zustehende Honorar, aus dem ihm mit der Zeit ebenfalls ein kleines Vermögen erwachsen war. Wenn ich ihn pries, winkte er ab und meinte, ich sei der Pfiffige, und er sei nur mein Verwalter. Wie dem auch sei, als ich ein Alter erreichte, in dem die meisten Männer voller Stolz einen kleinen Laden ihr eigen nennen oder sich mit einem Fischerboot zufriedengeben, sprach sich der Reichtum von David Ben Jona allmählich herum, und ich war ein einflußreicher Mann.

Als Mitglied der Armen teilte ich sehr viel von meinem Besitz mit der riesigen Glaubensgemeinschaft, die ständig an Größe zunahm. Neben Jakobus und den Zwölfen predigten nun auch andere Gefolgsmänner in den Städten und auf dem Land von dem Königreich, das kommen sollte, und von dem Meister, der bald zurückkehren würde. Und wenn die Juden allenthalben die Schwerter der Römer erblickten und die Zeloten an Kreuzen hängen sahen, da wußten sie in ihren Herzen, daß die Endzeit tatsächlich begonnen hatte.

So wuchs unsere Anhängerschaft unglaublich rasch, bis die Zahl unserer Mitglieder in die Zehntausende ging.

Und während in vielen Häusern Jerusalems mit Brot und Wein das Abendmahl begangen wurde, während sich immer mehr Juden taufen ließen und das Glaubensbekenntnis des Neuen Bundes ablegten, blieb mein Freund und Bruder Saul weiterhin ein Außenstehender.

In mancherlei Hinsicht erinnerten mich die Diskussionen mit ihm an jene, die ich vor Jahren mit Eleasar geführt hatte, als Simon dabei gewesen war, mich zu überzeugen. Denn jetzt führte ich Saul gegenüber Simons Worte im Munde, und aus seinen Argumenten sprach Eleasar.

»Die Zeit, in der Gott das Königreich Israel neu errichten wird, ist noch nicht gekommen«, versicherte Saul. »Was du in dem Buch Daniel gelesen hast, hast du falsch ausgelegt. Die Zeit, da der Messias von Israel unter uns erscheinen wird, liegt noch in weiter Ferne.«

Dann zitierte ich ihm Jesaja und Esra und Jeremia, um ihm zu beweisen, daß meine Auslegung der Prophezeiungen die richtige sei.

»Es *sind* die letzten Tage, mein Bruder Saul; du kannst es ja überall sehen. Es sind gewaltige Umwälzungen im Gange.«

Saul schüttelte nur den Kopf. »So war es auch zur Zeit der Makkabäer«, entgegnete er. »Doch kein Messias kam.«

»Aber diese hier sind schlimmere Zeiten«, gab ich zu bedenken.

Und so gingen unsere Argumente hin und her. Saul war ein guter Rabbi und im Tempel sehr begehrt. Er war ein frommer Jude und kannte den Wortlaut des Gesetzes besser als irgendein anderer. Und so stimmte es mich traurig, daß er nicht an die Rückkehr unseres Meisters glaubte. Denn dies würde ein glorreicher Tag sein, und Zion würde wieder neu erschaffen.

Es begab sich, daß wir Kunde von der Feuersbrunst in Rom erlangten, die große Teile der Stadt zerstört und Krankheit und Hunger über Rom gebracht hatte. Und wir hörten auch, daß unser alter Freund und Bruder Simon in der Arena hingerichtet worden war, da man ihn verdächtigt hatte, an der Legung des Feuers beteiligt gewesen zu sein.

Wir von den Armen versammelten uns in Miriams Haus und sprachen Gebete und sangen Psalmen zum Andenken an diesen Mann, der einst des Meisters bester Freund gewesen war und als erster den Messias in ihm erkannt hatte.

Und wir beteten in dieser Nacht auch, weil wir fühlten, daß der Tod Simons – der seinen Namen in Petrus geändert hatte – und seines Freundes Paulus nur als Ankündigung der letzten Tage gedeutet werden konnte. Nun, da Josuas bester Freund um seinetwillen den Märtyrertod gestorben war wie vor ihm schon Stephanus und Jakobus, der Sohn des Zebedäus, müßte unser Meister zu seinem Volk zurückkehren und es zum Sieg über die Unterdrücker führen.

Doch es standen uns noch schlimmere Zeiten bevor.

Viele unter den Armen waren Zeloten. Diese Männer gingen nun dazu über, sich zu bewaffnen. Selbst unter den Essenern, die in der Vergangenheit jegliche kriegerische Auseinandersetzung abgelehnt hatten, griffen viele nun zum Schwert, weil sie glaubten, der Kampf zwischen Licht und Dunkelheit stünde nahe bevor.

Sie sagten: »Der Messias von Israel steht schon fast vor den Toren, und er wird uns nicht unvorbereitet antreffen. Er ging fort, damit wir die Botschaft verkündigen und das Wort verbreiten sollten; aber nun ist er auf der Straße, die zur Stadt führt, und wir müssen bereit sein, für Zion zu kämpfen.«

Obgleich ich dem nicht zustimmte und selbst nicht zum Schwert griff, wollte ich meinen Glaubensbrüdern nicht das Recht aberkennen, sich zu bewaffnen. Denn es waren die letzten Tage.

Ironischerweise trug Saul nun ein Schwert bei sich, denn er hatte Berichte über Aufstände in ganz Galiläa und Syrien gehört. Von Dan bis Beerscheba begannen Juden sich gegen die Unterdrückung durch Rom aufzulehnen.

Bis spät in die Nacht saßen wir von den Armen in unseren Häusern beim Abendmahl zusammen und horchten auf die Trompeten, welche die Ankunft des Messias verkünden würden. Und in diesen Nächten beobachtete ich Sara, die ihre Arme um Jonathan geschlungen hatte und mit gesenktem Haupt ins Gebet vertieft war, und ich freute mich, daß sie so gläubig war.

Im Frühling des folgenden Jahres schändete Prokurator Gessius Florus den Tempelschatz.

Von da an hatten wir keine Stunde Frieden mehr.

Judy starrte auf die unregelmäßige Handschrift im Übersetzungsheft und konnte sich nicht erinnern, sie gelesen zu haben. Ben war den ganzen Abend, bis spät in die Nacht hinein damit beschäftigt gewesen, das aramäische Schriftstück zu entziffern, und Judy hatte jedes Wort gelesen, sowie er es niedergeschrieben hatte. Doch nun, da es keinen Papyrus mehr zu lesen gab und die letzte Zeile übersetzt war, kam es ihr vor, als sähe sie das Notizpapier zum erstenmal.

Auch Ben schien verwirrt auf das zu starren, was er gerade geschrieben hatte. Er hielt den Bleistift noch immer über dem Blatt, und seine Hand wartete darauf, mehr zu schreiben. Doch das sechste Teilstück war jäh zu Ende gegangen und ließ sie beide ratlos zurück.

Es verging eine Weile, bevor sie aus ihrer Starre erwachten, und es war Judy, die sich als erste regte. Plötzlich wurde sie sich starker Rükkenschmerzen bewußt und bemerkte, wie verspannt ihr Körper war, und so befreite sie sich langsam aus der Haltung, in der sie so lange ausgeharrt hatte, und schaute auf die Uhr.

Es war kurz nach Mitternacht, und sie starrte mehrere Minuten auf das erleuchtete Zifferblatt, bevor ihr eigentlich klar wurde, was sie sah.

»Mein Gott«, murmelte sie und beugte ihre steifen Glieder, »wir haben hier acht Stunden lang gesessen!« Dann blickte sie auf Ben.

Er war noch immer über das letzte Foto gebeugt. Den Bleistift hielt er über dem Heft, und seine Augen waren auf die letzte Zeile der aramäischen Schrift geheftet. Ein leichter Schweiß war auf seiner Stirn ausgebrochen und rieselte ihm nun an den Schläfen hinunter auf den Hals. Sein Hemd war naßgeschwitzt, und seine Haut zeigte eine ungewöhnliche Blässe.

»Ben«, sagte Judy ruhig, »Ben, es ist vorbei. Das war das Ende der Rolle.«

Als er nicht antwortete, nahm sie ihm sachte den Bleistift aus den Fingern und ergriff seine Hand. »Ben? Kannst du mich hören?«

Schließlich wandte er den Kopf und sah ihr ins Gesicht. Seine braunen Augen wirkten jetzt noch dunkler, da er gänzlich erweiterte Pupillen hatte. Sein Blick war völlig leer und teilnahmslos. Winzige Tränen spiegelten sich darin.

»Ben, du bist erschöpft. Wir haben acht Stunden hier am Schreibtisch verbracht, und sieh dich nur an. Du mußt dich hinlegen.«

Ben löste sich langsam aus seiner Betäubung, schluckte heftig und fuhr sich mit einer trockenen Zunge über die Lippen. »Ich hatte vergessen«, begann er heiser, »ich hatte vergessen, wie es damals war. Ich hatte vergessen, wie schlimm diese Tage waren.«

»Ja, das waren sie. Komm mit, Ben.«

Obwohl er imstande war, aufzustehen, mußte er sich doch auf Judy stützen. Sie legte einen Arm um seine Hüfte und schleppte sich mühsam mit ihm ins Wohnzimmer, während sie die feuchtkalte Klebrigkeit seines Körpers spürte. Dort brachte sie ihn durch gutes Zureden dazu, sich auf der Couch auszustrecken und den Kopf auf ein Kissen zu legen. Dann setzte sie sich neben ihn, sah ihm ins Gesicht und wischte ihm behutsam den Schweiß von der Stirn.

»Es bleibt nur noch eine Rolle übrig«, flüsterte sie, »nur noch eine einzige. Und dann ist alles vorbei.«

Ben schloß die Augen, und die Tränen flossen an seinem Gesicht herunter. Ein leiser, wimmernder Ton entwich seiner Kehle und schwoll allmählich zu einem rauhen Schluchzen an. »Wir warteten auf den Messias«, jammerte er. »Wir warteten und warteten. Er hatte gesagt, daß er wiederkäme. Er hatte versprochen...«

»Ben...«

»Ich bin nicht Ben!« schrie er plötzlich und stieß ihre Hand weg. »Ich bin David Ben Jona. Und ich bin ein Jude. Der Messias wird kommen, und Zion wird wiederhergestellt, wie es in den alten Büchern prophezeit wurde.«

Judy rührte sich nicht. Sie behielt ihn fortwährend im Auge, entschlossen, sich keine Angst einjagen zu lassen.

Einen Moment später fuhr Ben sich mit beiden Händen übers Gesicht und murmelte: »Es tut mir leid. Verzeihe mir. Es war die Überanstrengung, die Anspannung...«

»Ich weiß«, erwiderte sie sanft.

Ben wischte sich die Tränen weg und wandte Judy dann seine volle Aufmerksamkeit zu. Er bemerkte die Sorge in ihren Augen, die liebevolle Art, mit der sie sich um ihn kümmerte. »Wir waren eine Weile dort, nicht wahr?« meinte er. »Wir waren wieder im alten Jerusalem.«

Sie nickte.

»Und du warst die ganze Zeit über bei mir.« Er streckte eine zitternde Hand aus und strich über ihr langes Haar. »Ich habe dich jede Minute an meiner Seite gespürt, und es machte mich froh. Du fragst dich wahrscheinlich, was das Ganze bedeuten soll.«

»Ja.«

»Und ich ebenfalls, aber der Sinn und Zweck von dem allen ist auch mir nicht enthüllt worden. Es sollte eben sein, und so sollten wir uns damit abfinden. Bald wird meine letzte Rolle eintreffen, und diese ist wirklich die letzte, und dann wird uns Gottes Absicht offenbart.«

Judy richtete sich auf und schaute weg. Sie ließ ihre Augen durch das dunkle Zimmer schweifen und versuchte angestrengt, etwas zu sehen, was nicht da war. Sie rief sich ins Gedächtnis zurück, wie es gewesen war, eine Weile in Jerusalem zu verbringen, an der Seite eines Mannes zu sein, den sie liebte, sich vollkommen einem Glauben zu verschreiben, der, wie sie wußte, den Kern aller anderen Glaubensrichtungen bildete.

In diesem Augenblick gelangte Judy zu einer überraschenden Erkenntnis. Als Ben über ihr Haar strich und mit besänftigender Stimme auf sie einredete, wurde ihr klar, daß sie, während sie in der Nacht zuvor verzweifelt nach einer Möglichkeit gesucht hatte, Ben zu sich selbst zurückzubringen, heute nacht gar nicht mehr sicher war, daß sie dies wollte.

Wie sie ihn so ansah, in Bens Gesicht schaute, dessen Augen jedoch einem anderen Mann gehörten, wußte sie, daß sie, wenngleich sie ihn letzte Nacht zu sehr geliebt hatte, um ihn zu David werden zu lassen, ihn heute nacht zu sehr liebte, um ihn zurückzuverwandeln.

»Du bist glücklich, nicht wahr?« flüsterte sie, obwohl sie die Antwort schon kannte.

»Ja, das bin ich.«

Wie kann ich dann nur wünschen, daß du wieder unter Bens Qualen zu leiden hast? fragte sie sich verzweifelt. Ist es nicht weniger grausam, dich in diesem Zustand zu belassen?

»Judith, du hast ja Tränen in den Augen.«

»Nein, nein, das kommt nur von dem vielen Lesen. Acht Stunden...«

Sie erhob sich jäh und wandte sich von der Couch ab.

Diesen Mann zu lieben und bei ihm zu bleiben bedeutete nur eines: daß auch sie die Wirklichkeit aufgeben und den Wahnsinn mit ihm teilen mußte.

»Ich brauche einen Kaffee«, verkündete Judy mit fester Stimme und stürmte in Richtung Küche davon.

Dort in der Dunkelheit, ihr Gesicht gegen die Wand gepreßt, sah sie den Entscheidungen ins Auge, die sie treffen mußte. Wenn sie bei Ben bleiben und seinen Wahnsinn ertragen wollte, führte kein Weg daran vorbei, daß sie selbst ein Teil dieses Wahnsinns würde.

Und als sie in die Dunkelheit starrte, kamen die Phantasiebilder zurück: das kurze Aufblitzen von Palmen, staubigen Straßen und engen Gassen, der Lärm von Straßenhändlern auf dem Marktplatz, der Duft von Jerusalem im Sommer, der Geschmack von gewässertem Wein.

Es wäre so leicht...

Judy riß sich selbst aus den Träumereien und schaltete das Licht ein. Daß ihr eigener gesunder Menschenverstand und ihr Bezug zur Wirklichkeit rasch dahinschwanden, darüber bestand kein Zweifel mehr. Alles, was ihr blieb, war die Entscheidung, es wieder geschehen zu lassen oder jetzt wegzurennen und nie mehr zurückzukommen.

Judy hatte keine Zeit mehr, das eine gegen das andere abzuwägen, denn plötzlich wurde sie durch Geräusche, die aus einem anderen Zimmer kamen, aufgeschreckt. Sie trat aus der Küche und sah sich um.

Im Schlafzimmer brannte Licht. Sie näherte sich vorsichtig und blieb im Türrahmen stehen. Ben war dabei, die Schubladen der Kommode zu durchwühlen.

»Was suchst du?« fragte sie.

»Den Reisepaß.«

»Den Paß?«

»Ben hatte einen Reisepaß, aber ich erinnere mich nicht, wo ich ihn hingelegt habe.«

Judy stellte sich neben ihn und musterte ihn stirnrunzelnd. »Wozu willst du deinen Reisepaß?«

Ohne aufzusehen, brummte er: »Um nach Israel zu kommen.«

Sie riß die Augen auf. »Israel!«

»Er muß irgendwo hier drinnen sein.« Und er begann, Haufen von Kleidungsstücken herauszuheben und auf den Fußboden zu werfen.

»Ben.« Sie legte eine Hand auf seinen Arm. »Ben, warum willst du nach Israel gehen?«

Er gab keine Antwort. Seine Bewegungen wurden hastiger, hektischer. »Ich weiß, daß er da drinnen ist!«

»Ben, antworte mir!« schrie sie.

Endlich richtete er sich auf, und der vor Wut rasende Blick, den Judy in seinen Augen wahrnahm, jagte ihr panischen Schrecken ein. »Um nach Israel zu gehen!« brüllte er zurück. »Es wird dort einen Aufstand geben, und ich muß bei ihnen sein. Ich kann nicht hier in diesem fremden Land bleiben, während meine Brüder vom Feind erschlagen werden.«

»Erschlagen! O Ben, hör mich an!«

Er fing wieder an, die Schublade zu durchwühlen. Judy packte ihn am Arm und rief: »Aber du kannst nicht nach Israel gehen! Dort wartet nichts auf dich. Dieser Krieg fand doch schon vor zweitausend Jahren statt. Er ist vorbei, Ben. Er ist vorbei!«

Zweimal versuchte er, ihre Hand abzuschütteln, doch das dritte Mal ergriff er sie und stieß sie von sich. »Steh mir nicht im Weg, Frau!«

»Aber Ben...«

Judy versuchte abermals, ihn festzuhalten, diesmal mit beiden Händen. Doch als sie das tat, drehte sich Ben jäh zu ihr um, packte sie an den Schultern und schleuderte sie heftig von sich. Judy taumelte zurück, blieb mit dem Fuß am Bett hängen und stürzte zu Boden. Sie lag ausgestreckt zu seinen Füßen und blickte erstaunt zu ihm auf.

Im nächsten Moment erstarrte Ben. Er blieb wie angewurzelt stehen und blickte ungläubig zu Boden. Dann sank er wortlos auf die Knie nieder und streckte in einer Gebärde der Hilflosigkeit die Hände aus.

»Was habe ich getan?« stammelte er.

Judy rührte sich nicht, sondern blieb mit zitterndem Körper und leicht geöffneten Lippen liegen.

Ben starrte sie noch immer an. Sein Gesicht drückte Bestürzung und Verwirrung aus. »Die Person, die ich über alles liebte, die Frau, die mir teurer war als mein eigenes Leben und die ich einmal sogar über die Thora stellte...«

Seine Stimme klang belegt und dumpf.

Ben schaute auf seine Hände hinunter und versuchte zu verstehen, was geschehen war. Und während er so vor dem stummen Mädchen kniete, überkam ihn ein heftiges sexuelles Verlangen. Und er wußte, daß es tausendmal stärker war als das, was er damals, vor vielen Jahren, im Olivenhain verspürt hatte. Er wurde überwältigt von dieser schrecklichen, brennenden Begierde, diesem plötzlichen heftigen Verlangen, noch einmal in Sara einzudringen, noch einmal die Gesetze der Thora und den Bund der Freundschaft mit Saul zu brechen. Als er so vor ihr auf den Knien lag und sie wie einen Sperling zittern sah, hatte er auf einmal den Wunsch, diesen wunderbaren Nachmittag von einst noch einmal zu erleben und an nichts anderes zu denken als daran, diese Frau zu besitzen.

Aber ich darf es nicht, hielt sein Verstand dagegen, denn sie ist keine freie Frau, und ich bin kein freier Mann. Es ist ein unmittelbarer Verstoß gegen Gottes Gesetz und eine Herabwürdigung meiner Freundschaft zu Saul. Und dennoch...

Er starrte weiter auf seine Hände und zwang sich, nach unten zu sehen, denn er wußte, wenn er einmal zu Sara aufblickte, würde er sich in der Tiefe ihrer Augen verlieren.

»Ben«, flüsterte eine zarte Stimme. Sie war schwach und zerbrechlich wie der Körper, von dem sie kam, zart wie die Frau, die er so abscheulich von sich gestoßen hatte.

Er antwortete nicht. Schauer der Leidenschaft marterten seinen Körper, und der gepeinigte Mann kämpfte mit seiner ganz Willenskraft gegen die heftige Begierde an, die in ihm brannte.

Dann ein anderes sanftes Flüstern: »David...« Es war eine einschmeichelnde Stimme. Eine süße, unwiderstehliche, schüchterne Einladung.

Schließlich gab er auf und sah sie an. Und der Anblick des kleinen, blassen Gesichtes und der langen, schwarzen Haare ließ sein Herz fast zerspringen. Nachdem er einmal schwer geschluckt hatte, brachte er mit schwacher Stimme heraus: »Wir dürfen es nicht, Sara, Liebste. Dieses eine Mal hätte nie sein dürfen...«

Eine unendliche Trauer lag in ihren Augen, ein Leid, das ihn bestürzte. Es war, als ob sie ihn wollte und dennoch in ihrem Innern einen persönlichen Kampf austrug, von dem er nichts wußte.

Wie hätte er es auch wissen sollen? Daß sie in ihrer großen Liebe zu Ben und im Bewußtsein, daß sie Ben niemals würde haben können, gewillt war, sich David hinzugeben. Aus dem Verlangen heraus, Ben zu haben, würde sie sich einem Fremden schenken und vorgeben, eine andere Frau zu sein.

»Es ist schon lange her«, flüsterte sie und streckte die Hand nach ihm aus.

Er faßte ihre Hand und drückte die Fingerspitzen an seine Lippen. Ein gewaltiges Grollen wurde in seinen Ohren laut. Jegliches Empfindungsvermögen schien ihn zu verlassen. Sanft hob Ben Judy vom Boden auf und trug sie auf seinen starken Armen zum Bett, wo er sie behutsam niederlegte.

»Sara, weine bitte nicht«, murmelte er in völliger Verwirrung. »Ich lasse dich, wenn das dein Wunsch ist...«

Doch sie streckte ihre kleine Hand nach der seinen aus, und er spürte, wie fiebrig sie war. Wieder hielten ihn seine treue Ergebenheit zu Saul und die strengen Vorschriften der Thora vom nächsten Schritt zurück, so daß er eine Sekunde lang unentschlossen über ihr stand.

Judy blickte flehentlich und ebenso verwirrt wie er zu ihm auf. Sie spürte, wie ihr eigenes sexuelles Verlangen alle anderen Empfindungen zurückdrängte und den letzten Zweifel besiegte.

Schließlich ergab sie sich und murmelte: »Wenn nicht Ben, dann eben David...« Und zu dem Mann, der über ihr stand, sagte sie: »Nun, mein Liebster, so wollen wir die Gunst der Stunde nutzen.«

Im Nu war er über ihr, und seine Leidenschaft entfesselte sich. Er küßte ihren Mund mit einer Heftigkeit, über die sie beide erschraken. Judy schmeckte, wie sich das Salz ihrer Tränen mit dem Geschmack seiner Zunge mischte. Sie spürte, wie sein Mund den ihren verschlang, und versuchte, die Schluchzer in ihrer Kehle zu unterdrükken.

Kapitel Siebzehn

In den nächsten zwei Tagen weilten sie weder in der Gegenwart noch in der Vergangenheit, sondern lebten in einem zwielichtigen Reich, das sie sich für ihre eigenen Bedürfnisse geschaffen hatten. Ben wartete geduldig auf die dreizehnte Rolle. In diesen langen Stunden saß er ruhig da und starrte auf die Fotos von den Papyrusstücken, die sich allmählich bei ihm angehäuft hatten, und bei jeder Aufnahme verweilte er, als ob er dabei eine süße Erinnerung durchlebte.

Judy war weniger selbstsicher, obgleich sie sich nun einer Kraft ergeben hatte, die zu groß war, um dagegen anzukämpfen. Sie liebte Ben so sehr, daß es ihr mittlerweile gleichgültig war, was mit ihnen geschehen würde, und sie sich keine Sorgen mehr um die Zukunft machte. Denn sie war überzeugt davon, daß ebenso wie alles bisher Geschehene so hatte kommen müssen, auch alle anderen Tage mit einer Unvermeidlichkeit verlaufen würden, die nicht geändert werden konnte.

Sie liebten sich danach noch dreimal, und jede Begegnung war so explosiv wie die erste. Wenn sie bis spät in die Nacht eng umschlungen dalagen und in beglückender Weise die warme Nacktheit des anderen spürten, erzählte Ben leise in einem antiken hebräischen Dialekt von den Wundern Jerusalems und dem Optimismus seiner Zeit.

»Ich hatte unrecht«, sagte er in der alten Sprache, die Judy größtenteils verstehen konnte, »ich hatte unrecht, nach Israel gehen zu wollen. Denn zu den Waffen zu greifen und den Feind zu bekämpfen ist ein Akt der Treulosigkeit gegen Gott. Hat er nicht versprochen, den Messias, den Gesalbten, zu schicken, um Israel aus der Unterdrückung zu befreien? In meiner Schwäche wurde ich ungeduldig und wollte das Urteil Gottes in Frage stellen. Du hattest recht, meine Geliebte, als du versuchtest, mich zurückzuhalten.«

Judy kuschelte sich an seinen Körper und ließ ihren Kopf auf seiner Brust ruhen. Es gab keine schönere Stunde als diese, wenn sie in Bens Armen lag und sich die Phantasiebilder ausmalte, die seine sanfte

Stimme beschwor: Er sprach von Spaziergängen am Ufer des Sees Genezareth; von den roten Anemonen, die im Frühling blühten; von der Freude über eine reiche Olivenernte; von dem Frieden und der Ruhe auf einem Hügel in Judäa. Sie wollte, daß dieser Augenblick ewig währte.

Aber er tat es nicht.

Am Samstag klopfte der Briefträger an ihre Wohnungstür und überbrachte einen eingeschriebenen Brief aus Israel.

Nachdem sie Weatherbys Notiz gelesen hatten – etwas über Zeitungsverleger und Museen und öffentlichen Bekanntmachungen –, setzten Ben und Judy sich an den Schreibtisch, um die letzte Rolle zu übersetzen.

Ben schien gelassen und gemächlich, und man hätte tatsächlich meinen können, daß er den Moment hinauszögern wollte, wohingegen Judy sehr beunruhigt war. Sie starrte wie gebannt auf den inneren Umschlag, während sie eine Frage nicht mehr losließ.

Was wird aus uns werden, wenn die letzte Rolle erst einmal gelesen ist?

Sie schaute Ben an und sah den friedlichen Ausdruck auf seinem Gesicht, den sie als Davids innere Ruhe erkannte. Wo auch immer Benjamin Messer hingeschickt worden war, wo immer Bens gequälter und von Schuldgefühlen geplagter Geist auch beerdigt sein mochte, der Mann an ihrer Seite war nun ein glücklicherer Mensch geworden. Und das war alles, was sie wollte.

Aber was wäre, fragte sie sich mit nagender Angst, was wäre, wenn ihn allein die Rollen mit der Identität verbänden, die er angenommen hatte? Und was wäre, wenn dieser zarte Faden – weil es die letzte Rolle war oder weil der Inhalt dazu angetan sein könnte – zerreißen würde?

In den darauffolgenden vier Jahren wuchs der Zwist in der Stadt ins Unermeßliche.

An dem Tage, da Prokurator Gessius Florus den Tempelschatz plünderte, erhoben sich Hunderte von Juden in hellem Zorn. Um den Aufstand zu ersticken, sandte der Prokurator römische Truppen in alle Teile der Stadt, brutale Männer, die alles taten, um die Revolte niederzuschlagen, und viele Juden wurden getötet und verwundet. Als die Nachricht von diesem Ereignis sich über das ganze

Land verbreitete, erhoben sich immer mehr organisierte Gruppen von Zeloten gegen unsere Oberherren und erschlugen die Römer, wo immer sie sie antrafen.

Wo es einst gelegentliche Überfälle aus dem Hinterhalt und Sabotage gegeben hatte, wurde nun offen Krieg geführt.

Kaiser Nero schickte seinen besten General Vespasian, um dem Aufstand ein Ende zu bereiten, und in allen Städten Judäas, Syriens und Idumäas wurde sehr viel gekämpft. Galiläa wurde am schwersten getroffen, da die römischen Truppen durch dieses Gebiet anrückten, und erlitt schreckliche Verluste. Meine Brüder verließen ihre Familien, um sich den Streitkräften der Rebellen anzuschließen. Später hörte ich, sie seien im Kampf für Zion gefallen.

Was mit meiner Mutter und meinem Vater geschah, werde ich wohl nie erfahren.

Zu jener Zeit brodelte Jerusalem vor Angst, vor Haß und vor Blutgier, doch es wurde nur wenig gekämpft. Wir standen tatenlos da und warteten ab, was mit den Städten passieren würde, durch die das römische Meer auf uns zumarschierte.

Wir hörten von vielen Heldentaten in diesen Schlachten. Tausende von Juden, nur die Hälfte von ihnen Zeloten, kämpften mit allen Waffen, die ihnen zur Verfügung standen, um Israels Oberhoheit wiederherzustellen.

Indes wußte ich im Herzen, daß sie unrecht hatten, denn allein der König von Israel würde unsere Fesseln lösen, und er war noch nicht zu uns zurückgekehrt.

Dieses erklärte ich Saul, der eines Nachts spät bei uns erschien, mir ein Schwert in die Hand drückte und meinte: »Die Stunde des Kampfes ist gekommen, Bruder!«

Doch ich lehnte die Waffe ab und sprach: »Wenn ich mich jetzt bewaffnete und auf den Feind losschlüge, dann wäre es vor Gott ein Zeichen von Treulosigkeit. Ich glaube daran, daß der Messias kommen wird; ich glaube an das Versprechen, das Gott seinen Kindern gegeben hat; und ich glaube, daß der neue König von Israel uns an diesem Tag befreien wird.«

»Du bist ein halsstarriger Narr«, erwiderte Saul. Und es verletzte mich tief.

So kam es, daß mein Bruder und ich uns auf schlimme Weise entzweiten.

Die Nachricht von Kaiser Neros Tod in Rom ließ Vespasian zurück-
eilen, um an der Bürgererhebung um den leeren Thron teilzunehmen. Uns im Osten wurde jedoch keine Atempause gewährt, denn
an seiner Statt sandte er seinen Sohn Titus, einen unbarmherzigen,
hartgesottenen Mann.

Je mehr Städte in der Provinz besiegt wurden und je näher das
römische Heer rückte, desto größer wurde die Angst in Jerusalem.

Unsere Brüder, die in dem Kloster am Salzmeer lebten, verließen
ihr Zuhause und zerstreuten sich über das Land, und man erzählte
uns, sie hätten ihre heiligen Schriftrollen in Tonkrügen tief in den
um das Salzmeer herum gelegenen Höhlen verborgen. Auf diese
Weise sollte das Wort Gottes vor dem heidnischen Eroberer bewahrt werden, und die Mönche könnten eines Tages zurückkehren
und die Rollen wieder ans Licht bringen.

Jerusalems Stunde nahte heran. Und als die ausgeplünderten und
zerlumpten Überlebenden von Tiberias, Jotapata und Caesarea
nach Jerusalem strömten, um Schutz zu suchen, und als wir Erzählungen über die Stärke und die Wildheit der Römer hörten, erkannte ich, daß es an der Zeit war, meine Frau und meine Sklaven
hinter den Stadtmauern in Sicherheit zu bringen. Sobald die Gefahr vorbei war, wollten wir auf unseren Hof zurückkehren.

Rebekka weinte, doch hielt sie sich tapfer, und ich war deshalb stolz
auf sie. Wir nahmen nur das Nötigste mit und brachten den Rest in
ein sicheres Lager, da wir dachten, wir würden bald zurückkehren.

Miriam hieß uns in ihrem Haus willkommen, wo Rebekka und ich
mit anderen Mitgliedern der Armen, darunter Jakobus, Philippus
und Matthäus, unsere irdischen Güter teilten und unsere Tage im
Gebet verbrachten.

Wir sollten unseren Hof nie wiedersehen.

Vespasian wurde Kaiser von Rom, und sein Sohn Titus erreichte
schließlich die Tore Jerusalems.

Ich vermag nicht die kalte Angst zu beschreiben, die uns beim Anblick der römischen Legionen packte. Zu Zehntausenden marschierten sie auf die Stadt zu, und in dem Moment, als ich vom
Tempel aus auf den Ölberg blickte, wußte ich, daß unsere letzten
Tage gekommen waren.

Zu dieser Zeit trat in der Stadt eine beklagenswerte Situation ein. Nachdem sie die riesige Heeresmacht der Römer gesehen hatten, von der wir nur durch den Fluß Kidron getrennt waren, äußerten viele Bürger den Wunsch, sich jetzt zu ergeben und auf diese Weise ihr Leben zu retten. Doch die Zeloten ließen dies nicht zu, denn sie glaubten, daß dies die letzten Tage seien, die in der heiligen Schrift prophezeit worden waren, und daß sie eine Pflicht gegen Gott zu verrichten hätten. Und so spaltete sich die Bevölkerung Jerusalems in zwei Lager. Die führenden Schichten der Stadt, die Sadduzäer und die Pharisäer, glaubten, daß die Römer nicht angreifen würden und daß eine friedliche Übereinkunft erzielt werden könne. Wir von den Armen glaubten, daß die Antwort im Gebet liege und daß uns Gott, wenn er unseres festen Glaubens ansichtig werde, den Messias schicken werde. So wurde Jerusalem geteilt, und wir bildeten keine gemeinsame Front gegen den Feind.

Es kam der Tag, da Titus, der dieser unentschiedenen Situation überdrüssig wurde und endlich eine Wende herbeiführen wollte, den Befehl gab, alles Land in der Umgebung einzuebnen und damit das Bett des Kidron aufzufüllen. So geschah es, daß eine Schar Römer jeden Baum fällte, jeden Zaun niederriß und jedes Gebäude bis auf die Grundmauern einebnete. Auf diese Weise wurde auch mein Hof zerstört, und ich beobachtete, wie die Flammen gen Himmel schlugen, bis nichts Brennbares mehr übrigblieb.

Der nächste Schritt, den Titus unternahm, bestand darin, eine gewaltige Rampe zu errichten. Er wählte für seinen Angriff die beste Stelle, gegenüber dem Grabmal von Johannes Hyrkanos, aus, da dort die erste Reihe der Festungswälle auf niedrigerem Grund gebaut war und so einen leichten Zugang zu der dritten Mauer bildete. Von dort aus beabsichtigte er, die Antonia, die Oberstadt und somit auch den Tempel zu erobern.

Doch selbst in dieser Situation, selbst mit dem Feind in unserer unmittelbaren Nähe, wurde der Streit innerhalb der Stadtmauern unvermindert fortgeführt. Immer mehr Leute gerieten in Panik und wollten zu den Römern überlaufen, doch die mächtigen Zeloten, die das Kommando führten, zogen eine Kapitulation nicht in Betracht.

Ich vermochte meinen Augen kaum zu trauen, als ich sah, wie sich die Juden untereinander in den Straßen Jerusalems bekämpften, während die Römer außerhalb der Stadtmauern wie Aasgeier warteten.

Es war für alle eine trostlose Zeit, und niemand konnte in Frieden leben. Ehe die Zeloten es zuließen, daß auch nur ein einziger Jude sich dem Feind ergab, ermordeten sie ihn auf offener Straße als warnendes Beispiel. Denn sie waren zu Fanatikern geworden. Diese Eiferer, so glühend in ihrem Glauben an ein überragendes Zion, wurden allmählich zu Wahnsinnigen, je mehr sie von Rom in die Enge getrieben wurden. Wir saßen allesamt in der Falle und wußten, daß man uns abschlachten würde. Doch angesichts dieser Situation verbohrten sich diese radikalen Juden nur noch mehr in ihre Ideale. Während es unter uns solche gab, die eine friedliche Knechtschaft vorgezogen hätten, gingen die Zeloten lieber in den Tod, als diese Schande zu ertragen.

So bildete Jerusalem auch weiterhin keine geschlossene Front gegen den Feind. Und ob dies nun geholfen hätte oder nicht, vermag ich nicht zu sagen, denn das Ganze entwickelte sich schnell zu einem Alptraum von erschreckendem Ausmaß. Niemand von uns hätte die Katastrophe, die schon bald über uns hereinbrechen sollte, voraussehen können. Und als wir uns des Ernstes unserer Lage richtig bewußt wurden, war es schon zu spät.

Ich betete mit meinen Brüdern von den Armen, bis ich Schwielen an die Knie bekam. Titus und seine Männer erhöhten ihre Rampe bis hinauf zur Antonia-Festung. Zerstrittene Splittergruppen von Juden kämpften untereinander innerhalb der Stadt.

Und ein noch schlimmerer Feind – weitaus schlimmer, als ich oder meine Brüder oder Titus oder die Zeloten es je hätten voraussahnen können – begann sich heimtückisch in die Stadt einzuschleichen.

Und dieser Feind – nicht die rivalisierenden Juden und auch nicht die Römer im Tal des Kidron, sondern allein dieser letzte Feind, der seinen eigenen Krieg gegen uns zu führen begann – war schuld daran, daß die Tage von Jerusalem gezählt waren.

Denn kein Mensch kann den Vormarsch des Hungers aufhalten.

Kämpfe waren nun an der Tagesordnung, obgleich sie auf den Bereich der Stadtmauern beschränkt waren.

Wieder versuchte Saul, mich dazu zu bewegen, eine Waffe zu tragen, doch ich lehnte ab, denn ich glaubte, Gott werde uns retten, bevor die Römer die Stadtmauern durchbrachen, und ich konnte den göttlichen Ratschluß nicht durch derlei Tun in Zweifel ziehen.

Saul entgegnete: »Während du auf den Knien liegst und dafür betest, daß dein Messias kommen möge, verlieren beherzte Juden ihr Leben durch römische Speere. Hast du nicht gesehen? Hast du nicht gehört? Jüdisches Blut klebt an den Stadtmauern, und die Schreie der Sterbenden dringen bis zu den entferntesten Hügeln vor. Wo ist nun dein Messias?«

Und ich erwiderte: »Gott allein wird die Stunde bestimmen.«

Es waren dies die letzten Worte, die wir miteinander sprachen, und sie bereiteten mir großen Schmerz. Saul war ein guter Rabbi und der beste Jude; aber wo war sein Vertrauen auf Gott?

Als Titus' Rampe von Tag zu Tag höher wurde und Jerusalem den ersten nagenden Hunger verspürte, zogen es viele Bürger vor, auf eigene Faust durch die Stadttore zu fliehen. Indem sie zum Feind überliefen, retteten sie ihr Leben, doch sollte dieses von kurzer Dauer sein.

Denn ein paar listige Männer trachteten danach, ihre Reichtümer mit auf die Flucht zu nehmen, und schluckten daher so viele Goldmünzen, wie sie konnten, bevor sie die Stadtmauern erklommen und auf der anderen Seite mitten unter den Römern landeten. Zunächst behandelte man die Abtrünnigen vernünftig und gewährte ihnen Schutz. Doch nachdem ein römischer Söldner einen alten Juden dabei ertappt hatte, wie er aus seinem eigenen Kot Goldmünzen herausklaubte, verbreitete sich in allen Lagern rasch die Nachricht, daß die Flüchtlinge sich ihr Geld einverleibt hätten.

Und so geschah es, daß in dieser schrecklichen Nacht und in allen darauffolgenden Nächten alle Juden, die in römischen Lagern Zuflucht gesucht hatten, bei lebendigem Leib aufgeschlitzt und ihre Eingeweide nach Gold durchsucht wurden.

Ich kann noch immer das Wehklagen derer hören, die in jener Nacht dahingeschlachtet wurden, denn ihr Geschrei wurde vom Wind in alle Teile der Stadt getragen. Diese armen Teufel, die in ihrer Unwissenheit und Treulosigkeit zum Feind übergelaufen waren, um ihre Haut zu retten, hatten auf abscheulichste Weise den Tod gefunden. Vielleicht an die viertausend Menschen wurden in dieser Nacht getötet, Männer, Frauen, ja sogar Säuglinge, aufgeschlitzt von römischen Soldaten wegen der unersättlichen Gier des

Menschen nach Gold. Und es heißt, daß der ganze Schatz, den man bei den Ermordeten fand, sich auf nicht mehr als sechs Goldstücke belief.

Ich versuchte, mich nicht der Hoffnungslosigkeit anheimzugeben, wie es so viele um mich herum taten. Die Hungersnot war dabei, den Sieg über die Stadt davonzutragen, als das Getreide knapp wurde und die Wasservorräte zur Neige gingen. Wir von den Armen waren glücklicher dran als andere, denn diejenigen unter uns, die viel hatten, teilten mit denen, die nichts besaßen. Wir beteten täglich, daß der Messias zurückkehren möge, wie er es vierzig Jahre zuvor versprochen hatte. Die Zeit, von der er gesprochen hatte, war da. Diese waren die letzten Tage.

Die Kämpfe wurden schlimmer, sowohl innerhalb als auch außerhalb der Stadtmauern. Diejenigen Juden, die noch immer über die Stadtmauer flohen, um ihr Glück mit den Römern zu versuchen, wurden von Titus auf den Bergspitzen gekreuzigt und dort als abschreckendes Beispiel tagelang hängengelassen. Er wollte erreichen, daß wir ihm die Stadt übergaben, aber wir taten es nicht.

Diejenigen von uns, die wir zu Zehntausenden in der Stadt geblieben waren, begegneten dem Hunger, sobald wir den Fuß vor die Haustür setzten. Und wenn wir uns auf die Straße wagten, wurden wir von halbverhungerten Wahnsinnigen belagert, die uns für ein verborgenes Stück Brot in Stücke zu reißen drohten.

Wie schnell die Vernunft im Angesicht des Hungertodes weicht!

Titus umzingelte die Stadt und brauchte nur wenig zu kämpfen, denn er ließ den Hunger für sich Krieg führen.

Als die Wochen vergingen und die Hoffnung abnahm, beteten wir von den Armen unablässig, daß der Messias kommen und uns erlösen möge. Es könnte an diesem Nachmittag, an diesem Abend oder am nächsten Morgen sein, und dann würden wir die Trompeten des Herrn hören und wissen, daß wir gerettet wären.

In dieser ganzen Zeit wich Rebekka mir nie von der Seite. Miriams Haus war nun zum Bersten voll, bevölkert mit Familien, deren Häuser nicht länger sicher waren. Wir versuchten, jedem zu essen zu geben, doch es war eine karge Kost. Und noch immer sangen wir die Loblieder auf den Neuen Bund und hofften, Josua unter uns zu finden.

Sara und Jonathan hatten alle Hände voll zu tun, um die Kranken und Verwundeten zu pflegen und den Glauben derjenigen zu stärken, die schwächer wurden. Sara half beim Zubereiten und Verabreichen der geheimnisvollen Arzneien, die die Mönche vom Salzmeer ersonnen hatten und die Jakobus und die Zwölf bei ihren Heilungen verwandten. Und ich liebte sie in dieser Zeit mehr als je zuvor, wenngleich sie blaß und dünn geworden war und doppelt so alt aussah, als sie in Wirklichkeit war. Sara zog den göttlichen Ratschluß nicht ein einziges Mal in Zweifel, wie es so viele andere jetzt taten, und ich betrachtete sie als eine Heilige unter den Frauen.

Nun ist der Augenblick da, in dem ich über die traurigste Zeit sprechen muß.

Die Nachricht erreichte unser Haus, daß Saul verwundet worden sei und in dem Haus eines Freundes in der Unterstadt liege. Der Junge, der die Botschaft überbrachte, war nicht älter als Jonathan, ein mageres Bürschchen, in einer zerfetzten Tunika, in dessen Augen sich die Greuel widerspiegelten, die er gesehen hatte. Er fiel über die kleine Scheibe Brot her, die wir ihm gaben, und erstickte fast, als er gierig aus dem Becher mit Wasser trank. Als ich dies sah, machte ich mir große Sorgen, denn ich wußte, daß Saul ebenfalls ohne Nahrung sein mußte.

So wickelte ich meine eigene kleine Ration ein und steckte sie in meinen Gürtel, zusammen mit einem Beutel mit weißem Pulver, das Jakobus oft in kleinen Mengen zur Linderung von Schmerzen verabreichte. Ich erzählte Rebekka von meinem Gang, nicht jedoch Sara, da ich nicht wollte, daß sie die schlechten Nachrichten von ihrem Mann erführe. Dann machte ich mich auf den Weg durch die abendlichen Straßen.

Wäre es möglich gewesen, mich auf den Anblick des Schreckens vorzubereiten, dem ich in den Straßen begegnete? Wie blind ich doch gewesen war! In welcher Unkenntnis über das wahre Ausmaß der Not, die in unserer Stadt herrschte! Während ich monatelang in Miriams Haus auf dem Fußboden gekniet und mit meinen Glaubensbrüdern zu Gott gebetet hatte, war Jerusalem ein Friedhof geworden.

Allenthalben lagen aufgedunsene Leichen umher, von denen ein solcher Gestank ausging, daß ich mich übergeben hätte, wäre mein Magen nicht so leer gewesen. Jämmerliche Gestalten, die einst angesehene Bürger gewesen waren, stöberten nun in der Gosse nach einem Stückchen Kuhdung, das sie verzehren konnten, und durchsuchten die Kleider der Toten nach etwas Brauchbarem. Überall um mich her sah ich hohlwangige Gesichter, ausgemergelt und eingefallen, als wären sie aus Gräbern auferstanden. Bis aufs Skelett abgemagerte Frauen hielten tote Säuglinge an ihre verwelkten Brüste. Wilde Hunde zerrissen die Schwachen und Wehrlosen, die am Wegrand lagen.

Es war für mich wie ein Keulenschlag, und ich erkannte, daß Saul die Wahrheit gesagt hatte und daß ich in diesen vergangenen Monaten meinen Mitmenschen den Rücken gekehrt hatte.

Ich blieb unterwegs nicht ungeschoren. Mehrmals, als ich durch dunkle Gassen ging, wurde ich von wilden Kreaturen angefallen, die mit ihren Krallen an meiner Kleidung zerrten und nach Verwesung stanken. Doch ich war stärker als sie, in der Tat stärker als zehn von ihnen, denn ich hatte in den letzten Tagen gegessen, wenn es auch nur wenig gewesen war, während sie gar nichts zu sich genommen hatten. Und so war ich mit einiger Anstrengung imstande, meine Angreifer abzuwehren und mich irgendwie zu Sauls Versteck durchzuschlagen.

Er lag auf dem Steinboden mit zwei Freunden an seiner Seite. Das einzige Licht in der totenähnlichen Dunkelheit kam vom Mond, der silbrig durch das kleine, hoch oben gelegene Fenster schien. Ich weiß nicht, an was für einem Ort ich mich eigentlich befand, doch es stank widerlich nach Urin und Fäulnis. Die beiden Männer, die bei ihm saßen, glichen jenen hohläugigen Gespenstern, die in den Straßen umhergingen und nur nach einem Platz suchten, an dem sie sich zum Sterben niederlegen konnten. Sie waren wie mein lieber Saul mit Lumpen bekleidet, unglaublich schmutzig und mit Blut bespritzt. Als sie mich sahen, erhoben sie sich wortlos und ließen uns allein.

Ich stand eine Weile unentschlossen über meinem Freund, bevor ich neben ihm auf die Knie fiel, so betäubt war ich von seiner Erscheinung. Wo war der stattliche, fröhliche Mann, den ich so lange Zeit meinen Bruder genannt hatte? Wer war dieser arme, abgezehrte Teufel, der kaum atmete und in seinem eigenen Dreck lag?

Ich konnte die Tränen nicht unterdrücken. Mein treuer Freund rang sich ein Lächeln ab und meinte: »Du hättest nicht herkommen sollen, Bruder, denn draußen ist es gefährlich. In deinem Haus wärst du zumindest noch für eine Weile sicher gewesen.«

»Ich hatte unrecht!« rief ich voll Schmerz. »Wie blind ich doch war! Am ersten Tag, als du zu mir kamst, hätte ich das Schwert nehmen sollen, denn dann wäre dein Tod nicht umsonst! Jerusalem wird den Kampf verlieren, Saul, und wir werden für immer verloren sein!«

Aber er schüttelte den Kopf und erwiderte: »Nein, mein Bruder, ich bin es, der unrecht hatte, und du hattest recht. Es wird einen Messias geben, der eines Tages nach Israel kommt, und Zion wird wieder regieren. Aber es war noch nicht an der Zeit. Als ich das Schwert ergriff, David, begrub ich meinen Glauben an Gott. Du hingegen hast durch deine Gebete den Bund mit ihm eingehalten. In meiner Eitelkeit glaubte ich, Jerusalem eigenhändig retten zu können. Ich wollte den göttlichen Ratschluß mit Gewalt herbeiführen und trachtete danach, Gottes Handeln zu erzwingen. Doch jetzt erkenne ich, daß wir die Stunde, die der Herr für sein Volk bestimmt, nicht vorhersehen können. Wir können nur warten und beten und ihm unsere Würde bezeugen.

Du, mein Bruder David, stehst in deiner Würde über allen anderen Menschen, während ich unwürdig bin. Ich und andere, die wie ich ein mangelndes Vertrauen in Gott bewiesen haben, tragen Schuld daran, daß der Tag der Erlösung zurückgedrängt worden ist. Hätte auch ich zusammen mit dir gebetet, wie ich es hätte tun sollen...«

Saul erlitt einen Husten- und Spuckanfall, daß mir angst und bange wurde.

Und während er trotz seiner unerträglichen Schmerzen noch immer lächelte, flüsterte er: »Ich habe dich über alles geliebt, mein Bruder, und benütze meinen letzten Atemzug, um eine Bitte an dich zu richten.«

Ich konnte nicht antworten, sondern schluchzte nur.

Er fuhr fort: »Kümmere dich an meiner Statt um Sara und Jonathan. Ich weiß nicht, wo sie jetzt sind; ich habe sie aus den Augen verloren. Mache sie ausfindig und rette sie irgendwie vor dem Schicksal, das jenseits der Stadtmauern auf sie wartet. Ich könnte es nicht ertragen, wenn die Römer Hand an sie legten. Versprich mir, David, daß du sie beschützen wirst!«

Und ich versprach Saul, daß ich sie behüten würde, sollte es mich mein eigenes Leben kosten.

»Und jetzt«, flüsterte er, »jetzt gibt es noch etwas, das ich dir sagen muß. Ich sage es dir, weil ich im Sterben liege und weil du leben wirst, und ich sage es dir auch, weil ich dich liebe. Ich weiß schon seit vielen Jahren, daß du Sara liebst, David. Ich weiß es, weil du mein Bruder bist und wir keine Geheimnisse voreinander haben. Ich habe es stets in deinen Augen gesehen, und ich habe es auch in den ihren erkannt. Ihr habt euch von jenem Tage an geliebt, da ich euch zum erstenmal miteinander bekanntmachte, und ihr liebt euch bis zu dieser Stunde. Ich nehme es dir nicht übel und habe es auch nie getan, denn Sara ist eine gute Frau. Ich kann verstehen, was dir so an ihr gefällt. Und du bist ein guter Mann. Ich weiß, warum sie dich liebt.

Indes vermute ich, lieber Bruder, daß du über Jonathan nicht Bescheid weißt. Sara ist sich auch nicht bewußt, daß ich davon weiß. Sie glaubt vielmehr, daß sie allein das Geheimnis all die Jahre hindurch gehütet habe. Doch ein Mann weiß diese Dinge, so wie du es jetzt erfahren mußt. Jonathan ist dein Sohn.«

Ben brach an seinem Schreibtisch zusammen. Er schluchzte laut und durchweichte das Foto mit seinen Tränen, während Judy leise weinte und ihre Hand sanft auf seiner Schulter ruhen ließ. Es verging eine ganze Weile, bevor sie imstande waren, zum nächsten Teilstück überzugehen. Und als sie soweit waren, schrieb Ben die Übersetzung nicht länger nieder, sondern las sie gleich mit lauter Stimme vor.

»Wie kann das sein?« rief ich.

Saul antwortete: »Wenn du nur deine Augen öffnest, wirst du dich selbst in Jonathan erkennen. Er wurde zwei Monate zu früh geboren, doch du bemerktest es nicht, mein lieber, begriffsstutziger Freund. Da wußte ich, daß du Sara erkannt hattest und daß sie keine Jungfrau gewesen war. Zuerst war ich verletzt, aber ich liebte sie so sehr, und ich liebte dich so sehr, daß ich den Schmerz überwand und Jonathan als mein leibliches Kind betrachtete.

Doch wenn ich tot bin, wird Sara ihm erzählen, daß du sein Vater bist, und Jonathan wird nach dir suchen. Finde heraus, wo sie sind, David, bevor es zu spät ist!«

Saul starb in meinen Armen, noch immer mit demselben Lächeln auf den Lippen, und von diesem Augenblick an beneidete ich ihn.

Aber der Tod kommt niemals zu dem, der ihn sucht, und obgleich ich unbewaffnet und ohne nach links und rechts zu sehen durch die Straßen lief und immer noch ein Stück Brot in meinem Gürtel trug, wurde ich nicht behelligt.

Als ich zu Miriams Haus – oder zu dem, was davon übrig war – zurückkehrte, stand ich davor, wie ein Mensch, der den Untergang miterlebt. Ich empfand überhaupt nichts mehr und zeigte beim Anblick des völlig zertrümmerten Hauses keinerlei Gefühlsregung.

Oh, welch ein Gemetzel! Wie können Unschuldige zu Opfern eines solchen Überfalls werden? Wer wäre imstande, wehrlose Frauen und Kinder abzuschlachten, sie derart zu verstümmeln und sie so widerlich zu schänden?

Wäre ich in diesem Moment bei vollem Verstand gewesen, hätte mich eine rasende Wut gepackt. Doch jetzt geschah nichts dergleichen. Die letzten paar Stunden hatten mich so abgestumpft, daß ich zu nichts anderem mehr fähig war, als dazustehen und die Grausamkeit und die Zerstörung um mich her zu betrachten. Diese freundlichen, sanften Juden, deren einziges Verbrechen darin bestand, daß sie auf ihren Heiland gewartet hatten, waren wegen ihrer paar Stücke Brot niedergemetzelt worden. Und nicht der römische Feind hatte dies verbrochen, sondern jüdische Glaubensbrüder.

Meine liebe Rebekka lag unter dem Leichnam von Matthäus, der wohl versucht haben mußte, sie kämpfend zu verteidigen, und ihr rotes Haar mischte sich mit dem roten Blut, das ihr aus einer klaffenden Wunde am Kopf strömte.

Und warst du nicht derjenige, lieber Matthäus, der oft sagte, daß jene, die mit dem Schwert leben, auch durch das Schwert sterben werden?

Wie unrecht du damit hattest! Wie unrecht ihr alle hattet! Ich stolperte blind durch den Gesteinsschutt und über die Leichen meiner lieben Brüder und Schwestern, aber Sara und Jonathan fand ich nicht unter ihnen. Wenn sie geflohen waren, wohin mochten sie wohl gegangen sein? Denn nirgends in der Stadt war man mehr sicher.

So kniete ich nieder und sprach ein einfaches Gebet. Es gab nichts, was ich hier noch hätte tun können. Die Schlacht war verloren. Und während ich zum letztenmal auf die Leichname meiner Frau und meiner Freunde blickte, fühlte ich, wie eine Flut von Haß und Wut in mir aufwallte, die einen Geschmack, so bitter wie Gift, in meinem Mund hinterließ. So stand ich auf diesem Massengrab, schüttelte meine Faust himmelwärts, und mit einer Entschlossenheit, wie ich sie nie zuvor gekannt hatte, verfluchte ich den Gott Abrahams für alle Zeiten.

Die nächsten Stunden, die Stunden vor Tagesanbruch, verbrachte ich damit, nach Sara und Jonathan zu suchen. Doch ich konnte sie nirgends finden.

Wer weiß, was ihnen zugestoßen war? Welches ruchlose Schicksal sie ereilt hatte? Ich konnte nur beten, daß sie jetzt tot waren und dies alles nicht länger miterleben mußten.

Und so ergab es sich, daß ich in der letzten Stunde vor Tagesanbruch, als Titus' Truppen ihre letzten Anstrengungen unternahmen, über die Stadtmauern hereinzubrechen, an das Haus eines Mannes kam, den ich kannte.

Ich hatte ihn oft bei Miriam gesehen. Er war ein guter Jude und ein Pharisäer, der an die Rückkehr des Messias glaubte. Drinnen in seinem Haus hatten sich viele Menschen versammelt, die mit vor Angst geweiteten Augen in der Dunkelheit kauerten. Als er mich erkannte, lud er mich ein, hineinzukommen.

Er sagte: »Wir haben für uns alle noch eine Scheibe Brot und ein wenig Opferwein übrig, den wir versteckt hielten. Wir werden jetzt das Abendmahl abhalten und beten. Willst du dich zu uns gesellen?«

Ich nahm die Einladung an, und weil ich einst Schüler im Tempel gewesen war, bot ich ihnen an, sie beim Gebet anzuleiten.

Ich brach die kleine Scheibe Brot in winzige Stückchen und verteilte sie an die Versammelten mit den Worten: »Dies Brot ist der Leib des Messias, der eines Tages das Abendmahl mit uns teilen wird.«

Dann schenkte ich den letzten Wein in ein paar Becher, und als ich dies tat, schaute ich in die Gesichter der Anwesenden. Es waren jämmerliche, verhungernde Gestalten, die aus verwirrten Augen vor sich hin starrten. Und als ich sie so anblickte, sah ich wieder die Leichname von Rebekka und Jakobus und Philippus und all der anderen vor mir, die einst so hoffnungsvoll gewesen waren wie diese. Dann erinnerte ich mich an den Beutel mit dem weißen Pulver, den ich eigentlich Saul zugedacht hatte und den ich noch immer in meinem Gürtel trug. Und in einem unbeobachteten Augenblick schüttete ich das ganze Pulver in die Becher. Dann reichte ich den Wein herum, so daß jeder von ihnen trinken konnte und sprach: »Dieser Wein ist das Blut des Erlösers, der eines Tages das Abendmahl mit uns teilen wird.«

Und nachdem der Besitzer des Hauses das Gift getrunken hatte, fragte er mich: »Willst du nicht mit uns vom Blute des Messias trinken?«

Und ich erwiderte: »Ich werde aus dem Becher meines Meisters trinken.«

Er richtete einen verwirrten Blick auf mich, und einen Augenblick später verschied er friedlich.

Es befanden sich ihrer neunundachtzig in diesem Haus, von einem steinalten Greis bis zu einem sechsjährigen Kind. Und alle waren sie tot, bevor ich an die kühle Morgenluft heraustrat.

Wie lange ich durch die Straßen irrte, über Leichen stolperte und im Dreck ausrutschte, vermag ich nicht zu sagen. Auch weiß ich nicht, wie ich es schaffte, unversehrt durchzukommen, außer daß dies vielleicht die Strafe war, die der Herr für mich ausersehen hatte. Und so lautete der Urteilsspruch für mein Verbrechen, daß ich bis ans Ende meiner Tage mit der Last des Schuldgefühls für die Missetat leben sollte, die ich begangen hatte.

In der reinen, schneidenden Morgenluft gingen mir plötzlich die Augen auf. Und als ich erkannte, was mein wahres Verbrechen in dieser Nacht gewesen war, wußte ich, daß ich ein zur Vergessenheit verdammter Mann war.

Denn mein Verbrechen hatte nicht darin bestanden, jene neunundachtzig Menschen in dem Haus zu töten, sondern darin, sie der letzten Möglichkeit beraubt zu haben, den Messias zu sehen.

Ich fiel auf den Pflastersteinen auf die Knie, zerriß meine Kleider und heulte laut.

Weil ich, David Ben Jona, eine Nacht lang aufgehört hatte, an das Kommen des Messias zu glauben, hatte ich diesen gütigen Menschen ihre letzten paar Stunden der Hoffnung genommen! Während sie noch lebten, hätte er kommen können. Nur weil ich den

Glauben verloren hatte, bedeutete dies nicht, daß der Messias niemals käme.

Und dies, mein Sohn, war deines Vaters scheußliches Verbrechen, die niederträchtige Tat, die ihn aus der Gemeinschaft der Menschheit ausgestoßen hat.

Ich trommelte mit den Fäusten auf den Boden, bis sie bluteten, und schlug mit Steinen gegen mein Gesicht und meine Brust. Doch David Ben Jona war es nicht vergönnt, zu sterben. Nicht nach dem unverzeihlichen Verbrechen, das er an neunundachtzig Nazaräern verübt hatte.

Im nächsten Augenblick wußte ich, was ich zu tun hatte, denn es war, als wäre ich nicht mehr länger Herr meiner selbst, sondern folgte den Weisungen einer unsichtbaren Kraft.

Ich mußte Jerusalem verlassen. Es stand mir nicht zu, schon jetzt zu sterben, denn derselbe Gott, den ich kurz zuvor verflucht hatte, wollte nun an mir Rache nehmen.

Mir kam der Gedanke, wie ich fliehen konnte. Es war Gottes Plan, und ich befolgte ihn widerspruchslos.

Um aus Jerusalem zu entkommen, mußte ich den Weg durch eines der Stadttore nehmen, vor denen die römischen Streitkräfte lagen. Und nur auf eine Art konnte man unversehrt durch die feindlichen Lager gelangen, welche die Stadt umringten: als Aussätziger.

Der Plan eröffnete sich mir wie in einem Traum, denn ich war in keiner Weise um meine Sicherheit oder um mein Leben besorgt – ich sehnte den Tod sogar herbei –, und doch erkannte ich, daß ich auf diese Weise aus der Stadt entkommen sollte. Daher wußte ich, daß es Gottes Plan war.

Gemäß dem dreizehnten Kapitel des dritten Buches Mose zerriß ich meine Kleider, entblößte mein Haupt und verhüllte meinen Bart. Dann ging ich durch die Straßen und rief aus: »Unrein! Unrein!« wie es im Gesetz geschrieben steht.

Als ich mich dem Joppe-Tor näherte und mich nicht weit vom Palast des Herodes befand, bemerkte ich, daß die Menschen vor mir die Flucht ergriffen. Ich lief wie im Traum, ohne Hast und völlig achtlos, denn alles Leben war von mir gewichen, und mein Körper war wie aus Holz. Dennoch machte man mir den Weg frei. Niemand wagte es, mich aufzuhalten, und das Tor wurde mir von den Zeloten, die es bewachten, geöffnet. Sie waren ein roher, abgezehrter Pöbelhaufen mit ungekämmten Bärten und blutgetränkter Kleidung. Sie musterten mich geringschätzig und machten unflätige Bemerkungen, als ich vorüberging.

Als das Tor sich hinter mir schloß, sah ich vor mir die furchterregenden Lager der Römer, Zeltreihen und frühmorgendliche Feuer, soweit das Auge reichte. Ich rief: »Unrein! Unrein!« und ging mitten hindurch. Als ich auf die Straße nach Damaskus zuschritt, begegnete ich zwei widerlich anzusehenden Söldnern, die mit ihren frisch geschliffenen Schwertern herumfuchtelten und mich argwöhnisch betrachteten. Da sie einen gängigen griechischen Dialekt sprachen, konnte ich verstehen, was sie sagten.

Der eine wollte mich aufschlitzen und meine Gedärme nach Gold durchsuchen, doch der andere hatte Angst, sich mir zu nähern. Der erste meinte, ich könne mich ja nur verkleidet haben, doch der andere hielt dagegen, daß er das Risiko nicht eingehen wolle.

Und so kam es, daß ich die Straße nach Damaskus unversehrt erreichte, denn nicht einmal Römer sind gewillt, einen Aussätzigen zu berühren.

Wie lange ich unterwegs war, kann ich nicht sagen, aber es ist ein langer Weg von Jerusalem nach Galiläa, und ich sah die Sonne viele Male auf- und untergehen. Weil ich Nahrung brauchte, legte ich meine Verkleidung als Aussätziger nach einer Weile ab und zog als Bettler durchs Land. Ein wenig Getreide hier, eine Brotrinde da und Wasser, wenn ich gelegentlich auf einen Brunnen stieß. Und allenthalben sah ich die durch die Römer verursachte Zerstörung.

Und als ich so dahin wanderte, kam ich zu der Erkenntnis, daß ich ein noch geringeres und noch verachtenswerteres Geschöpf war, als ich bisher geglaubt hatte, denn über meine leichtfertige Flucht aus Jerusalem und meine ziellose Wanderung nach Norden hatte ich Sara und Jonathan völlig vergessen. Und damit hatte ich das einem sterbenden Freund gegebene Versprechen gebrochen.

Welche Greuel Sara und Jonathan auch immer erleiden mußten, es war meine Schuld, denn hätte ich zu meinem Wort gestanden, hätte ich sie zusammen mit mir gerettet...

Irgendwie schlug ich mich bis Magdala durch – wie, das werde ich wohl niemals erfahren. Es gab da eine nicht zu mir gehörende Kraft, die mich lenkte, denn wenn es allein nach mir gegangen wäre, hätte ich mich am Wegrand niedergelegt und wäre wohl schon lange tot. Doch mein Überleben entsprach weder meinem eigenen Wunsch, noch war es dem Schicksal zuzuschreiben. Und trotzdem erreichte ich schließlich das leere Haus meines Vaters und ein Dorf, das von Krieg und Plünderung gezeichnet war.

Aus der verlassenen Synagoge nahm ich diese Schriftrollen, denn plötzlich wußte ich, welchem Zweck ich dienen sollte. Gott der Herr hatte mich nur aus einem Grund gerettet: Ich sollte alles, was geschehen war, niederschreiben. Warum ich dies tun sollte, weiß ich auch nicht. Doch ebenso wie es der Plan des Herrn war, daß du mein Sohn sein solltest, Jonathan, so muß es auch sein Plan gewesen sein, daß du das Leben deines Vaters in allen Einzelheiten erfahren solltest. Und so habe ich alles für dich aufgeschrieben. Wenn Sara dir die Wahrheit sagt, wirst du vielleicht kommen und nach mir suchen. Und auf der Suche wirst du diese Schriftrollen finden. Und erinnere dich, mein Sohn: Nicht dir obliegt es, zu richten, sondern Gott allein. Und Gott war es auch, der das Schicksal vorherbestimmte, das Jerusalem widerfuhr.

Denn wie schon der Prophet Jesaja sagte: »Siehe, der Herr leert und verheert die Erde, er kehrt ihr Angesicht um und zerstreut ihre Bewohner. Die Erde wird entleert und völlig ausgeplündert; denn so hat der Herr Wort gesprochen. Nur Verödung ist in der Stadt zurückgeblieben, in Stücke ist das Tor zerschlagen.«

Sei dir stets eingedenk, mein Sohn, daß du ein Jude bist, so wie ich ein Jude bin, so wie mein Vater ein Jude war. Du wirst auch weiterhin auf den Messias warten. Ich weiß, daß Sara es dich lehren wird. Und an dieser Stelle muß ich dich noch einmal eindringlich warnen: Schaue nicht nach Rom. Wir in Jerusalem waren diejenigen, die den Meister zu seinen Lebzeiten kannten, doch mit uns ist es jetzt vorbei. Simon ist tot, Jakobus ist tot, und von den Zwölfen sind auch alle tot. Es lebt heute niemand mehr, der ihn kannte.

In deiner jugendlichen Unschuld, fürchte ich, wirst du deinen Blick auf die Heiden richten, denn auch sie benutzen das Wort Messias. Aber halte dir stets vor Augen, mein Sohn, daß sie uns nur nachgeahmt haben. Während Jerusalem auf einen Mann wartete, wartet Rom auf ein Traumbild.

Denke stets an folgendes Gleichnis: Vorzeiten wuchs eine starke und mächtige Eiche, die eines Tages ein Samenkorn auf die Erde fallen ließ. Daraus entstand ein neuer Schößling. Eines Tages schlug der Blitz in die große Eiche ein und zerstörte sie, bis nichts von ihr übrigblieb. Der neue Schößling, der nicht getroffen worden war, wuchs weiter. Doch wächst er unabhängig vom Elternbaum und entwickelt sich auf eine andere Weise.

Eines Tages, wenn der Sproß zu stattlicher Größe emporgewachsen ist, wird ein Mann vorüberkommen und sagen: »Hier steht eine mächtige Eiche«, und er wird nicht wissen, daß dicht daneben einst eine mächtigere stand.

Höre, Israel, der Herr unser Gott ist ein einziger Gott! Kann es sein, daß noch ein wenig Würde in David Ben Jona übrig ist, die ihm die Gnade des Gottes Abrahams sichert? Gewiß träume ich! Sicherlich ist dies der Tag der Tage! Bin ich verrückt geworden, oder habe ich heute morgen tatsächlich mit meinem alten Freund Salmonides gesprochen, der wie ein Geist aus der Vergangenheit vor mir auftauchte? Und die unglaubliche Geschichte, die er mir erzählte!

So glücklich war der alte Grieche, mich zu sehen, daß er sich diesem gemeinen Menschen vor die Füße warf und beteuerte, er habe mich gesucht.

In meiner äußersten Verblüffung sagte ich ihm, daß ich ein verachtenswerter Mensch sei und daß ich den Urteilsspruch des Herrn erwarte, der meinen Tod bedeute.

Darauf meinte dieser anmaßende Bursche: »Dann habt Ihr Euren Gott wohl falsch eingeschätzt, Meister, oder ist er vielleicht zu beschäftigt damit, Jerusalem zu zerstören, und hat Euch vergessen? Denn Ihr werdet nicht sterben, und Ihr seid auch kein verachtenswerter Mensch. Es gibt Leute, die Euch lieben.«

Und er fuhr fort mit seiner unglaublichen Geschichte, wie er des Nachts aus Jerusalem geflohen war, wie er das Vermögen, das er in all den Jahren an mir verdient hatte, dazu benutzt hatte, sich durch Bestechung freies Geleit durch die feindlichen Linien zu verschaffen, und wie er außer seinem eigenen noch zwei andere Leben gerettet hatte.

Und ich glaubte, meinen Augen nicht zu trauen, als ich im nächsten Augenblick Sara und Jonathan vor mir stehen sah.

Ben stieß einen Schrei aus, fiel vom Stuhl und landete krachend auf dem Fußboden. Sein Körper bebte heftig und zuckte, wie von einem Anfall ergriffen. Als Judy, die sofort auf den Knien neben ihm war, versuchte, ihn aufzurichten, murmelte er: »Nein... es gibt noch mehr. Ich... muß lesen...«

Der Schweiß rann an seinem aschfahlen Gesicht herunter. Seine Augen waren weit aufgerissen und starrten ins Leere. Er schien die junge Frau, die sich mit ihm abmühte, vergessen zu haben und schien sich auch gar nicht bewußt zu sein, daß er irgendwie wieder auf die Beine kam und sich Halt suchend auf den Schreibtisch stützte. Bens Hemd war durchnäßt. Er atmete schwer, als wäre er meilenweit gerannt. »Muß zum Schluß kommen... muß lesen...«

»Du mußt ein wenig aussetzen, Ben, du machst dich krank!«

Der Klang ihrer Stimme ließ ihn aufhören zu zittern. Er wandte sich zu ihr um und schaute sie auf höchst seltsame Weise an. »Judy«, flüsterte er. Dann fiel er auf seinen Stuhl zurück und verbarg sein Gesicht in den Händen.

Judy kniete vor ihm und wischte ihm den Schweiß ab, der ihm von Gesicht und Nacken strömte. Auch sie selbst war schwach, blaß und erschöpft. Zusammen hatten sie das Martyrium Jerusalems miterlebt.

»Judy...«, murmelte er in seine Hände. »Ich erinnere mich daran. Ich erinnere mich an alles.«

»Du erinnerst dich woran?«

Schließlich blickte er zu ihr auf. Seine Augen waren von einem eisigen Blau und voller Verwunderung. »Ich erinnere mich daran, daß ich dachte, ich sei David. Ich erinnere mich daran, daß ich wirklich David war. O Gott, was ist nur mit mir geschehen? Was ist mit uns geschehen?«

Ihre Lippen bewegten sich, doch sie brachte kein Wort heraus.

Dann, nach einem langen Stillschweigen, meinte Ben ein wenig traurig: »Es ist alles vorbei. David ist weggegangen.«

»O Ben...« Sie zitterte vor Erleichterung.

»Ich weiß nicht, woran ich es erkenne, aber ich erkenne es. Ich kann es dir nicht erklären. Vielleicht werden wir eines schönen Tages das Rätsel lösen. Ich frage mich...« Ben ergriff ihre Hände und schaute ihr lange in die Augen. »Welche Rolle spieltest du dabei, Judy? Wäre das alles geschehen, wenn ich dich nicht getroffen hätte? Warst du die Ursache dafür oder nur ein Katalysator?«

Sie blickte erstaunt zu ihm auf. Jetzt waren sie wieder am Ausgangspunkt angelangt, wo sie vor vier Wochen begonnen hatten.

»Ist David je wirklich hier gewesen?« murmelte Ben. »Oder war ich es die ganze Zeit? Aber diese merkwürdigen Übereinstimmungen...« Er nahm Judys Gesicht in seine Hände, küßte ihren Mund und flüsterte: »Ich liebe dich.«

Sie lächelte und erwiderte seinen Kuß.

»Ich möchte das herausfinden, Judy. Ich will verstehen, was passiert ist. Später setzen wir uns hin und gehen die ganzen Rollen noch einmal durch. Dann werden wir sehen, ob wir nicht irgendeinen Anhaltspunkt, irgendeinen Schlüssel zu dem Ganzen finden. Ich... ich bin nicht mehr derselbe Mensch wie früher. David hat mich verändert. Meinst du, daß es irgendwann ohnehin passiert wäre...?«

»Ich weiß es nicht, Ben.«

»Ich muß noch einmal ganz von vorn anfangen, um zu mir selbst zu finden, Judy. Aber diesmal kannst du mir dabei helfen.« Er küßte sie abermals sehnsüchtig. »Und nun... gibt es noch ein wenig mehr zu lesen. Und dann...«

»Und dann?«

»Dann können wir eine ordentliche Übersetzung tippen und sie Weatherby schicken. Die Ereignisse werden sich bald überstürzen, und dann wollen wir vorbereitet sein. Komm, laß uns jetzt sehen, was Davids letzte Worte waren.«

So lasen sie gemeinsam die letzten Zeilen des letzten Teilstücks.

Jetzt, da ich Jonathan die Geschichte persönlich erzählt habe, kann ich mich nicht dazu überwinden, diese Schriftrollen zu zerstören oder den Papyrus rein zu waschen, denn sie sind noch immer ein Teil von mir und noch immer mein Vermächtnis. Doch an wen? An künftige Generationen?

Und ebenso, wie ich meine ersten zwölf Schriftrollen sicher verwahrt habe, werde ich nun auch diese letzte verpacken und sie zusammen mit den übrigen sorgfältig verbergen. Und wenn ein Jude sie eines fernen Tages finden sollte, ist er im Grunde nicht auch mein Sohn?